VIS à VIS

NEW YORK

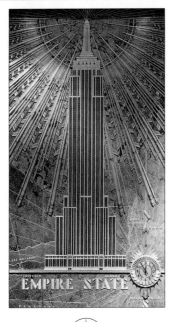

EMPIRE STATE

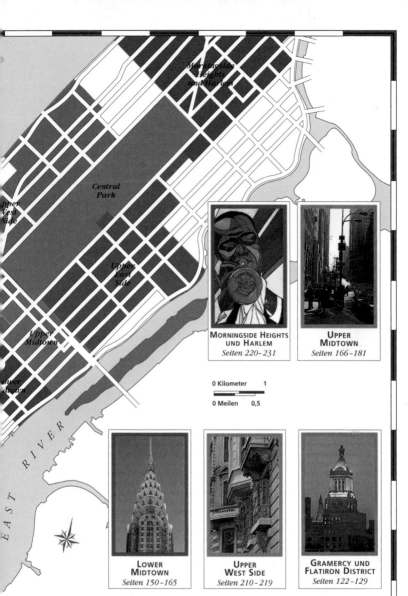

Morningside
Heights
und Harlem

Central
Park

Upper
West
Side

Upper
East
Side

Upper
Midtown

Lower
Midtown

E A S T   R I V E R

**MORNINGSIDE HEIGHTS
UND HARLEM**
Seiten 220–231

**UPPER
MIDTOWN**
Seiten 166–181

0 Kilometer   1

0 Meilen   0,5

**LOWER
MIDTOWN**
Seiten 150–165

**UPPER
WEST SIDE**
Seiten 210–219

**GRAMERCY UND
FLATIRON DISTRICT**
Seiten 122–129

UPPER EAST SIDE
Seiten 182–203

CENTRAL PARK
Seiten 204–209

EAST VILLAGE
Seiten 116–121

VIS à VIS

NEW YORK

Hauptautorin: ELEANOR BERMAN

DORLING KINDERSLEY
www.dk.com

EIN DORLING KINDERSLEY BUCH

www.travel.dk.com

TEXTE
Eleanor Berman, Lester Brooks, Patricia Brooks, Susan Farewell

FOTOGRAFIEN
Max Alexander, Dave King, Michael Moran

ILLUSTRATIONEN
Richard Draper, Robbie Polley, Hamish Simpson

KARTOGRAFIE
Andrew Heritage, Uma Bhattacharya, Suresh Kumar, James Mill-Hicks, Chez Picthall, John Plumer (Dorling Kindersley Cartography)

REDAKTION UND GESTALTUNG
Dorling Kindersley London: Fay Franklin, Tony Foo, Donna Dailey, Ellen Dupont, Esther Labi, Steve Bere, Louise Parsons, Mark Stevens

•

© 1993 Dorling Kindersley Limited, London
Titel der englischen Originalausgabe:
Eyewitness Travel Guide *New York City*
Zuerst erschienen 1993 in Großbritannien
bei Dorling Kindersley Ltd.
A Penguin Company

•

Hergestellt mit Unterstützung von
Websters International Publishers

•

Für die deutsche Ausgabe:
© 1994; 2000 Dorling Kindersley Verlag GmbH, München

Aktualisierte Neuauflage 2009 / 2010

PROGRAMMLEITUNG Dr. Jörg Theilacker, Dorling Kindersley Verlag
ÜBERSETZUNG Cornell Erhardt und Stefan Röhrig
REDAKTION Matthias Liesendahl, Berlin; Brigitte Maier, München;
Gerhard Bruschke, München
SCHLUSSREDAKTION Philip Anton, Köln
SATZ UND PRODUKTION Dorling Kindersley Verlag
LITHOGRAFIE Colourscan, Singapur
DRUCK L. Rex Printing Co. Ltd., China

ISBN 978-3-8310-1535-1
18 19 20 21 22   13 12 11 10 09

Dieser Reiseführer wird regelmäßig aktualisiert. Angaben wie Telefonnummern, Öffnungszeiten, Adressen, Preise und Fahrpläne können sich jedoch ändern. Der Verlag kann für fehlerhafte oder veraltete Angaben nicht haftbar gemacht werden.
Für Hinweise, Verbesserungsvorschläge und Korrekturen ist der Verlag dankbar. Bitte richten Sie Ihr Schreiben an:

Dorling Kindersley Verlag GmbH
Redaktion Reiseführer
Arnulfstraße 124 • 80636 München

◁ **New Yorks spektakuläre Wolkenkratzer**
◁◁ **Umschlag: Brooklyn Bridge und nächtliche Skyline von Downtown Manhattan**

INHALT

BENUTZER-HINWEISE 6

Baseball-Star
Babe Ruth
(1895–1948)

NEW YORK STELLT SICH VOR

VIER TAGE IN NEW YORK 10

NEW YORK AUF DER KARTE 12

DIE GESCHICHTE DER STADT 16

NEW YORK IM ÜBERBLICK 34

DAS JAHR IN NEW YORK 50

DIE SKYLINE VON MANHATTAN 54

Skyline des südlichen Manhattan

DIE STADTTEILE NEW YORKS

LOWER MANHATTAN 64

SEAPORT UND CIVIC CENTER 80

LOWER EAST SIDE 92

SOHO UND TRIBECA 102

New York City Ballet *(siehe S. 346)*

UPPER WEST SIDE 210

MORNINGSIDE HEIGHTS UND HARLEM 220

ABSTECHER 232

SIEBEN SPAZIERGÄNGE 256

SHOPPING 318

UNTERHALTUNG 340

NEW YORK MIT KINDERN 364

Bagel aus einem New Yorker Deli

Vesuvio Bakery in SoHo *(siehe S. 336f)*

GREENWICH VILLAGE 108

EAST VILLAGE 116

GRAMERCY UND FLATIRON DISTRICT 122

CHELSEA UND GARMENT DISTRICT 130

THEATER DISTRICT 140

Uferpromenade in Brooklyn

ZU GAST IN NEW YORK

ÜBERNACHTEN 276

RESTAURANTS, CAFÉS UND BARS 292

GRUND-INFORMATIONEN

PRAKTISCHE HINWEISE 368

ANREISE 378

IN NEW YORK UNTERWEGS 384

STADTPLAN 394

TEXTREGISTER 426

SUBWAY-PLAN
Hintere Umschlaginnenseiten

Trump Tower, Upper Midtown

LOWER MIDTOWN 150

UPPER MIDTOWN 166

UPPER EAST SIDE 182

CENTRAL PARK 204

Solomon R. Guggenheim Museum, Upper East Side *(siehe S. 188f)*

BENUTZERHINWEISE

Mit diesem Reiseführer können Sie die spannendsten Seiten New Yorks kennenlernen – dank vieler Experten-Tipps ganz ohne praktische Probleme. Die Einleitung *New York stellt sich vor* erläutert die geografische Lage, beleuchtet die Entwicklung der Stadt von ihren Anfängen im 17. Jahrhundert bis zur Gegenwart und beschreibt die Höhepunkte des New Yorker Veranstaltungskalenders. *Die Stadtteile New Yorks* präsentiert die interessantesten Sehenswürdigkeiten, die anhand von Karten, Fotos und anschaulichen Illustrationen erläutert werden. *Sieben Spaziergänge* führen Sie durch die attraktivsten Stadtteile von New York. *Zu Gast in New York* enthält alle wesentlichen Informationen zu den Themen Shopping, Entertainment, Essen und Übernachten. Die *Grundinformationen* am Ende des Buchs geben Ihnen unverzichtbare Tipps.

DIE STADTTEILE NEW YORKS

New York ist in diesem Vis-à-vis in 15 Stadtteile gegliedert. Jedes Kapitel beginnt mit einem Kurzporträt, das Charakter und Geschichte des entsprechenden Viertels anreißt und alle Sehenswürdigkeiten auflistet. Diese sind mit Nummern versehen, die mit denjenigen auf der Stadtteil- und Detailkarte sowie mit den Nummern der folgenden Einträge identisch sind.

1 Stadtteilkarte
Sie zeigt im Überblick den jeweils besprochenen Stadtteil. Die Sehenswürdigkeiten sind durchnummeriert. Ferner sind Subway-Stationen, Hubschrauber-Landeplätze und Fähranlegestellen verzeichnet.

Fotografien
der Fassaden und prägnanter Details helfen bei der Lokalisierung.

Die farbigen Griffmarken
erleichtern das Auffinden von Stadtteilen.

2 Detailkarte
Hier ist der farblich hervorgehobene Kern der Stadtteilkarte aus der Vogelperspektive zu sehen. Die Sehenswürdigkeiten sind zur raschen Orientierung kurz erläutert.

Eine Orientierungskarte
zeigt die Lage des Stadtteils, in dem man sich befindet. Der Ausschnitt der *Detailkarte* ist rot gehalten.

Der Trump Tower ❷
ist auch in dieser Karte verzeichnet.

Sehenswürdigkeiten auf einen Blick
Hier sind die Hauptattraktionen aufgelistet: historisch oder architektonisch bedeutende Straßen und Gebäude, Kirchen, Museen und Sammlungen, Monumente, Parks und Plätze.

Die Straßenzüge,
die auf der *Detailkarte* dargestellt werden, sind rot eingefärbt.

Nummern in schwarzen Kreisen kennzeichnen Sehenswürdigkeiten. Der Trump Tower hat z. B. die ❷.

Anfahrtstipps erläutern, wie man mit öffentlichen Verkehrsmitteln hinkommt.

Die Routenempfehlung
schlägt eine Strecke vor, die durch die interessantesten Straßen eines Stadtteils führt.

Sterne markieren Sehenswürdigkeiten, die man keinesfalls versäumen sollte.

NEW YORK
STELLT SICH VOR

Zur ersten Orientierung werden besonders interessante Aspekte nach Themen vorgestellt: *Museen, Architektur, Multikulturelles New York, Berühmte New Yorker.* Auf einer Doppelseite mit Karte finden Sie jeweils die Highlights, weitere Informationen auf den zwei darauffolgenden Seiten.

Jeder Stadtteil ist mit einer Farbcodierung versehen.

Das Thema wird ausführlicher auf den folgenden Seiten behandelt.

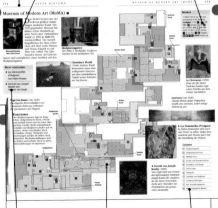

3 Detaillierte Informationen
Die Reihenfolge entspricht der Nummerierung der Stadtteil- und Detailkarte. Praktische Informationen ergänzen die Beschreibungen.

4 Hauptsehenswürdigkeiten
Den Highlights New Yorks werden jeweils zwei oder mehr Seiten gewidmet. Wichtige Gebäude sind im Aufriss dargestellt; Etagenpläne von Museen erleichtern das Auffinden von Kunstwerken.

PRAKTISCHE INFORMATIONEN

Bei jedem Eintrag finden Sie alle notwendigen Infos. Symbole sind auf der hinteren Umschlagklappe erklärt.

Die Infobox enthält praktische Informationen, die für einen Besuch hilfreich sind.

Adresse
Verweis auf den Stadtplan
Nummer der Attraktion

Trump Tower ❷

725 5th Ave. **Stadtplan** 12 F3.
(212) 832-2000. M 5th Ave-53rd St, 5th Ave-59th St. Gartenebene, **Läden** ○ Mo–Sa 10–18, So 12–17 Uhr. **Gebäude** ○ tägl. 8–22 Uhr.
○ & *Konzerte.*

Öffnungszeiten
Telefonnummer
Serviceleistungen und Einrichtungen
Nächste Subway-Stationen

Ein Foto der Fassade jeder Hauptsehenswürdigkeit dient der Orientierung.

Sterne kennzeichnen die interessantesten architektonischen Details eines Gebäudes und die wichtigsten Kunstwerke oder Ausstellungsstücke.

Die farbige Legende hilft, sich im Museum zurechtzufinden.

Stockwerke werden nach amerikanischer Konvention gezählt, das Erdgeschoss gilt demnach als »erster Stock«.

New York
Stellt Sich Vor

Vier Tage in New York 10-11

New York auf der Karte 12-15

Die Geschichte der Stadt 16-33

New York im Überblick 34-49

Das Jahr in New York 50-53

Die Skyline von Manhattan 54-61

VIER TAGE IN NEW YORK

Chrysler Building

Die Anzahl an Sehenswürdigkeiten in New York ist gewaltig. Vier Tagestouren sollen Ihnen Big Apple und das Beste an Architektur, Geschäften, Museen und Freizeitangeboten näherbringen. Die hier vorgeschlagenen Zeitpläne lassen sich nach Belieben variieren und ändern. Es bleibt immer Zeit für einen Abstecher. Außerdem können Sie die hier erwähnten Sehenswürdigkeiten leicht miteinander verbinden und sich so Ihre ganz eigene Route zusammenstellen. Die Preise gelten für zwei Erwachsene oder für eine vierköpfige Familie einschließlich Mittagessen.

WAHRZEICHEN

- Ein Besuch der UNO
- Gebäude des Art déco und der Moderne
- Lichter des Times Square
- Empire State Building

ZWEI ERWACHSENE ab 115 US-$

Vormittag
Starten Sie am East River mit einer Führung durch das **UN-Hauptquartier** *(siehe S. 160–163)*. Gehen Sie dann Richtung 42nd Street, mit einem Umweg durch das Wohnviertel **Tudor City** *(siehe S. 158)*. Lassen Sie sich die Art-déco-Einrichtung des **Chrysler Building** *(siehe S. 155)* nicht entgehen. Nächstes Ziel ist das Beaux-Arts-Wahrzeichen **Grand Central Terminal** *(siehe S. 156f; kostenlose Führung Mi und Fr 12.30 Uhr)*. Bewundern Sie die Bahnhofshalle, und bummeln Sie durch die Einkaufspassage mit ihrem bunten Lebensmittelmarkt und reichhaltigen Angebot von Sushi bis New York Cheesecake. In der **Grand Central Oyster Bar**

(siehe S. 306) könnten Sie eine Muschelsuppe oder köstliche Austern genießen.

Nachmittag
Zurück auf der 42nd Street, kommen Sie zur **New York Public Library** *(siehe S. 146; kostenlose einstündige Tour Di–Sa 11 und 14 Uhr)*, einem weiteren Höhepunkt der Beaux-Arts-Architektur mit marmornen Hallen und Treppen sowie dem Hauptlesesaal und der Zeitschriftenabteilung. Im Bill Blass Public Catalog Room können Sie kostenlos Ihre E-Mails abrufen. Der **Bryant Park** *(siehe S. 145)* hinter der Bibliothek ist eine grüne Oase mitten in der Stadt. Sie erreichen New Yorks berühmteste Straßenkreuzung, den **Times Square** *(siehe S. 147)* Ecke Broadway. Dahinter liegt der neue Abschnitt der 42nd Street mit restaurierten Theatern, riesigen Kinopalästen und Madame Tussauds Wax Museum. Mit dem Taxi geht's zum **Empire State Building** *(siehe S. 136f)*, wo der Tag mit der einmaligen Aussicht auf die Stadt endet.

Prometheus-Statue und Lower Plaza beim Rockefeller Center

KUNST UND SHOPPING

- Moderne Kunst am Morgen
- Mittag im Rockefeller Center
- Shopping in der Fifth Avenue
- Tee im Hotel Pierre

ZWEI ERWACHSENE ab 135 US-$

Vormittag
Im spektakulären **Museum of Modern Art** (MoMA) *(siehe S. 172–175)* können Sie vor Werken wie van Goghs *Sternennacht*, Monets *Seerosen* und Picassos *Les Demoiselles d'Avignon* leicht einen ganzen Vormittag verbringen. Auch die Design-Ausstellungen im vierten Stock sollten Sie möglichst nicht versäumen. Nach dem Museumsbesuch bietet sich ein Spaziergang durch das **Rockefeller Center** *(siehe S. 144)* an. Beim Mittagessen im Rock Center Café kann man im Winter die Schlittschuhläufer Pirouetten drehen sehen. Im Sommer verwandelt sich die

Das bunte Funkeln der Lichter am Times Square

Eisbahn in einen hübschen grünen Garten, in dem die Rink Bar abends Gäste empfängt.

Nachmittag
Nach der Mittagspause geht es zur **St. Patrick's Cathedral** *(siehe S. 178f)*, der größten katholischen Kathedrale in den USA, die zudem eines der schönsten Gotteshäuser der Stadt ist. Folgen Sie nun der **Fifth Avenue** mit ihren vielen hochpreisigen Läden. Saks Fifth Avenue liegt direkt gegenüber St. Patrick's bei der 50th Street. Richtung Norden findet man Cartier (52nd St), Henri Bendel (55–56th St), Prada, Fendi und Trump Tower (56–57th St), Tiffany (57th St) und Bergdorf Goodman (57–58th St). Den Rundgang beenden Sie stilgerecht in der 61st Street bei einem typisch englischen Nachmittagstee im edlen Ambiente von **The Pierre** *(siehe S. 290)*.

HISTORISCHE SCHÄTZE

- Per Schiff nach Ellis Island und zur Statue of Liberty
- Mittag in Fraunces Tavern
- Tour durchs alte New York

ZWEI ERWACHSENE ab 120 US-$

Vormittag
Nehmen Sie im Battery Park die Fähre zur **Statue of Liberty** *(siehe S. 74f)* und nach **Ellis Island** *(siehe S. 78f)*; eine Rundfahrt steuert beide Ziele an. Bei der Rückfahrt steigen Sie bei **Bowling Green**, dem ältesten Park der Stadt *(siehe S. 73)*, aus. Gehen Sie nun Richtung **Fraunces Tavern Block Historic District** *(siehe S. 76)*, New Yorks letztem Areal mit Geschäftshäusern aus dem 18. Jahrhundert. In der Taverne ist ein Museum der Revolutionszeit untergebracht. Das Restaurant bietet

Der Central Park – grüne Lunge mit riesigem Freizeitangebot

Freiheitsstatue

sich für ein Mittagessen in historischem Ambiente an.

Nachmittag
Einen Block weiter liegt das historische Viertel um die Stone Street. Das **India House** *(siehe S. 56)* war einst Baumwollbörse und beherbergt heute Harry's Café. Über die William Street gelangt man zur Wall Street und zur **Federal Hall** *(siehe S. 68)*. Von hier ist es nicht weit zur **New York Stock Exchange** *(siehe S. 70f)* und zur **Trinity Church** *(siehe S. 68)* von 1839. Am Broadway liegt **St. Paul's Chapel** *(siehe S. 91)*. Geradeaus geht es zur **City Hall** *(siehe S. 90)*. Die Tour endet im **South Street Seaport Historic District**, dem Herzstück des alten Hafens *(siehe S. 82f)* mit Blick auf die **Brooklyn Bridge** *(siehe S. 86–89)*.

FAMILIENSPASS

- Vormittags im Central Park
- Mittagessen im Boathouse
- Dinosaurier im American Museum of Natural History

FAMILIE ZU VIERT ab 175 US-$

Vormittag
Der **Central Park** *(siehe S. 204–209)* wurde als Erholungspark geplant. Zu den Attraktionen gehören das alte Karussell, die Modellboote auf dem Conservatory Pond, der Zoo und die Delacorte Clock. Es gibt Spielplätze für jedes Alter: Safari in der West 91st Street (zwei bis fünf Jahre); Abenteuer in der West 67th Street (sechs bis zwölf Jahre). Das Swedish Cottage Marionette Theater in der West 79th Street spielt klassische Märchen (Di–Fr 10.30 und 12 Uhr, Sa 13 Uhr). Mieten Sie Fahrräder, oder rudern Sie auf dem See. Günstig zu Mittag isst man in der Snackbar des **Boathouse** *(siehe S. 309)*. Die Wollman-Eisbahn öffnet im Winter für Schlittschuhläufer.

Nachmittag
Je nach Alter und Interessen bietet sich das **Children's Museum** *(siehe S. 219)* oder das **American Museum of Natural History** *(siehe S. 216f)* mit seinen Dinosauriern an. Den Tag beenden Sie in der West 73rd Street bei einer Tasse Tee in Alice's Tea Cup.

Ellis Island, einst die erste Anlaufstelle für Einwanderer in New York

New York auf der Karte

New York City hat rund acht Millionen Einwohner und eine Fläche von 780 Quadratkilometern. Die Stadt ist Namensgeber für den Staat New York, dessen Hauptstadt Albany 250 Kilometer nördlich liegt. New York ist auch ein guter Ausgangspunkt, um die historischen Städte Boston und Philadelphia sowie die Hauptstadt Washington, DC zu besuchen.

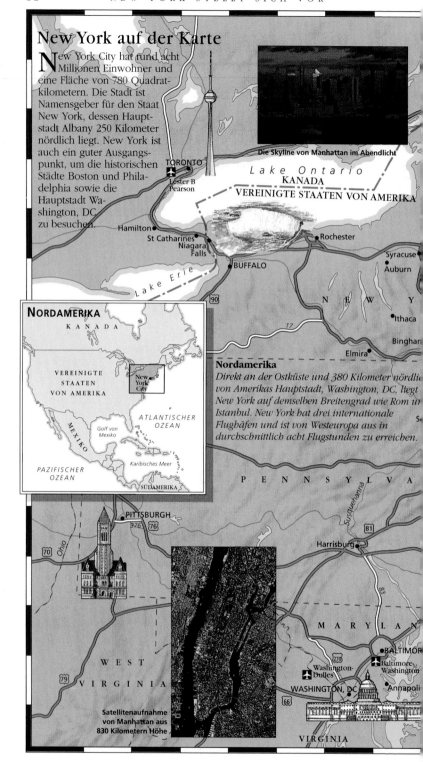

Die Skyline von Manhattan im Abendlicht

TORONTO

Lester B
Pearson

Lake Ontario

KANADA

VEREINIGTE STAATEN VON AMERIKA

Hamilton

St Catharines

Niagara
Falls

BUFFALO

Rochester

Syracuse

Auburn

N   E   W   Y

Ithaca

Binghar

Elmira

Lake Erie

90

17

Nordamerika

NORDAMERIKA

KANADA

VEREINIGTE
STAATEN
VON AMERIKA

New
York
City

ATLANTISCHER
OZEAN

MEXIKO

Golf von
Mexiko

PAZIFISCHER
OZEAN

Karibisches Meer

SÜDAMERIKA

Nordamerika

*Direkt an der Ostküste und 380 Kilometer nördli
von Amerikas Hauptstadt, Washington, DC, liegt
New York auf demselben Breitengrad wie Rom u
Istanbul. New York hat drei internationale
Flughäfen und ist von Westeuropa aus in
durchschnittlich acht Flugstunden zu erreichen.*

PITTSBURGH

376   76

70

Ohio

P   E   N   N   S   Y   L   V   A

Susquehanna

81

Harrisburg

88

WEST

79

VIRGINIA

M   A   R   Y   L   A   N

BALTIMOR

Washington-
Dulles

Baltimore-
Washington

WASHINGTON, DC

Annapoli

66

Satellitenaufnahme
von Manhattan aus
830 Kilometern Höhe

VIRGINIA

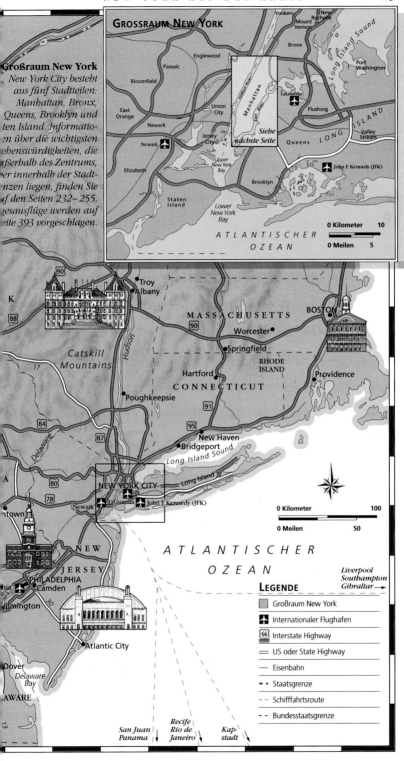

GROSSRAUM NEW YORK

Großraum New York
*New York City besteht
aus fünf Stadtteilen:
Manhattan, Bronx,
Queens, Brooklyn und
ten Island. Informatio-
en über die wichtigsten
ehenswürdigkeiten, die
ßerhalb des Zentrums,
er innerhalb der Stadt-
nzen liegen, finden Sie
f den Seiten 232–255.
esausflüge werden auf
eite 393 vorgeschlagen.*

Yonkers
New
Rochelle
Mount
Vernon
Bronx
Englewood
Port
Washington
Passaic
Bloomfield
LaGuardia
Flushing
Union
City
Valley
Stream
Newark
East
Orange
Jersey
City
Queens
LONG ISLAND
Newark
Upper
New York
Bay
John F. Kennedy (JFK)
Elizabeth
Brooklyn
Staten
Island
Lower
New York
Bay

Manhattan

*Siehe
nächste Seite*

Long Island Sound

ATLANTISCHER
OZEAN

| 0 Kilometer | 10 |
| 0 Meilen | 5 |

Troy
Albania
Albany
BOSTON
MASSACHUSETTS
Worcester
Springfield
Catskill
Mountains
RHODE
ISLAND
Providence
Hartford
CONNECTICUT
Poughkeepsie
Hudson
Delaware
New Haven
Bridgeport
Long Island Sound
NEW YORK CITY
Long Island
Newark
LaGuardia
John F. Kennedy (JFK)

| 0 Kilometer | 100 |
| 0 Meilen | 50 |

ntown
NEW
JERSEY
PHILADELPHIA
hia
Camden
ilmington
Atlantic City
Dover
Delaware
Bay
AWARE

ATLANTISCHER
OZEAN

*Liverpool
Southampton
Gibraltar* →

LEGENDE

	Großraum New York
	Internationaler Flughafen
66	Interstate Highway
=	US oder State Highway
—	Eisenbahn
- -	Staatsgrenze
- -	Schifffahrtsroute
- -	Bundesstaatsgrenze

San Juan
Panama
Recife
Rio de
Janeiro
Kap-
stadt

Manhattan

Manhattan ist in diesem Buch in 15 Bezirke unterteilt, denen jeweils ein Abschnitt gewidmet ist. Viele der ältesten und modernsten Gebäude stehen in Lower Manhattan. Hier können Sie die Staten Island Ferry besteigen, um die atemberaubende Skyline New Yorks und die Statue of Liberty zu betrachten. Midtown und der zugehörige Theater District umfassen die glitzernde Shopping-Welt der Fifth Avenue. Die Museumsmeile der Upper East Side ist ein Kultur-Eldorado, der angrenzende Central Park bietet Erholung.

Grand Central Terminal
Der Bahnhof im Beaux-Arts-Stil wurde 1913 eröffnet. In seiner riesigen, überkuppelten Wartehalle herrscht immer großes Gedränge (siehe S. 156f).

Morgan Library & Museum
Eine der bedeutendsten Sammlungen alter Manuskripte, Drucke und Bücher ist in diesem palazzoartigen Gebäude untergebracht (siehe S. 164f).

Statue of Liberty
Die gewaltige Statue von 1886 – ein Geschenk Frankreichs an das amerikanische Volk – wurde weltweit zum Symbol für Freiheit (siehe S. 74f).

Cathedral of St. John the Divine
Die Kathedrale wird einmal die größte der Welt sein – noch ist sie nicht fertiggestellt. Sie beherbergt auch ein Theater und eine Musikbühne (siehe S. 226f).

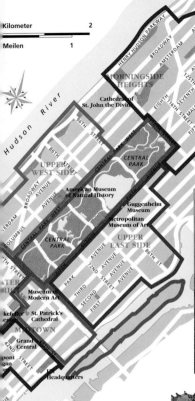

United Nations
New York ist Hauptsitz der Organisation zur Sicherung des Weltfriedens und des Völkerrechts (siehe S. 160–163).

Empire State Building
Der höchste Wolkenkratzer New Yorks ist zugleich ein Wahrzeichen der Stadt. Seit seiner Eröffnung im Jahr 1931 verzeichnete er über 110 Millionen Besucher (siehe S. 136f).

LEGENDE

▢ Hauptsehenswürdigkeit

Metropolitan Museum of Art
Die Exponate reichen von prähistorischer Zeit bis zur Gegenwart und füllen eines der weltweit größten Kunstmuseen (siehe S. 190–197).

Brooklyn Bridge
Die 1883 vollendete Brücke überspannt den East River zwischen Manhattan und Brooklyn. Sie war einst die größte Hängebrücke der Welt und die erste aus Stahl (siehe S. 86–89).

Solomon R. Guggenheim Museum
Das einzigartige Gebäude ist ein Meisterwerk des Architekten Frank Lloyd Wright und beherbergt Kunst des 19. und 20. Jahrhunderts (siehe S. 188f).

DIE GESCHICHTE DER STADT

Vor ungefähr 500 Jahren entdeckte Giovanni da Verrazano den Naturhafen, der schnell das Interesse der europäischen Nationen an diesem Teil der Neuen Welt weckte. 1621 gründeten Niederländer dort die Kolonie Neu-Amsterdam, die sie 1664 an England verloren. Die Siedlung wurde in New York umbenannt – und dieser Name blieb auch erhalten, nachdem England die Kolonie 1783 als Ergebnis des Amerikanischen Unabhängigkeitskriegs aufgeben musste.

Muschelumhang eines Indianerhäuptlings

DIE STADT WÄCHST

Im Lauf des 19. Jahrhunderts vergrößerte sich die Stadt stetig, ihr Hafen gewann zusehends an Bedeutung. Zahlreiche Betriebe wurden gegründet, der Handel blühte und der allgemeine Wohlstand wuchs. Von 1800 bis 1900 stieg die Bevölkerungszahl von 79 000 auf drei Millionen an. Der Zusammenschluss von Manhattan und vier weiteren Gemeinden machte New York City 1898 zur zweitgrößten Stadt der Welt. Zugleich wurde der »Big Apple« das Kultur- und Unterhaltungsmekka der Vereinigten Staaten sowie das Geschäftszentrum des Landes.

SCHMELZTIEGEL

Ein Strom von Immigranten ließ die Stadt schnell wachsen, doch viele, die auf der Suche nach einem besseren Leben hierherkamen, mussten wegen Überbevölkerung in Slums leben. Die in den Himmel ragenden Gebäude Manhattans sind das Resultat von zunehmendem Wohlstand und einer stetig steigenden Einwohnerzahl. Das Gemisch der Kulturen bereicherte die Stadt und wurde ihr Markenzeichen – die heutigen acht Millionen Bewohner kommen aus rund 100 verschiedenen Sprachgebieten. Ob in guten oder schlechten Zeiten – New York bewährte sich immer als eine der vitalsten Städte der Welt.

Eine Urkunde (1664) von Peter Stuyvesant, dem letzten holländischen Gouverneur Neu-Amsterdams

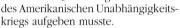
◁ Das südliche Manhattan und ein Teil von Brooklyn auf einer Karte von 1767

Die Anfänge von New York

Indianermaske aus Maishülsen

Als die holländische Westindische Kompanie 1625 ihre Pelzhändlerkolonie Neu-Amsterdam gründete, war das Gebiet von indianischen Ureinwohnern besiedeltes Waldland. Die neuen Siedler bauten ihre Häuser aufs Geratewohl, was man noch heute an der unregelmäßigen Straßenführung in Lower Manhattan erkennt. Der Broadway (holländisch: Breede Wegh) war einst ein Indianerpfad, Harlem behielt seinen holländischen Namen. Unter Peter Stuyvesant erhielt die Kolonie eine Verwaltung, erbrachte allerdings nicht den erhofften Gewinn, und so überließen die Holländer 1664 die Stadt den Engländern, die sie in New York umtauften.

WACHSTUM DER METROPOLE

◻ 1664   ◻ Heute

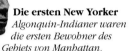

Siegel der Neu-Niederlande
Biberpelz und Wampum (indianisches Muschelgeld) waren Zahlungsmittel in der Kolonie Neu-Niederlande.

ERSTE ANSICHT MANHATTANS (1626)
Die Südspitze Manhattans glich einer holländischen Stadt (mit Windmühle). Das abgebildete Fort war damals noch nicht erbaut.

Die ersten New Yorker
Algonquin-Indianer waren die ersten Bewohner des Gebiets von Manhattan.

Holländische Schiffe

Irokesischer Topf
Die Irokesen suchten häufig die Gegend des heutigen Manhattan auf.

Indianisches Dorf
In solchen Langhäusern lebten die Algonquin-Indianer.

Indianisches Kanu

ZEITSKALA

1524 Giovanni da Verrazano erreicht den New Yorker Hafen

1626 Peter Minuit kauft den Indianern Manhattan ab

1625 Erste ständige Handelsniederlassung der Holländer

1653 Bau eines Schutzwalls gegen Indianer; die angrenzende Straße erhält den Namen Wall Street

1600	1620	1640

1609 Henry Hudson befährt den Hudson River auf der Suche nach der Nordwest-Passage

1625 Die ersten Sklaven werden aus Afrika nach Amerika verschleppt

1643–45 Gefechte mit den Indianern enden mit vorläufigem Friedensvertrag

1647 Peter Stuyvesant wird Gouverneur der Kolonie

1654 Ankunft der ersten jüdischen Siedler

Delfter Keramik
Die neuen Siedler brachten die bekannten Keramiken mit Zinnglasur aus Holland mit.

Silhouette von Manhattan
Am Strand (jetzt Whitehall Street) stand einst das erste Ziegelhaus der Stadt.

Holzkonstruktion der *Tiger*

HOLLÄNDISCHES NEW YORK

Die Überreste des 1613 ausgebrannten holländischen Schiffs *Tiger* (1916 ausgegraben) sind die ältesten Zeugnisse jener Zeit und im Museum of the City of New York *(siehe S. 199)* zu sehen. Im gleichen Museum, in der Morris-Jumel Mansion *(siehe S. 235)* und im Van Cortlandt House Museum *(siehe S. 240)* werden niederländische Keramik, Fliesen und Möbel gezeigt.

Holländische Windmühle

Fort Amsterdam

Der Kauf von Manhattan
1626 kaufte Peter Minuit den indianischen Ureinwohnern die Insel für Schmuck im Wert von 24 Dollar ab.

Peter Stuyvesant
Der letzte holländische Gouverneur erließ drakonische Gesetze. So mussten z. B. alle Wirtshäuser um 21 Uhr schließen.

1660 Gründung des ersten Stadtkrankenhauses

1664 Briten vertreiben die Holländer kampflos; die Stadt heißt jetzt New York

1676 Errichtung eines Großdocks am East River

1698 Weihung der Trinity Church

1660	1680	1700

Übergabe Neu-Amsterdams an Großbritannien

1680er Jahre New York erhält das Exklusivrecht, Getreide zu verschiffen

1683 Erste Stadturkunde von New York

1689 Kaufmann Jacob Leisler führt die Steuerrebellion an und herrscht zwei Jahre über die Stadt

1693 92 Kanonen werden zum Schutz der Stadt installiert; der Bereich wird als Battery bekannt

1691 Leisler wird wegen Verrats zum Tode verurteilt

New York zur Kolonialzeit

Unter britischer Herrschaft nahm New York einen raschen Aufschwung; die Bevölkerung wuchs rapide. Getreideverarbeitung und Schiffsbau waren die Haupterwerbszweige. In dieser Phase der Kolonialzeit bildete sich eine gesellschaftliche Elite heraus, für deren Häuser edle Möbel und Silberwaren gefertigt wurden. In seiner über 100-jährigen Herrschaft zeigte England jedoch mehr Interesse am Profit als am Wohlergehen seiner Kolonie. Drückende Steuern erzeugten Hass und die Bereitschaft zur Rebellion, andere Bevölkerungsschichten waren loyal zur Krone. Kurz vor der Revolution war New York mit 20 000 Einwohnern die zweitgrößte Stadt der 13 Kolonien.

Gentleman aus der Kolonialzeit

Kolonialgeld

WACHSTUM DER METROPOLE

▨ 1760   ▨ Heute

Schlafzimmer

Straßenszene der Kolonialzeit
Damals konnten Schweine und Hunde auf New Yorks Straßen frei herumlaufen.

Speisezimmer

Kas
Kiefernholzschrank im holländischen Stil (um 1720) aus dem New Yorker Hudson River Valley.

Schifffahrt
Der Handel mit Westindien und England ließ New York reich werden. In manchen Jahren legten über 200 Schiffe an.

ZEITSKALA

1702 Lord Cornbury wird zum Gouverneur berufen; er trägt oft Frauenkleider

1711 Am Ende der Wall Street entsteht ein Sklavenmarkt

1720 Die erste Werft nimmt ihren Betrieb auf

| 1700 | 1710 | 1720 | 1730 |

1710 Irokesenhäuptling Hendrick besucht England

1732 Eröffnung des ersten städtischen Theaters

1725 *New York Gazette*, die erste New Yorker Zeitung, erscheint

Captain Kidd

Der schottische Seeräuber William Kidd war ein geachteter Bürger. Er half beim Bau der Trinity Church (siehe S. 68).

VAN CORTLANDT HOUSE

Frederick Van Cortlandt erbaute 1748 das georgianische Haus auf einer Weizenplantage im Gebiet der Bronx. Heute ist es ein Museum (siehe S. 240) und zeigt die damalige Lebensweise einer reichen holländisch-englischen Familie.

Westsalon

KOLONIALZEIT

Häuser der Kolonialzeit können in der historischen Richmond Town auf Staten Island *(siehe S. 254)* besichtigt werden. Das Museum of the City of New York *(siehe S. 199)* zeigt edle Silberarbeiten und Möbel aus jener Zeit.

Laden in Richmond Town

Küche der Kolonialzeit

Statt Fleisch gab es oft weißen Käse («white meat»). Holländische Waffeln waren beliebt. Frische Früchte waren eine Seltenheit, man behalf sich jedoch mit eingemachtem Obst.

Babyflasche aus Zinn

Käseform

Waffeleisen

Steinmetzarbeiten

Über jedem Fenster der Vorderfront befindet sich ein steinernes Gesicht.

Stielgabel für eingemachtes Obst

1734 John Peter Zengers Verleumdungsprozess wirft die Pressefreiheit zurück

1741 Ein Sklavenaufstand führt zur Hysterie. 31 Sklaven werden hingerichtet, 150 eingekerkert

1754 Beginn des Kriegs gegen Franzosen und Indianer; Gründung von King's College (heute Columbia University)

Britischer Soldat

1759 Bau des ersten Gefängnisses

| 1740 | 1750 | 1760 |

1733 Bowling Green wird der erste Stadtpark; erste Fähren nach Brooklyn

King's College

1762 Erste bezahlte Polizeitruppe

1763 Kriegsende; die Briten kontrollieren Nordamerika

New York zur Revolutionszeit

George Washington, General der Aufständischen

New York litt während des Kampfs für Unabhängigkeit: unter den ausgehobenen Schützengräben, der Beschießung durch die britischen Truppen und wiederholten Feuersbrünsten. Dennoch spielten die mehrheitlich königstreuen Bürger weiterhin Cricket, besuchten Pferderennen und Bälle. Nach der Einnahme durch die Briten 1776 strömten Königstreue aus anderen Staaten in die Stadt. Amerikanische Truppen kehrten erst nach dem Friedensvertrag von 1783 nach Manhattan zurück.

WACHSTUM DER METROPOLE

■ 1776   ▨ Heute

Kampfanzug
Die amerikanischen Truppen trugen blaue, die Briten rote Uniformen.

Britischer Soldat

Provianttasche
Während des Unabhängigkeitskriegs trugen die amerikanischen Soldaten solche Provianttaschen.

Amerikanischer Soldat

STURZ DES KÖNIGS
New Yorker stürzten die Statue des englischen Königs George III in Bowling Green und schmolzen sie für Munition ein.

Aufständische

Die Schlacht von Harlem Heights
Washington gewann die Schlacht am 16. September 1776, musste die Stadt aber den Briten überlassen.

Tod eines Patrioten
1776 wurde Nathan Hale, der hinter den britischen Linien agierte, gefasst und ohne Prozess als Spion gehängt.

ZEITSKALA

1765 Der britische *Stamp Act* führt zum Protest der New Yorker; Gründung der *Sons of Liberty*

1767 Der *Townsbend Act* bringt der Stadt neue Lasten; nach Protesten wird er zurückgezogen

1770 *Sons of Liberty* kämpfen mit Briten in der *Battle of Golden Hill*

1774 Aufständische kippen Tee in den Hafen aus Protest gegen die Steuern

1760   1770   17

St. Paul's Chapel

1766 Vollendung der St. Paul's Chapel; der *Stamp Act* wird zurückgezogen; Statue Georges III im Bowling Green errichtet

General William Howe, Oberkommandeur der britischen Truppen

1776 Kriegsbeginn; im Hafen von New York sammeln sich 500 Schiffe unter General Howe

Feueralarm

Feuersbrünste waren immer eine Gefahr, doch sie häuften sich während des Kriegs und zerstörten beinahe die Stadt. Am 21. September 1776 vernichtete ein Brand die Trinity Church und 1000 Häuser.

Lederner Löscheimer

Statue von George III

Einzug General Washingtons

Nach dem Rückzug der Briten kehrte Washington am 25. November 1783 nach New York zurück und wurde als Held umjubelt.

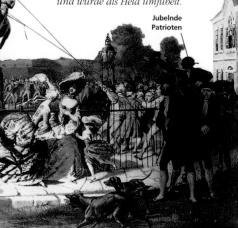

Jubelnde Patrioten

Flaggen der Revolution

Washington hatte die kontinentale Flagge, mit einem Streifen für jede der 13 Kolonien und dem Union Jack in der Ecke. Das Sternenbanner wurde 1777 offizielle Flagge.

Das erste Stars-and-Stripes-Banner

Kontinentale Flagge

REVOLUTIONSZEIT

1776 diente die Morris-Jumel Mansion im oberen Manhattan *(siehe S. 235)* George Washington als Hauptquartier. Er schlief auch im Van Cortlandt House *(siehe S. 21, 240)*. Nach dem Krieg verabschiedete Washington seine Offiziere in Fraunces Tavern *(siehe S. 76)*.

Morris-Jumel Mansion

1783 Pariser Vertrag unterzeichnet; USA erhalten Unabhängigkeit; die Briten räumen New York

1789 George Washington wird in der Federal Hall als erster Präsident vereidigt

1790 Hauptstadt der USA nach Philadelphia verlegt

1794 Eröffnung des Bellevue Hospital am East River

1801 Alexander Hamilton gründet die *New York Post*

1790

1800

1785 New York wird US-Hauptstadt

1784 Die Bank of New York wird eingetragen

1792 Bau des Tontine Coffee House – erster Sitz der Börse

1791 Eröffnung des New York Hospital

Washingtons Amtseinführung

1804 Vizepräsident Aaron Burr erschießt seinen politischen Rivalen Alexander Hamilton im Duell

New York im 19. Jahrhundert

Gouverneur
De Witt Clinton

Als größte Stadt der USA wurde die Hafenstadt New York immer wohlhabender. Wegen des Hafens wuchs auch die Güterproduktion. Unternehmer wie John Jacob Astor scheffelten Millionen. Die Reichen zogen in die Außenbezirke, der öffentliche Nahverkehr wurde ausgebaut. Doch mit dem Boom kamen auch die Probleme: Großbrände, Seuchen, Finanzkrisen. Immer mehr Immigranten trafen ein, die Slums wuchsen. 1846 war jeder siebente New Yorker verarmt.

WACHSTUM DER METROPOLE
☐ *1840*   ☐ *Heute*

Notenblätter
Der New Yorker Stephen Foster schrieb viele beliebte Balladen wie Jeanie with the Light Brown Hair.

Fitness
Sportstätten wie Dr. Richs Institut für Leibeserziehung entstanden in den 1830er und 1840er Jahren.

Das Croton Distributing Reservoir wurde 1842 für die Frischwasserversorgung angelegt. Zuvor waren die New Yorker auf abgefülltes Wasser angewiesen.

Omnibus
Der von Pferden gezogene Omnibus (seit 1832) war bis zum Ersten Weltkrieg öffentliches Verkehrsmittel in New York.

ZEITSKALA

1805 Erste kostenlose öffentliche Schulen in New York

1811 Der Randel-Plan teilt Manhattan ab der 14th Street in ein Schachbrettmuster ein

1812–14 Krieg von 1812; Briten blockieren New Yorker Hafen

Die Constitution, *das berühmteste Schiff im Krieg von 1812*

1835 Schlimmste Feuersbrunst der Stadtgeschichte

1810   **1820**   **1830**

1807 Robert Fulton betreibt auf dem Hudson River das erste Dampfschiff

1822 Gelbfieber-Epidemie; Massenflucht nach Greenwich Village

1823 New York wird (vor Boston und Philadelphia) die größte Stadt des Landes

1827 In New York wird die Sklaverei abgeschafft

1837 Der New Yorker Samue Morse erfindet Telegrafie-Alphabe

Brownstone

In der ersten Jahrhunderthälfte entstanden viele Reihenhäuser aus braunem Sandstein. Die Treppe führt zum Salon. Im Erdgeschoss wohnte das Hauspersonal.

Der Crystal Palace, eine Eisen-Glas-Halle, entstand für die Weltausstellung von 1853.

NEW YORK IM JAHR 1855

An der Stelle von Crystal Palace und Croton Distributing Reservoir, südlich der 42nd Street, sind heute die Public Library und der Bryant Park.

NEW YORKS HAFEN

Im frühen 19. Jahrhundert wuchs die Bedeutung New Yorks als Hafenstadt. 1807 lief Robert Fultons erstes Dampfschiff, die *Clermont*, vom Stapel. Mit Dampfschiffen war man bis Albany, Hauptstadt des Staates und Tor nach Westen, nur noch 72 Stunden unterwegs. Der Handel mit dem Westen mittels Dampfschiff und Lastkahn und derjenige mit der übrigen Welt mittels Klippern bescherte vielen New Yorkern Wohlstand.

Das Dampfschiff *Clermont*

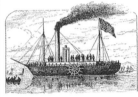

Der Crystal Palace in Flammen

Am 5. Oktober 1858 brannte die New Yorker Ausstellungshalle nieder – wie schon ihre Londoner Vorläuferin.

Festliche Eröffnung des Grand Canal

Schiffskonvois im New Yorker Hafen feierten 1825 die Eröffnung des Erie-Kanals. Mit 584 Kilometern Länge verband er die Großen Seen mit Albany am Hudson River und somit den New Yorker Hafen mit dem Mittleren Westen. New York profitierte hiervon wirtschaftlich.

1849 Rebellion am Astor Place; Goldrausch; Segelschiffe fahren nach Kalifornien

1851 Erste Ausgabe der *New York Times*

1853 Erste Weltausstellung in New York

1861 Beginn des Bürgerkriegs

1857 Wirtschaftsdepression

1863 *Draft Riots* dauern vier Tage und kosten viele Tote

1865 Abraham Lincoln in der City Hall aufgebahrt

1840 — **1850** — **1860**

Plakat mit Baseballspieler

1845 Erster Baseballclub, die New York Knickerbockers, eingetragen

Klipper-Schiffskarte

FOR SAN FRANCISCO

FREE TRADE

1858 Vaux und Olmsted entwerfen den Central Park; Gründung von Macy's

Menschen im Central Park

1842 Bau des Croton Reservoir

Epoche der Extravaganzen

Industriemagnat Andrew Carnegie

New Yorks Wirtschaftsbosse wurden immer reicher. Für die Stadt begann eine goldene Zeit, in der prächtige Bauten entstanden. Millionen flossen in die Künste. Das Metropolitan Museum, die Public Library und die Carnegie Hall wurden erbaut. Neben Luxushotels wie dem Plaza und dem Waldorf-Astoria entstanden elegante Kaufhäuser für die Reichen. Schillernde Figuren wie der ungekrönte König der Korruption William »Boss« Tweed und Zirkusdirektor Phineas T. Barnum hatten ihre große Zeit.

WACHSTUM DER METROPOLE

■ 1890   □ Heute

Parkblick
Das Dakota (1880) war das erste große Luxus-Apartmenthaus an der Upper West Side (siehe S. 218).

Palastleben
Herrenhäuser säumten die Fifth Avenue. Zur Zeit seiner Erbauung (1882) lag W. K. Vanderbilts Palast im italienischen Stil am nördlichen Ende der Fifth Avenue (Nr. 660).

Stadt der Mode
Lord & Taylor richteten am Broadway ein Modehaus ein; die Sixth Avenue zwischen 14th und 23rd Street war als Fashion Row *bekannt.*

HOCHBAHN
Um 1875 verkehrten in der 2nd, 3rd, 6th und 9th Avenue Züge auf Trassen. Sie waren schnell, aber auch laut und nicht eben umweltfreundlich.

ZEITSKALA

1867 Prospect Park in Brooklyn vollendet

1868 Erste Hochbahn in der Greenwich Street

1870 J. D. Rockefeller gründet Standard Oil

1871 Eröffnung des ersten Grand Central Depot in der 42nd Street; »Boss« Tweed verhaftet

1877 A. G. Bell präsentiert in New York das Telefon

1865   1870   1875

1869 Erstes Apartmenthaus in der 18th Street; Finanzkrise (›Schwarzer Freitag‹) an der Wall Street

Treiben in der New Yorker Börse

1872 Eröffnung von Bloomingdale's

1873 Banken-Crash: Panik an der Börse

1879 St. Patrick's Cathedral vollendet; erste städtische Telefonzelle in der Nassau Street

BATHING SUITS.

A GREAT SPECIALTY AT
LORD & TAYLOR'S, Broadway and 20th Street, N. Y.
CHEAPEST AND BEST QUALITY OF BATHING SUITS IN THE CITY.

Mark Twains Geburtstagsfeier

Mark Twain, dessen Roman Das vergoldete Zeitalter *(1873) den dekadenten Lebensstil der New Yorker beschreibt, feierte bei Delmonico's seinen Geburtstag.*

EPOCHE DER EXTRAVAGANZEN

Das Goldene Zimmer in den Villard Houses *(siehe S. 176)* ist ein beredter Zeuge der Epoche. Das frühere Musik-zimmer ist heute ein Res-taurant. Auch das Museum of the City of New York *(siehe S. 199)* zeigt Räume aus jener Zeit.

Hochbahn

Tram

Smiths

Der Tweed Ring

William »Boss« Tweed führte die herrschende Tammany-Hall-Frakti-on an. Er entwendete Millionensum-men aus dem Stadt-säckel.

Nasts Karikatur von »Boss« Tweed

Tammany Tiger

»Boss« Tweeds Spazierstock (im Museum of the City of New York). Der Tiger am Gold-griff verweist auf Tweeds legendäre Tammany Hall.

Ländliche Fifth Avenue

Das Gemälde von Ralph Blakelock zeigt eine Barackensiedlung an der 86th Street – heute eine der teuersten Adressen.

1880 Erstmals Obst und Fleisch in Konservendosen; Eröffnung des Metropolitan Museum of Art; elektrische Straßenbeleuchtung

1883 Metropolitan Opera am Broad-way eröffnet; Brooklyn Bridge fertiggestellt

1886 Ent-hüllung der Statue of Liberty

1891 Eröffnung der Carnegie Hall

1880

1885

1890

1888 22 Menschen kommen bei einem Schneesturm ums Leben (56 cm Schnee)

1890 Erste Kinemato-grafen in New York

Feuerwerk über der Brooklyn Bridge, 1883

1892 Baubeginn der Cathedral of St. John the Divine; Eröffnung von Ellis Island

New York um 1900

Pferdekutsche

Um 1900 war New York das Industriezentrum Amerikas. 70 Prozent aller Firmen hatten hier ihren Sitz, zwei Drittel aller Importe erreichten die USA über den New Yorker Hafen. Die Reichen wurden reicher, die Armen ärmer, in den Slums grassierten Seuchen. Ungeachtet all dessen pflegten die Immigranten ihre Traditionen. 1900 wurde die Internationale Frauengewerkschaft der Textilarbeiterinnen gegründet, um für Frauen und Kinder zu kämpfen, die für geringen Lohn gefährlich arbeiteten. Doch erst nach dem Brand in der Hemdenfabrik Triangle (1911) kam es zu Reformen.

Kein Platz zum Leben
Viele Mietshäuser waren überfüllt. Oft fehlten Fenster, Luftschächte und elementare sanitäre Anlagen.

Porträt der Armut
Die Lower East Side war der am dichtesten besiedelte Ort der Welt (Bevölkerungsdichte fast fünfmal so hoch wie im übrigen New York).

ZEIT UM 1900

Das Lower East Side Tenement Museum *(siehe S.97)* zeigt Exponate zum Leben in den Mietshäusern.

Schneiderschere

Sitzbadewanne

Im »Sweat Shop«
In den Ausbeutungsbetrieben im Textilviertel waren lange Schichten bei schlechter Bezahlung die Regel. Das Bild zeigt den Betrieb von Moe Levy im Jahr 1912.

Tram auf dem Broadway

ZEITSKALA

1895 Das Olympia Theater ist das erste am Broadway

1898 Fünf Stadtgemeinden vereinigen sich zur zweitgrößten Stadt der Welt

1901 Kaufhaus Macy's am Broadway eröffnet

1895

1900

1896 In einer Bäckerei in der Clinton Street gibt es die ersten Bagels

1897 Eröffnung des Waldorf-Astoria, des größten Hotels der Welt

1900 Mit einem Silberspaten eröffnet Bürgermeister Robert Van Wyck die Bauarbeiten zur ersten U-Bahn-Linie der Stadt

1903 Eröffnung des Lyceum Theater, des ältesten noch heute bestehenden Broadway-Theaters

FLATIRON BUILDING

Am Madison Square (Schnittpunkt von Broadway, Fifth Avenue und 23rd Street) entstand 1902 einer der ersten Wolkenkratzer (21-stöckig, Grundriss dreieckig). Er bekam den Spitznamen Flatiron Building («Bügeleisen-Haus»; siehe S. 127).

Stahlkonstruktion

Kunstvolle Kalksteinfassade

Am spitzen Winkel ist das Gebäude nur 185 Zentimeter breit

Festmahl im Sattel
Dekadente Partys war man in New York gewöhnt, doch das Essen zu Pferde, das C. K. G. Billing in Sherry's Restaurant gab, war 1903 Stadtgespräch.

Plaza Promenade
Der Abschnitt der Fifth Avenue vor dem Plaza Hotel galt als eleganteste Promenade der Stadt.

Toupiertes Haarteil

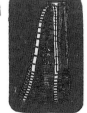

Elegante Mode
Der Bekleidungsstil um 1900 war steif, mit Reifröcken und Turnüren. Erst später wurde er weniger förmlich und praktischer.

Lange Turnüre

Reifrock

1906 Der Architekt Stanford White wird im Madison Square Garden, den er 1890 selbst entwarf, erschossen

1909 Wilbur Wright fliegt erstmals über New York

1910 Pennsylvania Station eingeweiht

1913 Woolworth Building ist das höchste Gebäude der Welt; Eröffnung des Bahnhofs Grand Central und des Apollo Theater in Harlem

1905   **1910**

1905 Die Staten-Island-Fähre nimmt den Betrieb auf

1907 Erste Taxis mit Taxameter; erste *Ziegfeld Follies*

1911 Beim Großfeuer in der Hemdenfabrik Triangle sterben 146 Arbeiter; die New York Public Library wird eröffnet

Woolworth Building

Zwischen den Weltkriegen

Eintrittskarte für den Cotton Club

Die 1920er Jahre waren für manche New Yorker ein Synonym für Lebenslust. Leitfigur war Bürgermeister Jimmy Walker, der Revuegirls nachstieg und in »Speakeasies« verkehrte. Mit dem Börsenkrach von 1929 endete diese Zeit. 1932 trat Walker wegen Korruption zurück. Ein Viertel aller New Yorker war damals arbeitslos. Mit Bürgermeister Fiorello LaGuardia (1933) begann ein neuer Aufschwung.

Exotische Kostüme
Revuegirls waren eine Attraktion im Cotton Club.

DER COTTON CLUB

Der Nightclub in Harlem bot den besten Jazz in New York. Bandleader war Duke Ellington, später Cab Calloway. Die Leute strömten aus der ganzen Stadt in den Club.

»Speakeasies« und Prohibition
Alkohol war verboten, wurde aber in illegalen Kaschemmen (»Speakeasies«) ausgeschenkt.

Home-Run-König
1927 erzielte der Baseball-Star Babe Ruth 60 home runs für die Yankees. Deren Stadion (siehe S. 241) galt nun als »das von Ruth erbaute Haus«.

Abgesägtes Gewehr, im Geigenkasten versteckt

Gangster
Dutch Schultz war Boss eines illegalen Alkoholschmuggelrings.

ZEITSKALA

1918 Ende des Ersten Weltkriegs

1919 Mit dem Alkoholverbot beginnt die Prohibitionszeit

1920 Frauenwahlrecht in den USA

Eröffnung des Holland Tunnel

1926 Jimmy Walker wird Bürgermeister

1931 Das Empire State Building ist das höchste Gebäude der Welt

1920

1925

1930

1924 In Harlem wird der Autor James Baldwin geboren

1925 Erstausgabe von *The New Yorker*

1927 Lindbergh fliegt über den Atlantik; erster Tonfilm: *The Jazz Singer*; Holland Tunnel eröffnet

1929 Börsenkrach; Beginn der Großen Depression

1930 Chrysler Building fertiggestellt

Magnet Harlem
Schwarze Musiker wie Cab Calloway hatten Auftrittsverbot in vielen Downtown-Clubs – ihr Reich war der Cotton Club.

Broadway-Melodien
Am Broadway blühte das Musical. Die 1920er Jahre erlebten einen Premierenrekord.

GROSSE DEPRESSION

Die *Roaring Twenties* endeten mit dem Börsenkrach vom 29. Oktober 1929. New York traf es hart: Im Central Park wurden Wohnzelte errichtet. Tausende waren arbeitslos. Künstler wurden allerdings im Programm der Works Projects Administration (WPA) aufgefangen: In der ganzen Stadt entstanden Wandbilder und Kunst im öffentlichen Raum.

1931: Warten auf Zuwendungen

Lindberghs Flugzeug Spirit of St. Louis

Frühstückskarte

Lindberghs Flug
Lindberghs Atlantikflug (1927) wurde von den New Yorkern auf vielfache Weise gefeiert, etwa mit einem Frühstück ihm zu Ehren.

Rockefeller Center
1. Mai 1939: Der Millionär John D. Rockefeller legt letzte Hand an bei der feierlichen Eröffnung des Rockefeller Center.

Massenereignis
45 Millionen Menschen besuchten 1939 die New Yorker Weltausstellung.

1933 Aufhebung der Prohibition; Fiorello LaGuardia beginnt die erste von drei Amtsperioden als Bürgermeister

1940 Eröffnung des Queens-Midtown-Tunnels

1942 Verdunklung des Times Square im Zweiten Weltkrieg; Idlewild International Airport (jetzt John F. Kennedy Airport) eröffnet

1935

1940

1945

1936 Robert Moses übernimmt die Parkverwaltung; neue Parks entstehen

1939 Rockefeller Center vollendet

1941 Die USA treten in den Zweiten Weltkrieg ein

1944 Der Schwarze Adam Clayton Powell wird Kongressmitglied

New York seit 1945

Nach dem Zweiten Weltkrieg erlebte New York seine besten und seine schlimmsten Zeiten. Die Finanzmetropole der Welt ging in den 1970er Jahren fast bankrott. In den 1980er Jahren wurden an der Wall Street Spitzenwerte notiert, danach folgte der schlimmste Börsenkrach seit 1929. Seit Anfang der 1990er Jahre sinkt die Kriminalitätsrate kontinuierlich. Wahrzeichen wie die Grand Central Station und der Times Square wurden restauriert. So behauptet sich der »Big Apple« immer wieder als Dreh- und Angelpunkt des kulturellen und finanziellen Lebens der USA.

BILTMORE THEATER

1967 Das Hippie-Musical *Hair* wird uraufgeführt und später vom Biltmore Theater übernommen

1971 Retrospektive des Popkünstlers Andy Warhol im Whitney Museum

1966 Streiks bei Zeitungen und Verkehrsbetrieben

1953 Merce Cunningham gründet die Dance Company

1963 Abbruch der Pennsylvania Station

1975 Ein Bundesdarlehen rettet New York vor dem Bankrott

1959 Eröffnung des Guggenheim Museum

1945 Ende des Zweiten Weltkriegs

1946 UN-Hauptquartier in New York eingerichtet

1954 Schließung von Ellis Island

1945	1950	1955	1960	1965	1970	1975

BÜRGERMEISTER: IMPELLITERI WAGNER   LINDSAY   BEAME

1945	1950	1955	1960	1965	1970	1975

1947 Jackie Robinson, erster schwarzer Baseballspieler in der Oberliga, unterzeichnet bei den Brooklyn Dodgers

1964 New Yorker Weltausstellung; Rassenkonflikte in Harlem und Bedford-Stuyvesant; die Verrazano Narrows Bridge verbindet Brooklyn mit Staten Island; Auftritt der Beatles im Shea Stadium

1973 World Trade Center fertiggestellt

Souvenirtuch

1968 20000 Hippies demonstrieren im Central Park; Sit-ins von Studenten an der Columbia University

Andy Warhol mit den Schauspielerinnen Candy Darling und Ultra Violet

1983 Wirtschaftsboom: Grundstückspreise schnellen in die Höhe; Immobilienkönig Donald Trump, Symbolfigur der ›Yuppies‹ der 1980er Jahre, errichtet den Trump Tower

1988 Ein Viertel aller New Yorker lebt unter der Armutsgrenze

1990 David Dinkins wird der erste schwarze Bürgermeister New Yorks; Ellis Island wird zum Einwanderungsmuseum

2001 Anschlag auf das World Trade Center; Bürgermeister Giuliani ist den New Yorkern eine große Stütze. US-Präsident George W. Bush erklärt dem Terrorismus den Krieg

New ... wird ... durch ...esan-leihen ...wieder ...lungs-fähig

1987 Börsenkrach

1994 Rudolph Giuliani wird Bürgermeister

2008 Finanzkrise belastet die New Yorker Börse

1980	1985	1990	1995	2000	2005	2010
CH		DINKINS	GIULIANI		BLOOMBERG	
1980	1985	1990	1995	2000	2005	2010

1986 Bürgermeister Ed Kochs Administration wird von Korruptionsskandalen erschüttert; 100-jähriges Jubiläum der Statue of Liberty

2000 New York hat über acht Millionen Einwohner

2003 Blackout: Der Stromausfall am 14. August betrifft etwa 50 Millionen Menschen in New York, im Nordosten, Mittleren Westen und in Teilen Kanadas. Die Versorgung ist bis zu 24 Stunden lahmgelegt

1995 Die frisch renovierten Chelsea Piers werden als riesiger Sport- und Vergnügungskomplex wiedereröffnet *(siehe S. 138)*

2002 In der aufgemöbelten 42nd Street, die Broadway und Times Square kreuzt, gehen die Lichter an. Zusammen mit Chelsea bildet sie nun ein angesagtes Viertel – schicker als SoHo

NEW YORK IM ÜBERBLICK

Das Kapitel *Die Stadtteile New Yorks* beschreibt rund 300 Sehenswürdigkeiten – von der turbulenten Börse *(siehe S. 70f)* bis zu den beschaulichen Strawberry Fields im Central Park *(siehe S. 208)*, von den Synagogen bis zu den Wolkenkratzern. Auf den folgenden Seiten werden die Highlights der Stadt kurz vorgestellt: Museen und Architektur, Menschen und Kulturen, die diese wirklich einmalige Metropole geprägt haben. Bei jeder Sehenswürdigkeit finden Sie einen Seitenverweis zur ausführlichen Beschreibung. Diese Seite versammelt zunächst die zehn größten Attraktionen.

NEW YORKS WICHTIGSTE SEHENSWÜRDIGKEITEN

Ellis Island
Siehe S. 78f

Empire State Building
Siehe S. 136f

South Street Seaport
Siehe S. 82–84

Rockefeller Center
Siehe S. 144

Museum of Modern Art
Siehe S. 172–175

Central Park
Siehe S. 204–209

Metropolitan Museum of Art
Siehe S. 190–197

Statue of Liberty
Siehe S. 74f

Brooklyn Bridge
Siehe S. 86–89

Chinatown
Siehe S. 94–97

◁ **Der nie abreißende Verkehrsstrom auf der Park Avenue**

Highlights: Museen

New Yorks Museen reichen vom opulenten Metropolitan Museum bis zur kleinen Privatsammlung des Finanziers J. Pierpont Morgan. Viele Museen präsentieren New Yorks kulturelles Erbe und vermitteln den Besuchern ein Bild der Menschen und Ereignisse, die New York zu dem machten, was es heute ist. Die Karte zeigt einige Highlights, die ab Seite 38 ausführlich vorgestellt werden.

Museum of Modern Art

Picassos Ziege (1950) gehört zu den Werken, die im restaurierten und erweiterten Museum of Modern Art zu sehen sind.

Intrepid Sea-Air-Space Museum

Das Museum geht auf die Geschichte der Marine, der Unterwasserforschung und der Luftfahrt ein. Der Flugzeugträger ankert seit 2008 wieder am Pier 86.

Morgan Library & Museum

Eine der weltweit besten Sammlungen von Handschriften, Drucken und Büchern – darunter diese französische Bibel von 1230.

Merchant's House Museum

Das perfekt erhaltene Haus von 1832 gehörte einem Kaufmann.

Ellis Island

Das Museum erzählt über die Schicksale von Millionen von Immigranten.

HUDSON RIVER

EAST RIVER

Upper West Side

Theater District

Chelsea und Garment District

Lower Midtown

Gramercy und Flatiron District

Greenwich Village

SoHo und TriBeCa

East Village

Lower East Side

Lower Manhattan

Seaport und Civic Center

Ellis Island

| 0 Kilometer | 2 |
| 0 Meilen | 1 |

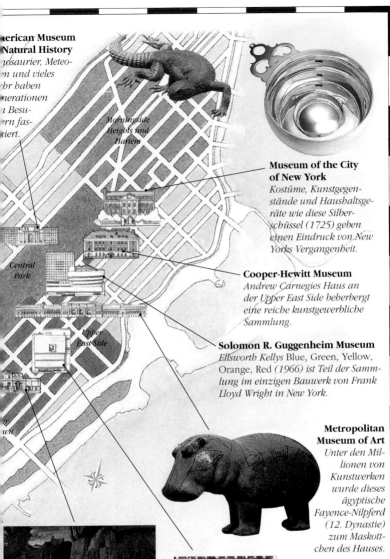

erican Museum
Natural History
nosaurier, Meteo-
n und vieles
hr haben
nerationen
1 Besu-
rn fas-
iert.

Morningside
Heights und
Harlem

Central
Park

Upper
East Side

**Museum of the City
of New York**
Kostüme, Kunstgegen-
stände und Haushaltsge-
räte wie diese Silber-
schüssel (1725) geben
einen Eindruck von New
Yorks Vergangenheit.

Cooper-Hewitt Museum
Andrew Carnegies Haus an
der Upper East Side beherbergt
eine reiche kunstgewerbliche
Sammlung.

Solomon R. Guggenheim Museum
Ellsworth Kellys Blue, Green, Yellow,
Orange, Red *(1966) ist Teil der Samm-*
lung im einzigen Bauwerk von Frank
Lloyd Wright in New York.

**Metropolitan
Museum of Art**
Unter den Mil-
lionen von
Kunstwerken
wurde dieses
ägyptische
Fayence-Nilpferd
(12. Dynastie)
zum Maskott-
chen des Hauses.

**Whitney Museum
of American Art**
Joseph Stellas Bild
Brooklyn Bridge.
Variation on an Old
Theme *(1939) ist eine*
der vielen New-York-
Ansichten in dieser
ungewöhnlichen
Sammlung.

Frick Collection
Die Sammlung des Eisenbahnmagna-
ten Henry Clay Frick (19. Jh.) wird in
seinem Haus gezeigt. Eines der Bilder
ist Die Verzückung des hl. Franziskus
(um 1480) von Giovanni Bellini.

Überblick: Museen

Tabaksdose aus Richmond Town

Man könnte in den New Yorker Museen einen ganzen Monat zubringen – und es würde nicht reichen. Über 60 Museen gibt es allein in Manhattan und noch einmal halb so viele in den anderen Stadtteilen. Keine andere Stadt der Welt kann New York diesbezüglich übertreffen. Zu sehen sind Werke alter Meister, Dampfmaschinen, Dinosaurier, Puppen, tibetische Gobelins bis hin zu afrikanischen Masken. Einige Museen bleiben montags oder an einem anderen Tag geschlossen; viele haben an einem oder zwei Abenden längere Öffnungszeiten. Nicht alle Museen verlangen Eintritt, doch eine Spende ist immer willkommen.

MALEREI UND PLASTIK

New York ist bekannt für seine Kunstmuseen. Das **Metropolitan Museum of Art** besitzt eine umfangreiche Sammlung amerikanischer Kunst, daneben weltberühmte Meisterwerke. Die Nebenstelle **The Cloisters** (in Upper Manhattan) zeigt Kunst und Architektur des Mittelalters, die **Frick Collection** eine herrliche Auswahl alter Meister. Impressionistische und moderne Werke sind im erweiterten **Museum of Modern Art (MoMA)** zu sehen.

Auch das **Whitney Museum of American Art** und das **Solomon R. Guggenheim Museum** sind auf die Moderne spezialisiert – die Whitney-Biennale ist die bedeutendste Gemeinschaftsausstellung zeitgenössischer Künstler. Das **New Museum of Contemporary Art** hat sich der experimentellen Kunst verschrieben, während das **American Folk Art Museum** Werke von Hobbymalern zeigt. Das **National Academy**

Museum präsentiert eine Sammlung von Kunstwerken aus dem 19. und 20. Jahrhundert; es sind vor allem Schenkungen der Mitglieder. Das **Studio Museum** in Harlem stellt die Werke schwarzer Künstler aus.

HANDWERK UND DESIGN

Wer sich für Textilien, Porzellan und Glas, Spitze, Stickereien, Tapeten und Drucke interessiert, sollte das **Cooper-Hewitt Museum** besuchen, die kunsthandwerkliche Abteilung der Washingtoner Smithsonian Institution. Die Design-Abteilung des **MoMA** ist ebenso bekannt wie ihre Gemäldesammlung. Sie zeigt die Entwicklung des Designs etwa bei Uhren und Bettsofas. Das **Museum of Arts and Design** präsentiert Kunsthandwerk unserer Zeit. Das **American Folk Art Museum** stellt Volkstümliches vor, etwa Decken und Rohrstöcke. Silberwaren gibt es im **Museum of the City of New York** zu sehen. Das **National Museum of the American Indian** zeigt Kunst und Handwerk der Ureinwohner.

DRUCK UND FOTOGRAFIE

Das kleine, aber feine **International Center of Photography** ist das einzige Museum in New York, das sich ausschließlich der Fotografie widmet. Fotosammlungen gibt es auch im **Metropolitan Museum of Art** und im **MoMA**. Viele Beispiele der frühen Fotografie sind im **Museum of the City of New York** und in **Ellis Island** zu sehen.

Drucke und Zeichnungen großer Buchillustratoren wie Kate Greenaway und John Tenniel werden in der **Morgan Library & Museum** ausgestellt. Das **Cooper-Hewitt Museum** zeigt Beispiele kunsthandwerklicher Drucke.

MÖBEL UND KOSTÜME

Die alljährliche Ausstellung des Modemuseums im **Metropolitan Museum of Art** lohnt den Besuch, ebenso der amerikanische Flügel mit 24 original möblierten Zimmern, die das Lebensweise in verschiedenen Epochen von 1640 bis ins 20. Jahrhundert festhalten. Speziell auf New York bezogen sind ähnliche Meublements (ab der holländischen Zeit, 17. Jh.) im **Museum of the City of New York**.

Maispuppe, American Museum of Natural History

Einige Häuser sind ebenfalls als Museen eingerichtet und zeigen den Möbelstil im alten New York.

Das **Merchant's House Museum**, ein gut erhaltenes Wohnhaus von 1832, wurde 98 Jahre lang von einer Familie bewohnt. **Gracie Mansion** war die Residenz des Bürgermeisters Archibald Gracie, der sie 1798 einem Reeder abkaufte (zeitweise geöffnet). Besuchen kann man auch das **Geburtshaus von Theodore Roosevelt**, in dem der 26. Präsident der USA aufwuchs, sowie das **Mount Vernon Hotel Museum**, eine Ferienanlage aus dem frühen 19. Jahrhundert.

The Peaceable Kingdom (um 1840) von Edward Hicks, Brooklyn Museum

GESCHICHTE

Pistole, New York City Police Museum

Amerikanische Geschichte wird in der **Federal Hall** lebendig, auf deren Balkon George Washington im April 1789 den Amtseid leistete. Die Zeit des kolonialen New York zeigt das **Fraunces Tavern Museum**. Auf **Ellis Island** und im **Lower East Side Tenement Museum** wird die Mühsal der Immigranten deutlich. Das neue **Museum of Jewish Heritage** in Battery City erinnert an den Holocaust. Heldenmut und Tragödien werden im **New York City Fire Museum** und im **New York City Police Museum** deutlich. Das **South Street Seaport Museum** vermittelt Einblicke in die frühe Schifffahrtsgeschichte.

TECHNOLOGIE UND NATURGESCHICHTE

Bongas, American Museum of Natural History

Das **American Museum of Natural History** hat riesige Sammlungen zu Flora, Fauna und zu Kulturen aus der ganzen Welt. Sein angegliedertes Hayden Planetarium im Rose Center bietet sensationelle Eindrücke vom Weltraum. Das *Intrepid* Sea-Air-Space Museum dokumentiert Technik, insbesondere Militärtechnik, an Deck eines Flugzeugträgers. Wenn Sie eine Lucille-Ball-Sitcom oder aber die erste Landung auf dem Mond im Fernsehen versäumt haben, können Sie das im **NY Paley Center for Media** nachholen. Hier finden Sie zudem viele andere klassische Medien-Highlights.

KUNST ANDERER VÖLKER

Ägyptische Mumie, Brooklyn Museum

Verschiedene Spezialsammlungen befassen sich mit Kunst anderer Völker. Die **Asia Society** und die **Japan Society** zeigen ostasiatische Kunst. Das **Jewish Museum** besitzt umfangreiche Sammlungen zu Judaika und zeigt Wechselausstellungen zu diesem Thema. Puerto-ricanische Kunst ist Thema in **Museo del Barrio**, das auch präkolumbische Kunst präsentiert. Eindrucksvoll informiert das **Schomburg Center for Research in Black Culture** über afroamerikanische Kunst und Geschichte. Ausgezeichnet sind die multikulturellen Ausstellungen im **Metropolitan Museum of Art** – vom alten Ägypten bis zum zeitgenössischen Afrika.

BIBLIOTHEKEN

New Yorks bedeutende Bibliotheken, etwa **Morgan Library & Museum**, besitzen exquisite Kunstsammlungen und bieten die Möglichkeit, seltene Bücher genauer zu betrachten. Die **New York Public Library** stellt u. a. Handschriften bedeutender literarischer Werke aus.

AUSSERHALB MANHATTANS

Einen Besuch lohnt das **Brooklyn Museum** mit Exponaten aus aller Welt und über einer Million Gemälden. Das **Museum of the Moving Image** in Queens dokumentiert die Geschichte des Films. Ein wahres Schatzkästchen ist das **Jacques Marchais Museum of Tibetan Art** auf Staten Island. Das dortige **Historic Richmond Town** zeigt ein rekonstruiertes Dorf aus dem frühen 17. Jahrhundert.

MUSEEN

American Folk Art Museum *S. 171*
American Museum of Natural History *S. 216f*
Asia Society *S. 187*
Brooklyn Museum *S. 250–253*
Cooper-Hewitt Museum *S. 186*
Ellis Island *S. 78f*
Federal Hall *S. 68*
Fraunces Tavern Museum *S. 76*
Frick Collection *S. 202f*
Gracie Mansion *S. 198f*
Guggenheim Museum *S. 188f*
Historic Richmond Town *S. 254*
International Center of Photography *S. 147*
Intrepid Sea-Air-Space Museum *S. 149*
Jacques Marchais Museum of Tibetan Art *S. 254*
Japan Society *S. 158f*
Jewish Museum *S. 186*
Lower East Side Tenement Museum *S. 97*
Merchant's House Museum *S. 120*
Metropolitan Museum of Art *S. 190–197*
Morgan Library & Museum *S. 164f*
Mount Vernon Hotel Museum *S. 198*
Museo del Barrio *S. 231*
Museum of Arts and Design *S. 149*
Museum of Jewish Heritage *S. 77*
Museum of Modern Art *S. 172–175*
Museum of the City of New York *S. 199*
Museum of the Moving Image *S. 246f*
National Academy Museum *S. 186*
National Museum of the American Indian *S. 73*
New Museum of Contemporary Art *S. 100*
New York City Fire Museum *S. 107*
New York City Police Museum *S. 76*
New York Public Library *S. 146*
NY Paley Center for Media *S. 171*
Schomburg Center *S. 229*
South Street Seaport Museum *S. 84*
Studio Museum *S. 230f*
Th. Roosevelt Birthplace *S. 127*
The Cloisters *S. 236–239*
Whitney Museum *S. 200f*

Highlights: Architektur

Auch wenn New Yorks Architektur weltweiten Trends folgte, wahrte sie – geografisch und auch wirtschaftlich bedingt – immer eine besondere Note. Eine Inselstadt muss zwangsläufig in die Höhe bauen. Diese Tendenz zeigte sich schon früh in schmalen, hohen Stadthäusern, später in Apartmenthäusern und Wolkenkratzern. Als Baumaterial dienten oft Gusseisen *(cast iron)* und brauner Sandstein *(brownstone)*. Sie waren verfügbar und gut geeignet. Praktische Zwänge führten zu eigenständigen, eindrucksvollen Antworten. Einen genaueren Überblick über die New Yorker Architektur finden Sie auf den Seiten 42f.

Gusseisen-Architektur
Gusseisen aus Massenproduktion diente zum Fassadenbau. Beispiele finden sich in SoHo, so das abgebildete Haus Greene Street 28–30.

Apartmenthäuser
Das Majestic Building ist einer von fünf Art-déco-Blocks am Central Park West.

Postmoderne
Die eigenwilligen, eleganten Formen des 1985 erbauten World Financial Center (siehe S. 69) markieren eine Abkehr von den glatten Stahl- und Glaskästen der 1950er und 1960er Jahre.

Brownstone
Der heimische braune Sandstein war das bevorzugte Baumaterial der Mittelschichthäuser im 19. Jahrhundert. Ein typisches Beispiel ist das India House in der Wall Street im Stil eines florentinischen Palazzo.

Theat Distri

Chelsea und Garment District

Greenwich Village

Granter und Flatiro District

SoHo und TriBeCa

East Village

Lower East Side

Lower Manhattan

Villen aus dem 19. Jahrhundert
Das Jewish Museum (siehe S. 186), einst Wohnsitz von Felix M. Warburg, ist ein Beispiel für den französischen Renaissance-Stil, der für diese Villen typisch ist.

Morningside Heights und Harlem

Upper West Side

Central Park

Upper East Side

Upper Midtown

Lower Midtown

EAST RIVER

Beaux Arts
Ein Beispiel für den verschwenderischen Lebensstil der reichen Bewohner ist die Beaux-Arts-Pracht des Frick Mansion.

Moderne
Die glatte, schmucklose und doch monumentale Bronze-Glas-Fassade des Seagram Building ist typische Nachkriegsarchitektur (siehe S. 177).

Wolkenkratzer
Die Highlights der New Yorker Architektur vereinigen hohes bauliches Können mit fantasievollem Dekor, etwa bei diesem Wasserspeier am Chrysler Building.

| 0 Kilometer | 2 |
| 0 Meilen | 1 |

Federal Style
Der Stil vieler öffentlicher Gebäude des 19. Jahrhunderts wurde bei der City Hall mit dem Stil der französischen Renaissance kombiniert.

Mietshäuser
Diese Häuser wurden vornehmlich in der Lower East Side für eine ökonomische Form des Wohnens konstruiert und sollten für viele den Aufbruch in ein neues Leben markieren. Oft waren sie hoffnungslos überfüllt und hatten unzureichende oder gar keine Ventilation.

Überblick: Architektur

Portal im Federal Style

New York bezog 200 Jahre lang seine architektonischen Anregungen aus Europa. Heute sind in Manhattan keine Bauten der holländischen Zeit mehr erhalten. Die meisten fielen dem Großbrand von 1776 zum Opfer oder wurden im 19. Jahrhundert abgerissen. Im 18. und 19. Jahrhundert folgte New York noch ganz der europäischen Architektur. Erst mit dem Beginn der Gusseisen-Architektur ab Mitte des 19. Jahrhunderts, mit dem Art-déco-Stil und den immer höher emporstrebenden Wolkenkratzern fand die Stadt ihren eigenen Stil.

FEDERAL STYLE

Die amerikanische Variante des klassizistischen Adam Style prägte die ersten Jahrzehnte der jungen Nation: rechteckige, ein- bis zweistöckige Gebäude mit niedrigem Dach, Balustraden und Zierelementen. Die **City Hall** (1811, John McComb Jr. und Joseph François Mangin) ist eine Verschmelzung von Federal Style und französischer Renaissance. Auch die restaurierten Lagerhäuser der **Schermerhorn Row** (um 1812) im Hafenviertel sind typisch.

BROWNSTONES

Der im nahen Tal des Connecticut River und am Hackensack River (New Jersey) reichlich vorhandene und damit preiswerte Sand-

Typisches Sandsteinhaus mit Treppe zum Haupteingang

stein war im 19. Jahrhundert das bevorzugte Baumaterial. In allen Wohnbezirken der Stadt stehen kleinere Häuser oder Wohnanlagen aus Sand-

stein – besonders schöne Beispiele in **Chelsea**. Aufgrund der beengten Raumverhältnisse waren diese Gebäude sehr schmal und zugleich sehr lang. Ein typisches Brownstone-Haus hat eine Treppe zum Haupteingang, den sogenannten *stoop*. Eine weitere Treppe führt zum Souterrain hinab, wo früher das Dienstpersonal untergebracht war.

SOZIALER WOHNUNGSBAU

Die Wohnblocks *(tenements)* wurden ab 1840 bis zum Ersten Weltkrieg für die Massen von Einwanderern errichtet. Die fünfstöckigen Blocks (30 m lang, 8 m breit) waren teilweise fensterlos, dadurch finster und durch winzige Luftschächte kaum belüftet. Die kleinen Wohnungen hießen *railroad flats*, weil sie an Bahnwaggons erinnerten. Später baute man größere Luftschächte zwischen den Gebäuden, was die Ausbreitung von Feuer begünstigte. Im **Lower East Side Tenement Museum** sieht man Modelle der alten Mietwohnungen.

GUSSEISEN-ARCHITEKTUR

Gusseisen, eine amerikanische architektonische Innovation im 19. Jahrhundert, war billiger als Stein oder Ziegel und erlaubte die Vorfertigung von Fassaden und Ornamenten in der Gießerei. Heute besitzt New York die meisten ganz oder teilweise mit Gusseisen gestalteten Fassaden der Welt. Schöne Cast-Iron-Buildings (um 1870) sind im **SoHo Cast-Iron Historic District** zu finden.

Originale Gusseisen-Fassade, 72–76 Greene Street, SoHo

BEAUX ARTS

Von dieser französischen Schule der Architektur waren öffentliche Gebäude und luxuriöse Privatresidenzen in New Yorks Goldenem Zeitalter (1880–1920) unübersehbar geprägt. Aus dieser Zeit stammen auch viele prominente New Yorker Architekten, darunter etwa Richard Morris Hunt (**Carnegie Hall** 1891; **Metropolitan Museum** 1895), der erste amerikanische Architekt, der 1845 in Paris studierte; Cass Gilbert (**Custom House** 1907; **New**

VERKLEIDUNGEN

Einige besonders reizvolle Formen in der New Yorker Silhouette sind nichts weiter als Verkleidungen der so wichtigen – wenn auch hässlichen – Wassertanks auf dem Dach der Gebäude. Mit verzierten Kuppeln und Türmchen ließen findige Architekten wahre Schlösschen in den Himmel aufragen. Als leicht zu erkennende Beispiele gelten die Aufbauten von zwei benachbarten Hotels der Fifth Avenue: die des Sherry Netherland Ecke 60th Street und die des Pierre Ecke 61st Street.

Gewöhnlicher Wasserturm

Das Dakota in der Upper West Side, gleich am Central Park gelegen, wurde 1884 erbaut

Viele Gebäude hatten schlossähnlichen Charakter und wurden um Innenhöfe herum gebaut, die von der Straße aus nicht einsehbar sind. Wahrzeichen dieser Ära wurden die fünf **Twin Towers**, die 1929 bis 1931, auf dem Höhepunkt der Art-déco-Architektur, am Central Park West entstanden: das San Remo, Eldorado, Century, Beresford und das Majestic.

Art-déco-Klassiker, doch im Wettbewerb des *International Style* von 1932 war New York mit Raymond Hoods **Group Health Insurance Building** (McGraw-Hill Building) vertreten.

Das **World Trade Center** *(siehe S. 72)*, das am 11. September 2001 durch einen Terrorangriff zerstört wurde *(siehe S. 54)*, war mit 411 Metern das höchste Gebäude der Stadt und galt als typischer Vertreter der »Glaskasten«-Moderne. Als repräsentatives Beispiel für die postmoderne Architektur gilt das **Citigroup Center** (1977).

York Life Insurance Building 1928; **US Courthouse** 1936; das Team Warren & Wetmore (**Grand Central Terminal** 1913; **Helmsley Building** 1929); Carrère & Hastings (**New York Public Library** 1911; **Frick Mansion** 1914). Das berühmteste Architektenteam der Stadt war um das Jahr 1900 McKim, Mead & White (**Villard Houses** 1884; **United States General Post Office** 1913; **Municipal Building** 1914).

APARTMENTHÄUSER

Mit der raschen Bevölkerungszunahme wurde Wohnraum knapp. Für die meisten New Yorker wurde ein Haus in Manhattan zu teuer, sodass auch die Reicheren dem Trend zu Wohnungen in Mehrfamilienhäusern folgten. 1884 begann mit Henry Hardenberghs Dakota *(siehe S. 218)*, einer der ersten Luxuswohnanlagen, der Bauboom der Jahrhundertwende an der Upper West Side.

WOLKENKRATZER

In Chicago wurde der Wolkenkratzer erfunden, doch in New York wurde er perfektioniert. 1902 erbaute D. Burnham das 91 Meter hohe **Flatiron Building** – Skeptiker sagten seinen Einsturz voraus. 1913 erreichte das **Woolworth Building** 241 Meter. Die oberen Gebäudeabschnitte wurden zurückversetzt, damit Sonnenlicht die Straße erreichte – für den Art déco vorteilhaft. Höchstes Gebäude der Welt wurde 1930 das **Chrysler Building** und 1931 das **Empire State Building**. Beide sind

Art-déco-Muster an der Spitze des Chrysler Building

INTERESSANTE GEBÄUDE

Carnegie Hall S. 148f
Chelsea S. 130–139
Chrysler Building S. 155
Citigroup Center S. 177
City Hall S. 90
Custom House S. 73
Empire State Building S. 136f
Flatiron Building S. 127
Frick Mansion S. 202f
General Post Office S. 135
Grand Central Terminal S. 156f
Group Health Insurance Building S. 147
Helmsley Building S. 158
Lower East Side Tenement Museum S. 97
Metropolitan Museum of Art S. 190–197
Municipal Building S. 85
New York Life Insurance Building S. 126
New York Public Library S. 146
Schermerhorn Row S. 84
SoHo Cast-Iron Historic District S. 104f
Twin Towers of Central Park West S. 214
US Courthouse S. 85
Villard Houses S. 176
Woolworth Building S. 91

245 Fifth Avenue (Apartmenthaus)

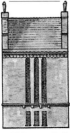

60 Gramercy Park North (Brownstone)

Hotel Pierre (Beaux Arts)

Sherry Netherland Hotel (Beaux Arts)

Multikulturelles New York

An jeder Ecke von New York, selbst im hektischen Zentrum mit seinen Hochhäusern, stoßen Sie auf die vielfältigen ethnischen Traditionen der Stadt. Eine Busfahrt führt den Besucher von Madras nach Moskau, von Hongkong nach Haiti. Die Hauptwelle der Immigranten traf zwischen 1880 und 1910 ein (etwa 17 Millionen Menschen). Aber auch in den 1980er Jahren wanderten etwa eine Million Menschen ein, vor allem aus der Karibik und aus Asien. Sie alle haben ihren Platz in den Gemeinden ihrer Landsleute gefunden. Das ganze Jahr über wird in New York irgendein ethnisches Fest gefeiert. Mehr über Volksfeste und Umzüge finden Sie auf den Seiten 50–53.

Hell's Kitchen
Der Name des Viertels könnte auf die Bedingungen hinweisen, unter denen die irischen Einwanderer anfangs hier lebten.

Little Korea
Nahe dem Herald Square ist eine kleine koreanische Gemeinde ansässig.

Little Ukraine
Am 17. Mai werden am T. Shevchenko Place Gottesdienste abgehalten, um die Bekehrung der Ukrainer zum Christentum zu feiern.

Little Italy
Im September versammelt sich die italienische Gemeinde zehn Tage lang im Gebiet der Mulberry Street, um auf den Straßen die Festa di San Gennaro zu feiern.

Chinatown
Jedes Jahr Ende Januar herrscht in der Mott Street ein fröhliches Treiben, wenn die Chinesen Neujahr feiern.

The Dis

Chelsea und Garment District

Grame und Flatiro Distri

Greenwich Village

SoHo und TriBeCa

East Villag

Seaport und Civic Center

Lower Manhattan

Lower East Side

Lower East Side
Die Synagogen um die Rivington Street spiegeln das religiöse Leben des alten jüdischen Viertels wider.

0 Kilometer   2
0 Meilen   1

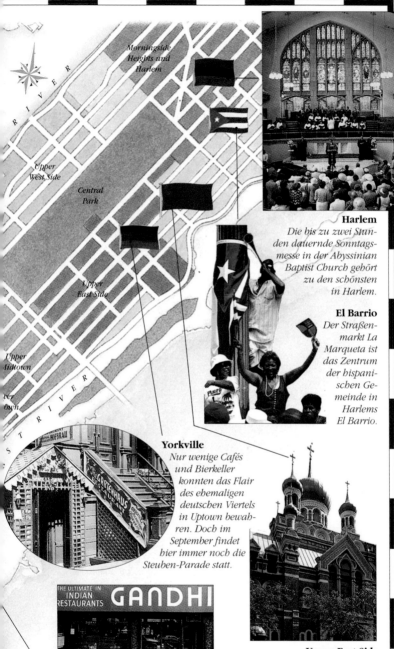

Morningside
Heights und
Harlem

Upper
West Side

Central
Park

Upper
East Side

Upper
Midtown

Harlem
Die bis zu zwei Stunden dauernde Sonntagsmesse in der Abyssinian Baptist Church gehört zu den schönsten in Harlem.

El Barrio
Der Straßenmarkt La Marqueta ist das Zentrum der hispanischen Gemeinde in Harlems El Barrio.

Yorkville
Nur wenige Cafés und Bierkeller konnten das Flair des ehemaligen deutschen Viertels in Uptown bewahren. Doch im September findet hier immer noch die Steuben-Parade statt.

Little India
Die Restaurants in der East 6th Street vermitteln indische Atmosphäre.

Upper East Side
Die prächtige St. Nicholas Russian Orthodox Cathedral in der East 97th Street gehört der verstreuten weißrussischen Gemeinde. Die Sonntagsmesse wird in russischer Sprache abgehalten.

Überblick: Multikulturelles New York

Mosaikfenster im Cotton Club

Auch die gebürtigen New Yorker haben Vorfahren aus anderen Ländern. Im 17. Jahrhundert siedelten hier Holländer und Engländer; sie errichteten Handelsniederlassungen in der Neuen Welt. Bald wurde Amerika zum Symbol der Hoffnung für die Entrechteten ganz Europas. Mittellos und oft mit geringen Englischkenntnissen überquerten sie den Atlantik. Der Kartoffelmangel um 1840 trieb die ersten irischen Einwanderer nach Amerika. Es folgten Deutsche und andere Europäer, die durch die industrielle Revolution entwurzelt wurden. Die Ankömmlinge haben sich über ganz New York verteilt. Inzwischen sind hier etwa 100 Sprachen heimisch.

Türkische Einwanderer auf dem Idlewild Airport, 1963

JUDEN

Seit 1654 besteht die New Yorker jüdische Gemeinde. Die erste Synagoge, Shearith Israel, bauten Flüchtlinge aus Brasilien. Sie dient noch heute ihrer Bestimmung. Die ersten Siedler waren sephardische Juden spanischer Herkunft wie die prominente Familie Baruch. Es folgten deutsche Juden, die sich erfolgreich im Einzelhandel betätigten, etwa die Gebrüder Straus (Macy's). Verfolgungen in Russland führten zu einer Masseneinwanderung, die kurz vor 1900 einsetzte. Beim Ausbruch des Ersten Weltkriegs lebten etwa 600 000 Juden in der Lower East Side. Heute wirkt das Viertel eher hispanisch und asiatisch als jüdisch, doch manches erinnert noch an seine einstige Prägung.

DEUTSCHE

Die ersten Deutschen ließen sich im 18. Jahrhundert in New York nieder. Seit den Tagen John Peter Zengers *(siehe S. 21)* setzt sich die deutsche Gemeinde in New York für die Meinungsfreiheit ein. Ihr entstammen Industriemagnaten wie John Jacob Astor, der erste Millionär der Stadt.

ITALIENER

Italiener kamen erstmals ab den 1830er Jahren, vor allem aus Norditalien nach dem Scheitern der dortigen Revolution. 1870–80 trieb die Armut in Süditalien viele weitere Italiener über den Atlantik. Sie wurden eine starke politische Kraft. Ein Exponent war Fiorello LaGuardia, einer der herausragenden Bürgermeister von New York.

CHINESEN

Relativ spät kamen Chinesen nach New York. 1880 lebten ganze 700 in der Mott Street. Um 1940 waren sie die

Buddhistischer Tempel in Chinatown *(siehe S. 96 f)*

am schnellsten wachsende, sozial mobilste ethnische Gruppe, die die Grenzen von Chinatown bald überwand und in Brooklyn und Queens neue Chinesenviertel entstehen ließ. Das früher abgeschlossene Chinatown wird heute besonders gern von Besuchern frequentiert, die die Straßen, Märkte, Restaurants und Läden erkunden.

HISPANISCHE AMERIKANER

Heiligenfiguren im Museo del Barrio *(siehe S. 231)*

Schon 1838 lebten Puerto Ricaner in New York, aber erst nach dem Zweiten Weltkrieg kamen sie auf der Suche nach Arbeit in großer Zahl. Die meisten wohnen in El Barrio, dem früheren Spanish Harlem. Flüchtlinge der Mittelschicht aus Fidel Castros Kuba leben jetzt oft außerhalb von New York, üben aber großen Einfluss aus. Die dominikanische und die kolumbianische Gemeinde haben ihr Zentrum in Washington Heights.

IREN

Iren trafen erstmals 1840–50 in New York ein und hatten ein schweres Los. Vom Verhungern bedroht, arbeiteten sie hart, um den Slums in Five Points und Hell's Kitchen zu entkommen. Dabei halfen sie beim Aufbau der modernen Stadt. Viele traten in die Polizei oder die Feuerwehr ein und arbeiteten sich zu wichtigen Stellungen hoch. Andere waren als Geschäftsleute erfolgreich. Die irischen Bars sind Sammelpunkte für die verstreut lebende irische Gemeinde New Yorks.

AFROAMERIKANER

Harlem, wohl die bekannteste schwarze Großstadtgemeinde der westlichen Welt, lockt den Besucher vor allem mit Gospels und dem einzigartigen *Soul Food*. Viele Afroamerikaner stammen von Sklaven ab, die auf den Südstaaten-Plantagen arbeiten mussten. Mit ihrer Befreiung in den 1860er Jahren begann die Wanderung in die großen Städte des Nordens, die in den 1920er Jahren ihren Höhepunkt erreichte: Damals wuchs die schwarze Bevölkerung von 83 000 auf 200 000 an. Harlem wurde Zentrum einer Renaissance der schwarzen Kultur *(siehe S. 30f)*.

SCHMELZTIEGEL

Andere ethnische Gruppen lassen sich nicht so ohne Weiteres eingrenzen, sind aber leicht zu finden. Zentrum der Ukrainer ist die St. George's Ukrainian Catholic Church im East Village (East 7th Street). Little India erkennt man an den Restaurants in der East 6th Street. Viele Obst- und Gemüseläden in Manhattan gehören Koreanern, die meist in Flushing (Queens) wohnen. New Yorks religiöse Vielfalt zeigt sich im Islamic Cultural Center am Riverside Drive, in der Russian Orthodox

Bei der Parade zum griechischen Unabhängigkeitstag

Cathedral in der East 97th Street *(siehe S. 199)* und im Islamic Cultural Center in der 96th Street mit der ersten großen Moschee New Yorks.

ÄUSSERE BEZIRKE

Der internationalste Bezirk ist Brooklyn. Hier wächst die karibische Bevölkerung wegen der Einwanderer aus

Jamaika und Haiti besonders schnell. Die karibische Gemeinde konzentriert sich um den Eastern Parkway zwischen Grand Army Plaza und Utica Avenue, wo im September eine Parade zum West India Day stattfindet. Jüdische Emigranten aus Russland haben Brighton Beach in ein »Little Odessa by the Sea« verwandelt. Skandinavier und Libanesen haben sich in Bay Ridge, Finnen in Sunset Park niedergelassen. Borough Park und Williamsburg sind das Revier der orthodoxen Juden, Midwood hat einen eher israelischen Akzent. Italiener leben in Bensonhurst, Greenpoint ist polnisch geprägt, und in der Atlantic Avenue ist die größte arabische Gemeinde der USA beheimatet.

Die Iren sind mit als Erste über den Harlem River in die Bronx vorgestoßen. Japanische Geschäftsleute fühlen sich im exklusiven Riverdale am wohlsten. Astoria (Queens) ist eines der markantesten ethnischen Viertel: Hier lebt die größte griechische Gemeinde außerhalb Griechenlands. In Jackson Heights gibt es ein großes lateinamerikanisches Viertel, in dem u. a. 300 000 Kolumbianer wohnen. Hier und im benachbarten Flushing trifft man auch viele Inder. Flushing ist jedoch vor allem das Zentrum der Orientalen: Die Züge dorthin nennt der Volksmund »Orient-Express«.

Die New Yorker Polizei: Sammelbecken für Iren

PROMINENTE EINWANDERER *(siehe auch S. 48f)*

Die Jahreszahl gibt jeweils den Zeitpunkt der Ankunft in New York an.

1893 Irving Berlin (Russland), Musiker

1894 Al Jolson (Litauen), Sänger

1896 Samuel Goldwyn (Polen), Filmmogul

1902 Joe Hill (Schweden), Gewerkschaftsaktivist

1903 Frank Capra (Italien), Regisseur

1904 Hyman Rickover (Russland), Entwickler des Atom-U-Boots

1906 »Lucky« Luciano (Italien), Gangster (abgeschoben 1946)

1908 Bob Hope (Großbritannien), Komiker

1909 Lee Strasberg (Österreich), Theaterintendant

1912 Claudette Colbert (Frankreich), Schauspielerin

1913 Rudolph Valentino (Italien), Schauspieler

1921 Bela Lugosi (Ungarn), *Dracula*-Darsteller

1923 Isaac Asimov (Russland), Wissenschaftler und Schriftsteller

1932 George Balanchine (Russland), Choreograf

1933 Albert Einstein (Deutschland), Wissenschaftler

1938 Familie von Trapp (Österreich), Sänger

1890	1895	1900	1905	1910	1915	1920	1925	1930	1935	1940

Berühmte New Yorker

New York brachte einige der größten Talente des 20. Jahrhunderts hervor. Hier begann die Pop-Art, Manhattan ist Weltzentrum der modernen Kunst. Die jungen wilden Autoren der 1950er und 1960er Jahre – bekannt als Beat Generation – fanden Inspiration in den Jazzclubs. Auch Finanz- und Wirtschaftsbosse haben sich in der Finanzhauptstadt der Welt niedergelassen.

AUTOREN

Der Schriftsteller James Baldwin

In New York entstand große Literatur. 1791 erschien *Eine wahre Geschichte* von Susanna Rowson (1762–1824), eine New Yorker Story über Verführung, die 50 Jahre lang ein Bestseller war. Amerikas erster professioneller Autor, Charles Brockden Brown (1771–1810), kam 1791 nach New York. Edgar Allen Poe (1809–1849), der Pionier der modernen Detektivgeschichte, erweiterte das Thriller-Genre. Henry James (1843–1916) schrieb *The Bostonians* (1886) und ist als Meister des psychologischen Romans bekannt. Die mit ihm befreundete Edith Wharton (1861–1937) verfasste berühmte satirische Romane über die amerikanische Gesellschaft.

1809 schrieb Washington Irving (1783–1859) die Satire *Eine Geschichte New Yorks* und verhalf so amerikanischer Literatur endgültig zu Weltruf; sie brachte ihm 2000 Dollar. »Gotham« steht hier für New York, »Knickerbockers« für seine Bewohner. Irving und James Fenimore Cooper (1789–1851), der Western-Romane etablierte, gründeten die Knickerbocker Group der amerikanischen Schriftsteller.

Greenwich Village zog schon immer Autoren an, so auch Herman Melville (1819–1891), dessen Meisterwerk *Moby Dick* (1851) anfangs keinen Erfolg hatte. Jack Kerouac (1922–1969), Allen Ginsberg (1926–1997) und William Burroughs (1914–1997) besuchten die Columbia University und trafen sich in Greenwich Village. Dylan Thomas (1914–1953) setzte im Chelsea Hotel seinem Leben ein Ende. Nathanael West (1903–1940) arbeitete in Gramercy Park Hotel, Dashiell Hammett schrieb dort *Der Malteser Falke*. Der in Harlem geborene James Baldwin (1924–1987) verfasste nach seiner Rückkehr aus Europa das bekannte Werk *Eine andere Welt* (1963).

BILDENDE KÜNSTLER

Amerikas erste wichtige Künstlerbewegung war die New Yorker Schule abstrakter Expressionisten, begründet von Hans Hofmann (1880–1966), Franz Kline und Willem de Kooning, der in Amerika zunächst Anstreicher war. Weitere Vertreter dieses Stils waren Adolph Gottlieb, Mark Rothko (1903–1970) und Jackson Pollock (1912–1956). Pollock, Kline und de Kooning hatten ihre Ateliers in der Lower East Side.

In den 1960er Jahren entstand Pop-Art in New

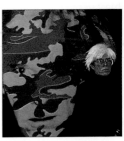

Pop-Art-Künstler Andy Warhol

York mit Roy Lichtenstein und Andy Warhol (1928–1987), der am Union Square 37 Kultfilme drehte. Keith Haring (1958–1990) erlangte mit Wandgemälden und Skulpturen im Stil der Pop-Art Ruhm.

Durch homoerotische Fotos wurde Robert Mapplethorpe (1946–1989) bekannt. Jeff Koons trat in den 1980er Jahren als Vertreter des Neo-Pop- und Post-Pop-Kunst hervor. Die illusionistischen Wandmalereien von Richard Haas beleben viele Mauern der Stadt.

SCHAUSPIELER

Der britische Schauspieler Charles Macready verursachte 1849 einen Tumult, als er die Amerikaner vulgär nannte. Eine wütende Menge stürmte das Astor Place Opera House, wo er den Macbeth spielte. Im Kugelhagel der Polizei starben 22 Demonstranten. Wegen einer anzüglichen Szene in ihrer Broadway-Show musste Mae West (1893–1980) 1927 zehn Tage im Arbeitshaus verbringen und 500 Dollar Strafe zahlen. Marc Blitzsteins radikale Proletarier-Oper *The Cradle Will Rock* in der Inszenierung von Orson Welles und John Houseman

Vaudeville-Star Mae West

wurde von der Bühne verbannt. Die Schauspieler besorgten sich Karten und sangen aus dem Zuschauerraum.

Das Musical war New Yorks Beitrag zum Theater. Florenz Ziegfelds (1869–1932) *Follies* wurde von 1907 bis 1931 ununterbrochen gespielt. Mit *Oklahoma* begann am Broadway 1943 die Musical-Ära von Richard Rodgers (1902–1979) und Oscar Hammerstein Jr. (1895–1960).

In der MacDougal Street 33 spielten die Provincetown Players als erstes Off-Broadway-Theater Eugene O'Neills (1888–1953) *Beyond the Horizon*. Ihm folgte als amerikanischer Theatererneuerer Edward Albee mit dem berühmten Stück *Wer hat Angst vor Virginia Woolf?* (1962).

MUSIKER UND TÄNZER

In der langen Reihe großer Dirigenten des New York Philharmonic Orchestra findet sich Leonard Bernstein (1918–1990) zusammen mit Bruno Walter (1876–1962), Arturo Toscanini (1867–1957) und Leopold Stokowski (1882–1977). Maria Callas (1923–1977) wurde in New York geboren.

In der Carnegie Hall *(siehe S. 148f)* traten Enrico Caruso (1873–1921), Bob Dylan und die Beatles auf. Das größte Publikum in New Yorks Geschichte strömte 1991 zu Paul Simons kostenlosem Konzert in den Central Park: eine Million Menschen.

In der 52nd Street sind die legendären Swing-Clubs der 1930er und 1940er Jahre mittlerweile verschwunden. Ge-

Josephine Baker

denktafeln auf dem »Jazz Walk« am CBS Building ehren z.B. den großen Charlie Parker (1920–1955) und Josephine Baker (1906–1975).

1940–65 wurde New York durch George Balanchines (1904–1983) New York City Ballet sowie das American Ballet Theater zu einer Tanzmetropole. 1958 begründete Alvin Ailey (1931–1989) das American Dance Theater. Bob Fosse (1927–1987) erfand das Musical neu.

INDUSTRIELLE UND UNTERNEHMER

Industriemagnat C. Vanderbilt

Vom Tellerwäscher zum Millionär – das ist der klassische amerikanische Traum. Der »Stahlbaron mit dem goldenen Herzen«, Andrew Carnegie (1835–1919), fing mit nichts an und hatte bis zu seinem Tod 350 Millionen Dollar an Bibliotheken und Universitäten in ganz Amerika gespendet. Es gab noch andere reiche Wohltäter. Cornelius Vanderbilt (1794–1877) und viele andere wollten ihre raue Anfangszeit durch die Förderung der Künste vergessen machen. In der Geschäftswelt konnten New Yorks »Raubritter« ungestraft agieren. So schlugen die Finanziers Jay Gould (1836–1892) und James Fisk (1834–1872) Vanderbilt im Kampf um die Erie-Eisenbahn durch Börsenmanipulationen. Im September 1869 verursachten sie den ersten »Schwarzen Freitag«, als sie versuchten, den Goldmarkt zu monopolisieren. Gould starb als glücklicher Milliardär, Fisk wurde im Duell um eine Frau getötet.

Unternehmer jüngerer Zeit sind Donald Trump *(siehe S. 33)*, der Besitzer des Trump Tower, sowie Leona und Harry Helmsley. Das gewaltige Vermögen der Helmsleys ging nach Leonas Tod 2007 großteils an einen gemeinnützigen Fonds über.

ARCHITEKTEN

Cass Gilbert (1859–1934) gehört mit seinen neogotischen Wolkenkratzern (etwa dem Woolworth Building von 1913, *siehe S. 91*) zu den Männern, die New York im wahrsten Sinne geformt haben. Eine Karikatur von ihm ist in der Eingangshalle zu sehen. Stanford White (1853–1906) für seine Gebäude im Beaux-Arts-Stil wie den Players Club *(siehe S. 128)* und wegen seines skandalösen Privatlebens berühmt. Frank Lloyd Wright (1867–1959) verachtete das städtische Bauen, drückte aber mit dem Guggenheim Museum *(siehe S. 188f)* der Stadt doch noch seinen Stempel auf. Ludwig Mies van der Rohe (1886–1969), gebürtiger Deutscher und Erbauer des Seagram Building, meinte, dass man nicht »jeden Montagmorgen eine neue Architektur erfinden könne«. Doch genau das konnte New York schon immer am besten.

Musical-Produzent Florenz Ziegfeld

DAS JAHR IN NEW YORK

Die Park Avenue zeigt sich im Frühling in voller Blütenpracht. Am St. Patrick's Day, wenn der erste der vielen jährlichen Umzüge stattfindet, erscheint die Fifth Avenue in grüne Farbe getaucht. Der Sommer in New York ist feuchtheiß, doch es lohnt sich, die klimatisierten Räume zu verlassen und die kostenlosen Open-Air-Aufführungen und -Konzerte in den Parks und auf den Plätzen zu genießen. Der erste Montag im September ist Labor Day, wenn bereits die rotgoldenen Farben des Herbstes die Stadt prägen. An Weihnachten erstrahlen Läden und Straßen im Glitzerschmuck.

Die Daten der nachfolgend genannten Ereignisse können variieren. Aktuelle Informationen liefern die vielen Stadtmagazine *(siehe S. 369)*. Einen vierteljährlichen Veranstaltungskalender gibt NYC & Company im Auftrag des New York Convention and Visitors Bureau *(siehe S. 368)* heraus.

FRÜHLING

In New York hat jede Jahreszeit ihre ganz eigenen Verlockungen. Im Frühling lassen Tulpen, Kirschblüten und Frühlingsmode den Winter vergessen. Jetzt ist die Zeit für Schaufensterbummel und Galeriebesuche. Alles strömt zu der beliebten St. Patrick's Day Parade, Tausende kleiden sich für den Osterumzug auf der Fifth Avenue festlich.

Ausgefallener Kopfputz bei der New Yorker Easter Parade

MÄRZ

St. Patrick's Day Parade
(17. März), Fifth Ave, 44th bis 86th Street. Grüne Kleider und Accessoires, Bier, Blumen und Dudelsäcke.
Greek Independence Day Parade *(25. März)*, Fifth Ave, 49th bis 59th Street. Griechische Tänze und Speisen.
New York City Opera Spring Season *(März–Apr)*, Lincoln Center *(S. 350)*.
Ringling Bros. and Barnum & Bailey Circus *(März–Apr)*, Madison Square Garden *(S. 135)*.

Gelbe Tulpen und Taxis auf der Park Avenue

OSTERN

Easter Flower Show *(Woche vor Ostern)*, Macy's Department Store *(S. 134f)*.
Easter Parade *(Ostersonntag)*, Fifth Ave, 44th bis 59th Street. Parade mit Kostümen und ausgefallenen Kopfbedeckungen um die St. Patrick's Cathedral.

APRIL

Cherry Blossom Festival *(Ende Apr–Anfang Mai)*, Brooklyn Botanic Garden. Blühende japanische Kirschbäume und schöne Ziergärten.
Annual Earth Day Festival Activities *(variabel)*. Veranstaltungen für die Umwelt.
Baseball *(Apr–Mai)*. Die Major League beginnt mit Spielen der Yankees und der Mets *(S. 360)*.
New York City Ballet Spring Season *(Apr–Juni)*, New York State Theater und Metropolitan Opera House im Lincoln Center *(S. 214)*.

MAI

Five Boro Bike Tour *(Anfang Mai)*. 68 Kilometer Fahrradrennen. Am Ziel Live-Musik.
Cuban Day Parade *(Anfang Mai)*. Karneval auf der Sixth Avenue zwischen 44th Street und Central Park South.

Umzug in Nationaltracht am griechischen Unabhängigkeitstag

Ninth Avenue Street Festival *(Mitte Mai)*, W 37th bis W 57th Street. Ein Fest mit verschiedenen Nationalgerichten, Musik und Tanz.
Washington Square Outdoor Art Exhibit *(Ende Mai–Anfang Juni)*.
Memorial Day *(letztes Wochenende)*, Parade Fifth Ave, Feier am South Street Seaport.

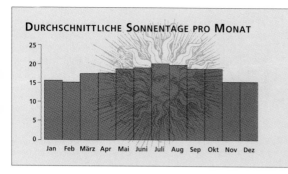

Durchschnittliche Sonnentage pro Monat

Jan Feb März Apr Mai Juni Juli Aug Sep Okt Nov Dez

Sonnenschein
New York erfreut sich im Sommer (Juni bis August) langer, heller Tage; den meisten Sonnenschein bringt der Juli. Die Wintertage sind wesentlich kürzer, aber viele sind hell und klar. Der Herbst ist etwas sonniger als der Frühling.

Sommer

Nach Möglichkeit meiden New Yorker jetzt die heiße Stadt. Sie machen Picknicks und Bootsfahrten oder fahren zum Strand. Feuerwerk gibt es am 4. Juli. Heiß geht es her, wenn die Baseball-Teams antreten. Im Sommer gibt es Straßenfeste und im Central Park kostenlose Opern- und Shakespeare-Aufführungen.

Tanzender Polizist bei der Puerto Rican Day Parade

Juni

Puerto Rican Day Parade *(2. So)*, Fifth Ave, 44th bis 86th Street. Festwagen und Musikkapellen.
Museum Mile Festival *(zweiter Di)*, Fifth Ave, 82nd bis 105th Street. Freier Eintritt in den Museen.
Central Park Summer Stage *(Juni–Aug)*, Central Park. Fast täglich und bei jedem Wetter stehen Musik und Tanz auf dem Programm.
Metropolitan Opera Parks Concerts. Kostenlose Abendkonzerte in allen Parks der Stadt *(S. 351)*.
Goldman Memorial Band Concerts *(Juni–Aug)*, Lincoln Center *(S. 214)*. Traditionelle Musikgruppen.

Shakespeare in the Park *(Juni–Sep)*. Berühmte Schauspieler treten im Delacorte Theater, Central Park, auf *(S. 347)*.
Lesbian and Gay Pride Day Parade *(Juni)*, vom Columbus Circle über die Fifth Ave zum Washington Sq *(S. 115)*.
JVC Jazz Festival *(Ende Juni–Anfang Juli)*. Jazzmusik in der ganzen Stadt *(S. 352)*.

Juli

Macy's Fireworks Display *(4. Juli)*, East River. Feiern zum Unabhängigkeitstag mit beeindruckendem Feuerwerk.
American Crafts Festival *(Anfang Juli)*, Lincoln Center *(S. 214)*. Kunsthandwerk.
Mostly Mozart Festival *(Ende Juli–Ende Aug)*, Avery Fisher Hall, Lincoln Center *(S. 350)*.
NY Philharmonic Parks Concerts *(Ende Juli–Anfang Aug)*. Kostenlose Konzerte in allen Parks der Stadt *(S. 351)*.

Sommerliches Straßenfest in Greenwich Village

Lincoln Center Festival *(Juli)*. Internationale Tanz-, Opern-, Theater- und Performance-Darbietungen.

August

Harlem Week *(Mitte Aug)*. Film, Kunst, Musik, Tanz, Mode, Sport und Führungen.
Out-of-Doors Festival *(Aug)*, Lincoln Center. Kostenlose Tanz- und Theateraufführungen *(S. 346)*.
US Open Tennis Championships *(Ende Aug–Anfang Sep)*, Flushing Meadows *(S. 360f)*.

Die Tennis-Meisterschaften US Open sind ein Publikumsmagnet

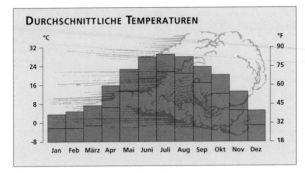

DURCHSCHNITTLICHE TEMPERATUREN

°C	°F
32	90
24	75
16	60
8	45
0	32
-8	18

Jan Feb März Apr Mai Juni Juli Aug Sep Okt Nov Dez

Temperaturen
Die Grafik zeigt die durchschnittlichen Höchst- und Tiefstwerte pro Monat in New York. In den Sommermonaten kann es in der Stadt sehr heiß werden. Die Wintermonate scheinen dagegen bitterkalt, auch wenn das Thermometer häufig über 0 °C bleibt.

HERBST

Mit dem Labor Day geht der Sommer zu Ende. Die Giants und Jets eröffnen die Football-Saison, am Broadway beginnt die neue Theatersaison. Die Festa di San Gennaro in Little Italy bildet den Höhepunkt farbenfroher Stadtteil-Straßenfeste. Macy's Thanksgiving Day Parade markiert den Beginn der festlichen Jahreszeit.

SEPTEMBER

Richmond County Fair
(Wochenende des Labor Day), in Historic Richmond Town *(S. 254)*. Im authentischen Stil eines englischen Volksfestes.
West Indian Carnival *(Wochenende des Labor Day)*, Brooklyn. Umzug mit Festwagen, Musik, Tanz und Speisen.
Brazilian Festival *(Anfang Sep)*, E 46th Street, zwischen Times Sq und Madison Ave.

Exotisches karibisches Karnevalskostüm in Brooklyn

Musik, Essen und Kunst aus Brasilien.
New York is Book Country *(Mitte Sep)*, Fifth Ave, 48th bis 59th Street. Bücherfestival.
Festa di San Gennaro *(dritte Woche)*, Little Italy *(S. 96)*. Zehn Tage Feste und Umzüge.
New York Film Festival *(Mitte Sep–Anfang Okt)*, Lincoln Center *(S. 214)*. Amerikanische Filme und internationale Filmkunst.
Von Steuben Day Parade *(dritte Woche)*, Upper Fifth Ave. Deutsch-amerikanische Feierlichkeiten.
American Football *(Sep)*, Giants Stadium. Saisonauftakt für Giants und Jets *(S. 360f)*.

OKTOBER

Columbus Day Parade *(zweiter Mo)*, Fifth Ave, 44th bis 86th Street. Umzüge und Musik anlässlich der Entdeckung von Amerika.
Pulaski Day Parade *(So um den 5. Okt)*, Fifth Ave, 26th bis 52nd Street. Fest zu Ehren des polnisch-amerikanischen Helden Casimir Pulaski.
Halloween Parade *(31. Okt)*, Greenwich Village. Tolles Fest, fantastische Kostüme.
Big Apple Circus *(Okt–Jan)*, Damrosch Park, Lincoln Center. Jedes Jahr werden besondere Themen präsentiert *(S. 365)*.
Basketball *(Okt)*, Madison Square Garden. Saisonbeginn für die Knicks *(S. 360)*.
New York City Marathon *(Anfang Nov)*. Von Staten Island durch alle Stadtteile.

Riesiger Superman-Ballon über Macy's Thanksgiving Day Parade

NOVEMBER

Macy's Thanksgiving Day Parade *(vierter Do)*, vom Central Park West/W 79th Street zum Broadway/W 34th Street. Spektakel für Kinder mit Festwagen, riesigen Ballons und Santa Claus.
Rockefeller Center Ice Skating Rink *(Okt–März)*, Eislaufen unter dem berühmten Weihnachtsbaum.
Christmas Spectacular *(Nov–Dez)*, Radio City Music Hall. Varieté-Show mit der Tanzgruppe The Rockettes.

Mitwirkende bei der Halloween Parade in Greenwich Village

Durchschnittlicher monatlicher Niederschlag

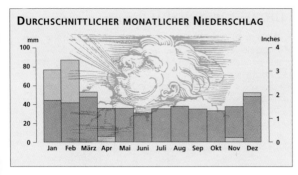

☐	Regen	
☐	Schnee	

Niederschläge
März und August bringen die meisten Niederschläge. Im Frühjahr muss man immer auf Regen gefasst sein. Im Winter kann plötzlicher heftiger Schneefall ein Verkehrschaos auslösen.

Winter

Das weihnachtliche New York ist zauberhaft – sogar die Steinlöwen der Public Library sind geschmückt, viele Läden werden zu wahren Kunstwerken. Neujahrsfeste gibt es vom Times Square bis nach Chinatown. Der Central Park verwandelt sich in einen Wintersportplatz.

Die Statue von Alice (aus *Alice im Wunderland*) im Central Park

Dezember

Tree-Lighting Ceremony *(Anfang Dez)*, Rockefeller Center *(S. 144)*. Die Kerzen des Christbaums vor dem RCA Building werden entzündet.
Messiah Sing-In *(Mitte Dez)*, Lincoln Center *(S. 214)*. Das Publikum probt und singt unter verschiedenen Dirigenten.
Hanukkah Menorah *(Mitte bis Ende Dez)*, Grand Army Plaza, Brooklyn. Während des achttägigen Lichterfests wird allabendlich die riesige Menora (Leuchter) entzündet.
New Year's Eve *(Silvester)*, Feuerwerk im Central Park *(S. 206f)*; fröhliches Treiben am Times Square *(S. 147)*; Fünf-Meilen-Lauf (8 km) im Central Park; Dichterlesung in der St. Mark's Church.

Januar

National Boat Show *(Anfang Jan)*, Jacob K. Javits Convention Center *(S. 138)*.
Chinese New Year *(Jan/Feb)*, Chinatown *(S. 96f)*. Drachen, Feuerwerk und Essen.
Winter Antiques Show *(Jan)*, Seventh Regiment Armory *(S. 187)*. New Yorks exklusivste Antiquitätenmesse.

Februar

Black History Month. Veranstaltungen zur afroamerikanischen Kultur in der Stadt.
Empire State Building Run-Up *(Anfang Feb)*. Wettlauf zum 86. Stockwerk *(S. 136)*.
Lincoln and Washington Birthday Sales *(12.–22. Feb)*. Schlussverkauf in allen großen Department Stores.
Westminster Kennel Club Dog Show *(Anfang Feb)*, Madison Square Garden *(S. 135)*. Große Hundeschau.

Chinesisches Neujahr in Chinatown

Feiertage

New Year's Day *(1. Jan)*
Martin Luther King Jr. Day *(3. Mo im Jan)*
President's Day *(Mitte Feb)*
Memorial Day *(Ende Mai)*
Independence Day *(4. Juli)*
Labor Day *(1. Mo im Sep)*
Columbus Day *(2. Mo im Okt)*
Election Day *(1. Di im Nov)*
Veterans Day *(11. Nov)*
Thanksgiving Day *(4. Do im Nov)*
Christmas Day *(25. Dez)*

Der gigantische Christbaum und die Dekoration am Rockefeller Center

Zur Orientierung

▪ *Südspitze*

Manhattans Südspitze

D er Blick auf Lower Manhattan vom Hudson River aus führt einige besonders auffällige moderne Bauten der New Yorker Skyline vor Augen, beispielsweise das Gebäudequartett des World Financial Center mit den charakteristischen Dachaufsätzen. Auch das ältere Manhattan ist zu erkennen: Castle Clinton mit dem Battery Park, dahinter das Custom House Building. Von 1973 bis September 2001 stand hier das World Trade Center als höchstes Gebäude der Stadt. Die beiden prägnanten Türme wurden bei einem Terroranschlag vollkommen zerstört.

ANSCHLAG AUF DAS WORLD TRADE CENTER

Am 11. September 2001 wurden zwei Flugzeuge mit Ziel Los Angeles entführt und auf das World Trade Center gelenkt. Durch den Einschlag der Flugzeuge starben bereits Hunderte von Menschen, doch der Einsturz der Türme forderte noch einmal mehrere Tausend Opfer. Am selben Morgen wurden noch zwei weitere Flugzeuge entführt – eines stürzte auf das Pentagon, das andere ging bei Pittsburgh auf freiem Feld zu Boden. Diese Anschläge kosteten mehr Menschenleben als der Amerikanische Unabhängigkeitskrieg *(siehe S. 22f)*; ihre politische Dimension wurde mit der des Angriffs auf Pearl Harbor verglichen.

World Financial Center
Herzstück ist der Winter Garden. Hier kann man shoppen, essen, sich unterhalten lassen oder einfach nur den Blick auf den Hudson River genießen (siehe S. 69).

World Trade Center
Die Zwillingstürme des WTC dominierten einst die Skyline (siehe S. 72).

The Upper Room
Die begehbare Skulptur von Ned Smyth ist eines von vielen Kunstwerken in der Battery Park City (siehe S. 72).

Frühere Ansicht
Nicht mehr vergleichbar mit heute: die Skyline Manhattans im Jahr 1898.

Detail aus dem *Upper Room*

Skyscraper Museum

An der Südspitze der Battery Park City widmet sich das Skyscraper Museum der spannenden Hochhaus-Architektur New Yorks.

US Custom House

Das Beaux-Arts-Gebäude von 1907 beherbergt heute das Museum of the American Indian (siehe S.73).

East Coast War Memorial

Der Bronzeadler von Albino Manca im Battery Park ehrt die Toten des Zweiten Weltkriegs.

Broadway Nr. 26

Die Turmspitze des früheren Standard Oil Building ähnelt einer Öllampe. Im Inneren sind immer noch die Firmensymbole zu sehen.

Bank of New York

17 State Street

26 Broadway

1 Liberty Plaza

Liberty View

Castle Clinton

US Custom House

American Merchant Mariners' Memorial (1991)

Die Skulptur von Marisol steht am Pier A, dem letzten der alten Manhattan-Piers. Eine Turmuhr schlägt die Stunde auf Schiffsglocken.

Schrein von Mother Seton

Hier lebte die erste amerikanische Heilige (siehe S.76).

Lower Manhattan am East River

ZUR ORIENTIERUNG

░ Lower Manhattan

Auf den ersten Blick bietet dieser Abschnitt am East River, der an der Südspitze Manhattans beginnt, nur eine Anhäufung von Bürogebäuden des 20. Jahrhunderts. Aber vom Wasser aus geben Straßen und Durchlässe noch den Blick auf das alte New York und den Finanzdistrikt frei. In der Skyline ragen hinter gesichtslosen modernen Hochhäusern die verzierten Spitzen der älteren Wolkenkratzer hervor.

India House
Das Gebäude (1 Hanover Square) gehört mit zu den schönsten »Brownstones«.

Vietnam Veterans' Plaza
Die Gedenkstätte aus grünem Glas beherrscht den Coenties Slip, eine alte Werft, die um 1900 zum Park umgewandelt wurde (siehe S. 76).

Hanover Square
Die Statue des holländischen Bürgermeisters Abraham De Peyster (geb. 1657) steht neben seinem Geburtshaus.

1 New York Plaza

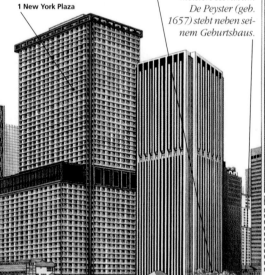

55 Water Street

Barclay's Bank Building

Downtown Heliport
Hubschrauberlandeplatz für Rettungs- und Stadtrundflüge.

Battery Maritime Building
Historischer Fährhafen nach Governors Island (siehe S. 77).

Delmonico's
Im 19. Jahrhundert ein elegantes Speiselokal.

New York Stock Exchange
Hinter hohen Gebäuden versteckt liegt die Börse. Sie ist nach wie vor das Zentrum des hektischen Finanzdistrikts (siehe S. 70f).

40 Wall Street
In den 1940er Jahren wurde der Turm der früheren Bank of Manhattan von einem Kleinflugzeug gerammt.

70 Pine Street
Nachbildungen des eleganten neogotischen Turms sind an den Eingängen in der Pine Street und der Cedar Street zu sehen.

Bank of New York
Der Innenraum (1928) gehört zur 1784 von Alexander Hamilton gegründeten Bank (siehe S. 23).

Morgan Bank
Bis zum Dach durchgehende Säulen prägen den bemerkenswerten modernen Bau.

1 Financial Square

New York Stock Exchange

Chase Manhattan Bank Tower

120 Wall Street

Citibank Building

100 Old Slip
Das First Precinct Police Department im Palazzostil, heute im Schatten von Financial Square Nr. 1, wurde 1911 als modernstes Polizeigebäude New Yorks errichtet.

Steinmedaillon, 100 Old Slip

Queen Elizabeth Monument
Zum Gedenken an den 1972 gesunkenen Ozeanriesen.

South Street Seaport

Am Ende des Finanzdistrikts ändert sich – vom East River oder von Brooklyn aus gesehen – jäh das Erscheinungsbild der Skyline. An die Stelle der Firmenhochhäuser treten die Piers, Straßen und Lagerhäuser des alten Seehafens, der jetzt als South Street Seaport restauriert ist *(siehe S. 82f)*. In geringer Entfernung dahinter sieht man einige monumentale Gebäude des Civic Center. Den Abschluss der Silhouette bildet die Brooklyn Bridge. Von hier bis Midtown bestimmen vor allem Wohnblocks das Bild.

ZUR ORIENTIERUNG

South-Street-Bezirk

Pier 17
Der Vergnügungspier mit vielen interessanten Läden und Restaurants ist ein Anziehungspunkt des Seaport.

Steinmetzarbeit, Woolworth Building

Woolworth Building
Die kunstvoll gestaltete Turmspitze ziert den Firmensitz von F. W. Woolworth – noch immer die schönste »Kommerzkathedrale«, die je gebaut wurde (siehe S. 91).

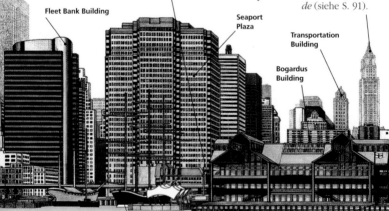

Fleet Bank Building

Seaport Plaza

Transportation Building

Bogardus Building

Maritime Crafts Center
Am Pier 15 werden die traditionellen Fertigkeiten der Seeleute demonstriert: Holzschnitzerei und Modellbau.

Titanic Memorial
Der Leuchtturm an der Fulton Street erinnert an den Untergang der Titanic, *des größten Dampfers der Welt*

Police Plaza
Die Skulptur Five in One *(1971–74) von Bernard Rosenthal stellt die fünf Stadtbezirke New Yorks dar.*

United States Courthouse
Wahrzeichen des Civic Center ist die goldene Pyramide von Cass Gilbert an der Spitze des Courthouse (siehe S. 85).

Municipal Building
In dem gewaltigen Bau befindet sich u. a. die Marriage Chapel, wo zivile Trauungen stattfinden. Die Kupferstatue mit dem Titel Civic Fame *auf dem Gebäude stammt von Adolph Weinman* (siehe S. 85).

Surrogate's Court und Hall of Records
Hier ist Archivmaterial zu besichtigen, das bis 1664 zurückreicht (siehe S. 85).

Verizon Telephone Company

Police Plaza

Pace University

Southbridge Towers

Con Edison Mural
1975 schuf Richard Haas auf der Seitenwand einer ehemaligen Transformatorenstation ein Abbild der Brooklyn Bridge.

Brooklyn Bridge
Eines der beliebtesten Wahrzeichen New Yorks – und das meistfotografierte (siehe S. 86–89).

Midtown

Midtown Manhattan

Einige der imposantesten Türme und Turmspitzen prägen die Skyline von Midtown Manhattan, vom Empire State Building mit seiner Art-déco-Pracht bis hin zur modernen Keilform des Citigroup-Komplexes. Je weiter man der Küstenlinie nach Norden folgt, desto vornehmer wird Midtown Manhattan. Das UN-Areal nimmt einen langen Streckenabschnitt ein, dann reihen sich ab Beekman Place zahlreiche exklusive Stadtresidenzen aneinander, die den Reichen und Berühmten inmitten dieser lebhaften Gegend Abgeschlossenheit bieten.

Chrysler Building
Ob im Sonnenlicht oder nächtlich beleuchtet – diese Edelstahlspitze ist für viele der New Yorker Wolkenkratzer schlechthin (siehe S. 155).

Grand Central Terminal
Das Wahrzeichen, nun im Schatten seiner Nachbarn, hat viele historische Details wie diese schöne Uhr (siehe S. 156f).

Empire State Building
Mit 381 Metern Höhe war es jahrelang das höchste Gebäude der Welt (siehe S. 136f).

The Highpoint

MetLife Building

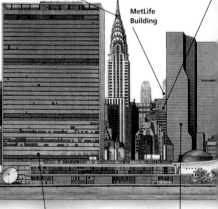

Tudor City
Der Wohnkomplex aus den 1920er Jahren umfasst mehr als 3000 Wohnungen (siehe S. 158).

UN-Hauptquartier
Eines der Kunstwerke ist die Skulptur von Barbara Hepworth, ein Geschenk Großbritanniens (siehe S. 160–163).

1 & 2 UN Plaza
Die Glastürme beherbergen Büros und das UN Plaza Millennium Hotel (siehe S. 158).

General Electric Building
Das Art-déco-Gebäude von 1931 ist ein Ziegelbau mit einer hohen gezackten »Krone«, die an Funkwellen erinnern soll (siehe S. 176).

Waldorf-Astoria
Kupferne Zwillingstürme zieren das edle Hotel. Luxuriös ist auch das Innere (siehe S. 177).

Citigroup Center
In einer Ecke des Citigroup Center befindet sich St. Peter's Church (siehe S. 177).

Rockefeller Center
Die Eislaufbahn und die Gehwege vor dem Bürokomplex sind gut geeignet, um dem Treiben zuzusehen (siehe S. 144).

General Electric Building

Arnaldo Pomodoros *The Nail,* St. Peter's Church, Citigroup Center

100 UN Plaza

866 UN Plaza

Trump World Tower

Japan Society
Heimstatt japanischer Kultur, vom avantgardistischen Theater bis zu alter Kunst (S. 158f).

Beekman Tower
Das Art-déco-Gebäude, jetzt ein Luxushotel, wurde 1928 für Mitglieder der weiblichen Studentenverbindungen errichtet.

St. Mary's Garden
Der Garten der Holy Family Church ist eine Oase der Ruhe.

Besonders schön bei Einbruch der Dunkelheit: Blick über Manhattan mit Chrysler Building ▷

DIE STADTTEILE NEW YORKS

LOWER MANHATTAN 64-79

SEAPORT UND
CIVIC CENTER 80-91

LOWER EAST SIDE 92-101

SOHO UND TRIBECA 102-107

GREENWICH VILLAGE 108-115

EAST VILLAGE 116-121

GRAMERCY UND
FLATIRON DISTRICT 122-129

CHELSEA UND
GARMENT DISTRICT 130-139

THEATER DISTRICT 140-149

LOWER MIDTOWN 150-165

UPPER MIDTOWN 166-181

UPPER EAST SIDE 182-203

CENTRAL PARK 204-209

UPPER WEST SIDE 210-219

MORNINGSIDE HEIGHTS
UND HARLEM 220-231

ABSTECHER 232-255

SIEBEN SPAZIERGÄNGE 256-273

LOWER MANHATTAN

Alt und Neu verschmelzen an der Spitze Manhattans zu einer Einheit. Im Schatten der Wolkenkratzer stehen Kirchen aus der Kolonialzeit und frühe amerikanische Baudenkmäler. Hier befand sich das erste Kapitol des Landes. Der Handel floriert seit 1626, als der Holländer Peter Minuit von den Algonquin-Indianern für Waren im Wert von nur 24 Dollar die Insel »Man-a-hatt-ta« erwarb *(siehe S. 19)*. Zurzeit finden hier – im Bereich des zerstörten World Trade Center *(siehe S. 54)* – umfangreiche Baumaßnahmen statt, darunter der Bau des Freedom Tower *(siehe S. 72)*. Erkundigen Sie sich aktuell nach Öffnungszeiten für die Sehenswürdigkeiten in Lower Manhattan.

Minuit-Denkmal im Bowling-Green-Park

Die Trinity Church *(siehe S. 68)* **am Ende der Wall Street**

Sehenswürdigkeiten auf einen Blick

Historische Gebäude und Orte
Battery Maritime Building **16**
Federal Hall **2**
Federal Reserve Bank **1**
Fraunces Tavern Museum **13**
New York Stock Exchange S. 70f **3**
World Trade Center Site **6**

Museen und Sammlungen
Castle Clinton National Monument **20**
Ellis Island S. 78f **18**
Museum of Jewish Heritage **21**

Skyscraper Museum **8**
US Custom House **11**

Monumente und Statuen
Charging Bull **9**
Statue of Liberty S. 74f **17**

Parks und Plätze
Battery Park **19**
Bowling Green **10**
Vietnam Veterans' Plaza **14**

Schiffrundfahrt
Staten Island Ferry **15**

Kirchen
St. Elizabeth Ann Seton Shrine **12**
Trinity Church **4**

Moderne Architektur
Battery Park City **7**
World Financial Center **5**

Anfahrt
Die günstigsten Subway-Linien zur Spitze Manhattans sind die Lexington-Ave-Linien 4 oder 5 bis Bowling Green, R oder W bis Whitehall St oder die 7th-Ave-Linie 1 bis South Ferry. Zur Wall St nehmen Sie die Subway-Linien 2, 3, 4 oder 5 bis Wall St bzw. 1, R oder W bis Rector St. Auch die Busse M1, M6, M15 und M22 bedienen diesen Teil der Stadt.

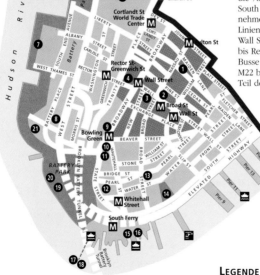

Siehe auch
- *Stadtplan* Karten 1–2
- *Übernachten* S. 280
- *Restaurants* S. 296

Legende
- Detailkarte
- **M** Subway-Station
- Fährhafen
- Heliport

0 Meter 500
0 Yards 500

Im Detail: Wall Street

Keine andere Straßenkreuzung ist in der Geschichte der Stadt so wichtig gewesen wie die Schnittstelle von Wall Street und Broad Street. Drei imposante Gebäude stehen hier: Das Federal Hall National Monument markiert die Stelle, an der George Washington 1789 als Präsident vereidigt wurde. Die Trinity Church ist eine der ältesten anglikanischen Kirchen des Landes. Die 1817 gegründete New Yorker Börse ist bis heute ein Finanzzentrum, dessen Kursschwankungen weltweite Erschütterungen auslösen können. Die umliegenden Gebäude bilden das Herzstück des New Yorker Finanzdistrikts.

Die Marine Midland Bank ragt 54 Stockwerke empor. Der dunkle Glasturm nimmt nur ungefähr 40 Prozent des Grundstücks ein. Die anderen 60 Prozent bilden einen Platz, auf dem die große rote Skulptur *Cube* von Isamu Noguchi steht.

Trinity Building, ein neugotischer Wolkenkratzer aus dem frühen 20. Jahrhundert, wurde der nahen Trinity Church stilistisch angepasst.

Das Equitable Building (1915) nahm den übrigen Anliegern das Tageslicht – Anlass für ein Gesetz, nach dem Wolkenkratzer von der Straße zurückversetzt gebaut werden mussten.

★ Trinity Church
Das 1846 im neugotischen Stil erbaute Gotteshaus ist bereits die dritte Kirche an dieser Stelle. Ihr Turm, einst der höchste Bau der Stadt, erscheint angesichts umliegender Wolkenkratzer winzig. Viele berühmte New Yorker wurden auf dem angrenzenden Friedhof bestattet. ❹

Subway-Station Wall Street (Linien 4, 5)

Die Irving Trust Company hat eine Außenwand, deren Struktur an Textilgewebe erinnert. In der Halle befindet sich ein Art-déco-Mosaik in flammend rotgoldenen Tönen.

26 Broadway wurde als Sitz des Standard Oil Trust erbaut. Die Gebäudespitze hat die Form einer Öllampe.

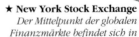

★ New York Stock Exchange
Der Mittelpunkt der globalen Finanzmärkte befindet sich in einem 16-stöckigen Gebäude von 1903. Das Besucherzentrum hält Informationen über die Geschichte und die Arbeitsweise der Börse bereit. ❸

BROADWAY · NEW STREET · BROAD STREET · EXCHANGE

Der neugotische Liberty Tower ist mit weißem Terrakotta verkleidet. Heute befinden sich hier Apartments.

Die Chamber of Commerce sitzt in einem schönen Beaux-Arts-Gebäude von 1901.

NICHT VERSÄUMEN

★ Federal Hall National Monument

★ Federal Reserve Bank

★ New York Stock Exchange

★ Trinity Church

ZUR ORIENTIERUNG
Siehe Stadtplan, Karten 1–2

LEGENDE

– – – Routenempfehlung

0 Meter	100
0 Yards	100

Chase Manhattan Bank and Plaza ist vor allem wegen Jean Dubuffets Skulptur *Four Trees* berühmt.

★ Federal Reserve Bank
Das Gebäude der US-Notenbank ahmt den Stil eines Renaissance-Palasts nach. ❶

Den Park **Louise Nevelson Plaza** ziert die Nevelson-Skulptur *Shadows and Flags*.

Die Wall Street ist nach der Mauer benannt, die früher die Algonquin-Indianer von Manhattan fernhielt. Die enge Straße bildet jetzt das Herz des Finanzzentrums der Stadt.

Die Wall Street in den 1920er Jahren

★ Federal Hall National Monument
Das klassizistische Gebäude, einst das US Custom House, beherbergt eine Ausstellung über die US-Verfassung. ❷

Stadtplan *siehe Seiten 394–425*

Federal Reserve Bank ❶

33 Liberty St. **Stadtplan** 1 C2. ☎
(212) 720-6130. Ⓜ *Fulton St-Broadway Nassau.* ◯ *Mo–Fr 8.30–17 Uhr.*
⬤ *Feiertage.* ⬗ ♿ 🎥 *frei (Voranmeldung).* **www**.newyorkfed.org

Portal der Federal Reserve Bank

D ie Bank ist eine von zwölf US-Notenbanken und bringt US-Dollar in Umlauf. Die hier ausgegebenen Banknoten erkennt man am Buchstaben B im aufgeprägten Federal-Reserve-Stempel.

Fünf Etagen unter der Erde liegt eines der größten Lager für internationale Goldreserven. Jede Nation verfügt über eigene Panzerräume, die durch 90 Tonnen schwere Türen geschützt werden. Früher wurden bei Zahlungen zwischen Ländern die entsprechenden Goldmengen tatsächlich physisch bewegt. Die Ausstellung »The History of

Money« ist montags bis freitags von 10 bis 16 Uhr geöffnet. Das von York & Sawyer im Stil der italienischen Renaissance erbaute Gebäude (1924) nimmt einen ganzen Block ein und ist mit Schmiedeeisen-Gittern verziert.

Federal Hall ❷

26 Wall St. **Stadtplan** 1 C3.
☎ *(212) 825-6888.* Ⓜ *Wall St.*
◯ *Mo–Fr 9–17 Uhr.* ⬤ *Feiertage.*
📷 ♿ 🎥 *10, 12, 14 Uhr.* ❚
www.nps.gov/feha

E ine Bronzestatue George Washingtons auf den Stufen der Federal Hall markiert die Stelle, an der der erste US-Präsident 1789 seinen Amtseid ablegte. Tausende drängten sich damals in der Wall und Broad Street und jubelten, als der Kanzler des Staates New York ausrief: »Lang lebe George Washington, der Präsident der Vereinigten Staaten.«

Das jetzige Gebäude, 1834 bis 1842 als US Custom House errichtet, ist einer der schönsten klassizistischen Bauten der Stadt. Die Ausstellungsräume umfassen den Bill of Rights Room und ein interaktives Computersystem, das über die US-Verfassung Auskunft gibt.

New York Stock Exchange ❸

Siehe S. 70f.

Kirchhof der Trinity Church

Trinity Church ❹

Broadway Ecke Wall St. **Stadtplan** 1 C3. ☎ *(212) 602-0800.* Ⓜ *Wall St, Rector St.* ◯ **Kirche** *Mo–Fr 7–18, Sa 8–16, So 7–16 Uhr.* **Friedhof** *Mo–Fr 7–16, Sa, Feiertage 8–15, So 7–15 Uhr.* ❚ *Mo–Fr 12.05, So 9, 11.15 Uhr.* 📷 *nicht während des Gottesdienstes.* 🎥 *tägl. 14 Uhr, So nach dem 11.15-Uhr-Gottesdienst.* **Konzerte** *Do 13 Uhr.* ⬛ ❚
www.trinitywallstreet.org

D ie Episkopalkirche am Ende der Wall Street ist das dritte Gotteshaus an dieser Stelle. Die 1846 von Richard Upjohn errichtete Kirche war eine der größten ihrer Zeit und markiert den Anfang der Neogotik in Amerika. Die Bronzetüren von Richard Morris Hunt sind von Ghibertis *Paradiestür* in Florenz inspiriert. Bei der Restaurierung wurde unter Rußschichten rötlicher Sandstein entdeckt. Der 86 Meter hohe, viereckige Turm, bis etwa 1860 das höchste Gebäude in New York, nötigt ungeachtet seiner hoch aufragenden Nachbarn noch immer Respekt ab.

Viele prominente New Yorker waren Gemeindemitglieder. Auf dem Kirchhof liegen viele von ihnen begraben, so der Staatsmann Alexander Hamilton, der Erfinder des Dampfschiffs Robert Fulton und der Zeitungsverleger William Bradford.

Die von Marmorsäulen getragene Rotunde in der Federal Hall

World Financial Center ❺

West St. **Stadtplan** 1 A2. ☎ (212) 945-2600. Ⓜ A, C bzw. J, M, Z sowie 2, 3, 4, 5 bis Fulton St; E bis WTC Station; R, W zur Cortlandt St; 1 zur Rector St. 🖬 ♿ 🍴 🖬 🏧 **www.**worldfinancialcenter.com

Der von Cesar Pelli & Associates entworfene Komplex ist für die »Revitalisierung« von Lower Manhattan höchst bedeutend. Nach seiner Beschädigung bei der Zerstörung des World Trade Center galt seiner Restaurierung höchste Priorität.

Vier Bürotürme, Sitze einiger der weltweit wichtigsten Finanzhäuser, ragen steil himmelwärts. Das Herz des Zentrums ist der riesige gläserne Winter Garden, der von 45 Restaurants und Läden gesäumt wird und sich zu einer belebten Piazza und zu einem Yachthafen am Hudson River hin öffnet. Die ausladende Marmortreppe, die in den Winter Garden führt, dient oft als Sitzgelegenheit für Zuschauer kostenloser kultureller Veranstaltungen, die hier stattfinden: von klassischer

Hauptebene des Winter Garden

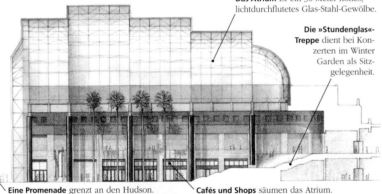

Das Atrium ist ein 36 Meter hohes, lichtdurchflutetes Glas-Stahl-Gewölbe.

Die »Stundenglas«-Treppe dient bei Konzerten im Winter Garden als Sitzgelegenheit.

Eine Promenade grenzt an den Hudson.

Cafés und Shops säumen das Atrium.

und moderner Musik bis hin zu Tanz und Theater. 16 Palmen der Gattung *Washingtonia robusta* ragen in dieser zeitgenössischen Version eines historischen »Palmengartens« über 15 Meter in die Höhe.

Das Gebäude wurde bei seiner Einweihung im Jahr 1988 als Rockefeller Center des 21. Jahrhunderts gefeiert.

Das World Financial Center, vom Hudson River aus gesehen

New York Stock Exchange ❸

Schon 1790 wurden in und nahe der Wall Street Wertpapiere gehandelt. 1792 kamen 24 Makler in der Wall Street Nr. 68 im Buttonwood-Abkommen überein, sich gegenseitig beim Handel mit Aktien und Anleihen den Vorzug zu geben. Damit legten sie den Grundstein für die New York Stock Exchange (NYSE). Deren Mitgliederzahl ist strikt begrenzt. 1817 kostete ein »Sitz« 25 Dollar, in den letzten Jahren wurden bis zu vier Millionen Dollar verlangt. Die NYSE hat Höhenflüge und Einbrüche erlebt und die Wandlung vom lokalen Wertpapiermarkt zu einem globalen Finanzzentrum. Täglich werden hier rund fünf Milliarden Aktien gehandelt. Seit 2006 ist die NYSE selbst ein börsennotiertes Unternehmen.

Lochstreifenmaschine
Die um 1870 eingeführten Apparate druckten auf die Minute aktuelle Lochstreifen für die einzelnen Notierungen.

Ein computergestützter Ticker aktualisiert fortlaufend die Kurse.

TRADING POSTS

Bis 2006 setzte die NYSE vor allem auf den Parketthandel und das sogenannte Maklersystem. Die 17 Standplätze bestehen aus je 22 Sektionen von Maklern und technischem Personal, die mit Aktien von bis zu zehn Gesellschaften handeln. Commission-Broker arbeiten für Broker-Firmen. Sie kaufen und verkaufen Wertpapiere für Privatkunden. Ein Spezialist handelt immer nur eine Aktie und übermittelt Angebote an andere Broker. Unabhängige Broker wickeln die Geschäfte der Broker-Firmen ab. Angestellte bearbeiten die Aufträge, die über einen Super-DOT-Computer eingehen. Standplatzmonitore geben die aktuellen Börsenkurse wieder, zusätzliche Bildschirme zeigen die Preise und Umsätze an. Seit Januar 2007

Trading Post in der New Yorker Börse

weitete die NYSE den elektronischen Handel stark aus. Zukünftig sollen beide Systeme in Form eines »Hybridmarkts« nebeneinander bestehen.

48-Stunden-Tag

Während des Börsenkrachs von 1929 arbeiteten die Mitarbeiter nonstop 48 Stunden lang. Trotz der Panik draußen bewahrten sie die Ruhe.

INFOBOX

11 Wall St. **Stadtplan** 1 C3.
((212) 656-3000. **M** 2, 3, 4, 5 bis Wall St; R, W bis Rector St. **M1, M6, M15.** ● Besuchergalerie aus Sicherheitsgründen geschlossen. ✎ nur zu Bildungszwecken. Stark eingeschränkt. ♿ www.nyse.com

Besuchergalerie

Trading Post

Börsenparkett

In der hektischen Börsenhalle werden täglich etwa fünf Milliarden Aktien von mehr als 3000 Unternehmen gehandelt. Die Technik des Designated-Order-Turnaround- (Super-DOT-)Computers ist in einem golden schimmernden netzartigen Röhrensystem versteckt.

Börsenkrach von 1929

Am Dienstag, dem 29. Oktober 1929, wechselten beim Börsenkrach über 16 Millionen Aktien den Besitzer. Massen von Anlegern drängten sich in der Wall Street, aber entgegen einer Legende sprangen die Broker nicht aus dem Fenster.

Mitgliedereingang in der Wall Street

ZEITSKALA

| 1792 17. Mai Unterzeichnung des Buttonwood-Abkommens | 1867 Einführung der Lochstreifenmaschine | | 1903 Heutiger Bau eröffnet | 1981 Elektronische Trading Posts | 1987 19. Okt: ›Schwarzer Montag‹ |
| | **1844** Erfindung des Telegrafen ermöglicht US-weiten Handel | | **1976** DOT-System ersetzt Lochstreifen | | **2008** ›Faule‹ Hypotheken führen zur Finanzkrise |

1750	1800	1850	1900	1950	2000	2010

| 1817 New York Stock & Exchange Board gegründet | 1863 Börse in New York Stock Exchange umbenannt | 1929 29. Okt. Börsenkrach | 2001 Nach acht Jahren Höhenflug brechen nach dem 11. September die Kurse ein | 2006 Nach Zusammenschluss mit der Archipelago Holding geht die NYSE an die Börse |

Menschenauflauf beim Börsenkrach 1929

1869 24. Sep. ›Schwarzer Freitag‹: Gold-Crash

1865 Neues Börsengebäude an der Ecke Wall Street/Broad Street

World Trade Center Site ⑥

Stadtplan 1 B2. Ⓜ *Chambers St, Rector St.* ◯ *Viewing Wall in der Church St.* **www**.wtc.com
www.renewnyc.org

Unzählige Fotos und Filme haben die Zwillingstürme des World Trade Center unsterblich gemacht. 27 Jahre lang beherrschten sie die Skyline von Lower Manhattan – bis zum Terroranschlag am 11. September 2001 *(siehe S. 54)*. Zwei entführte Passagierflugzeuge wurden von Terroristen in je einen Turm des WTC gelenkt. Aufgrund der enormen Hitze, verursacht durch das brennende Kerosin und brennende Kunststoffteile, schmolz die Konstruktion der Wolkenkratzer, Süd- und Nordturm stürzten ein.

Die Türme waren Teil eines großen Komplexes aus sechs Bürogebäuden und einem Hotel. Rund 450 Firmen mit ca. 50 000 Mitarbeitern waren hier ansässig. Alles war durch eine unterirdische, von Läden und Restaurants gesäumte Anlage miteinander verbunden.

Eine Brücke verband den Komplex mit dem World Financial Center *(siehe S. 69)*, das den Anschlag schwer beschädigt überstand.

Zahllose Besucher genossen einst die Aussicht von der Panoramaplattform oder der Dachpromenade des WTC 2. Bis ins 107. Stockwerk benötigte der Aufzug nur 58 Sekunden. Für immer in Erinnerung bleibt der 7. August 1974, als Philippe Petit in einem Hochseilakt fast eine Stunde lang zwischen den Türmen balancierte.

Auf dem Seil unterwegs

Im Mai 2002 wurden die Aufräumarbeiten am »Ground Zero« beendet. Die Grundsteinlegung für neue Gebäude erfolgte am 4. Juli 2004. Insgesamt sollen sieben Türme auf dem Gelände entstehen, mit der Gesamtfertigstellung ist nicht vor 2011 zu rechnen. Der Freedom Tower nach Entwürfen von Daniel Libeskind wird mit 541 Metern das höchste Gebäude sein. Er wird auch das World Trade Center Memorial umfassen.

Philippe Petit vor dem Drahtseilakt zwischen den beiden Türmen (1974)

Battery Park City ⑦

Stadtplan 1 A3. Ⓜ *1 bis Rector St.* ◯
⎈ 🍴 📷 **www**.batteryparkcity.org

Gouverneur Mario Cuomo fand die passenden Worte

Promenade der Battery Park City

für das Projekt, als er 1983 von den Investoren verlangte: »Geben Sie dem Ganzen einen sozialen Touch – eine Seele.« Auf 37 Hektar am Hudson River entstanden neben Büros

und Restaurants auch Wohnungen und Parks.

Battery Park City ist für 25 000 Anwohner entworfen. Der auffälligste Bau ist das World Financial Center *(siehe S. 69)*. Es wurde bei den Anschlägen des 11. September 2001 beschädigt, konnte allerdings nach Reparaturarbeiten wiedereröffnet werden. Bei einem Spaziergang entlang der Promenade haben Sie die Statue of Liberty im Blick.

Skyscraper Museum ⑧

39 Battery Pl. **Stadtplan** 1 A3.
⎈ *(212) 968-1961.* Ⓜ *4, 5 bis Bowling Green; 1, R, W bis Rector St.*
◯ *Mi–So 12–18 Uhr.* 🖼 ♿
www.skyscraper.org

Neben dem Hotel Ritz Carlton widmet sich das 2004 eröffnete Skyscraper Museum dem architektonischen Erbe New Yorks. Sämtliche Aspekte von Wolkenkratzern wer-

den hier beleuchtet – von Design bis Technologie, vom Hochhaus als Investitionsobjekt bis hin zum Aspekt des Wohnens und Arbeitens in einem Hochhaus. Außerdem gibt es hier eine Ausstellung zum World Trade Center zu sehen. Eine digitale Rekonstruktion zeigt, wie sich Manhattans Skyline im Lauf der Zeiten verändert hat.

Im Skyscraper Museum

Arturo Di Modicas Statue *Charging Bull* am Südende des Broadway

Charging Bull ❾

Broadway/Bowling Green. **Stadtplan** 1 C4. Ⓜ *Bowling Green.*

Am 15. Dezember 1989 stellte der Bildhauer Arturo Di Modica zusammen mit 30 Freunden die 3200 Kilogramm schwere Bronzestatue *Charging Bull* vor dem Gebäude der New York Stock Exchange auf. Zwischen zwei Polizeipatrouillen blieben der Gruppe nur acht Minuten Zeit – sie schaffte es in fünf. Später wurde der Bronzebulle entfernt, weil er den Verkehr behinderte. Es gab Proteste, und die Statue bekam ein »vorläufiges« Bleiberecht am Broadway bei Bowling Green. Dort steht sie bis heute und ist zum inoffiziellen Maskottchen der Wall Street geworden.

Di Modica schuf den Bullen nach dem Börsen-Crash von 1987 als Symbol für die »Stärke, Kraft und Hoffnung des amerikanischen Volkes«. Bis zur Fertigstellung der Bronze investierte er zwei Jahre Zeit und 350 000 Dollar.

Bowling Green ❿

Stadtplan 1 C4. Ⓜ *Bowling Green.*

Das dreieckige Gelände nördlich des Battery Park ist die älteste Grünanlage der Stadt. Anfangs wurde hier mit Vieh gehandelt, später Bowling gespielt. Bis zum Unabhängigkeitskrieg stand eine Statue des englischen Königs George III auf dem Platz – man schmolz sie zu Munition um *(siehe S. 22f)*. Die Frau des Gouverneurs von Connecticut schmolz angeblich Metall für 42 000 Kugeln ein.

Der 1771 errichtete Zaun steht noch heute, allerdings ohne die einstigen Königskronen, die dasselbe Schicksal wie die Statue erlitten. Früher säumten elegante Häuser das Gelände. An dem Platz beginnt der Broadway, der sich durch ganz Manhattan zieht und den Stadtteil unter seiner offiziellen Bezeichnung »Highway Nine« mit Albany, der Hauptstadt des Staates New York, verbindet.

Säulenkapitell am US Custom House

Springbrunnen in Bowling Green

US Custom House ⓫

1 Bowling Green. **Stadtplan** 1 C4. Ⓜ *Bowling Green.* **National Museum of the American Indian** Ⓒ *(212) 514-3700.* ⏰ *tägl. 10–17 Uhr (Do bis 20 Uhr).* ● *25. Dez.* ♿ 🅿 www.nmai.si.edu

Der von Cass Gilbert 1907 erbaute Granitpalast ist eines der schönsten Beaux-Arts-Bauwerke und ein Symbol der großen Seehafentradition New Yorks. An seiner Ausschmückung wirkten die besten Bildhauer und Maler ihrer Zeit mit. 44 mit Friesen gekrönte ionische Säulen bilden einen Blickfang. Heroische Skulpturen von Daniel Chester French stellen vier Kontinente in Gestalt von Frauen dar: Asien (kontemplativ), Amerika (optimistisch), Europa (von den Symbolen vergangenen Ruhms umgeben) und Afrika (schlummernd). Die Marmorrotunde im Inneren versah Reginald Marsh mit Wandgemälden von Schiffen, die in den Hafen einlaufen. Gegenüber dem Eingang sieht man ein Porträt der Filmdiva Greta Garbo, wie sie an Bord eines Schiffs eine Pressekonferenz gibt.

1973 zog die US-Zollbehörde aus dem Custom House aus; lediglich ein kleines Konkursgericht blieb für einige Jahre hier ansässig.

1994 erhielt das Haus eine neue Funktion mit dem Einzug des George Gustav Heye Center vom **Smithsonian National Museum of the American Indian**. Zu der vortrefflichen Sammlung gehören rund eine Million Exponate und Tausende von Fotografien – mit der ganzen Bandbreite der indianischen Kulturen Nord-, Mittel- und Südamerikas. Die Ausstellung, die von Repräsentanten der indigenen Völker zusammengestellt wurde, zeigt auch zeitgenössische Arbeiten.

Statue of Liberty ⑰

Die Statue of Liberty war ein Geschenk der Franzosen an das amerikanische Volk. Sie ist ein Entwurf des Bildhauers Frédéric-Auguste Bartholdi und gilt als Symbol der Freiheit. Das Gedicht von Emma Lazarus am Sockel der »Lady Liberty« enthält die Zeilen: »Gebt mir eure Müden, eure Armen, eure geknechteten Massen, die frei zu atmen begehren.« Am 28. Oktober 1886 enthüllte Präsident Grover Cleveland die Statue. Vor den Anschlägen vom 11. September 2001 konnte man bis zur Krone hochsteigen, mittlerweile ist die Plattform des Sockels wieder zugänglich.

Die Freiheitsstatue blickt gen Osten

★ Goldfackel
1986 wurde die Originalfackel durch eine neue ersetzt. Die Flamme der Replik ist vergoldet.

Die Krone ist derzeit nicht zugänglich.

Das Gerüst konstruierte Gustave Eiffel, der spätere Erbauer des Eiffelturms. Die Kupferhülle hängt an Eisenträgern, die an einer Eisensäule befestigt sind.

Eine Stützsäule verankert die 204 Tonnen schwere Statue.

Von den Zehen bis zur Fackel
Die Statue of Liberty besteht aus 300 aus Kupfer gegossenen, genieteten Platten.

354 Stufen führen vom Eingang zur Krone hinauf.

Aussichtsplattform

DIE STATUE
Die 93 Meter hohe Statue of Liberty beherrscht die Einfahrt zum New Yorker Hafen.

Der Sockel ist zwischen den Wänden eines Armee-Forts eingelassen. Er war einst der größte in einem Stück gegossene Betonblock.

★ Statue of Liberty Museum
Neben anderen Souvenirs findet man hier Poster der Statue of Liberty.

Die Originalfackel steht heute in der großen Eingangshalle.

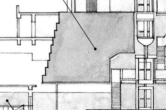

Museum

★ **Fähren nach Liberty Island**
Fähren verbinden Manhattan mit Liberty Island. Von dort bietet sich eine eindrucksvolle Ansicht der Skyline.

INFOBOX

Liberty Island. **Stadtplan** 1 A5.
📞 (212) 363-3200. Ⓜ 1 bis South Ferry; 4, 5 bis Bowling Green; R, W bis Whitehall. 🚌 M6, M15 bis South Ferry, dann Statue Cruises Ferry ab Battery alle 30–45 Min. (Sommer: 8.30–16 Uhr; Winter: unregelmäßig). 📞 (877) 523-98 49. ⏰ Juni–Aug: tägl. 9–18 Uhr; Sep–Mai: tägl. 9.30–17 Uhr. ⬤ 25. Dez. 🎫 Fährpreis inkl. Eintritt Ellis und Liberty Island. 🎫 Reservierung für Sockel erforderlich. 📷 ♿ nur bis Aussichtsplattform. 🔲 📱 www.nps.gov/stli

Porträt der Freiheit
Bartholdis Mutter stand für die Statue Modell. Die sieben Strahlen ihrer Krone stehen für die sieben Meere und die sieben Kontinente.

Der Guss der Hand
Vor dem Guss wurde die Hand zuerst aus Gips und Holz geformt.

Modellfiguren
Mittels immer wieder vergrößerter Modelle konnte Bartholdi die größte je konstruierte Metallstatue bauen.

FRÉDÉRIC-AUGUSTE BARTHOLDI

Der französische Bildhauer wollte der Freiheit ein Denkmal setzen. 21 Jahre lang arbeitete er an dieser Idee. 1871 reiste er nach Amerika, bat Präsident Ulysses S. Grant und andere Persönlichkeiten um finanzielle Unterstützung und ersuchte um die Erlaubnis, die Statue of Liberty im New Yorker Hafen aufzustellen. Er sagte: »Ich möchte die Republik und die Freiheit jenseits des Meeres preisen und hoffe, sie dereinst auch hier wiederzufinden.«

NICHT VERSÄUMEN

★ Fähren nach Liberty Island

★ Goldfackel

★ Statue of Liberty Museum

Feierlichkeiten
Am 3. Juli 1986 wurde die für 100 Millionen Dollar restaurierte Statue enthüllt. Das zwei Millionen Dollar teure Feuerwerk war das pompöseste, das Amerika je gesehen hatte.

St. Elizabeth Ann Seton Shrine ⑫

7 State St. **Stadtplan** 1 C4. 【 *(212) 269-6865.* Ⓜ *Whitehall, South Ferry.* ◯ *Mo–Fr 6.30–17 Uhr.* ✝ *Mo–Fr 8.05, 12.15, 13.05, So 11 Uhr.* ▣

Elizabeth Ann Seton

Elizabeth Ann Seton (1774–1821), die erste von der katholischen Kirche heiliggesprochene gebürtige Amerikanerin, lebte hier von 1801 bis 1803. Sie gründete den ersten Nonnenorden der Vereinigten Staaten, die American Sisters of Charity.

Nach dem Bürgerkrieg verwandelte die Mission of Our Lady of the Rosary das Gebäude in ein Heim für wohnungslose irische Immigrantenfrauen um, von denen 170 000 auf dem Weg in ein neues Leben in Amerika hier Station machten. Die Kirche wurde 1883 gebaut.

Fraunces Tavern Museum ⑬

54 Pearl St. **Stadtplan** 1 C4. 【 *(212) 425-1778.* Ⓜ *Wall St, Broad St, Bowling Green.* ◯ *Mo–Sa 12–17 Uhr.* ◉ *Feiertage, Tag nach Thanksgiving.* ✗ 🎫 *nur Gruppen.* **Vorträge, Filme.** 🍴 🎟 **www.** frauncestavernmuseum.org

NYC Police Museum 100 Old Slip, South St. **Stadtplan** 1 D3. 【 *(212) 480-3100.* ◯ *Mo–Sa 10–17 Uhr. Spende erbeten.* 🎫 *nur Gruppen.* **www.**nycpolicemuseum.org

New Yorks einziger erhaltener Straßenblock aus dem 18. Jahrhundert besteht aus Handelshäusern. Hier befindet sich eine exakte Replik der 1719 errichteten Fraunces Tavern, in der George Washington 1783 von seinen Offizieren Abschied nahm. Die Taverne war bereits in den frühen Tagen der Revolution beschädigt worden: Im August 1775 zerstörte das britische Schiff *Asia* mit einem Kanonenschuss das Dach. 1904 kauften die »Sons of the Revolution« das Gebäude. Die 1907 beendete Restaurierung war eine der ersten Maßnahmen, das historische Erbe der amerikanischen Nation zu erhalten.

Das Restaurant im Erdgeschoss mit seinen offenen Kaminen besitzt viel Atmosphäre. Das Museum im ersten Stock zeigt Wechselausstellungen zur Geschichte und Kultur des frühen Amerika. Im **New York City Police Museum** im Old Slip kann man NYPD-Exponate sehen und sich in interaktiven Ausstellungen betätigen.

Vietnam Veterans' Plaza ⑭

Zwischen Water St u. South St. **Stadtplan** 2 D4. Ⓜ *Whitehall, South Ferry.*

Die mehrstufige, renovierte, teils von Läden gesäumte Ziegel-Plaza wirkt sehr steril. In einer zentralen riesigen grünen Glasmauer befinden sich Ausschnitte aus Botschaften und Briefen, die im Krieg gefallene Soldatinnen und Soldaten an ihre Familien schickten.

Die Fähre nach Staten Island – ein kostenloses Transportmittel

Staten Island Ferry ⑮

Whitehall St. **Stadtplan** 2 D5. 【 *311.* Ⓜ *South Ferry.* ◯ *24 Std. kostenlos.* ▣ ♿ **www.**siferry.com

Seit 1810 ist die von Cornelius Vanderbilt, dem späteren Eisenbahnmagnaten, gegründete Fährverbindung nach Staten Island in Betrieb. Fähren pendeln zwischen Insel und Stadt, während der Fahrt bietet sich ein unvergess-

Das Fraunces Tavern Museum mit Restaurant (18. Jh.)

licher Blick auf den Hafen, die Statue of Liberty, Ellis Island und die Skyline von Lower Manhattan. Der schon immer niedrige Fahrpreis wurde inzwischen ganz erlassen.

Battery Maritime Building ⑯

11 South St. **Stadtplan** 2 D4.
Ⓜ South Ferry. ⬤ für Besucher.

Einst befand sich an dieser Stelle ein als Schreijers Hoek bezeichneter Kai, von dem aus die holländischen Schiffe Richtung Heimat segelten. Später dann, zwischen 1909 und 1938, legten hier die Fähren nach Brooklyn ab. Zu den Hochzeiten des Fährverkehrs bedienten 17 Linien regelmäßig diese Piers. Heute jedoch fahren hier nur noch die Schiffe der Küstenwache nach Governors Island ab.
Das Gebäude von 1907 wird von hohen verzierten Säulen gestützt. Eine 91 Meter breite Front bogenförmiger Öffnungen ist mit schmiedeeisernem Gitterwerk, Friesen und den für die Beaux-Arts-Periode so typischen Rosetten dekoriert. Die grün bemalte Stahlfront des Gebäudes soll eine Kupferfassade vortäuschen.

Schmiedeeisernes Geländer am Battery Maritime Building

Statue of Liberty ⑰

Siehe S. 74 f.

Ellis Island ⑱

Siehe S. 78 f.

Castle Clinton National Monument im Battery Park

Battery Park ⑲

Stadtplan 1 B4. Ⓜ South Ferry, Bowling Green.

Der Park wurde nach den Geschützen benannt, die früher den Hafen verteidigten. Unter den Statuen und Monumenten sind das Netherlands Memorial Monument sowie Denkmäler für die ersten jüdischen Immigranten in New York und für die Coast Guard. Auch Giovanni da Verrazano, der erste Europäer, der diese

Beaux-Arts-Eingang zur Subway am Battery Park

Küste erblickte, und die Dichterin Emma Lazarus werden geehrt. Fritz Koenigs Skulptur *The Sphere*, die früher an der World Trade Center Plaza stand, hält jetzt hier die Erinnerung an 9/11 wach.

Castle Clinton National Monument ⑳

Battery Park. **Stadtplan** 1 B4. Ⓒ (212) 344-7220. Ⓜ Bowling Green, South Ferry. ⬤ tägl. 8.30–17 Uhr. ⬤ 25. Dez. 🎥 ♿ ♪ *Konzerte*. 🖥 www.nps.gov/cacl

Castle Clinton wurde 1811 als Artilleriestellung gebaut. Ursprünglich stand es rund 90 Meter vor der Küste und war durch einen Damm

mit dem Battery Park verbunden. Durch Verlandung wurde es Bestandteil des Festlands.
1824 wurde das Fort zum Theater, in dem Phineas T. Barnum 1850 die »schwedische Nachtigall« Jenny Lind dem Publikum vorstellte. 1855, noch bevor Ellis Island diese Funktion übernahm, war es das Einwanderungszentrum für über acht Millionen Neuankömmlinge. 1896 wurde das Gebäude zu einem Aquarium umgebaut, das man 1941 nach Coney Island *(siehe S. 249)* verlegte.
Heute ist es ein Besucherzentrum des National Park Service mit Panoramadarstellungen zur Geschichte New Yorks. Die Fähren zur Statue of Liberty und nach Ellis Island legen hier ab *(siehe S. 369)*.

Museum of Jewish Heritage ㉑

36 Battery Place. **Stadtplan** 1 B4. Ⓒ (646) 437-4200. Ⓜ Bowling Green, South Ferry. 🚌 M1, 6, 9, 15, 20. ⬤ So–Di, Do 10–17.45 Uhr, Mi 10–20 Uhr, Fr und Vortag jüdischer Feiertage 10–17 Uhr. ⬤ Sa, jüdische Feiertage, Thanksgiving. 🎥 ♿ ♪ 🖥 *Vorträge*. www.mjhnyc.org

Die zentrale Ausstellung des Museums umfasst mehr als 2000 Fotografien, 800 Artefakte und 24 Dokumentarfilme über das Judentum vor, während und nach dem Holocaust. Mit dem jüngsten Anbau hinzugekommen ist ein Raum für Filme, Vorträge und Aufführungen. Zum Museum gehören Seminarräume, ein Archiv und eine Bibliothek, ein Zentrum für Familiengeschichte, Café, Aula und Garten.

Ellis Island ⑱

Hauptgebäude

Das Eisenbahnbüro verkaufte Tickets zum endgültigen Reiseziel.

Fast jeder zweite Amerikaner kann seine Wurzeln bis Ellis Island zurückverfolgen, das zwischen 1892 und 1954 als Einwanderer-»Schleuse« in die USA diente. Rund zwölf Millionen Menschen schritten durch seine Tore und verteilten sich in der größten Immigrationswelle der Weltgeschichte über das ganze Land. Heute befindet sich hier das Ellis Island Immigration Museum. Fotos,

Bahnticket
Ein Sonderpreis für Immigranten zog viele nach Kalifornien.

Tonaufnahmen von Immigranten und andere Exponate erzählen die Geschichte der Einwanderung. Im elektronischen Archiv kann man Ahnenforschung betreiben. Die American Immigrant Wall of Honor ist die größte mit Namen beschriftete Mauer der Welt. Kein anderer Ort vermittelt so deutlich einen Eindruck vom »Schmelztiegel«-Charakter des Landes.

★ Schlafsaal
Männliche und weibliche Einwanderer schliefen in getrennten Quartieren.

RESTAURIERUNG

1990 ließ die Statue of Liberty-Ellis Island Foundation die verfallenen Gebäude für 156 Millionen Dollar restaurieren, die Kupferkuppeln ersetzen und Originaleinrichtungsstücke hierherbringen.

Das Fährbüro verkaufte Tickets nach New Jersey.

★ Gepäckraum
Die Habseligkeiten der Immigranten wurden hier bei der Ankunft untersucht.

★ Große Halle
Die Einwandererfamilien mussten im Registrationsraum auf ihre »Abfertigung« warten. Die alten Metallbarrieren wurden 1911 durch Holzbänke ersetzt.

Der Metall-Glas-Baldachin ist eine Kopie des Originals.

INFOBOX

Stadtplan 1 A5. ☎ *(212) 363-3200.* Ⓜ *4, 5 bis Bowling Green; 1 bis South Ferry; R, W bis Whitehall, dann Statue Cruises Ferry ab Battery Park.*
Abfahrt *Sommer alle 30 Min. 8.30–16 Uhr (Winter unregelmäßig).* ☎ *(877) 523-9849.*
○ *tägl. 9–17.15 Uhr.*
● *25. Dez.* ✍ *Fährpreis beinhaltet Eintritt zu Ellis und Liberty Island.* ♿ ▣ ✂ ⌂ ❚❚ ▣
www.nps.gov/elis
www.statecruises.com

Ankunft
Zwischendeckpassagiere verfolgen das Anlegemanöver vor Ellis Island.

Haupteingang

Einwandererfamilie
Italienische Familie bei der Ankunft 1905.

NICHT VERSÄUMEN

★ Gepäckraum

★ Große Halle

★ Schlafsaal

Untersuchungsräume
Einwanderer mit Infektionskrankheiten konnten nach Hause zurückgeschickt werden.

Seaport und Civic Center

Manhattans lebhaftes Civic Center ist Sitz zahlreicher Stadt-, Staats- und Bundesgerichte sowie des Polizeipräsidiums. In den 1880er Jahren befand sich hier auch das Herz des Zeitungsviertels. Die Gegend ist eine eindrucksvolle architektonische Enklave mit Wahrzeichen aus allen Perioden der Stadtgeschichte, etwa dem Woolworth Building aus dem 20. Jahrhundert, der City Hall aus dem 19. und der St. Paul's Chapel, dem ältesten noch genutzten Bauwerk der Stadt, aus dem 18. Jahrhundert. In der Nähe befindet sich auch der South Street Seaport. Im 19. Jahrhundert wurde der Hafen wegen der vielen ankernden Segelschiffe als »Straße der Segel« bezeichnet, doch mit dem Ende der Segelschifffahrt verkam er allmählich. Inzwischen wurde die Gegend saniert, man findet dort ein Museum, Läden und Restaurants vor. Im Südosten spannt sich die Brooklyn Bridge, einst die längste Hängebrücke der Welt, über den East River.

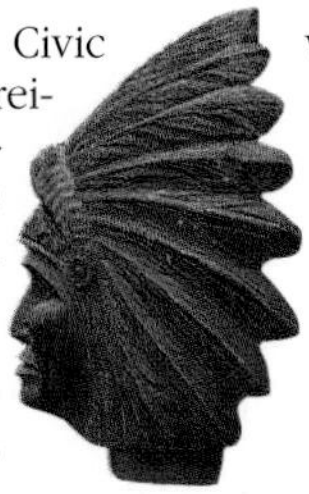
Galionsfigur, South Street Seaport

Sehenswürdigkeiten auf einen Blick

Historische Straßen und Gebäude
AT&T Building 14
Brooklyn Bridge S. 86–89 3
City Hall 10
Criminal Courts Building 4
Municipal Building 7
New York County Courthouse 5
Old New York County Courthouse 9
Schermerhorn Row 2
South Street Seaport 1
Surrogate's Court, Hall of Records 8
United States Courthouse 6
Woolworth Building 12

Kirche
St. Paul's Chapel 13

Park
City Hall Park und Park Row 11

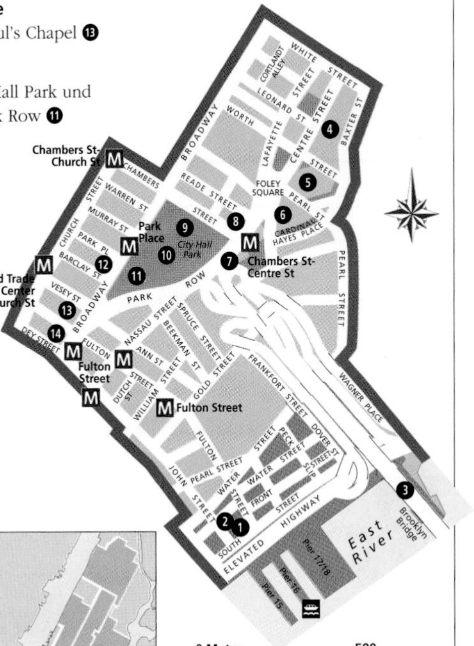

0 Meter 500
0 Yards 500

Legende

Detailkarte
[M] Subway-Station
⛴ Schiffsanlegestelle

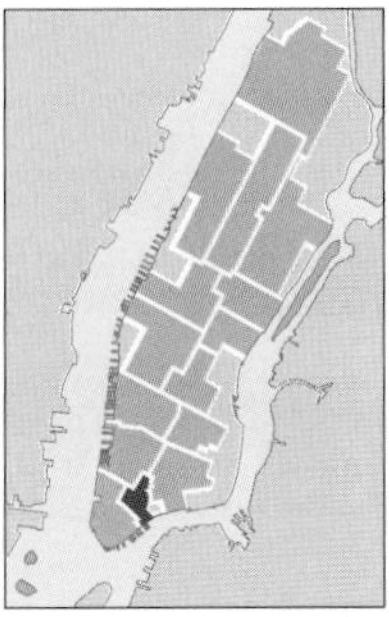

Anfahrt

Viele Subways bedienen diesen Teil der Stadt: die 7th-Ave/Broadway-Linien 2 und 3 zum Park Place oder zur Fulton Street, die Lexington-Ave-Linien 4, 5 und 6 zur Brooklyn Bridge, die 8th-Ave-Linien A und C zur Chambers Street sowie die Linien R und W zur City Hall. Auch die Buslinien M1, M6, M9, M15, M109 und M22 (crosstown) befahren die Gegend.

Siehe auch

- *Stadtplan* Karten 1–2, 4
- *Restaurants* S. 296

◁ South Street Seaport *(siehe S. 82–84)*

Im Detail: South Street Seaport

Die teils kommerziell, teils historisch motivierte Wiedererschließung des South Street Seaport, des lange vernachlässigten Herzstücks des New Yorker Hafens, hat das Areal wieder in einen lebendigen Stadtteil verwandelt. Überall gibt es Läden und Cafés, und auch große Schiffe legen hier wieder an. Die vom South Street Seaport Museum organisierten Führungen und Schiffstouren vermitteln einen Eindruck von New Yorks maritimer Vergangenheit.

★ South Street Seaport
Die früher von Seeleuten und Segelschiffen belebte Hafenanlage ist jetzt ein quirliger Geschäfts- und Museumskomplex. ❶

Das Titanic Memorial
ist ein 1913 zu Ehren der Opfer des *Titanic*-Unglücks errichteter Leuchtturm. Er steht in der Fulton Street.

Cannon's Walk ist ein Häuserblock aus dem 19. und 20. Jahrhundert mit Straßencafés, Läden und einem belebten Marktplatz.

Zur Subway-Station Fulton Street (4 Blocks)

Schermerhorn Row
Die 1813 für die Ausstellung World Port New York gebauten Häuser beherbergen das South Street Seaport Museum, Läden und Restaurants. ❷

Im Boat Building Shop können Sie zusehen, wie Handwerker Holzboote bauen und restaurieren.

Im Maritime Crafts Center
kann man Holzschnitzer und Maler bei der Arbeit an Schiffsmodellen und Galionsfiguren beobachten.

Buddelschiff

Das Pilothouse
stammt ursprünglich von einem 1923 gebauten Schlepper. Heute befindet sich hier The Seaport's Admission and Information Center.

NICHT VERSÄUMEN

★ Brooklyn Bridge

★ South Street Seaport

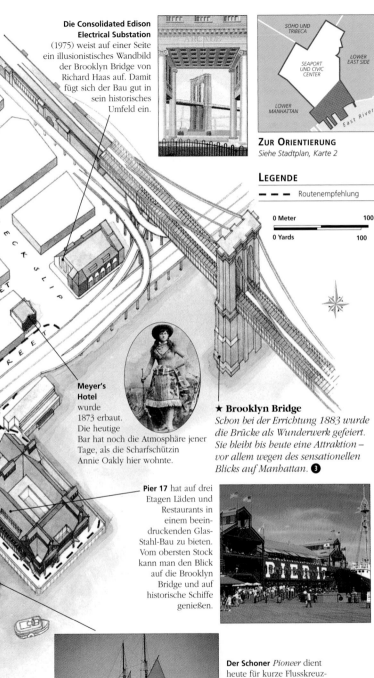

Die Consolidated Edison Electrical Substation
(1975) weist auf einer Seite ein illusionistisches Wandbild der Brooklyn Bridge von Richard Haas auf. Damit fügt sich der Bau gut in sein historisches Umfeld ein.

ZUR ORIENTIERUNG
Siehe Stadtplan, Karte 2

LEGENDE

– – – Routenempfehlung

| 0 Meter | 100 |
| 0 Yards | 100 |

Meyer's Hotel
wurde 1873 erbaut. Die heutige Bar hat noch die Atmosphäre jener Tage, als die Scharfschützin Annie Oakly hier wohnte.

★ Brooklyn Bridge
Schon bei der Errichtung 1883 wurde die Brücke als Wunderwerk gefeiert. Sie bleibt bis heute eine Attraktion – vor allem wegen des sensationellen Blicks auf Manhattan. ❸

Pier 17 hat auf drei Etagen Läden und Restaurants in einem beeindruckenden Glas-Stahl-Bau zu bieten. Vom obersten Stock kann man den Blick auf die Brooklyn Bridge und auf historische Schiffe genießen.

Der Schoner *Pioneer* dient heute für kurze Flusskreuzfahrten vom Seaport aus. Auch das 1908 gebaute Leuchtschiff *Ambrose*, das einst Schiffe in den Hafen geleitete, liegt am South Street Seaport vertäut.

Stadtplan *siehe Seiten 394–425*

Die *Ambrose* an einem der South Street Seaport Piers am East River

South Street Seaport ❶

Fulton St. **Stadtplan** 2 E2. 📞 (212) SEAPORT. Ⓜ Fulton St. ⏰ Apr–Okt: Mo–Sa 10–21 Uhr, So 11–20 Uhr; Nov–März: Mo–Fr 10–19 Uhr, So 11–18 Uhr. 📷 ♿ 🎵 *Konzerte*. 🍴 🏛 **South Street Seaport Museum** 12 Fulton St. 📞 (212) 748-8600. ⏰ Apr–Okt: Di–So 10–18 Uhr; Nov–März: Fr–Mo 10–17 Uhr. ⏰ 1. Jan, Thanksgiving, 25. Dez. 📽📷♿🎵 *Vorträge, Ausstellungen, Filme*. 🍴 🏛 www.southstseaport.org

Das einstige Herz des New Yorker Hafens ist heute wieder ein lebendiges Viertel. Man findet hier schicke Läden und Restaurants harmonisch neben Werkstätten von Bootsbauern und -restauratoren, historischen Gebäuden und Museen. Von den Kopfsteinpflasterstraßen aus bieten sich spektakuläre Ausblicke auf die Brooklyn Bridge und den East River.

Hier liegen alte Schiffe wie der Schlepper *W. O. Decker* oder der Viermaster *Peking*. Der Schoner *Pioneer* lädt zu kurzen Törns ein – eine angemessene Art, den Fluss zu erleben.

Das **South Street Seaport Museum** nimmt die zwölf Blocks ein, die einst der Verwaltung des führenden US-Hafens gehörten. Hier sind die meisten historischen Schiffe der USA zu sehen, zudem über 20 000 Artefakte, Kunstwerke und nautische Dokumente des 19. und frühen 20. Jahrhunderts. Ein Bummel über das Gelände führt in die Vergangenheit, Veranstaltungen unterstützen das Flair.

Der Fulton Fish Market, seit 1822 eine Seaport-Attraktion, zog 2006 in die Bronx um.

Schermerhorn Row ❷

Fulton St und South St. **Stadtplan** 2 D3. Ⓜ Fulton St.

Sie ist das architektonische Schmuckstück des Hafens. Die 1811 von dem Reeder Peter Schermerhorn erbauten Gebäude waren ursprünglich Lagerhäuser und Kontore. Seit der Errichtung der Anlegestelle für die Brooklyn-Fähre 1814 und der Eröffnung des Fulton Market 1822 war der Block eine begehrte Immobilie. Im Zuge der Sanierung der South-Street-Seaport-Gegend sind auch die Row-Gebäude restauriert worden. Es gibt jetzt 24 Museumsgalerien sowie diverse Läden und Restaurants.

Restaurierte Gebäude, Schermerhorn Row

Brooklyn Bridge ❸

Siehe S. 86–89.

Criminal Courts Building ❹

100 Centre St. **Stadtplan** 4 F5. Ⓜ Canal St. ⏰ Mo–Fr 9–17 Uhr. ⏰ Feiertage. ♿

Das Gebäude wurde 1939 im Stil des Art déco errichtet. Seine Türme erinnern an einen babylonischen Tempel. Der zwei Stockwerke hohe Eingang befindet sich in einem Hof hinter zwei quadratischen Granitsäulen. In dem Gebäude ist das Untersuchungsgefängnis für Männer untergebracht; früher befand es sich in einem wegen seiner ägyptisierenden Architektur als »The Tombs« (Das Grabmal) bezeichneten, inzwischen abgerissenen Gebäude auf der gegenüberliegenden Straßenseite. Eine »Seufzerbrücke« verbindet die Gerichtssäle mit der Haftanstalt jenseits der Centre Street.

Hier tagen an Werktagen zwischen 17 und 1 Uhr in der Nacht auch die sogenannten »Night Courts«, die nächtlichen Gerichtsverhandlungen.

Eingang zum Criminal Courts Building

New York County Courthouse ❺

60 Centre St. **Stadtplan** 2 D1. Ⓜ Brooklyn Bridge - City Hall. ⏰ Mo–Fr 9–17 Uhr. ⏰ Feiertage. ♿

Das Bezirksgericht, anstelle des Tweed Courthouse (*siehe S. 90*) errichtet, wurde 1926 fertiggestellt. Das Portal mit seinen korinthischen Säulen am Ende der großen Freitreppe ist das Hauptmerkmal des Gebäudes. Ein Gegengewicht zu dem sachlichen Äußeren bildet die Rotunden-Säulenhalle im Inneren mit Tiffany-Leuchtern und Marmor. Die Wandbilder von Attilio Pusterla zeigen Szenen aus dem Gerichtsleben. Von der Halle gehen sechs Seitenflügel ab, in denen je ein Gericht untergebracht ist.

Das Gerichtsdrama *Die zwölf Geschworenen* mit Henry Fonda wurde hier gedreht.

Das New York County Courthouse

United States Courthouse **❻**

40 Centre St. **Stadtplan** 2 D1. Ⓜ
Brooklyn Bridge - City Hall. ◯ *Mo – Fr
9 – 17 Uhr.* ● *Feiertage.* ♿

D as Gerichtsgebäude ist das letzte Projekt des Architekten Cass Gilbert, von dem das Woolworth Building stammt. Der 1933, ein Jahr vor seinem Tod, begonnene Bau wurde von seinem Sohn

Das United States Courthouse

zu Ende geführt. Der 30 Etagen hohe Turm wächst aus einer klassizistischen Tempelbasis und wird von einer Pyramide gekrönt. Sehenswert sind die Bronzetüren. Über Hochpassagen ist das Gebäude mit einem Anbau der Police Plaza verbunden.

Municipal Building **❼**

1 Centre St. **Stadtplan** 1 C1. Ⓜ
Brooklyn Bridge - City Hall. ◙ ♿

D er 1914 gebaute Sitz der Stadtverwaltung erhebt sich über der Chambers Street. Es handelt sich um den ersten Wolkenkratzer von McKim, Mead & White. In dem Gebäude sind Behörden und eine Hochzeitskapelle untergebracht. Äußerlich harmoniert das Haus mit der City Hall, ohne durch zu viele Details von dem älteren Bauwerk abzulenken. Am auffälligsten ist der Oberbau, ein von Adolph Wienmans Statue *Civic Fame* gekröntes Turm-Ensemble.

Eine stillgelegte Eisenbahnlinie unter dem Gebäude und die Plaza, die das Bauwerk mit dem Eingang zur IRT-Subway verbindet, sind Zugeständnisse an den modernen Massenverkehr. Das Municipal Building war Vorbild für das Hauptgebäude der Moskauer Universität.

Surrogate's Court, Hall of Records **❽**

31 Chambers St. **Stadtplan** 1 C1.
Ⓜ *City Hall.* ◯ *Mo – Fr 9 – 17 Uhr.*
● *Feiertage.* ◙ ♿ ✍

D ie Hall of Records (Stadtarchiv) – ein Juwel des Beaux-Arts-Stils – wurde 1899 begonnen und 1911 fertiggestellt. Der Granit der kunstvollen Säulenfassade mit ihrem hohen Mansardendach stammt aus Maine. Die Figuren von Henry K. Bush-Brown im Dachbereich stellen die Lebensstadien des Menschen dar. Die Statuen von Philip Martiny über der Kolonnade

Das Municipal Building

repräsentieren bekannte New Yorker wie Peter Stuyvesant. Von Martiny stammen auch die Darstellungen New Yorks aus seiner Anfangs- und der Revolutionszeit am Eingang zur Chambers Street.

Die Marmortreppen und die bemalte Decke der zentralen Halle sind von der Pariser Oper inspiriert. William de Leftwich Dodges Deckenmosaik zeigt die Tierkreiszeichen.

Die im jüngst restaurierten Stadtarchiv verwahrten Dokumente reichen bis 1664 zurück. Die Dauerausstellung *Windows on the Archives* zeigt historische Dokumente, Zeichnungen, Briefe und Fotos, die einen guten Eindruck vom New Yorker Leben seit 1626 bis heute vermitteln.

Surrogate's Court

Brooklyn Bridge ❸

Die 1883 vollendete Brooklyn Bridge war die größte Hängebrücke – und die erste aus Stahl. Dem Ingenieur John A. Roebling kam die Idee dazu, als er auf dem Weg nach Brooklyn mit der Fähre im gefrierenden East River stecken blieb. Der Bau beschäftigte 600 Arbeiter 16 Jahre lang und kostete 20 Menschenleben, auch Roebling gehörte zu den Opfern. Die meisten starben nach Arbeiten unter Wasser an der Taucherkrankheit. Nach ihrer Fertigstellung verband die Brücke die damals noch eigenständigen Städte Brooklyn und Manhattan.

Zur Eröffnung der Brücke geprägte Medaille

BROOKLYN BRIDGE
Neue Techniken fanden beim Bau Verwendung – von der Tragseilherstellung bis zur Versenkung der tragenden Teile

Verankerung

Die Enden der vier Stahlseile sind an Ankertrossen befestigt, die von Ankerplatten gehalten werden. Diese wurden in drei Stockwerke hohe Granitkammern versenkt, deren Inneres früher als Lager diente. Heute finden hier im Sommer Ausstellungen statt.

Senkkästen

Die Türme wuchsen über Senkkästen – jeder so groß wie vier Tennisplätze – empor. So konnte der Aushub im Trockenen vorgenommen werden. Mit fortschreitender Arbeit sanken die Türme immer tiefer ins Flussbett ein.

Schaft —

Ankerplatten

Jede der vier gusseisernen Ankerplatten hält ein Seil. Das Mauerwerk wurde erst nach ihrer Positionierung um sie herumgebaut.

Granitkammer

Zum Masten führendes Seil

Ankertrosse

Ankerplatten

Ankerplatte

Kammer

Kammer

Die Spannweite zwischen den beiden mittleren Masten beträgt 486 Meter

Die Fahrbahn von Verankerung zu Verankerung ist 1091 Meter lang

Erste Überquerung
Der Mechanikermeister E. F. Farrington war der Erste, der den Fluss 1876 mit einem dampfgetriebenen Zugseil überquerte. Seine Reise dauerte 22 Minuten.

INFOBOX

Stadtplan 2 D2. Ⓜ J, M, Z bis Chambers St; 4, 5, 6 bis Brooklyn Bridge-City Hall (Manhattan-Seite); A, C bis High St (Brooklyn-Seite). 🚌 M9, M15, M22, M103. 📷 ♿

Stahlseile
Jedes der Seile besteht aus 5657 Kilometern Draht, der zum Schutz vor Wind, Regen und Schnee mit Zink galvanisiert wurde.

Brooklyn Tower (1875)
Zwei 83 Meter hohe gotische Doppelbogen – einer in Brooklyn, der andere in Manhattan – sollten wie Stadttore zu beiden Seiten der Brücke aufragen.

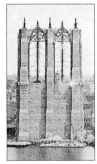

Im Senkkasten
Einwanderer zertrümmern Felsgestein im Flussbett.

JOHN A. ROEBLING

Der gebürtige Deutsche konstruierte die Brücke. Kurz vor Baubeginn, 1869, wurde sein Fuß von einer einlaufenden Fähre an einer Anlegestelle zerquetscht. Drei Wochen später starb er. Sein Sohn Washington Roebling vollendete die Brücke. 1872 ereilte ihn im Senkkasten die Taucherkrankheit, fortan war er teilweise gelähmt. Unter seiner Aufsicht übernahm seine Frau die Bauleitung.

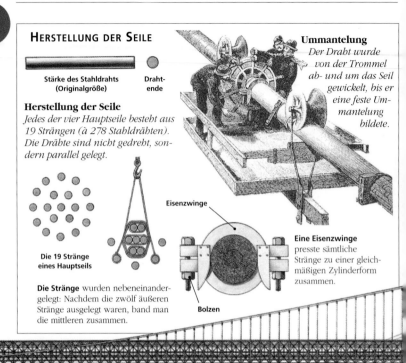

HERSTELLUNG DER SEILE

**Stärke des Stahldrahts
(Originalgröße)**

**Draht-
ende**

Ummantelung
*Der Draht wurde
von der Trommel
ab- und um das Seil
gewickelt, bis er
eine feste Um-
mantelung
bildete.*

Herstellung der Seile
*Jedes der vier Hauptseile besteht aus
19 Strängen (à 278 Stahldrähten).
Die Drähte sind nicht gedreht, sondern parallel gelegt.*

Eisenzwinge

**Die 19 Stränge
eines Hauptseils**

Die Stränge wurden nebeneinander-
gelegt: Nachdem die zwölf äußeren
Stränge ausgelegt waren, band man
die mittleren zusammen.

Bolzen

Eine Eisenzwinge
presste sämtliche
Stränge zu einer gleich-
mäßigen Zylinderform
zusammen.

Feuerwerk über der Brooklyn Bridge
Der 4. Juli wird alljährlich mit einem großen Feuerwerk gefeiert.

Reger Verkehr
*Auf dieser Ansicht der
Brücke von 1883 (von
Manhattan aus gese-
hen) sind außen die
Fahrbahnen für Pfer-
defuhrwerke, weiter
innen die beiden Tras-
sen der Tram und in
der Mitte der erhöhte
Fußgängerweg zu er-
kennen.*

Panik vom 30. Mai 1883
*Nachdem eine Frau auf der Brücke
gestolpert war, brach eine Panik aus.
Von den rund 20 000 Menschen auf
der Brücke wurden zwölf erdrückt.*

Halterungen
Aufgesattelte Platten verankern die Seile an der Spitze der Türme.

Seil

Diagonale Halteseile

Vertikale Halteseile

Kurz vor der Fertigstellung
An diagonalen Seilen befestigte vertikale Seile halten die Trägerbalken.

Bodenträger
Die Stahl-Bodenträger wiegen je vier Tonnen.

Odlums Sprung
Nach einer Wette sprang Robert Odlum 1885 als Erster von der Brücke. Er starb später an inneren Blutungen.

Fußgängerweg oben
Der Dichter Walt Whitman fand, der Blick vom Gehweg, 5,50 Meter über der Fahrbahn, sei »die beste und wirkungsvollste Medizin, die meine Seele bisher genossen hat«. Bis heute ist ein Spaziergang auf der Brooklyn Bridge wunderbar, vor allem, wenn man auf Manhattan zugeht.

Old New York County Courthouse ➒

52 Chambers St. **Stadtplan** 1 C1.
Ⓜ *Chambers St - City Hall.* ☑ *Teil
der City-Hall-Führung* (siehe unten).

Das Gebäude wurde durch einen Skandal bekannt. Es wird auch als »Tweed Courthouse« bezeichnet, und zwar nach dem Politiker, der für den Bau das Zwanzigfache des ursprünglichen Budgets ausgab und davon neun Millionen Dollar selbst einsteckte. »Boss« Tweed erwarb auch einen Marmorsteinbruch und verdiente mit dem Verkauf an die Stadt riesige Summen. Die öffentliche Empörung führte schließlich 1871 zu seinem Sturz. Er starb in einem New Yorker Gefängnis *(siehe S. 27)*. Nach einer 85 Millionen Dollar teuren Renovierung ist das bemerkenswerte Gebäude aus dem 19. Jahrhundert jetzt der Sitz des Kultusministeriums.

**Die imposante Fassade der City
Hall (frühes 19. Jh.)**

City Hall ➓

City Hall Park. **Stadtplan** 1 C1.
🆑 *311.* Ⓜ *Brooklyn Bridge-City Hall
Park Pl.* ⭕ *nur mit Führung nach Anmeldung.* ☑ *(212) 788-2170.* 📷 ♿

Die City Hall, seit 1812 Sitz der New Yorker Stadtverwaltung, ist sicherlich eines der schönsten Beispiele amerikanischer Architektur des frühen 19. Jahrhunderts. Das prächtige Federal-Style-Bauwerk (mit Einflüssen aus der französischen Renaissance) bau-

P. T. Barnums lichterloh brennendes Museum am City Hall Park

ten John McComb Jr., der erste in Amerika geborene prominente Architekt, und der französische Einwanderer Joseph Mangin.

Der rückwärtige Teil des Gebäudes blieb ohne Marmorverkleidung, da mit einer Ausdehnung der Stadt nach Norden nicht gerechnet wurde. Die Renovierung 1954 hat diesem Mangel abgeholfen, zugleich wurde das Innere aufpoliert.

Das äußere Erscheinungsbild des Gebäudes wird Mangin zugeschrieben, das Innere mit seiner von zehn Säulen getragenen Kuppelrotunde McComb. Eine geschwungene Doppeltreppe führt zu den Tagungsräumen des City Council und zum Governor's Room mit seiner Porträtsammlung bedeutender New Yorker Persönlichkeiten im Obergeschoss. Durch die Eingangshalle schreiten seit fast 200 Jahren Berühmtheiten. Abraham Lincoln wurde hier 1865 aufgebahrt.

An der Treppe steht die Statue des 1776 im Amerikanischen Unabhängigkeitskrieg von den Briten als Spion gehängten US-Soldaten Nathan Hale. Seine letzten Worte (»Ich bedaure, dass ich nur ein Leben habe, das ich meinem Land schenken kann.«) sicherten ihm in Geschichtsbüchern und in den Herzen der Amerikaner einen festen Platz.

City Hall Park und Park Row ⓫

Stadtplan 1 C2. Ⓜ *Brooklyn
Bridge-City Hall Park Pl.*

An dieser Stelle befand sich vor 250 Jahren der New Yorker Dorfanger samt Vieh und Schandpfahl. Der vorrevolutionäre Protest gegen die englische Vorherrschaft brach sich hier Bahn. Heute erinnert ein Denkmal an die auf dem Rasen des Rathauses aufgestellten »Freiheitsmasten«. Hier wurde am 9. Juli 1776 vor George Washington und seinen Soldaten die Unabhängigkeitserklärung verlesen.

Ab 1842 erwies sich Phineas T. Barnums American Museum im südlichen Parkbereich als Publikumsmagnet. 1865 brannte es jedoch nieder. Im Park Row Building war damals das Park Theater ansässig. Von 1798 bis 1848 traten hier die besten Schauspieler der Zeit auf. Die östlich des Parks verlaufende Park Row nannte man einst »Newspaper Row«. Die Redaktionsräume von *Sun*, *World*, *Tribune* und anderer Zeitungen

**Benjamin-Franklin-
Statue auf dem Prin-
ting House Square**

lagen hier. Auf dem Printing House Square steht eine Statue Benjamin Franklins mit seiner *Pennsylvania Gazette*. 1999 wurde der City Hall Park renoviert. Die offene Anlage ist ideal zum Ausruhen.

Woolworth Building ⑫

233 Broadway. **Stadtplan** 1 C2. Ⓜ City Hall Park Pl. ⚫ für Besucher.

Relief-Karikatur des Architekten Gilbert in der Woolworth-Lobby

D er Verkäufer Frank W. Woolworth eröffnete 1879 einen neuartigen Laden: Die Kunden konnten die für je fünf Cent angebotenen Waren anschauen und anfassen. Die Ladenkette, die sich daraus entwickelte, brachte ihm ein Vermögen ein und veränderte das Gesicht des Einzelhandels von Grund auf.

Das gotische, 1913 vollendete Hauptquartier war bis in die 1930er Jahre New Yorks höchstes Gebäude und Vorbild der großen Wolkenkratzer. Bis heute ist es in puncto Eleganz unübertroffen.

Das mit Fledermäusen und anderen Tierornamenten verzierte Bauwerk von Cass Gilbert wird von einem Pyramidendach, Strebepfeilern, Zinnen und vier Türmen gekrönt. Das Marmorinterieur ist mit Filigranarbeiten, Reliefs und dekorativen Malereien geschmückt. Die Mosaikdecke besteht aus Glaskacheln. Die Eingangshalle ist einer der Kunstschätze der Stadt. Witzige Flachreliefs zeigen den Gründer beim Geldzählen, den Immobilienmakler beim Geschäftsabschluss und den Architekten Gilbert mit einem Modell.

Das 13,5 Millionen Dollar teure Gebäude wurde bar bezahlt. 1997 gab Woolworth das Geschäft auf. Das Gebäude gehört heute der Witkoff Group.

St. Paul's Chapel ⑬

209–211 Broadway. **Stadtplan** 1 C2. ▣ (212) 233-4164. Ⓜ Fulton St. ⚫ Mo–Sa 10–18, So 9–16 Uhr. ⚫ Feiertage. ✝ Mi 12.30, So 8, 10 Uhr. ▣ ▣ nach Vereinbarung. *Konzerte*. www.saintpaulschapel.org

W ie durch ein Wunder blieb die Kirche unbeschädigt, als 2001 die Twin

Georgianisches Interieur der St. Paul's Chapel

Towers des WTC kollabierten. St. Paul's ist Manhattans einzige Kirche aus der Zeit vor dem Unabhängigkeitskrieg – ein georgianisches Juwel. Kandelaber erleuchten den Innenraum, in dem Gedenkgottesdienste an den 11. September stattfanden. Die Bank, auf der einst George Washington als neu vereidigter Präsident betete, existiert noch. Auf dem Friedhof erinnert ein Denkmal an den Schauspieler George F. Cooke, der im Park Theater auftrat.

AT&T Building ⑭

195 Broadway. **Stadtplan** 1 C2. Ⓜ Broadway- Nassau Fulton St. ⚫ Geschäftszeiten.

S äulen charakterisieren das von Welles Bosworth entworfene, 1915–22 errichtete Bauwerk. Allein die Fassade besitzt angeblich mehr Säulen als jedes andere Gebäude der Welt. Auch der Innenraum repräsentiert sich als Marmorsäulen-Orgie. Das ganze Bauwerk sieht aus wie ein riesiger quadratischer Schichtkuchen.

Eine Meeresgöttin über dem Eingang des AT&T (American Telephone and Telegraph) Building

Lower East Side

Nirgendwo wird die ethnische Vielfalt dieser Stadt so deutlich wie in der Lower East Side, wo sich einst die Einwanderer niederließen. Hier lagen die Viertel der Italiener, Chinesen und Juden, die auch in der Fremde ihre Sprache, Religion und Bräuche bewahrten. Das Viertel wird seit einiger Zeit luxussaniert, doch das Flair vergangener Tage ist noch spürbar. Neben schicken Bars und trendigen Läden findet man noch immer verlockende Restaurants, günstige Einkaufsmöglichkeiten und eine unvergleichliche Atmosphäre vor. Der Komponist Irving Berlin ist hier aufgewachsen und sagte einmal: »Jeder sollte in seinem Leben eine Lower East Side haben.«

Blechdose (19. Jh.), Lower East Side Tenement Museum

Sehenswürdigkeiten auf einen Blick

Historische Straßen und Gebäude
Chinatown 4
Delancey Street 10
East Houston Street 11
Engine Company No. 31 14
Home Savings of America 1
Little Italy 3
Orchard Street 8
Police Headquarters Building 2
Puck Building 12

Park
Columbus Park 5

Museen und Sammlungen
FusionArts Museum 19
Lower East Side Tenement Museum 7
New Museum of Contemporary Art 16

Läden und Märkte
Economy Candy 17
Essex Street Market 20
The Pickle Guys 15

Kirchen und Synagogen
Angel Orensanz Center 18
Bialystoker Synagogue 9
Eldridge Street Synagogue 6
Old St. Patrick's Cathedral 13

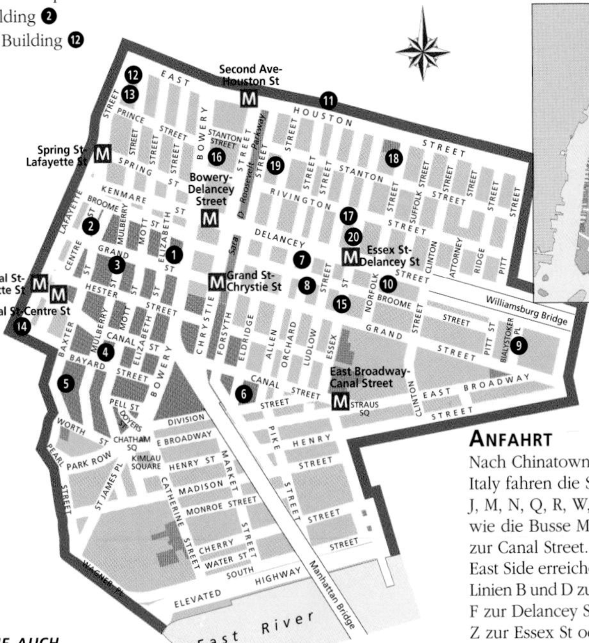

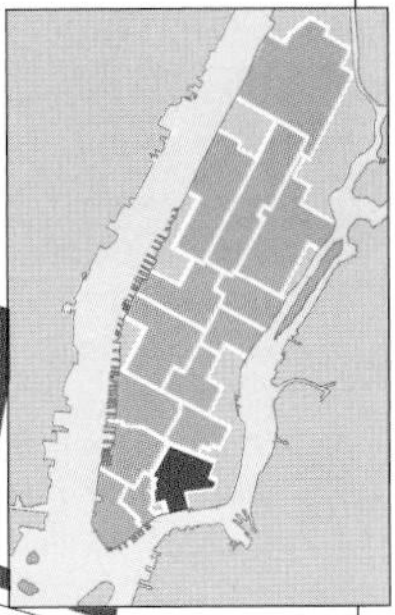

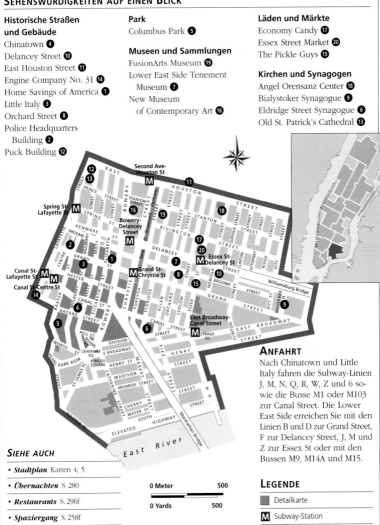

Anfahrt

Nach Chinatown und Little Italy fahren die Subway-Linien J, M, N, Q, R, W, Z und 6 sowie die Busse M1 oder M103 zur Canal Street. Die Lower East Side erreichen Sie mit den Linien B und D zur Grand Street, F zur Delancey Street, J, M und Z zur Essex St oder mit den Bussen M9, M14A und M15.

0 Meter 500

0 Yards 500

Siehe auch

- ***Stadtplan*** Karten 4, 5
- ***Übernachten*** S. 280
- ***Restaurants*** S. 296f
- ***Spaziergang*** S. 258f

Legende

Detailkarte

[M] Subway-Station

◁ **Drachenpuppe in Chinatown *(siehe S. 96f)* während des Chinesischen Neujahrsfestes**

Im Detail: Little Italy und Chinatown

New Yorks größtes und buntestes ethnisch geprägtes Viertel ist Chinatown. Der Distrikt dehnt sich so schnell aus, dass er das nahe Little Italy und die jüdische Lower East Side zu verdrängen droht. In den Straßen reihen sich dicht an dicht Gemüseläden, Geschenkboutiquen und Restaurants. Selbst in den einfachsten Lokalen gibt es gutes Essen. Die Überreste Little Italys finden sich in der Mulberry und in der Grand Street.

★ Little Italy
Einst wurde es von Tausenden von italienischen Einwanderern bevölkert. ❸

★ Chinatown
In dem für seine Restaurants und das quirlige Straßenleben bekannten Viertel ist die ständig wachsende chinesische Gemeinde beheimatet. Besonders hoch her geht es hier im Januar bzw. Februar zur Zeit des Chinesischen Neujahrsfestes. ❹

Auf dem Markt in der Canal Street kann man günstig neue und Secondhand-Kleider sowie frische Lebensmittel erstehen.

M Subway-Station Canal Street (Linien R, W, N, Q, 6)

Der Eastern States Buddhist Temple (64b Mott Street) beherbergt über 100 goldene Buddhas.

Die Wall of Democracy in der Bayard Street ist mit Zeitungsberichten über die Situation in China bedeckt.

Columbus Park ❺
Der Park liegt auf dem Gelände des einst elendsten New Yorker Slums.

Für die Confucius Plaza schuf Liu Shih eine Statue des großen chinesischen Philosophen.

Am Chatham Square steht ein Denkmal für die chinesisch-amerikanischen Gefallenen.

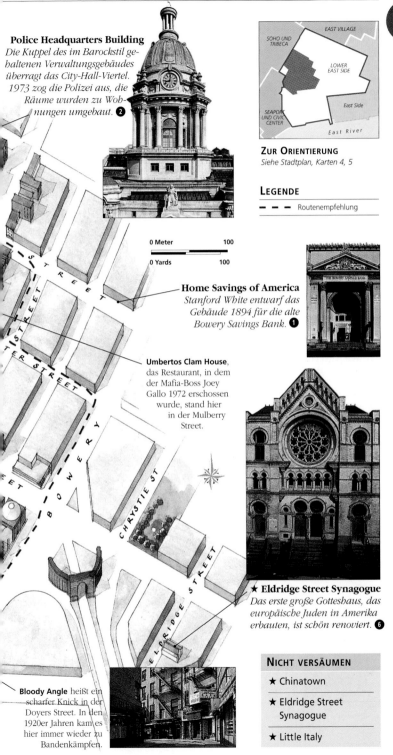

Police Headquarters Building
*Die Kuppel des im Barockstil ge-
haltenen Verwaltungsgebäudes
überragt das City-Hall-Viertel.
1973 zog die Polizei aus, die
Räume wurden zu Woh-
nungen umgebaut.* ②

EAST VILLAGE

SOHO UND
TRIBECA

LOWER
EAST SIDE

East Side

SEAPORT
UND CIVIC
CENTER

East River

ZUR ORIENTIERUNG
Siehe Stadtplan, Karten 4, 5

LEGENDE

– – – Routenempfehlung

0 Meter   100

0 Yards   100

Home Savings of America
*Stanford White entwarf das
Gebäude 1894 für die alte
Bowery Savings Bank.* ❶

Umbertos Clam House,
das Restaurant, in dem
der Mafia-Boss Joey
Gallo 1972 erschossen
wurde, stand hier
in der Mulberry
Street.

CHRYSTIE ST

STREET

BOWERY

ELDRIDGE STREET

★ Eldridge Street Synagogue
*Das erste große Gotteshaus, das
europäische Juden in Amerika
erbauten, ist schön renoviert.* ❻

Bloody Angle heißt ein
scharfer Knick in der
Doyers Street. In den
1920er Jahren kam es
hier immer wieder zu
Bandenkämpfen.

NICHT VERSÄUMEN

★ Chinatown

★ Eldridge Street
Synagogue

★ Little Italy

Stadtplan *siehe Seiten 394–425*

Home Savings of America ●

130 Bowery. **Stadtplan** 4 F4.
Ⓜ *Grand St, Bowery.*

Das innen wie
außen impo-
sante klassizistische
Gebäude wurde
1894 von dem Archi-
tekten Stanford White
für die Bowery
Savings Bank ent-
worfen. Die reich
verzierte Außenfront

**Detail an Home
Savings of America**

sollte das Gebäude der kon-
kurrierenden Butchers and
Drovers Bank in den Schatten
stellen. Das Innere ist mit Marmorsäulen und einer üppigen
Decke verziert.

Lange wirkte das Gebäude
angesichts der Obdachlosen
und der Absteigen der Bowery leicht deplatziert. Heute ist
hier der Nachtclub Capitale
beheimatet.

Police Headquarters Building ●

240 Centre St. **Stadtplan** 4 F4.
Ⓜ *Canal St.* ⬤ *für Besucher.*

Das 1909 errichtete Gebäude diente der damals neu
gegründeten Berufspolizei als
Unterkunft. Korinthische Säulen säumen das Portal und die
beiden Pavillons. Die Kuppel
ragt hoch in den Himmel. Aus
Platzmangel musste sich der
Grundriss allerdings einem
keilförmigen Grundstück mitten in Little Italy einfügen.

Fast 70 Jahre lang traf sich
hier die »Creme« der Stadt. In

der Prohibitionszeit war die
Grand Street von hier bis zur
Bowery als »Bootleggers' Row«
(»Alkoholschmugglergasse«)
bekannt. Wenn die Polizei
nicht gerade eine Raz-
zia unternahm, kam
man leicht an Alko-
hol. Die Spirituo-
senhändler ließen
sich Tipps aus dem
Präsidium eine Stan-
ge Geld kosten.

1973 bezog die Po-
lizei ein neues Haupt-
quartier, das Gebäu-
de ist seit 1985 ein Wohnhaus.

Little Italy ●

Straßen um die Mulberry St.
Stadtplan 4 F4. Ⓜ *Canal St.*
www.littleitalynyc.com

Die Süditaliener,
die Ende des
19. Jahrhunderts nach
New York kamen,
lebten zunächst in
heruntergekomme-
nen, kleinen Woh-
nungen. Die Häuser
waren so eng anein-
andergebaut, dass nie
ein Sonnenstrahl zu
den unteren Fenstern
oder in die Hinterhöfe drang.
Über 40000 Menschen wohn-
ten in 17 kleinen, ungepfleg-
ten Straßenblocks, sodass
hier ständig Krankheiten wie
Tuberkulose grassierten.

Ungeachtet der erbärmli-
chen Lebensumstände in der
Lower East Side entwickelte
sich um die Mulberry Street
ein buntes, lebendiges Viertel.
Dieses Flair hat sich bis heute
erhalten, obwohl nur noch

5000 Italiener hier leben und
Chinatown immer mehr ins
traditionelle Little Italy hinein-
wächst.

Während der Festa di San
Gennaro um den 19. September *(siehe S. 52)* geht es in
Little Italy hoch her. Für einige Tage wird die Mulberry
Street in Via San Gennaro umbenannt. Am Namenstag des
Heiligen werden sein Schrein
und seine Reliquien durch die
Straßen getragen. Man tanzt
und musiziert auf der Straße,
italienische Köstlichkeiten
sind an Ständen erhältlich.

In den Restaurants in Little
Italy bekommt man einfache,
preiswerte italienische Küche.

NoLIta (North of Little Italy)
ist voller Boutiquen, in denen
sogar Models nach den angesagten Labels suchen.

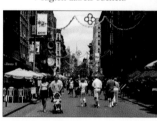

Straße in Little Italy

Chinatown ●

Straßen um die Mott St. **Stadtplan**
4 F5. Ⓜ *Canal St.* **Eastern States
Buddhist Temple** 64b Mott St.
◯ *tägl. 9–18 Uhr.*
www.explorechinatown.com

Anfang des 20. Jahrhunderts
lebten in Chinatown fast
ausschließlich über Kaliforni-
en eingewanderte Männer.
Ihren Verdienst schickten sie
an ihre Angehörigen in China,
die durch die US-Gesetze an
der Einwanderung gehindert
wurden. In ihrer Freizeit
spielten die Männer Mah
Jongg. Die chinesische Gemeinde lebte isoliert von der
übrigen Stadt. Finanziell und
politisch wurde sie von Ge-
heimorganisationen, den
Tongs, kontrolliert.

Einige Tongs waren Fami-
lienverbände, die Geld verliehen. Andere, etwa die On
Leong und die Hip Sing, die
einander bekriegten, waren
kriminelle Bruderschaften.
Die Doyers Street hieß damals

Steinreliefs zieren das Police Headquarters Building

Chinesischer Lebensmittelhändler in der Canal Street

»Bloody Angle« (»Blutiges Eck«). Man lockte die Mitglieder anderer Banden in das Gässchen und lauerte ihnen dort auf. Ein Waffenstillstand sorgte 1933 für Frieden. 1940 lebten in Chinatown viele mittelständische Familien. Einwanderer und Geschäftsleute aus Hongkong sorgten in der Nachkriegszeit für wirtschaftlichen Aufschwung. Heute wohnen hier über 80000 chinesischstämmige Amerikaner.

Viele Leute besuchen das Viertel lediglich, um chinesisch essen zu gehen. Es gibt allerdings noch andere Attraktionen, z. B. Galerien, Antiquitäten- und Kuriositätenläden sowie chinesische Feste. Eine andere Seite von Chinatown

können Sie im Dämmerlicht des Eastern States Buddhist Temple erleben. Im Kerzenlicht funkeln hier mehr als 100 Buddha-Figuren.

Columbus Park ❺

Stadtplan 4 F5. Ⓜ Canal St.

Die Ruhe im heutigen Columbus Park unterscheidet sich radikal von den Verhältnissen, die um 1800 hier herrschten. Das als Mulberry Bend bekannte Viertel war früher ein Rotlichtbezirk und gehörte zum berüchtigten Five-Points-Slum. Unter Namen wie »Dead Rabbits« oder »Plug Uglies« firmierten die Banden terrorisierten die Straßen. Ein Mord pro Tag galt als normal. 1892 wurde das Viertel abgerissen – zum Teil dank der Schriften des Reformers Jacob Riis. Heute ist der Park die einzige unbebaute Fläche in Chinatown.

Eldridge Street Synagogue ❻

12 Eldridge St. **Stadtplan** 5 A5. 𝄞 (212) 219-0888. Ⓜ East Broadway. 🕐 So–Do 10–16 Uhr. ⬤ Fr Sonnenuntergang, Sa ab 10 Uhr. 📷 🚫 📷 11, 12, 13, 14, 15 Uhr. 🏠 **www**.eldridgestreet.org

Als das Gotteshaus 1887 von orthodoxen Aschkenasim aus Osteuropa erbaut wurde, war es der prächtigste Tempel der ganzen Gegend. Für viele jüdische Einwanderer war die Lower East Side allerdings nur Durchgangsstation.

In den 1930er Jahren wurde die mit Buntglasfenstern, Messingleuchtern, Holzvertäfelung und schönen Schnitzarbeiten ausgestattete riesige Synagoge geschlossen. Drei Jahrzehnte später sammelte eine Gruppe von Bürgern Geld für die Instandsetzung. Die Arbeiten dauern immer noch an. Die Synagoge ist heute zugleich ein überaus lebendiges Kulturzentrum mit Konzerten und vielen anderen Veranstaltungen.

Auch nach Jahren des Verfalls ist die Fassade mit ihren romanischen, gotischen und maurischen Elementen beeindruckend. Ein handgeschnitzter Bogen und die verzierte Holzempore im Inneren sind der Stolz der Gemeinde.

Lower East Side Tenement Museum ❼

108 Orchard St. **Stadtplan** 5 A4. 𝄞 (212) 431-0233. Ⓜ Delancey, Grand St. 🕐 nur Führungen (nach Anmeldung). 📷 Di–Fr 13.20–16.45, Sa, So 11–17 Uhr. ⬤ 1. Jan, Thanksgiving, 25. Dez. 📷 🚫 📷 **Vorträge, Filme, Videovorführungen**. 🏠 tägl. **www**.tenement.org

Karren für Straßenverkauf (um 1890), Tenement Museum

Innen wurde das Gebäude in der Orchard Street 97 so hergerichtet, wie Wohnungen um 1880, 1916, 1918 und 1935 aussahen. Bis 1879 gab es hier keinerlei Mieterschutz. Zimmer mit Fenster, Waschbecken oder Etagentoiletten waren rar, ebenso Luftschächte. Die Räume vermitteln einen Eindruck von den damaligen erbärmlichen Wohnbedingungen zahlloser Menschen. Das Programm des Museums zeigt als neueste Ausstellung »The Sweatshop Apartment« und bietet Führungen durch das Viertel an.

In der Eldridge Street Synagogue

Orchard Street ❽

Stadtplan 5 A3. **M** *Delancey, Grand St. Siehe auch* **Shopping** S. 320. www.lowereastsideny.com

Ihren Namen verdankt die Orchard Street den Obstgärten auf James De Lanceys Landgut. Jüdische Immigranten begründeten die Textilindustrie in der Straße. Früher wimmelte es hier von Verkaufskarren, die Produkte wurden in den Mietshäusern des Viertels hergestellt. Heute sind die Verkaufswagen verschwunden. Auch die Läden sind nicht mehr alle in jüdischer Hand, doch viele Läden schließen am Sabbat. Sonntags bevölkern Kauflustige das Pflaster zwischen Canal und Houston Street. Die Orchard Street liegt im Zentrum der luxussanierten Lower East Side. Schicke Shops (etwa das Blue Moon) eröffneten in letzter Zeit neben neuen Bars.

Tierkreiszeichen in der Bialystoker Synagogue

Bialystoker Synagogue ❾

7–11 Willett St. **Stadtplan** 5 C4. **C** (212) 475-0165. **M** Essex St. ⭐ häufig. ❖ nur nach Anmeldung. ◎ www.bialystoker.org

Das 1826 im Federal Style errichtete Gebäude war ursprünglich eine methodistische Kirche. 1905 erwarben jüdische Einwanderer aus dem polnischen Bialystok das Bauwerk und verwandelten es in eine Synagoge. Sie ist nicht nach Osten, sondern in

Gemüsestand auf dem Markt in der Canal Street

christlicher Tradition nach Westen ausgerichtet. Eindruck macht das Innere des Baus mit seinen Buntglasfenstern und den Wandmalereien, die die Tierkreiszeichen und das Heilige Land darstellen.

Delancey Street ❿

Stadtplan 5 C4. **M** Essex St. Siehe auch **Shopping** S. 320. **Bowery Ballroom** 6 Delancey St. **C** (212) 533-2111. Show-Termine siehe Website. ◎ kein Blitz. ♿ www.boweryballroom.com

Früher war die Delancey Street ein prächtiger Boulevard, heute ist sie kaum mehr als eine Durchgangsstraße zur Williamsburg Bridge. Benannt wurde sie nach James De Lancey, der in der Kolonialzeit hier eine Farm besaß. Während des Unabhängigkeitskriegs hielt De Lancey zu George III. Nach dem Krieg floh er nach England, seine

New Yorker Besitztümer wurden konfisziert.

6 Delancey Street ist die Adresse des **Bowery Ballroom**. Der dreistöckige Theaterbau wurde wenige Wochen vor dem Börsenkrach von 1929 *(siehe S. 31)* fertiggestellt. Während der Großen Depression und des Zweiten Weltkriegs stand das Haus leer und begann zu verfallen. Später mieteten sich Einzelhändler ein, eine Kurzwarenhandlung, ein Juwelier und das Schuhgeschäft Treemark Shoes bezogen die Räume. Erst in den späten 1990er Jahren wurde der Bau als Veranstaltungsort für Live-Musik wiedereröffnet und mit neuem Leben erfüllt.

Von der Originalausstattung des ehemaligen Theaters ist vieles erhalten, so das Messinggeländer und das mit Stuckarbeiten verzierte Gewölbe der Bar im Zwischengeschoss. Außen sieht man noch schöne Metallarbeiten.

Live-Musik im stilvollen Ambiente des Bowery Ballroom

East Houston Street ❶

East Houston St. **Stadtplan** 4 F3, 5 A3. **M** Second Avenue.

Die Straße zwischen Forsyth Street und Ludlow Street bildet die Trennlinie zwischen der Lower East Side und dem East Village. Hier

Bagels in einer jüdischen Bäckerei, East Houston Street

sieht man die Mischung aus Alt und Neu in dieser Gegend. Zwischen Forsyth Street und Eldridge Street steht ein neues kleines Hotel neben der Bäckerei Yonah Schimmel Knish Bakery, die seit 90 Jahren besteht und noch die originalen Vitrinen hat. Weiter die Straße hinunter liegt das Sunshine Theater, das in den 1840er Jahren als holländische Kirche gebaut wurde und später als Boxring und jiddisches Vaudeville-Theater diente. Heute werden hier Kunstfilme gezeigt.

Das jüdische Flair der Lower East Side ist vielerorts verschwunden, doch es gibt noch zwei Zeugen in der East Houston Street. Russ and Daughters ist ein kulinarisches Wahrzeichen – in dritter Generation in der Hand einer Familie, die um 1900 mit einem Handkarren ihr Geschäft begann. Der Laden, der für traditionell geräucherten Fisch und die große Kaviar-Auswahl bekannt ist, besteht seit 1914. An der Ecke Ludlow Street findet sich der bekannteste jüdische Zeitzeuge:

Bei Katz's Delicatessen gibt es seit über 100 Jahren Pastrami- und Corned-Beef-Sandwiches sowie pikante Hotdogs.

Puck Building ❷

295–309 Lafayette St. **Stadtplan** 4 F3. **M** Lafayette. **◯** während Geschäftszeiten. **☏** (212) 274-8900.

Die architektonische Kuriosität wurde 1885 von Albert und Herman Wagner erbaut. Es handelt sich um eine Variante des deutschen Rundbogenstils (Mitte 19. Jh.), der durch Rundbogenfenster und kunstvoll verarbeitete Backsteine charakterisiert ist.

Zwischen 1887 und 1916 war hier die satirische Zeitschrift *Puck* ansässig. Um 1900 war das Haus das größte Druck- und Verlagsgebäude der Welt.

Heute finden hier die elegantesten New Yorker Partys statt, außerdem dient das Haus als Kulisse für Modeaufnahmen. An den legendären *Puck* erinnert nur die Blattgoldstatue an der Ecke Mulberry/Houston Street; es gibt noch eine kleinere Version über dem Eingang in der Lafayette Street.

Die Puck-Statue an der Nordostecke des Puck Building

Fassade der Old St. Patrick's Cathedral

Old St. Patrick's Cathedral ❸

263 Mulberry St. **Stadtplan** 4 F3. **☏** (212) 226-8075. **M** Prince St. **◯** Do–Di 8–12.30, 15.30–18 Uhr. **✝** Mo–Fr 9, 12, Sa 17.30, So 9.15, 12.45 Uhr; Spanisch: So 11.30 Uhr. **www.**oldcathedral.org

Mit dem Bau der ersten St. Patrick's Cathedral wurde 1809 begonnen. Damit war sie eine der ältesten Kirchen der Stadt. Kurz nach 1860 brannte sie nieder und wurde wieder aufgebaut. Dann verlegte die Erzdiözese die Kathedrale nach Uptown (siehe S. 178f). St. Patrick's wurde eine normale Gemeindekirche, die sich trotz ständig wechselnder ethnischer Bevölkerungsanteile im Viertel behaupten konnte.

In den Gewölben unter dem Gebäude befinden sich die sterblichen Überreste einer der berühmtesten New Yorker Restauratorenfamilien, der Delmonicos. Auch Pierre Toussaint war hier bestattet. 1990 wurden seine Gebeine vom alten Friedhof neben der Kirche in eine Krypta in der Uptown St. Patrick's Cathedral umgebettet.

Pierre Toussaint wurde 1766 als Sklave in Haiti geboren und brachte es in New York zum wohlhabenden Perückenmacher. Er kümmerte sich aufopferungsvoll um Arme, pflegte Cholerakranke, errichtete von seinem Vermögen ein Waisenhaus und trieb Geldmittel für den Bau der St. Patrick's Cathedral auf. Der Philanthrop starb 1853.

Engine Company No. 31 ⑭

87 Lafayette St. **Stadtplan** 4 F5.
📞 *(212) 966-4510.* Ⓜ *Canal St.*
⬤ *für Besucher.*

Feuerwachen hatten im 19. Jahrhundert einen so wichtigen Status, dass dies auch seinen architektonischen Ausdruck fand. Die Baufirma Le Brun war in diesem Metier führend. Die 1895 gebaute Wache ist einer der am besten gelungenen Bauten. Mit steilen Dächern, Gauben und Türmchen erinnert der Bau an ein Loire-Schlösschen.

Das heute hier untergebrachte Downtown Community Television Center veranstaltet Kurse und Workshops für seine Mitglieder. Für die Öffentlichkeit ist das Gebäude nicht mehr zugänglich.

The Pickle Guys ⑮

49 Essex St. **Stadtplan** 5 B4.
📞 *(212) 656-9739.* Ⓜ *Grand St.*
⬤ *Fr 9–16, So–Do 9–18 Uhr.*
www.nycpickleguys.com

Der Duft von Eingelegtem beherrscht diesen kleinen Abschnitt der Essex Street. Im frühen 20. Jahrhundert gab es in der Gegend unzählige jüdische Läden, die Eingelegtes verkauften. Getreu nach alten osteuropäischen Rezepten wird Gemüse aller Art in Fässern mit Salzlauge, Knoblauch und Gewürzen gelagert; so hält es sich monatelang. Eingelegtes gibt es in den Varianten sauer, dreivierteilsauer, halbsauer, jung und scharf.

Fässer mit Eingelegtem vor The Pickle Guys

Fassade der ehemaligen Feuerwache Engine Company No. 31

Die strikt koschere Zubereitung erfolgt ohne chemische Zusätze oder Konservierungsmittel.

In dem Laden gibt es eingelegte Tomaten, Sellerie, Oliven, Pilze und Peperoni sowie getrocknete Tomaten, Sauerkraut und Heringe. Es wird wie ein freundlicher Familienbetrieb geführt, in dem immer Zeit zum Plaudern ist.

New Museum of Contemporary Art ⑯

235 Bowery St. **Stadtplan** 4 E3.
📞 *(212) 219-1222.* Ⓜ *Spring St,
Bowery.* ⬤ *Mi, Sa, So 12–18, Do, Fr
12–22 Uhr.* 🖼 🎫 🚫 🖥 ♿
www.newmuseum.org

Marcia Tucker gab 1977 ihre Stelle als Kuratorin des Whitney Museum auf, um dieses Museum zu gründen. Sie wollte die Art von Arbeiten ausstellen, die sie in den traditionelleren Museen vermisste, und eröffnete eine der aufregendsten Ausstellungen New Yorks. Hier gibt es u. a. eine innovative Media Lounge für digitale Kunst, Video-Installationen und Arbeiten mit Klängen. Es gibt keine feste Sammlung, stattdessen werden pro Jahr drei oder vier Shows veranstaltet. Unter den Künstlern der ersten Shows waren Jeff Koons und John Cage.

Das Museum zog erste Ende 2007 in das neue Gebäude in der Bowery um. Der ungewöhnliche Bau der japanischen Architekten Sejima und Nishizawa ist der erste Neubau seit über einem Jahrhundert, der im unteren Teil von Manhattan für ein Kunstmuseum errichtet wird. Er wirkt, als hätte man spielerisch und unordentlich weiße Bauklötze übereinandergestapelt, und umfasst 5574 Quadratmeter Ausstellungsfläche, ein Kino, ein Café und eine Dachterrasse mit großartiger Aussicht.

Süßigkeiten dicht an dicht in Economy Candy

Economy Candy ⑰

108 Rivington St. **Stadtplan** 5 B3.
📞 *1 800 352 4544.* Ⓜ *Second Ave-
Houston St.* ⬤ *Sa 10–17, So–Fr 9–
18 Uhr.* **www**.economycandy.com

Seit 1937 ist dieser Süßwarenladen in Familienbesitz ein Wahrzeichen der Lower East Side. Hunderte von süßen Leckereien, Nüssen und getrockneten Früchten sind im Angebot. Bis unter die Decke sind die Regale vollgepackt mit altmodischen Behältern. Economy Candy zählt zu den wenigen Shops der Lower East Side, die seit mehr als 50 Jahren unverändert in Name und Angebot die Veränderungen im Viertel überdauert haben.

Dies ist nicht zuletzt Jerry Cohens Geschick zu verdanken, der das »Naschparadies« zu einem landesweit operierenden, florierenden Unternehmen umbaute. Der Laden führt Süßigkeiten aus der ganzen Welt, außerdem glasierte Früchte sowie mit Zuckerguss überzogene Schokolade in 21 Farben.

Innenraum des Angel Orensanz Center, früher eine Synagoge

Angel Orensanz Center ⑱

172 Norfolk St. **Stadtplan** 5 B3.
[(212) 529-7194. **M** Essex St, Delancey St. **☐** nach Vereinbarung.
& www.orensanz.org

Das kirschrote neogotische Gebäude von 1849 war einst die älteste Synagoge in New York. Mit dem 15 Meter hohen Gewölbe und seinen 1500 Plätzen war es zudem das größte jüdische Gotteshaus der Vereinigten Staaten. Der Berliner Architekt Alexander Saelzer gestaltete es in der Tradition der deutschen Reformbewegung, Ähnlichkeiten mit dem Kölner Dom und der Friedrichwerderschen Kirche in Berlin-Mitte sind nicht zu übersehen.

Nach dem Zweiten Weltkrieg und dem Rückgang des jüdischen Bevölkerungsanteils in der Lower East Side wurde die Synagoge wie viele andere geschlossen. 1986 erwarb der spanische Bildhauer Angel Orensanz das Gebäude und baute es zum Atelier um. Heute dient es als Kulturzentrum mit Kunst-, Literatur- und Musikveranstaltungen.

FusionArts Museum ⑲

57 Stanton St. **Stadtplan** 5 A3.
[(212) 995-5290. **M** Second Ave-Houston St. **☐** So–Mi 12–18 Uhr, Do 12–20 Uhr, Fr 12–15 Uhr. **◙ &**
🏠 www.fusionartsmuseum.org

Der Eingang des Museums ist kaum zu übersehen: Bizarre Metallskulpturen geben einen Vorgeschmack auf die Sammlung. Diese hat sich auf »Fusion Art« spezialisiert, auf Kunst, die verschiedene Ausdrucksformen wie Bildhauerei, Malerei, Fotografie und Videoarbeiten zu einem neuen Genre verbindet.

Die Lage des Museums abseits der Flaniermeilen bringt es in Kontakt mit einer alternativen Kunstszene, die von den großen Galerien häufig übersehen wird. Auch weniger bekannte Künstler erhalten hier die Möglichkeit, in angemessenen Räumen ihre Arbeiten zu zeigen. Viele Künstler, die in der Lower East Side zum Teil schon zwei Jahrzehnte »Fusion Art« produzieren, waren in dem Museum im Rahmen von Gruppenausstellungen zu sehen.

Metallskulpturen am Eingang des FusionArts Museum

Essex Street Market ⑳

120 Essex St. **Stadtplan** 5 B3.
[(212) 312-3603/388-0449.
M Essex St, Delancey St.
☐ Mo–Sa 8–19 Uhr. **◙ 🍴 🏠**
www.essexstreetmarket.com

Der Markt wurde 1938 unter Bürgermeister La-Guardia geschaffen, um die Händler mit ihren Schubkarren aus den schmalen Straßen zu holen, wo sie vor allem Polizei- und Feuerwehrwagen behinderten. Zwei Dutzend Stände mit Fleisch- und Käseprodukten, mit Gemüse und Gewürzen füllen die renovierte Markthalle. Die Fleischerei Jeffrey's hat hier seit 1939 einen Stand. Das Essex Restaurant serviert südamerikanische und jüdische Gerichte. Die Galerie Cuchifritos zeigt Arbeiten von Künstlern aus der Nachbarschaft.

Frische Fleischwaren an einem Stand des Essex Street Market

SoHo und TriBeCa

Die Verbindung von Kunst und Architektur hat das Gesicht der alten Industriebezirke verändert. SoHo (South of Houston) wäre in den 1960er Jahren fast zerstört worden, hätten nicht Denkmalschützer auf den Seltenheitswert seiner Gusseisen-Architektur verwiesen. Nach der Sanierung zogen

Ladenfront einer Bäckerei in SoHo

Künstler in die Lofts. Galerien, Boutiquen und Cafés folgten. Ein Galerienbummel und ein Brunch in SoHo sind beliebte Wochenendaktivitäten. Mit steigenden Mieten zogen Künstler nach TriBeCa (Triangle Below Canal). Im In-Viertel gibt es Galerien und Restaurants, im Mai läuft das TriBeCa-Filmfestival.

Sehenswürdigkeiten auf einen Blick

Historische Straßen und Gebäude

Greene Street ❸
Harrison Street ❽
Haughwout Building ❶
St. Nicholas Hotel ❷
Singer Building ❹
White Street ❾

Museen und Sammlungen

Children's Museum of the Arts ❺
New York City Fire Museum ❼
New York Earth Room ❻

Anfahrt

Mit den Subway-Linien B, D, F oder V bis Broadway-Lafayette; mit 6 zur Bleecker oder Spring Street; mit N oder R zur Prince Street. Nach TriBeCa fährt die Linie 1 bis Franklin Street oder 1, 2, 3, A oder C bis Chambers Street. Buslinien sind M1, M6 und M21 (SoHo) sowie M6 und M20 (TriBeCa).

Siehe auch

- *Stadtplan* Karte 4
- *SoHo-Spaziergang* S. 260f
- *Restaurants* S. 297–299
- *Übernachten* S. 281

Legende

▢ Detailkarte

Ⓜ Subway-Station

0 Meter 500
0 Yards 500

◁ **Gusseisen-Fassaden in der Greene Street** *(siehe S. 106)*

Im Detail: Cast-Iron Historic District in SoHo

Die weltweit dichteste Konzentration von Gusseisen-Architektur *(siehe S. 42f)* findet sich zwischen West Houston Street und Canal Street. Zentrum ist die Greene Street mit 50 über fünf Blocks verteilten Gebäuden aus den Jahren 1869 bis 1895. Die verschnörkelten Fassaden präsentieren sich meist im neoklassizistischen Stil mit korinthischen Säulen und Giebeldreiecken. Sie wurden in einer Gießerei in Serie produziert, waren deshalb relativ preiswert und zudem leicht aufzubauen. Mittlerweile sind sie selten gewordene Prunkstücke der Industriekunst, die gut zum Charakter des Viertels passen.

Am West Broadway in SoHo gibt es neben großartiger Architektur viele bedeutende Kunstgalerien und -läden, Boutiquen und zahlreiche kleine Restaurants.

The Broken Kilometer (393 West Broadway) ist eine verblüffende Installation von Walter De Maria *(siehe S. 107)*, die mit der Perspektive spielt. Die 500 Messingstäbe würden aneinandergereiht eine Strecke von einem Kilometer bilden.

72–76 Greene Street, der »King of Greene Street«, ist ein großartiger Bau mit korinthischen Säulen, entworfen von Isaac F. Duckworth, einem der Meister des Gusseisen-Designs.

Performing Garage, ein winziges Experimentiertheater, führt Werke der Avantgarde auf.

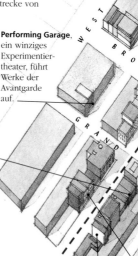

★ Greene Street
Eines der schönsten Gebäude der Greene Street ist die 1872 von Duckworth errichtete »Queen« (Nr. 28– 30) mit ihrem ausladenden Mansardendach. ❸

Zur Subway-Station Canal Street-Broadway (2 Blocks)

10–14 Greene Street stammt von 1869. Durch die Glasscheiben in der Eisenverkleidung der Veranda kann Tageslicht ins Basement fallen.

15–17 Greene Street wurde in schlichtem korinthischem Stil erst 1895 erbaut.

★ Singer Building
Das Terrakottagebäude wurde 1904 für die berühmte Nähmaschinenfirma errichtet. ❹

Richard Haas, Schöpfer zahlreicher Wandgemälde, verwandelte eine kahle Mauer in eine täuschend echte Gusseisen-Fassade.

ZUR ORIENTIERUNG
Siehe Stadtplan, Karte 4

LEGENDE

– – – Routenempfehlung

Subway-Station Prince (Linien N, R)

Ⓜ

Bei Dean & DeLuca, einem der besten Gourmetläden New Yorks, gibt es u. a. Kaffeebohnen aus aller Welt *(siehe S. 336).*

10 Spring Street mit der schlichten, geometrischen Fassade und den großen Fenstern ist ein Vorläufer der Wolkenkratzer.

Subway-Station Spring Street

St. Nicholas Hotel
Während des Bürgerkriegs diente das ehemalige Luxushotel als Hauptquartier der Unionsarmee. ❷

0 Meter	100
0 Yards	100

NICHT VERSÄUMEN

★ Greene Street

★ Singer Building

Haughwout Building
Das 1857 erbaute Haus besaß den ersten Otis-Sicherheitsaufzug. ❶

Stadtplan *siehe Seiten 394–425*

Haughwout Building ❶

488–492 Broadway. **Stadtplan** 4 E4. Ⓜ Canal St, Spring St.

Fassade des Haughwout Building

Das Gusseisen-Gebäude wurde 1857 für die Glas- und Porzellanfirma E. V. Haughwout gebaut, einst Lieferant des Weißen Hauses. Unter dem Ruß verbirgt sich ein großartiges Design: Das Muster der von Bogen und Säulen umfassten Fensterreihen wiederholt sich in den serienmäßig hergestellten Abschnitten. In das Gebäude wurde erstmals ein dampfgetriebener Sicherheitsfahrstuhl eingebaut, eine Innovation, die Wolkenkratzer erst möglich machte.

St. Nicholas Hotel ❷

521–523 Broadway. **Stadtplan** 4 E4. Ⓜ Prince St, Spring St.

Der englische Parlamentarier W. E. Baxter berichtete 1854 nach einem Besuch in New York über das eben eröffnete St. Nicholas Hotel: »Die Teppiche sind aus Samtflor, die Stuhlpolster und Vorhänge aus Seide oder Damast, und sogar die Moskitonetze

Zur Blütezeit des St. Nicholas Hotel, Mitte des 19. Jahrhunderts

sind wie für Könige gemacht.« Kein Wunder also, dass das Hotel über eine Million Dollar kostete. Bereits im ersten Jahr verzeichnete es einen Gewinn von 50 000 Dollar. Im Bürgerkrieg wurde es zum Hauptquartier der Unionsarmee umfunktioniert. Danach zogen die besseren Hotels um ins Vergnügungsviertel nach Uptown. Um 1875 schloss das St. Nicholas. Im Erdgeschoss ist nur noch wenig von seinem früheren Glanz zu sehen, doch die Überreste der Marmorfassade sind immer noch beeindruckend.

Greene Street ❸

Stadtplan 4 E4. Ⓜ Canal St.

Haas-Wandmalerei, Greene Street

Die Straße ist das Herz von SoHos Gusseisen-Bezirk. Über fünf Wohnblocks wurden zwischen 1869 und 1895 50 Gusseisen-Gebäude errichtet. Der Block zwischen Broome Street und Spring Street weist 13 komplette Gusseisen-Fassaden auf, die Hausnummern 8–34 bilden die längste Reihe von Gusseisen-Gebäuden überhaupt. Der Gebäudekomplex Nr. 72–76 wird zwar »King of Greene Street« genannt, aber die »Queen«, die Nr. 28–30, gilt als das schönste Haus. Auch wenn einige Gebäude besondere Erwähnung verdienten,

wirkt die Straße mit ihren Säulenfassaden vor allem aufgrund ihres Gesamteindrucks. An der Ecke Greene/Prince Street hat der Maler Richard Haas eine Wand mit dem Trompe-l'Œil einer Gusseisen-Front verziert. Witzig ist die kleine graue Katze, die in einem Fenster sitzt.

Singer Building ❹

561–563 Broadway. **Stadtplan** 4 E3. Ⓜ Prince St.

Das »kleine« Singer Building, das Ernest Flagg 1904 baute, ist das zweite dieses Namens und der 40-stöckigen Version am unteren Broadway, die 1967 abgerissen wurde, ästhetisch deutlich überlegen. Der anmutig verzierte Bau hat schmiedeeiserne Balkone und elegant gestaltete Bogen, deren dunkelgrüne Farbe ins Auge fällt. Die elfstöckige Fassade aus Terrakotta, Glas und Stahl war zur Zeit ihrer Entstehung sehr fortschrittlich und weist bereits auf die Metall- und Glasfassaden der 1940er und 1950er Jahre hin. Das Gebäude diente als Büro- und Lagerhaus der Nähmaschinenfabrik Singer. Der Name steht in Eisen gegossen über dem Eingang an der Prince Street.

Hausfrauenglück: eine frühe Singer-Nähmaschine

Children's Museum of the Arts ❺

182 Lafayette St. **Stadtplan** 4 F3.
📞 *(212) 274-0986.* Ⓜ *Prince St.*
🚇 *M1, M6.* ◯ *Mi, Fr–So 12–17,
Do 12–18 Uhr.* **Filmnacht** *erster Mi
im Monat 16.30–18 Uhr.* 🅿 ♿
www.cmany.org

Das innovative Museum wurde 1988 gegründet. Hier kann sich das künstlerische Potenzial von Kindern zwischen einem und zwölf Jahren voll entfalten. Es gibt viele Aktivitäten zum Mitmachen, Kurse und Vorstellungen. Kinder können mit Farbe, Leim, Papier und anderen chaosverdächtigen Materialien ihre eigenen Kunstwerke schaffen. Zur Inspiration gibt es Arbei-

**Bunte Ausstellungsräume im
Children's Museum of the Arts**

ten von Künstlern aus New York und Kindern aus aller Welt zu sehen. In der Kostümabteilung dürfen sich Kids verkleiden, einmal im Monat wird eine »Filmnacht« veranstaltet – mit Popcorn und Saft.

New York Earth Room ❻

141 Wooster St. **Stadtplan** 4 E3.
📞 *(212) 989-5566.* Ⓜ *Prince St.*
◯ *Mi–So 12–15, 15.30–18 Uhr.* ♿
www.earthroom.org

Dies ist der einzige von drei Earth Rooms des Konzeptkünstlers Walter De Maria, der noch existiert. 1977 wurde er von der Dia Art Foundation gesponsert. Die Erdskulptur im Inneren besteht aus 197 Kubikmeter Erdreich, das auf 335 Quadrat-

metern 56 Zentimeter hoch aufgeschüttet ist. *The Broken Kilometer*, eine weitere Installation von De Maria, ist im Haus 393 W Broadway zu sehen *(siehe S. 104).* Sie besteht aus 500 polierten Messingstangen, die in fünf parallelen Reihen angeordnet sind.

**La France – von
Pferden gezogene
Pumpe (1901), City Fire Museum**

New York City Fire Museum ❼

278 Spring St. **Stadtplan** 4 D4.
📞 *(212) 691-1303.* Ⓜ *Spring St.*
◯ *Di–Sa 10–17, So 10–16 Uhr.*
◯ *Feiertage.* 🅿 📷 ♿ 🛗
www.nycfiremuseum.org

Das Museum ist in einer Beaux-Arts-Feuerwache von 1904 untergebracht und beherbergt Feuerwehrausrüstungen, Modelle, Hydranten und Glocken vom 18. Jahrhundert bis 1917. Im Obergeschoss werden prächtige Löschfahrzeuge aus dem Jahr 1890 gezeigt. Vor allem Kinder sind von der interaktiven Simulation eines Brands fasziniert.

Harrison Street ❽

Stadtplan 4 D5. Ⓜ *Chambers St.*

Die acht einzigartigen, von hohen Wohnblocks umgebenen restaurierten Häuser im Federal Style wirken mit ihren schrägen Dächern und Giebelfenstern fast so, als seien sie Teil eines Bühnenbilds. Gebaut wurden sie im späten 18. und im frühen 19. Jahrhundert.
Zwei der Gebäude entwarf John McComb Jr., der erste in New York gebürtige Architekt von Rang. Sie wurden 1969 von der Washington Street

hierher versetzt, da die früher als Lagerhäuser dienenden Gebäude dort vom Abriss bedroht waren. Die Landmarks Preservation Commission verhinderte dies und half auch, die nötigen finanziellen Mittel für die Restaurierung zu beschaffen. Heute befinden sich die Gebäude in Privatbesitz.
Auf der anderen Seite des Hochhauskomplexes liegt der Washington Market Park. In dieser Gegend befand sich früher der zentrale Großmarkt der Stadt, bevor er in den frühen 1970er Jahren aus dem historischen Distrikt in die Bronx abwanderte.

White Street ❾

Stadtplan 4 E5. Ⓜ *Franklin St.*

Auch TriBeCa kann eine ganze Palette von Gusseisen-Architektur vorweisen, wenn auch stilistisch nicht so einheitlich wie in der Greene Street. Das Gebäude Nr. 2 wurde im Federal Style erbaut. Es ist eines der seltenen Häuser mit Walmdach, im Gegensatz zum Mansardendach von Haus Nr. 17. Die Häuser Nr. 8–10 wurden 1869 von Henry Fernbach entworfen und haben eindrucksvolle Säulen und Bogen. Niedrigere Obergeschosse, ein Stilmittel der Neorenaissance, lassen die Bauwerke höher erscheinen. Einen grellen Kontrast dazu bildet Haus Nr. 38, in dem sich die Galerie Let There Be Neon des Neonkünstlers Rudi Stern befindet.

**Die Galerie Let There Be Neon von
Rudi Stern in der White Street**

GREENWICH VILLAGE

Flagge des Blue Note, West 3rd Street

Die New Yorker nennen diesen Stadtteil einfach »the Village«. In der Tat lag hier ein Dorf, in das sich die Städter 1822 vor einer Gelbfieberepidemie flüchteten. Der unregelmäßige Straßenverlauf – von einstigen Hofgrenzen und Flüssen geprägt – machte es zur Enklave, in der Bohemiens, Künstler und Schwule eine Heimat fanden. Mittlerweile ist das Village jedoch teuer und ein Mainstream-Viertel. Am Washington Square tummeln sich Studenten der New York University. Die Nonkonformisten präferieren nun das erschwinglichere East Village. Im West Village und im Meatpacking District haben exklusive Shops und Restaurants eröffnet.

SEHENSWÜRDIGKEITEN AUF EINEN BLICK

Historische Straßen und Gebäude
75½ Bedford Street **2**
Grove Court **3**
Isaacs-Hendricks House **4**
Jefferson Market Courthouse **7**
Meatpacking District **5**

New York University **14**
Patchin Place **8**
St. Luke's Place **1**
Salmagundi Club **10**
Washington Mews **13**

Museum
Forbes Magazine Building **9**

Kirchen
Church of the Ascension **12**
First Presbyterian Church **11**
Judson Memorial Church **15**

Plätze
Sheridan Square **6**
Washington Square **16**

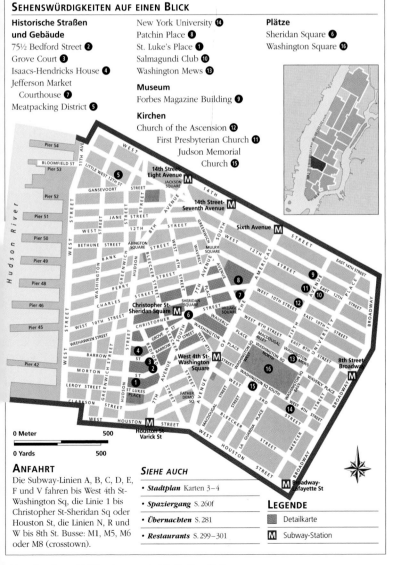

SIEHE AUCH
- *Stadtplan* Karten 3–4
- *Spaziergang* S. 260f
- *Übernachten* S. 281
- *Restaurants* S. 299–301

ANFAHRT
Die Subway-Linien A, B, C, D, E, F und V fahren bis West 4th St-Washington Sq, die Linie 1 bis Christopher St-Sheridan Sq oder Houston St, die Linien N, R und W bis 8th St. Busse: M1, M5, M6 oder M8 (crosstown).

LEGENDE
 Detailkarte
M Subway-Station

◁ **Im grünen Greenwich Village kann man auch im Straßencafé sitzen**

Im Detail: Greenwich Village

Ein Spaziergang durch das historische Greenwich Village steckt voller Überraschungen: Mitten in der Großstadt kann man reizende Reihenhäuser, verborgene Gassen und belaubte Innenhöfe entdecken. Die häufig skurrile Architektur passt zum bohemehaften Flair. Viele Berühmtheiten, z. B. Eugene O'Neill oder Dustin Hoffman, haben sich in den Häusern der engen, altmodischen Straßen ein Heim geschaffen. Am Abend erwacht das Village zu pulsierendem Leben. Nachtcafés, experimentelle Theater und Musikclubs, darunter einige der besten Jazzclubs, ziehen bis spät in die Nacht Gäste an.

Die Christopher Street, Treffpunkt der New Yorker Schwulenszene, säumen viele Läden und Bars.

Das Lucille Lortel Theater (121 Christopher Street) eröffnete 1955 mit der Aufführung der *Dreigroschenoper*.

Twin Peaks (102 Bedford Street) wurde 1830 errichtet. 1926 baute es der Architekt Clifford Daily zu einem Domizil für Künstler, Schriftsteller und Schauspieler um, die der fantasievolle Bau inspirieren sollte.

Grove Court *Sechs Häuser (1853/54) stehen am Ende eines schattigen Hofs.* ❸

Das Gebäude an der Ecke Bedford und Grove Street ist die Adresse von einem der Protagonisten der TV-Serie *Friends*.

75½ Bedford Street *Das Haus von 1873 ist das schmalste der Stadt.* ❷

★ **St. Luke's Place** *Die Häuser im italienisierenden Stil wurden um 1850 errichtet.* ❶

Zur Subway-Station Houston Street (2 Blocks)

Das Cherry Lane Theatre wurde 1924 gegründet. Die ehemalige Brauerei war eines der ersten Off-Broadway-Theater.

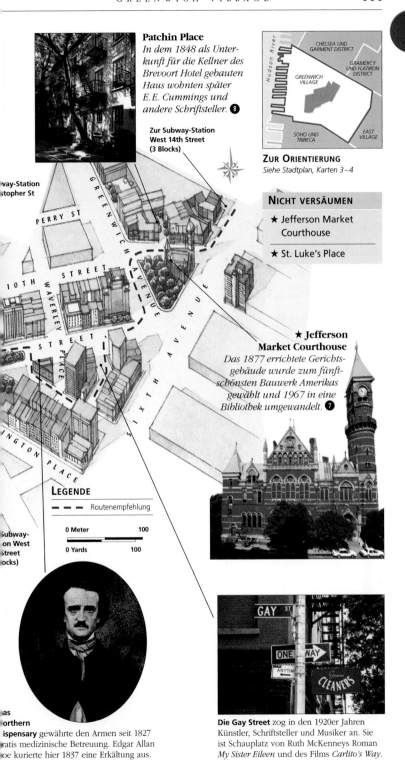

Patchin Place

In dem 1848 als Unterkunft für die Kellner des Brevoort Hotel gebauten Haus wohnten später E. E. Cummings und andere Schriftsteller. **8**

Zur Subway-Station West 14th Street (3 Blocks)

Zur Orientierung
Siehe Stadtplan, Karten 3–4

Nicht versäumen

★ Jefferson Market Courthouse

★ St. Luke's Place

GREENWICH

PERRY ST

10TH STREET

WAVERLEY

STREET PLACE

...INGTON PLACE

vay-Station
stopher St

★ **Jefferson Market Courthouse**

Das 1877 errichtete Gerichtsgebäude wurde zum fünftschönsten Bauwerk Amerikas gewählt und 1967 in eine Bibliothek umgewandelt. **7**

SIXTH AVENUE

Legende

– – – Routenempfehlung

| 0 Meter | 100 |
| 0 Yards | 100 |

Subway-
on West
Street
ocks)

...as
...orthern
...ispensary gewährte den Armen seit 1827
...ratis medizinische Betreuung. Edgar Allan
...oe kurierte hier 1837 eine Erkältung aus.

Die Gay Street zog in den 1920er Jahren Künstler, Schriftsteller und Musiker an. Sie ist Schauplatz von Ruth McKenneys Roman *My Sister Eileen* und des Films *Carlito's Way.*

Stadtplan siehe Seiten 394–425

Reihenhäuser am St. Luke's Place, einem »literarischen« Platz

St. Luke's Place ❶

Stadtplan 3 C3.  Houston St.

Fünfzehn hübsche Reihenhäuser aus den 1850er Jahren flankieren die Nordseite der Straße. Der Park gegenüber wurde nach einem früheren Anwohner, dem Dandy und Bürgermeister Jimmy Walker, benannt, der die Stadt ab 1926 regierte und 1932 wegen eines Finanzskandals zurücktrat. Vor dem Haus Nr. 6 stehen die Laternen, die in New York den Wohnsitz des Bürgermeisters anzeigen. In jüngerer Zeit ist vor allem das Gebäude Nr. 10 als Zuhause der Familie Huxtable durch die Fernsehserie *The Cosby Show* zu Berühmtheit gelangt. In diesem Block, in Nr. 4, wurde auch der Film *Warte, bis es dunkel wird* gedreht, in dem Audrey Hepburn ein blindes Mädchen spielt. Theodore Dreiser, einer der Dichter, die hier, wie auch Marianne Moore, lebten, schrieb in Nr. 16 *Eine amerikanische Tragödie*. Einen Block weiter nördlich, an der Ecke von Hudson Street und Morton Street, verlief noch vor 300 Jahren das Ufer des Hudson River.

Laterne vor Haus Nr. 6

75½ Bedford Street ❷

Stadtplan 3 C2.  Houston St.
⬤ für Besucher.
www.cherrylanetheatre.com

New Yorks schmalstes Haus misst nur 2,90 Meter und wurde 1893 in eine Durchfahrt gebaut. Hier lebten die Lyrikerin Edna St. Vincent Millay, der Schauspieler John Barrymore und später auch Cary Grant. Das dreistöckige Gebäude ist als Sehenswürdigkeit ausgewiesen.

Um die Ecke (38 Commerce Street) gründete Miss Millay 1924 das avantgardistische Cherry Lane Theatre, das noch immer Uraufführungen zeigt. Größter Hit war das Musical *Godspell* in den 1960er Jahren.

Grove Court ❸

Stadtplan 3 C2.  Christopher St-Sheridan Sq.

Ein cleverer Krämer namens Samuel Cocks ließ die sechs Häuser errichten. Die Straßenbiegung, der sie sich anpassen, markierte einst im Village die Grenze von Kolonialbesitztümern.

Cocks hatte darauf spekuliert, dass es seinem Geschäft in der Grove Street Nr. 18 nur dienlich sein könne, wenn die leere Passage zwischen den Gebäuden Nr. 10 und 12 besiedelt würde. Doch solche heutzutage exklusiven Gässchen galten im Jahr 1854 nicht als respektierlich, und dank seiner niveaulosen Anwohner wurde es bald die »Mixed Ale Alley« (Biergasse) genannt.

Isaacs-Hendricks House

Isaacs-Hendricks House ❹

77 Bedford St. **Stadtplan** 3 C2.
 Houston St. ⬤ für Besucher.

Das 1799 gebaute Haus ist das älteste im Village. An den Seiten und hinten sieht man die alten Schindelwände. Ziegelteil und oberer Stock kamen später hinzu. Der erste Besitzer, John Isaacs, erwarb das Land 1794 für 295 Dollar. Später wohnte hier Harmon Hendricks, Kupferhändler und Partner des Revolutionärs Paul Revere. Sein Kunde war Robert Fulton, der das Kupfer für die Kessel in seinen Dampfschiffen verwendete.

Meatpacking District ❺

Stadtplan 3 B1.  14th St (Linien A, C, E), Christopher St-Sheridan Sq.

Wo einst Fleischer in blutverschmierten Schürzen Rinderhälften zerteilten, trifft man heute (vor allem nachts) auf eine völlig andere Szenerie. Der Meatpacking District zwängt sich in das Areal südlich der 14th Street und westlich der 9th Avenue. Schicke Menschen auf der Suche nach Spaß bevölkern die zahlreichen Clubs, Lounges und

Stadthäuser aus der Mitte des 19. Jahrhunderts am Grove Court

Hotels. Endgültig angesagt ist das Viertel, seitdem sich Soho House, der New Yorker Ableger des Londoner Privatclubs, hier ansiedelte, gefolgt vom eleganten Hotel Gansevoort mit seinem Dachpool. Mode-Designer wie Stella McCartney und Alexander McQueen haben hier Zweigstellen, die Restaurants sind exklusiv und hochpreisig.

Seine Anziehungskraft verdankt der Meatpacking District vor allem einer proletarischen Atmosphäre, die schicke Großstadtmenschen magisch anzuziehen scheint. Auch wenn das Viertel sich verändert hat, so durchweht es noch immer ein Hauch jener Zeit, als hier schwer geschuftet wurde.

Sheridan Square ❻

Stadtplan 3 C2. Ⓜ *Christopher St-Sheridan Sq.*

Der Platz, in den sieben Straßen münden, ist das Zentrum des Village. Er wurde nach dem Bürgerkriegsgeneral Philip Sheridan benannt. Sein Standbild steht im nahen Christopher Park.

1863 fanden hier die »Draft Riots« statt, Unruhen gegen die Einführung der allgemeinen Wehrpflicht. Über ein Jahrhundert später ereignete sich ein weiterer berühmter Zwischenfall. Das Stonewall Inn in der Christopher Street war eine Schwulenbar, die ihre Existenz bestechlichen Polizisten verdankte, denn Homosexuelle durften sich damals nicht in Bars treffen. Am 28. Juni 1969 hatten die Inhaber genug von diesem Zustand. Die nachfolgende Auseinandersetzung endete damit, dass die Polizisten stundenlang in der Bar eingeschlossen und von draußen verspottet wurden. Für die Schwulenbewegung war dies ein Durchbruch. Die heutige Bar ist nicht mehr die originale. Doch das Village ist weiterhin eine Homosexuellenhochburg.

»Old Jeff«, der spitze Turm des Jefferson Market Courthouse

Jefferson Market Courthouse ❼

425 Ave of the Americas. **Stadtplan** 4 D1. ☎ *(212) 243-4334.* Ⓜ *West 4th St-Washington Sq.* 🕐 *Mo, Mi 12–20, Di 10–18, Do 12–18, Fr 13–18, Sa 10–17 Uhr.* ⬤ *Feiertage.* ♿ **www.**nypl.org

Das beliebte Wahrzeichen des Village wurde dank einer engagierten Kampagne, die bei einer Weihnachtsparty in den späten 1950er Jahren begann, vor dem Abriss bewahrt und in eine Filiale der New York Public Library umgewandelt. 1833 entstand hier eine nach Präsident Jefferson benannte Markthalle; die Glocke ihres Feuerwachturms alarmierte die freiwillige Feuerwehr. Mit der Gründung der städtischen Feuerwehr 1865 wurde die Glocke überflüssig. Anstelle des Turms entstand das Jefferson Market Courthouse für den Dritten Justizbezirk. Mit seinen Türmchen im gotisch-venezianischen Stil wurde es bei seiner Eröffnung 1877 als eines der zehn schönsten Gebäude des Landes bezeichnet. Die alte Feuerglocke wurde in den spitzen Hauptturm versetzt. Von diesem Gericht wurde 1906 Harry Thaw für den Mord an Stanford White verurteilt *(siehe S. 126).*

Standbild General Sheridans im Christopher Park

1945 zog der Markt um. Auch Prozesse fanden im Jefferson Market Courthouse nicht mehr statt. Die Uhr an den vier Turmseiten blieb stehen, das ganze Gebäude war in Gefahr, abgerissen zu werden. Eine Kampagne zur Erhaltung von »Old Jeff« in den 1950er Jahren führte zur Restaurierung der Uhr und des Gesamtkomplexes. Der Architekt Giorgio Cavaglieri bewahrte viele originale Details, so die Mosaikfenster und eine Wendeltreppe, die heute zu einem verliesartigen Informationsraum führt.

Fassade und ein Götterbaum am Patchin Place

Patchin Place ❽

West 10th St. **Stadtplan** 4 D1. Ⓜ *West 4th St-Washington Sq.*

Eine der vielen hübschen Überraschungen im Village ist dieser kleine Wohnblock mit prächtigen Götterbäumen in den Vorgärten, die »die schlechte Luft absorbieren« sollen. Die Häuser wurden Mitte des 19. Jahrhunderts für die baskischen Kellner des Brevoort Hotel (Fifth Avenue) gebaut.

Später wurden die Gebäude eine begehrte Adresse für viele berühmte Schriftsteller. So wohnte der Dichter E.E. Cummings von 1923 bis zu seinem Tod 1962 im Haus Nr. 4. Auch John Masefield, Eugene O'Neill und John Reed lebten hier. Reed erlebte die russische Revolution als Augenzeuge und schrieb darüber sein von Warren Beatty unter dem Titel *Reds* verfilmtes Buch *Zehn Tage, die die Welt erschütterten.*

Spielzeug-Schlachtschiff aus der Forbes Magazine Collection

Forbes Magazine Building ❾

60 5th Ave. **Stadtplan** 4 E1. 📳 *(212) 206-5548.* Ⓜ *14th St-Union Sq.* **Galerien** ⭕ *Di, Mi, Fr, Sa 10–16 Uhr (variierend).* ⬤ *Feiertage.* 🎦 *Do für Gruppen.* 🚫 ♿

Architekturkritiker nannten den Kalksteinkubus von Carrère & Hastings von 1925 pompös. Zunächst war das Gebäude Sitz der Macmillan Publishing Company, später zog Malcolm Forbes mit der Finanzzeitschrift *Forbes* ein.

Die hiesigen Forbes Magazine Galleries zeigen Forbes' diverse Vorlieben: mehr als rund 500 alte Spielzeugboote, 12 000 Zinnsoldaten, Monopoly-Spiele, Pokale, eine signierte Ausgabe von Abraham Lincolns *Gettysburg Address* und andere Andenken an Präsidenten. Ferner finden hier Ausstellungen über französische und amerikanische Kriegsmalerei statt.

Salmagundi Club ❿

47 5th Ave. **Stadtplan** 4 E1. 📳 *(212) 255-7740.* Ⓜ *14th St-Union Sq.* ⭕ *tägl. 13–17 Uhr.* 🚫 **www**.salmagundi.org

Amerikas älteste Künstlervereinigung zog 1917 in die letzte noch erhaltene Villa der unteren Fifth Avenue. Irad Hawley ließ sie 1853 errichten. Heute beherbergt sie die American Artists' Professional League, die American Watercolor Society und die Society for Historic Preservation. Washington Irvings Satirezeitschrift *The Salmagundi Papers* gab dem 1871 gegründeten Club seinen Namen. Das Interieur aus dem 19. Jahrhundert kann man bei Kunstausstellungen bewundern.

Fassade des Salmagundi Club

First Presbyterian Church ⓫

5th Ave an der 12th St. **Stadtplan** 4 D1. 📳 *(212) 675-6150.* Ⓜ *14th St-Union Sq.* ⭕ *Mo, Mi, Fr 11.45–12.30, So 11–12.30 Uhr.* 🕊 *Mi 18 Uhr (Kapelle).* **www**.fpcnyc.org

Für die neogotische Kirche diente Saint Saviour in Bath, England, als Vorbild. Das Hauptmerkmal des 1846 von Joseph C. Wells entworfenen Baus ist der Turm aus braunem Sandstein. Die verzierten Holztafeln am Altar listen alle Pastoren seit 1716 auf. Das südliche Querschiff wurde 1893 angefügt, der Eisenzaun 1844 errichtet und 1981 restauriert.

Church of the Ascension ⓬

5th Ave bei der 10th St. **Stadtplan** 4 E1. 📳 *(212) 254-8620.* Ⓜ *14th St-Union Sq.* ⭕ *tägl. 12–14, 17–19 Uhr.* 🕊 *Mo–Fr 18 Uhr, So 9, 11 Uhr.* 📷 *(nicht während Gottesdiensten).* **www**.ascensionnyc.org

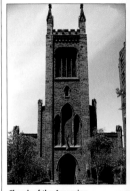

Church of the Ascension

Die englisch wirkende neogotische Kirche (1840/41) stammt von Richard Upjohn, dem Architekten der Trinity Church. Stanford White erneuerte 1888 den Innenraum. Das Altarrelief schuf Augustus Saint-Gaudens, von John La-Farge stammen das Gemälde *Christi Himmelfahrt* über dem Altar und einige der Buntglasfenster. Nachts erstrahlen die Farben des erleuchteten Glockenturms. 1844 fand hier die Hochzeit von Präsident John Tyler mit Julia Gardiner statt, die in der nahen Colonnade Row lebte *(siehe S. 120)*.

Washington Mews ⓭

Zwischen Washington Sq N und E 8th St. **Stadtplan** 4 E2. Ⓜ *West 4th St.*

Die Ställe in dem versteckt liegenden Block wurden 1900 in Kutschenstellplätze umgewandelt. 1939 wurde der Südflügel angebaut. Gertrude Vanderbilt Whitney, Gründerin des Whitney Museum, lebte hier. In Haus Nr. 16 liegt das in französischem Stil gehaltene French House der NYU, das Filme, Vorträge und Kurse auf Französisch anbietet.

New York University ⓮

Washington Sq. **Stadtplan** 4 E2.
📞 (212) 998-1212, (212) 998-4636. Ⓜ West 4th St. 🕐 Mo–Fr 8.30–20 Uhr. www.nyu.edu

Die 1831 als Alternative zur Episkopaluniversität Columbia gegründete NYU ist heute die größte Privatuniversität Amerikas und erstreckt sich um den Washington Square. Die Bauarbeiten führten 1833 zum Aufruhr der Steinmetzgilde, die gegen die Beschäftigung von Gefangenen zum Schneiden von Steinblöcken protestierte. Die National Guard musste die Ordnung wiederherstellen. Das ursprüngliche Gebäude existiert nicht mehr, nur ein Stück des Originalturms befindet sich auf einem in den Boden eingelassenen Sockel am Washington Square South. Samuel Morses Telegraf und Samuel Colts Revolver wurden hier erfunden, auch John W. Drapers erstes fotografisches Porträt stammt von hier.

Picassos *Büste von Sylvette,* zwischen Bleecker und West Houston Street

Im Brown Building am Washington Place nahe der Greene Street produzierte die Triangle Shirtwaist Company. 1911 starben hier 146 Fabrikarbeiter bei einem Brand, was zu neuen Feuerschutz- und Arbeitsschutzgesetzen führte.

Eine elf Meter hohe Vergrößerung von Picassos *Büste von Sylvette* befindet sich im University Village.

Judson Memorial Church ⓯

55 Washington Sq S. **Stadtplan** 4 D2. 📞 (212) 477-0351. Ⓜ West 4th St. 🕐 Mo–Fr 10–13, 14–18 Uhr. ⛪ So 11 Uhr. www.judson.org

Die 1892 von McKim, Mead & White erbaute Kirche ist ein eindrucksvoller romanischer Bau mit Mosaikfenstern von John LaFarge. Sie wurde von Stanford White entworfen und ist nach dem ersten amerikanischen Missionar im Ausland, Adoniram Judson, benannt, der 1811 in Birma diente. Eine Ausgabe seiner Bibelübersetzung ins Birmanische wurde bei der Grundsteinlegung integriert.

Das Besondere der Kirche ist jedoch nicht ihre Architektur, sondern das Engagement, das von ihr ausgeht. Die Kirche spielt in lokalen und globalen Angelegenheiten, von Aids bis zum Rüstungswettlauf, eine aktive Rolle. Hier werden auch Ausstellungen der Avantgarde und Off-Off-Broadway-Stücke gezeigt.

Bogen an der Nordseite des Washington Square

Washington Square ⓰

Stadtplan 4 D2. Ⓜ West 4th St.

Dort, wo einst der Minetta Creek (oder Brook) durch Sumpfland floss, liegt heute einer der belebtesten Plätze der Stadt. Bis zum späten 18. Jahrhundert war das Gelände Friedhof. Bei den Ausschachtungen für den Park fand man die Reste von 10 000 Skeletten. Eine Zeit lang diente er als Duellstätte, bis 1819 war er Schauplatz von Hinrichtungen. Die »Galgen-Ulme« in der nordwestlichen Ecke existiert noch. 1826 wurde der Sumpf trockengelegt und der Bach unter die Oberfläche geleitet, wo er noch immer fließt. Ein kleines Schild an einem Brunnen (am Eingang von 2 Fifth Avenue) zeigt seinen Verlauf an.

Der Marmorbogen von Stanford White wurde 1895 vollendet und ersetzte einen hölzernen, der zum Gedenken an das 100-jährige Jubiläum von George Washingtons Amtseinführung die untere Fifth Avenue überspannt hatte. Im rechten Teil des Bogens verbirgt sich eine Treppe. 1916 brach dort eine von Marcel Duchamp und John Sloan angeführte Künstlergruppe ein und rief von oben die »freie und unabhängige Republik Washington Square, den Staat Neu-Boheme« aus.

Auf der anderen Straßenseite liegt »The Row«. In der zur NYU gehörenden Häuserreihe wohnten einst New Yorks prominenteste Familien wie die Delanos, aber auch Edith Wharton, Henry James, John Dos Passos und Edward Hopper. Nr. 8 war einmal die offizielle Adresse des Bürgermeisters. Heute treffen sich im Park Studenten, Familien und Freigeister. Trotz einiger Drogendealer ist es hier tagsüber sicher.

Fenster an der Ecke West 4th Street und Washington Square

East Village

Peter Stuyvesant besaß einst Ländereien im East Village, im 19. Jahrhundert lebten die Astors und die Vanderbilts hier. Um 1900 zog die High Society weg, dafür siedelten sich Immigranten an. Juden, Iren, Deutsche, Polen, Ukrainer und Puerto Ricaner hinterließen ihre Spuren in Form von Kirchen sowie abwechslungsreichen und preis-

Mosaik der St. George's Ukrainian Catholic Church

werten Restaurants. In den 1960er Jahren fühlte sich die »Beat Generation« von den niedrigen Mieten angezogen. Den Hippies folgten die Punks. Musikclubs und Theater sind zahlreich, am Astor Place wimmelt es von Studenten. Im Osten liegen die Avenues A, B, C, D. Das »Alphabet City« genannte Areal ist mittlerweile eines der angesagtesten Viertel New Yorks.

Sehenswürdigkeiten auf einen Blick

Historische Straßen und Gebäude
Bayard-Condict Building ❽
Colonnade Row ❸
Cooper Union ❶

Museum
Merchant's House
  Museum ❹

Kirchen
Grace Church ❻
St. Mark's-in-the-Bowery
  Church ❺

Platz
Tompkins Square ❼

Berühmtes Theater
Public Theater ❷

Siehe auch

• *Stadtplan* Karten 4, 5

• *Spaziergang* S. 270f

• *Übernachten* S. 281f

• *Restaurants* S. 301f

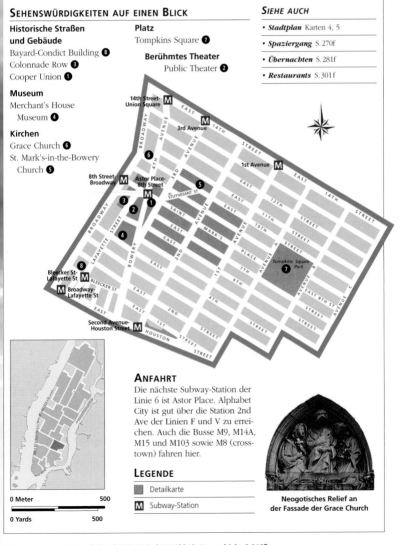

Anfahrt

Die nächste Subway-Station der Linie 6 ist Astor Place. Alphabet City ist gut über die Station 2nd Ave der Linien F und V zu erreichen. Auch die Busse M9, M14A, M15 und M103 sowie M8 (crosstown) fahren hier.

Legende

▨ Detailkarte

Ⓜ Subway-Station

0 Meter — 500
0 Yards — 500

Neogotisches Relief an der Fassade der Grace Church

◁ Interieur aus dem 19. Jahrhundert in McSorley's Old Ale House *(siehe S. 316f)*

Im Detail: East Village

An der Kreuzung von Tenth und Stuyvesant Street stand einst Peter Stuyvesants Landhaus. Sein ebenfalls Peter genannter Enkel erbte den Großteil des Anwesens und ließ es 1787 in Straßen aufteilen. Besonders sehenswert ist der historische Bezirk St. Mark's, die Kirche St. Mark's-in-the-Bowery, das Stuyvesant-Fish House und das Haus von Nicholas Stuyvesant (1795). Viele Häuser im East Village wurden zwischen 1871 und 1890 erbaut und haben noch originale Vordächer und andere Details.

Subway
Astor P
(Linie 6

Am Astor Place kam es 1849 zu Ausschreitungen. Der englische Schauspieler William Macready, der im Astor Place Opera House den *Hamlet* spielte, kritisierte den amerikanischen Kollegen Edwin Forrest. Dessen Fans revoltierten: Es gab 34 Tote.

Alamo heißt der 4,50 Meter hohe, von Bernard Rosenthal entworfene Stahlkubus auf dem Astor Place. Er dreht sich, wenn man ihn anstößt.

EAST 8TH ST

ASTOR PLACE

LAFAYETTE STREET

STABLE COURT

BOWERY

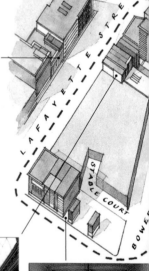

Colonnade Row
Eine gemeinsame Fassade im europäischen Stil verband einst diese vier heute vernachlässigten Stadthäuser. Der Marmor wurde von Gefangenen aus Sing Sing gebrochen. ❸

Public Theater
1965 überzeugte Joseph Papp die Stadt, die Astor Library (1849) zu kaufen und zu einem Theater umzubauen. Später hatten hier viele berühmte Stücke Premiere. ❷

NICHT VERSÄUMEN

★ Cooper Union

★ Merchant's House Museum

★ **Merchant's House**
In dem Museum sind Origina möbel im American Empire, Federal Style und viktorianischen Stil zu sehen. ❹

★ **Cooper Union**
Die von P. Cooper 1859 gegründete Einrichtung bietet Studenten eine kostenlose Ausbildung. ❶

Das Stuyvesant-Fish House
(1803/04) ist ein Ziegelbau – und zudem ein klassisches Beispiel für den Federal Style.

Renwick Triangle
heißt eine Gruppe von 16 Häusern, die 1861 im englisch-italienischen Stil erbaut wurden.

St. Mark's-in-the-Bowery Church
Die Kirche wurde 1799 erbaut; den Turm fügte man 1828 hinzu. ❺

GRAMERCY UND FLATIRON DISTRICT

GREENWICH VILLAGE

EAST VILLAGE

LOWER EAST SIDE

East Side

ZUR ORIENTIERUNG
Siehe Stadtplan, Karten 4, 5

Die Stuyvesant Polyclinic
wurde 1857 als German Dispensary (Armenklinik) gegründet und ist noch immer ein Krankenhaus. Büsten berühmter Ärzte und Wissenschaftler schmücken die Fassade.

AVENUE

E 10TH ST

STUYVESANT ST

THIRD AVENUE

ST MARK'S PLACE

SECOND AVENUE

E 9TH STREET

E 7TH STREET

6TH STREET

St. Mark's Place war Mittelpunkt der Hippieszene und ist noch immer ein Treffpunkt für junge Leute. In vielen Häusern hier gibt es flippige Läden.

| 0 Meter | 100 |
| 0 Yards | 100 |

In Little India
an der Südseite der East Sixth Street gibt es viele preiswerte indische Restaurants.

LEGENDE

– – – Routenempfehlung

In Little Ukraine leben 30 000 Ukrainer. Mittelpunkt ist die St. George's Ukrainian Catholic Church.

McSorley's Old Ale House braut noch immer sein eigenes Bier und serviert es im fast unveränderten Interieur von 1854 *(siehe S. 317).*

Stadtplan *siehe Seiten 394–425*

Die Great Hall der Cooper Union, in der Abraham Lincoln sprach

Cooper Union ❶

7 East 7th St. **Stadtplan** 4 F2.
📞 *(212) 353-4000.* Ⓜ *Astor Pl.*
🕐 *Mo–Fr 11–19, Sa 11–17 Uhr,*
zu Vorträgen und Konzerten in der
Great Hall. ● *Juni–Aug, Feiertage.*
🚫 ♿ www.cooper.edu

Peter Cooper, ein Industriel-ler, der die erste amerika-nische Dampflok und die ers-ten Stahlschienen produzierte und sich am ersten transatlan-tischen Kabel beteiligte, war ein typischer Selfmademan.
  1859 gründete er das erste nichtkonfessionelle College für Männer und Frauen (Tech-nik, Ingenieurswesen, Archi-tektur und Design). Das fünf-stöckige Gebäude (1973/74 renoviert) war das erste mit einem Stahlgerippe. Die Great Hall wurde 1859 von Mark Twain eingeweiht. Lincoln hielt hier 1860 seine Rede »Right makes Might«. Die Cooper Union unterstützt heu-te noch das Public Forum.

Public Theater ❷

425 Lafayette St. **Stadtplan** 4 F2.
📞 *(212) 239 6200 (Tickets), (212)*
539-8500 (Verwaltung). Ⓜ *Astor Pl.*
Siehe auch **Unterhaltung** *S. 344.*
www.publictheater.org

Das Gebäude aus roten Ziegeln und braunem Sandstein ist ein Beispiel für den deutschen neoromani-schen Stil. Ab 1849 diente es als Astor Library, die erste kostenlose Bücherei der Stadt, heute ist es Spielstätte beim New York Shakespeare Festi-val. Als der Bau 1965 vom Abriss bedroht war, überzeug-te der Gründer des Festivals, Joseph Papp, die Stadt, es für das Theater zu erwerben. Die Reno-vierung begann 1967, und ein Großteil der schönen Innen-architektur wurde bei der Umwand-lung in sechs Thea-ter bewahrt. Zwar wird hier meist experimentelles Theater aufgeführt, doch auch die weltbekannten Musicals *Hair* und *A Chorus Line* be-gründeten hier ihren weltweiten Ruhm.

Colonnade Row ❸

428–434 Lafayette St. **Stadtplan**
4 F2. Ⓜ *Astor Pl.* ● *für Besucher.*

Die korinthischen Säulen der vier Gebäude sind die einzigen Überbleibsel von neun beeindruckenden klassi-zistischen Stadthäusern. Sie wurden 1833 von Seth Geer vollendet und als »Geer's Folly« (»Geers Wahnwitz«) be-kannt, weil niemand glaubte, dass irgendwer so weit östlich wohnen wollte. Doch als so pro-minente Bürger wie John Jacob Astor und Cor-nelius Vanderbilt in die Häuser zogen, waren die spöttischen Zweifler widerlegt. Der US-amerikanische Schriftsteller Washington Irving lebte hier einige Zeit, außerdem die englischen Romanciers William Makepeace Thacke-ray und Charles Dickens.
  Fünf der Gebäude mussten Anfang des 20. Jahrhunderts einem Parkhaus des John Wanamaker Department Stores weichen, die restlichen wurden völlig vernachlässigt.

Merchant's House Museum ❹

29 E 4th Street. **Stadtplan** 4 F2.
📞 *(212) 777-1089.* Ⓜ *Astor Pl,*
Bleecker St. 🕐 *Mo, Do–So 12–*
17 Uhr und nach Vereinbarung. 📷
📷 *(kein Blitzlicht).* 🎫 **Vorträge.** 🔓
www.merchantshouse.com

Originalherd aus dem 19. Jahrhundert in der Küche des Merchant's House Museum

Das bemerkenswerte klas-sizistische Ziegelgebäude steht etwas versteckt in einem Block im East Village. Hier scheint die Zeit stehen geblie-ben zu sein, denn Inventar, Einrichtung, Küche, Dekora-tionen und auch Gebrauchs-gegenstände sind dieselben wie vor 100 Jahren.
  Das 1832 gebaute Haus wurde 1835 von dem wohl-habenden Kaufmann Seabury Tredwell erworben und blieb bis zum Tod von Gertrude Tredwell 1933 im Familien-besitz. Sie hatte als letzte Vertreterin der Familie das Haus im Sinn ihres Vaters konserviert. Ein Verwandter eröffnete das Haus 1936 als Museum. Die imponierend großen Räume im Erdge-schoss zeugen vom Reichtum der New Yorker Kaufleute im 19. Jahrhundert.

Das Public Theater in der Lafayette Street

St. Mark's-in-the-Bowery Church ❺

31 E 10th St. **Stadtplan** 4 F1.
(212) 674-6377. **M** Astor Pl.
Mo–Fr 8.30–16 Uhr, außer während Proben für das Poetry Project.
Mi 18, So 11 Uhr; auf Spanisch: a 17.30 Uhr. **www**.stmarkschurch-n-the-bowery.com

Der 1799 errichtete Bau, der die auf der *bouwerie* (Farm) von Gouverneur Peter Stuyvesant gelegene Kirche von 1660 ersetzte, ist eine der ältesten Kirchen New Yorks. Stuyvesant ist hier zusammen mit sieben Generationen der Familie bestattet. 1878 fand auf dem Friedhof eine makabre Entführung statt: der Leichnam des Kaufhausmagnaten A. T. Stewart wurde exhumiert und gegen 20 000 Dollar Lösegeld zurückgegeben.

Das Pfarreigebäude (19. Jh.; 232 East 11th Street) stammt von Ernest Flagg, dem Architekten des Singer Building.

Grace Church ❻

802 Broadway. **Stadtplan** 4 F1.
(212) 254-2000. **M** Astor Pl, Union Sq. M1. Juli, Aug: So 10, 18 Uhr; Sep–Juni: So 9, 11, 18 Uhr. **Konzerte**.
www.gracechurchnyc.org

James Renwick Jr., der Architekt der St. Patrick's Cathedral, war erst 23 Jahre alt, als er die Grace Church entwarf, die viele für sein Meisterwerk halten. Die filigranen frühgotischen Linien sind von großer Anmut, auch der Innenraum ist dank präraffelitischer Buntglasfenster und eines Mosaikbodens sehr eindrucksvoll.

Die Ruhe der Kirche wurde 1863 gestört, als Phineas T. Barnum hier die Hochzeit des kleinwüchsigen Zirkusdarstellers General Tom Thumb in-

Tom Thumb und Braut in der Grace Church

szenierte und die vielen schaulustigen Chaos verursachten.

1888 ersetzte man den hölzernen Kirchturm durch einen aus Marmor. Die Befürchtung, dass dieser zu schwer sein könnte, hat sich als durchaus begründet erwiesen: Er neigt sich nämlich bedenklich.

Die Kirche ist schon von Weitem zu sehen, da sie an einer Kurve des Broadway steht. Henry Brevoort erzwang diese Kurve, da er seinen Obstgarten nicht verkaufen wollte.

Apsis der Grace Church

Tompkins Square ❼

Stadtplan 5 B1. **M** 2nd Ave, 1st Ave. M9, M14A.

Der Park im englischen Stil wirkt idyllisch, war aber oft Schauplatz von bewegten Auseinandersetzungen und tragischen Ereignissen.

1874 fand hier die erste organisierte amerikanische Arbeiterdemonstration statt. Während der Hippie-Ära in den späten 1960er Jahren avancierte der Park zum Haupttreffpunkt. 1991 kam es zu blutigen Unruhen, als die Polizei versuchte, Obdachlose von hier zu vertreiben.

Auf dem Platz steht ein Denkmal in Gestalt eines Kna-

ben und eines Mädchens, die auf einen Dampfer blicken. Es erinnert an das Unglück des Dampfers *General Slocum*. Am 15. Juni 1904 starben über 1000 Menschen, vor allem Frauen und Kinder der überwiegend deutschstämmigen Anwohnerschaft, bei einer Vergnügungsfahrt auf dem East River, als auf dem überfüllten Schiff Feuer ausbrach. Viele Männer verloren ihre ganze Familie und zogen aus dem Viertel weg.

Bayard-Condict Building ❽

65 Bleecker St. **Stadtplan** 4 F3.
M Bleecker St.

Die grazilen Säulen, die elegant-filigrane Terrakottafassade und das prächtige Gesims kennzeichnen den einzigen New Yorker Bau (1898), den der große Chicagoer Architekt Louis Sullivan, ein Lehrer von Frank Lloyd Wright, entwarf. Sullivan starb 1924 vergessen und verarmt in Chicago.

Sullivan soll sich sehr gegen die kitschigen, das Gesims stützenden Engel gewehrt haben, musste sich aber schließlich den Wünschen des Bauherrn Silas Alden Condict fügen.

Da der Bau in einen Block von Geschäftshäusern eingezwängt ist, kann man ihn besser aus einiger Distanz sehen; gehen Sie dazu ein Stück die Crosby Street hinunter.

Das Bayard-Condict Building

GRAMERCY UND FLATIRON DISTRICT

Vier Plätze legten die Stadt-planer im 19. Jahrhundert an – sie wollten ruhige, elegante Wohnbezirke schaffen, wie man sie in europäischen Städten fand. Einer dieser Plätze, Gramercy Park, ist immer noch eine begehrte Adresse. Die besten Architekten New Yorks, z. B. Calvert Vaux und Stan-

Eidechse an einer Statue, Union Square

ford White, entwarfen die Stadtresidenzen, in denen heute meist prominente, wohlhaben-de New Yorker wohnen. In der Nähe prägen teure Boutiquen, Restaurants, schicke Cafés und Apartmenttürme den einst schä-bigen Abschnitt der unteren Fifth Avenue südlich des Flatiron Building.

SEHENSWÜRDIGKEITEN AUF EINEN BLICK

Historische Straßen und Gebäude
Appellate Division of the Supreme Court of the State of New York ❸
Block Beautiful ⓫
Con Edison Headquarters ⓮
Flatiron Building ❺
Gramercy Park Hotel ⓬
Ladies' Mile ❻
The Library at the Players ❾
Metropolitan Life Insurance Company ❹

National Arts Club ❽
New York Life Insurance Company ❷

Museum
Theodore Roosevelt Birthplace ❼

Kirche
The Little Church Around the Corner ⓰

Parks und Plätze
Gramercy Park ❿
Madison Square ❶
Stuyvesant Square ⓭
Union Square ⓯

SIEHE AUCH

• ***Stadtplan*** Karten 8, 9
• ***Übernachten*** S. 282
• ***Restaurants*** S. 302f

ANFAHRT
Die nächsten Subway-Stationen sind 23rd Street mit den Linien F, N, R, V, W und 6 sowie Union Square mit den Linien L, N, Q, R, W, 4, 5 und 6. Busse sind M101–103 über 3rd Ave, M1–3 und M5 über 5th und Madison Ave, M6 und M7 über Broadway.

LEGENDE

Detailkarte

Ⓜ Subway-Station

◁ **Con Edison Headquarters** *(siehe S. 129)* **bei Nacht**

Im Detail: Gramercy Park

G ramercy Park und der nahe Madison Square repräsentieren zwei gegensätzliche Stadtbilder. Der Madison Square wird von Büros und Verkehr geprägt und ist vor allem von dort arbeitenden Geschäftsleuten und Angestellten bevölkert. Die Bürohaus-Architektur und die Statuen lohnen dennoch einen Besuch. Früher stand hier Stanford Whites berühmter Vergnügungspalast, der alte Madison Square Garden, in dem es stets von Nachtschwärmern wimmelte. Der Gramercy Park hingegen hat sich eine Aura abgeklärter Würde bewahrt. Hier gibt es noch vornehme Anwesen und Clubs. Für New Yorks letzten Privatpark erhalten nur die Anwohner einen Schlüssel.

★ Madison Square
Mitte des 18. Jahrhunderts spielte der Knickerbocker Club hier Baseball und etablierte als Erster die Spielregeln. Heute zieren den Park viele Statuen von Persönlichkeiten des 19. Jahrhunderts, darunter auch diejenige von Admiral David Farragut. **1**

Diana-Statue auf dem alten Madison Square Garden

Subway-Station 23rd Street (Linien N, R)

M

★ Flatiron Building
Im Dreieck von Fifth Avenue, Broadway und 23rd Street steht einer der berühmtesten Wolkenkratzer New Yorks. Als er 1902 gebaut wurde, war er das zweithöchste Gebäude der Stadt. **5**

M

Eine Uhr vor 200 Fifth Avenue markiert den Endpunkt einer einst beliebten, als Ladies' Mile bekannten Shopping-Meile.

(L A D I E S'   M I L E)

E 2 1 S T   S T R

B R O A D W A Y

Ladies' Mile
Der Broadway zwischen Union Square und Madison Square war einst das edelste Shopping-Viertel New Yorks. **6**

E 1 9 T H   S T

Theodore Roosevelt Birthplace
Das Haus ist ein Nachbau des Gebäudes, in dem der 26. amerikanische Präsident zur Welt kam. **7**

E 1 7 T H   S T

LEGENDE

- - - Routenempfehlung

0 Meter	100
0 Yards	100

National Arts Club
Der private Kunstverein liegt an der Südseite des Parks. **8**

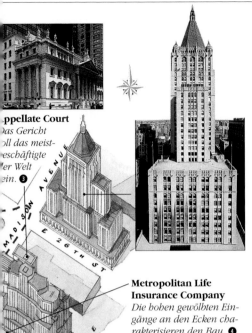

ppellate Court
*Das Gericht
oll das meist-
eschäftigte
er Welt
ein.* ❸

ZUR ORIENTIERUNG
Siehe Stadtplan, Karten 8, 9

**New York Life
Insurance Company**
*Der spektakuläre Bau von
Cass Gilbert trägt eine pyra-
midenförmige Spitze.* ❷

**Metropolitan Life
Insurance Company**
*Die hohen gewölbten Ein-
gänge an den Ecken cha-
rakterisieren den Bau.* ❹

NICHT VERSÄUMEN

★ Flatiron Building

★ Madison Square

Gramercy Park
*Nur Anwohner
dürfen den Park
benutzen, aber
die Ruhe und
Anmut der Um-
gebung können
alle genießen.* ❿

Subway-
Station
23rd Street
(Linie 6)

**The Library
at the Players**
*Der Schauspieler
E. Booth gründete
den Club 1888.* ❾

Die Brotherhood Synagogue war von
1859 bis 1975 ein Andachtshaus und
wurde danach eine Synagoge.

Block Beautiful
*Ein anmutiges Ar-
rangement einer von
Bäumen gesäumten
Häuserzeile an der
East 19th Street.* ⓫

Pete's Tavern
steht seit 1864 an
dieser Stelle. Der
Kurzgeschichten-
erzähler und
Stadtchronist
O. Henry ver-
fasste hier
*Das Geschenk
der Weisen.*

Stadtplan *siehe Seiten 394–425*

Madison Square ❶

Stadtplan 8 F4. **M** *23rd St.*

Farragut-Statue, Madison Square

D ie als mondäner Wohn-
bezirk geplante Gegend
wurde nach dem Bürgerkrieg
ein populäres Vergnügungsviertel – begrenzt durch das
elegante Fifth Avenue Hotel,
das Madison Square Theater
und Stanford Whites Madison
Square Garden. 1884 stellte
man hier den fackeltragenden
Arm der Freiheitsstatue aus.
Angestellte essen an dem
mittlerweile ruhigen Ort gern
zu Mittag oder gehen zwi-
schen Statuen spazieren.
   Die Statue von Admiral
David Farragut (1880) stammt
von Augustus Saint-Gaudens,
der Sockel von Stanford
White. Farragut war der Held
einer Seeschlacht des Bürgerkriegs. Auf dem Sockel finden
sich aus Wellen emportau-
chende Figuren, die Mut und
Loyalität repräsentieren. Die
Statue von Roscoe Conkling
erinnert an einen Senator, der
1888 im Schneesturm starb.
Der Fahnenmast mit dem ewigen Licht, eine Schöpfung
von Carrère & Hastings, ehrt
die im Ersten Weltkrieg in
Frankreich Gefallenen.

New York
Life Insurance
Company ❷

51 Madison Ave. **Stadtplan** 9 A3.
M *28th St.* ● *für Besucher.*

D er mächtige Bau wurde
1928 von Cass Gilbert
entworfen, der davor das
Woolworth Building errichtet
hatte. Das Innere ist geprägt
von gewaltigen Lüstern, Bronzetüren, Täfelung und einem
imposanten Treppenhaus, das
zur U-Bahn führt.
   Hier standen davor berühmte Bauten, etwa Barnum's

Hippodrome (1874) und der
erste Madison Square Garden
(1879). Neben anderen Veranstaltungen fanden hier nach
1880 die Kämpfe des Box-
schwergewichts Jack Demp-
sey statt. 1890 eröffnete an
derselben Stelle der nächste
Madison Square Garden, Stanford Whites legendärer Vergnügungspalast. Zu den opulent ausgestatteten Musicals
und anderen Events strömte
New Yorks Elite herbei, die
für die jährliche Pferdeschau
über 500 Dollar pro
Loge zahlte.
   Der Bau hatte
Arkaden und einen
der Giralda in Se-
villa nachempfun-
denen Turm. Die
goldene Statue der
Diana auf dem Turm
schockierte wegen ihrer
Nacktheit, doch noch
skandalöser waren das
Leben und der Tod
von White selbst.
1906 wurde er beim
Besuch einer Revue
vom Ehemann
seiner früheren
Mätresse Evelyn
Nesbit erschos-
sen. Die Schlag-
zeile der Zeit-
schrift *Vanity
Fair* spiegelte
die öffentliche
Meinung wider: »Der Lüstling
Stanford White stirbt wie ein
Hund.« Die Enthüllungen über
die High Society am Broadway bei den nachfolgenden
Untersuchungen lassen heutige Seifenopern verblassen.

**Das goldene Pyramidendach der
New York Life Insurance Company**

Appellate Division
of the Supreme
Court of the State
of New York ❸

E 25th St/Madison Ave. **Stadtplan**
9 A4. **M** *23rd St.* ○ *Mo–Fr 9–17 Uhr.*
*(Verhandlungen: Di–Do ab 14 Uhr,
Fr ab 10 Uhr).* ● *Feiertage.* ⊘

E s soll das meistbeschäftig-
te Gericht der Welt sein:
Hier finden die Berufungsver-
handlungen von Zivil- und
Strafprozessen für New
York und die Bronx statt.
James Brown Lord
entwarf das kleine,
aber noble Gebäu-
de 1900 im palla-
dianischen Stil. Es
ist mit mehreren
hübschen
Skulpturen

**Statuen der *Justitia* und *Prudentia*
auf dem Appellate Court**

verziert, darunter Daniel Chester Frenchs *Justitia*, flankiert
von *Fortitudo* und *Prudentia*.
   Unter der Woche sind die
schönen, von den Brüdern
Herter entworfenen Innen-
räume auch der Öffentlichkeit
zugänglich, sofern keine Sit-
zungen stattfinden. Besonders
sehenswert sind die Buntglasfenster und die Kuppel sowie
die Wandgemälde und die
wunderbaren Tischlerarbeiten.
   Die Ausstellungen in der
Lobby haben oft berühmte –
und berüchtigte – in diesem
Gericht verhandelte Fälle zum
Gegenstand. Zu den promi-
nenten Persönlichkeiten, die
hier in Berufungsverfahren
verwickelt waren, zählen
Babe Ruth, Charlie Chaplin,
Fred Astaire, Harry Houdini,
Theodore Dreiser und Edgar
Allan Poe.

Uhrturm des Metropolitan Life Insurance Company Building

Metropolitan Life Insurance Company ❹

1 Madison Ave. **Stadtplan** 9 A4.
Ⓜ 23rd St. ⬤ Schalterstunden. ⬛

Durch Hinzufügen eines 210 Meter hohen Turms überflügelte im Jahr 1909 das Gebäude von 1893 das bis dato höchste Gebäude der Welt, das Park Row Building. Jeder Minutenzeiger der vierseitigen Uhr soll 450 Kilogramm wiegen. Die nächtliche Beleuchtung bildet einen vertrauten Anblick am Horizont und unterstützt das Firmenmotto: »Das Licht, das nie erlischt.« Die Wandgemälde von N. C. Wyeth, dem Vater des Malers Andrew Wyeth und Illustrator von Klassikern wie *Robin Hood*, *Die Schatzinsel* und *Robinson Crusoe*, schmückten früher die Cafeteria. Das Gebäude ist heute Sitz der First-Boston Crédit-Suisse.

Flatiron Building ❺

175 5th Ave. **Stadtplan** 8 F4.
Ⓜ 23rd St. ⬤ zu Geschäftszeiten.

Den ursprünglich nach der Baufirma Fuller, dem ersten Besitzer, benannten Bau entwarf der Chicagoer Architekt David Burnham. Bei seiner Fertigstellung 1902 war es das zweithöchste Gebäude der Stadt, als eines der ersten mit Stahlgerippe läutete es das Zeitalter der Wolkenkratzer ein. Wegen seiner Form hieß es bald »Flatiron« (»Bügeleisen«) oder auch »Burnham's Folly« (»Burnhams Irrwitz«). Man sagte voraus, dass es aufgrund der durch seine Form provozierten Winde einstürzen würde. Das Flatiron steht noch, doch die kleinen Wirbelwinde hatten einen anderen Effekt: Sie zogen Männer an, die einen Blick auf die Fesseln der Frauen zu erhaschen hofften, wenn deren Röcke hochgeweht wurden. Polizisten forderten Passanten zum Weitergehen auf, und ihr Ruf »23-Skidoo« (»Haut ab in die 23rd Street«) wurde zum Slangausdruck. Bis vor einiger Zeit war der Teil der Fifth Avenue südlich des Gebäudes schäbig, doch jetzt hat er mit Shops wie Emporio Armani und Paul Smith ein neues Image und einen neuen Namen: Flatiron District.

Das Flatiron Building in der Bauphase

Ladies' Mile ❻

Broadway (Union Sq bis Madison Sq). **Stadtplan** 8 F4–5, 9 A5.
Ⓜ 14th St, 23rd St.

Das Kaufhaus Arnold Constable

Im 19. Jahrhundert fuhr hier die in nahen Stadthäusern wohnende Kaufmannselite in glänzenden Kutschen vor, um in Läden wie dem von Arnold Constable (Nr. 881–887) und Lord & Taylor (Nr. 901) einkaufen zu gehen. Heute jedoch lassen nur noch die oberen Geschosse den einstigen Glanz erahnen.

US-Präsident Teddy Roosevelt

Theodore Roosevelt Birthplace ❼

28 E 20th St. **Stadtplan** 9 A5. ⬛
(212) 260-1616. Ⓜ 14th St-Union Sq, 23rd St. ⬤ Di–Sa 9–17 Uhr. ⬤ Feiertage. ⬛ 📷 ⬛ stündlich. **Vorträge, Konzerte, Filme, Videovorführungen.** ⬛ www.nps.gov/thrb

Die Rekonstruktion des Hauses, in dem Theodore Roosevelt, der 26. amerikanische Präsident, seine Jugend verbrachte, enthält Spielzeug, Wahlkampf-Buttons und die Embleme des »Rough-Rider«-Huts, den er im Spanisch-Amerikanischen Krieg trug. Eine Ausstellung widmet sich seinen Interessen, eine zweite seiner politischen Karriere.

Reliefporträts großer Schriftsteller, National Arts Club

National Arts Club ❽

15 Gramercy Pk S. **Stadtplan** 9 A5. ☎ (212) 475-3424. Ⓜ 23rd St. ◯ bei Ausstellungen Mo–Fr 12–17 Uhr. www.nationalartsclub.org

Das Gebäude war die Residenz von Samuel Tilden, dem New Yorker Gouverneur, der »Boss« Tweed (siehe S. 27) verurteilte und eine kostenlose Bibliothek schuf. 1881–84 gestaltete Calvert Vaux die Fassade um. 1906 erwarb der National Arts Club das Haus und erhielt die originalen Decken und Buntglasfenster von John LaFarge. Fast alle bedeutenden amerikanischen Künstler des späten 19. und frühen 20. Jahrhunderts traten dem Club bei. Dafür mussten sie ein eigenes Werk stiften – diese Werke begründen die Sammlung des Clubs. Nur wenn Ausstellungen stattfinden, ist er öffentlich zugänglich.

The Library at the Players ❾

18 Gramercy Pk S. **Stadtplan** 9 A5. ☎ (212) 228-7610. Ⓜ 23rd St. ◯ außer für Gruppen nach Voranmeldung. 📷

Das zweigeschossige Haus aus Sandstein war das Zuhause des Schauspielers Edwin Booth, Bruder des Lincoln-Mörders John Wilkes Booth. 1888 verwandelte der Architekt Stanford White

den Bau in einen Club. Obwohl dieser für Schauspieler gedacht war, gehörten zu seinen Mitgliedern auch White selbst, Mark Twain, der Verleger Thomas Nast sowie Winston Churchill, dessen Mutter in der Nähe geboren wurde. Auf der anderen Straßenseite steht eine Statue von Booth als Hamlet.

Dekoratives Gitterwerk am Players Club

Gramercy Park ❿

Stadtplan 9 A4. Ⓜ 23rd St, 14th St-Union Sq.

Neben Union, Stuyvesant und Madison Square ist der Gramercy Park einer von vier Plätzen, die um 1840 betuchte Anwohner anlocken sollten. Es handelt sich um den einzigen privaten Park der Stadt, die Anwohner erhalten noch immer eigene Schlüssel für ihn. Durch das Gitter an seiner südöstlichen Ecke kann man Greg Wyatts Brunnen mit den Giraffen sehen, die sich um eine lächelnde Sonne ranken. Die umliegenden Gebäude wurden von einigen der berühmtesten Architekten der Stadt entworfen, u. a. auch von Stanford White, dessen Haus an der Stelle des heutigen Gramercy Park Hotel stand. Nr. 3 und Nr. 4 haben elegante Gusseisen-Tore und Vorbauten. Die Laternen vor Nr. 4 kennzeichnen das Haus des früheren Bürgermeisters James Harper. Nr. 34 (1883) war Heimstatt des Bildhauers Daniel Chester French, des Schauspielers James Cagney und des Zirkusimpresarios John Ringling, der eine gewaltige Orgel in seine Wohnung bauen ließ.

Block Beautiful ⓫

E 19th St. **Stadtplan** 9 A5. Ⓜ 14th St-Union Sq, 23rd St.

Hausfassade des Block Beautiful in der East 19th Street

Der beschauliche, von Bäumen gesäumte Block von Wohnhäusern stammt aus den 1920er Jahren. Kein Haus ist für sich etwas Besonderes, doch zusammen bilden sie ein harmonisches Ganzes. In Nr. 132 wohnten zwei berühmte Mieter aus der Theaterwelt: Theda Bara, Stummfilmstar und Hollywoods erstes Sexsymbol, und die Shakespeare-Schauspielerin Mrs. Patrick Campbell, die Vorbild für die Rolle der Eliza Doolittle in George Bernard Shaws Pygmalion (1914) war. Die Anbindeplätze vor Nr. 141 und das Giraffenrelief von Nr. 147–149 sind nur zwei der vielen sehenswerten Details.

Greg Wyatts Brunnen mit Sonne und Giraffen im Gramercy Park

Gramercy Park Hotel ⑫

2 Lexington Ave/21st St. **Stadtplan** 9 B4. ☎ *(212) 475-4320.*
Ⓜ *14th St-Union Sq, 23rd St.*
www.gramercyparkhotel.com

Das Hotel liegt auf dem Gelände des einstigen Hauses von Stanford White und neben Manhattans einzigem Privatpark. 60 Jahre lang war es vielen internationalen Besuchern, aber auch New Yorkern eine zweite Heimat. In der altmodischen Bar konnte man neben einer betuchten alten Dame zum Sitzen kommen oder neben einem jungen, reichen Popstar.

Ian Schrager vom Studio 54 initiierte eine 200 Millionen Dollar teure Renovierung des Hotels, die der Künstler Julian Schnabel verlieh ihm einen Bohemien-Look. Das Hotel umfasst 185 Zimmer, zwei Bars sowie ein Chinarestaurant. Die 23 neuen Eigentumswohnungen in dem Haus kosteten zwischen fünf und zehn Millionen Dollar.

Stuyvesant Square ⑬

Stadtplan 9 B5. Ⓜ *3rd Ave, 1st Ave.*

Der von der Second Avenue durchschnittene Park war im 17. Jahrhundert Teil von Peter Stuyvesants Farm – auch noch als er 1836 als Park gestaltet wurde. Stuyvesant verkaufte das Land zum symbolischen Preis von fünf Dollar an die Stadt (zur Freude der Anrainer, da die Immobilienpreise anzogen). Eine Statue Stuyvesants von Gertrude Vanderbilt Whitney steht im Park, der das Viertel einst vom schäbigeren Gas House District trennte.

Con Edison Headquarters ⑭

145 E 14th St. **Stadtplan** 9 A5.
Ⓜ *3rd Ave, 14th St-Union Sq.*
⬤ *für Besucher.*

Der Uhrturm des Gebäudes von 1911 ist ein Wahrzeichen der Gegend. Entworfen

Die Türme von Con Edison *(rechts)*, Metropolitan Life und Empire State

wurde es vom Architekten Henry Hardenbergh, der auch das Dakota *(siehe S. 218)* und das Plaza *(siehe S. 181)* schuf.

Der Turm mit den 26 Stockwerken wurde von der Firma gebaut, die auch den Grand Central Terminal gestaltete. Nahe der Turmspitze wurde eine 1,60 Meter hohe Bronzelaterne aufgestellt zur Erinnerung an die im Ersten Weltkrieg gefallenen Arbeiter und Angestellten von Con Edison. Der Turm ist nicht so hoch wie das nahe gelegene Empire State Building – angestrahlt wirkt das Gebäude bei Nacht jedoch keineswegs weniger imposant.

Union Square ⑮

Stadtplan 9 A5. Ⓜ *14th St-Union Sq.* **Bauernmarkt** ⬤ *Mo, Mi, Fr, Sa 8–18 Uhr.*

Markttag auf dem Union Square

Der 1839 eröffnete Park verband die Bloomingdale Road (jetzt Broadway) mit der Bowery Road (Fourth oder Park Avenue), daher der Name. Später wurde die Mitte des Parks wegen des U-Bahn-Baus erhöht. Der Platz erfreute sich bei Rednern großer Beliebtheit. Während der Depression 1930 versammelten sich hier 35 000 Arbeitslose, bevor sie zum Rathaus marschierten, um Arbeit zu fordern. Viermal pro Woche findet ein Markt statt, auf dem Bauern frische Öko-Produkte verkaufen.

The Little Church Around the Corner ⑯

1 E 29th St. **Stadtplan** 8 F3. ☎ *(212) 684-6770.* Ⓜ *28th St.* ⬤ *tägl. 8–18 Uhr.* ✝ *Mo–Fr 12.10, So 8.30, 11 Uhr.* ⬤ ⬤ ⬤ *So nach 11-Uhr-Gottesdienst.* **Vorträge, Konzerte, Lesungen.** www.littlechurch.org

Die Episcopal Church of the Transfiguration wurde 1849–56 erbaut. Als Joseph Jefferson die Beerdigung seines Schauspielerkollegen George Holland organisieren wollte, weigerte sich der Pfarrer einer nahe gelegenen Kirche, eine Person mit diesem »anrüchigen« Beruf zu bestatten, und schlug stattdessen »die kleine Kirche um die Ecke« vor. Der Name blieb, die Verbindung der Kirche zum Theater auch. Sarah Bernhardt besuchte hier die Messe. Im südlichen Querschiff zeigt ein Fenster von John LaFarge Edwin Booth als Hamlet. Jeffersons Ausruf »Gott segne die kleine Kirche um die Ecke« ist auf einem Fenster im Südschiff verewigt.

CHELSEA UND GARMENT DISTRICT

as Areal war 1750 Ackerland, ab 1830 Vorstadt. Um 1870 wurde das Viertel durch den Bau der Hochbahn zum Geschäftsviertel. Varietés und Theater säumten damals die 23rd Street. Die Fashion Row wuchs im Schatten der *elevated railroad*; es entstanden Kaufhäuser für die Mittelschicht. Als die Modeläden nach Uptown zogen, ging

Statue eines Textilarbeiters, 555 7th Ave

es mit Chelsea bergab. Es wurde ein Lagerhausbezirk, bis die Hochbahn abgerissen wurde und die New Yorker die alten Stadthäuser wiederentdeckten. Als nördlich davon am Herald Square Macy's eröffnete, blühte die Textilbranche in der Gegend auf – deswegen der Name Garment District. Heute besucht man in Chelsea vor allem Galerien und Antiquitätenläden.

Art-déco-Nostalgie: das Empire Diner (*siehe S. 138*) in Chelsea

Sehenswürdigkeiten auf einen Blick

Historische Straßen und Gebäude
Chelsea Historic District 12
Empire State Building S. 136f 2
General Post Office 7
General Theological Seminary 11
Hugh O'Neill Dry Goods Store 14

Kirchen
Marble Collegiate Reformed Church 1
St. John the Baptist Church 5

Moderne Architektur
Chelsea Piers Sports and Entertainment Complex 9
Jacob K. Javits Convention Center 8
Madison Square Garden 6

Denkmal
Worth Monument 15

Platz
Herald Square 3

Berühmte Hotels und Restaurants
Chelsea Hotel 13
Empire Diner 10

Berühmtes Kaufhaus
Macy's 4

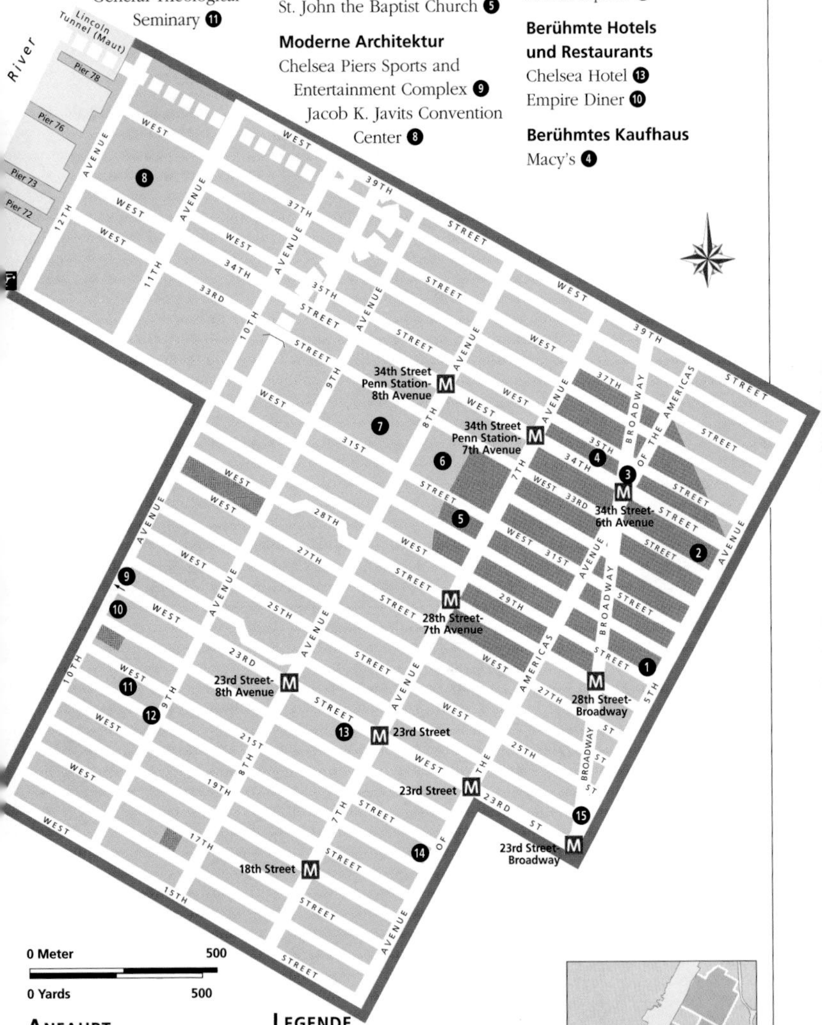

Anfahrt

Nach Chelsea nehmen Sie die Subway-Linie 1 zur 18th oder 23rd St. Die Linien C und E fahren zur 23rd St. Oder Sie benutzen die Busse M11 und M20. Richtung Macy's fahren die Züge 1, 2 und 3 zur 34th St-Penn Station. Die Linien A, C und E halten auch bei der 34th St, B, D, F, N, Q, R, V und W am Herald Square.

Legende

- Detailkarte
- [M] Subway-Station
- Heliport

Siehe auch

- ***Stadtplan*** Karten 7–8
- ***Übernachten*** S. 283f
- ***Restaurants*** S. 304

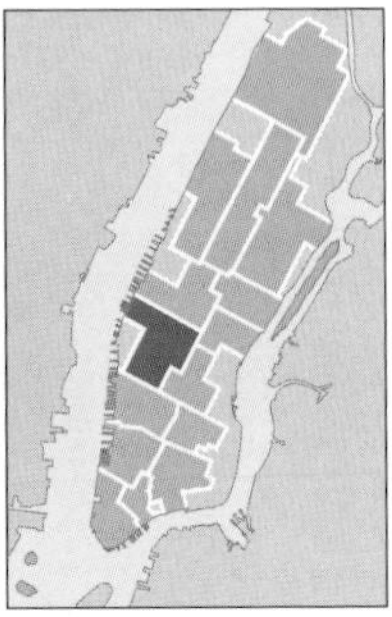

Im Detail: Herald Square

Der Herald Square ist nach der Zeitung *New York Herald* benannt, die hier von 1894 bis 1921 ihre Büros hatte. Die heutige Shopping-Gegend war einst ein anrüchiges Viertel. Ende des 19. Jahrhunderts war es als »Tenderloin District« mit Varietés und Bordellen bekannt. Als 1901 Macy's eröffnet wurde, verschob sich der Fokus hin zur Mode. Der Garment District umfasst heute die Straßen um Macy's und die Seventh Avenue, die »Fashion Avenue«. An der Fifth Avenue steht das Empire State Building. Ein Abschnitt des Broadway (33th bis 35th St) wurde 2009 zur Fußgängerzone umgestaltet.

Manhattan Mall
Gimbel's unterhält hier 90 Läden, Restaurants und ein Stockwerk für Kindermode.

Fashion Avenue ist ein anderer Name für den Abschnitt der Seventh Avenue um die 34th Street. Hier ist das Zentrum der New Yorker Textilindustrie. In den Straßen sieht man oft Männer, die Kleiderständer mit Textilien herumschieben.

Subway-Station 34th Street
(Linien 1, 2, 3)

Das Hotel Pennsylvania war ein Eldorado für die Big Bands der 1930er Jahre – Glenn Millers *Pennsylvania 6-5000* verewigte die Telefonnummer des Hotels.

St. John the Baptist Church
Die mit weißem Marmor ausgekleidete Kirche birgt einen geschnitzten Kreuzweg. ❺

Das SJM Building, 130 West 30th Street, ist außen mit mesopotamisch anmutenden Friesen versehen.

Im Fur District im Süden des Garment District, zwischen West 27th und 30th Street, gehen Kürschner ihrem Handwerk nach.

Im Flower District um die Sixth Avenue und die West 28th Street pulsiert morgens das Leben, wenn Blumenhändler die Lieferwagen mit ihrer Ware beladen.

Subway-Station 28th Street
(Linien N, R, W)

★ Macy's
Das größte Kaufhaus der Welt hat für jeden das Richtige im Angebot. ❹

Die Greenwich Savings Bank
(jetzt HSBC) gleicht einem griechischen Tempel mit riesigen Säulen auf drei Seiten.

Subway-Station 34th Street
(Linien B, D, F, N, Q, R, V, W)

Herald Square
Die Uhr des New York Herald Building steht dort, wo Broadway und Sixth Avenue aufeinandertreffen. ❸

ZUR ORIENTIERUNG
Siehe Stadtplan, Karte 8

LEGENDE

– – – Routenempfehlung

0 Meter 100
0 Yards 100

★ Empire State Building
Die Aussichtsdecks des Wolkenkratzers bieten einen großartigen Blick. ❷

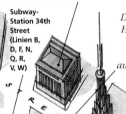

Greeley Square
ist eher eine Verkehrsinsel als ein Platz; hier steht die Statue von Horace Greeley, dem Gründer der *New York Tribune.*

In Little Korea
betreiben die Koreaner ihre Geschäfte. Neben Läden finden sich in der West 31st und 32nd Street auch Restaurants.

Das Life Building,
19 West 31st Street, beherbergte das *Life*-Magazin, als es noch eine satirische Wochenschrift war. Carrère und Hastings entwarfen 1894 das Gebäude, das heute ein Hotel ist.

Marble Collegiate Reformed Church
Die Kirche, 1854 im neogotischen Stil errichtet, wurde durch ihren Pfarrer Norman Vincent Peale berühmt. ❶

NICHT VERSÄUMEN

★ Empire State Building

★ Macy's

Stadtplan siehe Seiten 394–425

Tiffany-Buntglasfenster, Marble Collegiate Reformed Church

Marble Collegiate Reformed Church ❶

1 W 29th St. **Stadtplan** 8 F3.
C (212) 686-2770. **M** 28th St.
O Mo–Fr 8.30–20.30, Sa 9–16,
So 8–15 Uhr. **●** Feiertage. **↑** So
11.15 Uhr. **🖉** während Gottesdiensten. **&** Sanktuarium 3 W 29th St.
O Mo–Fr 10–12, 14–16 Uhr.
www.marblechurch.org

Die Kirche wurde durch ihren früheren Pfarrer Norman Vincent Peale, Autor von *Die Wirksamkeit positiven Denkens*, bekannt. Ein anderer »positiver Denker«, der spätere Präsident der USA, Richard M. Nixon, ging hier zur Messe, als er noch Rechtsanwalt war.

Die Kirche von 1854 weist viel Marmor auf – daher ihr Name. Damals war die Fifth Avenue noch eine staubige Landstraße, das Gusseisen-Gitter um die Kirche diente dazu, das Vieh fernzuhalten.

Die Originalwände wurden durch ein goldenes *Fleur-de-lis*-Schablonendesign auf rostfarbenem Hintergrund ersetzt. Zwei Tiffany-Fenster mit Szenen aus dem Alten Testament wurden 1893 eingesetzt.

Empire State Building ❷

Siehe S. 136f.

Herald Square ❸

6th Ave. **Stadtplan** 8 E2. **M** 34th St-
Penn Station. Siehe **Shopping** S. 321.

Der Platz ist nach dem *New York Herald* benannt, der hier von 1894 bis 1921 in einem eleganten Gebäude von Stanford White seinen Sitz hatte. Hier war von 1870 bis 1890 das Zentrum des anrüchigen Tenderloin District. Theater wie das Manhattan Opera House, Tanzlokale, Hotels und Restaurants füllten den Bezirk mit Leben, bis die Planer in den 1890er Jahren das Viertel umgestalteten. Die verzierte Bennett-Uhr, die nach dem *Herald*-Verleger James Gordon Bennett Jr. benannt wurde, ist alles, was vom einstigen Herald Building geblieben ist.

Das Opernhaus wurde 1901 abgerissen, um zunächst für Macy's, später für Ladenketten Platz zu machen. Am Herald Square stand auch das Kaufhaus der Brüder Gimbel, der einstigen Erzrivalen von Macy's. (Eine einfühlsame Darstellung der Rivalität bietet der Weihnachtsfilm *A Miracle on 34th Street*.) 1988 wurde das Kaufhaus in eine Shopping-Galerie mit glitzernder Neonfront verwandelt.

Obwohl viele alte Namen verschwunden sind, ist der Herald Square noch heute ein beliebtes Shopping-Viertel.

Macy's ❹

151 W 34th St. **Stadtplan** 8 E2.
C (212) 695-4400. **M** 34th St-Penn
Station. **O** Mo–Sa 10–21.30, So
11–20.30 Uhr. Siehe **Shopping** S. 319.
● Feiertage. **www**.macys.com

Das »größte Kaufhaus der Welt« erstreckt sich über einen ganzen Block. Nahezu alle nur denkbaren Artikel werden hier angeboten.

Macy's wurde von dem ehemaligen Walfänger Rowland Hussey Macy gegründet, der 1857 an der West 14th Street einen kleinen Laden eröffnete. Das Firmenlogo, ein roter Stern, stammt von einer Tätowierung aus Macys Seefahrertagen.

Als Rowland Hussey Macy 1877 starb, war sein kleiner Laden auf elf Gebäude angewachsen. Unter den Brüdern Isidor und Nathan Straus, die die Porzellan- und Glaswarenabteilung betreut hatten, expandierte Macy's weiter und bezog 1902 seine heutige Adresse. Die Ostfassade hat

Die Fassade von Macy's an der 34th Street

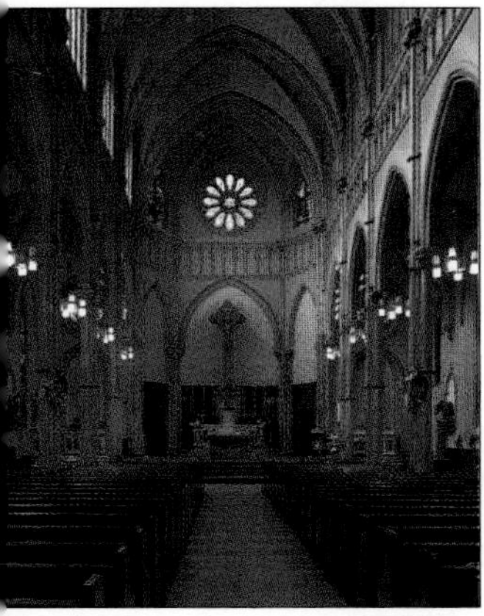

Hauptschiff der St. John the Baptist Church

zwar einen neuen Eingang, weist aber noch immer die Erkerfenster und die korinthischen Säulen von 1902 auf. An der Fassade befinden sich die Karyatiden des Originals ebenso wie die Uhr, der Baldachin und der Schriftzug. Im Inneren sind viele Originalfahrstühle auch heute noch in Betrieb.

Das Meer spielte in Macy's Geschichte noch einmal eine besondere Rolle: Isidor Straus kam 1912 zusammen mit seiner Frau beim Untergang der *Titanic* ums Leben.

Macy's sponsert die New Yorker Thanksgiving Parade und das Feuerwerk am 4. Juli. Die Frühlings-Blumenschau des Kaufhauses zieht Tausende Besucher an.

St. John the Baptist Church 5

210 W 31st St. **Stadtplan** 8 E3. ☎ *(212) 564-9070.* [M] *34th St-Penn Station.* 🕐 *tägl. 6.15–18 Uhr.* ✝ *tägl. 10.30, 17.15 Uhr.* 📷 ♿ 🛍

Die kleine katholische Kirche, 1840 von einer Immigrantengemeinde gegründet, wirkt im Herzen des Fur District fast verloren. Die Sandstein-Fassade ist zur 30th Street hin stark verschmutzt, dahinter jedoch verbirgt sich manche Kostbarkeit. Der Eingang an der 31st Street führt durch ein modernes Mönchskloster.

Das Heiligtum von Napoleon Le Brun ist ein Wunderwerk mit gotischen Bogen aus weißem Marmor und goldenen Kapitellen. Bemalte Reliefs mit religiösen Szenen säumen die Wände. Durch die Buntglasfenster fällt das Sonnenlicht. Vor dem Kloster liegt der Gebetsgarten, eine kleine, grüne Oase mit religiösen Statuen, einem Brunnen und Steinbänken.

Madison Square Garden 6

4 Pennsylvania Plaza. **Stadtplan** 8 D2. ☎ *(212) 465-6741.* [M] *34th St-Penn Station.* 🕐 *Mo–So, je nach Veranstaltung.* 🎫*. Siehe* ***Unterhaltung*** *S. 360 f.* **www**.thegarden.com

Das einzig Gute, das man zum Abriss der Pennsylvania Station von McKim, Mead & White zugunsten dieses einfallslosen Komplexes von 1968 sagen kann, ist, dass er die Denkmalpfleger so in Rage brachte, dass sie sich zusammenschlossen, um Derartiges in Zukunft zu verhindern.

Der Madison Square Garden, der über der Pennsylvania Station liegt, ist ein Zylinder aus Fertigbeton, der mit 20 000 Plätzen seine Funktion als zentral gelegene Spielstätte für die New York Knickerbockers (Basketball), Liberty (Frauen-Basketball) und die New York Rangers (Eishockey) erfüllt. Hier finden auch andere Veranstaltungen statt: Rockkonzerte, Tennis-, Box- und Ringkämpfe, Zirkusveranstaltungen der Ringling Bros. und Barnum & Bailey, eine Antiquitätenschau, eine Hundeschau und Ähnliches. Außerdem befindet sich hier ein Theater mit 5600 Sitzen.

Trotz einer Renovierung hat der Madison Square Garden nicht die Ausstrahlung des Baus von Stanford White am alten Standort *(siehe S. 126)*, wo in faszinierender Architektur extravagante Unterhaltung geboten wurde.

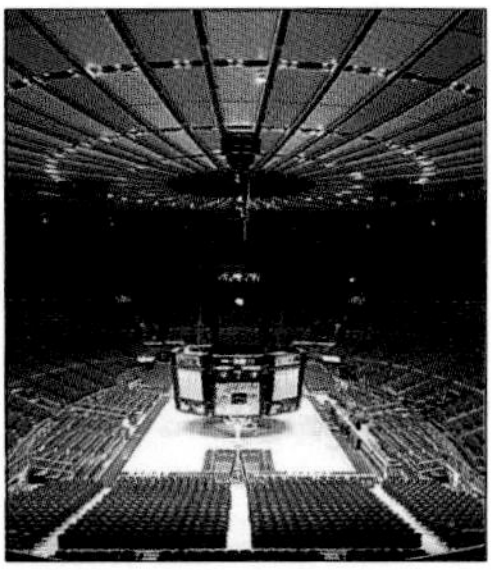

Das riesige Innere des Madison Square Garden

General Post Office 7

421 8th Ave. **Stadtplan** 8 D2. ☎ *(800) ASK-USPS.* [M] *34th St-Penn Station.* 🕐 *tägl. 24 Std., auch Feiertage. Siehe auch* ***Praktische Hinweise*** *S. 377.*

Das General Post Office wurde 1913 von McKim, Mead & White als Gegenstück zur gegenüberliegenden Pennsylvania Station (1910) entworfen – ein Musterbeispiel eines öffentlichen Gebäudes im Beaux-Arts-Stil. Eine breite Treppe führt zu der mit 20 korinthischen Säulen geschmückten Fassade mit einem Pavillon an jedem Ende.

Die 85 Meter lange Inschrift berichtet, frei nach Herodot, vom Postdienst des Persischen Reichs um das Jahr 520 v. Chr.: »Weder Schnee noch Regen noch Hitze noch die Düsternis der Nacht hindern diese Kuriere an der raschen Erledigung ihres Auftrags.«

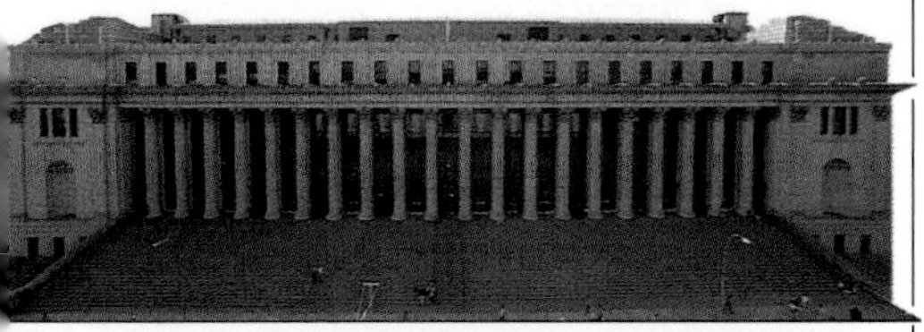

Die korinthische Säulenreihe des General Post Office

Empire State Building ❷

Aussichtsplattform im 102. Stock

Empire State Building

D as Empire State Building ist New Yorks höchster Wolkenkratzer und Wahrzeichen der Stadt. Die Bauarbeiten begannen im März 1930, nur kurze Zeit nach dem Börsenkrach an der Wall Street. Als es 1931 eröffnet wurde, waren die Räumlichkeiten so schwer zu vermieten, dass es den Spitznamen »The Empty State Building« erhielt. Nur die Beliebtheit der Aussichtsplattform (bisher über 120 Millionen Besucher) bewahrte das Gebäude vor dem Bankrott.

Das Empire State war 86 Etagen hoch geplant, doch dann kam ein Anlegemast (46 m) für Zeppeline hinzu. Über den heute 62 Meter hohen Mast werden TV- und Rundfunkprogramme in die Stadt und in vier Staaten übertragen.

Die farbige Beleuchtung der oberen 30 Stockwerke greift saisonale Ereignisse auf.

KONSTRUKTION

Das Gebäude wurde so einfach und schnell wie möglich errichtet. Viele Teile wurden vorgefertigt und vor Ort verarbeitet – so entstanden pro Woche vier Etagen.

Symbole der Moderne sind auf den bronzenen Art-déco-Medaillons in der Eingangshalle dargestellt.

Hochgeschwindigkeitsaufzüge legen über 300 Meter pro Minute zurück.

Das Gerüst wurde in 23 Wochen aus 60000 Tonnen Stahl errichtet.

Verkleidungen aus Aluminium statt aus Stein wurden zwischen den 6500 Fenstern verwendet. Verzierungen verbergen Unregelmäßigkeiten an der Verkleidung.

Zehn Millionen Ziegel wurden für die Fassade des Gebäudes verbaut.

In den Hohlräumen zwischen den Stockwerken verlaufen Kabel und Rohre.

Über 200 Stahl- und Betonpfeiler tragen das 365000 Tonnen schwere Bauwerk.

Neun Minuten und 33 Sekunden beträgt derzeit der Rekord für die 1576 Stufen von der Lobby bis zur 86. Etage beim jährlichen Empire State Run-Up.

NICHT VERSÄUMEN

★ Blick von den Aussichtsplattformen

★ Eingangslobby an der Fifth Avenue

INFOBOX

350 5th Ave. **Stadtplan** 8 F2.
C (877) NYC-VIEW. **M** A, B, C,
D, E, F, N, Q, R, 1, 2, 3 bis 34th St.
= M1–5, M16, M34, Q32. **Aussichtsdecks** ☐ tägl. 8–2 Uhr
(letzter Lift 1.15 Uhr); 24., 31. Dez
8–19 Uhr, 25. Dez und 1. Jan
11–2 Uhr. 🚇 🐕 📷 ♿ nur
86. Stock. 🍴 **www**.esbnyc.com

★ Blick von den Aussichtsplattformen
Von der Terrasse im 86. Stock hat man einen fantastischen Blick über Manhattan. Vom 381 Meter hohen Aussichtsdeck im 102. Stock (zusätzliche Gebühr, Ticket nur im Visitor's Center im ersten Obergeschoss erhältlich) kann man an klaren Tagen über 120 Kilometer weit sehen.

Über dem Abgrund
Je mehr das Gebäude Gestalt annahm, desto größer wurden die Anforderungen an die Arbeiter. Hier hängt einer ungesichert am Kranhaken. Das Chrysler Building im Hintergrund wirkt geradezu klein.

Blitzschlag
Das Empire State wirkt wie ein Blitzableiter, der bis zu hundert Mal pro Jahr getroffen wird. Die Aussichtsplattform wird bei schlechtem Wetter geschlossen.

Empire State (443 m mit Mast)
Eiffelturm (319 m)
Große Pyramide (107 m)
Big Ben (67 m)

Rangordnung
Die New Yorker sind zu Recht stolz auf das Symbol ihrer Stadt, das die Wahrzeichen anderer Kulturen übertrumpft.

★ Eingangslobby an der Fifth Avenue
Ein Reliefbild des Wolkenkratzers befindet sich in der Marmorlobby auf einer Karte des Staates New York.

BEGEGNUNGEN AM HIMMEL

Das Empire State Building war in vielen Filmen zu sehen; die berühmteste Szene war der Schluss von *King Kong* (1933), als der Riesenaffe auf dem Gebäude steht und gegen Armeeflugzeuge kämpft. 1945 flog ein Flugzeug im Nebel zu tief über Manhattan und rammte den Bau oberhalb des 78. Stocks. Die Überlebende mit dem meisten Glück war ein Liftgirl, das mit dem Aufzug 79 Stockwerke in die Tiefe raste. Die Notbremsen retteten sie.

Jacob K. Javits Convention Center  ⑧

655 W 34th St. **Stadtplan** 7 B2.
📞 (212) 216-2000. Ⓜ 34th St-Penn Station, 42nd St. 🚌 M34, M42.
⭕ nur bei Veranstaltungen. 📷 🚫
♿ 🍴 www.javitscenter.com

Moderne New Yorker Architektur im Convention Center

Den modernistischen Glas-bau am Hudson entwarf I. M. Pei, um in New York Räumlichkeiten für Großaus-stellungen zu schaffen. Die-sen Zweck hat der Bau seit der Eröffnung 1986 erfüllt. Das 15-stöckige Gebäude be-steht aus 16 000 Glasplatten. Die beiden Haupthallen kön-nen Tausende von Ausstellern aufnehmen, und die Lobby ist so hoch, dass die Statue of Liberty hineinpassen würde. 1989 kamen mit dem Galleria River Pavilion 3750 Quadrat-meter Freifläche dazu.

Chelsea Piers Complex ⑨

11th Ave (17th bis 23rd St). **Stadt-plan** 7 B5. 📞 (212) 336-6666.
Ⓜ 14th St, 18th St, 23rd St.
🚌 M14, M23. ⭕ tägl. 📷
www.chelseapiers.com

Die Chelsea Piers wurden 1995 als riesiges Sport-und Freizeitzentrum wieder eröffnet *(siehe S. 33).* Hier kann man u. a. Rollschuh lau-fen, Golf spielen und elf Fern-seh- und Filmproduktions-bühnen besichtigen.

Empire Diner ⑩

210 10th Ave. **Stadtplan** 7 C4.
📞 (212) 243-2736. Ⓜ 23rd St.
🚌 M11, M23. ⭕ tägl. 24 Std.
⬤ Mo 4–8 Uhr.

Das glitzernde Art-déco-Juwel ist die getreue Rekonstruktion einer ame-rikanischen Imbissbar von 1929 mit einer Theke aus Stahl und einer von Chrom und Schwarz dominierten Innenausstattung. Die Küche wird den vielen schicken Gästen gerecht.

Eine Notenschrift (15. Jh.) aus der Sammlung des Seminars

General Theological Seminary ⑪

175 9th Ave. **Stadtplan** 7 C4.
📞 (212) 243-5150. Ⓜ 23rd St.
⭕ Mo–Fr 12–15, Sa 11–15 Uhr.
✝ Mo, Mi–Fr 11.45, Di, So 18 Uhr.
🚫 ♿ www.gts.edu

Auf dem 1817 gegründeten Campus werden 150 Stu-denten auf das Priesteramt vorbereitet. Clement Clarke Moore, ein Professor für Bi-belkunde, stiftete das Grund-stück. Der älteste Bau stammt von 1836; der modernste, die St. Mark's Library, von 1960. Die Bibliothek besitzt die weltweit größte Sammlung lateinischer Bibeln.

Der Zugang zum Campus liegt an der Ninth Avenue. Die Gartenanlage hat die Form zweier Vierecke, wie der Hof der englischen Kathe-drale. Vor allem im Frühling zeigt sich der Garten von sei-ner hübschesten Seite.

Das Empire Diner vor der Ankunft hungriger Frühstücksgäste

Chelsea Historic District ⑫

W 20th St von 9th bis 10th Ave.
Stadtplan 8 D5. Ⓜ *18th St.* 🚌 *M11.*

Clement Clarke Moore ist als Autor von *A Visit from St. Nicholas* bekannter denn als Städtplaner. 1830 teilte er sein Grundstück hier in einzelne Parzellen auf und ließ darauf hübsche Reihenhäuser errichten. Dank sorgfältiger Restaurierung wurden viele Originalbauten erhalten.

Die sieben schönsten sind als Cushman Row (406–418 West 20th Street) bekannt. Sie wurden 1839/40 für den Kaufmann Don Alonzo Cushman gebaut, der auch die Greenwich Savings Bank gründete. Er trug mit Moore und James N. Wells zum Ausbau Chelseas bei. Mit ihrem Detailreichtum und den Schmiedeeisenarbeiten gelten die Cushman Row und Washington Square North als Musterbeispiele klassizistischer Architektur. Beachtenswert sind die gusseisernen Dekors an den Mansardenfenstern und die Ananasfrüchte auf den Treppensäulen von zweien der Häuser – alte Symbole der Gastfreundschaft. Weiter oben im West 20th Street (Nr. 446–450) entdeckt man schöne Beispiele für den italienischen Stil, der ebenfalls zum Markenzeichen Chelseas geworden ist.

Haus in der Cushman Row

Die gemauerten Fensterbogen und die fächerförmigen Oberlichter zeugen vom Reichtum des Besitzers – nur wenige konnten sich dies leisten.

Hugh O'Neill Dry Goods Store

Chelsea Hotel ⑬

222 W 23rd St. **Stadtplan** 8 D4.
Ⓒ *(212) 243-3700.* Ⓜ *23rd St.*
Siehe **Übernachten** *S. 283.*
www.chelseahotel.com

Wenige Hotels können es mit dem künstlerischen und literarischen Ruhm des Chelsea Hotel aufnehmen. An viele seiner früheren Gäste, darunter Tennessee Williams,

Das Treppenhaus des Chelsea Hotel

Mark Twain und Jack Kerouac, erinnern Messingplaketten an der Hotelfassade. Dylan Thomas verbrachte hier seine letzten Jahre. 1966 war das Hotel Schauplatz von Andy Warhols Film *Chelsea Girls*. Der Punk-Musiker Sid Vicious tötete hier seine Freundin. Das Chelsea zieht immer noch Musiker, Künstler und Schriftsteller an, die hoffen, dass man sich eines Tages ihrer erinnert. In der Bar können Sie das dekadente, kreative Flair genießen.

Hugh O'Neill Dry Goods Store ⑭

655–671 6th Ave. **Stadtplan** 8 E4.
Ⓜ *23rd St.*

Auch wenn das Geschäft nicht mehr existiert, weist die gusseiserne Fassade noch auf das Ausmaß und den Glanz des Unternehmens hin.

Es erstreckte sich in dem als Fashion Row bekannten Gebiet entlang der Sixth Avenue von der 18th bis zur 23rd Street. O'Neill (der Schriftzug ist noch an der Fassade sichtbar) war ein Schausteller und Händler mit einer Flotte von Lieferwagen. Seine Kunden kamen scharenweise mit der nahe gelegenen Sixth-Avenue-Hochbahn. Zwar gab es hier kein so vornehmes Publikum wie auf der Ladies' Mile *(siehe S. 127)*, doch die Masse an Kunden ließ den Dollar rollen, bis der Einzelhandel um 1900 nach Uptown zog. Inzwischen wurden die Gebäude restauriert und in Stores und Schnäppchenläden wie Filene's Basement umgewandelt.

Worth Monument ⑮

5th Ave und Broadway. **Stadtplan**
8 F4. Ⓜ *23rd St-Broadway.*

Ein wenig versteckt auf einer dreieckigen Verkehrsinsel steht ein 1857 errichteter Obelisk – die Grabstätte der einzigen Berühmtheit, die unter den Straßen Manhattans ihre letzte Ruhe fand: General William J. Worth, ein Held der Kriege gegen Mexiko im 19. Jahrhundert. Ein gusseiserner Zaun in Form von Schwertern umgibt das Monument.

Worth Monument

THEATER DISTRICT

Erst als die Metropolitan-Oper 1883 an den Broadway (Ecke 40th Street) gezogen war, entstanden hier üppig ausgestattete Theater und Restaurants. In den 1920er Jahren kam der Neonglanz prächtiger Kinopaläste hinzu. Die Leuchtreklamen wurden immer größer und greller – bis die Straße »The Great White Way« hieß. Nach dem Zweiten

Design von Lee Lawrie im Rockefeller Center

Weltkrieg verlor das Kino an Faszination, dem Glanz folgte der rasche Verfall. Ein Wiederbelebungsprogramm ließ die Lichter wieder angehen und brachte das Publikum zurück. Inmitten des Trubels gibt es allerdings auch Inseln der Ruhe wie die Public Library oder den Bryant Park. Beide Welten vereint das prächtige Rockefeller Center.

Mitten im Theater District beim Times Square *(siehe S. 147)*

Sehenswürdigkeiten auf einen Blick

Historische Straßen und Gebäude
Alwyn Court Apartments 18
Group Health Insurance Building 12
New York Public Library 8
New York Yacht Club 5
Paramount Building 13
Shubert Alley 14
Times Square 10

Museen und Sammlungen
International Center of Photography 9
Intrepid Sea-Air-Space Museum 19
Museum of Arts and Design 20

Moderne Architektur
MONY Tower 15
Rockefeller Center 1

Park
Bryant Park 6

Berühmte Bühnen
Carnegie Hall 17
City Center of Music and Dance 16
Lyceum Theater 3
New Amsterdam Theater 11

Berühmte Hotels
Algonquin Hotel 4
Bryant Park Hotel 7

Berühmte Läden
Diamond Row 2

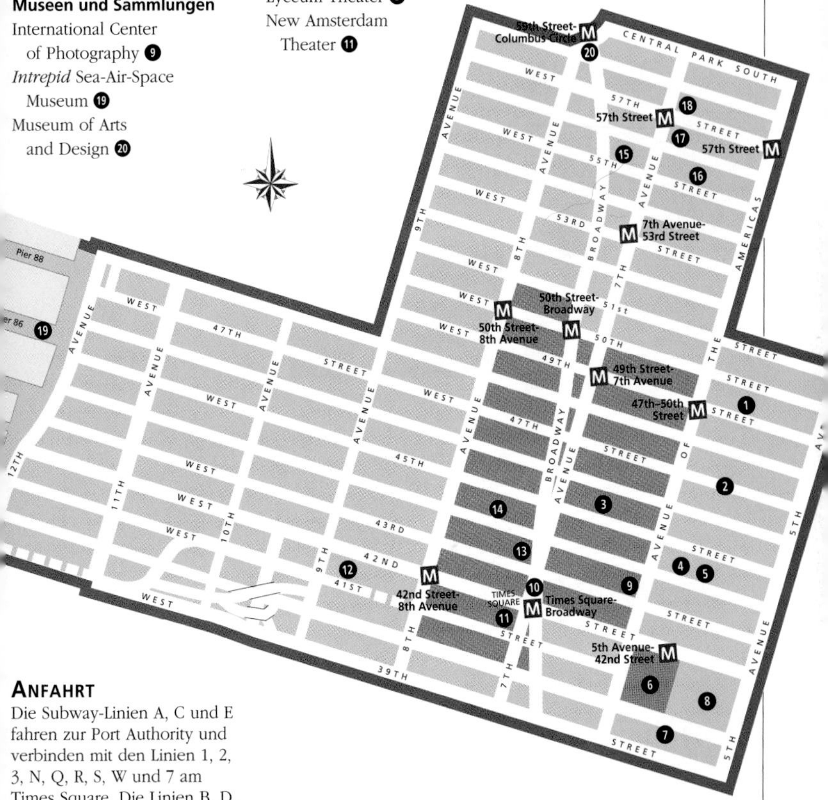

Anfahrt

Die Subway-Linien A, C und E fahren zur Port Authority und verbinden mit den Linien 1, 2, 3, N, Q, R, S, W und 7 am Times Square. Die Linien B, D, F, V und 7 halten am Bryant Park. 1, C, N, R und W halten auch am nördlichen Ende des Times Square. Die Buslinien in diesem Gebiet sind M1–7, M10, M20, M27 und M104 sowie M42, M50 und M57 crosstown.

Siehe auch

- ***Stadtplan*** Karten 8, 11–12
- ***Übernachten*** S. 284–287
- ***Restaurants*** S. 304–306

Legende

- Detailkarte
- [M] Subway-Station
- Schiffsanlegestelle

0 Meter 500
0 Yards 500

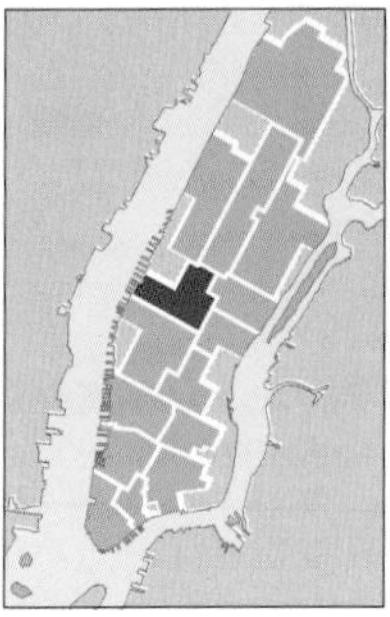

Im Detail:Times Square

Der Times Square wurde nach dem 1906 eröffneten Turm der *New York Times* benannt. 1899 ließ Oscar Hammerstein das Victoria Theater und das Republic Theater bauen – der Times Square wurde Zentrum des Theaterbezirks. Seit den 1920er Jahren schaffen die Neonreklamen zusammen mit dem leuchtenden Nachrichtenband der *Times* eine spektakuläre Lightshow. In den 1930er Jahren zogen Sexshows in die Theater. Die Wiederaufwertung des Areals begann in den 1990er Jahren. Nun kann man hier wieder Broadway-Glamour und moderne Unterhaltung erleben. 2009 wurde ein Abschnitt des Broadway (42nd bis 47th St) Fußgängerzone.

Paramount Hotel
In dem von Philippe Starck ausgestatteten Hotel (*siehe S. 286*) nehmen Theaterbesucher und Schauspieler gern einen Drink in der Paramount Bar.

MTV Studios
Montags bis freitags um 15 Uhr versammeln sich hier Leute, um die Interviews im zweiten Stock zu verfolgen. Mobile Kameras fangen oft die Reaktionen von Passanten auf der Straße ein.

Westin Hotel
Eines der neuesten Gebäude in Manhattan ist dieses markante 45-stöckige Hotel mit seinen spektakulären Lichteffekten.

Sardi's Restaurant and Grill
Seit 1921 sind die Wände im Sardi's am Times Square mit Karikaturen von vergangenen und heutigen Broadway-Stars verziert. Ⓜ

★ E Walk
Der Unterhaltungs- und Shopping-Komplex beherbergt ein Kino, Restaurants, ein Hotel und den BB King Blues Club.

Ⓜ W 43RD ST

W 45TH ST

W 41ST ST

SEVENTH AV

★ Times Square
An Silvester wird eine silberne Kristallkugel mit einem Countdown von 1 Times Square herabgelassen. Der Platz gehört zu den bekanntesten Ansichten der Welt. ❿

0 Meter   100

0 Yards   100

★ New Victory Theater
Seit der Renovier[ung] 1995 ist dieses alt[e] Broadway-Theate[r] eine Bühne für de[n] Schauspielnachw[uchs]

Elektronischer Ticker

Die Ziffern auf dem Nachrichtenband von Morgan Stanley sind drei Meter hoch. Die auffällige Anzeigetafel beleuchtet den Times Square Tag und Nacht. Nach einer Stadtverordnung müssen Bürogebäude mit Neonreklame dekoriert sein.

ZUR ORIENTIERUNG
Siehe Stadtplan, Karten 8, 12

LEGENDE

– – – Routenempfehlung

NICHT VERSÄUMEN

★ E Walk

★ New Victory Theater

★ Times Square

McGraw-Hill Building

J.P. Stevens Tower

Celanese Building

Times Square Information Center

Duffy Square

Die Statue des Schauspielers, Komponisten und Schriftstellers George M. Cohan, der viele Broadway-Hits schrieb, steht auf dem Platz. Duffy Square ist nach »Fighting« Father Duffy, einem Helden des Ersten Weltkriegs, benannt, der mit einer Statue geehrt wurde. Hier befindet sich auch der **TKTS**-Stand, der verbilligte Theaterkarten verkauft.

Lyceum Theater
Das älteste Broadway-Theater, das Lyceum, hat eine wunderschön verzierte Barockfassade. ❸

Belasco Theater
1907 wurde das Belasco, das modernste Theater seiner Zeit, vom Produzenten David Belasco erbaut. Originales Tiffany-Glas und Everett-Shinn-Gemälde schmücken das Innere. Angeblich soll auch Belascos Geist in manchen Nächten herumspuken.

Stadtplan *siehe Seiten 394–425*

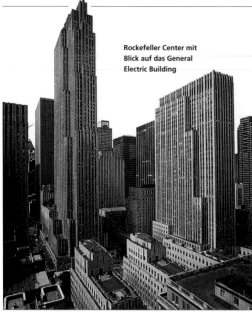

Rockefeller Center mit Blick auf das General Electric Building

Komplex aus 19 Gebäuden. Im Dezember 1932 eröffnete die Radio City Music Hall; ihre Weihnachts- und Oster-shows sind bis heute beliebt. Hier befinden sich auch Studios von NBC. Die neueste Attraktion ist die Aussichts-plattform Top of the Rock, die im Observatorium zwischen 67. und 70. Stock einen 360°-Panoramablick bietet.

Diamond Row ❷

47th St zwischen 5th und 6th Ave. **Stadtplan** 12 F5. Ⓜ *47th-50th St. Siehe **Shopping** S. 328.*

In nahezu jedem Schaufens-ter der 47th Street glitzern Juwelen. In Läden und Werk-stätten werben Händler um Kunden, in den oberen Eta-gen wechseln Millionen von Dollar den Besitzer. Der Dia-mantenbezirk entstand in den 1930er Jahren, als Amster-damer und Antwerpener Dia-mantenhändler vor den Nazis hierher flohen. Chassidische Juden mit schwarzen Hüten, Bärten und langen Stirnlocken sieht man noch immer. Obwohl hier eher Großhan-del stattfindet, sind auch Privatkunden willkommen. Es empfiehlt sich, Bargeld mitzu-bringen, Preise zu vergleichen und zu verhandeln.

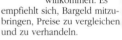

Das Objekt der Begierde in der Diamond Row

Rockefeller Center ❶

Stadtplan 12 F5. Ⓜ *47th-50th St.* 𝄞 *(212) 332-6868 (Info).* 📷 ♿ 🍴 ☐ 🎫 *NBC, Rockefeller Center tägl.* 𝄞 *(212) 664-7174 (Voranmel-dung). Radio City Music Hall tägl.* 𝄞 *(212) 247-4777. Top of the Rock tägl.* 𝄞 *(212) 698-2000.* **www**.rockefellercenter.com **www**.nbc.com **www**.radiocity.com **www**.topoftherocknyc.com

Als die New Yorker Denk-malschutzbehörde 1985 das Rockefeller Center zum erhaltenswerten Wahr-zeichen erklärte, nannte sie es das »Herz New Yorks … mit einer ordnungs-stiftenden Präsenz im chaotischen Kern Manhattans«. Es ist der größte Komplex in privater Hand, viele Städte ver-suchen, seine Mixtur nachzuahmen. Der Art-déco-Entwurf stammt von einem Team von Spitzen-architekten unter der Leitung von Raymond Hood. In den Foyers und Gärten sowie an den Fassaden finden sich Werke von 30 Künstlern.

Das Gelände, einst ein Bota-nischer Garten im Besitz der Columbia University, wurde 1928 von John D. Rocke-feller Jr. gemietet, als Standort für eine neue Oper. Als die Depres-sion von 1929 die Pläne zunichtemachte, entschied sich Rocke-feller wegen des lang-fristigen Mietvertrags zu einem eigenen Pro-jekt. Die 14 Gebäude, die 1931–40 in der tiefsten Rezession entstanden, boten 225 000 Menschen Ar-beit. Seit 1973 besteht der

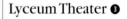

Weisheit von Lee Lawrie am GE Building

Lyceum Theater ❸

149 W 45th St. **Stadtplan** 12 E5. 𝄞 *(212) 239-6200 (Tickets).* Ⓜ *42nd St, 47th St, 49th St. Siehe **Unterhaltung** S. 345.*

Das älteste noch bespielte Theater New Yorks wirkt wie eine barock verzierte Hochzeitstorte. Es war 1903 das erste Theater von Herts und Tallant, die später für ihren extravaganten Stil be-rühmt wurden. Mit 1600 Auf-führungen der Komödie *Born Yesterday* stellte das Lyceum einen Rekord auf. Das Thea-ter wurde zum historischen Denkmal erklärt und zeigt immer noch viele Shows.

Rose Room im Algonquin Hotel

Algonquin Hotel ❹

59 W 44th St. **Stadtplan** 12 F5.
C (212) 840-6800. **M** 42nd St.
Siehe **Übernachten** S. 285.
www.algonquinhotel.com

D as Äußere des Algonquin wirkt heute etwas affektiert – eiserne Erkerfenster in vertikalen Reihen, roter Backstein, viel Dekor. Doch es ist nicht die Architektur, sondern das Ambiente, das das Hotel von 1902 zu etwas Besonderem macht. In den 1920er Jahren war das Algonquin Schauplatz von Amerikas bekanntester Lunch-Gesellschaft, dem Round Table, an dem literarische Größen wie Alexander Woollcott, Franklin P. Adams, Dorothy Parker, Robert Benchley und Harold Ross saßen. Alle hatten mit dem New Yorker zu tun (Ross war Gründungsherausgeber), dessen Hauptsitz (25 West 43rd Street) einen Hinterausgang direkt ins Hotel hatte.

Renovierungen haben die altmodische bürgerliche Aura des Rose Room wie auch der getäfelten Lobby bewahrt, in der sich die Verlags- und Theaterszene bei Drinks trifft, sich in bequemen Lehnstühlen niederlässt und mit einem Glöckchen den Ober herbeiklingelt.

New York Yacht Club ❺

37 W 44th St. **Stadtplan** 12 F5.
C (212) 382-1000. **M** 42nd St.
● für Besucher (nur für Mitglieder offen). www.nyyc.org

I n der Institution von 1899, einem Privatclub, befinden sich in den Erkerfenstern die Hecks holländischer Galeonen aus dem 16. Jahrhundert, deren Bugspitzen von Delfinen und Wellen umspielt werden. Das mehr als 100 Jahre alte Gebäude ist sehr herausgeputzt. Es ist der Geburtsort der Segelregatta um den America's Cup, der von 1857 bis 1982 in den USA blieb. 1983, als die Australia II siegte, musste die Trophäe den Platz räumen, an dem sie über ein Jahrhundert lang gestanden hatte.

Der America's Cup, der begehrteste Seglerpreis

Bryant Park ❻

Stadtplan 8 F1. **M** 42nd St.
www.bryantpark.org

A ls sich 1853 am heutigen Standort der Public Library noch das Croton Reservoir befand, gab es im Bryant Park (damals Reservoir Park) einen Kristallpalast, der für die Weltausstellung 1853 gebaut worden war (siehe S. 25).

In den 1960er Jahren war der Park fest in der Hand von Drogensüchtigen. 1989 schloss ihn die Stadt und gestaltete ihn neu, um ihn dann wieder als Erholungsstätte für Einheimische und Besucher zu eröffnen.

Im Herbst und Frühling finden hier weltberühmte Modenschauen statt. Im Sommer ist der Park Ambiente für Open-Air-Kinovorstellungen mit Klassikern.

Statue des Dichters William Cullen Bryant im Bryant Park

Bryant Park Hotel ❼

40 W 40th St. **Stadtplan** 8 F1.
C (212) 869-0100. **M** 42nd St.
www.bryantparkhotel.com

D as American Radiator Building, heute Bryant Park Hotel, ist ein Werk von Raymond Hood und John Howells, die auch das News Building (siehe S. 155) und das Rockefeller Center entwarfen. Der Bau von 1924 erinnert an den neogotischen Tribune Tower in Chicago, der Hood damals bekannt machte. Hier ist das Design schlanker, der Bau wirkt dadurch höher als 23 Stockwerke. Die schwarze Backsteinfassade kontrastiert mit der goldfarbenen Terrakottaverkleidung, die den Eindruck glühender Kohlen vermittelt. Dies lässt an die ursprünglichen Eigentümer denken, die Heizungen herstellten. Nach einem Besitzerwechsel wurde der Bau zum Luxushotel in Midtown (siehe S. 288). Das beliebte LA-Restaurant Koi eröffnete einen Ableger.

Das Bryant Park Hotel, früher American Radiator Building

New York Public Library ⑧

5th Ave und 42nd St. **Stadtplan** 8 F1.
☎ (212) 930-0830. Ⓜ 42nd St-
Grand Central, 42nd St-5th Ave.
◯ Di–Sa. ● Feiertage. 📷 ♿ 🛍
Vorträge, Workshops. ⬛

Der Eingang zum Hauptlesesaal der Public Library

Tonnengewölbe aus weißem Marmor über den Treppen von Astor Hall

Im Jahr 1897 wurde der begehrte Auftrag für den Entwurf der Public Library an die Architekten Carrère & Hastings vergeben. Der erste Direktor der Bibliothek hatte sich einen hellen und luftigen Lesesaal vorgestellt mit einer Kapazität für Millionen von Büchern. Der Bau realisierte diese Wünsche auf eine Weise, die ihn zum Inbegriff von New Yorks Beaux-Arts-Periode werden ließ.

Das an der Stelle des ehemaligen Croton Reservoir (siehe S. 24) 1911 errichtete, neun Millionen Dollar teure Gebäude fand viel Beifall. Der Haupt-

Einer der beiden Löwen der Bibliothek, von Bürgermeister LaGuardia Patience und Fortitude genannt

lesesaal erstreckt sich über zwei Blocks und ist dank zweier Innenhöfe lichtdurchflutet. Unter ihm befinden sich 140 Kilometer Regale mit über sieben Millionen Bänden. Eine hundertköpfige Belegschaft kann jedes Buch binnen zehn Minuten beschaffen. Die Zeitschriftenabteilung führt 10 000 Titel aus etwa 128 Ländern. Die Wandgemälde von Richard Haas sind eine Hommage an New Yorks große Verlage.

Die ursprüngliche Bibliothek vereinte die Sammlungen von John Jacob Astor und James Lenox. Der heutige Bestand enthält u. a. Thomas Jeffersons handgeschriebene Unabhängigkeitserklärung und T. S. Eliots getipptes Manuskript von Das wüste Land. Über 1000 Anfra-

Der Hauptlesesaal mit seinen Leselampen aus Bronze

gen täglich werden per Datenbank des CATNYP- und LEO-Katalogs beantwortet.

Die Bibliothek ist der Kern eines Netzwerkes aus 82 Filialen mit fast sieben Millionen Benutzern. Zu den Filialen gehören auch die NYPL for the Performing Arts im Lincoln Center (siehe S. 212) und das Schomburg Center in Harlem (siehe S. 229).

International Center of Photography 9

133 Avenue of the Americas (43rd St). **Stadtplan** 8 F1. (212) 857-0000. 42nd St. Di–Do, Sa, So 10–18 Uhr, Fr 10–20 Uhr. 4. Juli. Di–So 10–17 Uhr. www.icp.org

Das Museum wurde 1974 von Cornell Capa gegründet, um Werke von Fotojournalisten wie seinem Bruder Robert zu bewahren, der 1954 in Vietnam starb. Die Sammlung enthält 12 500 Originalabzüge, darunter Werke angesehener Fotografen, z. B. Ansel Adams und Henri Cartier-Bresson. Sonderausstellungen werden aus dem Archiv und anderen Quellen zusammengestellt. Zudem finden Filme, Lesungen und Kurse statt.

Times Square 10

Stadtplan 8 E1. 42nd St-Times Sq. Times Square Information Center, 1560 Broadway (46th St) tägl. 8–20 Uhr. Fr 12 Uhr. (212) 869-1890. www.timessquarenyc.org

In den 1990er Jahren veränderte sich die Times Square stark. Seinem Verfall seit der Wirtschaftskrise wurde ein Riegel vorgeschoben. Er ist nun wieder ein pulsierender Ort, an dem Broadway-Traditionen und moderne Entertainment-Stätten koexistieren.

Obwohl The New York Times von ihrem einstigen Hauptquartier am südlichen Ende des Platzes ausgezogen ist, wird immer noch an Silvester die Kristallkugel heruntergelassen, wie es seit der Eröffnung des Gebäudes 1906 Tradition ist. Neue Bauten wie das Bertelsmann Building und die minimalistischen Condé-Nast-Büros stehen neben den Broadway-Theatern.

Viele Theater, etwa das New Victory und das New Amsterdam wurden renoviert. Sie zeigen neue Produktionen, und Theaterbesucher stürmen jeden Abend die Bars und Restaurants.

Neuestes Wahrzeichen ist der von Arquitectonica entworfene 57-stöckige Turm, der den Unterhaltungs- und Shopping-Komplex E Walk in der 42nd Street, Ecke Eighth Avenue (siehe S. 142) überragt. Weitere Attraktionen sind eine Zweigstelle des Madame Tussauds Wax Museum (42nd Street, zwischen Seventh und Eighth Avenue), ESPN Zone, eine riesige Sportbar mit Videospielen (1472 Broadway, Ecke 42nd Street), sowie Toys 'R' Us (1514 Broadway).

W. C. Fields (ganz links) und Eddie Cantor (mit Zylinder, rechts) in den *Ziegfeld Follies* des New Amsterdam Theater (1918)

New Amsterdam Theater 11

214 W 42nd St. **Stadtplan** 8 E1. (212) 282-2900. 42nd St-Times Sq. Mo, Di 10–15, Do–Sa 10–11, So 10 Uhr. (212) 282-2907. www.newyorkcitytheatre.com

Das Theater war bei der Eröffnung 1903 das opulenteste der USA und das erste mit Jugendstil-Interieur. Eine Zeit lang gehörte es Florenz Ziegfeld, der hier 1914–27 seine Revue *Follies* produzierte (das Ticket kostete damals fünf Dollar). Er machte aus dem Dachgarten ein weiteres Theater, die Aerial Gardens. Heute werden hier Disney-Produktionen aufgeführt. Die altehrwürdigen Theater in der 42nd Street hinter harte Zeiten hinter sich, sind aber wieder gefragt.

Group Health Insurance Building 12

330 W 42nd St. **Stadtplan** 8 D1. 42nd St-8th Ave. zu Geschäftszeiten.

Der Entwurf Raymond Hoods von 1931 war das einzige New Yorker Gebäude, das für den bedeutenden International-Style-Wettbewerb 1932 ausgewählt wurde (siehe S. 43). Sein ungewöhnliches Design gibt ihm von Osten und Westen ein stufiges Profil, von Süden und Norden ein flaches Aussehen. Die blaugrünen horizontalen Fassadenstreifen haben ihm den Spitznamen »jolly green giant« eingebracht. Im Inneren befindet sich eine Art-déco-Lobby aus Glas und Stahl. Einen Block weiter liegt die Theater Row mit hübschen Off-Broadway-Theatern und Cafés.

Paramount Building 13

1501 Broadway. **Stadtplan** 8 E1. 34th St.

Das legendäre Kino im Erdgeschoss, wo in den 1940er Jahren Teenager anstanden, um Frank Sinatra zu hören, existiert zwar nicht mehr, doch das 1927 von Rapp & Rapp entworfene Gebäude hat noch immer Theater-Aura. Es ist nach oben zurückgesetzt, sodass die 14 »Stufen« eine Art-déco-Krone bilden – mit Turm, Uhr und Globus. Hier ist das Hard Rock Cafe zu finden.

Art-déco-Spitze des Paramount Building

Shubert Alley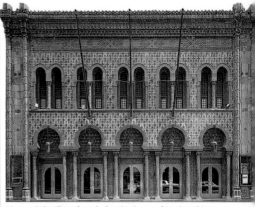

Zwischen W 44th und W 45th St. **Stadtplan** 12 E5. **M** *42nd St-Times Sq. Siehe* **Unterhaltung** *S. 345.*

Die Schauspielhäuser in den Straßen westlich des Broadway sind reich an Theatergeschichte und bemerkenswerter Architektur. Zwei klassische Theater sind nach dem Schauspieler Edwin Booth (222 West 45th Street) und nach dem Theaterbaron Sam S. Shubert (225 West 44th Street) benannt. Sie bilden die westliche Grenze der Shubert Alley, wo junge Schauspieler für ein Engagement am Shubert Schlange stehen.

A Chorus Line lief hier bis 1990 ganze 6137 Mal. Früher spielte Katharine Hepburn in *The Philadelphia Story.* Am Ende der Alley an der 44th Street steht das St. James, wo Rodgers und Hammerstein 1941 mit *Oklahoma* debütierten, auf das *The King and I* folgte. Im Restaurant Sardi's in der Nähe warteten Schauspieler nach den Premiereabenden auf die Kritiken. Irving Berlin inszenierte 1921 *The Music Box Revue* in seinem traditionsreichen »Music Box Theater« am anderen Ende der Alley.

Die maurische Fliesenfassade des City Center of Music and Dance

MONY Tower

1740 Broadway. **Stadtplan** 12 E4. **M** *57th St.* ● *für Besucher.*

Das 1950 erbaute Hauptquartier der MONY Insurance Company (heute MONY Financial Services) hat einen aufschlussreichen Wettermast. Er wird bei schönem Wetter grün, bei Bewölkung orange, bei Regen grellorange und bei Schnee weiß. Eine aufsteigende Lichterfolge bedeutet Erwärmung; bei fallender Folge sollte man einen Mantel dabeihaben.

Auditorium des 1913 von Henry Herts erbauten Shubert Theater

City Center of Music and Dance

131 W 55th St. **Stadtplan** 12 E4. **[** *(212) 581-1212.* **M** *57th St.* **⊘** **&** *Siehe* **Unterhaltung** *S. 346.* **www**.citycenter.org

Die maurisch anmutende Fassade mit ihrer Kuppel aus spanischen Fliesen wurde 1947 als Freimaurertempel entworfen. Bürgermeister LaGuardia rettete den Bau vor den Städteplanern. 1943 wurde er zur Heimat der New York City Opera and Ballet. Als Oper und Ballett umzogen, blieb das City Center einer der Hauptveranstaltungsorte für Tanz. Die gelungene Renovierung hat die Eigenheiten der Architektur bewahrt.

Carnegie Hall

154 W 57th St. **Stadtplan** 12 E3. **[** *(212) 247-7800.* **M** *57th St, 59th St.* **Museum** ◯ *Do–Di 11–16.30 Uhr und nach Konzerten.* **⊘** **&** **[** *Mo–Fr während Spielzeit.* **[]** *Siehe* **Unterhaltung** *S. 343 und 350.* **www**.carnegiehall.org

Der von Andrew Carnegie finanzierte erste große Konzertsaal New Yorks wurde 1891 in einer Gegend eröffnet, die damals noch Vorstadt war. Die Akustik des Terrakotta-Ziegel-Baus im Stil der Renaissance gehört zu den besten der Welt. Zur Eröffnung, bei der Tschaikowsky Gastdirigent war, kamen die besten New Yorker Familien,

Die Carnegie Hall hat eine großartige Akustik

obwohl sie in ihren Pferdekutschen bis zu einer Stunde
vor dem Saal warten mussten.

Viele Jahre lang war die
Carnegie Hall Heimat der
New York Philharmonic unter
Dirigenten wie Arturo Tosca-
nini, Leopold Stokowski,
Bruno Walter und Leonard
Bernstein. Hier gespielt zu
haben galt bald als Zeichen
internationalen Erfolgs, bei
E- wie bei U-Musikern.

Eine von dem Gei-
ger Isaac Stern in
den 1950er Jahren
initiierte Kampa-
gne verhinderte
die Umwand-
lung des Baus,
und 1964 wur-
de er zum na-
tionalen Wahr-
zeichen erklärt.
Die Renovierung
von 1986 brach-
te den Glanz der
Bronzebalkone
und die orna-
mentalen Stucks

Der Millionär Andrew Carnegie

zurück. 1991
wurde ein Mu-
seum eröffnet,
das die glanz-
volle Geschichte der ersten
100 Jahre des »Hauses, das die
Musik erschuf«, nachzeichnet.
2003 wurde im unteren Be-
reich die Judy and Arthur
Zankel Hall eröffnet. Die Spit-
zenorchester und -stars der
Welt treten nach wie vor in
der Carnegie Hall auf.

Alwyn Court Apartments ⑱

180 W 58th St. **Stadtplan** 12 E3.
Ⓜ *57th St.* ◐ *für Besucher.*

Man kann sie nicht über-
sehen: Die bizarren Kro-
nen, Drachen und anderen
Terrakotta-Skulpturen im Stil
der französischen Renaissance
an der Fassade des Wohn-
blocks von Harde und Short
(1909) fallen ins Auge. Das
Erdgeschoss büßte sein Gesims ein, doch der Rest des
Gebäudes ist so intakt wie
einzigartig. Die Fassade ist im
Stil von François I errichtet,
dessen Symbol, ein gekrönter
Salamander, über dem Ein-
gang zu sehen ist.

Anwohner und Besucher
können sich im Innenhof an
illusionistischen Wandbildern
von Richard Haas erfreuen,
die eine strukturierte Oberfläche der Mauern vortäuschen.

Der Salamander, Symbol von François I, am Alwyn Court

Intrepid Sea-Air-Space Museum ⑲

Pier 86, W 46th St. **Stadtplan** 11 A5.
📞 *(877) 957-SHIP.* 🚌 *M16, M42,
M50.* ◐ *Apr–Sep: Mo–Fr 10–17,
Sa, So, Feiertage 10–18 Uhr; Okt–
März: Di–So, Feiertage 10–17 Uhr.*
📷 🖼 www.intrepidmuseum.org

Auf der *Intrepid*, einem
US-Flugzeugträger aus
dem Zweiten Weltkrieg, sind
u. a. Kampfflugzeuge aus den
1940er Jahren zu sehen, das
Aufklärungsflugzeug *A-12*
und das U-Boot *Growler*. Die
Stern Hall widmet sich der
Technik heutiger Flugzeugträger, die Technologies Hall der
Raketentechnologie, Mission
Control den NASA-Shuttle-
Flügen. Es gibt auch zwei
Flugsimulatoren. Nach um-
fassender Überholung wurde
die *Intrepid* im Herbst 2008
wiedereröffnet.

Auf dem Flugzeugträger *Intrepid* der US-Navy

Museum of Arts and Design ⑳

2 Columbus Circle. **Stadtplan**
12 D3. 📞 *(212) 956-3535.* Ⓜ *5th
Ave-53rd St.* ◐ *tägl. 10–18 Uhr
(Do bis 20 Uhr).* ● *Feiertage.* 📷 ⌀
♿ 🎬 *Vorträge, Filme.* 📷
www.madmuseum.org

Das Museum stellt über
2000 zeitgenössische
Artefakte aus. In vielen Wechselausstellungen begegnet
man allen Arten von Materialien – von Lehm über Holz,
Glas, Metall bis hin zu Fiber-
glas – und den Werken international führender Designer
und Künstler. Im Laden kann
man Objekte führender US-
Designer auch kaufen.

LOWER MIDTOWN

Von Beaux Arts bis Art déco – dieser Teil von Midtown bietet erlesene Architektur. Das ruhige Wohnviertel Murray Hill wurde nach einem ländlichen Anwesen benannt, das einst hier stand. Um 1900 lebten auf dem Areal viele der wohlhabendsten New Yorker Familien, darunter der Finanzier J.P.

Messingtür am Fred F. French Building

Morgan, dessen Bibliothek (heute Museum) die Pracht jener Zeit verdeutlicht. Um die 42nd Street, in der Nähe des Grand Central Terminal, geht es kommerzieller zu. Doch keines der neueren Gebäude kann sich mit der Pracht des Beaux-Arts-Bahnhofs oder der Art-déco-Schönheit des Chrysler Building messen.

SEHENSWÜRDIGKEITEN AUF EINEN BLICK

Historische Straßen und Gebäude
Chanin Building ❹
Chrysler Building ❺
Daily News Building ❻
Fred F. French Building ⓬
Grand Central Terminal S. 156f ❷
Helmsley Building ❽
Home Savings of America ❸
Sniffen Court ⓯
Tudor City ❼

Museen und Sammlungen
Japan Society ⓫
Morgan Library & Museum S. 164f ⓮

Moderne Architektur
1 & 2 United Nations Plaza ❾
MetLife Building ❶
United Nations S. 160–163 ❿

Kirche
Church of the Incarnation ⓭

ANFAHRT
Mit den Subway-Linien S oder 7 (crosstown) oder 4, 5 oder 6 nach Grand Central-42nd St. Die Busse M15, M101/102, M1, M2, M3 und M4 verkehren hier entlang den Avenues, die Buslinien M34 und M42 fahren crosstown.

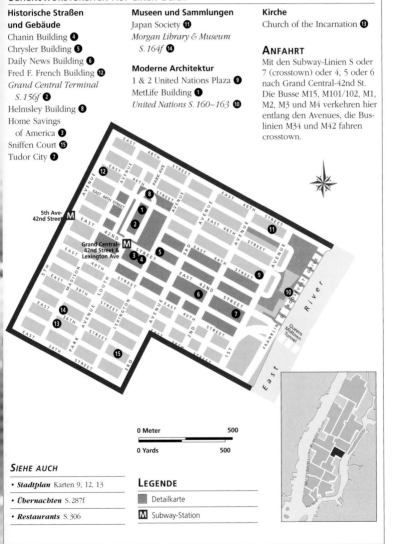

0 Meter 500
0 Yards 500

SIEHE AUCH
• *Stadtplan* Karten 9, 12, 13
• *Übernachten* S. 287f
• *Restaurants* S. 306

LEGENDE
▨ Detailkarte
Ⓜ Subway-Station

◁ **Die Turmspitze des Chrysler Building** *(siehe S. 155)* ist mit rostfreiem Stahl verkleidet

Im Detail: Lower Midtown

Beim Spazierengehen im Grand-Central-Viertel bekommt man eine ausgefallene Mixtur lokaler Architekturstile zu sehen: von außen die Fassaden der höchsten Wolkenkratzer, von innen viele schöne Interieurs, etwa moderne Atrien wie das im Philip Morris Building und in der Ford Foundation, die ornamentalen Details in der Home Savings Bank oder die imposant hohen Räume des Grand Central Terminal.

MetLife Building
Der 1963 von Pan Am erbaute Turm ragt über der Park Avenue auf. ❶

★ **Grand Central Terminal**
Das riesige Gewölbe ist ein beeindruckendes Relikt aus der Glanzzeit der Eisenbahn. In dem Gebäude gibt es zahlreiche Läden und Restaurants. ❷

Subway-Station Grand Central-42nd St (Linien S, 4, 5, 7)

NICHT VERSÄUMEN

★ Chrysler Building

★ Daily News Building

★ Grand Central Terminal

★ Home Savings of America

Chanin Building
Das in den 1920er Jahren für den Immobilienhändler Irwin Chanin errichtete Gebäude hat eine schöne Art-déco-Lobby. ❹

PARK AVENUE

E 41ST ST

LEXINGTON AVE

Messingtür, Home Savings Bank

Das Mobil Building
von 1955 hat eine sich selbst reinigende, nicht rostende Stahlfassade mit eingestanzten geometrischen Mustern.

★ **Home Savings of America**
Das frühere Hauptquartier der Bowery Savings Bank ist eines der schönsten Bankgebäude New Yorks. Es wurde von den Architekten York & Sawyer im Stil eines romanischen Palasts errichtet. ❸

Helmsley Building

Der Eingang an der Park Avenue verdeutlicht den Reichtum der New York Central Railroad, die hier ihren Sitz hatte. **8**

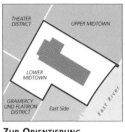

Brief-kasten im Chrysler Building

★ Chrysler Building

Das Art-déco-Prachtstück wurde 1930 für die Auto-firma Chrysler gebaut. **5**

Siehe Stadtplan, Karten 9, 13

ZUR ORIENTIERUNG

Siehe Stadtplan, Karten 9, 13

LEGENDE

– – – Routenempfehlung

0 Meter	100
0 Yards	100

Arbeitspause während der Errichtung des Chrysler Building

Das Ford Foundation Building ist Hauptsitz der Ford-Stiftung. Es hat einen reizenden Innengarten, der von einem kubusförmigen Gebäude aus Granit, Glas und Stahl umgeben ist.

Ralph J. Bunche Park

★ Daily News Building

In der Lobby des Art-déco-Gebäudes, früher Sitz der Daily News, *rotiert ein Globus.* **6**

Tudor City

Der 1928 im Tudor-Stil errichtete Komplex umfasst 3000 Apartments und weist schöne Steinmetzarbeiten auf. **7**

Stadtplan *siehe Seiten 394–425*

MetLife Building ❶

200 Park Ave. **Stadtplan** 13 A5.
Ⓜ *Grand Central-42nd St.* ◐ *zu Geschäftszeiten.* 🍴 🔢

Lobby im MetLife Building

Früher hoben sich die Skulpturen am Grand Central Terminal gegen den Himmel ab. 1963 jedoch wurde der früher Pan Am Building genannte Koloss (Entwurf: Walter Gropius, Emery Roth und Söhne, Pietro Belluschi) errichtet. Er versperrte den Blick die Park Avenue entlang, ließ den Bahnhof winzig erscheinen und erregte allgemein Unwillen. Damals war er das größte Geschäftsgebäude der Welt. Die Bestürzung ob seiner Größe ließ spätere Pläne, einen Turm über dem Grand Central Terminal zu errichten, scheitern.

Es ist paradox, dass der Blick auf den Himmel über New York von einer Firma verstellt wurde, die Millionen Reisenden diesen Himmel erst erschlossen hatte. Als sich Pan Am 1927 formierte, war der gerade von seinem Atlantikflug zurückgekehrte Charles Lindbergh einer der Piloten und Streckenberater. 1936 führte Pan Am den transatlantischen Linienverkehr ein, 1947 folgte die erste Route rund um den Globus.

Der berühmte Dachlandeplatz für Hubschrauber wurde 1977 nach einem Unfall aufgegeben. Mittlerweile existiert Pan Am nicht mehr. Der Bau gehört seit 1981 der Organisation Metropolitan Life.

Grand Central Terminal ❷

Siehe S. 156f.

Home Savings of America ❸

110 E 42nd St. **Stadtplan** 9 A1. Ⓜ *Grand Central-42nd St.* ◐ *nur nach Anmeldung.* ☎ *(212) 499-0599.*

Viele Menschen sind der Ansicht, dass der Bau von 1923 das gelungenste Werk der besten Bankarchitekten der 1920er Jahre ist. York & Sawyer errichteten die Uptown-Büros der Bowery Savings Bank (jetzt Home Savings Bank of America) im Stil einer romanischen Basilika. Ein von Bogen gebildeter Eingang führt in die riesige Schalterhalle, die mit Mosaikböden und Marmorsäulen mit Steinbogen ausgestattet ist.

Fassade der Home Savings of America

Zwischen den Säulen zeigen Mosaiken aus unpoliertem Marmor Tiermotive, z. B. ein Eichhörnchen (Symbol der Sparsamkeit) und einen Löwen (Symbol der Macht).

Chanin Building ❹

122 E 42nd St. **Stadtplan** 9 A1.
Ⓜ *Grand Central-42nd St.* ◐ *zu Geschäftszeiten.*

Fassadendetail, Chanin Building

Der ehemalige Sitz des führenden New Yorker Immobilienhändlers Irwin S. Chanin war mit 56 Stockwerken der erste Wolkenkratzer in der Grand-Central-Gegend und wegweisend für die Zukunft. Der Bau wurde 1929 von Sloan & Robertson entworfen und ist eines der besten Beispiele für den Art-déco-Stil. Ein Bronzeband mit Vogel- und Fischmustern zieht sich an der Fassade entlang. Die Terrakottabasis ist mit einem üppigen Gewirr aus stilisierten Blättern und Blumen reich verziert. Innen gestaltete der Bildhauer der Radio City Music Hall, René Chambellan, Reliefs, Bronzegitter, Fahrstuhltüren, Briefkästen und Wellenmuster auf dem Boden. Die Reliefs in der Vorhalle illustrieren die Karriere des Selfmademans Chanin.

Detail in der Schalterhalle der Home Savings of America

Chrysler Building ❺

405 Lexington Ave. **Stadtplan** 9 A1.
📞 (212) 682-3070. Ⓜ *Grand Central-42nd St.* ⭕ *nur Lobby, zu Geschäftszeiten 7–18 Uhr.* 📷 ♿

Wasserspeier aus Edelstahl am Chrysler Building

Walter P. Chrysler begann seine Karriere in einer Maschinenhalle der Union Pacific Railroad, doch seine Leidenschaft für Autos ließ ihn bald eine Spitzenposition in der neuen Industrie einnehmen. 1925 gründete er eine Firma. Für das Hauptquartier in New York entstand ein Gebäude, das immer mit dem Goldenen Zeitalter des Automobils verbunden bleiben wird. Entsprechend Chryslers Wünschen ähnelt der Art-déco-Turm aus rostfreiem Stahl den Lamellen eines Autokühlers: Die gestuften Mauervorsprünge sind Kühlerhauben und Rädern nachempfunden; außerdem finden sich stilisierte Autos und Wasserspeier, die den Kühlerfiguren des Chrysler Plymouth von 1929 nachgebildet sind.

Das 320 Meter hohe Chrysler Building verlor den Titel »höchstes Gebäude der Welt« wenige Monate nach seiner Fertigstellung 1930 an das Empire State Building. Dennoch gehört William Van Alens 77-stöckiger Bau zu den bekanntesten Wahrzeichen der Stadt.

Die Spitze des Baus wurde bis zum letzten Moment versteckt gehalten. Nachdem sie im Heizschacht des Gebäudes montiert worden war, wurde sie durch das Dach in Position gebracht – man stellte damit sicher, dass das Gebäude höher war als das der Bank of Manhattan, das gerade in Downtown von Van Alens großem Rivalen H. Craig Severance errichtet worden war. Doch Van Alens Mühe wurde nicht belohnt. Chrysler warf ihm vor, Bestechungsgelder genommen zu haben, und bezahlte ihn nicht. Van Alens Karriere als Star-Architekt war beendet.

Die beeindruckende Lobby, einst Ausstellungsraum für Chrysler-Autos, wurde 1978 von Grund auf renoviert. Sie ist mit Marmor und Granit aus aller Welt geschmückt und mit

Aufzugstür im Chrysler Building

verchromtem Stahl verkleidet. Ein riesiges Deckengemälde von Edward Trumball zeigt Motive aus dem Transportwesen. Obwohl Chrysler das Gebäude nie bezog, blieb der Name erhalten.

Eingang zum Daily News Building

Daily News Building ❻

220 E 42nd St. **Stadtplan** 9 B1.
Ⓜ *Grand Central-42nd St.*
⭕ *Mo–Fr 8–18 Uhr.*

Die Zeitung *Daily News* wurde 1919 gegründet und erreichte 1925 eine Auflage von einer Million. Man sprach verächtlich von der »Dienstmädchenbibel«, da sie sich auf Skandale, Prominente und Morde konzentrierte, leicht zu lesen war und großzügigen Gebrauch von Illustrationen machte. Doch dies zahlte sich letztendlich für die Zeitung aus – sie enthüllte etwa die Romanze von Edward VIII und Mrs. Simpson. Die *Daily News* sind bekannt für prägnante Schlagzeilen, die den jeweiligen Zeitgeist widerspiegeln. Sie zählen noch immer zu den auflagenstärksten Zeitungen der USA.

In dem 1930 von Raymond Hood entworfenen Redaktionsgebäude wechseln braune und schwarze Backsteinreihen mit Fenstern, wodurch die Vertikale betont wird. Hoods Lobby enthält den größten Globus der Welt im Inneren eines Gebäudes. Linien auf dem Boden weisen in die Richtung anderer Weltstädte und geben die Position der Planeten an. Nachts wird ein Art-déco-Muster über dem Haupteingang von innen her mit Neon beleuchtet. Heute residiert die Zeitung in der West 33rd Street. Das Daily News Building steht mittlerweile unter Denkmalschutz.

Grand Central Terminal ❷

Cornelius Vanderbilt eröffnete 1871 an der 42nd Street einen Bahnhof, der trotz mehrfacher Umbauten nie groß genug war. Der jetzige Bau wurde 1913 eröffnet. Die Perle des Beaux-Arts-Stils ist seitdem das Tor zur Stadt und eines ihrer Wahrzeichen. Seinen Ruhm verdankt der Grand Central der Haupthalle und der Art, wie Fußgänger- und Zugverkehr kanalisiert werden. Der Bahnhof hat ein mit Gips und Marmor verkleidetes Stahlgerippe. Reed & Stern planten die Logistik, Warren & Wetmore die äußere Gestaltung. Architekten der Restaurierung waren Beyer, Blinder & Belle.

Säulenfassade in der 42nd Street

Skulpturen an der Fassade, 42nd Street
Jules-Alexis Coutans Skulpturen von Merkur, Herkules und Minerva krönen den Haupteingang.

Bahnhofshalle

Zufahrtsstraße

Subway

Cornelius Vanderbilt
Der Eisenbahnmagnat war als »Commodore« bekannt.

Pendler nutzen den Bahnhof hauptsächlich – täglich eine halbe Million. Eine Rolltreppe führt zum MetLife Building, in dem Fachgeschäfte und andere Läden zu finden sind.

Die Vanderbilt Hall, die an die Haupthalle anschließt, ist ein herrliches Beispiel für Beaux-Arts-Architektur. Sie ist mit goldenen Kerzenleuchtern und rosa Marmor dekoriert.

NICHT VERSÄUMEN

★ Bahnhofshalle

★ Grand Staircases

★ Information

Grand Central Oyster Bar
Die mit Guastavino-Fliesen ausgestattete Bar (siehe S. 306) ist eine der zahlreichen eateries auf dem Bahnhofsgelände: Restaurants und Spezialitätenimbisse bieten Essen für jeden Geschmack.

INFOBOX

E 42nd St an der Park Ave. **Stadt-plan** 13 A5. (212) 532-4900.
4, 5, 6, 7, S bis Grand Central.
M1–5, M42, M98, M101–104, Q32. tägl. 5.30–1.30 Uhr.
Drei Touren. Gruppentour: tägl. 8–18 Uhr, 5 $ pro Person bzw. 50 $ für Gruppen von bis zu zehn Personen, Reservierung 2–3 Wo. im Voraus, (212) 340-2345. Sowie: Mi 12.30 Uhr, empf. Spende: 10 $, (212) 935-3960; Fr 12.30 Uhr, (212) 883-2420. **Fundbüro** (212) 340-2555.
www.grandcentralterminal.com

★ Bahnhofshalle
Die riesige Halle mit dem Deckengewölbe wird von drei Bogenfenstern an jeder Seite geprägt.

Gewölbedecke
Das Tierkreisdesign des französischen Künstlers Paul Helleu zeigt über 2500 Sterne. Die wichtigsten Konstellationen werden beleuchtet angezeigt.

Die untere Ebene ist mit den anderen über Treppen, Rampen und nagelneue Rolltreppen verbunden.

★ Grand Staircases
Es gibt nun zwei dieser dem großen Treppenhaus der Pariser Oper nach-empfundenen Trep-penaufgänge mit Marmorstufen. Sie erinnern an die frühere Exklusivität des Bahnreisens.

★ Information
Die vierseitige Uhr steht auf dem Informationsschalter in der Haupthalle.

Tudor City ❼

E 41st–43rd St zwischen 1st und
2nd Ave. **Stadtplan** 9 B1. Ⓜ *Grand
Central-42nd St.* 🚌 *M15, M27, M42,
M50, M104.* **www.**tudorcity.com

Dieser frühe Versuch einer
Stadterneuerung wurde
1925–28 von der Fred F.
French Company unternom-
men – es sollte ein Stadtteil
für die Mittelklasse sein. Das
Ergebnis waren zwölf Gebäude mit 3000 Wohnungen,
einem Hotel, Läden, Restaurants, einer Post und zwei
kleinen Privatparks – alles im
neogotischen Tudor-Stil. Die
Mieten waren gering.

Das ruhige Viertel war um
1850 ein Zufluchtsort für Kriminelle und als «Corcoran's
Roost» bekannt, nach Paddy
Corcoran, dem Anführer der
berüchtigten «Rag Gang». Am
Ufer des East River reihten
sich Leimfabriken, Schlacht-
häuser, Brauereien und Gas-
werke aneinander. Einige exis-
tierten noch, als man Tudor
City plante. Deshalb haben
die Gebäude nur wenige Fenster mit Blick auf den Fluss.

Obere Stockwerke von Tudor City

Helmsley Building ❽

230 Park Ave. **Stadtplan** 13 A5.
Ⓜ *Grand Central-42nd St.*
🕐 *zu Geschäftszeiten.*

Ursprünglich war der Blick
die Park Avenue entlang
in Richtung Süden auf das
Helmsley Building eine der
großartigsten Ansichten New
Yorks. Allerdings stört das
monolithische MetLife Building *(siehe S.154)*, das 1963
als Hauptsitz von Pan Am

Aufführung in der Japan Society

hinter dem Helmsley Building
gebaut wurde, den Blick auf
den ursprünglichen Hintergrund, den Himmel.

Das 1929 von Warren &
Whetmore errichtete Helmsley
Building war Sitz der New
York Central Railroad Company. Namensgeber des
Gebäudes war der
Immobilienmag-
nat Harry Helms-
ley (1909–1997).
Der spätere Mil-
liardär begann
seine Karriere
als Laufbursche
mit zwölf Dollar
Wochenlohn.
Seine 2007
verstorbene
Frau Leona
war auf allen Anzeigen ihrer
Hotelkette zu sehen, bis sie
1989 wegen Steuerhinterzie-
hung ins Gefängnis kam. Das
extravagante Glitzern des renovierten Helmsley Building
dürfte auf ihren überkandi-
delten Geschmack
zurückgehen.

1 & 2 United Nations Plaza ❾

Stadtplan 13 B5. Ⓜ
Grand Central-42nd St.
🚌 *M15, M27, M42,
M50, M104.*

Die beiden
fantastischen
Säulen aus blau-
grünem Spiegelglas
stehen im Winkel zueinan-
der. Das Spiel des Lichts und
die Reflexionen auf den glänzenden Flächen und schrä-
gen Vorsprüngen machen
sie zu einem sich ständig
verändernden modernen
Kunstwerk. Auch ihre
Marmor- und Spiegel-
interieurs sind faszi-
nierend. Sie beher-
bergen Büros
und, im Haus
Nr. 1, das
Millennium United Nations
Plaza Hotel. Auf der Gästeliste
stehen oft UN-Diplomaten
und wichtige Staatsoberhäup-
ter. Ihren Stress dürften die
VIPs abbauen, indem sie sich
im verglasten Swimmingpool
treiben lassen und dabei aus
der Vogelperspektive auf die
Stadt und das UN-Gebäude
blicken.

United Nations ❿

Siehe S.160–163.

Japan Society ⓫

333 E 47th St. **Stadtplan** 13 B5.
📞 *(212) 832-1155.* Ⓜ *Grand Cen-
tral-42nd St.* 🚌 *M15, M27, M50.*
Galerie 🕐 *Di–Fr 11–18 Uhr, Sa,
So 11–17 Uhr.* 🚫 ♿ 🎫
www.japansociety.org

Für das Hauptquartier der
Japan Society, die 1907 zur
Förderung des Verständnis-
ses und kulturellen
Austauschs zwi-
schen den

Römische Götter lehnen an der Uhr des Helmsley Building

USA und Japan gegründet wurde, übernahm John D. Rockefeller III eine Bürgschaft von 4,3 Millionen Dollar. Die Tokyoter Architekten Junzo Yoshimura und George Shimamoto entwarfen das schwarze Gebäude mit den filigranen Sonnengittern 1971. Es enthält einen Vortragssaal, ein Sprachenzentrum, eine Forschungsbibliothek, ein Museum und fernöstliche Gärten.

In Wechselausstellungen wird japanisches Kunsthandwerk gezeigt, etwa Schwerter oder Kimonos. Weitere Programmpunkte sind Theater, Vorträge und Workshops.

Fred F. French Building ⑫

521 5th Ave. **Stadtplan** 12 F5. **M** *Grand Central-42nd St.* ☐ *zu Geschäftszeiten.*

Das 1927 als Hauptsitz der damals bekanntesten Immobilienfirma errichtete Gebäude ist eine unglaublich opulente Kreation. Es wurde von H. Douglas Ives in Zusammenarbeit mit Sloan & Robertson entworfen, die z. B. auch das Chanin Building

Tiffany-Buntglasfenster in der Church of the Incarnation

(siehe S. 154) geplant hatten. Sie verschmolzen orientalische, altägyptische und antikgriechische Stile mit der frühen Form des Art déco.

Vielfarbige Fayence-Ornamente schmücken den oberen Teil der Fassade. Der Wasserturm auf dem Dach weist eine exquisite Verkleidung auf: Reliefs zeigen eine von Greifen und Bienen flankierte aufgehende Sonne als Symbolfiguren der Tugend. Geflügelte assyrische Raubtiere finden sich auf den Bronzefriesen über den Eingängen. Die exotischen Motive setzen sich in der Lobby fort, die eine polychrome Decke und 25 vergoldete Bronzetüren hat.

Bei den Bauarbeiten wurden erstmals in den USA kanadische Mohawk-Indianer aus Kahnawake eingesetzt. Sie galten als schwindelfrei und waren daher schon bald gesuchte Brücken- und Gerüstbauer, die an der Errichtung vieler Wolkenkratzer in New York (u. a. auch des WTC) beteiligt waren.

Church of the Incarnation ⑬

209 Madison Ave. **Stadtplan** 9 A2. 🛈 *(212) 689-6350.* **M** *Grand Central-42nd St.* ☐ *Mo–Fr 11.30– 14 (Di auch 16–19, Mi 17–19 Uhr), Sa 13–16, So 8.15–12.30 Uhr.* ✝ *Mi 12.15, 18.30, Fr 12.45, So 8.30, 11 Uhr.* 🔊 ♿ 📷 *nach Anmeldung.* **www**.churchoftheincarnation.org

Die Episkopalkirche mit Pfarrhaus entstand 1864, als in der Madison Avenue die Elite wohnte. Die Fassade aus hellem und braunem Sandstein ist repräsentativ für die Zeit. Innen gibt es eine Kommunionbank von Daniel Chester French, ein Altargemälde von John LaFarge und Buntglasfenster von LaFarge, Tiffany, William Morris und Edward Burne-Jones.

Morgan Library & Museum ⑭

Siehe S. 164f.

Sniffen Court ⑮

150–158 E 36th St. **Stadtplan** 9 A2. **M** *33rd St.*

Hier bietet sich eine hübsche Überraschung: ein ruhiger Hof mit zehn Kutschhäusern aus Backstein, von John Sniffen um 1850 im neoromanischen Stil errichtet. Es grenzt an ein Wunder, dass diese Anlage bis heute bewahrt werden konnte. Das Haus am südlichen Ende war das Atelier der Bildhauerin Malvina Hoffman. Ihre Medaillons mit griechischen Reitern zieren die Außenmauer.

Lobby des Fred F. French Building

Malvina Hoffmans Atelier

United Nations

UN-Flagge

Die 1945 mit 51 Mitgliedern gegründeten Vereinten Nationen haben mittlerweile 192 Mitglieder. Ihre wichtigsten Aufgaben sind die Sicherung des Weltfriedens und die Einhaltung des Völkerrechts, der Schutz der Menschenrechte sowie die Förderung der internationalen Zusammenarbeit. New York wurde als Sitz des UN-Hauptquartiers auserkoren, als John D. Rockefeller Jr. 8,5 Millionen Dollar zum Kauf des Geländes stiftete. Chefarchitekt war der Amerikaner Wallace Harrison. Die 17 Hektar große Fläche gehört nicht zu den USA, sondern ist internationale Zone mit eigenen Briefmarken und eigener Post. 2006 genehmigte die Vollversammlung 1,6 Milliarden Dollar für die Renovierung des Komplexes. Bitte erfragen Sie Öffnungszeiten und Führungen aktuell.

UN-Hauptquartier

Sekretariatsgebäude

Im Konferenzgebäude finden die Treffen des Sicherheitsrats, des Treuhand-Verwaltungsrats und des Wirtschafts- und Sozialrats statt.

Treuhand-Verwaltungsrat

★ Sicherheitsrat
Die Delegierten und ihre Assistenten konferieren am hufeisenförmigen Tisch, während Stenografen und andere UN-Mitarbeiter an dem langen Tisch in der Mitte sitzen.

Wirtschafts- und Sozialrat

NICHT VERSÄUMEN

★ Friedensglocke

★ Reclining Figure

★ Sicherheitsrat

★ Vollversammlung

★ Friedensglocke
Das aus den Münzen von 60 Nationen gegossene Geschenk Japans besitzt die Form eines Shinto-Schreins.

Rosengarten
25 Rosenarten blühen in den gepflegten Gärten am East River.

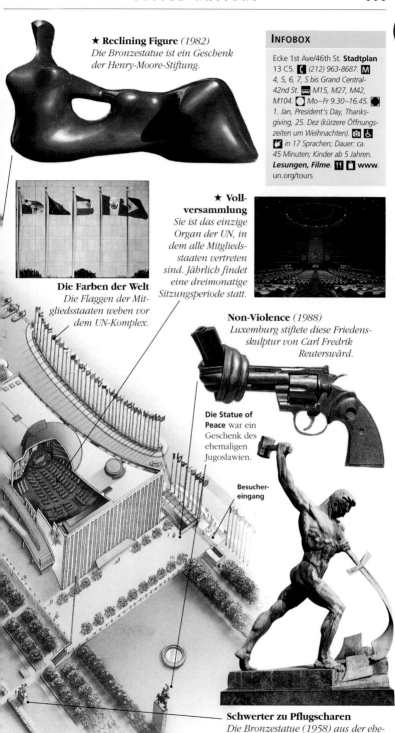

★ **Reclining Figure** *(1982)*
Die Bronzestatue ist ein Geschenk der Henry-Moore-Stiftung.

INFOBOX

Ecke 1st Ave/46th St. **Stadtplan** 13 C5. 📞 *(212) 963-8687.* Ⓜ 4, 5, 6, 7, S bis Grand Central-42nd St. 🚌 M15, M27, M42, M104. ◯ *Mo–Fr 9.30–16.45.* ◯ *1. Jan, President's Day, Thanksgiving, 25. Dez (kürzere Öffnungszeiten um Weihnachten).* 📷 ♿ 📹 *in 17 Sprachen; Dauer: ca. 45 Minuten; Kinder ab 5 Jahren.* **Lesungen, Filme.** 🍴 🏛 www.un.org/tours

★ **Voll-versammlung**
Sie ist das einzige Organ der UN, in dem alle Mitgliedsstaaten vertreten sind. Jährlich findet eine dreimonatige Sitzungsperiode statt.

Die Farben der Welt
Die Flaggen der Mitgliedsstaaten wehen vor dem UN-Komplex.

Non-Violence *(1988)*
Luxemburg stiftete diese Friedensskulptur von Carl Fredrik Reuterswärd.

Die Statue of Peace war ein Geschenk des ehemaligen Jugoslawien.

Besucher-eingang

Schwerter zu Pflugscharen
Die Bronzestatue (1958) aus der ehemaligen Sowjetunion symbolisiert das Hauptziel der Vereinten Nationen.

United Nations: Gremien

Die Ziele der Vereinten Nationen werden von drei UN-Ratskammern und der Vollversammlung aller Mitgliedsstaaten vertreten. Das Sekretariat führt die administrative Arbeit der Organisation. Bei Führungen kann man den Saal des Sicherheitsrats besichtigen und manchmal kurz einer Versammlung beiwohnen.

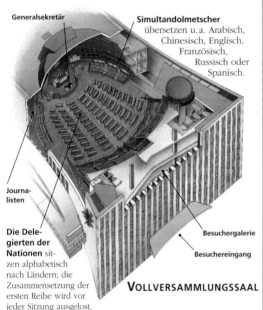

Generalsekretär

Simultandolmetscher übersetzen u. a. Arabisch, Chinesisch, Englisch, Französisch, Russisch oder Spanisch.

Journa-listen

Die Delegierten der Nationen sitzen alphabetisch nach Ländern; die Zusammensetzung der ersten Reihe wird vor jeder Sitzung ausgelost.

Besuchergalerie

Besuchereingang

VOLLVERSAMMLUNGSSAAL

VOLLVERSAMMLUNG

Die Vollversammlung ist das Hauptgremium der UN und tagt regelmäßig zwischen Mitte September und Mitte Dezember. Sondersitzungen werden auf Wunsch des Sicherheitsrats oder der Mehrheit der Mitglieder abgehalten. Alle Mitgliedsstaaten sind unabhängig von ihrer Größe mit je einer Stimme vertreten. Die Vollversammlung kann über jedes von den Mitgliedern oder anderen UN-Organen gewünschte international bedeutende Thema debattieren. Sie kann keine Gesetze verabschieden, doch ihre Beschlüsse beeinflussen die Weltmeinung beträchtlich. Für das Zustandekommen jeder Resolution wird eine Zweidrittelmehrheit benötigt.

Vor jeder Sitzung wird die Sitzordnung im Delegiertensaal ausgelost. Jeder der

2070 Plätze ist mit Kopfhörern ausgestattet, die Simultanübersetzungen in mehrere Sprachen bieten. Die Vollversammlung ernennt den Generalsekretär (auf Empfehlung des Sicherheitsrats), stimmt dem

Foucaults Pendel (Niederlande); sein Ausschlag beweist, dass sich die Erde um ihre Achse dreht

UN-Haushalt zu, wählt die nichtständigen Mitglieder des Rats und ernennt die Richter des Internationalen Gerichtshofs in Den Haag.

SICHERHEITSRAT

Das mächtigste Organ der UN ist der Sicherheitsrat, der sich um den internationa-

Wandbild zum Thema Frieden und Freiheit von Per Krohg (Norwegen)

len Frieden kümmert und bei Kriegen wie in Afghanistan oder im Irak interveniert. Er ist das einzige UN-Organ, dessen Entscheidungen für die Mitgliedsstaaten bindend sind. Der Sicherheitsrat tagt ständig.

China, Frankreich, Großbritannien, die Russische Föderation und die Vereinigten Staaten von Amerika gehören zu den ständigen Mitgliedern. Die anderen werden von der Vollversammlung im Zweijahresturnus gewählt. Bei internationalen Konflikten versucht der Sicherheitsrat zu vermitteln und den Konflikt auf diplomatischem Wege beizulegen. Wenn es zum Krieg kommt, kann er Waffenstillstandsbefehle oder Sanktionen erlassen. Ferner kann er UN-Friedenstruppen in die Kriegsgebiete senden, um die Parteien zu trennen.

Eine militärische Intervention ist die letzte Möglichkeit des Sicherheitsrats. UN-Truppen können dann langfristig als Friedenstruppen stationiert werden, wie in Zypern oder im Nahen Osten.

TREUHAND-VERWALTUNGSRAT

Dies ist der kleinste UN-Rat, dessen Aufgabenbereich sich ständig verkleinert.

Er wurde 1945 gegründet, um die friedliche Erlangung der Unabhängigkeit besetzter Gebiete und Kolonien zu unterstützen. Seitdem sind mehr als 80 Kolonien souveräne Staaten geworden. Die Zahl der in abhängigen Gebieten lebenden Menschen ist von 750 auf drei Millionen gesunken. Zurzeit besteht der Rat aus den fünf ständigen Mitgliedern des Sicherheitsrats.

Das Wandbild von Zanetti (Dominikanische Republik) im Konferenzgebäude stellt den Kampf um Frieden dar

eine Schlüsselrolle als Sprecher bei den Friedensbemühungen der Organisation zukommt. Der Generalsekretär wird von der Vollversammlung im Fünfjahresturnus gewählt.

BEDEUTENDE EREIGNISSE IN DER UN-GESCHICHTE

Nikita Chruschtschow vor der Vollversammlung 1960

Da die Vereinten Nationen über keine Einsatztruppe verfügen, sind sie vom Willen und von der militärischen Un-

terstützung ihrer Mitglieder abhängig. Entsprechend sind ihre Friedensbemühungen nicht immer von Erfolg gekrönt.

1948 erklärten die UN Südkorea zur legitimen Regierung Koreas. Zwei Jahre später spielten sie eine wichtige Rolle bei der Verteidigung Südkoreas gegen Nordkorea. 1949 halfen die Vereinten Nationen bei der Vermittlung eines Waffenstillstands zwischen Indonesien und den Niederlanden und unterstützten die Unabhängigkeit Indonesiens.

Seit 1964 ist eine UN-Truppe auf Zypern stationiert. 1974 erhielt China die wegen Taiwan lange verweigerte UN-Mitgliedschaft. Im Nahen Osten sind seit 1974 UN-Truppen stationiert, nach dem Israel-Libanon-Krieg 2006 wurde der Auftrag erweitert. Auch ins ehemalige Jugoslawien, nach Afghanistan und in den Irak entsandten die UN Truppen. 2006/2007 sah sich die UN mit Korruptionsvorwürfen im Zusammenhang mit ihrer Irak-Hilfe konfrontiert.

1988 und 2001 wurde der Organisation der Friedensnobelpreis verliehen. Generalsekretär der Vereinten Nationen ist seit 2007 der Südkoreaner Ban Ki Moon.

Treuhand-Verwaltungsrat

WIRTSCHAFTS- UND SOZIALRAT

Die 54 Mitglieder des Rats arbeiten an der Verbesserung der Lebensstandards – eine Aufgabe, die 80 Prozent des UN-Budgets verbraucht. Er gibt der Vollversammlung, den Mitgliedsstaaten und den UN-Spezialabteilungen Empfehlungen. Unterstützt wird er von Kommissionen, die sich mit regionalen Wirtschaftsproblemen, Menschenrechtsverletzungen, Bevölkerungsfragen, Drogenproblemen und den Rechten der Frauen beschäftigen. Er kooperiert mit der International Labour Organization, der WHO, der UNICEF und anderen globalen Wohlfahrtsorganisationen.

SEKRETARIAT

Ein internationales Team von 16 000 Mitarbeitern ist für das Sekretariat tätig, um die alltägliche Arbeit der UN auszuführen und den Räten, Kommissionen und Agenturen Hilfestellung zu leisten. Das Sekretariat wird vom Generalsekretär geleitet, dem

KUNSTWERKE BEI DEN VEREINTEN NATIONEN

Die Vereinten Nationen besitzen viele Werke berühmter Künstler, viele davon sind Geschenke von Mitgliedsstaaten. Die meisten kreisen um das Thema Frieden oder internationale Freundschaft. In der Legende zu Norman Rockwells *The Golden Rule* heißt es: »Behandle andere so, wie du selbst behandelt werden willst.« Marc Chagall entwarf ein Glasfenster in Erinnerung an den früheren Generalsekretär Dag Hammarskjöld, der während einer Friedensmission 1961 beim Absturz seines Flugzeugs sein Leben kam. Eine Plastik von Henry Moore und viele Skulpturen zieren die Außenanlage (eingeschränkter Zugang).

***The Golden Rule* (1985), ein großes Mosaik von Norman Rockwell**

Morgan Library & Museum ⓮

Morgan Library & Museum eröffnete nach
Ausbauten 2006 neu. Die Bestände der
Bibliothek trug der Bankier J. Pierpont Morgan
zusammen. Sie ist in einem von McKim, Mead &
White 1902 errichteten palazzoartigen Bau untergebracht. Morgan Jr. machte aus der Bibliothek
1924 eine öffentliche Einrichtung. Eine der weltweit wertvollsten Sammlungen seltener Manuskripte und Drucke befindet sich im selben
Trakt wie die Originalbibliothek und die Privatresidenz von J. P. Morgan Jr.

Fassade des alten Bibliotheksgebäudes

The Song of Los *(1795)*
*Der Schriftsteller William
Blake entwarf und gra-
vierte diese Platte für eines
seiner bedeutendsten
Werke.*

**Morgan
House**

LEGENDE

▢	Ausstellungsfläche
▢	Kein Ausstellungsbereich

Haupteingang

**Gutenberg-
Bibel** *(1455)*
*Die Pergament-
ausgabe ist
eines von elf
noch existie-
renden
Exemplaren.*

**Ausstellungs-
räume**

NICHT VERSÄUMEN

★ East Room

★ Rotunde

★ West Room

**Alice im
Wunderland**
*Lewis Carrolls
Charaktere sind in
John Tenniels
Illustrationen ver-
ewigt (um 1865).*

INFOBOX

225 Madison Avenue.
Stadtplan 9 A2.
📞 *(212) 685-0008.* Ⓜ *6 bis
33rd St; 4, 5, 6, 7, S bis Grand
Central Terminal; B, D, F, V bis
42nd St.* 🚌 *M1–5 (crosstown),
M16, M34.* ⏰ *Di–Do 10.30–
17 Uhr, Fr 10.30–21 Uhr,
Sa 10–18 Uhr, So 11–18 Uhr.*
⬤ *Mo, 1. Jan, Thanksgiving,
25. Dez.* 🎫 *(Eintritt frei: Fr
19–21 Uhr).* 🚫 ♿ 🎬 📷 🏛 📱
www.themorgan.org

KURZFÜHRER

*Morgans Arbeitszimmer und die
Originalbibliothek enthalten
einige seiner Lieblingsgemälde
sowie Kunstobjekte. Wechselausstellungen zeigen einige der bedeutendsten kulturellen Werke.*

**Partitur von Mozarts
Hornkonzert in Es-Dur**
*Die sechs noch existieren-
den Seiten der Partitur
sind mit verschiedenfar-
biger Tinte beschrieben.*

**West Room (Morgans
Arbeitszimmer)**

★ East Room
*Die Wände sind voller
Bücherregale. Die Wand-
gemälde zeigen histori-
sche Persönlichkeiten
und ihre Musen sowie
Tierkreiszeichen.*

★ Rotunde *(1504)*
*Das Eingangsfoyer hat
Marmorsäulen. Der
Marmorboden ist dem
der Villa Pia in den
Vatikanischen Gärten
nachempfunden.*

★ West Room
*Renaissance-Kunst und eine
florentinische Holzdecke
schmücken den Raum.*

J. PIERPONT MORGAN

Der Finanzier J. P. Morgan
(1837–1913) war ein großer
Sammler seltener Bücher und
Originalmanuskripte – in
seine Sammlung aufgenom-
men zu werden, war eine
Ehre. Als Morgan 1909
Mark Twain um das Original-
manuskript von *Pudd'nhead
Wilson* bat, antwortete dieser:
»Einer meiner größten Wünsche
ist in Erfüllung gegangen.«

UPPER MIDTOWN

Das Viertel der Kirchen, Synagogen, Museen, Clubs, berühmten Geschäfte, Grandhotels, innovativen Wolkenkratzer und Luxuswohnungen ist das »gehobene« New York. Die Upper Class, etwa die Astors und Vanderbilts, war hier ab 1833 fast 30 Jahre lang zu

Cisitalia von 1946 im MoMA

Hause. In den 1950er Jahren wurden das Lever House und das Seagram Building errichtet – Meilensteine der Architektur. Dies leitete den Wandel der Park Avenue vom »normalen« Wohnviertel zu einer der vornehmsten Geschäftsadressen New Yorks ein.

SEHENSWÜRDIGKEITEN AUF EINEN BLICK

Historische Straßen und Gebäude
Beekman Place **18**
Fuller Building **21**
General Electric Building **11**
Roosevelt Island **19**
Sutton Place **17**
Villard Houses **9**

Moderne Architektur
Citigroup Center **15**
IBM Building **3**
Lever House **13**
Seagram Building **14**
Trump Tower **2**

Museen und Sammlungen
American Folk Art Museum **6**
Museum of Modern Art (MoMA) S. 172–175 **5**

NY Paley Center for Media **7**

Kirchen und Synagogen
Central Synagogue **16**
St. Bartholomew's Church **10**
St. Patrick's Cathedral S. 178f **8**
St. Thomas Church **4**

Berühmte Hotels
Plaza Hotel **22**
Waldorf-Astoria **12**

Berühmte Läden
Bloomingdale's **20**
Fifth Avenue **1**

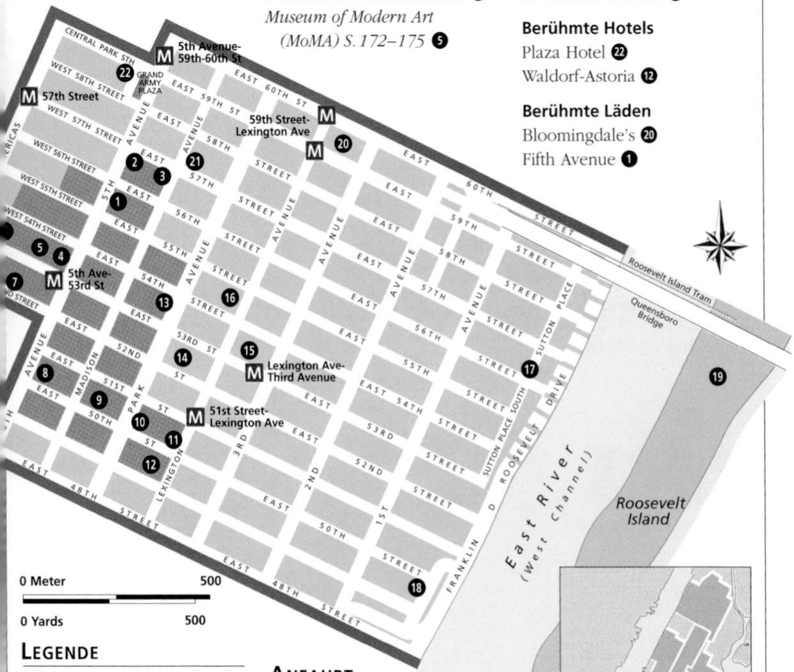

0 Meter 500
0 Yards 500

LEGENDE

■ Detailkarte
M Subway-Station

SIEHE AUCH

- *Stadtplan* Karten 12, 13–14
- *Übernachten* S. 288f
- *Restaurants* S. 306–308

ANFAHRT

Mit der Subway-Linie 6 bis 51st St oder mit Linie 4, 5 oder 6 bis 59th St; N, R oder W bis 60th St; E oder V bis 53rd St-5th Ave oder 53rd St-Lexington. Busse M1–4, M15, M101–103. Die Busse M27, M31, M50 und M57 fahren crosstown.

◁ In den Straßenschluchten der Fifth Avenue *(siehe S. 170)*

Im Detail: Upper Midtown

Die Fifth Avenue wurde zur Straße der Luxusgeschäfte, als die vornehme Gesellschaft uptown neue Wohnquartiere bezog. 1917 erwarb Pierre Cartier das Haus des Bankiers Morton F. Plant im Tausch gegen eine Perlenkette. Andere Luxusläden folgten. Dieser Teil von Midtown hat aber noch mehr zu bieten: Er wartet auch mit drei exquisiten Museen auf und besticht zudem durch seine architektonische Vielfalt.

Fifth Avenue
Die Eleganz und die Muße vergangener Zeiten wird wieder lebendig, wenn man sich mit einer Pferdestärke an den Sehenswürdigkeiten vorbeikutschieren lässt. ❶

Der University Club wurde 1899 als Elitec für Gentlemen gebau

St. Thomas Church
Viele der Steinmetzarbeiten im Inneren stammen von Lee Lawrie. ❹

★ Museum of Modern Art
Es beherbergt eine der weltweit besten Sammlungen moderner Kunst. ❺

NY Paley Center for Media
Ausstellungen, Retrospektiven, Live-Auftritte und ein riesiges Archiv an historischen Sendungen zählen zu den Attraktionen dieses Museums. ❼

Subway-Station
5th Avenue
(Linien E, V)

Saks Fifth Avenue steht für Mode von unfehlbarem Geschmack. Generationen von New Yorkern haben sich hier eingekleidet *(siehe S. 319).*

★ St. Patrick's Cathedral
Die größte katholische Kathedrale der Vereinigten Staaten ist ein prächtiger neogotischer Bau. ❽

Olympic Tower, ein eleganter Wolkenkratzer mit Büros, Wohnungen und Atrium.

Villard Houses
Fünf Gebäude aus Sandstein gehören zum New York Palace Hotel. ❾

NICHT VERSÄUMEN

- ★ Museum of Modern Art

- ★ St. Patrick's Cathedral

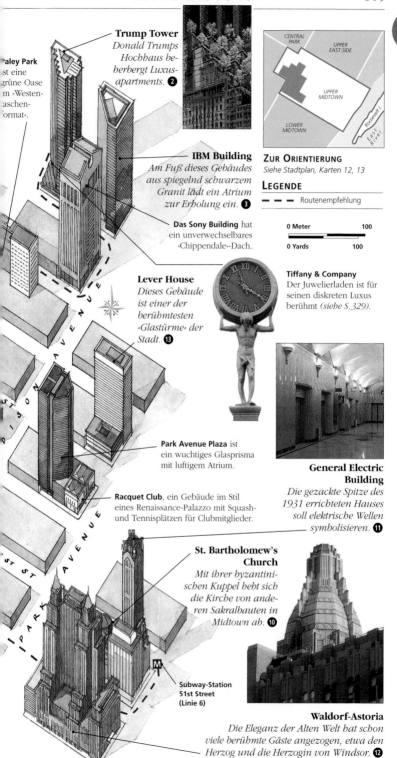

Trump Tower
Donald Trumps Hochhaus beherbergt Luxusapartments. ❷

Paley Park
ist eine grüne Oase im »Westentaschenformat«.

IBM Building
Am Fuß dieses Gebäudes aus spiegelnd schwarzem Granit lädt ein Atrium zur Erholung ein. ❸

Das Sony Building hat ein unverwechselbares »Chippendale«-Dach.

Lever House
Dieses Gebäude ist einer der berühmtesten »Glastürme« der Stadt. ⓭

Park Avenue Plaza ist ein wuchtiges Glasprisma mit luftigem Atrium.

Racquet Club, ein Gebäude im Stil eines Renaissance-Palazzo mit Squash- und Tennisplätzen für Clubmitglieder.

St. Bartholomew's Church
Mit ihrer byzantinischen Kuppel hebt sich die Kirche von anderen Sakralbauten in Midtown ab. ❿

Subway-Station 51st Street (Linie 6)

ZUR ORIENTIERUNG
Siehe Stadtplan, Karten 12, 13

LEGENDE

– – – Routenempfehlung

0 Meter	100
0 Yards	100

Tiffany & Company
Der Juwelierladen ist für seinen diskreten Luxus berühmt *(siehe S. 329).*

General Electric Building
Die gezackte Spitze des 1931 errichteten Hauses soll elektrische Wellen symbolisieren. ⓫

Waldorf-Astoria
Die Eleganz der Alten Welt hat schon viele berühmte Gäste angezogen, etwa den Herzog und die Herzogin von Windsor. ⓬

Stadtplan *siehe Seiten 394–425*

Schaufensterdekoration bei Bergdorf Goodman *(siehe S. 319)*

Fifth Avenue ❶

Stadtplan 12 F3–F4. **M** *5th Ave-53rd St, 5th Ave-59th St.*

William Henry Vanderbilt ließ sich 1883 an der Ecke Fifth Avenue/51st Street ein Stadthaus errichten. Andere vornehme Familien folgten, bald reihten sich bis zum Central Park palastartige Residenzen aneinander. Heute erinnern nur noch wenige Gebäude an die alte Pracht.

Eines davon ist das Gebäude Nr. 651 – heute Sitz von Cartier. Einst gehörte es dem Millionär Morton F. Plant, der auch als Präsident des New York Yacht Club fungierte. Ab 1906 siedelten sich immer mehr Geschäfte in der Fifth Avenue an, woraufhin die feine Gesellschaft allmählich nach Uptown auswich. So bezog Plant 1917 eine neue Stadtresidenz in der 86th Street. Das alte Haus soll er Pierre Cartier für eine Perlenkette überlassen haben.

Seither ist die Fifth Avenue ein Synonym für Luxus. Namen wie Cartier (52nd St), Tiffany und Bergdorf Goodman (57th St) symbolisieren Wohlstand und Ansehen genau wie Vanderbilt oder Astor vor über 100 Jahren.

Trump Tower ❷

725 5th Ave. **Stadtplan** 12 F3. **C** *(212) 832-2000.* **M** *5th Ave-53rd St, 5th Ave-59th St.* **Gartenebene** ◯ *Mo–Sa 10–18, So 12–17 Uhr.* **Gebäude** ◯ *tägl. 8–22 Uhr.* 📷 ♿ **Konzerte.** 🍴 🛒 🚻

Der glitzernde Büro- und Apartmentturm – ein Entwurf des Architekten Der Scutt von Swanke, Hayden Connell & Partner – wurde 1983 fertiggestellt. Das pompöse Atrium erstreckt sich über sechs Stockwerke. Der öffentliche Bereich beeindruckt durch Gold, rosa Marmor und Spiegel. Im Gebäude rauscht ein Wasserfall 24 Meter in die Tiefe. Die Außenfassade schmücken hängende Gärten. Der Immobilienmagnat Donald Trump, dessen Person für den Boom der 1980er Jahre steht *(siehe S. 33),* setzte sich damit ein extravagantes Denkmal.

Nr. 727 nebenan verkörpert das Gegenteil: Dort übt das 1837 gegründete Juweliergeschäft Tiffany & Co. (seit *Frühstück bei Tiffany* von Truman Capote unsterblich) vornehme Zurückhaltung. Seine Fensterdekorationen sind berühmt, die schlichten blauen Verpackungen ein Statussymbol.

Die Pforte zum Juwelentempel Tiffany & Co.

IBM Building ❸

590 Madison Ave. **Stadtplan** 12 F3. **M** *5th Ave.* **Garden Plaza** ◯ *tägl. 8–22 Uhr.* 📷 ♿

Das Gebäude wurde von Edward L. Barnes entworfen und 1983 vollendet – ein fünfseitiges Prisma aus graugrünem Granit mit einer frei tragenden Ecke in der 57th Street. Die **Garden Plaza** ist öffentlich zugänglich. Sie wurde kürzlich renoviert und heißt jetzt auch »The Sculpture Garden«. Die dafür geschaffenen acht Kunstwerke sind viermal pro Jahr abwechselnd zu sehen. Beim Atrium ist eine Arbeit des Bildhauers Michael Heizer zu bewundern: *Levitated Mass* – eine scheinbar schwebende Granitplatte im Edelstahltank mit Wasser.

An der Ecke 57th Street und Madison Avenue ist die *Saurien* genannte, orange leuchtende abstrakte Skulptur von Alexander Calder nicht zu übersehen.

Atrium des Trump Tower

St. Thomas Church ❹

1 W 53rd St. **Stadtplan** 12 F4. ☎
(212) 757-7013. Ⓜ *5th Ave-53rd St.*
◯ *tägl. 7–18 Uhr.* ✝ *häufig.* ✐ ♿
✂ *nach 11-Uhr-Gottesdienst und Konzerten.* **www**.saintthomaschurch.org

St. Thomas ist der vierte Sitz
der Kirchengemeinde in
diesem Pfarrbezirk und der
zweite Bau am heutigen Ort.
Die jetzige Kirche wurde
1909–14 errichtet. Der 1905
niedergebrannte Vorgänger-
bau war im späten 19. Jahrhundert Schauplatz prunkvol-
ler High-Society-Hochzeiten.
Die verschwenderischste
davon war die legendäre
Zeremonie, bei der sich 1895
die Erbin Consuela Vanderbilt
und der englische Herzog von
Marlborough das Jawort
gaben.

Der Kalksteinbau im franzö-
sisch-gotischen Stil hat einen
asymmetrischen Einzelturm
und ein versetztes Schiff. So
löste man die Probleme, die
das Eckgrundstück aufwarf.
Die reich verzierten Wände
hinter dem Altar sind das
Werk des Architekten Bertram
Goodhue und des Bildhauers
Lee Lawrie. Im aus den
1920er Jahren stammenden
Chorgestühl sind die US-Präsi-
denten Roosevelt und Wilson
sowie Lee Lawrie dargestellt.

Museum of Modern Art ❺

Siehe S. 172–175.

American Folk Art Museum ❻

45 W 53 St. **Stadtplan** 12 F4.
☎ *(212) 265-1040.* Ⓜ *5th Ave-
53rd St.* ◯ *Di–So 10.30–17.30 Uhr
(Fr bis 19.30 Uhr).* ♿ ✐ ▢ ▢
www.folkartmuseum.org

Das neue Haus, das sich
amerikanischer Volks-
kunst widmet, ist das erste
seit 1966 erbaute frei stehen-
de Museumsgebäude in New
York. Es wurde 2001 vom
innovativen Architektenbüro
Tod Williams Billie Tsien &
Associates ausgeführt. Die

Die Beatles Paul, Ringo und John in der *Ed Sullivan Show* 1964

Struktur des Baukörpers wird
von den Paneelen der weißen
Bronzelegierung bestimmt.

Das Museum hat auf acht
Ebenen rund 2800 Quadrat-
meter Ausstellungsfläche. Zur
Sammlung gehört auch die Eva
and Morris Feld Gallery am
Lincoln Square *(siehe S. 214).*

The American Folk Art Museum

NY Paley Center for Media ❼

25 W 52nd St. **Stadtplan** 12 F4.
☎ *(212) 621-6600.* Ⓜ *5th Ave-53rd
St.* ◯ *Di–So 12–18 Uhr (Do bis
20 Uhr). Theater und Vorführsäle
Fr bis 21 Uhr.* ◯ *Feiertage.*
▨ ✐ ♿ ▢ ▢
www.mtr.org

In dem einzigartigen
Museum kann man un-
zählige Nachrichten- und
Unterhaltungssendungen,
Sportberichte und Doku-
mentarisches von den
Anfängen bis heute ver-
folgen. Popfans bewun-
dern die Beatles oder
das Fernsehdebüt von

Elvis Presley. Sportenthusias-
ten erleben klassische Wettkämpfe bei Olympischen
Spielen; Geschichtsinteressierte bevorzugen vielleicht
Filmdokumente aus dem
Zweiten Weltkrieg. Aus über
50 000 archivierten Sendungen
kann man jeweils sechs Titel
auswählen. Zudem gibt es
Vorführsäle und ein Theater
mit 200 Plätzen, in dem Retrospektiven zu Künstlern, Regisseuren oder Themen laufen.
Außerdem werden Fotos, Plakate und Erinnerungsstücke
gezeigt.

William S. Paley, der verstorbene Direktor der Fern-
sehgesellschaft CBS, konzipierte das Museum. Es wurde
1975 an der 53rd Street als
Museum of Broadcasting eröffnet, war jedoch bald so
populär, dass man mehr Platz
benötigte. 1991 zog das Museum in die heutigen Hightech-
Räume ein – in ein Gebäude,
das viele an einen alten Radio-
apparat erinnert.

Fernsehstar der 1950er Jahre: Lucille Ball

Museum of Modern Art (MoMA) ❺

Museumsfassade,
West 53rd Street

Das MoMA besitzt eine der weltweit größten Sammlungen moderner Kunst. Das 1929 gegründete Museum hat immer schon Standards gesetzt. Nach einer Umbauphase wurde es 2004 in Midtown wiedereröffnet. Die Ausstellungsflächen des Baus erstrecken sich über sechs Ebenen und bieten doppelt so viel Platz wie vorher. Die Glasfassaden lassen viel Licht ins Innere und ermöglichen einen Ausblick auf den Skulpturengarten.

Skulpturengarten
Der Abby A. Rockefeller Sculpture Garden ist ein meditativer Ort.

NICHT VERSÄUMEN

★ *Les Demoiselles d'Avignon* von Pablo Picasso

★ *Porträt von Joseph Roulin* von Vincent van Gogh

Christina's World
(1948) Andrew Wyeth kontrastiert einen überwältigenden Horizont mit dem unmittelbaren Umfeld seiner behinderten Nachbarin.

Vogel im Raum *(um 1928)*
Die elegante Bronzeskulptur von Constantin Brâncuşi verkörpert die Quintessenz des Fliegens.

Skulpturengarten

KURZFÜHRER
Der Skulpturengarten liegt im Erdgeschoss. Zeitgenössische Kunst, Drucke und mediale Kunst sind im ersten Obergeschoss (zweiter Stock) untergebracht. Gemälde und Skulpturen finden sich im zweiten, vierten und fünften Stock. Architektur, Design, Fotografie und Zeichnungen werden im dritten Stock präsentiert. Wechselausstellungen sind im dritten und sechsten Stock zu sehen, Filmvorführungen im Basement.

Erdgeschoss

Haupteingang

Sechster Stock

Fünfter Stock

...ter Stock

Dritter Stock

Zweiter Stock

INFOBOX

11 West 53rd St zw. Fifth Ave und Avenue of the Americas. **Stadtplan** 12 F4. ▐ *(212) 708-9400.* Ⓜ *5th Ave–53rd St.* M1–4, M27, M50. ◯ *Mi–Mo 10.30–17.30, Fr 10.30–20 Uhr.* ● *25. Dez.* Gruppen. ▐ ◱ ▐▐ & **www.moma.org**

La Clownesse *(1896)*
Eines der für Henri Toulouse-Lautrec typischen Porträts aus dem Pariser Nachtleben.

Seerosen *(um 1920)*
Claude Monets spätes Triptychon strahlt eine intensive, heiter-ruhige Stimmung aus.

★ **Les Demoiselles d'Avignon**
In frühen Entwürfen sind auch zwei Freier zu sehen. Später konzentrierte sich Picasso ganz auf die Darstellung der Frauen.

LEGENDE

- 🔲 Skulpturengarten
- 🔲 Zeitgenössische Kunst
- 🔲 Mediale Kunst
- 🔲 Drucke und illustrierte Bücher
- 🔲 Architektur und Design
- 🔲 Zeichnungen
- 🔲 Fotografie
- 🔲 Gemälde und Skulpturen
- 🔲 Sonderausstellungen
- 🔲 Kein Ausstellungsbereich
- 🔲 Nicht zugänglicher Bereich

★ **Porträt von Joseph Roulin** *(1889)*
Van Gogh hielt sein Porträt des befreundeten Postboten Joseph Roulin für »modern«, da die darin verwendete Farbe den Charakter des Porträtierten am genauesten wiedergibt.

MoMA: Sammlungen

Das Museum of Modern Art besitzt etwa 150 000 Exponate – von Klassikern des Nachimpressionismus bis zur einzigartigen Sammlung moderner und zeitgenössischer Kunst, von frühen Meisterwerken der Film- und Fotokunst bis zu Glanzstücken modernen Designs.

GEMÄLDE UND SKULPTUREN 1880–1945

Zerrinnende Zeit (1931) vom Surrealisten Salvador Dalí

schön an Werken von Malewitsch, Lissitzky und Rodtschenko nachvollziehen. Der Einfluss der De-Stijl-Gruppe tritt in Bildern wie Mondrians *Broadway Boogie Woogie* zutage. Henri Matisse ist mit Werken wie *Der Tanz I* und *Das rote Atelier* vertreten. In der Sammlung surrealistischer Werke sind vor allem Arbeiten von Salvador Dalí, Joan Miró und Max Ernst zu sehen.

Paul Cézannes monumentales Bild *Der Badende* und Vincent van Goghs *Porträt von Joseph Roulin* sind zwei der Gemälde aus dem späten 19. Jahrhundert, mit denen die Sammlung aufwartet. Fauvismus und Expressionismus sind u. a. durch Matisse, Derain und Kirchner repräsentiert, während Picassos *Les Demoiselles d'Avignon* den Übergang zu einem neuen Stil markiert.

Einzigartig ist die Anzahl von kubistischen Gemälden. Sie vermittelt einen Überblick über die Bewegung, die unsere Wahrnehmung radikal infrage gestellt hat.

Highlights sind Picassos *Mandolinenspielerin*, Braques *Mann mit Gitarre* und *Soda* sowie Juan Gris' *Gitarre und Blumen*. Von den Futuristen, die Farbe und Bewegung in den Kubismus brachten, sind u. a. Gino Severini *(Bal Tabarin)*, Umberto Boccioni *(Dynamismus eines Fußballspielers)*, Balla, Carrà und Villon vertreten.

Die geometrische Abstraktion der Konstruktivisten lässt sich

GEMÄLDE UND SKULPTUREN NACH 1945

Die Sammlung moderner Nachkriegskunst beginnt mit Werken von Bacon und Dubuffet. Jackson Pollocks *One (Number 31, 1950)*, Willem de Koonings *Woman, I*, Arshile Gorkys *Agony* und Mark Rothkos *Red, Brown and Black* repräsentieren den abstrakten Expressionismus. Zu den weiteren beachtenswerten Werken

Der Badende, Ölgemälde des französischen Impressionisten Paul Cézanne

zählen *Flag* von Jasper Johns sowie das aus städtischem Abfall zusammengesetzte *First Landing Jump* und das aus Bettwäsche gefertigte *Bed* von Robert Rauschenberg. Glanzlichter der Pop-Art-Sammlung sind Roy Lichtensteins *Girl with Ball* und *Drowning Girl*, Andy Warhols berühmte *Gold Marilyn Monroe* und Claes Oldenburgs *Giant Soft Fan*. Zu den Arbeiten ab etwa 1965 gehören Werke von Judd, Flavin, Serra, Beuys und vielen anderen Künstlern.

ZEICHNUNGEN UND PAPIERARBEITEN

Mann mit Hut von Pablo Picasso (Collage und Holzkohle, 1912)

Über 7000 zeichnerische Kunstwerke – von kleinen Skizzen bis zu wandgroßen Exponaten – gehören zur Grafiksammlung des MoMA. Viele Zeichnungen sind konventionell, benutzen Stift, Holzkohle, Feder und Tinte oder Wasserfarben. Es gibt jedoch auch Collagen und Werke mit recht unterschiedlichen Materialien, etwa mit Papierschnipseln und Naturprodukten.

Die Sammlung bietet einen Überblick über die Moderne – vom späten 19. Jahrhundert bis heute, von Kunstrichtungen wie Kubismus und Dadaismus bis zum Surrealismus. Dabei stehen die Zeichnungen berühmter Künstler wie Picasso, Miró und Johns neben den Werken von noch unbekannten, aber begabten Künstlern.

DRUCKE UND ILLUSTRIERTE BÜCHER

American Indian Theme II (1980) von Roy Lichtenstein

Alle relevanten Kunstrichtungen seit 1880 sind in dieser Sammlung von Drucken und Illustrationen vertreten. Mehr als 50 000 Exponate vermitteln sowohl die historischen wie die zeitgenössischen Richtungen der grafischen Kunst. Es gibt Werke mit traditionellen Techniken (etwa Lithografien, Radierungen, Siebdrucke und Holzdrucke) und Exponate, die eher experimentell sind.

Von Pablo Picasso gibt es einige besonders sehenswerte Werke. Er gilt als einer der wichtigsten Vertreter für Drucke im 20. Jahrhundert. Des Weiteren sind viele Illustrationen und Drucke anderer Künstler zu sehen, darunter Werke von Redon, Munch, Matisse, Dubuffet, Johns, Lichtenstein und Warhol.

Die Exponate in den Ausstellungsräumen wechseln regelmäßig, da immer nur Teile der riesigen Sammlung präsentiert werden können.

FOTOGRAFIE

Die fotografische Sammlung beginnt mit der Erfindung des Mediums um 1840. Neben Aufnahmen von Künstlern, Journalisten, Wissenschaftlern und Unternehmern umfasst sie auch solche von Amateuren. Zu den Highlights gehören einige der bekanntesten Werke amerikanischer und europäischer Fotografen wie Atget, Stieglitz, Lange, Arbus, Steichen, Cartier-Bresson und Kertesz. Daneben gibt es eine Reihe von zeitgenössischen Foto-

FILMABTEILUNG

Das Filmmuseum besitzt über 10 000 Filme und vier Millionen Standfotos. Es bietet ein vielfältiges Programm – Retrospektiven, Filme bestimmter Regisseure oder Schauspieler, experimentelle Filme. Zudem gibt es abwechslungsreiche Ausstellungen. Ein wichtiger Bereich ist die Konservierung von Filmkopien. Berühmte Regisseure stiften Kopien ihrer Filme, um die kostspielige Archivierung zu unterstützen.

Charlie Chaplin und Jackie Coogan in *The Kid* (1921)

grafen wie Friedlander, Sherman und Nixon. Die in Farbe oder Schwarz-Weiß aufgenommenen Sujets reichen von Landschaften über Szenen städtischen Elends bis hin zu abstrakten Bildern und ausgefallenen Porträts (darunter sind auch mit Silbergelatine-Trockenplatten fotografierte

Sonntag am Ufer der Marne, 1939 fotografiert von **Henri Cartier-Bresson**

Akte des französischen Surrealisten Man Ray). Die Aufnahmen spiegeln in ihrer Gesamtheit die Geschichte der Fotokunst wider und bilden eine der erlesensten Sammlungen.

ARCHITEKTUR UND DESIGN

Das Museum of Modern Art nahm als erstes Kunstmuseum Gebrauchsgegenstände in seine Sammlung auf – von Haushaltsgeräten, Stereoanlagen, Möbeln, Leuchten, Textilien und Glasobjekten bis hin zu Kugellagern und Siliziumchips. Die Architektur wird in der Fotosammlung sowie mit maßstabsgerechten Modellen und Zeichnungen dokumentiert, das grafische Design mit Druckerzeugnissen und Plakaten. Zu den großen Exponaten, die eigentlich in ein Transportmuseum gehörten, zählen das von Pinin Farina entworfene Auto *Cisitalia* und ein Hubschrauber von Bell.

Schaukelstuhl der Brüder Thonet (dampfgebogene Buche und Rohr, um 1900)

St. Patrick's Cathedral ❽

Siehe S. 178f.

Villard Houses ❾

457 Madison Ave (New York Palace Hotel). **Stadtplan** 13 A4. 🎫 *(800) NY PALACE.* Ⓜ *51st St.* **www.** newyorkpalace.com **Urban Center** ⭘ *Mo–Do 10–19, Fr 10–18, Sa 10–17.30 Uhr.* 🎫 *(212) 935-3595.* 📷 ♿ 🏠 www.mas.org

Der deutsche Einwanderer Henry Villard war Herausgeber der *New York Evening Post* und Gründer der Northern Pacific Railroad. 1881 erwarb er das Grundstück gegenüber der St. Patrick's Cathedral und ließ McKim, Mead & White dort sechs dreistöckige Stadthäuser um einen zur Straße und Kirche hin offenen Innenhof errichten. Noch vor der Fertigstellung musste Villard die Anlage wegen Geldmangels verkaufen.

Die Gebäude fielen an die katholische Erzdiözese. In den 1970er Jahren drohte ihnen der Abriss, weil der Platzbedarf der Kirche gewachsen war. Man löste das Problem, indem man die »Luftrechte« an die Helmsley-Kette verkaufte, die neben den Villard Houses das 51-stöckige Helmsley (heute New York) Palace Hotel bauen ließ. Der Hauptflügel dient als Hoteleingang. Hier gelangt man auch in die Villard Bar & Lounge, von der aus die Salons der Villard-Suite einsehbar sind.

Im Nordflügel befindet sich das **Urban Center**, dessen Buchhandlung zahllose Architekturbücher über New York anbietet.

St. Bartholomew's Church

St. Bartholomew's Church ❿

109 E 50th St. **Stadtplan** 13 A4. 🎫 *(212) 378-0222.* Ⓜ *51st St.* ⭘ *tägl. 8–18 Uhr (Do bis 19.30, So bis 20.30 Uhr).* 🕇 *häufig.* 📷 ♿ **Vorträge, Konzerte.** 📱 📹 *So nach 11-Uhr-Gottesdienst.* 🍴 *(212) 888-2664.* www.stbarts.org

Die rötliche Backsteinkirche mit der byzantinischen Goldkuppel nennen die New Yorker »St. Bart's«. Das schmucke Gebäude brachte 1919 Farbe und Abwechslung in die Park Avenue. Der Architekt Bertram Goodhue setzte dem Bauwerk ein romanisches Portal vor, das Stanford White für die ursprüngliche, 1903 errichtete Kirche St. Bartholomew's an der Madison Avenue entworfen hatte. Für die Kapelle wurden Marmorsäulen der älteren Kirche verwendet.

St. Bartholomew's bietet ein sehr gutes Konzertprogramm. Seine Theatergruppe bringt jedes Jahr drei Stücke zur Aufführung.

General Electric Building ⓫

570 Lexington Ave. **Stadtplan** 13 A4. Ⓜ *Lexington Ave.* ⬤ *für Besucher.*

Die Architekten Cross & Cross erhielten 1931 den Auftrag zum Bau eines Wolkenkratzers, der ein harmonisches Ensemble mit St. Bartholomew's bilden sollte. Die Aufgabe erfüllten sie zur allgemeinen Zufriedenheit. Der Turm wirkt wie eine Ergänzung zur polychromen Kuppel des Gotteshauses, bildet aber einen reizvollen Kontrast zu dessen

Das General Electric Building an der Lexington Avenue

Farbgebung. Von der Ecke Park Avenue/50th Street sieht man, wie gut die Verbindung gelungen ist.

Das Gebäude gibt nicht nur einen reizvollen Hintergrund ab, sondern kann selbst als Kunstwerk bestehen. Mit seiner Zackenspitze ist das Artdéco-Juwel ein Glanzstück der Skyline. Die Lobby erstrahlt in Chrom und Marmor.

Einen Block nördlich in der Lexington Avenue wurde die berühmte Szene für *Das verflixte siebente Jahr* gedreht, in der Marilyn Monroes weißes Kleid vom Luftstoß aus einem U-Bahn-Schacht erfasst und hochgewirbelt wird.

Die Villard Houses dienen heute als Zugang zum New York Palace Hotel

Waldorf-Astoria

301 Park Ave. **Stadtplan** 13 A5.
C (212) 355-3000. **M** Lexington
Ave, 53rd St. Siehe **Übernachten**
S. 289. www.waldorfastoria.com

D er klassische Art-déco-
Bau wurde 1931 nach
Plänen von Schultze & Weaver
errichtet. Das ursprüngliche
Waldorf-Astoria in der 34th
Street musste dem Empire
State Building weichen.

**Winston Churchill und der New
Yorker Philanthrop Grover Whalen
1946 im Waldorf-Astoria**

Das Waldorf-Astoria – zweifellos noch immer eines der
nobelsten Hotels New Yorks –
erinnert an glanzvolle Zeiten.
In seinen 190 Meter hohen
Zwillingstürmen residierten
die Herzogin und der Herzog
von Windsor, alle US-Präsi-
denten seit 1931 und unzählige Berühmtheiten. Die riesige Uhr in der Lobby wurde
für die Weltausstellung 1893
in Chicago angefertigt und
stammt aus dem alten Hotel.
Das Piano in der Cocktail
Lounge des Restaurants Peacock Alley gehörte Cole Porter, der häufig im Waldorf-
Astoria residierte.

Lever House ⑬

390 Park Ave. **Stadtplan** 13 A4.
M 5th Ave-53rd St. **Lobby und
Gebäude** ◉ für Besucher. **11** Siehe
Restaurants S. 308.

D ie Errichtung des ersten
Gebäudes aus Glas und
Stahl, in dessen Fassade sich
die soliden Wohnhäuser entlang der Park Avenue spiegel-
ten, war eine Sensation. Der
Entwurf der Architekten Skidmore, Owings & Merrill – auf
einen horizontalen Quader ist
ein weiterer Quader hochkant

**Der Pool des Four Seasons im
Seagram Building**

gestellt – hatte immensen
Einfluss auf den modernen
Städtebau. Die klare, luftige,
von allen Seiten licht-
durchlässige Konstruk-
tion stand für die
Produkte der Firma
Lever Brothers (Sei-
fen, Waschmittel).
So revolutionär
das Lever House
1952 war, so unschein-
bar wirkt es heute zwi-
schen den zahlreichen Nach-
ahmerbauten, die in seiner
Umgebung entstanden. Seine
Bedeutung als Meilenstein
der Architekturgeschichte
wird dadurch jedoch nicht ge-
schmälert. Das Restaurant
Lever House gehört zu den
edelsten in der Gegend.

Lever House an der Park Avenue

Seagram Building ⑭

375 Park Ave. **Stadtplan** 13 A4. **M**
5th Ave-53rd St. ◯ Mo–Fr 9–17 Uhr.
11 Siehe **Restaurants** S. 307.

S amuel Bronfman, der Be-
sitzer der Seagram-Brannt-
weinbrennerei, wollte eigentlich ein ganz normales Geschäftshaus errichten lassen.
Auf Drängen seiner Tochter,
der Architektin Phyllis Lambert, beauftragte er dann je-

doch Mies van der Rohe mit
der Planung. Das Resultat,
zwei Quader aus Bronze und
Glas, gilt als das gelungenste
der im International Style errichteten Gebäude.

Das Restaurant Four Seasons
im Seagram Building ist eine
Attraktion. Architekt Philip
Johnson konzipierte zwei
miteinander verbundene
Räume – den einen um einen
Pool, den anderen um eine
Bar, über der eine Plastik von
Richard Lippold schwebt.

**Büroangestellte beim Lunch im
Atrium des Citigroup Center**

Citigroup Center ⑮

153 E 53rd St. **Stadtplan** 13 A4.
M 53rd St-Lexington Ave. ◯ tägl.
7–23 Uhr (keine Besichtigung des
Gebäudes). **11** **♦** St. Peter's
Lutheran Church 619 Lexington
Ave. **C** (212) 935-2200. ◯ tägl.
9–21 Uhr. **♦** Mo–Fr 12.15, Mi 18,
So 8.45, 11 Uhr. **Jazzmesse** So
17 Uhr. **Konzerte** Mi 12 Uhr. **York
Theater at St. Peter's C** (212)
935-5820. www.saintpeters.org

D as aluminiumverkleidete
Citigroup Center ruht auf
vier neungeschossigen Pfeilern und sticht mit seinem
Schrägdach aus der Skyline
hervor. (Der Plan, dort Son-
nenkollektoren zu installieren,
wurde nie realisiert.)

Bei seiner Fertigstellung
1978 war der ungewöhnliche
Bau eine Sensation. In eine
Ecke ist St. Peter's Lutheran
Church integriert, ein architektonisch eigenständiger
Granitbau. Die Erol-Beker-
Kapelle wurde von der Bildhauerin Louise Nevelson gestaltet. Die Kirche ist bekannt
für Orgelkonzerte und Jazzmessen. Manchmal finden
Theateraufführungen statt.

St. Patrick's Cathedral ⑧

Die römisch-katholische Kirche wollte hier ursprünglich einen Friedhof anlegen. 1850 wählte Erzbischof John Hughes das Grundstück jedoch als Standort für die Kathedrale – unbeirrt von der Kritik, der Ort liege zu weit von der (damaligen) Stadtgrenze entfernt. Nach Plänen des Architekten James Renwick entstand bis 1878 das prächtigste neugotische Bauwerk New Yorks und die größte Kathedrale der Vereinigten Staaten (für 2500 Gläubige). Die Türme wurden 1885–88 hinzugefügt.

Fassade zur Fifth Avenue

★ **Lady Chapel**
Die Glasfenster der Kapelle der Heiligen Jungfrau zeigen die Mysterien des Rosenkranzes.

Pietà
Der amerikanische Bildhauer William O. Partridge schuf 1906 diese Pietà, die an der Seite der Lady Chapel steht.

★ **Baldachin**
Der große Baldachin über dem Hochaltar besteht komplett aus Bronze. Statuen von Heiligen und Propheten schmücken die vier Stützpfeiler.

NICHT VERSÄUMEN
★ Baldachin
★ Bronzetüren
★ Lady Chapel
★ Orgel und Fensterrose

Fassade
Für die Außenmauern wurde weißer Marmor verwendet. Die Türme haben eine Höhe von 101 Metern.

Kreuzwegstationen
Die in den Niederlanden aus Caen-Stein gemeißelten Reliefs erhielten bei der Weltausstellung 1893 in Chicago den ersten Preis für sakrale Kunst.

INFOBOX

5th Ave und 50th St. **Stadtplan** 12 F4. (212) 753-2261. 6 bis 51st St; E, V bis Fifth Ave. M1–4, M27, M50. tägl. 7.30–20.45 Uhr. Mo–Sa häufig; So 7, 8, 9, 10.15, 12, 13, 16 (auf Spanisch), 17.30 Uhr. *Konzerte und Vorträge*. **www**.saintpatrickscathedral.org

Schrein von St. Elizabeth Ann Seton
Statue und Wand zeigen das Leben der Gründerin der Sisters of Charity, die als erste Amerikanerin heiliggesprochen wurde (siehe S.76).

★ Orgel und Fensterrose
Die Fensterrose (acht Meter Durchmesser) erstrahlt über der großen Orgel mit über 7000 Pfeifen.

Haupteingang

★ Bronzetüren
Die massiven Bronzetüren wiegen neun Tonnen. Die Figuren stellen bedeutende Heilige New Yorks dar.

Central Synagogue ⓰

652 Lexington Ave. **Stadtplan** 13 A4.
☎ *(212) 838–5122.* Ⓜ *51st St, Lexington Ave.* ◯ *Di, Mi 12–14 Uhr.* ▣ *Mi 12.45 Uhr.* ♿ ✡ *Fr 18 Uhr (Sep–Juni: auch Sa 10.30; Juli, Aug: auch Sa 10 Uhr).* **www.** centralsynagogue.org

Die älteste noch genutzte Synagoge New Yorks wurde 1870 nach Plänen von Henry Fernbach errichtet. Der Einwanderer aus Schlesien war der erste prominente jüdische Architekt der USA. Von ihm stammen einige schöne Gusseisen-Gebäude in SoHo. Die Synagoge gilt als New Yorks markantestes Beispiel für den neomaurischen Stil. Die Gemeinde Ahawath Chesed wurde 1846 von 18 Neuankömmlingen aus Böhmen in einer ärmlichen Umgebung gegründet – an der Ludlow Street in der Lower East Side.

Der Innenraum weist Schablonenmuster auf und erstrahlt in Rot, Blau, Ocker und Gold. Viktorianische Darstellungen der Alhambra in Spanien lieferten die Vorlage.

Hufeisenbogen sind typisch für die spanisch-maurische Architektur.

Im Schrein liegen die heiligen Schriftrollen der Thora.

Die Fassade ist im maurischen Stil aus rotbraunem Sandstein gestaltet.

Die Zwillingstürme mit Hauben aus grün patiniertem Kupfer sind 37 Meter hoch. Sie symbolisieren die beiden Säulen vor Salomons Tempel.

Sutton Place ⓱

Stadtplan 13 C3. Ⓜ *59th St, 51st St.* 🚌 *M15, M31, M57.*

Sutton Place ist eine edle, ruhige Wohngegend mit eleganten Apartmenthäusern und Stadtresidenzen. Ehe sich dort in den 1920er Jahren die vornehme New Yorker Gesellschaft ansiedelte, prägten Fabriken und Mietskasernen das Viertel. Im Haus Sutton Square Nr. 3 residiert der Generalsekretär der Vereinten Nationen.

Über Sutton Square und die 59th Street hinweg fällt der Blick auf die Riverview Terrace, eine Privatstraße mit fünf am Fluss gelegenen efeubewachsenen Sandsteinhäusern. Kleine Parks am Ende der 55th und 57th Street bieten Ausblicke auf East River und Queensboro Bridge.

Trotz des großen Widerstands bei den Anwohnern wurde im Jahr 2000 der Bridgemarket eröffnet. Zwischen den riesigen Gewölben unter der Queensboro Bridge findet man hier einen hippen Terence-Conran-Laden und eine Filiale des Supermarkts Food Emporium.

Park am Sutton Place mit Blick auf die Queensboro Bridge und Roosevelt Island

Beekman Place ⓲

Stadtplan 13 C5. Ⓜ *59th St, 51st St.* 🚌 *M15, M31, M57.*

Kleiner und noch ruhiger als Sutton Place ist der zwei Blocks umfassende Beekman Place. Berühmte Bewohner der Wohnhäuser aus den 1920er Jahren waren

Gloria Vanderbilt, Rex Harrison, Irving Berlin und Mitglieder der weitverzweigten Rockefeller-Familie.

Bei den Turtle Bay Gardens verbergen zwei Reihen von etwa 1860 entstandenen Häusern aus rotbraunem Sandstein einen bezaubernden italienischen Garten. Von der Ruhe des Ortes fühlten sich Filmstars wie Katharine Hepburn und Tyrone Power sowie der Schriftsteller E. B. White und der Komponist S. Sondheim angezogen.

Roosevelt Island ⑲

Stadtplan 14 D2. **M** *59th St (für Seilbahn), Roosevelt Island (F).* **www.**rioc.com

Seit 1976 verkehrt über den East River nach Roosevelt Island eine »Tramway« genannte Seilbahn, von der sich atemberaubende Blicke auf Manhattan und die Queensboro Bridge bieten (Station Ecke 2nd Avenue/60th Street).

Überreste des Blackwell Farmhouse in der Nähe der Seilbahnstation erinnern an das Landgut, das von 1796 bis 1804 auf der Insel wirtschaftete und ihr den Namen gab. Von den 1920er Jahren bis zur Neuerschließung im 1970er Jahren hieß die Insel Welfare Island – auf der Insel waren Krankenhäuser, Armenasyle und psychiatrische Anstalten.

Mae West wurde 1927 nach einem »unanständigen Auftritt« einige Tage im Inselgefängnis festgehalten. Ruinen der Krankenhäuser (19. Jh.) sind ebenso erhalten wie der 1872 von einem Insassen der Psychiatrie errichtete Leuchtturm.

Statuen über dem Eingang zum Fuller Building

Bloomingdale's-Schriftzug

Bloomingdale's ⑳

1000 3rd Ave. **Stadtplan** 13 A3. **C** *(212) 705-2000.* **M** *59th St.* ◯ *Mo–Fr 10–20.30, Sa 10–19, So 11–19 Uhr. Siehe* **Shopping** *S. 319.* **www.**bloomingdales.com

In den 1980er Jahren war »Bloomies« ein Synonym für gutes Leben. Dabei hatte das berühmte, 1872 von Joseph und Lyman Bloomingdale gegründete Kaufhaus zunächst ein Billig-Image. Die Wandlung zum Shopping-Tempel vollzog sich nach dem Abriss der Hochbahn in den 1960er Jahren. Die 1980er Jahre brachten einen Besitzerwechsel und schließlich den Bankrott. Heute gibt sich Bloomingdale's weniger prunkvoll, bleibt aber eines der bestsortierten Kaufhäuser ganz New Yorks. Eine zweite Filiale findet man in SoHo, 504 Broadway.

Fuller Building ㉑

41 E 57th St. **Stadtplan** 13 A3. **M** *59th St.* **Peter Findlay Gallery C** *(212) 6644-4433.* **James Goodman Gallery C** *(212) 593-3737.* ◯ *Di–Sa 10–18 Uhr.*

Das schlanke, in Schwarz, Grau und Weiß gestaltete Geschäftshaus wurde 1929 nach Plänen von Walker & Gillette errichtet und ist ein Paradebeispiel des geometrischen Art-déco-Designs. Die Statuen links und rechts der Uhr über dem Eingang sind ein Werk des Bildhauers Elie Nadelman. Eines der Bodenmosaiken

im Inneren zeigt den früheren Sitz der Fuller Company im Flatiron Building *(siehe S. 127).* Der Bau beherbergt exklusive Galerien, die meisten haben ganztägig geöffnet.

Plaza Hotel: Fassade im Stil der französischen Renaissance

Plaza Hotel ㉒

Ecke 5th Ave/Central Park South. **Stadtplan** 12 F3. **M** *59th St.*

Die »Grande Dame« unter den New Yorker Hotels entstand nach Plänen von Henry J. Hardenbergh, der auch das Dakota Building *(siehe S. 218)* und das erste Waldorf-Astoria gestaltet hatte. 1907 wurde das Plaza Hotel für 12,5 Millionen Dollar fertiggestellt und zum »besten Hotel der Welt« erklärt: mit 800 Zimmern, 500 Bädern, einem zweistöckigen Ballsaal, fünf Marmortreppenhäusern und 14- bis 17-Zimmer-Suiten für Familien wie die Vanderbilts oder Goulds *(siehe S. 49).*

Die 18-stöckige Gusseisen-Konstruktion gleicht einem französischen Renaissance-Schloss. Das Interieur stammt großteils aus Europa. Der Palm Court präsentiert sich noch heute mit Skulpturen an den Pfeilern, die die vier Jahreszeiten verkörpern.

Bereits der frühere Besitzer Donald Trump ließ das Hotel renovieren. Für 400 Millionen Dollar wurde das Gebäude 2008 erneut umgebaut. Jetzt beherbergt es Luxuswohnungen und Apartments, ein Hotel mit 130 Zimmern sowie sechs Etagen mit exklusiven Shops und Edelrestaurants.

UPPER EAST SIDE

Um 1900 zog die vornehme New Yorker Gesellschaft in die Upper East Side. Viele der Beaux-Arts-Gebäude beherbergen heute Museen und Botschaften, in den prächtigen Apartmenthäusern in der Fifth und der Park Avenue lebt jedoch nach wie vor die Elite. Elegante Läden und Galerien säu-

Afrikanische Urne, Metropolitan Museum of Art

men die Madison Avenue. German Yorkville östlich davon (in den 80er Straßen), Hungarian Yorkville südlich davon sowie Little Bohemia waren einst Enklaven von Deutschen, Ungarn und Tschechen. Viele dieser ethnischen Gruppen haben die Gegend verlassen, doch ihre Kirchen sowie einige Lokale und Läden sind geblieben.

Blick von oben auf die Eingangshalle des Solomon R. Guggenheim Museum *(siehe S. 188f)*

Sehenswürdigkeiten auf einen Blick

Historische Straßen und Gebäude
Gracie Mansion 16
Henderson Place 14
Seventh Regiment Armory 10

Museen und Sammlungen
Asia Society 9
Cooper-Hewitt National Design Museum 3
Frick Collection S. 202f 8
Jewish Museum 2
Metropolitan Museum of Art S. 190–197 6
Mount Vernon Hotel Museum 13
Museum of the City of New York 19
National Academy Museum 4
Neue Galerie New York 1
Society of Illustrators 12
Solomon R. Guggenheim Museum S. 188f 5
Whitney Museum of American Art S. 200f 7

Kirchen und Synagogen
Church of the Holy Trinity 17
St. Nicholas Russian Orthodox Cathedral 18
Temple Emanu-El 11

Park
Carl Schurz Park 15

Legende

Detailkarte
[M] Subway-Station

Siehe auch

- ***Stadtplan*** Karten 12, 13, 16, 17–18, 21
- ***Spaziergang*** S. 264f
- ***Übernachten*** S. 289f
- ***Restaurants*** S. 308f

Anfahrt

Die Expresszüge 4 und 5 entlang der Lexington Ave halten bei der 59th und 86th St. Der Lokalzug Nr. 6 hält bei 68th, 77th und 96th St. Die Linie F fährt zur 63rd St; N, R, W zur 5th Ave und 59th St. Die Busse M1, M2, M3 und M4 befahren die Fifth und die Madison Ave, M101–103 die Lexington/Third Ave, M15 die First/Second Ave. Die Busse M66, M72, M79, M86 und M96 fahren crosstown.

Diana-Statue, National Academy of Design

Im Detail: Museumsmeile

Die Upper East Side ist das Viertel der Museen. Sie sind in Gebäuden untergebracht, die stilistisch von den einstigen Stadtpalais Fricks und Carnegies bis hin zur modernistischen Spirale des Guggenheim Museum reichen. Entsprechend vielfältig präsentieren sich die Ausstellungen: Von alten Meistern über Fotografie bis zu den dekorativen Künsten ist alles vertreten. Das Metropolitan Museum of Art – Amerikas Antwort auf den Louvre – beherrscht die Szene. Am Dienstagabend haben viele Museen länger geöffnet, manche gewähren dann freien Eintritt.

Jewish Museum
Die weltweit größte Sammlung von Judaika umfasst Münzen, archäologische Fundstücke sowie zeremonielle und religiöse Objekte. ❷

★ **Cooper-Hewitt National Design Museum**
Hier werden dekorative Kunst, etwa Keramik und Glas, Möbel und Textilien, präsentiert. ❸

The Church of the Heavenly Rest wurde 1929 im gotischen Stil erbaut. Die Madonna in der Kanzel stammt von der Bildhauerin Malvina Hoffman.

National Academy Museum
Die 1825 gegründete Akademie wurde 1940 hierherverlegt. Zur Sammlung gehören Gemälde und Skulpturen von Akademiemitgliedern. ❹

Graham House, ei[n] Wohngebäude mi[t] prächtigem Beaux-Arts Eingang, entstand 1892

★ **Solomon R. Guggenheim Museum**
Frank Lloyd Wrights Bau leuchtet abends lilafarben. Per Aufzug gelangt man ins oberste Stockwerk, dann folgt man der Rampe nach unten, vorbei an Meisterwerken moderner Kunst. ❺

NICHT VERSÄUMEN

- ★ Cooper-Hewitt National Design Museum
- ★ Solomon R. Guggenheim Museum

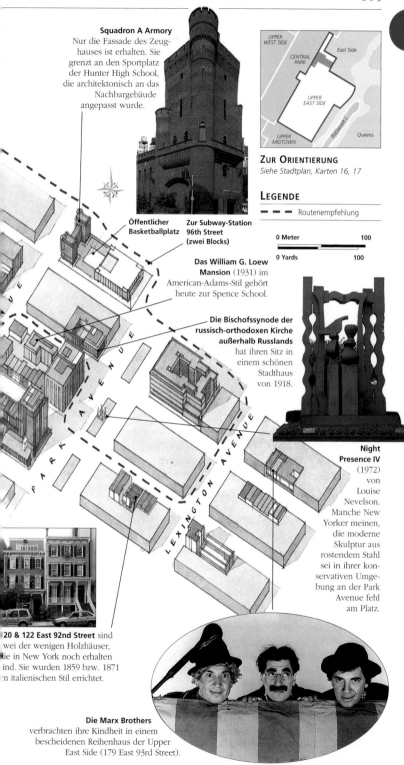

Squadron A Armory
Nur die Fassade des Zeughauses ist erhalten. Sie grenzt an den Sportplatz der Hunter High School, die architektonisch an das Nachbargebäude angepasst wurde.

ZUR ORIENTIERUNG
Siehe Stadtplan, Karten 16, 17

UPPER WEST SIDE
CENTRAL PARK
East Side
UPPER EAST SIDE
UPPER MIDTOWN
Roosevelt I.
Queens

LEGENDE

– – – Routenempfehlung

| 0 Meter | 100 |
| 0 Yards | 100 |

Öffentlicher Basketballplatz

Zur Subway-Station 96th Street (zwei Blocks)

Das William G. Loew Mansion (1931) im American-Adams-Stil gehört heute zur Spence School.

Die Bischofssynode der russisch-orthodoxen Kirche außerhalb Russlands hat ihren Sitz in einem schönen Stadthaus von 1918.

Night Presence IV (1972) von Louise Nevelson. Manche New Yorker meinen, die moderne Skulptur aus rostendem Stahl sei in ihrer konservativen Umgebung an der Park Avenue fehl am Platz.

120 & 122 East 92nd Street sind zwei der wenigen Holzhäuser, die in New York noch erhalten sind. Sie wurden 1859 bzw. 1871 im italienischen Stil errichtet.

Die Marx Brothers verbrachten ihre Kindheit in einem bescheidenen Reihenhaus der Upper East Side (179 East 93rd Street).

Stadtplan *siehe Seiten 394–425*

Neue Galerie New York ❶

1048 5th Ave, Ecke E 86th St.
Stadtplan 16 F3. 🇨 *(212) 628-6200.* Ⓜ *86th St.* ⬤ *Do–Mo 11–18 Uhr.* ⬤ *Feiertage.* 🎧 🔊 🚫
🍴 **Café Sabarsky** ⬤ *Mo, Mi 9–18, Do–So 9–21 Uhr.* 🔆 ♿
www.neuegalerie.org

D as Museum wurde von
dem Kunsthändler Serge Sabarsky und dem Philanthropen Ronald Lauder gegründet. Ziel ist es, deutsche und österreichische Kunst sowie dekorative Kunst des frühen 20. Jahrhunderts zu sammeln, auszustellen und zu erforschen.

Das im Louis-XIII-Stil errichtete Beaux-Arts-Gebäude vollendeten 1914 Carrère & Hastings, die auch die New York Public Library *(siehe S. 146)* bauten. Das Gebäude gilt als ein herausragendes Architekturbeispiel der Fifth Avenue. Das einst von Mrs. Cornelius Vanderbilt III bewohnte Anwesen erwarben Lauder und Sabarsky 1994. Das Erdgeschoss beherbergt einen Buchladen sowie das von Wiener Kaffeehäusern inspirierte Café Sabarsky.

Im Obergeschoss (zweiter Stock) sind Werke von Klimt, Schiele und der Wiener Werkstätte zu sehen. In den Stockwerken darüber befinden sich Werke der Künstlergruppen Der Blaue Reiter (u. a. Klee, Kandinsky), Das Bauhaus (Mies van der Rohe, Feininger) und Die Brücke (u. a. Kirchner, Pechstein, Heckel).

Jewish Museum ❷

1109 5th Ave. **Stadtplan** 16 F2. 🇨 *(212) 423-3200.* Ⓜ *86th St, 96th St.* 🚌 *M1–4.* ⬤ *So–Mi 11–17.45, Do 11–20, Fr 11–15 Uhr.* ⬤ *staatliche und jüdische Feiertage.* 🎧 🚫 ♿ 🎫
🖥 🔆 **www.**thejewishmuseum.org

D ie exquisite Privatresidenz des Bankiers Felix M. Warburg entstand 1908 nach Plänen von C. P. H. Gilbert. Sie beherbergt eine der größten Sammlungen jüdischer religiöser und klassi-

scher Kunst sowie historischer Judaika. Die Steinarbeiten im Anbau sind das Werk der Steinmetze von St. John the Divine *(siehe S. 226f)*.

Objekte aus der ganzen Welt wurden zusammengetragen, wobei die Stifter oft Verfolgung riskierten. Die Sammlung deckt 4000 Jahre jüdischer Geschichte ab. Neben Thorakronen, Leuchtern, Kiddush-Bechern, Tellern, Schriftrollen und zeremoniellem Silber beeindrucken eine Bundeslade aus der Kollektion Benguiat, die Fayencewand einer persischen Synagoge aus dem 16. Jahrhundert und das eindringliche Werk *Holocaust* des Bildhauers George Segal.

Kanne und Schale (19. Jh.) aus Istanbul im Jewish Museum

Cooper-Hewitt National Design Museum ❸

2 E 91st St. **Stadtplan** 16 F2. 🇨 *(212) 849-8400.* Ⓜ *86th St, 96th St.* 🚌 *M1–4.* ⬤ *Mo–Sa 10–17 Uhr (Fr bis 21, Sa bis 18 Uhr), So 12–18 Uhr.* ⬤ *1. Jan, Thanksgiving, 25. Dez.* 🎧 🚫 ♿ 🎫 🔆 🖥 **www.**ndm.si.edu

D as Museum im ehemaligen Palais des Industriemagnaten Andrew Carnegie besitzt eine der weltgrößten Design-Sammlungen, die von Amy, Eleanor und Sarah Hewitt zusammengetragen wurde. Zunächst wurde das Museum 1897 im Gebäude der Cooper Union *(siehe S. 120)* eröffnet. 1967 gingen die Bestände an die Smithsonian Institution über, die Carnegie Corporation stellte das jetzige Haus zur Verfügung.

Carnegie wünschte sich zwar nur »das bescheidenste, einfachste und geräumigste

Eingang, Cooper-Hewitt Museum

Haus in New York«, dennoch war die Ausstattung exquisit: mit Zentralheizung, Klimaanlage, Aufzug und einem prachtvollen Treppenhaus.

National Academy Museum ❹

1083 5th Ave. **Stadtplan** 16 F3. 🇨 *(212) 369-4880.* Ⓜ *86th St.* 🚌 *M1–4.* ⬤ *Mi, Do 12–17 Uhr, Fr–So 11–18 Uhr.* ⬤ *Feiertage.* 🎧 🚫 ♿ 🔆 **www.**nationalacademy.org

D ie Sammlung des National Academy Museum umfasst über 6000 Gemälde, Zeichnungen und Skulpturen, u. a. von Künstlern wie Thomas Eakins, Winslow Homer, Raphael Soyer und Frank Lloyd Wright.

Die Design-Akademie wurde 1825 von einer Künstlergruppe als Ausbildungsinstitut und Galerie gegründet. Der Mäzen und Philanthrop Archer Huntington übereignete ihr im Jahr 1940 sein Haus, ein beeindruckendes Gebäude mit gemusterten Marmorböden und dekorativen Stuckdecken. Eine Diana-Statue der Bildhauerin Anna Hyatt Huntington beherrscht das Foyer.

Diana-Statue in der Eingangshalle des National Academy Museum

Solomon R. Guggenheim Museum ❺

Siehe S. 188f.

Metropolitan Museum of Art ❻

Siehe S. 190–197.

Whitney Museum of American Art ❼

Siehe S. 200f.

Frick Collection ❽

Siehe S. 202f.

Asia Society ❾

725 Park Ave. **Stadtplan** 13 A1. 📞 (212) 288-6400. Veranstaltungen: (212) 517-ASIA. Ⓜ 68th St. ◯ Di–So 11–18 Uhr (Fr bis 21 Uhr). 🎦 🔗 Di–Fr 12.30, 14 Uhr (Fr auch 18.30 Uhr), Sa, So 14.30 Uhr. ⵁ 🔗 🔋 🖥 www. asiasociety.org

U m Amerika die Kultur Asiens näherzubringen, gründete John D. Rockefeller III 1956 die Asia Society. 30 Länder finden hier ein Forum – vom Iran bis Japan, von Zentralasien bis Australien.

Südasiatische Skulptur in der Asia Society

Der achtstöckige Bau wurde 1981 nach Plänen Edward Larrabee Barnes' errichtet. Das Museum wurde 2001 renoviert und verfügt nun über mehr Ausstellungsfläche. Eine Galerie ist den Skulpturen, Keramiken, Bronzen und Holzfiguren gewidmet, die Rockefeller von Asienreisen mitbrachte. Wechselausstellungen zeigen verschiedene Aspekte asiatischer Kunst. Tanz, Konzerte, Filme und Vorträge bereichern das Programm. Der Buchladen ist gut sortiert.

Eingangshalle des Seventh Regiment Armory

Seventh Regiment Armory ❿

643 Park Ave. **Stadtplan** 13 A2. 📞 (212) 616-3930. Ⓜ 68th St. ◯ Öffnungszeiten tel. erfragen. ⵁ 🔋 www.armoryonpark.org

D as Siebte Regiment war im Krieg von 1812 und in beiden Weltkriegen von großer Bedeutung. Das Elitekorps setzte sich aus »Gentleman«-Soldaten vornehmer Herkunft zusammen. Das festungsartige Äußere des Arsenals verbirgt Räume mit viktorianischem Mobiliar, Kunstgegenständen und Regimentsandenken.

Der Entwurf von Charles W. Clinton umfasste Verwaltungsräume mit Blick auf die Park Avenue und dahinter eine Exerzierhalle. Der Veterans' Room und die Bibliothek von Louis Comfort Tiffany dienten als Empfangsräume.

Die Exerzierhalle wird heute für Wohltätigkeitsbälle genutzt. Außerdem findet hier die Winter Antiques Show (siehe S. 53) statt. Derzeit wird die Armory zu einem modernen Kunst- und Schulungszentrum umgebaut.

Temple Emanu-El ⓫

1 E 65th St. **Stadtplan** 12 F2. 📞 (212) 744-1400. Ⓜ 68th St, 63th St. ◯ So–Fr 10–17 Uhr (Fr letzter Einlass 15.30 Uhr), Sa 12.30–16.45 Uhr. ● jüdische Feiertage. ⭐ So–Do 17.30, Fr 17.15, Sa 10.30 Uhr. 📷 🔋 🔗 🖥 www.emanuelnyc.org

D er Kalksteinbau von 1929 ist die größte Synagoge der Welt – allein die Haupthalle bietet Sitzplätze für 2500 Gläubige. Das Gotteshaus ist Mittelpunkt der ältesten reformjüdischen Gemeinde New Yorks.

Beeindruckende Details im Inneren sind das Bronzegitter vor dem Thoraschrein und Darstellungen des Davidschilds und des Löwen von Juda aus Buntglas. Ein zurückgesetzter Bogen mit prächtigem Rosettenfenster beherrscht die Fassade zur Fifth Avenue. Die Beth-El-Kapelle mit zwei Kuppeln ist byzantinisch beeinflusst.

Früher stand hier das Stadtpalais der legendären Mrs. William Astor. Die Gesellschaftskönigin verließ ihren Sitz in Midtown nach einem Streit mit ihrem Neffen. Mit der gehobenen Gesellschaft im Gefolge zog sie in die Upper East Side. Ihr Weinkeller und drei Marmorkamine sind in der Synagoge erhalten geblieben.

Der Schrein im Temple Emanu-El

Solomon R. Guggenheim Museum ❺

Das Guggenheim Museum besitzt nicht nur eine der weltbesten Sammlungen zeitgenössischer Kunst, auch das Gebäude selbst ist ein Glanzstück. Schon 1943 setzte sich Solomon R. Guggenheim zum ersten Mal mit dem Architekten Frank Lloyd Wright zusammen. Als der Bau 1959 eröffnet wurde, waren beide bereits tot. Das Museum ähnelt einem großen Schneckenhaus. Man folgt der spiralförmigen Rampe von der Kuppel aus nach unten, vorbei an bedeutenden Werken aus dem 19. bis 21. Jahrhundert. Wegen Rissen in der Fassade wurde das Museum soeben restauriert.

Fassade zur Fifth Avenue

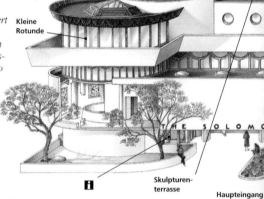

Kleine Rotunde

Skulpturen-terrasse

Haupteingang

Paris durch das Fenster gesehen
Mit lebhaften Farben evoziert Marc Chagalls Meisterwerk von 1913 Vorstellungen von einer magischen, geheimnis-vollen Stadt, in der nichts so ist, wie es scheint.

Gelbe Kuh *(1911)*
Franz Marcs Werk ist von der Zurück-zur-Natur-Bewegung beeinflusst.

Die Büglerin *(1904)*
Picasso stellt mit die-sem Werk aus seiner Blauen Periode die Mühsal der Arbeit voll-endet dar.

Liegender Akt *(1917)*
Die Schlafende ist charakteristisch für Amedeo Modiglianis Werk.

URZFÜHRER

der Großen Rotunde fin-
Sonderausstellungen
t, in der Kleinen Rotun-
sind Teile der Sammlung
Impressionisten und
stimpressionisten zu
en. Die neuen Galerien
Tower zeigen Teile der
mmlung (sie ist nie ganz
seben) und andere zeit-
össische Exponate. Von
der Skulpturen-
terrasse im
fünften Stock
überblickt man
den Central
Park.

— Tower

Große
Rotunde

Frau vor dem Spiegel *(1876)*
*Um die Atmosphäre des 19. Jahr-
hunderts einzufangen, verwendete Édouard Manet oft das
Motiv der Kurtisane.*

INFOBOX

1071 5th Ave/89th St. **Stadtplan**
16 F3. 📞 *(212) 423-3500.* Ⓜ *4,
5, 6 bis 86th St.* 🚌 *M1, M2, M3,
M4.* ⭘ *Sa–Mi 10–17.45, Fr
10–19.45 Uhr.* ⬤ *1. Jan, 25. Dez.*
🖼️📷♿🎁🎥 **Konzerte,
Vorträge, Aufführungen.** 📷
🏠 www.guggenheim.org

Frau mit Vase
*Fernand Léger hat in das
Bild von 1927 kubistische
Elemente eingearbeitet.*

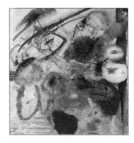

Schwarze Linien *(1913)*
*Eines der frühesten Beispiele
für Wassily Kandinskys
abstrakte Kunst.*

au mit gelbem Haar
*931) Picassos sinnliche
eliebte taucht oft als Motiv
seinen Bildern auf.*

FRANK LLOYD WRIGHT

Wright gilt als der große Erneuerer
der amerikanischen Architektur.
Charakteristisch sind seine Land-
häuser im »Prairie«-Stil und die Büro-
bauten aus Betonplatten, Glasbau-
steinen und Röhren. 1943 erhielt er
den Auftrag für das Guggenheim
Museum. Der Bau – sein einziger in
New York – wurde 1959 kurz nach
seinem Tod fertiggestellt.

Innenansicht der Großen Rotunde

Metropolitan Museum of Art ❻

Die wohl umfangreichste Sammlung der westlichen Welt wurde 1870 von einer Gruppe von Künstlern und Philanthropen gegründet, die ein Pendant zu europäischen Kunstinstitutionen wie dem Louvre schaffen wollten. Die Exponate reichen von prähistorischer Zeit bis heute. Der Museumsbau wurde 1880 eröffnet. Neue Publikumsmagneten sind seit 2007 der Hof für römische Kunst und die Galerie mit etruskischer Kunst.

Eingang des Metropolitan Museum of Art

★ **Gertrude Stein** *(1905/06) Picassos maskenhaftes Porträt der amerikanischen Schriftstellerin lässt Einflüsse afrikanischer und römischer Kunst erkennen.*

Erdgescho

Maske aus Benin *Das Königreich Benin (heute Teil Nigerias) war für seine Kunst berühmt. Diese Maske stammt aus dem 16. Jahrhundert.*

Harfenspieler *Die Statuette entstand um 3000 v.Chr. auf den Kykladen.*

KURZFÜHRER

Der Großteil der Sammlungen ist auf den beiden Hauptgeschossen untergebracht. Neben Dauerausstellungen in 19 Abteilungen gibt es Areale mit Sonderschauen. Europäische Malerei, Skulpturen und dekorative Kunst sind im Erdgeschoss und im Obergeschoss an zentraler Stelle zu sehen. Das Mode-Institut befindet sich im Basement, direkt unter der ägyptischen Sammlung.

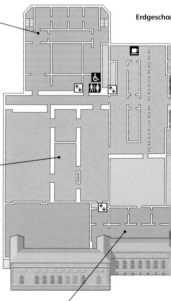

Die Hochzeit von Ka *Das Tafelbild von Jua Flandes (16. Jh.) ist Be teil der Linsky Collecti*

Diderot-Büste
(1773) Jean-Antoine Houdon schuf die Büste für einen russischen Grafen.

★ Porträt der Prinzessin de Broglie
Das letzte Porträt, das J. A. D. Ingres 1853 schuf.

INFOBOX

1000 Fifth Ave. **Stadtplan** 16
F4. ☎ (212) 535-7710. Ⓜ 4, 5,
6 bis 86th St. 🚌 M1, M2, M3,
M4. ☐ Di–Do, So 9.30–
17.30 Uhr, Fr, Sa 9.30–21 Uhr.
⬤ 1. Jan, Thanksgiving, 25. Dez.
📷 🅾 ♿ 🛒 📷 🚻 🍴 🛍
*Konzerte, Vorlesungen, Film-
und Videovorführungen.*
www.metmuseum.org

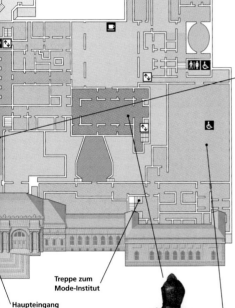

★ Byzantinische Kunst
Die Marmorplatte, die um 1250 in Griechenland oder auf dem Balkan entstanden ist, zeigt einen Greif.

NICHT VERSÄUMEN

★ Byzantinische Kunst

★ *Gertrude Stein* von Pablo Picasso

★ *Porträt der Prinzessin de Broglie* von Ingres

★ Tempel von Dendur

Treppe zum Mode-Institut

Haupteingang

LEGENDE

- ◻ Robert Lehman Collection
- ◻ Europäische Malerei, Skulpturen und dekorative Kunst
- ◻ Kunst aus Afrika, Ozeanien, Nord- und Südamerika
- ◻ Moderne Kunst
- ◻ Amerikanische Kunst
- ◻ Ägyptische Kunst
- ◻ Griechisch-römische Kunst
- ◻ Mittelalter/byzantinische Kunst
- ◻ Waffen und Rüstungen
- ◻ Grace Rainey Rogers Auditorium
- ◻ Kein Ausstellungsbereich

Englische Rüstung
Sie wurde um 1580 für Sir George Clifford angefertigt.

★ Tempel von Dendur *(15 v. Chr.)*
Der Tempel wurde im Auftrag des römischen Kaisers Augustus errichtet. Reliefs zeigen ihn bei einem Opfer.

Metropolitan Museum of Art: Obergeschoss

Marrakech
Frank Stellas Bild von 1964 gehört zu seiner »marok-kanischen« Serie: fluoreszierende Streifen auf quadratischem Format.

Skulpturengarten
Die modernen Skulpturen auf dem Dach der Modern-Art-Abteilung werden jährlich ausgewechselt.

Die Kartenspieler *(1890)*
Mit diesem Bild Karten spielender Bauern wich Paul Cézanne von seinen üblichen Sujets (Landschaften, Stillleben, Porträts) ab.

Erdgeschoss   Obergeschoss

★ **Zypressen** *(1889)*
Vincent van Gogh malte das Bild ein Jahr vor seinem Tod. Die heftigen Pinselstriche sind für sein Spätwerk charakteristisch.

NICHT VERSÄUMEN

★ Diptychon von
   Jan van Eyck

★ *Selbstporträt* (1660)
   von Rembrandt

★ *Washington über-
   quert den Delaware*
   von Leutze

★ *Zypressen* von
   Vincent van Gogh

Adlerköpfiges geflügeltes Wesen bestäubt heiligen Baum *(um 900 v. Chr.)*
Das Relief stammt aus einem assyrischen Palast.

★ Diptychon
(1425–30)
*Jan van Eyck
war ein früher
Meister des Öl-
gemäldes. Diese
Szenen der
Kreuzigung
und des Jüngs-
ten Gerichts
weisen ihn als
Vorläufer des
Realismus aus.*

**★ Washington überquert den
Delaware** *(1851)*
*E. G. Leutzes romantisierende Darstel-
lung der berühmten Flussüberquerung.*

LEGENDE

- ☐ Europäische Malerei, Skulpturen und dekorative Kunst
- ☐ Kunst aus Afrika, Ozeanien, Nord- und Südamerika
- ☐ Orientalische und islamische Kunst
- ☐ Moderne Kunst
- ☐ Amerikanische Kunst
- ☐ Asiatische Kunst
- ☐ Griechisch-römische Kunst
- ☐ Musikinstrumente
- ☐ Zeichnungen, Drucke und Fotografien
- ☐ Kein Ausstellungsbereich
- ☐ Sonderausstellungen

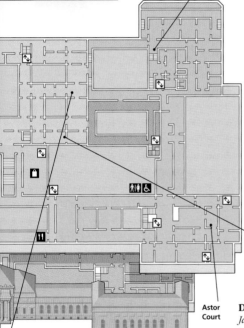

Astor
Court

Der Tod des Sokrates *(1787)*
*Jacques-Louis David zeigt Sokra-
tes, der lieber Gift nahm, als seiner Philosophie abzuschwören.*

★ Selbstporträt *(1660)*
*Rembrandt malte fast
100 Selbstporträts. Dieses
zeigt ihn mit 54 Jahren.*

ASTOR COURT

Der Garten im Stil der
Ming-Dynastie wurde
im Jahr 1979 von
27 chinesischen Hand-
werkern angelegt, die
zuvor für die Pflege
der historischen Gär-
ten von Souzhou zuständig waren. Die Landschaftsgärtner nutzten jahrhundertealte Techniken und handgefertigte, über Generationen weitervererbte Werk-
zeuge. Durch diesen ersten Kulturaustausch zwischen
den USA und der Volksrepublik China bekam der
»Garten des Meisters der Fischnetze« in Souzhou ein
Gegenstück im Westen.

Metropolitan Museum of Art: Sammlungen

Das Metropolitan besitzt eine reichhaltige Sammlung amerikanischer Kunst und über 2500 Gemälde aus Europa, darunter Meisterstücke von Rembrandt und Vermeer. Werke islamischer Kunst zählen ebenso zu seinen Schätzen wie die größte Sammlung ägyptischer Kunst außerhalb Kairos.

Kupferkopf aus dem Nahen Osten: Wen das 5000 Jahre alte Werk abbildet, ist unbekannt

AFRIKA, OZEANIEN, NORD- UND SÜDAMERIKA

Goldene Totenmaske aus der Nekropole Batán Grande in Peru (10.–14. Jh.)

Nelson Rockefeller ließ diesen Flügel 1982 zum Gedenken an seinen Sohn Michael errichten, der auf einer Expedition in Neuguinea ums Leben gekommen war. Über 1600 Objekte aus Afrika, dem pazifischen Raum und Amerika sind hier zu sehen.

Bei der afrikanischen Kunst stechen Elfenbein- und Bronzeskulpturen aus dem Königreich Benin sowie Holzfiguren der Dogon, Bamana und Senufo aus Mali hervor.

Aus Ozeanien stammen Schnitzereien der Asmat (Neuguinea) sowie Schmuck und Masken aus Melanesien und Polynesien. Mexiko, Mittel- und Südamerika sind mit Gold, Keramik und Plastiken aus präkolumbischer Zeit vertreten. Kunstwerke der indigenen Völker Nordamerikas und der Inuit sind hier ebenfalls zu sehen.

AMERIKANISCHE KUNST

Zu den Glanzstücken der amerikanischen Abteilung zählen Gilbert Stuarts Porträt von George Washington, George Caleb Binghams *Pelzhändler auf dem Missouri*, John Singer Sargents Porträt der *Madame X* und Emanuel

Leutzes Monumentalbild *Washington überquert den Delaware*. Der Flügel enthält eine der bedeutendsten Sammlungen amerikanischer Malerei sowie Skulpturen und dekorativer Kunst von der Kolonialzeit bis zur Gegenwart. Zu den Highlights gehören die eleganten klassizistischen Silbergefäße von Paul Revere und die innovativen Glasarbeiten von Tiffany & Co. In der Abteilung mit Möbeln findet man Sofas, Tische, Regale, Stühle und Schreibtische aus den besten amerikanischen Werkstätten in Boston, Newport und Philadelphia.

In stilechten Räumen wird der Salon, in dem Washington seinen letzten Geburtstag feierte, ebenso vorgestellt wie das elegante Wohnzimmer des Hauses, das Frank Lloyd Wright 1912 für Francis W. Little in Wayzata, Minnesota, gestaltete.

Im Charles Engelhard Court werden Plastiken und größere Architekturelemente präsentiert, etwa die hübsche Buntglas- und Mosaik-Loggia aus Louis Comfort Tiffanys Haus auf Long Island oder Fassadenteile eines Bankgebäudes von 1824, das früher in der Wall Street stand.

ORIENTALISCHE UND ISLAMISCHE KUNST

Am Eingang zur Sammlung sitzen geflügelte Wesen mit menschlichen Köpfen, die im 9. Jahrhundert v. Chr. den Palast des assyrischen Königs Assurnasirpal II. bewachten. Die Ausstellung umfasst Objekte aus 8000 Jahren: persische Bronzen, anatolisches Elfenbein, sumerische Skulpturen, Silber und Gold der Achaimeniden und Sassaniden. Die angrenzende Galerie zeigt islamische Kunst vom 7. bis 19. Jahrhundert: Glas- und Metallobjekte aus Ägypten, Syrien und Mesopotamien, Miniaturen aus Persien und Indien, Teppiche aus dem 16. und 17. Jahrhundert sowie ein Zimmer im Stil des 18. Jahrhunderts aus Syrien.

WAFFEN UND RÜSTUNGEN

Hier treten Ritter in voller Rüstung zum Turnier an. Die Abteilung ist bei Kindern und bei allen, die sich für die Romanzen und Machtkämpfe des Mittelalters begeistern, sehr beliebt.

Zu sehen sind Rüstungen, Degen und Säbel mit Griffen aus Gold und Edelstein, Feuerwaffen mit Elfenbein- und Perlmuttintarsien, farbenprächtige Banner und Schilde.

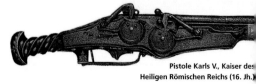

Pistole Karls V., Kaiser des Heiligen Römischen Reichs (16. Jh.)

Zu den Highlights zählen die Rüstung des Gentleman-Piraten Sir George Clifford (eines Günstlings von Königin Elizabeth I), der in den Farben des Regenbogens erstrahlende Panzer eines japanischen Shoguns und Wildwest-Revolver, die früher dem Waffenfabrikanten Samuel Colt gehörten.

ASIATISCHE KUNSTGEGENSTÄNDE

Der alte Pflaumenbaum, japanischer Paravent aus der frühen Edo-Periode (um 1650)

Die Abteilung präsentiert Meisterwerke chinesischer, japanischer, koreanischer, indischer und südostasiatischer Kunst vom 2. Jahrtausend v. Chr. bis ins 20. Jahrhundert. Im Rahmen des ersten Kulturaustausches zwischen den USA und der Volksrepublik China rekonstruierten Handwerker aus Souzhou den Garten eines Gelehrten aus der Zeit der Ming-Dynastie. Weitere Attraktionen sind die Sammlung von Gemälden der Sung- und Yuan-Epoche, monumentale buddhistische Skulpturen aus China, Keramik und Jade sowie eine exquisite Ausstellung zur Kunst im alten China.

Der ganzen Spannweite japanischer Kunst sind elf chronologisch und thematisch angeordnete Räume gewidmet. Dort werden Lackarbeiten, Keramik, Gemälde, Skulpturen, Textilien und Paravents gezeigt. Aus Indien, Südostasien und Korea sind Plastiken und andere Werke zu bewundern.

MODE-INSTITUT

Die Sammlung der modern gestalteten Abteilung umfasst 75 000 Kleidungsstücke vom 17. Jahrhundert bis heute. Sie reicht von kunstvoll bestickten Kleidern des späten 17. Jahrhunderts bis hin zu Abendkleidern von Elsa Schiaparelli in grellem Pink – samt Hüten, Schals, Handschuhen, Handtaschen und sonstigen Accessoires. Entwürfe von Worth, Quant und Balenciaga sind ebenso vertreten wie Roben aus napoleonischer und viktorianischer Zeit oder die Kostüme der *Ballets Russes*. Selbst ein paillettenbesetztes Suspensorium von David Bowie darf nicht fehlen.

Die Trachtensammlung zeigt Kleidungsstücke aus Europa, Asien, Afrika sowie Nord- und Südamerika.

Das Museum verfügt über großes Know-how, was die Pflege und Restaurierung von Stoffen angeht: Die NASA erkundigte sich hier nach der sachgerechten Reinigung von Raumfahrtanzügen.

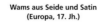

Wams aus Seide und Satin (Europa, 17. Jh.)

ZEICHNUNGEN, DRUCKE UND FOTOGRAFIEN

Das Museum besitzt eine immense Anzahl von Zeichnungen, Drucken, Radierungen und Fotografien, die in wechselnder Auswahl

Michelangelos Studien einer Sibylle für die Decke der Sixtinischen Kapelle (1508)

präsentiert werden. Italienische und französische Zeichnungen vom 15. bis zum 19. Jahrhundert sind besonders stark vertreten. Um die lichtempfindlichen Arbeiten zu schonen, werden sie im ständigen Wechsel nur phasenweise ausgestellt. Zu den Highlights zählen Werke von Michelangelo, Leonardo da Vinci, Raffael, Ingres, Goya, Rubens, Rembrandt, Tiepolo und Seurat.

Die Sammlung von Drucken umfasst 1,5 Millionen Einzelblätter und an die 14 000 illustrierte Bücher.

Wohl alle großen Grafiker sind hier mit bedeutenden Arbeiten vertreten. Die Exponate reichen von einem alten deutschen Holzschnitt (*Jungfrau mit Kind*) über Meisterwerke Dürers bis hin zu Goyas *Riesen*.

Der Galerist Alfred Stieglitz stiftete dem Museum seine Fotosammlung, die Meisterwerke wie *The Flatiron* von Edward Steichen enthält. Sie war der Grundstock für eine Sammlung, deren Schwerpunkt heute die Fotografie der Moderne aus der Zeit zwischen den Kriegen ist. Auch Plakate und Werbeanzeigen werden hier gewürdigt.

ÄGYPTISCHE KUNST

Eine der beliebtesten Abteilungen ist der ägyptische Flügel mit Tausenden von Exponaten aus prähistorischer Zeit bis ins 8. Jahrhundert n.Chr. Die Sammlung reicht von den Bruchstücken der Jaspislippen einer Königin des 15. Jahrhunderts v.Chr. bis zum Tempel von Dendur.

Daneben beeindrucken Skulpturen der Königin Hatschepsut aus dem 16. Jahrhundert v.Chr., 100 Reliefs aus der Zeit Amenophis' IV. und Grabbeigaben wie das blaue Fayence-Nilpferd, das zum Maskottchen des Museums geworden ist. Die meisten Funde stammen von Expeditionen, die das Museum Anfang des 20. Jahrhunderts finanziert hat.

**Büste einer
ägyptischen Königin, Fragment**

EUROPÄISCHE MALEREI, SKULPTUREN UND DEKORATIVE KUNST

Die imposante Sammlung mit rund 3000 Werken europäischer Maler bildet das Herzstück des Museums. Bei

***Junge Frau mit Wasserkrug* (1660)
von Jan Vermeer**

den italienischen Meistern sind Botticellis *Letztes Abendmahl des heiligen Hieronymus* und Bronzinos *Porträt eines jungen Mannes* zu sehen, bei den Holländern und Flamen Brueghels *Ernte* sowie Werke von Rubens, van Dyck, Rembrandt – und mehr Vermeers als in jedem anderen Museum. Spanische Maler wie El Greco, Velázquez und Goya sind ebenso vertreten wie die Franzosen Poussin und Watteau.

Das Museum nennt einige der schönsten Werke des Impressionismus und Postimpressionismus sein Eigen: 34 Monets, u.a. *Terrasse in Sainte-Adresse*, 18 Cézannes sowie van Goghs *Zypressen*.

Der Kravis-Flügel und die angrenzenden Räume sind den Skulpturen und der dekorativen Kunst gewidmet. Unter den mehr als 60 000 Exponaten befinden sich u.a. Tullio Lombardos Statue des Adam, die Bronzefigurine eines Pferds nach einem Modell da Vincis und Werke von Degas und Rodin. Epochen-Ensembles wie der

Patio eines spanischen Schlosses (16. Jh.) und die Wrightsman Rooms – Interieurs aus Frankreich (18. Jh.) – ergänzen das Bild. Im Petrie European Sculpture Court stehen französische und italienische Skulpturen in einem Park, de an Versailles erinnert.

GRIECHISCH-RÖMISCHE KUNST

Ein römischer Sarkophag aus Tarsus war der Grundstein aller Sammlungen des Metropolitan. Das 1870 gestiftete Exponat nimmt einen Ehrenplatz ein, neben Wandmalereien aus einer beim Vesuv-Ausbruch 79 n.Chr. verschütteten Villa, etruskischen Spiegeln, römischen Büsten, Glas- und Silberobjekten sowie Hunderten griechischer Vasen. Die Statue eines Jünglings (7. Jh. v.Chr.) zeichnet den Weg zum Realismus in der Plastik vor. Das hellenistische Werk *Alte Marktfrau* zeigt, wie Griechen die realistische Darstellung im 2. Jahrhundert v.Chr. beherrschten.

**Amphore des Exekias mit
Hochzeitsszene (6. Jh. v.Chr.)**

ÄGYPTISCHE GRABBEIGABEN

Ein Forscher des Museums betrat 1920 einen seit 2000 Jahren verschlossenen Raum im Grab des Meketre. Der Strahl seiner Lampe fiel auf 24 Artefakte, die das Wohl des Toten im Jenseits sichern sollten: Haus und Garten, Rinder, Boote und Meketre selbst auf einem Boot, wo er den Duft einer Lotosknospe und das Harfenspiel seiner Begleiter genießt.

LEHMAN COLLECTION

Der Bankier Robert Lehman übereignete dem Museum 1969 seine großartige und vielseitige Privatsammlung, die in einer spektakulären Glaspyramide untergebracht ist. Zu ihr zählen zahlreiche alte Meister und französische Gemälde des 19. Jahrhunderts, Zeichnungen, Bronzen, Renaissance-Majolika, vene-

Ausschnitt aus dem Fenster *Tod der Jungfrau* (12. Jh.) aus der Kathedrale Saint-Pierre im französischen Troyes

zianische Glasobjekte, Möbel und Email-Arbeiten ebenso wie Gemälde von nordeuropäischen, französischen und spanischen Meistern, Postimpressionisten und den Fauvisten.

MITTELALTERLICHE KUNST

Die mittelalterliche Sammlung reicht vom 4. bis zum 16. Jahrhundert, vom Fall Roms bis zum Beginn der Renaissance. Sie ist teils im Hauptgebäude untergebracht, teils in The Cloisters *(siehe S. 236–239)* ausgelagert.

Im Hauptgebäude zeigt man einen Kelch, der für den Heiligen Gral gehalten wurde, sechs byzantinische Silberteller mit Szenen aus dem Leben Davids, eine Kanzel in Adlergestalt (Giovanni Pisano, 1301), monumentale Skulpturen der Jungfrau mit Kind, ein großes Chorgitter aus Spanien, Schmuck aus der Zeit der Völkerwanderung, liturgische Gefäße, Buntglas, Email, Elfenbein und Wandteppiche aus dem 14. und 15. Jahrhundert.

MUSIKINSTRUMENTE

Die umfassende, zum Teil skurrile Sammlung wartet mit dem ältesten Klavier der Welt, Gitarren von Andrés Segovia und einer Sitar in Pfauengestalt auf. Chronologisch reicht sie von prähistorischer Zeit bis in die Gegenwart, geografisch umspannt sie fünf Kontinente.

Die meist funktionstauglichen Instrumente illustrieren die Geschichte der Musik und ihrer Darbietung. Besonders hervorzuheben sind Instrumente von den europäischen Höfen des Mittelalters und der Renaissance, seltene Geigen, Spinette und Cembalos, Instrumente mit wertvollen Einlegearbeiten sowie eine komplett ausgestattete Geigenbauerwerkstatt, afrikanische Trommeln, asiatische *pi-pas* (Lauten) und indianische Flöten. Tonträger vermitteln einen guten Eindruck von dem ursprünglichen Klang zahlreicher Instrumente.

Stradivari-Geige (1691) aus Cremona, Italien

MODERNE KUNST

Obwohl das Museum seit seiner Gründung 1870 auch zeitgenössische Kunst sammelt, erhielt diese erst 1987 mit dem Lila Acheson Wallace Wing ein dauerhaftes Domizil. Die Sammlung ist kleiner als die anderer New Yorker Museen, besticht aber durch ihre Exklusivität. Auf drei Ebenen werden europäische und amerikanische Arbeiten ab 1900 gezeigt, wobei Picasso, Kandinsky und Bonnard den Anfang bilden.

Den Schwerpunkt der Sammlung bildet die moderne amerikanische Kunst: Zu sehen sind die New Yorker Gruppe »The Eight« (zu der auch John Sloan gehörte), Künstler der Moderne wie Charles Demuth und Georgia O'Keeffe, der Regionalist Grant Wood, der abstrakte Expressionist Willem de Kooning und auch Vertreter des Color Field Painting wie Clyfford Still.

The Midnight Ride of Paul Revere (1931) von Grant Wood

Jugendstil- und Art-déco-Möbel und -Metallarbeiten, eine Paul-Klee-Sammlung und die Sculpture Gallery mit Plastiken und Bildern werden in eigenen Räumen gezeigt.

Zu den Highlights gehören das Porträt Gertrude Steins von Pablo Picasso, *Kapuzinerkresse mit »Der Tanz«* von Henri Matisse, *The Figure 5 in Gold* von Demuth, *Autumn Rhythm* von Jackson Pollock und das letzte Selbstporträt Andy Warhols.

Der Cantor Roof Garden auf dem Dach ist Schauplatz einer jährlich wechselnden Ausstellung zeitgenössischer Skulpturen, die vor dem Hintergrund der New Yorker Skyline und des Central Park besonders spektakulär wirken.

Buchcover (1916) des Illustrators N. C. Wyeth

Society of Illustrators ⑫

128 E 63rd St. **Stadtplan** 13 A2.
((212) 838-2560. **M** Lexington
Ave. **○** Di 10–20, Mi–Fr 10–17,
Sa 12–16 Uhr. **●** Feiertage. **⊙**
⟵ eingeschränkt. **⟐ ⟐**
www.societyillustrators.org

Die Gesellschaft wurde
1901 zur Förderung des
Illustrationshandwerks gegründet. Bedeutende Mit-
glieder waren Charles Dana
Gibson, N. C. Wyeth und
Howard Pyle. 1981 eröffnete
das Museum of American
Illustration zwei Abteilungen.
Wechselausstellungen informieren über die Geschichte
der Zeitschriften- und Buch-
illustration. Jährlich werden
hier die besten amerikanischen Illustrationen des Jahres ausgestellt.

Mount Vernon Hotel Museum ⑬

421 E 61st St. **Stadtplan** 13 C3.
((212) 838-6878. **M** Lexington
Ave, 59th St. **○** Di–So 11–16 Uhr
(Juni, Juli: Di auch 18–21 Uhr).
● Aug, Feiertage. **⟐ ⟐ ⟐ ⟐**
www.mvhm.org

Das 1799 erbaute Mount
Vernon Hotel Museum
and Garden war einst ein
ländliches Hotel für New Yorker, die der lauten Stadt (die

damals nur das Süd-
ende der Insel ein-
nahm) entfliehen
wollten. Das Sand-
steingebäude liegt
auf einem Grund-
stück, das einst
Abigail Adams
Smith, der Tochter
von Präsident John
Adams, gehörte.
1924 erwarben
die Colonial Dames
of America das Ge-
bäude und ließen
es zum Museum
umbauen. Kostü-
mierte Museums-
führer geleiten Be-
sucher durch die
Räume, die Kost-
barkeiten wie chi-
nesisches Porzellan,
Aubusson-Teppi-
che, Sheraton-Tru-
hen und ein Sofa von Duncan
Phyfe enthalten. Ein Garten
im Stil des 18. Jahrhunderts
umgibt das Anwesen.

Henderson Place ⑭

Stadtplan 18 D3. **M** 86th St.
▥ M31, M86.

**Queen-Anne-Reihenhäuser am
Henderson Place**

Die 24 Queen-Anne-Reihen-
häuser, rote Ziegelbauten
von 1882, werden längst von
modernen Apartmentblocks
überragt. Der Hutmacher John
C. Henderson hatte sie als ge-
schlossenes Ensemble in Auftrag gegeben. Den eleganten
Entwurf von Lamb & Rich zieren graue Schieferdächer, Zier-
giebel, Brüstungen, Kamine
und Gaubenfenster, die ein
Muster bilden. Die Ecke eines
jeden Blocks wird durch ein
Türmchen markiert.

Promenade im Carl Schurz Park

Carl Schurz Park ⑮

Stadtplan 18 D3. **M** 86th St.
▥ M31, M86.

Den 1891 angelegten Park
am East River durchzieht
eine weite Promenade über
dem East River Drive, die
Ausblicke auf das turbulente
Wasser am Hell Gate bietet.
Der Namensgeber Carl Schurz
war ein deutscher Einwanderer, der es in Amerika bis zum
Innenminister (1869–75)
brachte. Der erste Teil der
Promenade ist nach John
Finlay benannt, einem Herausgeber der New York Times.
Der Park ist eine der ange-
nehmsten grünen Oasen der
City. Bei schönem Wetter
sonnen sich viele New Yorker
auf den Rasenflächen.

Gracie Mansion ⑯

East End Ave/88th St. **Stadtplan** 18
D3. **(** (212) 570-4751. **M** 86th St.
▥ M31, M86. **○** Apr–Mitte Nov:
Führungen Mi 10, 11, 13, 14 Uhr
(nur nach Anmeldung). **⟐ ⟐ ⟐ ⟐**

Das elegante Landhaus ist
die offizielle Residenz
des New Yorker Bürgermeisters. Es wurde 1799 im Auftrag des Kaufmanns Archibald
Gracie errichtet und gilt als
einer der schönsten erhaltenen Federal-Style-Bauten.
1887 erwarb die Stadt das
Haus und brachte darin zeit-
weilig das Museum of the City
of New York unter. Nach
neunjähriger Amtszeit zog

Vorderansicht von Gracie Mansion

942 Bürgermeister Fiorello aGuardia dort ein, nachdem r zuvor einen 75-Zimmer-alast am Riverside Drive be-vohnt hatte. Der bescheide-ere Bau war dem Kämpfer egen die Korruption und rneuerer New Yorks eigent-ch auch noch zu pompös.

Church of the Holy Trinity ⓱

16 E 88th St. **Stadtplan** 17 B3.
(212) 289-4100. M *86th St.*
Mo–Fr 9–17, So 7.30–14 Uhr.
Di, Do 8.45, So 8, 10.30, 18 Uhr.
www.holytrinity-nyc.org

Torbogen der Church of the Holy Trinity

Die 1889 im Stil der franzö-sischen Renaissance er-ichtete Kirche liegt in einem ruhigen Garten. Der golden euchtende Ziegel- und Terra-kottabau wird von einem der schönsten Glockentürme von New York gekrönt schmiedeeiserne Uhr mit Messingzeigern). Skulp-turen von Heiligen und Propheten schmücken den Torbogen.

Der Komplex wurde von Serena Rhinelan-der zum Gedenken an ihren Vater und Groß-vater gestiftet. Der Grund gehörte zu ei-nem Gut, das 100 Jah-re im Besitz der Fami-lie Rhinelander war.

Das Rhinelander Children's Center – ein Stück den Häuser-block entlang im Haus Nr. 350 – ist gleichfalls eine Stiftung und zudem Hauptsitz der Children's Aid Society.

St. Nicholas Russian Orthodox Cathedral ⓲

15 E 97th St. **Stadtplan** 16 F1.
(212) 876-2190. M *96 St.*
nach Vereinbarung. Sa 10, 18 Uhr,
So 10, 17 Uhr (in Russisch).
www.russianchurchusa.org

Moskau am Hudson: Die Kathedrale mit den fünf Zwiebelkuppeln und den blau-gelben Fliesen auf rot-weißer Fassade scheint aus Russland hierher versetzt wor-den zu sein. Sie wurde 1902 im »Moskauer Barock« errich-tet. Zu den ersten Gläubigen, die hier Zuflucht fanden, ge-hörten Immigranten aus Weiß-russland – meist Intellektuelle und Adlige, die bald Teil der New Yorker Gesellschaft wur-den. Später folgten weitere Flüchtlinge, darunter viele Dissidenten.

Die Kirche dient heute einer verstreuten kleinen Gemeinde. Die feierliche Messe wird rus-sisch zelebriert. Der Duft von Weihrauch erfüllt den hohen Altarraum, dessen Marmor-säulen blau-weiß eingefasste Kapitelle haben. Vergoldete Holzgitter umgeben den Altar. Man mag kaum glauben, dass vor diesen Kirchen-portalen Man-hattan liegt.

Fassade der St. Nicholas Russian Orthodox Cathedral

Säulenportal des Museum of the City of New York

Museum of the City of New York ⓳

1220 5th Ave/103rd St. **Stadtplan** 21 C5. *(212) 534-1672.*
M *103rd St.* Di–So 10–17 Uhr.
1. Jan, Thanksgiving, 25. Dez.
www.mcny.org

Das Museum wurde 1923 gegründet. Anfangs war es im Gracie Mansion unter-gebracht, 1932 erhielt es sein Domizil in dem hübschen ge-orgianischen Bau. Die Ent-wicklung der Stadt seit ihren frühesten Tagen wird anhand von Kostümen, Gemälden, Möbeln, Spielzeug und Erin-nerungsstücken dokumentiert.

Das Museum wurde kürz-lich umfassend renoviert und deutlich erweitert. Sonderaus-stellungen mit thematischen Schwerpunkten wie Mode, Architektur, Theater, Gesell-schaft und Politik sowie Fo-tografie finden während des ganzen Jahres statt. Berühmt ist die Spiel-zeug-Sammlung mit Preziosen wie dem Stettheimer Dollhouse.

Ein weiterer Höhe-punkt des Museums ist der Film *Time-scapes: A Multimedia Portrait of New York* (10.15–16.15 Uhr, alle 30 min.). Mit muse-umseigenen Bildern und historischen Kar-ten wird die Entwick-lung der Stadt, von ihren bescheidenen Anfängen bis heute, sehr anschaulich dokumentiert.

Whitney Museum of American Art ❼

Das Whitney ist das führende Museum für amerikanische Kunst des 20. und 21. Jahrhunderts. Die Bildhauerin Gertrude Vanderbilt Whitney gründete es 1930, nachdem das Metropolitan Museum of Art ihre Sammlung mit Bildern von Bellows, Hopper und anderen Zeitgenossen abgelehnt hatte. 1966 bezog das Museum die von Marcel Breuer gestaltete umgekehrte Pyramide. Die Whitney-Biennalen gelten als wichtiger Überblick über neue Trends in der amerikanischen Kunst.

Die überhängende Fassade des Museums

Green Coca-Cola Bottles
Andy Warhols Werk von 1962 ist eine kühle Reflexion über Massenproduktion, Überfluss und Monopole.

Children Meeting (1978)
Das Gemälde von Elizabeth Murray zeigt das Interesse der Künstlerin an Farben und Formen.

Little Big Painting
Roy Lichtensteins Bild von 1965 wirkt wie eine Persiflage auf den abstrakten Expressionismus.

Early Sunday Morning *(1930)*
Edward Hopper fing in seinen Bildern die Leere des amerikanischen Stadtlebens ein.

KURZFÜHRER
Die Leonard and Evelyn Lauder Galleries im fünften Stock zeigen Dauerausstellungen mit Werken von Calder, O'Keeffe und Hopper. Wechselausstellungen sind in der Lobby sowie im zweiten, dritten und vierten Stock zu sehen.

Dempsey and Firpo
George Bellows hielt 1924 einen der legendärsten Boxkämpfe des Jahrhunderts fest.

INFOBOX

945 Madison Ave. **Stadtplan** 17 A5. ((800) 570-3600.
M 6 bis 77th St. M1–4, 30, M72, M79. ◯ Mi, Do, Sa, So 11–18, Fr 13–21 Uhr. ◯ Feiertage. ✎ ⌀ ♿ ▶ **Vorträge, Film- und Videovorführungen.** ♨ ◻ www.whitney.org

Three Flags *(1958)*
Jasper Johns' Abstrahierungen vertrauter Gegenstände beeinflussten die Pop-Art maßgeblich.

Painting Number 5
Marsden Hartley (hier ein Werk von 1914/15) gilt als einer der wichtigsten Maler der klassischen Moderne in den USA.

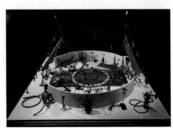

Circus *(1926–31)*
Alexander Calders fantasievolle Konstruktion ist ständig zu sehen.

Tango *(1919)*
Das tanzende Paar ist die berühmteste Holzplastik von Elie Nadelman.

Gertrude Vanderbilt Whitney (1916)
Robert Henris Ölgemälde zeigt die Museumsgründerin.

Frick Collection ❽

Die kostbare Kunstsammlung des Stahlmagnaten Henry Clay Frick (1849–1919) ist in dessen opulent ausgestattetem Stadtpalais untergebracht. Man erhält hier eine Vorstellung davon, wie die ganz Reichen in New Yorks Goldenem Zeitalter lebten. Die Sammlung umfasst Gemälde alter Meister, französische Möbel, Email aus Limoges und orientalische Teppiche. Frick wollte sich mit dieser Sammlung selbst ein Denkmal setzen und vermachte das Gebäude samt Inhalt dem Staat.

Fassade der Frick Collection zur Fifth Avenue hin

Der Hafen von Dieppe *(1826)*
William Turners lichtdurchflutete Darstellung des Hafens am Ärmelkanal wurde von skeptischen Zeitgenossen kritisiert.

Kolonnadengarten

Bibliothek

West Gallery

Der polnische Reiter
Die Identität des Porträtierten auf diesem 1655 entstandenen Reiterbild von Rembrandt ist unbekannt. Die düstere Landschaft wirkt furchterregend und verweist auf drohende Gefahren.

NICHT VERSÄUMEN

- ★ *Lady Meux* von James A. M. Whistler
- ★ *Mall in St. James's Park* von Thomas Gainsborough
- ★ *Sir Thomas More* von Hans Holbein
- ★ *Soldat und lachendes Mädchen* von Jan Vermeer

Salon

★ **Sir Thomas More** *(1527)*
Holbeins Porträt des Lordkanzlers von Henry VIII entstand acht Jahre vor Mores Hinrichtung.

KURZFÜHRER
In der West Gallery hängen Gemälde von Vermeer, Hals und Rembrandt, in der East Gallery Bilder van Dycks und Whistlers. Im Oval Room ist Gainsborough zu sehen. Nicht versäumen: Bibliothek und Speisezimmer mit Werken englischer Meister sowie den Salon mit Bildern von Tizian, Bellini und Holbein.

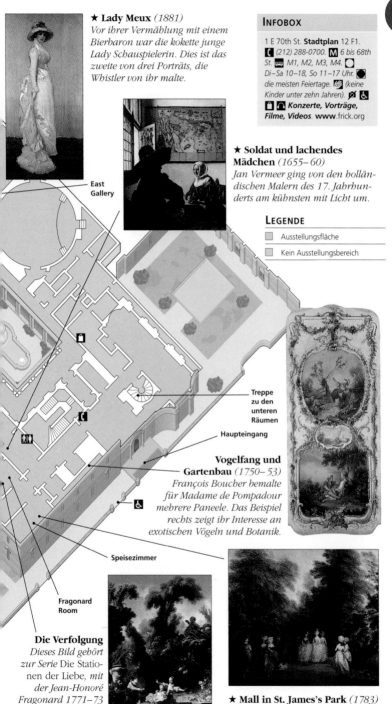

★ Lady Meux *(1881)*
Vor ihrer Vermählung mit einem Bierbaron war die kokette junge Lady Schauspielerin. Dies ist das zweite von drei Porträts, die Whistler von ihr malte.

East Gallery

INFOBOX

1 E 70th St. **Stadtplan** 12 F1.
📞 *(212) 288-0700.* Ⓜ *6 bis 68th St.* 🚌 *M1, M2, M3, M4.* ⏰
Di–Sa 10–18, So 11–17 Uhr. ⬤
die meisten Feiertage. 🎟 *(keine Kinder unter zehn Jahren).* 🚫 ♿
🎵 🎞 **Konzerte, Vorträge, Filme, Videos.** www.frick.org

★ Soldat und lachendes Mädchen *(1655–60)*
Jan Vermeer ging von den holländischen Malern des 17. Jahrhunderts am kühnsten mit Licht um.

LEGENDE

☐ Ausstellungsfläche

☐ Kein Ausstellungsbereich

Treppe zu den unteren Räumen

Haupteingang

Vogelfang und Gartenbau *(1750–53)*
François Boucher bemalte für Madame de Pompadour mehrere Paneele. Das Beispiel rechts zeigt ihr Interesse an exotischen Vögeln und Botanik.

Speisezimmer

Fragonard Room

Die Verfolgung
Dieses Bild gehört zur Serie Die Stationen der Liebe, mit der Jean-Honoré Fragonard 1771–73 und 1790–91 idealisiertes Liebeswerben darstellte.

★ Mall in St. James's Park *(1783)*
Mit den drei zentralen Figuren porträtierte Gainsborough vermutlich die Töchter von George III.

CENTRAL PARK

Der »Hinterhof« New Yorks wurde 1858 nach Entwürfen von Frederick Law Olmsted und Calvert Vaux auf einem Areal angelegt, wo es zuvor nur Schweinefarmen, Steinbrüche, Baracken und Sümpfe gab. Die Architekten ließen zehn Millionen Wagenladungen Erde und Steine ankarren und verwandelten 340 Hektar Wildnis in

Statuen am Delacorte Theater *(siehe S. 208)*

eine »natürliche« Landschaft mit Hügeln, Seen, Wiesen und Felsen. Über 500 000 Bäume und Sträucher wurden angepflanzt, es entstand ein Erholungsgebiet mit Spielplätzen, Eis- und Rollschuhbahnen sowie Anlagen für Sport und Spiel. Auch Konzerte und Veranstaltungen finden hier statt. Am Wochenende ist der Park für Autos gesperrt.

SEHENSWÜRDIGKEITEN AUF EINEN BLICK

Historische Gebäude
Belvedere Castle ❸
The Dairy ❶

Monumente und Statuen
Bethesda Fountain
and Terrace ❺
Bow Bridge ❹
Strawberry Fields ❷

Seen und Gärten
Central Park Wildlife
Center ❼
Conservatory Garden ❽
Conservatory Water ❻

SIEHE AUCH

• *Stadtplan* Karten 12, 16, 21

• **www.**centralparknyc.org

ANFAHRT

Die Subway-Linien A, B, C und D bringen Sie zu einer der Stationen an der Upper West Side (59th, 72nd, 81st, 86th, 96th und 103rd St). An der Station 59th St-Columbus Circle hält die Linie 1; 2 und 3 fahren zur 110th Street; N, R, Q und W halten an 57th St und 5th Ave am Südende des Parks. Die Buslinien M1, M2, M3 und M4 fahren um die östliche Ecke des Parks; Bus M10 verkehrt im Westen, M5 im Süden.

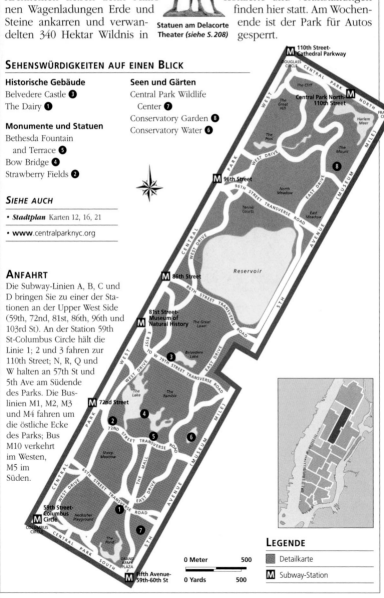

LEGENDE

 ▨ Detailkarte

Ⓜ Subway-Station

0 Meter 500
0 Yards 500

◁ **Der herbstliche Central Park aus der Vogelperspektive**

Spaziergang im Central Park

Ein Spaziergang von der 59th Street zur 79th Street führt an vielen der schönsten Stellen des Central Park vorbei, vom bewaldeten Ramble zu den regelmäßigen Freiflächen der Bethesda Terrace, an künstlichen Seen entlang und über einige der 30 Brücken. Das Netz an Fuß- und Reitwegen sowie Kutschenstraßen beträgt 93 Kilometer. Im Sommer ist es in dieser grünen Oase immer einige Grad kühler als in den umliegenden Straßenschluchten.

★ Strawberry Fields
Der viel besuchte, ruhige Garten wurde zum Gedenken an John Lennon angelegt, der ganz in der Nähe wohnte. ❷

★ Bethesda Fountain and Terrace
Die schön gestaltete Terrasse überblickt das mit Bäumen bestandene Ufer des Sees und den Ramble. ❺

Den Wollman Rink, eine Eis- und Rollschuhbahn, ließ Immobilienkönig Donald Trump in den 1980er Jahren renovieren.

Central Park Wildlife Center
In drei Klimazonen leben über 130 verschiedene Tierarten. ❼

The Pond

Plaza Hotel
(siehe S. 181)

Frick Collection
(siehe S. 202f)

Hans Christian Andersens
Statue an der Westseite des Conservatory Water ist eine beliebte Sehenswürdigkeit für Kinder und im Sommer ein Treffpunkt, an dem Geschichten erzählt werden.

★ The Dairy
Der neugotische Bau beherbergt das Besucherzentrum, in dem man Informationen zu Veranstaltungen im Park erhält. ❶

Bow Bridge
Die gusseiserne Brücke verbindet The Ramble und Cherry Hill. In einem eleganten Bogen erhebt sie sich 18 Meter über den See. ❹

ZUR ORIENTIERUNG
Siehe Stadtplan, Karten 12, 16

Alice im Wunderland und ihre Freunde (Cheshire Cat, Dormouse und Mad Hatter) sind am Nordrand des Conservatory Water in Bronze verewigt. Kindern macht es Vergnügen, zu ihr auf den Pilz zu klettern und herunterzurutschen.

NICHT VERSÄUMEN

★ Belvedere Castle

★ Bethesda Fountain

★ Conservatory Water

★ The Dairy

★ Strawberry Fields

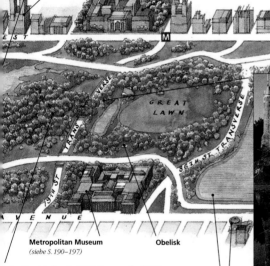

...ota
...ding
...e S. 218)

San Remo Apartments *(siehe S. 214)*

American Museum of Natural History *(siehe S. 216f)*

Metropolitan Museum *(siehe S. 190–197)*

Obelisk

Reservoir

Guggenheim Museum *(siehe S. 188f)*

The Ramble ist ein 15 Hektar großer Wald, den ein Netz von Fußwegen und Bächen durchzieht. Über 250 Vogelarten wurden hier schon gesichtet. Der Park liegt an der atlantischen Zugvogel-Flugroute.

★ Belvedere Castle
Von den Terrassen aus hat man eine tolle Sicht auf Park und Stadt. Im Gebäude ist das Central Park Learning Center untergebracht. ❸

★ Conservatory Water
Auf diesem Teich finden von März bis September jeden Samstag Modellbootrennen statt. Viele der Miniaturschiffe werden im Bootshaus am Ufer aufbewahrt. ❻

Stadtplan *siehe Seiten 394–425*

Kleines Paradies für Kinder: das Karussell im Children's District

The Dairy ❶

Stadtplan 12 F2. 📞 (212) 794-6564. Ⓜ Fifth Ave. 🕐 Di–So 10–17 Uhr. **Diashow.** 📷
www.centralparknyc.org

D as hübsche Häuschen aus Naturstein war ursprünglich als Teil des »Children's District« geplant, zu dem auch Spielplatz, Karussell, Kinderhütte und Stall gehörten. Um 1873 grasten auf der Wiese vor der Dairy (Molkerei, Milchfarm) Kühe und Schafe, dazwischen stolzierten Pfauen und Perlhühner herum. Die Stadtkinder bekamen hier frische Milch und andere gesunde Dinge.

Mit der Zeit verfiel das Gebäude, bis es nur noch als Lagerschuppen diente. 1979 wurde es anhand von Originalplänen und Fotografien restauriert und als Informationszentrum eingerichtet. Hier erhält man einen Plan des Central Park und Informationen zu aktuellen Veranstaltungen. Wer es gern geruhsam mag, kann sich Schachfiguren für einen der Schachtische am »Kinderberg« in der Nähe ausleihen.

Strawberry Fields ❷

Stadtplan 12 E1. Ⓜ 72nd St.

D en tränenförmigen Garten ließ Yoko Ono zum Gedenken an ihren ermordeten Ehemann John Lennon anlegen. Vom Dakota Building (siehe S. 218), in dem die beiden lebten, überblickt man genau diese Stelle. Aus aller Welt trafen Geschenke für den Gedenkpark ein. Das Mosaik auf dem Weg mit dem Wort *Imagine* (Lennons berühmtestes Lied) wurde von der Stadt Neapel gespendet.

Dieser Teil des Parks war von Vaux und Olmsted als weite Freifläche konzipiert worden. Inzwischen erstreckt sich hier ein internationaler »Garten des Friedens« mit 161 Pflanzenarten (eine aus jedem Land der Erde): u. a. Kaimastrauch, Zaubernuss, Rosen, Birken – und Erdbeeren.

Belvedere Castle ❸

Stadtplan 16 E4. 📞 (212) 772-0210. Ⓜ 81st St. 🕐 Di–So 10–17 Uhr. 📷 ♿ nur Haupttage.

V om Dachausguck der turmbewehrten Burg auf dem Vista Rock bietet sich einer der schönsten Ausblicke auf den Park und die Stadt. Das Central Park Learning Center im Inneren klärt junge Parkbesucher in der faszinierenden Discovery Chamber über die vielfältige Tierwelt im Park auf.

In nördlicher Richtung blickt man von der Burg direkt auf das Delacorte Theater, wo

Belvedere Castle mit Dachausguck über den Park

im Sommer Shakespeare-Stücke mit Starbesetzung bei freiem Eintritt aufgeführt werden (siehe S. 347). Das Theater wurde von dem Verleger und Philanthropen George T. Delacorte gestiftet, der als sehr humorvoll galt und dem zahlreiche Einrichtungen im Park zu verdanken sind.

Bow Bridge ❹

Stadtplan 16 E5. Ⓜ 72nd St.

D ie Bow Bridge gilt als eine der schönsten von sieben originalen Gusseisen-Brücken im Central Park. Vaux gestaltete sie als verbindendes Element zwischen den beiden großen Teilen des Sees. Im 19. Jahrhundert, als viele New Yorker auf dem See Schlittschuh liefen, signalisierte ein roter Ball auf einem Glockenturm am Vista Rock, dass das Eis trug. Von der Brücke bietet sich ein hübscher Panoramablick auf den Park und die im Osten und Westen angrenzenden Gebäude.

Idyllische Parkszenerie vor exklusiven Apartmenthäusern

Bethesda Fountain and Terrace auf einem Druck von 1864

Bethesda Fountain and Terrace 5

Stadtplan 12 E1. [M] *72nd St.*

Die Terrasse zwischen See und Mall, ein sehr formales Element in der natürlich wirkenden Landschaft, bildet das architektonische Herz des Parks. Der Brunnen wurde 1873 eingeweiht. Die Statue *Angel of the Waters* erinnert an den Croton Aqueduct, über den die Stadt 1842 erstmals mit Frischwasser versorgt wurde. (Sein Name geht auf die Bibelerzählung von einem Engel zurück, der am Teich von Bethesda in Jerusalem erschien.) Spanisch inspirierte Details wie die Doppeltreppe sowie Fliesen und Friese sind das Werk Jacob Wrey Moulds. Hier kann man ausspannen und Leute beobachten.

Conservatory Water 6

Stadtplan 16 F5. [M] *77th St.*

Der kleine See ist besser unter dem Namen Model Boat Pond bekannt: Jedes Wochenende ist er Schauplatz von Modellbootrennen.

Eine Statue von Alice im Wunderland am Nordende ist eine Attraktion für Kinder. George T. Delacorte gab die Statue zu Ehren seiner Frau in Auftrag und ließ sich selbst als »Mad Hatter« verewigen.

Bei der Statue von Hans Christian Andersen am Westufer tragen Geschichtenerzähler Märchen vor. Die Figur zeigt den Schriftsteller selbst beim Vorlesen von *Das hässliche Entlein* mit der Titelfigur zu seinen Füßen. Kinder klettern gern auf den großen Pilz und rutschen hinunter.

Das Conservatory Water weckt ebenfalls literarische Assoziationen: Hier klagt Holden Caulfield in J. D. Salingers Roman *Der Fänger im Roggen* bei den Enten über seine Pubertätsprobleme. Im Frühling drängeln sich Vogelfreunde am See, um das Dach des Gebäudes 927 Fifth Avenue zu beobachten: Dort nistet der Rotschwanzbussard Pale Male.

Central Park Wildlife Center 7

Fifth Ave zwischen 63rd und 66th St. **Stadtplan** 12 F2. ☎ *(212) 439-6500.* [M] *Fifth Ave.* 🕒 *Mo–Fr 10–17, Sa, So 10–17.30 Uhr; Nov–März: tägl. 10–16.30 Uhr (letzter Eintritt 30 Min. vor Schließung).* 👪 📷 ♿ ☕ 🛍
www.centralparkzoo.com

Der Zoo nutzt den ihm zur Verfügung stehenden Raum fantasievoll und tiergerecht. Über 130 Tierarten verteilen sich auf drei Klimazonen: Tropen, Polarkreis und kalifornische Küste. Affen und Vögel tummeln sich im Regenwald. Eisbären und Pinguine bevölkern das Polargelände, das auch die Tierwelt unter Wasser zeigt.

Im Tisch Children's Zoo können Kinder Ziegen, Schafe, Kühe und Schweine aus der Nähe erleben. Die Delacorte Clock beim Eingang spielt alle halbe Stunde Kinderlieder, während bronzene Tierfiguren sie umkreisen. Den Weg zum Willowdell Arch bewacht das Denkmal für Balto, den Leithund eines Husky-Gespanns, das einen Schlitten mit Diphtherie-Impfstoff quer durch Alaska zog.

Eisbär im Central Park Wildlife Center

Statue von Schlittenhund Balto

Conservatory Garden 8

Stadtplan 21 B5. [M] *Central Pk N, 105th St.* ☎ *(212) 860-1382.* 🕒 *8 Uhr bis Sonnenuntergang.* ♿

Am Vanderbilt Gate an der Fifth Avenue kann man drei Ziergärten betreten, die jeweils einen anderen Stil repräsentieren. Der Central Garden mit Rasen und Eibenhecke, Sträuchern und Glyzinenpergola spiegelt den italienischen Gartenstil wider. Der South Garden mit mehrjährigen Pflanzen ist im englischen Stil angelegt. Die Bronzestatue, die sich im Teich spiegelt, stellt Mary und Dickon aus *Der geheime Garten* von Frances Hodgson Burnett dar. Am Hang dahinter erblühen Tausende einheimischer Wildblumen. Die einjährigen Pflanzen um den *Fountain of the Three Dancing Maiden* im North Garden sind streng formal im französischen Stil angepflanzt. Im Sommer kann man sich an der prächtigen Blütenfülle erfreuen.

UPPER WEST SIDE

Maske im Museum of Natural History

er Stadtteil entwickelte sich erst ab 1870 zum Wohnviertel, nachdem es mit der Ninth-Ave-Hochbahn *(siehe S. 26f)* eine Verbindung nach Midtown gab. 1884 entstand das Dakota, New Yorks erstes Luxus-Apartmenthaus. Am Broadway und Central Park West schossen bald die Gebäude aus dem Boden. Die Seitenstraßen, meist um 1890 angelegt, werden von schönen Reihenhäusern gesäumt. Auch Kultureinrichtungen wie das Lincoln Center, das American Museum of Natural History und der neue Columbus-Circle-Komplex für Time Warner und CNN sind hier zu finden.

SEHENSWÜRDIGKEITEN AUF EINEN BLICK

**Historische Straßen
und Gebäude**
Columbus Circle ❼
The Dakota ❾
The Dorilton ❿
Pomander Walk ⓭
Riverside Drive and Park ⓮
Twin Towers
    of Central Park West ❶

Museen und Sammlungen
*American Museum of Natural
    History S. 216f* ⓫
Children's Museum
    of Manhattan ⓯
Hayden Planetarium ⓬
New-York Historical Society ❿

Berühmte Theater
Avery Fisher Hall ❻
Lincoln Center for the
    Performing Arts ❷
Lincoln Center
    Theater ❺
Metropolitan Opera House ❹
New York State Theater ❸

**Berühmte Hotels
und Restaurants**
The Ansonia ⓰
Hotel des Artistes ❽

ANFAHRT
Mit den Subway-Linien A, B, C, D, 1 bis Columbus Circle, mit 1, 2, 3 entlang Broadway, mit B, C entlang Central Park West. Busse: M10 (Central Park West), M7, M11, M104 oder M5, M66, M72 (crosstown).

0 Meter   500

0 Yards   500

SIEHE AUCH

• *Stadtplan* Karten 11–12, 15–16
• *Übernachten* S. 290f
• *Restaurants* S. 309f

LEGENDE

▢ Detailkarte

Ⓜ Subway-Station

◁ **Fassade des Hauses 14 Riverside Drive**

Im Detail: Lincoln Center

Das Lincoln Center verdankt seine Existenz zwei Umständen: Zum einen benötigten die Metropolitan Opera und das New York Philharmonic neue Domizile; zum anderen bedurfte ein großer Teil der West Side dringend einer Neubelebung. Der Gedanke, einen einzigen Komplex verschiedenen darstellenden Künsten zu widmen, erscheint heute ganz normal, galt aber in den 1950er Jahren als Wagnis. Inzwischen zählt das Center jährlich fünf Millionen Besucher und hat sich längst etabliert. Viele Künstler und Kunstliebhaber wohnen in seiner Umgebung.

★ **Lincoln Center for the Performing Arts**
Der Komplex wurde als Musik-, Tanz- und Theaterzentrum konzipiert. Der Platz um den Brunnen lädt zum Ausruhen und Leutetreffen ein. ❷

Lincoln Center Theater
Hier sind das Vivian Beaumont Theater und das Mitzi E. Newhouse Theater unter einem Dach vereint. ❺

Der Komponist Leonard Bernstein
trug entscheidend zum Aufbau des großen Musikkomplexes bei. Sein berühmtes Musical *West Side Story* (nach der Geschichte von Romeo und Julia) spielt in den damals heruntergekommenen Straßen rund um das heutige Lincoln Center.

Die Guggenheim Bandshell
im Damrosch Park ist Veranstaltungsort für Konzerte mit freiem Eintritt.

New York State Theater
Es dient dem New York City Ballet und einem Opernensemble als Stammhaus und hat Plätze für 2737 Besucher. ❸

Metropolitan Opera House
Die Oper ist Zentrum des Lincoln Center. Das Café bietet einen unvergleichlichen Ausblick. ❹

Das College Board Building ist ein Artdéco-Schmuckstück, in dem sich das College Board befindet (zuständig für die Aufnahmeprüfungen der amerikanischen Studenten).

Früher Quilt

American Folk Art Museum
Stickereien und Werke der naiven Malerei zählen zu den hier gezeigten Exponaten.

James Dean bewohnte ein Einzimmer-Apartment im obersten Stock von 19 West 68th Street.

ZUR ORIENTIERUNG
Siehe Stadtplan, Karten 11–12

LEGENDE

– – –   Routenempfehlung

0 Meter	100
0 Yards	100

★ Hotel des Artistes
Hier logierten Isadora Duncan, Noël Coward und Norman Rockwell. Es gibt ein exquisites Hotelrestaurant (siehe S. 310). **8**

Zur Subway-Station 72th Street (vier Blocks)

Ein Studio der American Broadcasting Company hat seinen Sitz in diesem burgartigen ehemaligen Arsenal.

55 Central Park West: Das Art-déco-Apartmenthaus war einer der Schauplätze des Films *Ghostbusters*.

Die Society of Ethical Culture ist in einem der ersten Art-Nouveau-Häuser der Stadt zu Hause. Zudem ist hier eine Schule untergebracht.

Zur Subway-Station 59th Street (zwei Blocks)

Central Park West ist die Adresse zahlreicher Prominenter, die hier in exklusiven Apartments eine gewisse Privatsphäre genießen können.

NICHT VERSÄUMEN

★ Hotel des Artistes

★ Lincoln Center

Century Apartments
Die vom Park aus sichtbaren Türme machen den Wohnkomplex zu einem Wahrzeichen New Yorks.

Stadtplan *siehe Seiten 394–425*

Das doppeltürmige Apartmenthaus San Remo entwarf Emery Roth

stein hob den Dirigentenstab, New York Philharmonic und Juilliard Choir stimmten das *Hallelujah* an, und das wichtigste Kulturzentrum der Stadt war geboren. Der Komplex erstreckt sich über sechs Hektar der einstigen Slums, in denen Bernsteins *West Side Story* spielte. Der Brunnen der Plaza ist ein Werk Philip Johnsons, die Skulptur *Reclining Figure* schuf Henry Moore.

Die angesehene Programmreihe Jazz at the Lincoln Center findet nun im neuen Komplex am Columbus Circle *(siehe S. 215)* statt.

New York State Theater ❸

Lincoln Center. **Stadtplan** 11 D2.
📞 *(212) 870-5570.* Ⓜ *66th St.* ♿
🎫 🍴 🛗 *Siehe* **Unterhaltung**
S. 346 f. **www**.nycballet.com

Das 1964 eröffnete Stammhaus des angesehenen New York City Ballet entwarf Philip Johnson. Das Gebäude beherbergt auch die New York City Opera.

Gewaltige weiße Marmorskulpturen von Elie Nadelman beherrschen das dreistöckige Foyer. Im Theater finden 2800 Besucher Platz. Die vielen Leuchter aus Bergkristall lassen das Haus wie ein »kleines Schatzkästchen« wirken.

Twin Towers of Central Park West ❶

Stadtplan 12 D1, 12 D2, 16 D3, 16 D5. Ⓜ *59th St-Columbus Circle, 72nd St, 81st St, 86th St.*
⭕ *für Besucher.*

Die vier Doppeltürme am Central Park West gehören zu den Wahrzeichen der Skyline. Die Apartmenthäuser wurden 1929–31 errichtet, ehe die Weltwirtschaftskrise dem Bau von Luxuswohnungen ein Ende setzte. Heute zählen sie zu den begehrtesten New Yorker Adressen.

Die Gebäude bestechen durch Eleganz und architektonische Raffinesse. Ihre charakteristische Form folgte einer Verordnung, die höhere Wohnhäuser zuließ, sofern zurückgesetzte Fassaden und Türme vorgesehen waren.

Zu den berühmten Bewohnern des San Remo (145 CPW) zählen Dustin Hoffman, Paul Simon und Diane Keaton. Madonna wurde von der Eigentümerversammlung abgelehnt und nahm sich eine Wohnung im Haus 1 West 64th Street. In den Türmen des Eldo-

rado (300 CPW), ebenfalls ein Entwurf von Roth, wohnten u. a. Groucho Marx, Marilyn Monroe und Richard Dreyfuss. Das Majestic (115 CPW) und das Century (25 CPW) gehören zu den Klassikern des Art-déco-Designers Irwin S. Chanin.

Lincoln Center for the Performing Arts ❷

Stadtplan 11 C2. 📞 *(212) 546-2656.* Ⓜ *66th St.* ♿ 📞 *(212) 875-5350.* 🍴 🛗 *Siehe* **Unterhaltung**
S. 350 f. **www**.lincolncenter.org

Im Mai 1959 reiste Präsident Eisenhower nach New York, um eine Schaufel Erde umzudrehen. Leonard Bern-

Metropolitan Opera House ❹

Lincoln Center. **Stadtplan** 11 D2.
📞 *(212) 362-6000.* Ⓜ *66th St.* ♿
🎫 🍴 🛗 *Siehe* **Unterhaltung**
S. 350 f. **www**.metopera.org;
www.abt.org

Die »Met« ist der spektakulärste Teil des Komplexes und Blickpunkt der Plaza. Die Metropolitan Opera Company und das American Ballet Theater haben hier ihr Domizil. Fünf hohe Bogenfenster geben den Blick auf das Foyer frei. Die leuchtenden Wandgemälde von Marc Chagall werden vormittags vor der Sonne

Die Central Plaza des Lincoln Center

;eschützt und sind dann nicht ,u sehen. Innen beeindrucken Marmortreppen, roter Plüsch-eppich und Kristalllüster.

)pen-Air-Konzert in der Guggen-ıeim Bandshell, Damrosch Park

Alle Größen haben hier ge-ungen, etwa Maria Callas, essye Norman und Luciano Pavarotti. Die Premierenaben-le sind glanzvolle Ereignisse.

Die Guggenheim-Konzert-nuschel im Damrosch Park ıeben der Met ist ein belieb-es Ziel für Musikliebhaber, lie hier Opern und auch Jazz-konzerte besuchen. Höhe-)unkt der Saison ist das Lin-coln Center Out-of-Doors Festival im August.

Lincoln Center Theater ❺

incoln Center. **Stadtplan** 11 C2. ☎ *(212) 362-7600 (Beaumont und Newhouse), (212) 870-1630 (Biblio-hek). 800-432 7250 (Tickets).* [M] *66th St.* ♿ 👂 🍴 🛍 *Siehe* ***Unter-haltung*** *S. 350 f.* **www**.lct.org

Der innovative Bau unter-teilt sich in zwei Theater, lie sich auf ausgefallene Stü-:ke spezialisiert haben: das Vivian Beaumont Theater mit 1000 Sitzplätzen und das Mitzi E. Newhouse Theater mit 280 Plätzen.

Einige der besten modernen Dramatiker New Yorks haben im Beaumont den Durch-bruch geschafft. Eingeweiht wurde es 1962 mit Arthur Millers *Nach dem Sündenfall.* Das kleinere Newhouse ist ein Werkraumtheater, macht aber durchaus Schlagzeilen. So wurde hier Samuel Becketts *Warten auf Godot* gespielt, mit Robin Williams und Steve Martin in den Hauptrollen.

In der New York Public Library for the Performing Arts werden u. a. Dokumen-tationen historischer Auffüh-rungen an der Met, Libretti, Plakate und Programme aus-gestellt.

Avery Fisher Hall ❻

Lincoln Center. **Stadtplan** 11 C2. ☎ *(212) 875-5030.* [M] *66th St.* ♿ 👂 🍴 🛍 *Siehe* ***Unterhaltung*** *S. 350 f.* **www**.newyorkphilharmonic.org

Die Avery Fisher Hall am nördlichen Ende der Lincoln Center Plaza ist die Heimstatt der New York Phil-harmonic, des ältesten ameri-kanischen Orchesters. Hier finden diverse Veranstaltun-gen des Lincoln Center statt, etwa das Mostly Mozart Festi-val. Als die Philharmonie 1962 eröffnet wurde, gab es Kritik an der Akustik. Verschie-dene bauliche Maßnahmen haben die Konzerthalle mitt-lerweile in ein akustisches Juwel verwandelt, das sich klanglich mit anderen weltbe-rühmten Konzertsälen messen kann. Für einen geringen Ein-tritt kann man donnerstagvor-mittags Proben im großen Saal mit seinen 2738 Plätzen miterleben.

Columbus Circle ❼

Columbus Circle. **Stadtplan** 12 D3. [M] *59th St.* ***Konzerte*** ☎ *(212) 258-9800.* **www**.jazzatlincolncenter.org

Über den Platz an der un-teren Ecke des Central Park blickt die Statue von Christoph Kolumbus, die auf einer Granitsäule steht. Sie ist eines der wenigen Über-bleibsel des alten Platzes, der zum größten Bau-projekt in der Ge-schichte New Yorks geworden ist. Hier wurden neue multifunktio-nale Hochhäu-ser gebaut, die nationale und internationale Unternehmen anziehen. Time Warner etwa hat hier sein Haupt-quartier in einem 80-stöckigen Turm. Auf die 260 000 Quadrat-meter des Baus verteilen sich Läden, Veranstaltungsräume und Restaurants. Hier findet man Shops wie Hugo Boss, Williams-Sonoma und Borders Books. Dinieren kann man im Per Se und in Jean-Georges Vongerichtens Steakhouse. Außerdem beherbergt der Komplex das sechste Hotel der Mandarin-Oriental-Kette.

Das Time Warner Center »übernahm« die Jazz-Bühnen des Lincoln Center: Die Frederic P. Rose Concert Hall und der Allen Room bilden zusammen mit einem Jazz-club und einem Unterrichts-center den weltweit ersten Komplex, der nur dem Jazz gewidmet ist.

Am Columbus Circle stehen zudem das vom britischen Architekten Norman Foster entworfene Hearst House, das Trump International Hotel, das Maine Monument und seit Herbst 2008 das Museum of Arts and Design.

Hotel des Artistes ❽

1 W 67th St. **Stadtplan** 12 D2. ☎ *(212) 877-3500 (Café).* [M] *72nd St.*

Die zweigeschossigen Wohnungen in dem 1918 von George Mort Pollard er-richteten Gebäude waren als Ateliers für bildende Künstler gedacht, zogen aber alle mög-lichen Bewohner an, etwa Alexander Woollcott, Norman Rockwell, Isadora Duncan, Rudolph Valentino und Noël Coward. Das Café des Artistes verdankt seine Berühmtheit den romantischen Wandge-mälden von Howard Chandler Christy und der erlese-nen Küche.

Zierfigur am Hotel des Artistes

American Museum of Natural History ⓫

D as Museum ist eines der größten naturge-
schichtlichen Museen der Welt. Der 1877
eröffnete Komplex von Calvert Vaux und
J. Wrey Mould umfasst vier Häuserblocks und
besitzt über 30 Millionen Exponate. Am beliebtesten sind die Dinosaurier-Abteilung und die
Milstein Hall of Ocean Life. Spannend ist auch
das Rose Center for Earth and Space mit dem
Hayden Planetarium *(siehe S. 218).*

Fassade zur 77th Street

NICHT VERSÄUMEN

★ Barosaurier

★ Blauwal

★ Great Canoe

★ Star of India

★ Star of India
*Der mit 563 Karat
größte blaue Saphir der
Welt wurde auf Sri Lanka
gefunden und dem Muse-
um 1901 durch J. P.
Morgan übereignet.*

KURZFÜHRER

*Geht man vom Eingang Central Park West ins Ober-
geschoss (zweiter Stock), sieht man dort den Barosaurier. Hier finden sich auch Exponate zu Völkern
und Tieren Afrikas, Asiens, Mittel- und Südamerikas.
Im Erdgeschoss sind Meteoriten, Mineralien und
ozeanische Exponate ausgestellt. Indianische Objekte, Vögel und Reptilien fin-
den sich im drit-
ten, Dinosaurier
und Fossilien
im vierten
Stock.*

★ Blauwal
*Der Blauwal ist das größte Tier, das je
auf der Erde lebte. Er kann 100 Tonnen schwer werden. Das Exponat ist
einem Weibchen nachgebildet, das
1925 vor Südamerika gefangen wurde.*

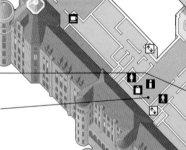

★ Great Canoe
*Das 19,2 Meter lange Kriegskanu aus dem
Pazifischen Nordwesten wurde aus einem
einzigen Zedernstamm geschnitzt.*

**Eingang an
der W 77th St**

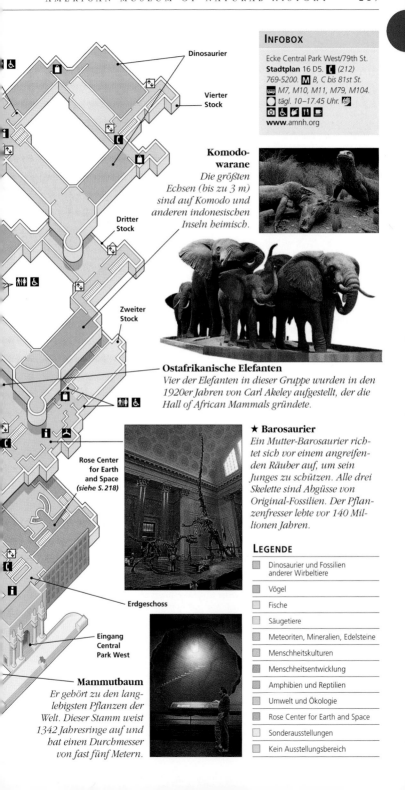

Dinosaurier

Vierter
Stock

Dritter
Stock

Zweiter
Stock

Rose Center
for Earth
and Space
(siehe S. 218)

Erdgeschoss

Eingang
Central
Park West

INFOBOX

Ecke Central Park West/79th St.
Stadtplan 16 D5. (212)
769-5200. B, C bis 81st St.
M7, M10, M11, M79, M104.
tägl. 10–17.45 Uhr.
www.amnh.org

Komodo-warane
*Die größten
Echsen (bis zu 3 m)
sind auf Komodo und
anderen indonesischen
Inseln heimisch.*

Ostafrikanische Elefanten
*Vier der Elefanten in dieser Gruppe wurden in den
1920er Jahren von Carl Akeley aufgestellt, der die
Hall of African Mammals gründete.*

★ Barosaurier
*Ein Mutter-Barosaurier rich-
tet sich vor einem angreifen-
den Räuber auf, um sein
Junges zu schützen. Alle drei
Skelette sind Abgüsse von
Original-Fossilien. Der Pflan-
zenfresser lebte vor 140 Millionen Jahren.*

Mammutbaum
*Er gehört zu den lang-
lebigsten Pflanzen der
Welt. Dieser Stamm weist
1342 Jahresringe auf und
hat einen Durchmesser
von fast fünf Metern.*

LEGENDE

▢	Dinosaurier und Fossilien anderer Wirbeltiere
▢	Vögel
▢	Fische
▢	Säugetiere
▢	Meteoriten, Mineralien, Edelsteine
▢	Menschheitskulturen
▢	Menschheitsentwicklung
▢	Amphibien und Reptilien
▢	Umwelt und Ökologie
▢	Rose Center for Earth and Space
▢	Sonderausstellungen
▢	Kein Ausstellungsbereich

The Dakota ❾

1 W 72nd St. **Stadtplan** 12 D1.
M 72nd St. ● für Besucher.

Der Name Dakota deutet
darauf hin, wie weit »im
Wilden Westen« das Gebäude
lag, das der Architekt Henry
J. Hardenbergh entworfen
hatte. Das erste Luxus-Apartmenthaus New Yorks ent-
stand 1880–84 inmitten ärm-
licher Hütten und weidender
Tiere. Den Auftrag hatte Edward S. Clark gegeben, der
Erbe des Singer-Nähmaschi-
nen-Vermögens.
Das Dakota Building zählt
heute zu den prestigeträchtigs-
ten Adressen der Stadt und
hat es auch zu Filmruhm gebracht, z. B. in *Rosemary's
Baby*. In den 65 Luxussuiten
wohnten Judy Garland, Lauren Bacall, Leonard Bernstein,
Boris Karloff (der noch als
Gespenst umgehen soll) und
John Lennon. Der Ex-Beatle
wurde genau vor diesem
Haus Opfer eines Attentats.
Seine Frau Yoko Ono lebt
heute noch hier.

Indianerrelief über dem Eingang
des Dakota

New-York Historical Society ❿

170 Central Park West. **Stadtplan**
16 D5. **C** (212) 873-3400. **M** 81st
St. **Galerien** ◌ Di–Sa 10–18 Uhr
(Fr bis 20 Uhr), So 11–17.45 Uhr.
Bibliothek ◌ Di–Sa (Sommer
Di–Fr) 10–17 Uhr. ● Feiertage. ✗
⬣ www.nyhistory.org

Zu den Schätzen der 1804
gegründeten Gesellschaft
gehören eine exzellente Biblio-

Das Rose Center for Earth and Space

thek und das älteste New Yorker Museum. Die Sammlung
umfasst historische Dokumente über Sklaverei und den Bürgerkrieg, Zeitungen aus dem
18. Jahrhundert und zudem
alle 435 Vogelbildnisse von
John James Audubons *Birds
of America*. Auch 150 Tiffany-
Leuchten und Möbel der Fe-
deral-Style-Periode hat die
Society zusammengetragen.

American Museum of Natural History ⓫

Siehe S. 216f.

Hayden Planetarium ⓬

Ecke Central Park West/81st St.
Stadtplan 16 D4. **C** (212) 769-
5100, für Space-Show-Tickets:
(212) 769-5200. **M** 81st St.
www.amnh.org/rose

Das Herzstück des von
Polshek & Partners ent-
worfenen Rose Center of
Earth and Space ist das Hayden Planetarium an der Nordseite des American Museum
of Natural History. In dem
26,5 Meter hohen Kuppelbau
sind ein technologisch anspruchsvolles Space Theater
und der Cosmic Pathway untergebracht, eine riesige Zeit-
spirale, die den Besucher
durch 13 Milliarden Jahre Evo-
lution führt. Die Hall of Planet
Earth hat im Zentrum gewaltige Felsen und ist mit der
modernsten Computer- und
Videotechnik ausgestattet.
Hier werden der Aufbau und
die geologische Geschichte
der Erde erläutert. Ausstellungen in der Hall of the Universe informieren über die
neuesten Entdeckungen der
Astrophysik. In vier Zonen

werden selbst zu be
dienende, interaktive
Exponate und um-
fangreiche Lernpro-
gramme präsentiert.
Tipp: Nachts von
der Straße aus be-
trachtet wirkt das
Rose Center for Eart
and Space wirklich
atemberaubend.

Pomander Walk ⓭

261–267 W 94th St. **Stadtplan**
15 C2. **M** 96th St.

Der Blick durchs Tor offer
bart eine Reihe kleiner
Stadthäuser von 1921. Sie sin
der Kulisse eines beliebten
Schauspiels gleichen Namens
nachempfunden, die Londo-
ner Stallungen darstellte. Hie
wohnten viele Schauspieler
wie Rosalind Russell, Humphrey Bogart und die Gish-
Schwestern.

Stadthaus am Pomander Walk

Riverside Drive and Park ⓮

Stadtplan 15 B1–B5, 20 D1–D5.
M 79th St, 86th St, 96th St.

Der Riverside Drive ist
eine der attraktivsten
Straßen der Stadt: breit, schat
tig, mit schönen Ausblicken
auf den Hudson River. Er
wird von alten Stadtpalais
und neueren Apartment-
häusern gesäumt. Die sehens
werten Gebäude Nr. 40–46,
74–77, 81–89 und 105–107
entstanden Ende des 19. Jahr
hunderts nach Plänen von
Clarence F. True. Ihre ge-

chwungenen Giebel, Erker
nd Bogenfenster scheinen
lie Biegung der Straße und
les Flusses widerzuspiegeln.
Das Haus Nr. 243 trägt den
Jamen Cliff Dwellers' Apart-
nents. Ein Fries zeigt »Felsen-
ewohner« mit Masken und
üffelschädeln, Berglöwen
nd Klapperschlangen.
Der Riverside Park wurde
880 nach Plänen von Frede-
ick Law Olmsted angelegt,
ler auch den Central Park
(siehe S. 204–209) gestaltete.

as Soldiers' and Sailors'
Monument im Riverside Park

hildren's Museum of Manhattan ⑮

12 W 83rd St. **Stadtplan** 15 C4.
▮ *(212) 721-1234*. Ⓜ *79th St, 81th*
t, 86th St. ⭘ *Di–So 10–17 Uhr.*
⬤ *1. Jan, Thanksgiving, 25. Dez.* 🈯
🖫 ♿ 🖶 www.cmom.org

D as wunderbare Museum
»zum Anfassen« wurde
973 eröffnet und gründet auf
ler These, dass Kinder beim
pielen am besten lernen.
Das Wunder des menschli-
hen Körpers wird mittels
Odyssey« in einer kurzen
Aultimedia-Show enthüllt. Mit
nderen Hightech-Systemen
önnen Kinder in digitale
Velten reisen und dort auch
igene Ideen ausprobieren.
Das Time Warner Media
Center bietet Einblicke
n ein Fernsehstudio.
Kinder können dort
n die Rolle von
Kameraleuten,
Nachrichten-
prechern,

Eingang des Children's Museum

Animatoren und Technikern
schlüpfen.
An Wochenenden und in
den Ferien treten im Theater
mit seinen 150 Plätzen Pup-
penspieler und Märchener-
zähler auf. Samstags können
Kids Bücher herstellen. Außerdem gibt es Angebote für
spielerische kindliche Sprach-
förderung.

The Ansonia ⑯

2109 Broadway. **Stadtplan** 15 C5.
Ⓜ *72nd St.* ⬤ *für Besucher.*

D as Beaux-Arts-Juwel entstand 1899 nach Plänen
des französischen Architekten
Paul E. M. Duboy im Auftrag
von William Earl Dodge
Stokes, dem Erben des Ver-
mögens der Phelps Dodge
Company. Das frühere Luxushotel ist seit 1992 ein Wohnhaus.
Seine auffälligsten Merk-
male sind der Rundturm und
das zweistöckige, gaubenge-
schmückte Mansardendach.
Ursprünglich gab es einen
Dachgarten (mit Dodges Me-
nagerie: Enten, Hühner und

Der charakteristische Eckturm des Ansonia

ein zahmer Bär) sowie zwei
Swimmingpools.
Die dicken, lärmschlucken-
den Wände machten das
Hotel schnell zum bevorzug-
ten Quartier der musikalischen Prominenz: Florenz
Ziegfeld, Arturo Toscanini,
Enrico Caruso, Igor Strawinsky und Lily Pons gehörten
einst zu den Gästen.

The Dorilton ⑰

171 W 71st St. **Stadtplan** 11 C1.
Ⓜ *72nd St.* ⬤ *für Besucher.*

I mmenser Detailreichtum,
ein imposantes, hohes
Mansardendach und ein
neunstöckiger Torbau zur
West 71st Street charakterisieren dieses Apartmenthaus.
Für heutige Begriffe wirkt es
reichlich überzogen, doch
1902 rief es andere Reaktionen hervor, etwa im *Architec-
tural Record*: »Sein Anblick

**Von Skulpturen gestützter Balkon
des Dorilton**

lässt starke Männer fluchen
und schwache Frauen er-
schreckt zurückweichen.«
Was die Kritiker wohl zum
Alexandria Condominium
einen Block weiter (135 West
70th St) gesagt hätten? Das
Gebäude wurde 1927 als Py-
thian Temple errichtet, diente
als Freimaurerloge und trägt
üppige Verzierungen im
ägyptischen Stil, von denen
sich der heutige Name ablei-
tet. Viele davon wurden im
Lauf des Umbaus zu Luxus-
Apartments entfernt, doch
fehlt es auch heute nicht
an Lotosblättern, Hiero-
glyphen, Säulen
und Fabelwesen.
Auf dem Dach
thronen in
majestätischer
Pracht zwei
Pharaonen.

Morningside Heights und Harlem

Morningside Heights am Hudson River ist Sitz der Columbia University und besitzt zwei der schönsten Kirchen New Yorks. Östlich, gleich an der Grenze zu Harlem, der bekanntesten schwarzen Gemeinde der USA, liegt Hamilton Heights. Da Harlem nicht die sicherste Gegend ist, buchen

Franz von Assisi, **Museo del Barrio**

Sie am besten eine Tour am Sonntagmorgen. Die Touren *(siehe S. 369)* starten in Hamilton Heights, biegen östlich zum St. Nicholas Historic District ab, machen eine Visite bei der Abyssinian Baptist Church und enden mit einem Lunch à la Southern Style bei Sylvia's, Harlems renommiertem Restaurant.

Louis Armstrong auf einem Buntglasfenster im neuen Cotton Club *(siehe S. 353)*

SEHENSWÜRDIGKEITEN AUF EINEN BLICK

Historische Straßen und Gebäude
City College of the City
  University of New York **7**
Columbia University **1**
Grant's Tomb **6**
Hamilton Grange National
  Memorial **8**
Hamilton Heights
  Historic District **9**
Low Library **3**
Mount Morris
  Historic District **17**
St. Nicholas
  Historic District **10**

Museen und Sammlungen
Museo del Barrio **19**
Schomburg Center for
  Research in Black Culture **12**
Studio Museum in Harlem **16**

Berühmte Theater
Apollo Theater **15**
Harlem YMCA **13**

Kirchen
Abyssinian Baptist Church **11**
*Cathedral of St. John
  the Divine S. 226f* **4**
Riverside Church **5**
St. Paul's Chapel **2**

Park
Marcus Garvey Park **18**

Berühmtes Restaurant
Sylvia's **14**

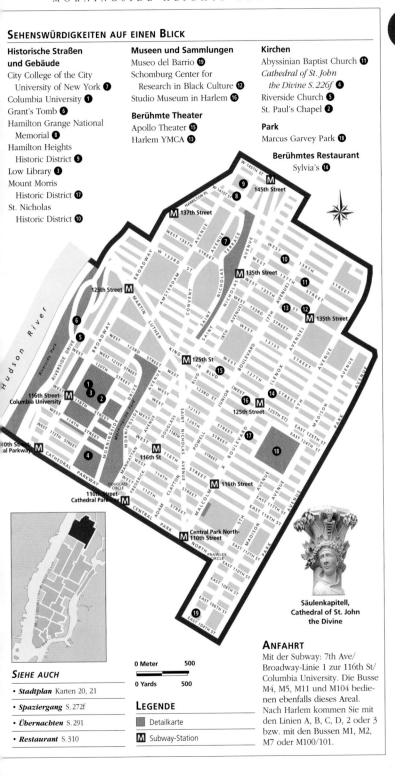

Säulenkapitell,
Cathedral of St. John
the Divine

SIEHE AUCH
- *Stadtplan* Karten 20, 21
- *Spaziergang* S. 272f
- *Übernachten* S. 291
- *Restaurant* S. 310

0 Meter	500

0 Yards	500

LEGENDE

  Detailkarte

M Subway-Station

ANFAHRT
Mit der Subway: 7th Ave/
Broadway-Linie 1 zur 116th St/
Columbia University. Die Busse
M4, M5, M11 und M104 bedie-
nen ebenfalls dieses Areal.
Nach Harlem kommen Sie mit
den Linien A, B, C, D, 2 oder 3
bzw. mit den Bussen M1, M2,
M7 oder M100/101.

Im Detail: Columbia University

Den Rang einer Universität erkennt man sowohl an ihren Gebäuden als auch an ihrer Gelehrsamkeit. Bewundern Sie die Architektur, verweilen Sie dann etwas im Innenhof vor der Low Library, um zu beobachten, wie sich Amerikas künftige Elite zwischen den Vorlesungen tummelt. Gegenüber dem Campus, auf dem Broadway und in der Amsterdam Avenue, befinden sich Coffee Houses, in denen man sich auf philosophische Debatten einlässt, das Tagesgeschehen kommentiert oder sich entspannt.

Die Alma Mater, 1903 von Daniel Chester French geschaffen, überstand während der 1968er-Studentenrevolte eine Bombenexplosion.

ALMA MATER

Subway-Station 116th St/ Columbia University (Linie 1)

Die School of Journalism ist eines der von McKim, Mead & White entworfenen Universitätsgebäude. Sie wurde 1912 vom Verleger Joseph Pulitzer gegründet. Hier wird der renommierte Pulitzer-Preis vergeben.

Die Butler Library ist die Hauptbibliothek.

Low Library
Mit ihrer eindrucksvollen Fassade und der hohen Kuppel dominiert diese Bibliothek den Hof. Sie wurde 1895–97 von McKim, Mead & White entworfen. **❸**

★ Central Quadrangle
Die älteren Gebäude wurden alle von McKim, Mead & White konzipiert und um einen erhöhten rechteckigen Platz herum angeordnet. Hier der Blick auf die Butler Library. **❶**

St. Paul's Chapel

*Die Kirche von Howells &
Stokes (1907) ist bekannt für
ihre Schnitzereien und das
prächtige Gewölbe. Der
lichtdurchflutete Innen-
raum hat eine gute
Akustik.* ❷

**Das Sherman
Fairchild
Center** (1977)
ist Sitz der
biowissen-
schaftlichen
Fakultäten.

ZUR ORIENTIERUNG

Siehe Stadtplan, Karte 20

LEGENDE

– – – Routenempfehlung

0 Meter   100

0 Yards   100

Studentenunruhen brachten 1968 die
Columbia University in die Schlagzeilen.
Die ohnehin schon aufgeheizte Atmosphäre entlud sich, als die Universität
Pläne für den Bau einer Sporthalle im
nahe gelegenen Morningside Park publik
machte. Die Proteste zwangen sie dann,
an einem anderen Ort zu bauen.

Die Église de Notre Dame wurde für eine
französischsprachige Kongregation gebaut.
Die Replik der Grotte von Lourdes hinter
dem Altar wurde von einer Frau gestiftet, die
glaubte, ihr Sohn sei dort geheilt worden.

★ Cathedral of
St. John the Divine

*Sollte diese neogoti-
sche Kathedrale je-
mals vollendet wer-
den, wird sie die
größte der Welt sein. Obwohl noch
ein Drittel des Bauwerks fehlt, fasst
es jetzt schon 10 000 Gläubige.* ❹

**Steinmetz-
arbeiten**
zieren die
Fassade der
Kathedrale.

NICHT VERSÄUMEN

★ Cathedral of St. John
the Divine

★ Central
Quadrangle

Stadtplan siehe Seiten 394–425

Alma Mater-Statue vor der Low Library, Columbia University

Columbia University ❶

Haupteingang Ecke W 116th St/ Broadway. **Stadtplan** 20 E3. 🎵 (212) 854-4900. Ⓜ 116th St-Columbia University. 🕐 Mo–Fr 11, 14 Uhr. **www**.columbia.edu

Dies ist bereits der dritte Standort der Universität, die zu den ältesten und renommiertesten der USA zählt. Sie wurde 1754 als King's College gegründet, nahe dem Ort, an dem das World Trade Center stand. Als die Universität 1814 umziehen wollte, erhielt sie von den Behörden Land zugewiesen, das angeblich 75 000 Dollar wert war. Die Universität baute jedoch nicht, sondern verpachtete den Grund und verbrachte 1857–97 in Nachbargebäuden. 1985 verkaufte sie den Grund für 400 Millionen Dollar an das Rockefeller Center Inc.

1897 begann am einstigen Standort des Bloomingdale Insane Asylum der Bau für den Campus. Architekt Charles McKim errichtete die Gebäude über Straßenniveau auf einer Terrasse. Die Rasenflächen und Plätze bilden einen reizvollen Kontrast zur hektischen Metropole.

Über 20 000 Studierende sind hier eingeschrieben. Die Columbia University ist bekannt für die juristische, medizinische und journalistische Fakultät. Unter den Alumni gibt es über 50 Nobelpreisträger. Berühmte Absolventen sind u.a. Isaac Asimov, J.D. Salinger, James Cagney und Joan Rivers. Gegenüber liegt das unabhängige Barnard College für Frauen.

St. Paul's Chapel ❷

Columbia University. **Stadtplan** 20 E3. 🎵 (212) 854-1487 (Konzert-Info). Ⓜ 116th St-Columbia University. 🕐 Mo–Sa 10–23 Uhr (Semester), 10–16 Uhr (Ferien). ✝ So. 📷 ♿

Die Kuppel der St. Paul's Chapel

Das bemerkenswerteste Gebäude der Universität wurde 1904 gebaut. St. Paul's Chapel (nicht zu verwechseln mit der namensgleichen Kirche am Broadway, *siehe S. 91*) ist eine Mischung aus italienischer Renaissance, Gotik und byzantinischer Architektur. Das Guastavino-Gewölbe weist komplizierte Ziegelmuster auf. Die ganze Kirche wird voll Licht durchflutet. Die Aeolian-Skinner-Orgel ist für ihren Klang berühmt.

Fassade der St. Paul's Chapel

Low Library ❸

Columbia University. **Stadtplan** 20 E3. Ⓜ 116th St-Columbia University.

Der klassische Säulenbau, der sich über drei steinernen Treppenfluchten erhebt, wurde vom ehemaligen College-Präsidenten Seth Low gestiftet. Die Statue davor, die *Alma Mater* von Daniel Chester French, ist vielen noch vertraut als Hintergrund der Filmbilder von vielen Anti-Vietnam-Demonstrationen von 1968. Heute dient das Gebäude als Bürotrakt. Im Rundbau findet eine Vielzahl akademischer und offizieller Veranstaltungen statt. Der Bibliotheksbestand (sechs Millionen Bände) wurde 1932 in die Butler Library verlagert.

Cathedral of St. John the Divine ❹

Siehe S. 226f.

Riverside Church ❺

Ecke 490 Riverside Dr/122nd St. **Stadtplan** 20 D2. 🎵 (212) 870-6700. Ⓜ 116th St-Columbia University. 🕐 Di–So 10.30–17 Uhr. ✝ So 10.45 Uhr. 📷 mit Erlaubnis des Priors. ♿ 🎵 **Glockenspiel** 🎵 (212) 870-6784. So 12, 15 Uhr. **Theater** 🎵 (212) 864-2929. 📧 **www**.theriversidechurchny.org

Die Kirche, ein 21-stöckiger Stahlgerüstbau mit gotischer Fassade, ahmt die Kathedrale in Chartres nach. Sie wurde 1930 von John D. Rockefeller Jr. finanziert. Das Laura-Spelman-Rockefeller-Glockenspiel zu Ehren seiner Mutter ist mit 74 Glocken das größte der Welt. Die Stunden-

Hauptplatz der Columbia University mit der Low Library

locke wiegt 20 Tonnen und
st die schwerste und größte
estimmte Glocke. Auch die
Orgel mit ihren 22000 Pfeifen
st eine der größten der Welt.

An der Rückseite der zwei-
en Empore befindet sich eine
Sipsfigur von Jacob Epstein,
Die Herrlichkeit des Herrn,
ie völlig mit Blattgold über-
ogen ist. Eine weitere schö-
ie Epstein-Figur, *Madonna*
nit Kind, steht im Innenhof
eben dem Kreuzgang.

Die Tafeln an der Kanzel
ehren die acht Männer und
rauen, die die Lehren Jesu
eispielhaft vorlebten. Dazu
ehören Sokrates und Michel-
angelo ebenso wie Florence
Nightingale und Booker T.
Washington.

Ruhe findet man in der se-
paraten Christ Chapel, dem
Nachbau einer französischen
romanischen Kirche aus dem
1. Jahrhundert. Von der zugi-
gen Aussichtsplattform des
120 Meter hohen
Glockenturms (mit
dem Aufzug zum
20. Stock, dann
noch 140 Stufen zu
Fuß hoch) können
Sie die Aussicht
auf Upper Man-
hattan genie-
ßen – sofern
nicht gerade die
Glocken laut-
stark läuten.

Mosaikwand in Grant's Tomb mit Grant (rechts) und Robert E. Lee

Grant's Tomb ❻

Ecke W 122nd St/Riverside Dr.
Stadtplan 20 D2. 〖 *(212) 666-
1640*. Ⓜ *116th St-Columbia University*. 🚌 *M5*. ⭕ *tägl. 9–17 Uhr.*
⬤ *1. Jan, Thanksgiving, 25. Dez.* 📷
📷 🏠 www.nps.gov/gegr

Das grandiose Monument
wurde zu Ehren des
18. Präsidenten Amerikas und
Oberkommandierenden
der Unionstruppen im
amerikanischen Bür-
gerkrieg, Ulysses
S. Grant, errichtet.
Im Mausoleum
stehen die Särge
von General
Grant und
seiner Frau –
Grants letzter
Wunsch war
es, gemein-
sam bestattet
zu werden.
Nach Grants Tod
im Jahr 1885
spendeten mehr
als 90000 Ameri-
kaner insgesamt
600000 Dollar,
um eine Grabstät-
te zu errichten, die dem
Mausoleum von Halikar-
nassos, einem der sie-
ben Weltwunder,

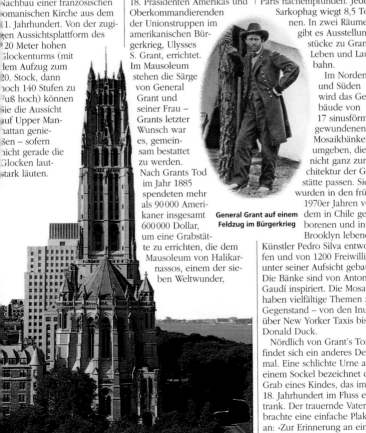

**General Grant auf einem
Feldzug im Bürgerkrieg**

gleichkommen sollte. Das
Grabmal wurde am 27. April
1897, an Grants 75. Geburtstag, eingeweiht. Die Parade
mit 50000 Menschen und
einer Flotte von zehn amerikanischen und fünf europäischen Kriegsschiffen dauerte
über sieben Stunden. Das
Innere ist dem Grabmal Na-
poléons im Invalidendom in
Paris nachempfunden. Jeder
Sarkophag wiegt 8,5 Ton-
nen. In zwei Räumen
gibt es Ausstellungs-
stücke zu Grants
Leben und Lauf-
bahn.

Im Norden
und Süden
wird das Ge-
bäude von
17 sinusförmig
gewundenen
Mosaikbänken
umgeben, die
nicht ganz zur Ar-
chitektur der Grab-
stätte passen. Sie
wurden in den frühen
1970er Jahren von
dem in Chile ge-
borenen und in
Brooklyn lebenden
Künstler Pedro Silva entworfen und von 1200 Freiwilligen
unter seiner Aufsicht gebaut.
Die Bänke sind von Antoni
Gaudí inspiriert. Die Mosaike
haben vielfältige Themen zum
Gegenstand – von den Inuit
über New Yorker Taxis bis zu
Donald Duck.

Nördlich von Grant's Tomb
findet sich ein anderes Denkmal. Eine schlichte Urne auf
einem Sockel bezeichnet das
Grab eines Kindes, das im
18. Jahrhundert im Fluss er-
trank. Der trauernde Vater
brachte eine einfache Plakette
an: »Zur Erinnerung an ein lie-
benswertes Kind, St. Clair
Pollock, gestorben am 15. Juli
1797 im fünften Lebensjahr.«

Blick von Norden auf die 21-stöckige Riverside Church

Cathedral of St. John the Divine ❹

Die gotische Westfront

Der 1892 begonnene Bau ist erst zu zwei Dritteln abgeschlossen und wird einmal die größte Kathedrale der Welt sein – 180 Meter lang und 45 Meter breit. Heins und LaFarge entwarfen die Kirche im romanischen Stil, Ralph Adams Cram, der 1911 das Projekt übernahm, konzipierte das Schiff und die Westfront im gotischen Stil. Bis heute nutzt man mittelalterliche Konstruktionsmethoden, etwa die Verwendung von steinernen Strebepfeilern. In der Kathedrale finden Konzerte und Theater statt.

Chor
Jede der Säulen aus poliertem grauem Granit ist 17 Meter hoch.

Schiff
Die Stützpfeiler des 30 Meter hohen Kirchenschiffs tragen anmutige steinerne Spitzbogen.

★ Fensterrose
Das stilisierte Rosenmotiv wurde 1933 fertiggestellt und soll die vielen Facetten der christlichen Kirche symbolisieren.

★ Eingang an der Westfront
Die Portale der Westfront sind kuns voll behauen. Zum Teil sind die Mo ve Nachschöpfungen mittelalterlich religiöser Skulpturen, zum Teil sind sie mode ner Art. Mit seiner apo lyptischen Darstellung der New Yorker Skyline scheint der Steinmetz Jo Kincannon die Ereigniss des 11. Septembers 2001 (siehe S. 54) vorwegenommen zu haben.

NICHT VERSÄUMEN

★ Eingang an der Westfront

★ Fensterrose

★ Peace Fountain

★ Seitenaltäre

★ Peace Fountain
Diese Skulptur von Greg Wyatt soll die Natur in ihren vielfältigen Formen repräsentieren. Sie steht in einem Granitbecken südlich der Kathedrale.

INFOBOX

1047 Amsterdam Ave/W 112th St.
Stadtplan 20 E4. 📞 *(212) 316-7540.* Ⓜ *1 bis Cathedral Pkwy (110th St).* 🚌 *M4, M11, M60, M104.* ⏰ *Mo–Sa 7–18, So 7–19 Uhr (Juli, Aug: bis 18 Uhr).* 🕯
Andacht So 18 Uhr. **Spende.** 📷
♿ 📷 *(212) 932-7347.* 🎭 **Konzerte, Theater, Ausstellungen, Gärten.** www.stjohndivine.org

Taufbecken
Das gotische Taufbecken ist französisch, spanisch und italienisch beeinflusst.

ENDGÜLTIGE GESTALT

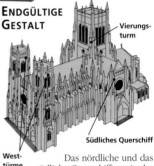

Vierungsturm

Südliches Querschiff

Westtürme

Das nördliche und das südliche Querschiff sowie der Vierungsturm und die Westtürme sind fertiggestellt. Selbst wenn das Geld für die Vollendung der Kathedrale vorhanden ist, werden die Arbeiten weitere 50 Jahre dauern.

Kanzel

★ Seitenaltäre
Die Altarfenster sind menschlichen Tätigkeiten gewidmet. Dieses Fenster bildet Sportdarstellungen ab.

Bischofsstuhl
Er ist eine Kopie aus der Kapelle Henrys VII in Westminster Abbey.

St. Ambrose Chapel
Die nach Bischof Ambrosius (4. Jh.) benannte Kapelle zieren Eisenarbeiten im Renaissance-Stil.

ZEITSKALA

1823 Plan für Kathedrale am Washington Square

1891 Wahl und Benennung von Standort: Cathedral Parkway

1909 Entwurf der Kanzel von Henry Vaughan

1911 Neuer Entwurf von Cram

2001 Ein Großfeuer zerstört Teile des Innenraums und das Dach des nödlichen Querhauses

1800	1850	1900	1950	2000	2010

1873 Beurkundung

1888 Heins & LaFarge gewinnen den Architektur-Wettbewerb

1892 Grundsteinlegung am 27. Dezember (Johannestag)

1916 Baubeginn für Kirchenschiff

1941 Einstellung der Arbeiten, Wiederaufnahme erst 1978

1978–89 Dritte Bauphase; Stonemasons' Yard eröffnet und Südturm erhöht

City College of the City University of New York ❼

Haupteingang W 138th St/Convent Ave. **Stadtplan** 19 A2. 🅲 *(212) 650-7000.* Ⓜ *137th St-City College.* **www**.ccny.cuny.edu

Das College liegt auf einem Hügel neben den Hamilton Heights. Die um einen Innenhof errichteten neogotischen Gebäude entstanden zwischen 1903 und 1906. Als Baumaterial diente Schiefer, der beim Bau der IRT-Subway in Manhattan anfiel. Später kamen moderne Gebäude hinzu.

Das College stand früher allen Einwohnern der Stadt unentgeltlich zur Verfügung, auch heute noch hat es niedrige Studiengebühren. Drei Viertel der 15 000 Studenten gehören Minderheiten an, viele von ihnen sind die Ersten in ihrer Familie, die studieren können.

Shepard Archway im City College of the City University of New York

Hamilton Grange National Memorial ❽

141st St/St Nicholas Ave. **Stadtplan** 19 A1. 🅲 *(212) 283-5154.* Ⓜ *137th St-City College.* 🅞 *Fr–So 9–17 Uhr.* ⬤ *Feiertage.* 📷 📋 **www**.nps.gov/hagr

Eingepfercht zwischen einer Kirche und Wohnblocks steht das Landhaus Alexander Hamiltons von 1802. Er war einer der Architekten des föderalistischen Regierungssystems, der erste Finanzminister der Vereinigten Staaten und Gründer der

Statue vom Alexander Hamilton im Hamilton Grange

National Bank. Sein Gesicht ziert den Zehn-Dollar-Schein. Hamilton starb 1804 bei einem Duell mit seinem politischen Gegner Aaron Burr.

1898 wurde das Haus von St. Luke's Episcopal Church gekauft und um zwei Blocks versetzt. Derzeit finden Renovierungsarbeiten statt, das Anwesen ist daher bis auf Weiteres nicht zugänglich.

Hamilton Heights Historic District ❾

W 141st–W 145th St/Convent Ave. **Stadtplan** 19 A1. Ⓜ *137th St-City College.*

In der auch als Harlem Heights bekannten Gegend lagen ursprünglich die Landgüter der Wohlhabenden. Um 1880 wurde hier im Zusammenhang mit der Verlängerung der Hochbahn *(siehe S. 26)* viel gebaut. Die ruhige Lage auf dem Hügel über Harlem machte Hamilton Heights zu einem begehrten Wohnviertel.

In dem unter dem Namen Sugar Hill bekannten Areal versammelte sich die Elite Harlems: Thurgood Marshall, Richter am obersten Gerichtshof, Jazzmusiker wie Count Basie, Duke Ellington und Cab Calloway sowie der Box-Champion Sugar Ray Robinson haben hier gewohnt.

Die zwei- und dreistöckigen Steinhäuser entstanden zwischen 1886 und 1906 in allen möglichen Baustilen mit flämischen, romanischen und Tudor-Elementen. Viele der Gebäude werden heute vom nahen City College genutzt.

Reihenhäuser in Hamilton Heights

St. Nicholas Historic District ❿

202–250 W 138th/W 139th St. **Stadtplan** 19 B2. Ⓜ *135th St (B, C).*

Die beiden Häuserblocks im St. Nicholas Historic District, die »King Model Houses«, wurden 1891 gebaut und fallen heute durch ihren starken Kontrast zur Umgebung auf. Der Erbauer David King wählte drei führende Architekten aus, die mit ihren verschiedenen Stilen ein heterogenes und trotzdem harmonisches Ensemble schufen. Die Architekten McKim, Mead & White, die auch die Morgan Library *(siehe S. 164f)* und die Villard Houses *(siehe S. 176)* entwarfen, sind für die

Häuser im St. Nicholas District

Adam Clayton Powell Jr. (dunkler Anzug) bei einer Bürgerrechtskampagne

nördliche Gruppe im Stil der italienischen Renaissance verantwortlich. Sie entschieden sich für eine solide Ziegelbauweise, ebenerdige Eingänge, schmiedeeiserne Balkongitter und dekorative Steinmetzarbeiten, etwa Medaillons, über den Fenstern.

Die südliche Gruppe im georgianischen Stil wurde von den Architekten Price und Luce entworfen und besteht aus gelbbraunen Ziegelsteinen mit weißen Steinverzierungen. Die Gebäude von James Brown Lord, ebenfalls im georgianischen Stil gehalten, muten mit ihren roten Backsteinfassaden und Sandsteinfundamenten eher viktorianisch an.

In den 1920er und 1930er Jahren zog die Gegend viele erfolgreiche Schwarze an, beispielsweise die Musiker W. C. Handy oder Eubie Blake. Nach ihnen, den Aufsteigern, wurde die Gegend auch »Strivers' Row« genannt.

Abyssinian Baptist Church ⓫

132 W 138th St. **Stadtplan** 19 C2. 📞 (212) 862-7474. Ⓜ *135th St (B, C, 2, 3).* 🕐 *So 9, 11 Uhr. Gruppen ab 10 Personen nur mit Voranmeldung.* **www**.abyssinian.org

Die älteste schwarze Kirche New Yorks (1808 gegründet) wurde durch ihren charismatischen Pastor Adam Clayton Powell Jr. (1908–1972) bekannt. Er war Kongressmitglied und Bürgerrechtler. Unter seiner Führung wurde die Abyssinian Baptist Church die mächtigste schwarze Kirche Amerikas. In einem der Räume gibt es eine Ausstellung über ihn. In dem neogotischen Gebäude von 1923 sind angemessen gekleidete Gäste zum sonntäglichen Gottesdienst willkommen – so weit die Sitzplätze reichen.

Schomburg Center for Research in Black Culture ⓬

515 Malcolm X Blvd. **Stadtplan** 19 C2. Ⓜ *135th St (2, 3).* 📞 *(212) 491-2200.* 🕐 *Zeiten variieren.* ⬤ *So, Mo, Feiertage.* 📠 *(212) 491-2207.* ♿ 🅿

www.schomburgcenter.org

In einem neuen Gebäude von 1991 befindet sich das größte Forschungszentrum für schwarze und afrikanische Kultur in den Vereinigten Staaten. Die riesige Sammlung wurde von Arthur Schomburg zusammengetragen, einem Schwarzen puerto-ricanischer Herkunft, dem ein Lehrer einmal gesagt hatte, es gäbe keine »schwarze Geschichte«. Die Carnegie

Kurt Weill, Elmer Rice und Langston Hughes im Schomburg Center

Corporation kaufte die Sammlung 1926 und übergab sie der New York Public Library. Schomburg wurde dort 1932 Kurator.

In den 1920er Jahren wurde die Bücherei zum inoffiziellen Zentrum der schwarzen literarischen Renaissance, an der Leute wie W. E. B. Du Bois, Zora Neale Hurston und andere wichtige Autoren der Zeit Anteil hatten. Auch literarische Zusammenkünfte und Lesungen fanden hier statt.

Die Schomburg Library hat hervorragende Einrichtungen, in denen die Schätze des Archivs bewahrt und präpariert werden – seltene Bücher, Fotos, Kunst, Filme und Tonaufnahmen. Die Bücherei ist zudem als Kulturzentrum gedacht, und so gibt es auch ein Theater und zwei Galerien mit wechselnden Kunst- und Fotoausstellungen.

Harlem YMCA ⓭

180 W 135th St. **Stadtplan** 19 C3. 📞 *(212) 281-4100.* Ⓜ *135th St (2, 3).*

Der Soziologe W. E. B. Du Bois

Paul Robeson und viele andere standen hier in den 1920er Jahren zum ersten Mal auf der Bühne. W. E. B. Du Bois rief 1928 die Krigwa Players ins Leben, um der herabwürdigenden Darstellung von Schwarzen in den Broadway-Musicals jener Zeit etwas entgegenzusetzen. Das »Y« bot auch Harlemer Neuankömmlingen vorübergehend Unterkunft, etwa dem Schriftsteller Ralph Ellison.

Zum Sonntagsbrunch bei Sylvia's treten Gospelsänger auf

Sylvia's ⓮

328 Lenox Ave. **Stadtplan** 21 B1.
📞 *(212) 996-0660.* Ⓜ *125th St
(2,3).* **www**.sylviassoulfood.com

In Harlems bekanntestem
Soul-Food-Restaurant gibt
es diverse Südstaaten-Spezialitäten: gebratene oder geschmorte Hühnchen, Grünkohl, kandierte Yam-Wurzeln,
Süßkartoffel-Pie und pikante

Sylvia's

Spareribs *(siehe S. 310).* Zum
Brunch am Sonntag kann man
Live-Gospelmusik hören.

Nehmen Sie sich Zeit, den
Markt an der Ecke von 125th
Street und Lenox Avenue zu
erkunden. Er erstreckt sich
etwa über einen Block in beiden Richtungen und bietet
afrikanische Kleidung,
Schmuck und Kunst.

Apollo Theater ⓯

253 W 125th St. **Stadtplan** 21 A1.
📞 *(212) 531-5300, (212) 531-5304
(Veranstaltungen), (212) 531-5337
(Führungen).* Ⓜ *125th St.* ◯ *bei Veranstaltungen.* ♿ *Siehe* **Unterhaltung**
S. 353. **www**.apollotheater.com

Das Apollo öffnete 1913
seine Türen – nur für
Weiße. Sein Ruhm setzte ein,
als 1934 Frank Schiffman das
Theater übernahm, es auch
Schwarzen zugänglich machte

und es in Harlems bekannteste Showbühne
verwandelte. Legendäre schwarze Künstler wie
Bessie Smith,
Billie Holiday,
Duke Ellington
und Dinah
Washington traten hier auf. Die
Amateurabende
mittwochs (ab
1935), bei denen

der Publikumsapplaus über
den Sieg entschied, waren
berühmt; es gab eine lange
Warteliste. Zu denen, die auf

Apollo Theater

diese Weise ihre Karriere
begannen, gehören Sarah
Vaughan, Pearl Bailey, James
Brown und Gladys Knight.
Noch immer hoffen viele auf
einen ähnlichen Durchbruch.

Während der Swing-Band-
Ära war das Apollo der Vergnügungsort schlechthin;
nach dem Krieg führte eine
neue Musikergeneration die
Tradition fort: Charlie Parker,
Thelonius Monk, Dizzy
Gillespie und Aretha Franklin.
In den 1980er Jahren wurde
das Apollo renoviert. Nach
wie vor spielen hier großartige schwarze Musiker.

Studio Museum in Harlem ⓰

144 W 125th St. **Stadtplan** 21 B2.
📞 *(212) 864-4500.* Ⓜ *125th St
(2, 3).* ◯ *Mi–Fr, So 12–18, Sa
10–18 Uhr.* ● *Feiertage.* 💲 *Spende.* ⊘ ♿ 🖼 *Vorträge, Kinderprogramme, Filme.* 🛗 ▯
www.studiomuseum.org

Gegründet wurde das Museum 1967 im Loft eines
Hauses in der Upper Fifth
Avenue mit dem Ziel, die
erste Adresse für Sammlungen
und Ausstellungen afroamerikanischer Kunst zu werden.
Die derzeitigen Räumlichkeiten, ein vierstöckiges Gebäude in Harlems Hauptgeschäftsstraße, wurden 1979 von
einer Bank gestiftet. Auf zwei
Ebenen befinden sich sowohl
Abteilungen mit Wechselausstellungen als auch drei Galerien, die in Dauerausstellungen die Werke der wichtigsten
schwarzen Künstler zeigen.

In den Fotoarchiven lagert
die größte existierende Sammlung von Bildern aus der Blütezeit Harlems. Durch eine
Seitentür gelangt man in

Ausstellungsfläche im Studio Museum in Harlem

einen kleinen Skulpturengarten.

Neben den ausgezeichneten Ausstellungen organisiert das Museum ein Förderprogramm für Künstler sowie regelmäßige Vorträge, Seminare, Kinderprogramme und Filmfestivals. In dem kleinen, zum Museum gehörenden Laden findet man Bücher und afrikanisches Kunsthandwerk.

Mount Morris Historic District ⓱

W 119th bis W 124th St. **Stadtplan** 21 B2. Ⓜ 125th St (2, 3).

Die viktorianischen Häuser aus dem späten 19. Jahrhundert nahe dem Marcus Garvey Park müssen einmal großartig ausgesehen haben. Dies war eine Gegend, die von deutschen Juden aus der Lower East Side als neuer Wohnort bevorzugt wurde. Doch die Zeiten waren nicht gut, und das Viertel kam ziemlich herunter.

Übrig geblieben sind einige eindrucksvolle Kirchen, etwa die St. Martin's Episcopal Church. Hier herrscht ein interessantes Nebeneinander diverser Glaubensrichtungen: Die Mount Olivet Baptist Church (201st Lenox Avenue) war ehemals der Temple Israel, eine der größten Synagogen New Yorks. Die Ethiopian Hebrew Congregation

St. Martin's Episcopal Church in der Lenox Avenue

(1 West 123rd Street) ist in einem ehemaligen Herrenhaus untergebracht. Der Gospelchor singt hier samstags auf Hebräisch.

Marcus Garvey Park ⓲

120th–124th St. **Stadtplan** 21 B2. Ⓜ 125th St (2, 3).

Marcus Garvey, ein Führer des schwarzen Separatismus

Der hügelige und felsige Park ist Standort des letzten New Yorker Feuerwachturms (1856), einer offenen, gusseisernen Konstruktion mit einer Wendeltreppe, die zur Beobachtungsplattform führt. Die Glocke darunter diente dazu, den Alarm auszulösen. Es empfiehlt sich jedoch, den Turm aus der Ferne zu betrachten – die Gegend ist nicht gerade die sicherste. Ursprünglich hieß der Platz Mount Morris Park. 1973 wurde er nach Marcus Garvey benannt. Garvey kam 1916 aus Jamaika nach New York und gründete die Universal Negro Improvement Association, die schwarze Selbsthilfe und den »black pride« förderte.

Museo del Barrio ⓳

1230 5th Ave. **Stadtplan** 21 C5. 🅲 (212) 831-7272. Ⓜ 103rd St, 110th St. ◯ Mi–So 11–17 Uhr (Do bis 20 Uhr). ● 1. Jan, Thanksgiving, 25. Dez. 🖼 🚫 ♿ 🎧 🛍 🖥 **www.elmuseo.org**

Das 1969 gegründete Museum ist das einzige für lateinamerikanische Kunst in den Vereinigten Staaten; es hat sich auf die Kultur Puerto Ricos spezialisiert und stellt zeitgenössische Malerei und Skulpturen, Folklore und historisches Kunsthandwerk aus. Hauptattraktion sind 240 hölzerne Santos, geschnitzte Heiligenfiguren. Die Ausstellungen wechseln oft, doch einige Santos sind ständig zu sehen. Die präkolumbische Sammlung zeigt seltene Stücke aus der Karibik. Am Ende der Museumsmeile gelegen, versucht das Museum, die Kluft zwischen der edlen Upper East Side und El Barrio (Spanish Harlem) zu überbrücken.

Volkskunst im Museo del Barrio: einer der *Heiligen Drei Könige* (links) und *Omnipotent Hand*

ABSTECHER

Obwohl die Gemeinden außerhalb Manhattans zu New York City gehören, haben sie ein anderes Flair. Es sind Wohngebiete. Wolkenkratzer gibt es nicht. Dies wird deutlich, wenn ihre Bewohner davon reden, dass sie »in die Stadt«, also nach Manhattan, fahren. Dennoch gibt es auch hier viele Sehenswürdigkeiten, etwa botanische Gärten, den größten Zoo der Stadt, viele Museen und Strände. Vorschläge für einen Spaziergang durch Brooklyn finden Sie auf den Seiten 266f.

SEHENSWÜRDIGKEITEN AUF EINEN BLICK

Historische Straßen und Gebäude
Alice Austen House ㉗
George Washington Bridge ❸
Grand Army Plaza ⑱
Historic Richmond Town ㉔
Morris-Jumel Mansion ❷
Park Slope Historic District ⑲
Wave Hill ❺
Yankee Stadium ❿

Museen und Sammlungen
Audubon Terrace ❶
Brooklyn Children's Museum ⑯
Brooklyn Museum S. 250–253 ㉑

The Cloisters S. 236–239 ❹
Jacques Marchais Museum of Tibetan Art ㉕
Museum of the Moving Image and Kaufman Astoria Studio ⑭
New York Hall of Science ⑬
PS1 Museum of Modern Art (MoMA), Queens ⑮
Snug Harbor Cultural Center ㉖
Van Cortlandt House Museum ❻

Parks und Gärten
Bronx Zoo S. 244f ❾
Brooklyn Botanic Garden ㉒

Flushing Meadows Corona Park ⑫
New York Botanical Garden S. 242f ❽
Prospect Park ⑳

Berühmtes Theater
Brooklyn Academy of Music ⑰

Friedhof
Woodlawn Cemetery ❼

Strände
City Island ⑪
Coney Island ㉓
Jamaica Bay Wildlife Refuge Center ㉘
Jones Beach State Park ㉙

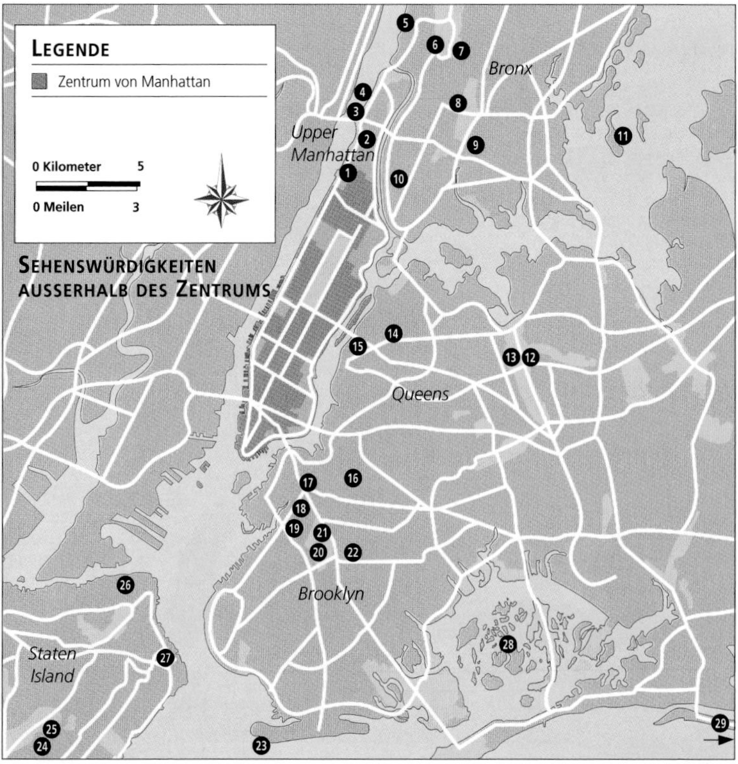

LEGENDE

▨ Zentrum von Manhattan

0 Kilometer 5
0 Meilen 3

SEHENSWÜRDIGKEITEN AUSSERHALB DES ZENTRUMS

Upper Manhattan

Bronx

Queens

Brooklyn

Staten Island

⌐ **Größer könnte der Kontrast zu Manhattan nicht sein: Jamaica Bay** *(siehe S. 255)*

Upper Manhattan

Im 18. Jahrhundert errichteten die holländischen Siedler in Upper Manhattan ihre Farmen. Inzwischen hat die Gegend jedoch Vorstadtcharakter angenommen. Man kann hier dem Lärm von Downtown Manhattan entkommen und in Ruhe ein Museum oder andere Sehenswürdigkeiten besichtigen.

So präsentieren beispielsweise The Cloisters *(siehe S. 236– 239)* eine wunderbare Kollektion mittelalterlicher Kunst in den jeweiligen Originalgebäuden aus Europa.

Ebenfalls sehenswert ist das Morris-Jumel Mansion: Die alte Villa diente 1776 Präsident George Washington bei der Verteidigung Manhattans als Hauptquartier.

Audubon Terrace ❶

Ecke Broadway/155th St. Ⓜ *157th St.* **American Academy of Arts and Letters** Ⓒ *(212) 368-5900.* ◯ *Do– So 13–16 Uhr.* Ⓟ **Hispanic Society of America** Ⓒ *(212) 926-2234.* ◯ *Di– Sa 10–16.30, So 13–16 Uhr.* ● *Feiertage.* **Spende.** ◯ 🚶 🅲 *Sa 14 Uhr.* **www.hispanicsociety.org**

Der Gebäudekomplex aus dem Jahr 1908 ist nach dem bedeutenden Naturforscher John James Audubon benannt, zu dessen Anwesen das Land einst gehörte. Audubon ist auf dem nahe gelegenen Trinity Cemetery begraben. Auf seinem Grabstein, einem keltischen Kreuz, finden Sie die symbolischen Darstellungen seiner abenteuerlichen künstlerischen Karriere: Vögel, Palette und Pinsel sowie Gewehre.

Fassade der American Academy of Arts and Letters

Der Komplex wurde vom Cousin des Architekten, dem Wohltäter Archer Milton Huntington, finanziert. Er sollte ein Zentrum für Kultur und Studien sein. Auf dem Hauptplatz stehen die Skulpturen seiner Frau, der Bildhauerin Anna Hyatt Huntington.

In Audubon Terrace gibt es zwei Fachmuseen, die einen Besuch lohnen. Die American Academy of Arts and Letters wurde zu Ehren amerikanischer Schriftsteller, Künstler und Komponisten sowie von 75 Ehrenmitgliedern aus dem Ausland gegründet. Auf ihrer illustren Mitgliederliste stehen die Schriftsteller Mark Twain und John Steinbeck, die Maler Andrew Wyeth und Edward Hopper

sowie der Komponist Aaron Copland. Werke der Mitglieder sind in Ausstellungen zu sehen. Die Bibliothek umfasst alte Handschriften und Erstausgaben (Anmeldung erforderlich).

Die Hispanic Society of America ist ein öffentliches Museum mit Bibliothek aus der Sammlung von Archer M. Huntington. Die Galerie im Stil der spanischen Renaissance zeigt Werke von Goya, El Greco und Velázquez. Zwischen März und Mai wechseln die Ausstellungen. An einem Sonntag Ende Oktober gibt e einen Tag der offenen Tür fü das Gebäude.

Bronzetür in der Academy

In der Nähe steht die Churc of Our Lady of Esperanza au einer kleinen Anhöhe an der 624 W 156th Street. Die Kirche wurde von der Gattin de spanischen Generalkonsuls i New York, Señora de Barril, gestiftet. Sie sollte den spanischsprachigen Menschen der Stadt einen Ort der Andacht bieten. Mit Unterstützung des Eisenbahnmagnate Archer M. Huntington wurde der Bau 1912 fertiggestellt.

El-Cid-Statue von Anna Hyatt Huntington, Audubon Terrace

Morris-Jumel Mansion ❷

cke W 160th St/Edgecombe Ave.
(212) 923-8008. M 163rd St.
Mi–So 10–16 Uhr. Feiertage.
nach Vereinbarung.
www.morrisjumel.org

Das Stadthaus ist eines der wenigen Gebäude aus er Zeit vor der Revolution. s wurde 1765 für Lt. Col. oger Morris gebaut, heute ist s ein Museum mit neun Räumen. Morris' einstiger Kamerad George Washington nutzte das Haus während der Verteidigung Manhattans 1776 als Hauptquartier.

1820 kauften Stephen Jumel und seine Frau Eliza das Haus und möblierten es mit den Mitbringseln ihrer Frankreichreisen. Im Boudoir stehen Elizas Bett und der angeblich on Napoléon erworbene Delfinstuhl«. Elizas sozialer Aufstieg und ihre zahlreichen Affären lösten Skandale aus. Hinter vorgehaltener Hand munkelte man, sie habe 1832 ihren Gatten verbluten lassen, m ihn zu beerben. Später helichte sie den 77-jährigen Aaron Burr und ließ sich drei Jahre später, am Tag seines Todes, wieder scheiden.

Das Äußere des georgianischen Hauses mit dem klassischen Portikus und dem achteckigen Flügel wurde renoviert. Im Museum sind viele Originalstücke der Jumels zu sehen.

Die George Washington Bridge mit einer Spannweite von 1065 Metern

George Washington Bridge ❸

M 175th St. www.panynj.gov

Der berühmte französische Architekt Le Corbusier bezeichnete diese Brücke einmal als den »einzigen Ort der Anmut in dieser chaotischen Stadt«. Obwohl sie nicht annähernd so berühmt wie ihr Gegenstück in Brooklyn ist, hat diese Brücke des Ingenieurs Othmar Ammann und des Architekten Cass Gilbert doch ihren eigenen Charakter.

Den mutigen Plan, Manhattan und New Jersey miteinander zu verbinden, gab es

Leuchtturm unter der Washington Bridge

schon 60 Jahre lang, bevor die Port Authority of New York die gewaltige Summe von 59 Millionen Dollar aufbrachte, um das Projekt zu verwirklichen. Ammann wollte statt einer teuren Eisenbahn- eine Autobrücke bauen. Die Arbeiten wurden 1927 begonnen. Die Brücke, ohne die der in Stoßzeiten dichte Verkehr heute keinesfalls mehr denkbar wäre, wurde 1931 eröffnet. Zwei junge Rollerskater aus der Bronx überquerten sie als Erste.

Cass Gilbert hatte für die beiden Pfeiler Mauerwerk vorgesehen. Da das Geld nicht reichte, entstand eine gerüstartige Struktur, 183 Meter hoch und 1065 Meter lang. In Ammanns Plänen war auch eine zweite Brückentrasse vorgesehen, die 1962 angefügt wurde. Derzeit registriert die Brückenmautbehörde ein Verkehrsaufkommen von 50 Millionen Wagen jährlich.

Unterhalb des östlichen Turmpfeilers steht ein Leuchtturm, der 1951 wegen öffentlicher Proteste vom Abbruch verschont wurde. Weltweit schätzte man *The Little Red Lighthouse and the Great Grey Bridge* von Hildegarde Hoyt Swift, die die Gute-Nacht-Geschichte um die beiden Wahrzeichen erfand.

Auf der Brücke weht auch die größte amerikanische Flagge. Sie wird an hohen Feiertagen gehisst.

Morris-Jumel Mansion von 1765 mit Original-Säulenportikus

The Cloisters ❹

The Cloisters, vom Fort Tryon Park aus gesehen

$\mathbf{D}$as weltberühmte Museum für mittelalterliche Kunst hat seinen Sitz in einem 1934–38 errichteten Bau, in den mittelalterliche Kreuzgänge, Kapellen und Räume integriert wurden. Der Bildhauer George Barnard gründete es 1914. John D. Rockefeller Jr. finanzierte den Aufkauf durch das Metropolitan Museum of Art 1925 und stiftete das Grundstück im Fort Tryon Park und auch das in New Jersey, das The Cloisters jenseits des Hudson River direkt gegenüberliegt.

Grabbild des Jean d'Alluye
Der Kreuzritter aus dem 13. Jahrhundert ist hier verewigt.

Langon Chapel

Pontaut-Ordenshaus

Gotische Kapelle

★ **Einhorn-Gobelins**
Die Serie wunderbarer, in Brüssel gewebter Wandteppiche (um 1500) stellt die Suche nach dem mythischen Einhorn und seine Gefangennahme dar.

Boppard-Buntglasfenster *(1440–47)*
Unter dem Spitzbogen von St. Catherine ist das Wappen der Küfergilde zu sehen, deren Schutzpatronin die heilige Katharina ist.

NICHT VERSÄUMEN

★ *Belles Heures* von Jean, Duc de Berry

★ *Einhorn-Gobelins*

★ *Verkündigungs-Triptychon* von Robert Campin

Bonnefort-Kreuzgang

Glass Gallery

Trie-Kreuzgang

★ **Verkündigungs-Triptychon** *(um 1425)*
Im Campin-Raum steht das kleine Triptychon von Robert Campin aus Tournai, ein Beispiel der frühen flämischen Schule.

Saint-Guilhem-Kreuzgang
Sehenswert sind die komplizierten Blütenmotive auf den Kapitellen.

INFOBOX

Fort Tryon Park. ☎ (212) 923-3700. Ⓜ A bis 190th St (Ausgang via Aufzug). 🚌 M4. ◯ März–Okt: Di–So 9.30–17.30 Uhr (Nov–Feb: bis 17 Uhr). ● 1. Jan, Thanksgiving, 25. Dez. **Spende.** 📷 Keine Filmkameras. ♿ eingeschränkt. 🍴 Di–Fr, So 15 Uhr. 🎭 ☕ Mai–Okt: Di–So 10–16.30 Uhr. 🎵 **Konzerte.** www.metmuseum.org

---Romanischer Saal

Fresken der Jungfrau mit Kind
Aus der katalanischen Kirche San Juan de Tredós stammt dieses Fresko (12. Jh.).

LEGENDE

▦ Ausstellungsfläche

▦ Kein Ausstellungsbereich

---Obere Ebene

---Untere Ebene

Cuxa-Kreuzgang
In dem rekonstruierten Kreuzgang aus dem 12. Jahrhundert sind viele romanische Details zu bewundern.

Thronende Jungfrau
Die kunstvoll geschnitzte Elfenbeinfigur wurde im späten 13. Jahrhundert in England geschaffen.

---Haupteingang

KURZFÜHRER
Das Museum ist chronologisch aufgebaut. Es beginnt mit der Romanik (ca. 1000 n. Chr.) und schreitet fort bis zur Gotik (1150–1520). Skulpturen, Buntglasfenster, Gemälde und Garten finden Sie auf der unteren Ebene. Die Einhorn-Gobelins können Sie auf der oberen Ebene bewundern.

★ Belles Heures
Das Stundenbuch, ein Gebetsbuch des Duc de Berry, ist Teil einer rotierenden Installation illustrierter Bücher und Blätter.

The Cloisters: Sammlungen

The Cloisters ist vor allem für die romanischen und gotischen Architekturelemente berühmt, doch es gibt auch illustrierte Handschriften, Glasmalerei, Metallarbeiten, Email, Elfenbein und Gemälde zu sehen. Am berühmtesten sind die Einhorn-Gobelins. Der großartige mittelalterliche Komplex ist in den USA einzigartig.

Flämischer Kirschholz-Rosenkranz (16. Jh.) aus der Schatzkammer

ROMANISCHE KUNST

Ein lebensgroßes spanisches Kruzifix (12. Jh.) mit Christus als König des Himmels

Fantasiewesen, Akanthusblüten und Zierrat schmücken überall in The Cloisters die Säulen. Viele von ihnen sind im romanischen Stil gehalten, dessen Blütezeit im 11. und im 12. Jahrhundert lag. Das Museum birgt eine Unzahl von Exponaten aus Kunst und Architektur dieser Zeit, etwa die mächtigen Rundbogen mit ihren filigranen Details. Stark ornamental verzierte Kapitelle und warmer, rosa Marmor charakterisieren den Cuxa-Kreuzgang aus den französischen Pyrenäen. Auf dem Narbonne-Bogen thronen ein Greif, ein Drache, ein Zentaur und ein Basilisk.

Feierlicher gibt sich die Apsis der Kirche St. Martín in Fuentidueña, Spanien: ein massives Rundgewölbe aus 30 000 Kalksteinblöcken, mit einem Fresko der Jungfrau mit Kind aus dem 12. Jahrhundert. Ein golden gekrönter Jesus ist als Triumphator über den Tod dargestellt.

Vor mehr als 800 Jahren saßen noch Benediktiner- und Zisterziensermönche auf den kalten Steinbänken des Ordenshauses von Pontaut; im 19. Jahrhundert wurde es als Stall genutzt. Sein Rippengewölbe gibt einen Vorgeschmack auf die sich ankündigende Gotik.

GOTISCHE KUNST

War die romanische Kunst sehr massiv, so erweckt die Gotik mit Spitzbogen, leuchtenden Buntglasfenstern und dreidimensionalen Skulpturen den Eindruck von Leichtigkeit. Darstellungen der Jungfrau mit Kind zeugen von großer Kunstfertigkeit.

Die Buntglasfenster der gotischen Kapelle zeigen Szenen und Gestalten aus der Bibel. Unter den lebensgroßen Grabdenkmälern findet sich das Abbild des Kreuzritters Jean d'Alluye. Um 1790 wurde sein ursprünglicher

Gewölbedecke des Pontaut-Ordenshauses

Standort, die Abtei von Clarté-Dieux in Frankreich, zerstört und das Denkmal als Brücke über einen Bach genutzt.

Im Boppard-Raum sind Heiligenlegenden auf spätgotischen Fenstern aus Deutschland dargestellt.

Im Zentrum des Campin-Raums steht Campins Altartriptychon *Mariä Verkündigung*. Der Raum ist mit Möbeln ausgestattet, die einer Familie aus dem 15. Jahrhundert gehört haben mögen.

GÄRTEN

In den Klostergärten findet man über 300 Pflanzen, die schon im Mittelalter kultiviert wurden. Im Bonnefont-Kreuzgang wachsen Heilkräuter und Gewürze. Im Trie-Kreuzgang gedeihen die Pflanzen der *Einhorn*-Wandteppiche, deren Symbolgehalt auch erklärt wird: Rosen stehen für die Jungfrau Maria, Stiefmütterchen für die Dreifaltigkeit und Gänseblümchen für das Auge Christi.

Bonnefont-Kreuzgang

WANDTEPPICHE

Die Wandteppiche sind voller Metaphern und Symbole. Sie gehören zu den wertvollsten Exponaten. Die vier Gobelins mit den *Neun Helden* tragen das Wappen des Duc de Berry. Er war der Bruder des französischen Königs und im Mittelalter einer der größten Förderer der Künste. Die Gobelins bilden eine von zwei Serien, die aus dem 14. Jahrhundert erhalten sind. Die andere gehörte Jeans Bruder Louis, Duc d'Anjou. Abgebildet sind neun Helden – drei Heiden, drei Juden und drei Christen – mit ihrem mittelalterlichen Hofstaat: Kardinäle, Ritter, Hofdamen und Spielleute.

Im Raum nebenan hängt die *Jagd nach dem Einhorn*, eine Serie von sieben Wandteppichen, die um 1500 in Brüssel gewebt wurden. Sie stellt die symbolische Jagd und Gefangennahme eines Einhorns durch eine Jungfrau dar. Die Gobelins wurden im 19. Jahrhundert als Kälteschutz für Obstbäume zweck-

entfremdet, sind jedoch trotz dieses Missbrauchs gut erhalten. Bewundernswert sind die

Julius Cäsar im Kreis von Hofmusikanten auf einem *Neun-Helden*-Wandteppich

unzähligen Details in Form minutiös dargestellter Pflanzen und Tiere. Man kann die Motive als Darstellung der höfischen Liebe deuten, aber auch als Allegorie von Tod und Auferstehung Jesu.

SCHATZKAMMER

Im Mittelalter wurden wertvolle Gegenstände in Sanktuarien verwahrt. Im Museum findet man sie in der Schatzkammer. Die Sammlung birgt illustrierte gotische Stundenbücher, die dem Adel zur Privatandacht dienten. Die *Belles Heures* etwa fertigten die Brüder Limbourg 1410 für den Duc de Berry, eine handtellergroße Version schuf Jean Pucelle um 1325 für die französische Königin.

Daneben finden sich weitere religiöse Artefakte wie die Elfenbein-Jungfrau aus dem England des 13. Jahrhunderts, ein Reliquienschrein aus Silber und Email (vermutlich aus dem Besitz Elisabeths von Ungarn) sowie zahlreiche Weihrauchbehälter, Kelche, Leuchter und Kruzifixe.

Zu den Kuriositäten gehört der emaillierte »Affenbecher« (15. Jh.) von einem burgundischen Hof. Auf ihm ist dargestellt, wie Affen einen schlafenden Hausierer ausrauben. Es gibt einen Rosenkranz mit walnussgroßen, geschnitzten Perlen, ein schiffförmiges, juwelenbesetztes Salzfässchen (13. Jh.) und ein vollständig erhaltenes Kartenspiel aus dem 15. Jahrhundert.

Jagddarstellungen und Jagdsymbole auf einem Kartenspiel (15. Jh.)

Der Westsalon des Van Cortlandt House Museum

Bronx

Einst war die Bronx ein hübscher Vorort mit einer berühmten Promenade, gesäumt von zahlreichen exklusiven Apartmenthäusern. Heute ist sie das Synonym für städtischen Verfall schlechthin. Doch es gibt hier noch die unterschiedlichsten ethnischen Gemeinschaften und einige zauberhafte Ecken, etwa Riverdale im Norden.

Zwei Highlights sind der Bronx Zoo und der New York Botanical Garden. Im Ferry Point Park gibt es einen Golfplatz; auch der Fulton Fish Market residiert jetzt hier. Das Baseball-Team der New York Yankees spielt seit 2009 in einem neuen Stadion.

Wave Hill ❺

W 249th St und Independence Ave, Riverdale. 📞 (718) 549-3200. Ⓜ 231st St, dann Bus Bx7, 10. ⏰ Di–So 9–17.30 Uhr (Juni, Juli: Mi bis 21 Uhr; Mitte Okt–Mitte Apr: Mi bis 16.30 Uhr). 🎫 Di sowie Dez–Feb Sa 9–12 Uhr frei. 🎫 So 14.15 Uhr. 🖥 www.wavehill.org

Wenn Ihnen die Metropole über den Kopf wächst, sollten Sie diese elf Hektar große Oase besuchen und die Aussicht über den Hudson River auf die New Jersey Palisades genießen. Einige Persönlichkeiten haben hier residiert: George W. Perkins (der ursprüngliche Besitzer), Theodore Roosevelt, Mark Twain und Arturo Toscanini. Perkins baute auf den Nachbargrundstücken, die ihm ebenfalls gehörten, ein unterirdisches Erholungszentrum mit Bowlingbahnen und einem Verbindungstunnel zum Hauptgebäude.

Das Haus und das Grundstück sind öffentlich zugänglich und Schauplatz vieler Konzerte. Sie finden meist in der Armor Hall statt, die 1928 für Bashford Dean gebaut wurde, den damaligen Kurator der Waffensammlung des Metropolitan Museum of Art.

Die Gärten wurden von dem Wiener Landschaftsgärtner Albert Millard angelegt. Man findet dort Gewächshäuser, einen Kräutergarten und ein Wäldchen. Die Ausstellungen reichen von Skulpturen bis hin zu Gartenkultur.

Im angrenzenden Riverdale Park findet man weitere Waldflächen und hübsche Pfade entlang dem Fluss.

Innenraum der beeindruckenden Armor Hall in Wave Hill

Van Cortlandt House Museum ❻

Van Cortlandt Park. 📞 (718) 543-3344. Ⓜ 242nd St, Van Cortlandt Park. ⏰ Di–Fr 10–15, Sa, So 11–16 Uhr (letzter Einlass 30 Minuten vor Schließung). ⬤ Feiertage, 26. Nov. 🎫 Mi frei. 🎫 ✂ 📷 Siehe **Die Geschichte der Stadt** S. 21. 🖥 www.vancortlandthouse.org

Die Fassade des Van Cortlandt House

Der Landsitz im georgianischen Kolonialstil, 1748 erbaut, ist das älteste Gebäude der Bronx und war Wohnsitz Frederick Van Cortlandts, der sehr wohlhabend war und mit vielen einflussreichen Familien seiner Zeit verkehrte. Das Esszimmer diente George Washington als Hauptquartier während des Unabhängigkeitskriegs; der Grund hinter dem Gebäude war Schauplatz eines Scharmützels. Die Einrichtung besteht aus Möbeln im Stil der Zeit, einer erlesenen Sammlung Delfter Steinguts und einem kompletten holländischen Schlafzimmer (17. Jh.). Sehenswert sind auch die aus Stein gemeißelten Gesichter an den Fensterstöcken.

Woodlawn Cemetery 7

Webster Ave und E 233rd St.
📞 (718) 920-0500. Ⓜ Woodlawn.
🕐 tägl. 8.30–17 Uhr.
Feiertage. ⊘ ♿ 📷
www.thewoodlawncemetery.org

Auf dem Friedhof sind viele prominente und reiche New Yorker beerdigt, sodass ein Besuch sozialgeschichtliche Einblicke ermöglicht.

Eingang zum Woolworth-Mausoleum

Gedenk- und Grabsteine stehen in wunderschöner Umgebung. Das Mausoleum F. W. Woolworths und seiner Familie ist mindestens so verschnörkelt wie das Hochhaus, das diesen Namen trägt. Der rosa Marmor des Grabgewölbes von Fleischmagnat Herman Armour erinnert fatal an einen Schinken. Hier sind die Gräber von Bürgermeister Fiorello LaGuardia und Roland Macy, dem Kaufhausgründer, sowie die des Schriftstellers Herman Melville und des Musikers Duke Ellington.

New York Botanical Garden 8

Siehe S. 242f.

Bronx Zoo 9

Siehe S. 244f.

Yankee Stadium 10

161st St/River Ave, Highbridge.
📞 (718) 293-6000. Ⓜ 161st St.
🕐 tägl. 12 Uhr (außer an Spielgen), Anmeldung empfohlen.
Siehe **Unterhaltung** S. 360f.
www.yankees.com

Hier war seit 1923 das Baseball-Team New York Yankees zu Hause. Zu den Helden der Yankees gehörten zwei der größten Spieler aller Zeiten: Babe Ruth und Joe DiMaggio, der auch durch seine Ehe mit Marilyn Monroe bekannt wurde. 1921 errang der Linkshänder Babe Ruth für die Yankees gegen die Boston Red Sox den ersten *home run* des Stadions.

Joe DiMaggio 1941 in Aktion im Yankee Stadium

Das Stadion wurde 1923 von Jacob Ruppert, dem damaligen Besitzer der Mannschaft, gebaut. Mitte der 1970er Jahre erfolgte eine Renovierung. Das Stadion fasst heute 54 000 Zuschauer, die hier nicht nur Sportveranstaltungen verfolgen.

Eine der größten alljährlichen Veranstaltungen ist die Versammlung der Zeugen Jehovas. 1950 kamen bei dieser Gelegenheit 123 707 Mitglieder zusammen. 1965 feierte Papst Paul VI. in diesem Stadion vor über 80 000 Gläubigen die Messe. Es war der erste Besuch eines Papstes in Nordamerika – der zweite folgte erst 1979, als Johannes Paul II. ebenfalls das Yankee Stadium beehrte.

Die Yankees sind nach wie vor eine der besten Mannschaften in der American League. In New York gibt es fünf Yankee-Clubhouse-Läden, in denen Sie für Spiele oder Führungen Tickets kaufen können.

Das neue, 1,3 Milliarden teure Stadion der Yankees liegt unweit des alten in der 161 St/164 St. Es wurde im Frühling 2009 eröffnet.

City Island 11

Ⓜ 6 bis Pelham Bay Park, dann Bus Bx29 bis City Island. **City Island Museum** 190 Fordham St. 🕐 So 13–17 Uhr. 📞 (718) 885-0008
www.cityislandmuseum.org

City Island ist ein Vorposten vor dem nordöstlichen Ufer der Bronx, umgeben vom Long Island Sound. Hier herrscht ein ganz anderer Lebensrhythmus. Überall sieht man Segelboote, es gibt zahlreiche Fischrestaurants. In den Werften entstanden einige Siegerboote des America's Cup.

Das **City Island Museum** befindet sich in einem der ältesten Gebäude der Insel, der alten Public School 17, die auf einem früheren Indianerfriedhof steht.

City Island ist durch eine Brücke mit der Bronx verbunden. Links davon liegt auf dem Festland Orchard Beach, ein beliebtes Fleckchen weißen Sandes mit Badehütten aus den 1930er Jahren. Beste Zeit für einen Strandbesuch ist wochentags, am Wochenende herrscht Hochbetrieb.

Alter Schlepper an einem Pier von City Island

New York Botanical Garden [8]

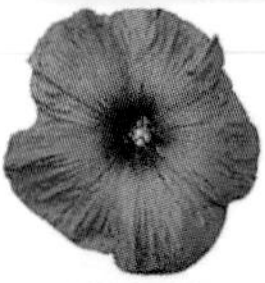

Hibiskusblüte

Ein Besuch des 100 Hektar großen New York Botanical Garden ist eine Entdeckungsreise der besonderen Art – vom herrlichen viktorianischen Glashaus bis zum Everett Children's Adventure Garden. Als einer der ältesten und größten der Welt umfasst der Botanische Garten 50 Garten- und Ausstellungsbereiche und einen 20 Hektar großen, weitgehend naturbelassenen Wald. Das berühmte Enid A. Haupt Conservatory wurde als »A World of Plants« restauriert und bietet sowohl dunstige Regenwälder als auch Wüstenareale.

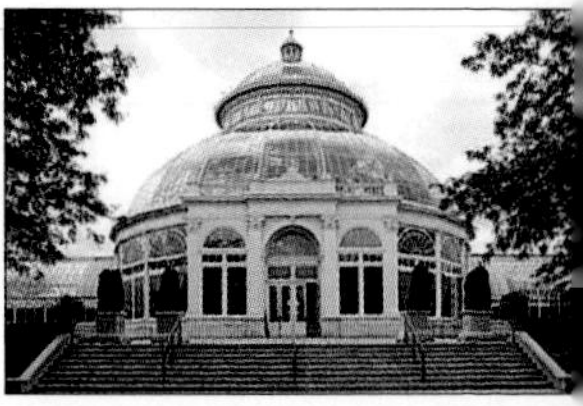

Eingang zum Enid A. Haupt Conservatory

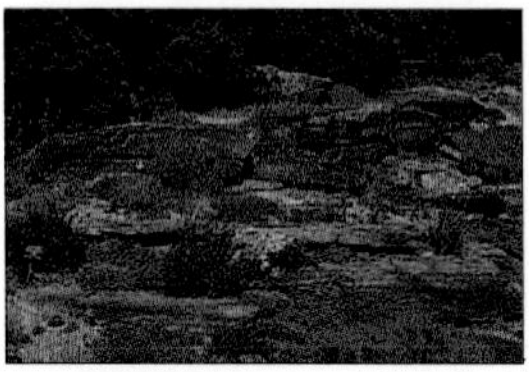

Rock Garden
Geröllblöcke, Bäche, ein Wasserfall und ein Teich bilden den alpinen Lebensraum für Gebirgspflanzen aus aller Welt. ④

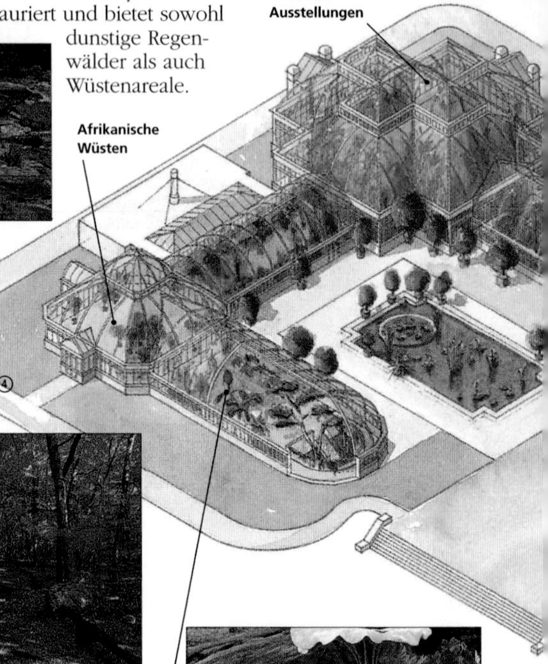
Saisonale Ausstellungen
Afrikanische Wüsten
Amerikanische Wüsten

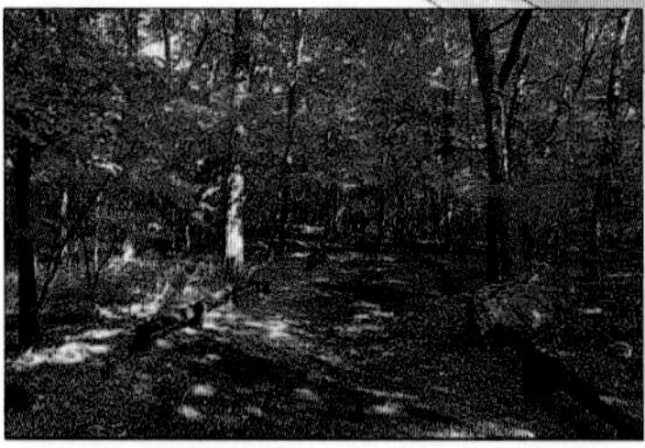

Historic Forest
In einem der letzten natürlichen Wälder New Yorks wachsen Eichen, Weißeschen, Tulpenbäume und Birken. ⑤

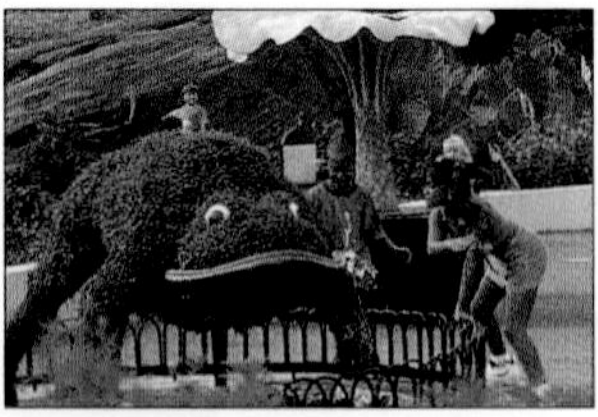

Everett Children's Adventure Garden
Kinder können hier auf ökologische und botanische Entdeckungsreise gehen. ⑧

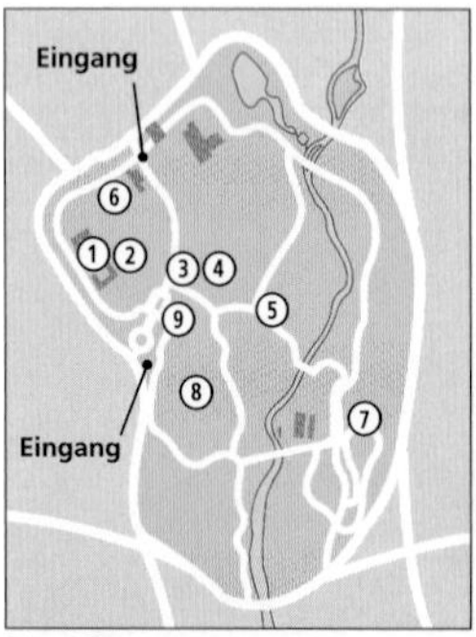
Eingang
⑥
①②
③④
⑨
⑤
⑧
⑦
Eingang

ZUR ORIENTIERUNG

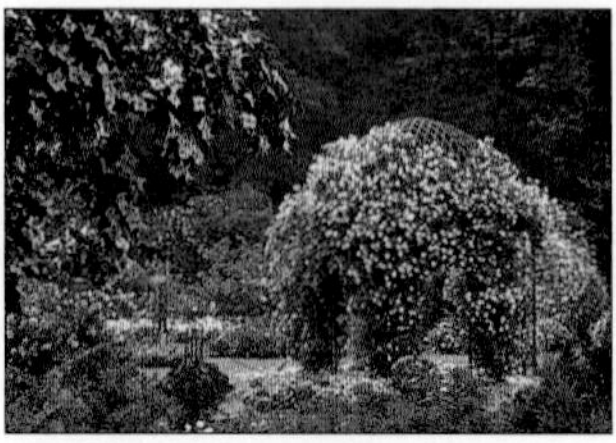

Peggy Rockefeller Rose Garden
1988 wurden hier 2700 Rosenstöcke angepflanzt – nach dem Originalentwurf von 1916. ⑦

Palms of the Americas Gallery

100 majestätische Palmen gedeihen unter der hohen Glaskuppel. Um einen Teich wachsen tropische Pflanzen.

INFOBOX

Kazimiroff Blvd, Bronx River Parkway (Exit 7W). ☎ (718) 817-8700. Ⓜ 4, B, D bis Bedford Park Blvd. 🚌 Bx26. ⬤ Mitte Jan–Feb: Di–So 10–17 Uhr; März–Mitte Jan: Di–So 10–18 Uhr. ⬤ Feiertage. 🎟 Mi ganztägig, Sa 10–12 Uhr frei. 📷 ♿ 🛍 📖 🎤 **Vorträge.** www.nybg.org

Im Enid A. Haupt Conservatory, das aus elf miteinander verbundenen Arealen besteht, gibt es »A World of Plants« zu bestaunen: Regenwälder, Wüsten, Wasserpflanzen und Pflanzen der Saison. ①

Garden Cafe
Ein angenehmer Ort, um sich zu stärken. Von der Terrasse überblickt man die schönen Gartenanlagen. ⑥

Gewächshaus

Jane Watson Irwin Perennial Garden
Winterharte Pflanzen bilden, nach Höhe, Farbton und Blütezeit kombiniert, beeindruckende Muster. ②

Tropischer Tiefland-Regenwald

Courtyard Pool

Wasser- und Kletterpflanzen

Leon Levy Visitor Center
Der moderne Pavillon wurde 2004 eröffnet; er beherbergt einen Laden und ein Café. Hier findet man auch einen Übersichtsplan. ⑨

Tropischer Bergregenwald

Besucherzug
Auf der halbstündigen Fahrt durch den Garten erfährt man viel über Gartenbau-, Lehr- und Forschungsprogramme. An verschiedenen Haltestellen kann man aussteigen und später wieder zusteigen. ③

Bronx Zoo ❾

Der 1899 gegründete Bronx Zoo ist der größte städtische Tierpark der USA. Hier leben über 4000 Tiere, die etwa 500 Arten angehören, in realistisch nachgebildeten Lebensräumen. Der Zoo gilt als führend bei der Erhaltung gefährdeter Arten, etwa des Indischen Panzernashorns oder des Schneeleoparden. Auf seinen 107 Hektar Waldflächen, Bachläufen und Parkanlagen findet man – saisonal abhängig – einen Streichelzoo, einen Schmetterlingsgarten und einen Shuttle-Zug, der Besuchern die Erkundung erleichtert. Den besten Überblick bietet die – ebenfalls nur saisonal betriebene – SkyFari-Seilbahn.

★ Congo Gorilla Forest
Die preisgekrönte Nachbildung des afrikanischen Regenwalds ist das Zuhause der größten Gruppe von Westlichen Flachlandgorillas in den USA.

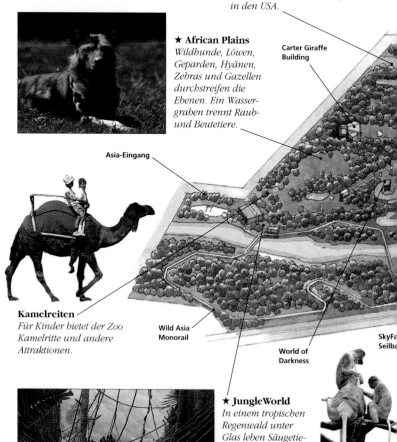

★ African Plains
Wildhunde, Löwen, Geparden, Hyänen, Zebras und Gazellen durchstreifen die Ebenen. Ein Wassergraben trennt Raub- und Beutetiere.

Carter Giraffe Building

Asia-Eingang

Kamelreiten
Für Kinder bietet der Zoo Kamelritte und andere Attraktionen.

Wild Asia Monorail

World of Darkness

SkyFa Seilba

★ JungleWorld
In einem tropischen Regenwald unter Glas leben Säugetiere, Vögel und Reptilien aus Südasien. Sie sind durch Schluchten, Wasserläufe und Klippen von den Besuchern getrennt.

Affen in JungleWorld

Baboon Reserve
Die Besucher durchwandern eine der äthiopischen Gebirgswelt nachgebildete Umgebung.

Children's Zoo
Hier können Kinder durch einen Präriehunde-Tunnel kriechen, auf einem Spinnennetz klettern, Tiere streicheln und füttern.

INFOBOX

Fordham Rd/Bronx River Pkwy.
(718) 367-1010. M 2, 5 bis E Tremont Ave. bis Fordham. Bx9, Bx12, Bx19, Bx22, Bx39, BxM11 Expressbus, Q44.
Nov–März: tägl. 10–16.30 Uhr; Apr–Okt: tägl. 10–17 Uhr (Sa, So bis 17.30 Uhr). Mi frei, Spende erbeten.
Children's Zoo Apr–Okt.
www.bronxzoo.com

NICHT VERSÄUMEN

★ African Plains

★ Congo Gorilla Forest

★ JungleWorld

★ Tiger Mountain

★ Wild Asia

★ World of Birds

World of Reptiles

Zoo Center

Butterfly Garden

Eingang Southern Boulevard

Madagascar!

Aquatic Bird House

Sea Bird Colony

Eingang Rainey Gate

Monkey House

★ World of Birds
Exotische Vögel fliegen in üppigem Regenwald frei herum. Ein künstlicher Wasserfall rauscht eine 15 Meter hohe Fiberglasklippe hinunter.

Doppelhornvogel

Mouse House

Eingang Bronx Parkway

Himalayan Highlands
Hier leben bedrohte Tierarten wie Schneeleoparden und Rote Pandas.

★ Wild Asia
Von Mai bis Oktober fährt eine Bahn durch Wälder und Steppen, in denen sich Nashörner, Tiger und Mongolische Wildpferde frei bewegen.

★ Tiger Mountain
Sibirische Tiger sind das ganze Jahr zu sehen. Zwei Zentimeter dicke Glasscheiben trennen die Katzen von den Besuchern.

Queens

Der stark expandierende Stadtbezirk Queens bietet eine Reihe von Attraktionen. Das Viertel besteht sowohl aus Wohnvierteln wie auch aus Business-Distrikten, etwa Long Island City, wo sich neue Museen und Restaurants angesiedelt haben.

Queens entwickelte sich rasch zu einem aufstrebenden Stadtbezirk, als der Bau der Queensboro Bridge (1909) die entsprechende Verkehrsverbindung schuf. Die zwei wichtigsten Flughäfen der Stadt befinden sich hier. Zudem haben sich einige ethnische Enklaven – vor allem von Griechen und Asiaten – gebildet.

Mutoskop (um 1900), Museum of the Moving Image

Flushing Meadows Corona Park ⑫

M Willets Point-Shea Stadium. Siehe **Sport und Aktivurlaub** S. 361.

Das Areal, auf dem die beiden Weltausstellungen New Yorks – 1939 und 1964 – stattfanden, ist heute ein ausgedehntes, am Wasser gelegenes Picknickgelände, das eine Fülle von Attraktionen bietet,

so das 50 000 Zuschauer fassende Shea Stadium der Mets, New Yorks Baseball-Mannschaft. Es ist auch ein beliebter Veranstaltungsort für Rockkonzerte.

In Flushing Meadows befindet sich zudem das US Tennis Center, in dem die renommierten US Open ausgetragen werden. Den Rest des Jahres stehen die Plätze den angehenden Agassis, Grafs und Nadals offen. In den 1920er Jahren war das als Corona Dump bekannte Gelände ein Ort des Grauens mit Salzsümpfen und Bergen schwelenden Mülls. In *Der große Gatsby* bezeichnet es der Autor F. Scott Fitzgerald als »valley of ashes« (»Tal der Asche«). Robert Moses, zuständig für die New Yorker Parkanlagen, setzte sich engagiert für eine Umgestaltung ein.

Die Müllberge wurden abgetragen, sodass man ein neues Flussbett schaffen konnte. Dadurch wurden die Sümpfe trockengelegt, man baute Abwasserkanäle, um das Gelände zu sanieren. 1939 war hier der Schauplatz für die Weltausstellung, bei der eine Welt am Vorabend des Kriegs den vagen Anschein eines Weltfriedens vermittelte.

Die Unisphere – Wahrzeichen der Weltausstellung von 1964 – beherrscht noch den Schauplatz. Der riesige Globus ist zwölf Stockwerke hoch und 350 Tonnen schwer.

Unisphere im Flushing Meadows Corona Park

New York Hall of Science ⑬

46th Ave und 111th St Flushing Meadow, Corona Park. **C** (718) 699-0005. **M** 111th St. ◐ Sep–Juni: Mo–Do 9.30–14, Fr 9.30–17, Sa, So 10–18 Uhr; Juli, Aug: Mo–Fr 9.30–17, Sa, So 10–18 Uhr. ● Labor Day, 25. Dez. 🅰 🅾 ♿ 🅿 🛍 **www**.nyscience.org

Der Pavillon der Naturwissenschaften für die Weltausstellung von 1964 besteht aus Betonplatten und Buntglasfenstern. Er ist heute ein Wissenschafts- und Technikmuseum mit Ausstellungen zu Farbe, Licht und Naturphänomenen. Kinder lieben die Video- und Lasershows.

Geschwungene Betonfassade der New York Hall of Science

Museum of the Moving Image and Kaufman Astoria Studio ⑭

Ecke 35th Ave/36th St, Astoria. **Museum** **C** (718) 784-0077. **M** 36th St. **Steinway Museum** ◐ Mi, Do 11–17, Fr 11–20, Sa, So 11–18.30 Uhr. **Filme** Fr 19.30 Uhr, Sa, So nachmittags und abends. 🅰 Fr 16–20 Uhr frei. 🅲 Sa, So 14 Uhr. ● Memorial Day, Thanksgiving, 25. Dez. **Studio** ● für Besucher. 🅾 ♿ 🖥 🛍 **www**.movingimage.us

Auf dem Höhepunkt der New Yorker Filmproduktion drehten hier, im 1920 von Paramount Pictures eröffneten Astoria Studio, Rudolph Valentino, W. C. Fields, die Marx Brothers und Gloria Swanson. Als die Filmindustrie nach Hollywood abwanderte, übernahm die Armee das Studio und produzierte hier zwischen 1941 und 1971 Lehrfilme.

Plakat im Museum of the Moving Image

Der Komplex stand leer, bis sich die Astoria Motion Picture and Television Foundation 1977 seine Erhaltung zum Ziel setzte. *The Wiz*, Sidney Lumets 24 Millionen Dollar teures Musical mit Michael Jackson und Diana Ross in den Hauptrollen, wurde hier gedreht, um die Renovierung zu finanzieren. Heute verfügen die Studios über die besten Filmeinrichtungen an der Ostküste.

Seit 1981 ist eines der Gebäude Sitz des American Museum of the Moving Image, das interaktive Ausstellungen zur Film- und Fernsehgeschichte zeigt und auch Kinos hat. Über 85 000 Requisiten – von den Wagen aus *Ben Hur* bis zu den Raumanzügen aus *Star Trek* – gehören zur Sammlung. Derzeit wird die Ausstellungsfläche vervielfacht. Trotz der Umbauten bleibt die interaktive Ausstellung *Behind the Screen* geöffnet.

PS1 MoMA, Queens ⓯

22–25 Jackson Ave/46th Ave, Long Island City. 📞 *(718) 784-2084.* Ⓜ *E, V bis 23rd St-Ely Ave, 7 bis 45 Road-Courthouse Sq, G bis Court Sq oder 21 St-Van Alst.* 🚌 *B61, Q67.* 🕐 *Do–Mo 12–18 Uhr.* 🔴 *1. Jan, 25. Dez.* 📷 ♿ 🖥 www.ps1.org

Das 1971 gegründete PS1 entstand im Rahmen eines Programms für die Umwandlung leer stehender öffentlicher Gebäude in Orte für Ausstellungen, Aufführungen und Ateliers. Das PS1 ist dem Museum of Modern Art *(siehe S. 172–175)* angeschlossen und gehört zu den ältesten Kunstforen der USA, die ausschließlich moderne Kunst sponsern. Neben Wechsel- und Dauerausstellungen gibt es Interaktives und im Sommer Live-Musik im Hof.

Brooklyn

Der Musikpavillon im Prospect Park *(siehe S. 248 f)*

Wäre Brooklyn eine eigenständige Stadt, wäre sie die viertgrößte Stadt der Vereinigten Staaten. Dieser Stadtteil hat eine ganz eigene Ausstrahlung. Zahlreiche Stars der Unterhaltungsbranche wie Mel Brooks, Woody Allen, Phil Silvers und Neil Simon erweisen ihrem Geburtsort voller Zärtlichkeit und Humor ihre Referenz. Brooklyn ist ein Schmelztiegel, in dem u. a. zahlreiche orthodoxe Juden, Russen, Italiener und Araber – um nur ein paar wenige zu nennen – Tür an Tür miteinander leben.

Inmitten dieser bunten »Neighborhoods« befinden sich die historischen Wohnviertel Park Slope und Brooklyn Heights.

Brooklyn Children's Museum ⓰

145 Brooklyn Ave. 📞 *(718) 735-4400.* Ⓜ *Kingston (C, 3).* 🕐 *Sep–Juni: Mi–Fr 13–18 Uhr; Juli, Aug: Di–Do 12–18 Uhr, Fr 12–18.30 Uhr.* 🔴 *Feiertage.* **Rooftop Theater.** 🕐 *Fr 18.30–20, Sa, So 10–17 Uhr.* 🔴 *Feiertage.* 📷 ♿ 🖥 📱 www.bchildmus.org

Das Brooklyn Children's Museum war das erste eigens für Kinder geschaffene Museum. Es wurde 1899 gegründet und hat seither Modellcharakter: Für mehr als 250 Kindermuseen überall auf der Welt diente es als Anregung und Vorbild. Heute befindet es sich in einem 1976 erbauten unterirdischen Hightech-Gebäude und ist immer noch eines der fantasievollsten und fortschrittlichsten Kindermuseen.

Das Innere des Gebäudes, dessen Größe unlängst verdoppelt wurde, besteht aus einem Labyrinth miteinander verbundener Gänge, die vom Hauptgang, der »people tube«, ausgehen und wie ein riesiges Röhrensystem vier Ebenen verbinden. Hier können die Kinder nicht nur schauen – sie werden in die Thematik einbezogen und dürfen die Ausstellungsstücke anfassen. Ringsum gilt es, Kurioses zu entdecken, auszuprobieren und zu bauen. Selbst ein begehbares Klavier wie im Film *Big* ist vorhanden, und Kinder aller Altersstufen sind fasziniert davon. Durch Sonderausstellungen und Situationsdarstellungen sollen Kinder etwas über die Erde erfahren, ihre Ängste oder Probleme bewältigen lernen, Einblicke in fremde Kulturen erhalten und in die Vergangenheit eintauchen. Lachen und Begeisterungsausbrüche sind Beweis für den Erfolg dieses klug konzipierten Museums.

Maske im Brooklyn Children's Museum

Vorderansicht der Brooklyn Academy of Music

Brooklyn Academy of Music ❶

30 Lafayette Ave. 📞 (718) 636-4100. Ⓜ Atlantic Ave, Nevins St (M, N, Q, R, W, 2, 3, 4, 5). 🖼 Ⓜ ♿ 🖥 🏠 Siehe **Unterhaltung** S. 350f. www.bam.org

Die Konzerthalle der Brooklyn Philharmonic, 1858 gegründet und als BAM bekannt, ist Brooklyns älteste und bekannteste Kulturstätte. Hier kommen vorwiegend Werke der Moderne und Avantgarde zur Aufführung.

Das klassizistische Gebäude wurde 1908 von Herts & Tallant entworfen und mit einer Inszenierung von Gounods Oper *Faust* eingeweiht. Star der Aufführung war Enrico Caruso. Unzählige Berühmtheiten sind hier aufgetreten, so die Schauspielerin Sarah Bernhardt, die Ballerina Anna Pawlowa, die Musiker Pablo Casals und Sergej Rachmaninow, der Dichter Carl Sandburg und der Staatsmann Winston Churchill. Zudem finden viele internationale Gastspiele statt, z. B. der britischen Royal Shakespeare Company.

Das BAM Next Wave Festival präsentiert berühmte zeitgenössische Künstler, etwa die Musiker Philip Glass und David Byrne sowie die Choreografen Pina Bausch und Mark Morris. Die BAM betreibt auch das Harvey Theater, in dem Schauspiel-, Tanz- und Musikaufführungen stattfinden. Die BAM Rose Cinemas zeigen Premieren von internationalen Independent-Filmen; die BAMcinématek bietet Klassiker, Retrospektiven, Festivals und Sneak Previews.

Grand Army Plaza ❽

Ecke Plaza St/Flatbush Ave. Ⓜ Grand Army Plaza (2, 3). **Torbogen** ◻ bei gelegentlichen Ausstellungen.

Der Soldiers' and Sailors' Arch

Frederick Law Olmsted und Calvert Vaux entwarfen 1870 das große Oval als Zugang zum Prospect Park. Der Torbogen (Soldiers' and Sailors' Arch) und seine Skulpturen kamen 1892 als Tribut an die Union Army hinzu. Die Büste John F. Kennedys ist das einzige offizielle Kennedy-Denkmal in New York. Im Juni ist der Platz Austragungsort des Welcome Back to Brooklyn Festival, das allen in Brooklyn geborenen, mehr oder weniger berühmten Leuten gilt.

Park Slope Historic District ❾

Straßen vom Prospect Park W unterhalb Flatbush Ave bis 8th/7th/5th Ave. Ⓜ Grand Army Plaza (2, 3), 7th Ave (F,

Relief am Montauk Club

Die schöne Enklave viktorianischer Bürgerhäuser entstand um 1880 am Rand des Prospect Park. Hier wohnte die obere Mittelschicht, deren Bürger nach Manhattan pendeln konnten, nachdem 1883 die Brooklyn Bridge fertiggestellt war. Die schattigen Straßen werden von ein- bis vierstöckigen Häusern gesäumt, die die unterschiedlichsten Baustile aufweisen. Besonders schön sind die mit Rundportalen versehenen Gebäude im neoromanischen Stil.

Der Montauk Club (25 Eighth Avenue) fällt durch die Kombination zweier Stile auf. Er lässt Anklänge an Venedigs Palazzo Ca' d'Oro erkennen, zeigt aber auch Friese und Wasserspeier der Montaukett-Indianer, nach denen dieser beliebte Treffpunkt des 19. Jahrhunderts benannt ist.

Prospect Park ❿

Ⓜ Grand Army Plaza, Prospect Park (B, Q). 🖥 und Info (718) 287-3400. 🖥 🏠 www.prospectpark.org

Den Architekten Olmsted und Vaux gefiel der 1867 eröffnete Park besser als ihr zuvor geschaffener Central Park *(siehe S. 204–209)*. Die Long Meadow ist mit ihren ausgedehnten Rasenflächen und großartigen Ausblicken die größte zusammenhängende Grünanlage New Yorks. Olmsted war überzeugt, dass »die Besucher ein Gefühl der Erleichterung empfinden, sobald sie – den dichten und überbevölkerten Straßen der Stadt entronnen – den Park

Fassade der Brooklyn Public Library an der Grand Army Plaza

betreten«. Diese Vorstellung gilt heute noch genauso wie vor 100 Jahren. Sehenswert sind u. a. Stanford Whites kolonnadenartiger Croquet-Schuppen sowie die Teiche und Trauerweiden des Vale of Cashmere. Der Musikpavillon zeigt japanische Einflüsse; hier finden im Sommer Jazz- und Klassikkonzerte statt.

Ein Anziehungspunkt ist die Camperdown-Ulme, ein im Jahr 1872 gepflanzter, bizarr gewachsener Baum. Diese alte Ulme wird vielfach in Gedichten besungen und in Gemälden dargestellt. Der Prospect Park bietet eine vielfältige Landschaftsarchitektur, von geometrisch angelegten, mit Statuen geschmückten Gärten bis hin zu felsigen Bergschluchten mit rauschenden Bächen. Den besten Überblick gewinnt man bei einer Führung.

Belugawal im New York Aquarium auf Coney Island

Karussellpferd im Prospect Park

Brooklyn Museum ㉑

Siehe S. 250–253.

Brooklyn Botanic Garden ㉒

900 Washington Ave. ☎ (718) 623-7200. Ⓜ Prospect Pk (B, Q), Eastern Pkwy (2, 3). **Park** ☐ Apr–Sep: Di–Fr 8–18 Uhr (Sa, So, Feiertage ab 10 Uhr); Okt–März: Di–Fr 8–16.30 Uhr (Sa, So, Feiertage ab 10 Uhr). ● 1. Jan, Labor Day, Thanksgiving, 25. Dez. ☒ März–Mitte Nov: Di ganztägig und Sa 10–12 Uhr frei; Mitte Nov–Feb: Mo–Fr Kinder unter 16 frei. ◙ ⬥ ⬥ ⑪ ☐ www.bbg.org

Obwohl der Garten mit einer Fläche von 20 Hektar nicht sehr groß ist, bietet

er viel Abwechslung. Das Areal wurde 1910 von den Brüdern Olmsted entworfen und umfasst einen elisabethanischen »Zier-Kräutergarten« und eine der größten Rosensammlungen Nordamerikas.

Hauptattraktion ist ein Japanischer Garten mit Hügeln und Teichen, Teehaus und Shinto-Schreinen. Wenn Ende April/Anfang Mai an der Promenade des Parks die Kirschblüten leuchten, findet alljährlich ein Festival statt, das japanische Kultur, Küche und Musik präsentiert. Ein Highlight ist auch die Magnolienblüte im April an der Magnolia Plaza: Etwa 80 Bäume entfalten dann ihre cremeweißen Blüten vor dem Narzissen-Hintergrund des Boulder Hill.

Im Duftgarten sind alle Namen der intensiv duftenden, aromatischen Pflanzen auch in Blindenschrift zu lesen.

Im neuen Gewächshaus befinden sich heute eine Bonsai-Sammlung und einige seltene Baumarten aus dem Regenwald, die medizinische Extrakte zur Produktion lebensrettender Medizin liefern.

Seerosenteich im Brooklyn Botanic Garden

Coney Island ㉓

Ⓜ Stillwell Ave (D, F, N, Q), W 8th St (F, Q). **New York Aquarium** Surf Ave/W 8th St, Coney Island. ☎ (718) 265-FISH. ☐ Apr, Mai, Sep, Okt: Mo–Fr 10–17 Uhr, Sa, So, Feiertage 10–17.30 Uhr; Juni–Aug: Mo–Fr 10–18, Sa, So, Feiertage 10–19 Uhr; Nov–März: tägl. 10–16.30 Uhr. ☒ letzter Einlass 45 Min. vor Schließung. ☐ www.nyaquarium.com
Coney Island Museum 1208 Surf Ave, nahe W 12th St. ☎ (718) 372 5159. ☐ Sa, So 12–17 Uhr. ☒ www.coneyislandusa.com

Mitte des 19. Jahrhunderts verfasste der Dichter Walt Whitman viele seiner Werke auf Coney Island, das damals ein wilder atlantischer Küstenstreifen war. In den 1920er Jahren wurde er zur »größten Spielwiese der Welt«. Drei Rummelplätze (Luna Park, Dreamland und Steeplechase Park) boten einen Mix aus Fahrgeschäften und Badespaß. 1920 kam die Subway, mit dem Bau der Strandpromenade 1921 war die Popularität gesichert.

Beliebt ist das **New York Aquarium**, das auf sechs Hektar 350 Tierarten präsentiert. Das **Coney Island Museum** stellt Erinnerungsstücke alter Fahrgeschäfte aus.

Auch wenn Coney Island seine besten Tage hinter sich hat: Von der Promenade hat man immer noch einen tollen Meerblick. Die Mermaid Parade im Juni lockt jedes Jahr viele Zuschauer an.

Brooklyn Museum ㉑

Das Brooklyn Museum wurde 1897 eröffnet. Es sollte der größte Kulturbau der Welt werden – eine Meisterleistung der New Yorker Architekten McKim, Mead & White. Obgleich es nur zu einem Sechstel fertiggestellt wurde,

Die von McKim, Mead & White entworfene Nordfassade

ist es heute eine der eindrucksvollsten Kultureinrichtungen der USA mit einer enzyklopädischen Sammlung von etwa einer Million Exponaten auf knapp 42 000 Quadratmetern.

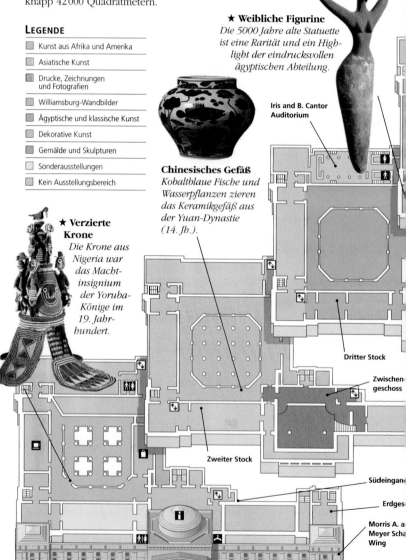

LEGENDE

- ▢ Kunst aus Afrika und Amerika
- ▢ Asiatische Kunst
- ▢ Drucke, Zeichnungen und Fotografien
- ▢ Williamsburg-Wandbilder
- ▢ Ägyptische und klassische Kunst
- ▢ Dekorative Kunst
- ▢ Gemälde und Skulpturen
- ▢ Sonderausstellungen
- ▢ Kein Ausstellungsbereich

★ **Weibliche Figurine**
Die 5000 Jahre alte Statuette ist eine Rarität und ein Highlight der eindrucksvollen ägyptischen Abteilung.

Iris and B. Cantor Auditorium

Chinesisches Gefäß
Kobaltblaue Fische und Wasserpflanzen zieren das Keramikgefäß aus der Yuan-Dynastie (14. Jh.).

★ **Verzierte Krone**
Die Krone aus Nigeria war das Machtinsignium der Yoruba-Könige im 19. Jahrhundert.

Dritter Stock

Zwischengeschoss

Zweiter Stock

Südeingang

Erdgeschoss

Morris A. and Meyer Schapiro Wing

Haupteingang

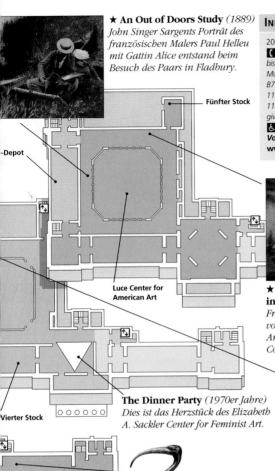

★ An Out of Doors Study (1889)
John Singer Sargents Porträt des
französischen Malers Paul Helleu
mit Gattin Alice entstand beim
Besuch des Paars in Fladbury.

INFOBOX

200 Eastern Pkwy, Brooklyn.
📞 (718) 638-5000. Ⓜ 2, 3
bis Eastern Parkway/Brooklyn
Museum. 🚌 B41, B48, B67,
B71. 🕐 Mi–Fr 10–17, Sa, So
11–18 Uhr; erster Sa im Monat
11–23 Uhr. 🔴 1. Jan, Thanksgiving, 25. Dez. **Spende**. 📷
♿ 🔄 ⬛ ⬛ ⬛ **Konzerte,**
Vorträge.
www.brooklynmuseum.org

Fünfter Stock

-Depot

**Luce Center for
American Art**

**★ Winter Scene
in Brooklyn** (1820)
Francis Guys Gemälde
von Brooklyn ist in der
American Identities
Collection zu sehen.

The Dinner Party (1970er Jahre)
Dies ist das Herzstück des Elizabeth
A. Sackler Center for Feminist Art.

Vierter Stock

**Maurisches Herren-
zimmer** (1865)
Es stammt aus einem
Haus in der West 54th
Street, das J. D. Rocke-
feller 1884 kaufte.

Alexander der Große
Die Büste des Heerführers
(1. Jh. v. Chr.) ist aus
Alabaster.

Ibis-Sarg (332–330 v. Chr.)
Dem heiligen Vogel des alten
Ägypten gebührte ein Sarg
aus Silber mit Blattgold.

KURZFÜHRER
Im Erdgeschoss (erster Stock)
findet man Kunstwerke Afrikas
und der Neuen Welt, im zwei-
ten Stock Drucke, Zeichnungen
und asiatische Kunst, im dritten
Stock ägyptische und klassische
Kunst sowie europäische Male-
rei und Plastik, im vierten Stock
dekorative Kunst, im fünften
Stock amerikanische Kunst. Son-
derausstellungen gibt es im Erd-
geschoss und im dritten Stock.

NICHT VERSÄUMEN

★ *An Out of Doors*
Study von John
Singer Sargent

★ Verzierte Krone

★ Weibliche Figurine

★ *Winter Scene*
in Brooklyn
von Francis Guy

Brooklyn Museum: Sammlungen

Das Brooklyn Museum besitzt eine der wertvollsten Kunstsammlungen der USA. Schwerpunkte sind die Kunst der indigenen Völker aus dem Südwesten der USA, mit amerikanischen Stilmöbeln eingerichtete Zimmer, alte ägyptische und islamische sowie amerikanische und europäische Kunst.

KUNST AUS AFRIKA, OZEANIEN, NORD- UND SÜDAMERIKA

Die Ausstellung afrikanischer Objekte als Kunstwerke – nicht nur als Gebrauchsgegenstände – im Brooklyn Museum 1923 markierte einen Präzedenzfall in den USA und war wegweisend. Von da an wurde die afrikanische Kunstsammlung ständig erweitert und gewann an Größe und Bedeutung.

Eines der seltenen Exponate ist ein aus dem 16. Jahrhundert stammender kunstvoll geschnitzter Gong aus Elfenbein aus dem Königreich Benin (Nigeria), von dem nur fünf Exemplare existieren.

Zudem besitzt das Museum eine bedeutende Sammlung von Objekten amerikanischer Ureinwohner, etwa Totempfähle, Textilien und Keramik. Dokumente alter amerikanischer Handwerkskunst sind Textilien aus Peru, zentralamerikanische Goldschmiedearbeiten und mexikanische Skulpturen. Eine wunderschöne, sehr gut erhaltene peruanische Tunika aus dem 6. Jahrhundert n. Chr. ist so dicht gewebt, dass die schillernden Muster wie gemalt wirken.

Die ozeanische Sammlung umfasst Skulpturen von den Salomonen-Inseln, aus Neuguinea und Neuseeland.

In Kalkstein gehauener sitzender Buddha-Torso (spätes 3. Jh. n. Chr.) aus Indien

ASIATISCHE KUNST

Das Museum stellt seine Exponate an chinesischer, japanischer, koreanischer, indischer, südostasiatischer und islamischer Kunst in Wechselausstellungen vor. Japanische und chinesische Gemälde, indische Miniaturen und islamische Kalligrafie ergänzen die asiatischen Skulpturen, Textilien und Keramikarbeiten.

Beispiele buddhistischer Kunst reichen von einer Vielzahl chinesischer, indischer und südostasiatischer Buddha-Statuen bis zu einem auf das 14. Jahrhundert zurückgehenden Tempelbanner aus Tibet mit leuchtend bunt aufgemaltem Mandala-Motiv.

DEKORATIVE KUNST

Anhand der Sammlung dekorativer Kunst bekommt man einen Überblick über das häusliche Leben vom 17. Jahrhundert bis heute. Das maurische Herrenzimmer aus J. D. Rockefellers Brownstone-Wohnsitz z. B. ist ein Exempel großzügig-eleganter New Yorker Lebensart im ausgehenden 19. Jahrhundert. Im Kontrast dazu steht ein Art-déco-Studio von 1928–30 aus einem Apartment in der Park Avenue. Von der Zeit der Prohibition *(siehe S. 30f)* zeugt eine hinter Paneelen verborgene Bar.

Zu den mehr als 350 Exponaten im Luce Center for American Art zählen Möbel, Objekte aus Silber, Keramik und Stoff, darunter sind auch

Mit Zeichnungen und Glasperlen geschmücktes Hemd aus Rotwildhaut (Blackfoot-Indianer, 19. Jh.)

Normandie, Henkelkanne aus Chrom (1935), Peter Müller-Munk

Gegenstände der indigenen Völker und aus der spanischen Kolonialzeit. Die Exponate im Luce Center sind thematisch angeordnet, um Entwicklungsschritte der letzten 300 Jahren deutlich zu machen.

ÄGYPTISCHE, KLASSISCHE UND ORIENTALISCHE KUNST

Zur großartigsten Abteilung gehört unbestritten die Sammlung ägyptischer Kunst. Das älteste Exponat hier ist eine Frauengestalt von 3500 v. Chr. Es folgen Statuen, Skulpturen, Grabmalereien, Reliefs und Grabbeigaben. Ein außergewöhnliches Stück ist der Sarg eines Ibisses, der vermutlich aus den großen Tiergrabstätten in Tuna el-Gebel in Mittelägypten stammt. Der Ibis galt als heiliger, den Gott Toth darstellender Vogel. Sein Sarg besteht aus massivem Silber und mit Blattgold belegtem Holz, die Augen sind mit Bergkristall markiert. Die Abteilungen sind neu restauriert.

Unter den kunsthandwerklichen Objekten der griechischen und römischen Antike finden sich Plastiken, Keramik, Schmuck, Bronzearbeiten und Mosaike. Zu den Exponaten alter Kunst aus dem Nahen und Mittleren Osten gehören eine Keramiksammlung und zwölf Alabasterreliefs aus dem Palast des Assyrer-Königs Assurnasirpal II. (883–859 v. Chr.). Sie stellen den König im Kampf dar, wie er den Blick auf seine Kornfelder richtet und wie er in einer religiösen Handlung den »heiligen Baum« reinigt.

MALEREI UND PLASTIK

Die Abteilung enthält Werke vom 14. Jahrhundert bis zur Gegenwart, darunter eine exquisite Sammlung französischer Gemälde des 19. Jahrhunderts mit Werken von Degas, Rodin, Monet, Cézanne, Matisse und Pissarro. Sie ist zudem im Besitz eines großen Bestands spanischer Gemälde aus

Pierre de Wissant (um 1886) aus der Gruppe *Die Bürger von Calais* von Auguste Rodin

der Kolonialzeit und der bedeutendsten Sammlung nordamerikanischer Malerei, die in den Vereinigten Staaten zu finden ist. Zu den Exponaten des 20. Jahrhunderts gehört das Bild *Brooklyn Bridge* von Georgia O'Keeffe.

Der Skulpturengarten präsentiert architektonische Teile aus abgerissenen Gebäuden New Yorks, etwa Statuen aus der alten Penn Station. Auch eine Replik der Statue of Liberty ist hier zu sehen.

DRUCKE, ZEICHNUNGEN UND FOTOGRAFIEN

Diese Abteilung zeigt bedeutende Werke – die aus konservatorischen Gründen regelmäßig ausgetauscht werden –, angefangen bei Dürers Holzschnitt *Der Triumphwagen* über Piranesi bis zu einer ausgezeichneten Sammlung impressionistischer und postimpressionistischer Malerei. Sie enthält zudem Werke von Toulouse-Lautrec und Mary Cassatt, einer der wenigen Frauen und die einzige Amerikanerin, die zum Impressionismus gezählt wird. Sehenswert sind auch Wins-

Rotherhide, eine Radierung von James McNeill Whistler (1860)

low Homers Stiche, James McNeill Whistlers Lithografien und eine Auswahl von Zeichnungen (viele in Schwarz-Weiß) von Fragonard, Klee, van Gogh und Picasso.

Zudem sind Fotografien von US-Künstlern des 20. Jahrhunderts zu sehen, darunter ein Porträt von Mary Pickford, 1924 aufgenommen von Edward Steichen. Hinzu kommen Fotos von Berenice Abbott, Margaret Bourke-White und Robert Mapplethorpe.

Sandsteinreliefs aus dem ägyptischen Theben (um 760–656 v. Chr.) stellen den Gott Amun-Ra und seine Gemahlin Mut dar

Staten Island

Abgesehen von der berühmten Fahrt mit der Fähre sind Staten Island und seine Attraktionen wenig bekannt. Die Einwohner fühlen sich derart übergangen, dass schon eine Trennung von der City im Gespräch war. Viele Besucher sind jedoch angenehm überrascht von den weiten Hügeln, Wiesen und Seen, den großartigen Ausblicken auf den Hafen und den gut erhaltenen Gebäuden aus der Gründerzeit New Yorks. Zu den Highlights gehört eine Sammlung tibetischer Kunst in einem authentisch nachgebauten buddhistischen Tempel.

Historic Richmond Town ㉔

441 Clarke Ave. 📞 (718) 351-1611.
🚌 S74 ab Fähre. 🕐 Sep–Juni:
Mi–So 13–17 Uhr; Juli, Aug:
Mi–Sa 10–17, So 13–17 Uhr.
⬤ 1. Jan, Ostersonntag, Thanksgiving, 25. Dez. 🎫 📷 ♿ 🎁 🎪
www.historicrichmondtown.org

Von den 29 Gebäuden in New Yorks einzigem restaurierten Dorf und Freilichtmuseum sind 14 zu besichtigen. Das nach den heimischen Muscheln »Coccles-town« genannte Dorf wurde im Volksmund – zum Ärger der Anwohner – zu »Cuckoldstown«. Gegen Ende des Unabhängigkeitskriegs (1775–83) erhielt es den Namen »Richmondtown«. Es war Kreishauptstadt, bis Staten Island 1898 eingemeindet wurde. Richmond Town ist ein typisches Beispiel für eine frühe Siedlung in New York.

Rumflasche, General Store

In dem vor 1696 erbauten Voorlezer House – der Name erinnert an die holländische Ära – befindet sich die älteste Grundschule des Landes. Der 1837 eröffnete Stephens General Store diente gleichzeitig als Postamt. Er wurde detailgetreu nachgebaut.

Der 40 Hektar große Komplex umfasst Wagenschuppen, ein 1837 erbautes Herrenhaus, Bürgerhäuser, mehrere Läden und eine Schenke. Hier finden auch Workshops statt, in welchen die Besuchern traditionelle Handwerkstechniken beigebracht werden.

Die St. Andrew's Church von 1708 und ihr alter Friedhof liegen jenseits des Mill Pond Stream. Das Historical Society Museum ist im County Clerk's and Surrogate's Office zu Hause; entzückend ist das Spielzeugzimmer.

Das Voorlezer House in Richmond Town

Jacques Marchais Museum of Tibetan Art ㉕

338 Lighthouse Ave. 📞 (718) 987-3500. 🚌 S74 ab Fähre. 🕐 Mi–So 13–17 Uhr. ⬤ Feiertage. 🎫 📷 🎁
🎪 **www.**tibetanmuseum.org

Das vom Lärm abgeschottete Museum auf einem Hügel enthält eine der größten Privatsammlungen tibetischer Kunst außerhalb Tibets mit Werken vom 15. Jahrhundert bis zur Gegenwart. Das Hauptgebäude ist ein originalgetreu nachgebildetes Bergkloster mit einem authentischen dreistöckigen Altar. Ein weiteres Gebäude dient als Bibliothek. Im Garten finden sich lebensgroße Buddha-Figuren. Das Museum wurde 1947 von der Kunsthändlerin Jacques Marchais gegründet. 1991 stattete der Dalai Lama dem Museum einen Besuch ab.

Aussichtspavillon im Snug Harbor Cultural Center

Snug Harbor Cultural Center ㉖

1000 Richmond Terrace. 📞 (718) 448-2500. 🚌 S40 ab Fähre zum Snug Harbor Gate. **Park** 🕐 tägl. Sonnenauf- bis -untergang. **Newhouse Center for Centemporary Art** 🕐 Di–So 10–17 Uhr. 🎫 **Spende. Children's Museum** 🕐 Di–So 12–17 Uhr (Sommer: 11–17 Uhr). ⬤ 1. Jan, Thanksgiving, 25. Dez. ♿ eingeschränkt. 🎁 🎪
www.snug-harbor.org

Als Bleibe für pensionierte Seeleute wurde Snug Harbor 1801 gegründet. Das heutige Kulturzentrum besteht aus 28 Gebäuden in unterschiedlichem Erhaltungszustand. Am schönsten sind die fünf zwischen 1831 und 1880 errichteten Prachtbauten im

Statue im Jacques Marchais Museum of Tibetan Art

klassizistischen Stil.
Der älteste von ihnen
ist heute das Visitors'
Center. Von hier ge-
langt man zum **New-
house Center for Con-
temporary Art**. Andere
Gebäude beherbergen
das vorzügliche **Staten
Island Children's Mu-
seum** und die Veterans Memorial Hall. Der Staten Island
Botanical Garden lockt mit
einer Orchideensammlung
und einem Rosengarten.

Snug Harbor ist eine Stiftung des Seemanns Robert
Richard Randall, der während
des Unabhängigkeitskriegs
reich geworden war und sein
Vermögen bedürftigen See-
leuten zukommen ließ. Es
war so angelegt, dass die Seeleute den geliebten Blick auf
den Hafen genießen konnten.

Hier wohnte Alice Austen fast ihr ganzes Leben lang

Alice Austen House ㉗

2 Hylan Blvd. 📞 (718) 816-4506.
🚌 S 51 ab Fähre zum Hylan Blvd.
🕐 Do–So 12–17 Uhr; Grundstück
bis Sonnenuntergang. 🔴 Jan, Feb,
Feiertage. **Spende**. 📷 🚫 eingeschr.
📷 🔗 www.aliceausten.org

Das um 1690 erbaute klei-
ne Landhaus trägt den
schönen Namen Clear Com-
fort. Hier verbrachte die 1866

geborene Fotografin
Alice Austen den größ-
ten Teil ihres Lebens.
Ihre Fotos dokumentie-
ren das Leben auf der
Insel, in Manhattan,
aber auch in anderen
Landesteilen und in
Europa. Beim Börsen-
krach 1929 verlor sie
ihr ganzes Vermögen, sodass
sie mit 84 Jahren völlig mittellos in ein Armenhaus ziehen
musste. Ein Jahr später wurde
ihr fotografisches Talent vom
Magazin *Life* entdeckt, das
einen Artikel über sie ver-
öffentlichte. Die Einnahmen
ermöglichten ihr den Umzug
in ein Altenheim. Sie hinter-
ließ 3500 Negative aus der
Zeit von 1880 bis 1930. Heute
organisiert der Freundeskreis
»Alice Austen House« Ausstellungen ihrer Fotokunst.

Weitere Abstecher

Das Dorf Broad Channel an der Jamaica Bay

Jamaica Bay Wildlife Refuge Center ㉘

Cross Bay Blvd bei Broad Channel.
📞 (718) 318-4340. Ⓜ Broad
Channel (A). 🕐 tägl. Sonnenauf- bis
-untergang; Besucherzentrum 8.30–
17 Uhr. 📷 saisonal (vorher anrufen).
www.nps.gov/gate

Die Marschen und Hoch-
ebenen des Naturschutz-
gebiets nehmen eine Fläche
von der Größe Manhattans
ein. Über 300 Vogelarten
leben hier. Da das Schutzge-
biet direkt an der atlantischen
Vogelfluglinie liegt, besucht
man es am besten im Frühling
oder Herbst. Das Aufsichts-
personal bietet Wanderungen

für Besucher an –
gutes Schuhwerk
und entsprechen-
de Kleidung sind
hierfür erforder-
lich. Ein Zoom-
Objektiv oder
Fernglas sollte bei
den Touren nicht
fehlen. Das einzi-
ge Dorf, Broad
Channel, besteht
aus Pfahlbauten
am Cross Bay
Boulevard. Das
Naturschutzgebiet
und den 16 Kilometer langen
Küstenstreifen erreicht man
mit der Subway direkt von
Manhattan aus.

Jones Beach State Park ㉙

Strände 🕐 ganzjährig. 🏖 Ende
Mai–Labor Day. 📞 (516) 785-1600.
www.nysparks.state.ny.us/parks 🚉
Long Island Railroad: Penn Station bis
Jones Beach (Ende Mai–Labor Day).
📞 (718) 217-5477. **Jones Beach
Theater** 📞 (516) 221-1000. 🚹

Robert Moses, seinerzeit
verantwortlich für die New
Yorker Parks *(siehe S. 246)*,
leitete 1929 die Umgestaltung
der schmalen Landzunge zu

Jones Beach. Es ist der am
besten erreichbare und beliebteste Strand von Long Island. Hier gibt es Sanddünen,
Brandungswellen auf der dem
Atlantik zugewandten Seite
und einen geschützten Bade-
strand in der Bucht, des Weiteren einen Golfplatz, Swimmingpools, Restaurants und
das **Jones Beach Theater**, das
im Sommer zahlreiche Kon-
zerte veranstaltet.

Der Robert Moses State Park
befindet sich auf Fire Island,
der nächstgelegenen Insel im
Osten, die 48 Kilometer lang,
aber weniger als 800 Meter
breit ist. Teile der Insel sind
völlig naturbelassen und nicht
besiedelt. Die Sanddünen eignen sich hervorragend zum
Wandern und Radfahren fern
aller Großstadthektik.

Unterschiedliche Menschen
treffen sich hier – Singles, Familien und die große Schwulengemeinde New Yorks.

Sonnenbaden am Jones Beach

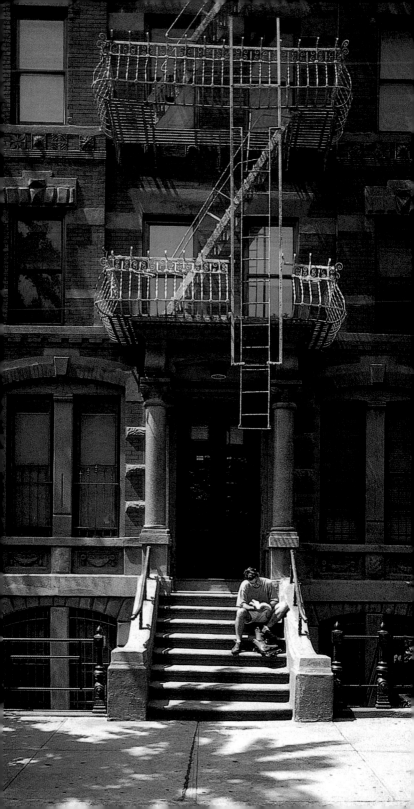

SIEBEN SPAZIERGÄNGE

Spaziergänge durch New York lassen einen die Stadt gewissermaßen in menschlichen Maßstäben erleben. Die folgenden sieben Routen bringen Ihnen den einzigartigen Charme und Charakter des »Big Apple« näher. Sie führen Sie auf die Spur von Literaten und Künstlern in Greenwich Village und SoHo *(siehe S. 260f)* oder über die Brooklyn Bridge, wo Sie die herrliche Aussicht und das New York des 19. Jahrhunderts erleben können *(siehe S. 266f)*.

Zu jedem der 15 Viertel Manhattans wird in *Die Stadtteile New Yorks*

Skulptur am US Custom House, Lower Manhattan

auf einer *Detailkarte* ein kurzer Spaziergang vorgeschlagen, der an den wichtigsten Sehenswürdigkeiten vorbeiführt. Verschiedenste Organisationen bieten Touren zu Fuß an, die thematisch von der Architekturgeschichte New Yorks bis zu den Geistern am Broadway reichen. Näheres zu Veranstaltern finden Sie auf Seite 369 und im Magazin *Time Out New York*. Wie in jeder Großstadt sollten Sie bei Spaziergängen auf Ihre Wertsachen achten *(siehe S. 372f)*. Planen Sie den Weg im Voraus, und gehen Sie möglichst in Gruppen.

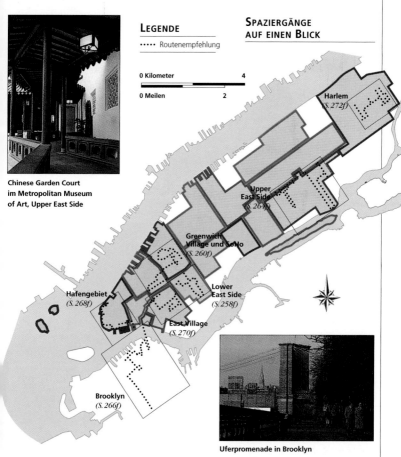

Chinese Garden Court im Metropolitan Museum of Art, Upper East Side

LEGENDE

····· Routenempfehlung

0 Kilometer — 4

0 Meilen — 2

SPAZIERGÄNGE AUF EINEN BLICK

Harlem *(S. 272f)*

Upper East Side *(S. 264f)*

Greenwich Village und SoHo *(S. 260f)*

Lower East Side *(S. 258f)*

Hafengebiet *(S. 268f)*

East Village *(S. 270f)*

Brooklyn *(S. 266f)*

Uferpromenade in Brooklyn

◁ **Ruhepause in der Grove Street, Greenwich Village**

Spaziergang durch die Lower East Side (1:30 Std.)

Der Spaziergang führt durch alte Einwandererviertel, denen New York sein einzigartiges Flair verdankt. Er macht die sich stetig verändernde Zusammensetzung der Stadt deutlich, in der immer wieder Viertel »neu entdeckt« werden. Unterwegs können Sie verschiedene Kulturen und Küchen kennenlernen. Sonntag ist dafür der beste Tag. Details Lower East Side *siehe S. 92–101*.

Lower East Side

Ausgangspunkt ist die East Houston Street, die Grenze zwischen Lower East Side und East Village. Hier finden Sie traditionelle jüdische Küche in der Yonah Schimmel Knish Bakery ① (Nr. 137) und bei Russ & Daughters ② (Nr. 179), das vom Enkel des Gründers geführt wird und für Räucherfisch und Kaviar berühmt ist. Katz's Delicatessen ③ (Nr. 205) ist seit über 100 Jahren eine Institution. Weiter geht's zur Norfolk Street und rechts zum Angel Orensanz Center ④ (Nr. 172) in New Yorks ältester Synagoge. Biegen Sie rechts in die Rivington Street ein, wo sich in einem Backsteingebäude von 1890 eine weitere Synagoge, die Shaarai Shomoyim First Romanian-American Congregation ⑤ (Nr. 89), befindet. Der Innenraum ist vernachlässigt, aber imposant.

Bügeleisen von 1885 im Lower East Side Tenement Museum ⑥

Routeninfos

***Start:** East Houston Street.*
***Länge:** 3,2 Kilometer.*
***Anfahrt:** Subway-Linie F oder V bis Second Avenue; Ausgang East Houston bei Eldridge St. Andere Stationen: F bis Delancey St, J, M, Z bis Essex St. Bus M15 zur East Houston St oder Ecke Delancey St/Allen St. M14A und M9 fahren die Essex St entlang. Rückfahrt von Chinatown/Little Italy: Subway-Linien J, M, N, Q, R, W und 6 ab Canal Street.*
***Rasten:** Little Italys Cafés sind ideal für eine Pause bei exzellentem Kaffee und guten Torten. Sättigende chinesische Speisen bietet Sweet-n-Tart, 20 Mott St, an, italienisches Essen bekommen Sie in der Mulberry St bei Il Cortile (Nr. 125) oder Il Palazzo (Nr. 151). Il Laboratorio del Gelato, 95 Orchard St, lockt mit seinen zahlreichen Eis- und Sorbetsorten im Sommer viele Kunden an.*

Hippe junge New Yorker haben die Lower East Side für sich entdeckt und trendige Shops, Clubs und Restaurants eröffnet. Die Rivington Street teilen sich coole und traditionelle Modeläden. Gehen Sie links in die Orchard Street, Zentrum der jüdischen Lower East Side. Die Handkarren von einst sind Marktständen gewichen, die zumeist billige Waren anbieten, viele Läden führen günstige Designermode. Samstags sind sie geschlossen, sonntags ist am meisten los.

Ein Muss für Geschichtsinteressierte ist das Lower East Side Tenement Museum ⑥ (97 Orchard St, Tickets im Visitor Center 108 Orchard St). Das restaurierte Mietshaus illustriert die Lebensweise der Immigrantenfamilien von 1874 bis in die 1930er Jahre.

Ein Abstecher in die Broome Street lohnt sich wegen Guss' Pickles ⑦ (Nr. 85–87), der neue Sitz einer Institution, die 1988 die Vorlage für den Film *Crossing Delancey* (dt. *Sarah und Sam*) lieferte. Noch immer stehen Kunden Schlange für Pickles.

Zurück auf der Broome Street wenden Sie sich nach links zu Kehila Kedosha Janina Synagogue and Museum ⑧ (280 Broome St), einem Gemeindehaus mit Museum im Obergeschoss.

Gehen Sie links die Eldridge Street entlang, über die Canal Street zur Eldridge Street Synagogue ⑨ (Nr. 12), der ersten osteuropäischen Synagoge New Yorks, die umfassend restauriert wurde.

Marktstände in der Orchard Street

Guss' Pickle Company ⑦

Chinatown

Gehen Sie zur Canal Street zurück, bewundern Sie von hier aus das Chrysler Building und die Skyline. Wenden Sie sich nach links, überqueren Sie die Bowery mit den vielen Juwelierläden – Relikte des einstigen Diamond District ⑩. Dann weichen die Läden Marktständen, die exotisches Gemüse anbieten, und Metzgereien mit gebratenen Enten in den Fenstern. In der Canal Street Nr. 200

finden Sie Kam Man Food Products, einen der größten chinesischen Märkte der Gegend; ein Bummel ist faszinierend. Biegen Sie nun von der Canal Street links in die Mott Street ein. Die chinesischen Neonschilder verraten es: Sie sind im Herzen von Chinatown, wo sogar die Banken und Telefonzellen Pagoden nachempfunden sind. Hier gibt es Hunderte Restaurants – von Imbiss-Ständen bis zu feinster Chinaküche.

Pretzel-Wagen, Orchard Street

00 Canal Street: üppige Auswahl ei Kam Man Food Products

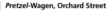

Kontemplation finden Sie im Eastern States Buddhist Temple ⑪ in der Mott Street.

In der Bayard Street sehen Sie links an der Wall of Democracy politische Plakate und Botschaften in Chinesisch. Kehren Sie dann um, und gehen Sie zur Mulberry Street. Die Biegung beim Columbus Park war einst die Mulberry Bend ⑫, berüchtigt für Mord und Totschlag.

Deli in Little Italy ⑬

Little Italy

Gehen Sie die Mulberry Street Richtung Grand Street. Unvermittelt stehen Sie in Little Italy ⑬. Es ist klein, und Chinatown droht sich auch hier auszubreiten, doch bislang bieten die wenigen Blocks Alte-Welt-Restaurants, Kaffeehäuser und Läden mit Pasta, Wurst, Brot und Kuchen aus eigener Fertigung. Zwar schrumpft die italienische Gemeinde, doch eine Gruppe von Händlern bleibt standhaft und sorgt für italienisches Flair. Ihr Zentrum ist die Mulberry Street zwischen Broome und Canal Street; ein paar Läden gibt es noch in der Grand Street. Wenn Sie auf der Grand Street weitergehen, sind Sie aber gleich wieder in Chinatown.

Das größte Ereignis des Jahres in Little Italy ist das Fest von San Gennaro, dem Stadtpatron Neapels. Elf Abende im September ist die Mulberry Street voller Menschen, die den Paraden zuschauen und sich vor den langen Reihen von Wurstbuden an italienischen Köstlichkeiten laben.

Spaziergang durch Greenwich Village und SoHo (1:30 Std.)

Ein Bummel durch Greenwich Village führt Sie in eine Gegend, in der viele berühmte New Yorker Schriftsteller und Künstler gelebt und gearbeitet haben. Nicht minder faszinierend sind die Galerien und Museen in SoHo, wo zeitgenössische Künstler ihre Arbeiten präsentieren. Sehenswürdigkeiten in Greenwich Village *siehe S. 108–115* und in SoHo *siehe S. 102–107*.

Der Schriftsteller Mark Twain wohnte in der 10th Street

West 10th Street

An der Kreuzung 8th Street und 6th Avenue ① gibt es Bücher-, Platten- und Modeläden. Gehen Sie die 6th Avenue bis zur West 9th Street hinauf. Sie finden dort (linker Hand, Nr. 425) das Jefferson Market Courthouse ②.

Biegen Sie nach rechts ab, und folgen Sie der West 10th Street ③ bis zum Alexander Onassis Center for Hellenic Studies (Nr. 58). Früher war hier der Tile Club ansässig, in dem sich die Künstler aus dem 10th Street Studio trafen, zu dem Augustus Saint-Gaudens, John LaFarge und Winslow Homer gehörten. Mark Twain wohnte hier (24 West 10th St), ebenso Edward Albee (50 West 10th St).

Am Milligan Place ④ stehen Häuser aus dem 19. Jahrhundert. Am Patchin Place ⑤ lebten die Dichter E. E. Cummings und John Masefield. Etwas weiter entfernt finden Sie die Ninth Circle Bar ⑥. Bei der Eröffnung 1898 hieß die Bar Regnaneschi's. John Sloan verewigte sie auf seinem Bild *Regnaneschi's Saturday Night*. Edward Albee entdeckte hier die auf einen Spiegel gekritzelte Frage »Wer hat Angst vor Virginia Woolf?«.

Routeninfos

Start: *8th St/6th Ave.*
Länge: *3,2 Kilometer.*
Anfahrt: *Subway-Linien A, B, C, D, E, F oder V zur West 4th Street, Washington Square (Ausgang 8th Street). Die Fifth-Avenue-Busse M2 und M3 halten an der 8th Street. Gehen Sie von hier einen Block westwärts zur 6th Street. Bus M5 fährt eine Schleife am Washington Square und zurück zur 6th Avenue/8th Street.*
Rasten: *The Pink Tea Cup (42 Grove Street) ist ideal zum Mittagessen; Fanelli's Café (94 Prince Street) existiert seit 1847 und war früher ein speakeasy.*

Die ungewöhnliche Fassade des Twin Peaks ⑨

Greenwich Village

Gehen Sie – vorbei am Three-Lives-Buchladen (154 West 10th St), einem der Literatentreffs des Village – links zur Christopher Street und zum Northern Dispensary ⑦, einem Ambulanzzentrum. Folgen Sie der Grove Street bis zum Sheridan Square, dem Mittelpunkt des Village. Das Circle Repertory Theater ⑧, in dem die Stücke des Pulitzer-Preisträgers Lanford Wilson uraufgeführt wurden, ist nun geschlossen. Überqueren Sie die 7th Avenue, gehen Sie die Grove Street entlang. An der Ecke Bedford Street stoßen Sie auf das Twin Peaks ⑨ (102 Bedford St), früher ein Künstlerwohnheim. Die Fassade des Hauses direkt gegenüber, an der nordöstlichen Ecke von Bedford und Grove Street ⑩, hatte als Motiv eine tragende Filmrolle: In der TV-Serie *Friends* verbargen sich dahinter die beiden (Studio-) Apartments, in denen die Protagonisten wohnten. Das Haus Nr. 75½ ist das schmalste Gebäude. Hier lebte die feministische Lyrikerin Edna St. Vincent Millay.

Fassade in Washington Mews ⑬

Gehen Sie durch die Carmine Street zur 6th Avenue, und biegen Sie am Waverly Place rechts ab. In Nr. 116 ⑪ wohnte früher Charlotte Lynch. Bei ihr trafen sich wöchentlich u. a. Herman Melville und Edgar Allan Poe, der hier erstmals sein Gedicht *The Raven* vortrug. Ein kleiner Umweg nach links bringt Sie zur MacDougal Alley ⑫, einer kleinen Straße mit Kutschenhäuschen. Gertrude Vanderbilt Whitney hatte hier ihr Atelier, hinter dem sie 1932 das erste Whitney Museum eröffnete.

Washington Square

Zurück in der MacDougal Alley, wenden Sie sich nach links zum Washington Square North, wo Sie einige der schönsten klassizistischen Häuser der USA besichtigen können. Der Autor Henry James ließ seinen Roman *Washington Square* (1880) im Haus Nr. 18, dem Anwesen einer Großmutter, spielen.

Washington Square Park und Torbogen

Von der 5th Avenue bietet sich nochmals ein guter Blick auf den Washington Square Park mit dem berühmten Washington Square Arch. Gegenüber dem Gebäude Nr. 2 in der 5th Avenue stoßen Sie auf die Washington Mews ⑬, einen Komplex früherer Stallungen und späterer Kutschenhäuschen. Im Studio in Nr. 14a wohnten bereits John Dos Passos, Edward Hopper, William Glackens und Rockwell Kent.

Nun kommen Sie zum Haus der Autorin Edith Wharton (7 Washington Square North). Wenn Sie den Park überquert haben, sehen Sie links die von Stanford White entworfene Judson Memorial Church and Tower ⑭ und das Loeb Student Center. Das Center war früher ein Wohnheim, das als »Haus des Genies« bekannt war. Theodore Dreiser schrieb in diesem Gebäude *Eine amerikanische Tragödie*.

SoHo

Wenden Sie sich nun auf der Thompson Street, einer von zahlreichen Clubs, Cafés und Läden gesäumten typischen Village-Straße, nach Süden. Biegen Sie nach links in die Houston Street ein und anschließend nach rechts in den West Broadway. Dort finden Sie die besten Galerien der Stadt und ein paar sehr schicke Boutiquen.

An der Spring Street gehen Sie erst links und dann nach rechts in die Green Street ⑮, deren Häuser schöne Gusseisen-Fassaden haben. In einigen Gebäuden sind heute Galerien ansässig.

Wenn Sie am Ende der Green Street nach links in die Canal Street einbiegen, erleben Sie, wie abrupt sich die Atmosphäre in New York verändern kann. In dieser lauten Straße gibt es zahlreiche Straßenhändler und preiswerte Elektronikläden. Wer jetzt noch Energie hat: NoLIta in der Spring Street bietet die aktuellen Modetrends mit den Labels junger aufstrebender Designer.

Gusseisen-Fassade in SoHo ⑮

Meter 500

Yards 500

LEGENDE

- •• Routenempfehlung
- ⚡ Aussichtspunkt
- Ⓜ Subway-Station

Spaziergang in der Upper East Side (2 Std.)

Ein Spaziergang die obere Fifth Avenue entlang führt Sie zu einigen der schönsten Bauten aus dem New York der Zeit um 1900. Ein kleiner Umweg durch das deutsche Viertel Yorkville bringt Sie zum Gracie Mansion, seit 1799 offizielle Residenz des Bürgermeisters von New York. Details zu den Sehenswürdigkeiten der Upper East Side finden Sie auf den *Seiten 182–203*.

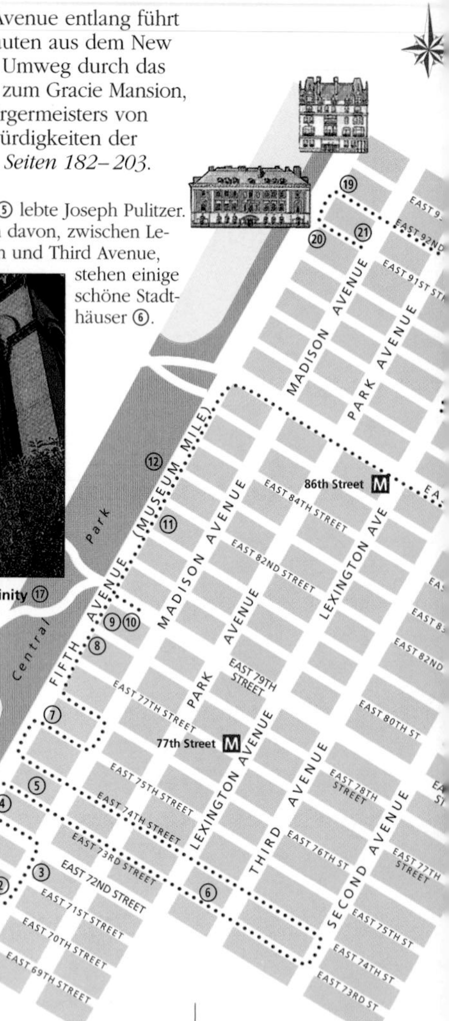

Central Park
FIFTH AVENUE (MUSEUM MILE)
MADISON AVENUE
PARK AVENUE
LEXINGTON AVENUE
LEXINGTON AVE
THIRD AVENUE
SECOND AVENUE
EAST 69TH STREET
EAST 70TH STREET
EAST 71ST STREET
EAST 72ND STREET
EAST 73RD STREET
EAST 74TH STREET
EAST 75TH STREET
EAST 77TH STREET
EAST 79TH STREET
EAST 82ND STREET
EAST 84TH STREET
EAST 91ST ST
EAST 92ND
EAST 73RD ST
EAST 74TH ST
EAST 75TH ST
EAST 76TH ST
EAST 77TH STREET
EAST 78TH STREET
EAST 80TH ST
EAST 82ND
77th Street
86th Street
0 Meter 500
0 Yards 500

Vom Frick zum Met

Sehen Sie sich zunächst die Frick Collection *(siehe S. 202f)* im Frick Mansion ① an, das der Kohlemagnat Henry Clay Frick 1913/14 erbauen ließ. Die reichen New Yorker überboten sich bei der Errichtung solcher Villen, die an Versailles, die Loire-Schlösser oder venezianische Palazzi erinnerten. Heute beherbergen die Gebäude oft öffentliche Einrichtungen. Gegenüber steht ein typisches Wohnhaus für die betuchten New Yorker. Richtung Osten in der 70th Street sind zwei renommierte Galerien ansässig, Knoedler & Co (Nr. 19) und Hirschl & Adler (Nr. 21) ②. Gehen Sie die Madison Avenue hinauf bis zur 72th Street zum Polo/Ralph Lauren Store ③. In dem 1898 erbauten Haus lebte Gertrude Rhinelander Waldo.

Gehen Sie an der Nordseite der 72nd Street zur Fifth Avenue zurück. Dabei passieren Sie zwei Kalksteinbauten (Ende 19. Jh.), in denen jetzt das Lycée Français de New York ④ residiert. Folgen Sie der 5th Avenue zur 73rd Street, wo Sie rechts abbiegen. Im Haus Nr. 11 ⑤ lebte Joseph Pulitzer. Östlich davon, zwischen Lexington und Third Avenue, stehen einige schöne Stadthäuser ⑥.

Church of the Holy Trinity ⑰

Zurück auf der Fifth Avenue gehen Sie zur 75th Street. In Nr. 1, einst Heim von Edward S. Harkness, Sohn des Mitbegründers der Standard Oil, ist nun der Commonwealth Fund ansässig ⑦.

Ukrainian Institute of America ⑩

Im Haus des Tabakmillionärs James B. Duke (1 East 78th St) befindet sich das New York University Institute of Fine Arts ⑧, im Gebäude des Finanzmagnaten Payne Whitney (Ecke 5th Ave/79th St) die französische Botschaft ⑨. In 2 East 79th Street sitzt das Ukrainian Institute of America ⑩. Das Duke-Semans House ⑪ an der Ecke 82nd Street ist eines der wenigen Fifth-Avenue-Palais in Privatbesitz. Die Besichtigung des Metropolitan Museum ⑫ erfordert einen Tag.

◁ Eingang zur Subway-Station beim Bryant Park *(siehe S. 145)* in winterlichem Kostüm

Carl Schurz Park Promenade

ROUTENINFOS

Start: Frick Collection.
Länge: 4,8 Kilometer.
Anfahrt: Subway-Linie 6 zur 68th Street/Lexington Avenue, dann drei Blocks westwärts zur Fifth Avenue. Oder mit den Bussen M1, M2, M3, M4, dann entlang Madison Avenue zur 70th Street und einen Block westwärts.
Rasten: Die Cafés im Whitney und Guggenheim Museum sind gut. Österreichische Küche serviert das Café Sabarsky in der Neuen Galerie (5th Ave/86th St), Bayerisches das Heidelberg Café (2nd Ave, nahe 86th St). Viele Restaurants gibt es in der Madison Avenue zwischen 92nd und 93rd Street, etwa Sarabeth's Kitchen (am Wochenende guter Brunch).

Yorkville

In der 86th Street stoßen Sie auf die Überreste des deutschen Yorkville, z. B. Bremen House ⑬. Besuchen Sie in der 2nd Avenue das Heidelberg Café oder das Deli Schaller & Weber ⑭. Ein guter Imbiss ist Papaya King, 179 East 86th Street.

East River und Gracie Mansion

Henderson Place ⑮ an der East End Avenue wird von Häusern im Queen-Anne-Stil gesäumt. Der Carl Schurz Park ist nach dem Herausgeber von *Harper's Weekly* und *New York Post* benannt. Oberhalb des East River Drive schaut man auf Hell Gate, wo sich Harlem River, Long Island Sound und Hafen vereinigen. Von hier sieht man auch Gracie Mansion ⑯, die Residenz des Bürgermeisters. In der 88th Street steht die Church of the Holy Trinity ⑰. Gehen Sie an der Lexington Avenue rechts bis zur 92nd Street, in der zwei der letzten Holzhäuser Manhattans ⑱ stehen.

LEGENDE

• • Routenempfehlung
🔅 Aussichtspunkt
Ⓜ Subway-Station

Holzhäuser in der 92nd Street ⑱

Das Cooper-Hewitt Museum ⑳

Carnegie Hill

In der Fifth Avenue sehen Sie rechts das 1908 erbaute Felix Warburg Mansion, das heutige Jewish Museum ⑲. Ein Stück weiter, Ecke 91st Street, befindet sich Andrew Carnegies riesiges Anwesen, das jetzige Cooper-Hewitt Museum ⑳. Die 1902 im Stil eines englischen Herrenhauses erbaute Residenz gab der Gegend den Namen: Carnegie Hill. Nr. 7, das James Burden House ㉑, wurde 1915 für die Vanderbilt-Erbin Adele Sloan gebaut. Den Aufgang unter einem farbigen Glasdach bezeichneten Besucher als »Himmelstreppe«. Das Haus Nr. 9 im Stil der italienischen Renaissance gehörte dem Finanzmagnaten Otto Kahn. Es besitzt eine überdachte Auffahrt und einen Innenhof. Heute beherbergt es die Convent of the Sacred Heart School.

Spaziergang in Brooklyn (3 Std.)

Die Überquerung der berühmtesten Brücke New Yorks bringt Sie nach Brooklyn Heights, dem ersten Vorort der Metropole. Hier mischen sich 19.-Jahrhundert-Flair und nahöstliche Kultureinflüsse. Die Flusspromenade bietet fantastische Ansichten von Manhattan. Details zu Sehenswürdigkeiten in Brooklyn *siehe S. 247–253*.

Brooklyn Bridge-Worth Street
M
500 m
Brooklyn Bridge
East River
FURMAN STREET
BROOKLYN QUEENS EXPRESSWAY
COLUMBIA
WILLOW STREET
PIERREPONT
MONTAGUE
REMSEN
HENRY STREET

Feuerwache in der Old Fulton Street

Fulton Ferry Landing

Die rund einen Kilometer lange Brooklyn Bridge bietet eine herrliche Sicht auf die Skyline von Manhattan und reichlich Fotomotive. Nehmen Sie ein Taxi, oder gehen Sie zu Fuß über die Brücke nach Brooklyn. Folgen Sie auf der anderen Seite dem Tillary-Street-Schild nach rechts, wenden Sie sich am Fuß der Treppe abermals nach rechts, nehmen Sie den ersten Weg durch den Park über Cadman Plaza West ①, und gehen Sie unter dem Brooklyn-Queens-Expressway hindurch. Hier beginnt die Old Fulton Street.

Während Sie über die Water Street zur Anlegestelle der Fulton-Fähre ② gehen, sehen Sie rechter Hand die Brücke. Im Unabhängigkeitskrieg flohen George Washingtons Truppen von hier aus nach Manhattan. 1814 war hier das Depot für die Fähre Brooklyn–Manhattan, und aus den ländlichen Brooklyn Heights entwickelte sich allmählich eine Wohngegend. Das River Café ③ rechter Hand gilt dank seiner exquisiten Küche und des Ausblicks als eines der besten Restaurants New Yorks. Über das ehemalige Eagle-Lagerhaus ④ von 1893 gehen Sie zurück.

EAGLE WAREHOUSE & STORAGE CO

Eagle-Lagerhaus ④

Brooklyn Heights

Wenden Sie sich von der Anlegestelle aus nach rechts, gehen Sie durch die steile Everitt Street zur Middagh Street und die Straßen von Brooklyn Heights hinauf. Das Gebäude Nr. 24 ⑤ ist eines der ältesten (erbaut 1824).

Biegen Sie nun rechts in die Willow Street und dann links in die Cranberry Street ein; hier stehen alte Häuser aus Holz, Sandstein und Backstein im Federal Style.

Viele berühmte Leute wohnten hier. Im Keller des Hauses Willow Street Nr. 70 schrieb Truman Capote *Frühstück bei Tiffany* und *Kaltblütig*. Arthur Miller war einmal Besitzer des Hauses Nr. 155. Während seiner Zeit als Herausgeber des *Brooklyn Eagle* wohnte Walt Whitman in der Cranberry Street. Seine *Leaves of Grass* gab er in der Druckerei an der Ecke in Satz. Die Stadthäuser, die jetzt an dieser Stelle stehen, nennt man »Whitman Close«. Biegen Sie rechts in die Hicks Street und links in die Orange Street ein, und spazieren Sie bis zur Plymouth Church ⑥, in der Henry Ward Beecher gegen die Sklaverei predigte. Seine Schwester Harriet Beecher Stowe war die Autorin von *Onkel Toms Hütte*. Schlendern Sie nun durch die

Eingang des River Café

Truman Capote mit gefiedertem Freund

Henry Street und die Pine-apple Street. In der Clark Street erkennen Sie noch die Namenszüge einstiger Luxushotels. Gehen Sie bis zum Haus Columbia Heights Nr. 142 ⑦, in dem Norman Mailer lebt. Washington Roebling, der Architekt der Brooklyn Bridge, lebte in Nr. 110.

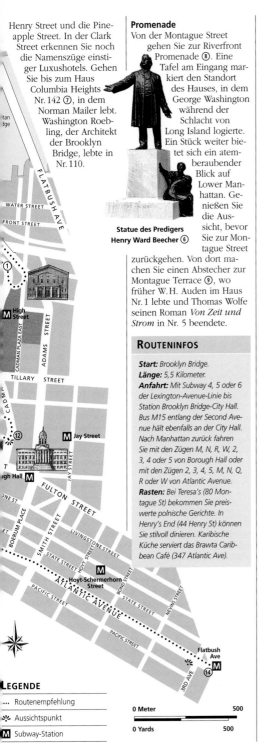

Statue des Predigers Henry Ward Beecher ⑥

Promenade

Von der Montague Street gehen Sie zur Riverfront Promenade ⑧. Eine Tafel am Eingang markiert den Standort des Hauses, in dem George Washington während der Schlacht von Long Island logierte. Ein Stück weiter bietet sich ein atemberaubender Blick auf Lower Manhattan. Genießen Sie die Aussicht, bevor Sie zur Montague Street zurückgehen. Von dort machen Sie einen Abstecher zur Montague Terrace ⑨, wo früher W. H. Auden im Haus Nr. 1 lebte und Thomas Wolfe seinen Roman *Von Zeit und Strom* in Nr. 5 beendete.

ROUTENINFOS

Start: Brooklyn Bridge.
Länge: 5,5 Kilometer.
Anfahrt: Mit Subway 4, 5 oder 6 der Lexington-Avenue-Linie bis Station Brooklyn Bridge-City Hall. Bus M15 entlang der Second Avenue hält ebenfalls an der City Hall. Nach Manhattan zurück fahren Sie mit den Zügen M, N, R, W, 2, 3, 4 oder 5 von Borough Hall oder mit den Zügen 2, 3, 4, 5, M, N, Q, R oder W von Atlantic Avenue.
Rasten: Bei Teresa's (80 Montague St) bekommen Sie preiswerte polnische Gerichte. In Henry's End (44 Henry St) können Sie stilvoll dinieren. Karibische Küche serviert das Brawta Caribbean Café (347 Atlantic Ave).

Die alte Montague-Street-Bahn

Montague Street und Clinton Street

Von der Montague Street erreichen Sie das Zentrum von Brooklyn Heights mit Cafés und Boutiquen. Das einstige Baseball-Team Brooklyn Dodgers verdankte seinen Namen der Tram, die sich durch die Straße kämpft *(dodge)*. An der Ecke Montague/Clinton Street sieht man die Buntglasfenster der Church of St. Ann and the Holy Trinity ⑩ von 1834. Via Clinton Street geht's zur Pierrepont Street, wo die Brooklyn Historical Society ⑪ ansässig ist. Einen Block weiter, in der Court Street, liegen die Borough Hall ⑫ von 1849 und eine Subway-Station.

Die Brooklyn Dodgers verdankten ihren Namen einer Tram

Atlantic Avenue

Als Alternative bleiben Sie auf der Clinton Street und gehen fünf Blocks zur Atlantic Avenue. Linker Hand stoßen Sie auf eine ganze Reihe orientalischer Märkte: Sahadi Imports ⑬ in Nr. 187 hat eine große Lebensmittelauswahl, Rashid in Nr. 191 verkauft arabische Druckerzeugnisse und Schallplatten, und die Bäckerei Damascus in Nr. 195 macht hervorragendes *Filo*-Gebäck. Einige Läden verkaufen arabische Bücher und CDs. An der Flatbush Avenue sehen Sie links die Brooklyn Academy of Music ⑭ und die Fassade der Williamsburg Savings Bank. Auch hier befindet sich eine Subway-Station.

LEGENDE

··· Routenempfehlung

☆ Aussichtspunkt

Ⓜ Subway-Station

0 Meter 500

0 Yards 500

Spaziergang im Hafengebiet (1:30 Std.)

Auf dem Weg von der Battery Park City Esplanade mit ihrer Aussicht und den Luxuswohnungen bis zu den stattlichen Segelschiffen im South Street Seaport bringt Ihnen dieser Spaziergang auch ein Stück New Yorker Seefahrtsgeschichte näher. Die Großstadt ist hier kaum zu spüren, stattdessen erinnert die grüne Spitze des Battery Park daran, dass Manhattan eine Insel ist. Details zu den Sehenswürdigkeiten in Lower Manhattan *siehe S. 64–79*.

Blick von der Uferpromenade auf die Statue of Liberty

Unzählige Fotografien im Museum of Jewish Heritage ⑤

Battery Park City

Der Spaziergang beginnt an der Esplanade ① beim Rector Place Park und westlich der Subway-Station Rector Street. Jenseits des Hudson River zeichnet sich die Skyline von New Jersey ab. Nun geht es Richtung South Cove ②, wo man, so wie 100 Millionen Immigranten zuvor, der Freiheitsstatue ansichtig wird. Der Robert F. Wagner Jr. Park ③ ist nach dem einstigen Bürgermeister der Stadt benannt. Die üppig bewachsenen Abhänge mit schattigen Linden und einladenden Pavillons gehen über in den uferseitigen Grüngürtel von Lower Manhattan. Vom erhöhten Aussichtspunkt ④ des Wagner Park überblickt man den Hudson River. Auf Informationstafeln ist die Seefahrtsgeschichte der Stadt nachzulesen.

Battery Place

Am Battery Place liegt das Museum of Jewish Heritage ⑤ *(siehe S. 77)* mit dem »Steingarten«, einem stillen, meditativen Raum mit jungen Zwergeichen, die zwischen Findlingen wachsen. Manhattan vereint zweifellos die meisten Hochhäuser weltweit – entsprechend fällt die Hommage im Skyscraper Museum ⑥ aus. Hier lässt sich die Geschichte der Wolkenkratzer auf allen Kontinenten bis zur Gegenwart studieren. Auch das 1971 gefertigte Originalmodell des zerstörten World Trade Center ist zu sehen.

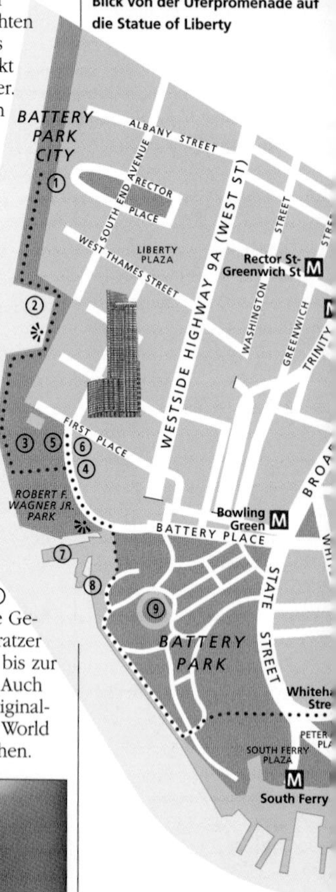

Klare Strukturen im Skyscraper Museum ⑥

Castle Clinton wurde zum Schutz des Hafens errichtet ⑨

Battery Park

Auf dem Weg zum Battery Park passiert man Pier A ⑦ mit den Überbleibseln der Feuerwache von 1886. Wichtige Persönlichkeiten, die per Schiff die Stadt ansteuerten, begrüßten die Löschschiffe mit meterhohen Wassersalven. Die Uhr des Hafenturms richtete sich nach der maritimen Zeit – acht Glockenschläge signalisierten die Wachablösung. Am Uferweg stößt man bald auf das American Merchant Mariners Memorial ⑧. Die Skulptur – sie zeigt Soldaten, die einen Kameraden aus dem Wasser ziehen – basiert auf Fotografien von einem Angriff auf ein amerikanisches Schiff während des Zweiten Weltkriegs.

Erholungspause in einem Café, South Street Seaport ⑬

Nun geht es zum Castle Clinton Monument ⑨, einer Artilleriestellung von 1811, die später als Opernhaus und Theater genutzt wurde. Heute ist hier ein Museum untergebracht. Schlendern Sie durch den Park, wo man im Schatten von Bäumen rasten kann.

Die State Street führt rechter Hand in die Whitehall Street, dann geht es links ab in die South Street mit dem herrlichen Beaux-Arts Battery Maritime Building ⑩.

South Street Seaport

Folgen Sie der South Street mit der Brooklyn Bridge im Hintergrund. Eindrucksvoll ist die Vietnam Veterans' Memorial Plaza ⑪ mit dem gläsernen Mahnmal. Darin eingeritzt sind ergreifende Worte, die Soldaten an ihre Liebsten richteten. Die Water Street in nördlicher Richtung markiert die Stelle, an der einst das Ufer war. Sie führt am Old Slip vorbei. In westlicher

Richtung verläuft hier die Wall Street ⑫ *(siehe S. 66 f.)*. In der Ferne erkennt man die Trinity Church *(siehe S. 68)*. Biegen Sie rechts in die Maiden Lane ein und gleich wieder links in die malerische Front Street, die durch den South Street Seaport ⑬ *(siehe S. 82–84)* führt. Im Hafen schwanken die Holzmasten der großen Schiffe. New Yorks Seefahrtsgeschichte lässt sich im South Street Seaport Museum studieren. Anschließend geht es durch die geschäftige Fulton Street zur Water Street. Schauen Sie bei Bowne & Co Stationers in Nr. 211 ⑭ vorbei, einem altmodischen Geschäft für alte Drucke. Schlendern Sie bis zu Pier 16, wo im Maritime Crafts Center ⑮ Maler und Handwerker an Galionsfiguren und Schnitzereien arbeiten. An Pier 17 ⑯ drängen sich Läden und Cafés. Von hier hat man eine einzigartige Aussicht auf Manhattan – im Vordergrund die Masten der alten Schoner, im Hintergrund die mächtigen Wolkenkratzer. Beenden Sie den Spaziergang im Café Paris des Meyer's Hotel *(siehe S. 83)* von 1873.

ROUTENINFOS

Start: *Esplanade, Rector Place.*
Länge: *3,2 Kilometer.*
Anfahrt: *Mit den Subway-Linien 1, R oder W bis Rector Street. Gehen Sie auf der Rector Street nach Westen, überqueren Sie die Brücke über die West Street zum Rector Place, und gehen Sie zur Esplanade.*
Rasten: *Gigino am Wagner Park, 20 Battery Place, bietet typisch italienische Küche im Freien.*

LEGENDE

• • • Routenempfehlung

☼ Aussichtspunkt

Ⓜ Subway-Station

0 Meter   300

0 Yards   300

Spaziergang im East Village (1:30 Std.)

Wo heute Musiker und Künstler leben, wo spannende Bars und Ethno-Restaurants ihre Gäste bewirten, da befand sich früher die Farm oder *bouwerie* der Stuyvesant-Familie. In diesem Stadtteil gelingt die Balance zwischen ruhigem Wohnviertel und kreativen Neuerungen. Im stetem Wechsel kommen und gehen CD-Shops, veganische Cafés, Kunsthandwerksläden und Musikclubs. Detaillierte Informationen zum East Village *siehe Seiten 116–121*.

Astor Place

Gleich neben der Subway-Station Astor Place steht ein schwarzer Würfel aus Stahl, *The Alamo* ① – ein beliebter Treffpunkt für Studenten und Skateboarder. Auf dem Weg Richtung Third Avenue gehen Sie zwischen den großen Gebäuden der Cooper Union ② *(siehe S. 120)* entlang. Peter Cooper, trotz seiner schlechten Ausbildung ein erfolgreicher Industrieller, gründete dieses College 1859 und förderte es lebenslang. Auf der anderen Straßenseite sehen Sie das Continental ③, in dem schon Musikbands wie Iggy Pop und Guns N' Roses auftraten. Der St. Mark's Place ④ im East Village (8th Street) war früher das Zentrum der Jazzfans. Später kamen die Hippies, nun trifft man hier auf Punks. Mit seinen zahlreichen Straßencafés und bunten Verkaufsständen gehört St. Mark's Place zu den belebtesten Plätzen in ganz Manhattan. Das St. Mark's Ale House ⑤ auf der rechten Seite, früher als The Five Spot bekannt, war Treffpunkt der Musiker und Schriftsteller der 1960er Jahre. Nur wenige Schritte weiter erwartet Sie »Trash and Vaudeville« ⑥, ein Kleiderladen in den Räumen

Am »Ukrainian Day« feiern nicht nur Menschen aus der Ukraine

des früheren Bridge Theater. Im Bridge Theater veranstaltete Yoko Ono Happenings, 1967 brannte hier eine US-Flagge aus Protest gegen den Vietnamkrieg. Im Gebäude 19–25 St. Mark's Place ⑦ trafen sich früher die Juden des Viertels, dann herrschte die italienische Mafia, bis Andy Warhol in den 1960er Jahren hier seinen skandalträchtigen Nachtclub »Electric Circus« hochzog. Auf der Bühne spielte u. a. Velvet Underground. Gleich daneben ist Kim's Video ⑧, ein Laden für ausgefallene Platten und Videos.

Little Ukraine

Biegen Sie nach links auf die Second Avenue ein, wo die größte und älteste ukrainische Volksgruppe der USA lebt. Nur hier gibt es ukrainische Restaurants, Bars und

Routeninfos

Start: *The Alamo.*
Länge: *2,8 Kilometer.*
Anfahrt: *Subway-Linie 6 bis Astor Place oder Bus M101, M102 oder M103.*
Rasten: *Viele Möglichkeiten am St. Mark's Place. Probieren Sie Jules Bistro (französisch) zwischen 1st und 2nd Avenue oder Caracas Arepa Bar (preiswert, venezolanisch) in 93½ East 7th St.*

»Trash and Vaudeville«: Hier fanden früher Happenings statt ⑥

hic aus alten Zeiten in der Konditorei Veniero's ⑫

ein Zentrum wie das Ukrainian National Home ⑨ (rechte Seite, Nr. 140). Am Eck befindet sich das rund um die Uhr geöffnete ukrainische Lokal Veselka ⑩. Weiter auf der Second Avenue, Ecke East 10th Street, sehen Sie die St. Mark's-in-the-Bowery Church ⑪ *(siehe S. 121)*. Sie wurde 1795 als Privatkapelle des holländischen Gouverneurs Peter Stuyvesant erbaut, der hier auch bestattet wurde. In jüngerer Zeit versammelten sich hier die Black Panthers und die Young Lords; bis heute wird hier The Poetry Project betreut. Rechter Hand führt Sie die 11th Street zu Veniero's ⑫, einer sehenswerten alten italienischen Konditorei. Biegen Sie nun rechts und gleich wieder links auf die 10th Street ab. Sie kommen am Turkish Bath House ⑬ vorbei und erreichen die Nordseite des Tompkins Square Park ⑭ *(siehe S. 121)*.

Die Ulme ⑮ im Tompkins Square Park erinnert an Hare Krishna

Tompkins Square Park

Im dem quadratischen Park von 1834 fanden schon viele Polit-Aktionen statt. Die Ulme im Zentrum ⑮ erinnert an die ersten Hare-Krishna-Zeremonien in den USA. Direkt am Park lebte 1950–55 der berühmte Jazzmusiker Charlie Parker ⑯. Gehen Sie zur südwestlichen Ecke des Parks zur 7th Street: Hier erwartet Sie in Haus 7A ⑰ ein köstliches Frühstück (24 Stunden offen). Am Ende des Häuserblocks verkauft Turntable Lab 04 ⑱ alte und neue Schallplatten sowie alles für DJs. Wer jetzt Durst hat, der sollte auf der Second Avenue weiter westlich gehen bis zu McSorley's Old Ale House ⑲. In dieser alten Bar gibt es helles und dunkles Bier. Weiter auf der Second Avenue blicken Sie nach rechts (Nr. 105) auf das alte Fillmore East Auditorium ⑳. Hier spielten u. a. The Doors, Jimi Hendrix, Janis Joplin, Pink Floyd und The Who, die ihre Rockoper *Tommy* uraufführten. Schauen Sie in der 6th Street nach links zur »Indian Restaurant Row« ㉑, wo Sie gute Bengali Currys bekommen. Weiter auf der Second Avenue passieren Sie das Haus Nr. 80 ㉒, in dem Joe »The Boss« Masseria in den 1920er Jahren seinen Mafia-Clan führte. Biegen Sie rechts in die 4th Street ab. Rechter Hand befindet sich der Club KGB ㉓, eine New Yorker Institution. Links auf der Bowery war bis 2006 der Club CBGB & OMFUG ㉔ (»Country, Bluegrass, Blues & Other Music For Uplifting Gormandizers«), in dem die Talking Heads berühmt wurden.

LEGENDE

• • Routenempfehlung

Ⓜ Subway-Station

| 0 Meter | 200 |
| 0 Yards | 200 |

»Indian Restaurant Row« – hier gibt es das beste Bengali Curry ㉑

Spaziergang in Harlem (1:30 Std.)

Nur wenige New Yorker Stadtteile bieten eine so reiche Geschichte wie Harlem, das Zentrum der Afroamerikaner. Der Spaziergang startet in Strivers' Row mit seinen schönen Häusern aus Harlems Blütezeit in den 1920er und 1930er Jahren. Er führt Sie zu bekannten Kirchen, zu Jazz- und Bluesclubs und endet am berühmten Apollo Theater, Harlems bedeutendster Bühne für talentierte Künstler. Detaillierte Informationen zu Harlem *siehe S. 220–231*.

Das Apollo Theater – wichtigste Bühne für Harlems Künstler ⑭

Strivers' Row

Die schöne Allee der 138th Street zwischen der Seventh und Eighth Avenue nennt man St. Nicholas Historic District oder Strivers' Row ①. In den 1920er und 1930er Jahren zogen erfolgreiche und aufstrebende Schwarze in diese Gegend. Die Häuser wurden von bekannten Architekten wie James Brown Lord und McKim, Mead & White entworfen. Nun ein kurzes Stück nach links auf der Seventh Avenue (Adam Clayton Powell, Jr Boulevard), dann rechts in die 139th Street zur West 139th Street ②, wo 1932 Billie Holiday als 16-Jährige im Haus Nr. 108 lebte. Kurz darauf begann ihre Karriere als Sängerin in einem Club der nahen »Jungle Alley«.

Jugendstil-Tür in Strivers' Row ①

Abyssinian Baptist Church

Auf der Lenox Avenue geht's nach rechts und gleich wieder rechts in die 138th Street zur interessanten Abyssinian Baptist Church ③ *(siehe S. 229)*. Der Gottesdienst am Sonntag zählt zu den meistbesuchten in New York. Die Kirche wurde 1921 gegründet und nach der Ersten Kongregation der ostafrikanischen Amerikaner benannt. Hier predigten berühmte Pastoren wie Adam Clayton Powell Jr. Nur einen Katzensprung entfernt in der West 137th Street befindet sich die Mother Zion Church ④, New Yorks erste Kirche für Schwarze und eine der ältesten Kirchen der gesamten USA. Der unterirdische Kirchenraum ist Teil des New Yorker U-Bahn-Tunnelsystems (und ein alter Fluchtweg für Sklaven); daher rührt auch der Spitzname der Kirche, »Freedom Church«.

Weiter geht's zur Countee Cullen Regional Library, wo Madam C. J. Walker ihre Walker School of Hair ⑤ gründete. Mit zahlreichen Kosmetikartikeln und einem System zur Haarglättung wurde Mrs. Walker die erste Selfmade-Dollar-Millionärin im ganzen Land. Mrs. Walker war aber nicht geizig, sonder zeigte sich als Philanthropin: Stiftungen bekamen Spenden von ihr, darunter die National Association of the Advancement of Colored People (NAACP) und das Tuskegee Institute. Nach ihrem Tod im Jahr 1919 führte ihre Tochter A'Leila den Walker-Salon weiter als intellektuelles Zentrum für Kunst und Philanthropie. Man nannte den Salon »The Dark Tower«, in Anlehnung an ein Gedicht von Countee Cullen. Gleich um die Ecke in der Lenox Avenue befindet sich das Schomburg Center for Research in Black Culture ⑥ *(siehe S. 229)*.

In der West 136th Street finden Sie Montgomery ⑦, einen skurrilen Shop für Damenmode mit witzigen Designs. Ein Stück weiter (Nr. 267) ist »Niggerati Manor« ⑧, ein Künstler-Logierhaus. Der Name stammt von Zora Neale Hurston, die hier ihr Magazin *Fire!!* publizierte.

In Sylvia's Restaurant verwöhnt man Sie mit »Soul Food« ⑪

Gehen Sie zurück zum Adam Clayton Powell, Jr Boulevard, folgen Sie ihm bis zur sogenannten »Jungle Alley« ⑨. Hier war früher das Zentrum von Harlems Nachtleben mit Bars, Clubs, Cabarets und *Speakeasies*. Ein Abstecher in die 131st Street bringt Sie zum Haus von Marcus Garvey ⑩ (Nr. 235), einem der Protagonisten der schwarzen Unabhängigkeitsbewegung.

Ausstellung im Schomburg Center for Research in Black Culture ⑥

Jazzsängerin Billie Holiday ②

reits Billie Holiday, Miles Davis und John Coltrane auftraten. Der dazugehörige Jazzclub Zebra Room war ein Treffpunkt für James Baldwin und Malcolm X. In der Mitte des nächsten Häuserblocks ist The Studio Museum in Harlem ⑬ *(siehe S. 230f)*, das Veranstaltungen mit afrikanischstämmigen Künstlern organisiert. Dazu gibt es einen netten Buchladen.

Apollo Theater

In der West 125th Street ist das berühmte Apollo Theater ⑭ *(siehe S. 230)*. Seit 1934 werden hier »Stars geboren und Legenden geschrieben«. Hier spielten fast alle, von Ella Fitzgerald bis zu James Brown. Seit 1987 gibt es die »Amateur Night at the Apollo«. Diese Show wird landesweit im Fernsehen ausgestrahlt und machte das Apollo Theater zur drittbeliebtesten Attraktion in ganz Manhattan.

»Jungle Alley«, wo nicht nur Billie Holiday auftrat ⑨

0 Meter	200
0 Yards	200

Zurück zum Adam Clayton Powell, Jr Boulevard und nach links in die 127th Street: Hier befindet sich Sylvia's Restaurant ⑪ *(siehe S. 230)*. Das seit 1962 familienbetriebene Restaurant nennt sich selbst »Queen of Soul Food«. Sie erhalten hier typische und allerbeste Südstaaten-Gerichte wie Brathähnchen, Seewolf oder BBQ Ribs (Spareribs). Folgen Sie der Lenox Avenue bis zur 125th Street. Hier kommt die Lenox Lounge ⑫, in der be-

ROUTENINFOS

Start: *Strivers' Row.*
Länge: *2,8 Kilometer.*
Anfahrt: *Subway-Linie 2 oder 3 bis 135th St (Lenox Ave), dann zu Fuß nach Norden zur 138th St und nach Westen zur Seventh Ave. Oder Bus M2, M7 oder M10 zur 135th St und zu Fuß zur Seventh Ave.*
Rasten: *Sylvia's (127th St/Lenox Ave) mit Soul Food. Jimbo's Hamburger Joint (125th St/Lenox Ave) mit klasse Hamburgern.*

LEGENDE

••• Routenempfehlung

Ⓜ Subway-Station

ZU GAST
IN NEW YORK

ÜBERNACHTEN 276-291

RESTAURANTS, CAFÉS UND BARS 292-317

SHOPPING 318-339

UNTERHALTUNG 340-363

NEW YORK MIT KINDERN 364-365

ÜBERNACHTEN

Mit über 65 000 Hotelzimmern hat New York für jeden etwas zu bieten. Spitzenhotels sind preiswerter als in Paris oder London, doch die wohl beste Nachricht für Besucher ist: Es gibt immer mehr erschwingliche Hotels. Zwar sind viele dieser Häuser nicht eben reizvoll, bieten aber faire Preise. Man findet auch Apartments und Privatquartiere, zudem gibt es Jugend-

Cole Porters Flügel in der Bar des Waldorf-Astoria *(siehe S. 289)*

herbergen und YMCA-Schlafplätze. Nach Besichtigung von mehr als 200 Hotels haben wir die besten in den verschiedenen Kategorien ausgewählt. Die *Hotelauswahl (siehe S. 280–291)* soll Ihnen die Suche nach einer Unterkunft erleichtern. Dort finden Sie neben detaillierten Angaben zu den einzelnen Häusern auch Internet-Adressen für die Online-Buchung.

Bad im Paramount *(siehe S. 286)*

ORIENTIERUNG

Die East Side, also etwa die Gegend zwischen 59th und 77th Street, ist Standort der meisten Luxushotels. Aber die Renovierung etlicher eindrucksvoller Midtown-Residenzen, beispielsweise des St. Regis, und die Häuser fernöstlicher Hotelketten wie der Peninsula Group haben die Konkurrenz belebt.

Geschäftsreisende bevorzugen meistens die Midtown-Gegend, und dort insbesondere die erschwinglichen Hotels an der Lexington Avenue in der Nähe des Grand Central Terminal.

Wer in Midtown-Nähe ein relativ ruhiges Plätzchen sucht, sollte sich im Viertel Murray Hill umschauen, während Theaterliebhaber die Wiederbelebung der Gegend um den Times Square registrieren sollten. Wer sein Hotel vom Theater aus zu Fuß erreichen kann, ist im Vorteil, weil gegen Ende der Vorstellungen der Andrang auf Taxis sehr groß ist.

In der Gegend um den Herald Square findet man Einkaufsmöglichkeiten sowie gute und günstige Hotels.

Kleine schicke Hotels haben sich in SoHo und im Meatpacking District angesiedelt, wo es auch viele Bars, Restaurants und Läden gibt *(siehe S. 320f)*.

NYC & Company (auch New York Convention and Visitors Bureau genannt) veröffentlicht unter dem Titel *The New York Hotel Guide* ein kostenloses, jährlich aktualisiertes Verzeichnis, das Hotelpreise, Telefon- und Faxnummern aufführt. Buchungen nimmt NYC & Company nicht vor.

HOTELPREISE

Manche Hotels bieten saisonal Sonderkonditionen an. Da etwa an Wochenenden

kaum Geschäftsreisende in Hotels anzutreffen sind, offerieren selbst Luxushotels an diesen Tagen nicht selten Sonderangebote *(siehe S. 278)*.

In allen Preiskategorien gibt es Apartment-Hotels mit geräumigen Zimmern mit Kochgelegenheit und Kühlschrank. In diesen »Suiten« finden bis zu vier Personen Platz, weshalb sie sich bei Familien großer Beliebtheit erfreuen.

Die Art-déco-Fassade des Jumeirah Essex House *(siehe S. 286)*

VERSTECKTE KOSTEN

Übernachten ist seit Langem mit einer Sondersteuer belegt: Zu den in der Regel (im Internet oder in Katalogen) angegebenen Hotel-(Netto-)Preisen müssen Sie noch 13,375 Prozent Hotelsteuer plus 3,50 Dollar Belegsteuer pro Zimmer dazurechnen. Die Preiskategorien in unserer Hotelauswahl auf den Seiten 280–291 gelten inklusive Steuern.

In einigen Hotels ist das Frühstück im Zimmerpreis

Telefone für interne Gespräche in der Hotelhalle

◁ **Orientierung im nächtlichen New York**

Suite im Millennium *(siehe S.286)*

enthalten. Ansonsten kostet
ein durchschnittliches »Continental Breakfast« ohne Steuern in den preiswerteren Hotels pro Person um die fünf
Dollar, in manchen Spitzenhotels bis zu 30 Dollar. Wer
sparen möchte, kann wesentlich preiswerter in einem
Coffee Shop oder Deli frühstücken.

Die Telefongebühren sind
in den Hotels meist hoch. Es
ist deshalb ratsam, das öffentliche Telefon in der Halle zu
benutzen, vor allem bei Gesprächen nach Übersee.

In den USA erwartet man
ein Trinkgeld. Hotelangestellte, die Ihr Gepäck zum Zimmer tragen, erhalten pro Gepäckstück mindestens einen
Dollar Trinkgeld – in einem
Luxushotel etwas mehr. Für
normale Dienstleistungen wie
das Bestellen eines Taxis oder
eine Restaurantreservierung
durch den Portier ist kein
Trinkgeld fällig, wohl aber für
besondere Serviceleistungen.
Wenn Sie etwas über den
Zimmerservice bestellen, sollten Sie auf der Karte nachsehen, ob die Bedienung im

Preis enthalten ist; wenn
nicht, ist ein Trinkgeld von
20 Prozent angemessen.

Beachten Sie auch, dass ein
Einzelzimmer in New York
kaum weniger kostet als ein
Doppelzimmer.

AUSSTATTUNG

Man könnte meinen, dass
New Yorker Hotelzimmer besonders laut sind, doch
die meisten sind mit Schallschutzfenstern ausgestattet.
Klimaanlagen gehören fast
immer zur Grundausstattung.
Je nach Lage sind manche
Räume ruhiger als andere –
erkundigen Sie sich vor dem
Buchen.

Fernseher, Radio und Telefon gibt es in fast jedem Zimmer, selbst in bescheidenen
Unterkünften – die meisten
haben überdies ein Bad, in

den preiswerten und Mittelklasse-Hotels meist nur eine
Dusche. Mittelklasse-Hotels
haben inzwischen auch in
jedem Zimmer ein Faxgerät
und verfügen über einen Fitnessraum. Luxushotels haben
in den Zimmern Minibars und
bieten einen Anrufbeantworter sowie ein elektronisches
Check-out-System.

Im unmittelbaren Umkreis
der auf den Seiten 280–291
aufgeführten Hotels gibt es
Läden und Restaurants. Wenige Hotels haben einen eigenen Parkplatz, manche halten
einen Service *(valet)* bereit,
um Ihren Wagen auf eigens
für Gäste reservierten Stellplätzen in nahe gelegenen
Parkhäusern zu parken.
Normalerweise wird dafür allerdings eine zwar reduzierte,
aber gleichwohl saftige Parkgebühr fällig.

Die Art-déco-Lobby des Edison Hotel im Theater District *(siehe S.285)*

AUF EINEN BLICK

INFORMATIONEN

NYC & Company
*(New York Convention
and Visitors Bureau)*
810 7th Ave, NY, NY
10019. **Stadtplan** 12 E4.
[*(212) 484-1222.*
www.nycvisit.com
*Publikationen auch am
JFK Airport erhältlich*

APARTMENT-
HOTELS

Affinia Suite Hotels
Reservierungsnummer für
alle aufgelisteten Hotels:
[*(212) 320-8050 oder
1-866-246 2203 (gebührenfrei).* **www**.affinia.com

Affinia Dumont
150 E 34th St.
Stadtplan 9 A2.

Affinia Gardens
215 E 64th St.
Stadtplan 13 B2.

Affinia Manhattan
371 7th Ave.
Stadtplan 8 E3.

Affinia Plaza
155 E 50th St.
Stadtplan 13 B4.

Beekman Tower
3 Mitchell Pl.
Stadtplan 13 C5.

The Benjamin
125 E 50th St.
Stadtplan 13 B4.

Eastgate Tower
222 E 39th St.
Stadtplan 9 B1.

The Phillips Club
155 West 66th St.
Stadtplan 12 D2.
[*(212) 835-8800.*
www.phillipsclub.com

**Shelburne-
Murray Hill**
303 Lexington Ave.
Stadtplan 9 A2.

Surrey
20 E 76th St.
Stadtplan 17 A5.

FLUGHAFEN-
RESERVIERUNG

A Meegan Services
JFK International Airport.
[*1-800-441-1115.*

Accommodations Plus
JFK International Airport.
[*1-800-733-7666.*

ZIMMER-
VERMITTLUNG

Hotel con-x-ions
[*(212) 840-8686.*
FAX *(212) 221-8686.*
www.hotelconxions.com

Quikbook
[*(212) 779 7666.*
www.quikbook.com

Stadtplan *siehe Seiten 394–425*

RESERVIERUNG

Es ist ratsam, Hotels mindestens einen Monat im Voraus zu buchen. Zwar wird das Hotel kaum völlig ausgebucht sein, doch oft sind die besten Zimmer und die Suiten bereits vergeben, vor allem wenn gerade ein Kongress stattfindet. Am meisten ist in der Osterzeit los, während des New Yorker Marathonlaufs Anfang November, an Thanksgiving Ende November und an Weihnachten.

Reservieren Sie per Telefon, Brief, Fax oder übers Internet. Eine schriftliche Bestätigung Ihrer telefonischen Reservierung ist nötig, samt einer Vorauszahlung für den Fall Ihres Fernbleibens. Von dieser Summe werden im Fall einer Absage die entsprechenden Kosten abgezogen. Sie können mit Kreditkarte, per Banküberweisung oder mit Dollar-Reiseschecks bezahlen. Teilen Sie mit, ob Sie nach 18 Uhr eintreffen, sonst wird Ihr Zimmer vielleicht anderweitig vergeben, falls Sie nicht mit Kreditkarte im Voraus bezahlt haben.

Sie können Ihre Reservierung auch über Ihr Reisebüro oder Ihre Fluggesellschaft vornehmen. Viele Hotels haben einen gebührenfreien Telefonanschluss, der allerdings nicht von Europa aus zu erreichen ist. Wenn das Hotel zu einer internationalen Kette gehört, fragen Sie, ob ein entsprechendes Hotel in Ihrem Land für Sie die Reservierung vornehmen kann.

PREISNACHLÄSSE

Am höchsten belegt sind die Hotels unter der Woche, wenn Geschäftsreisende in der Stadt sind. Die meisten Hotels gewähren deshalb am Wochenende Preisnachlässe, um ihre Kapazitäten besser auszulasten. Man kann dann oft zum gleichen Preis von einem Standard- in ein Luxuszimmer umziehen.

Preisnachlässe erhalten häufig die Mitarbeiter großer Unternehmen. Oft allerdings gewähren die Hotelangestellten auf Nachfrage auch ohne entsprechenden Nachweis Sondertarife.

Manche Reservierungsbüros offerieren Sonderpreise. Ein gutes Reisebüro sollte in der Lage sein, die günstigsten Preise auszuhandeln, Sie können die Tarife aber auch vergleichen, indem Sie einen preisgünstigen Reservierungsdienst wie Hotel con-x-ions oder Quikbook kontaktieren (siehe S. 277). Solche Dienstleister gewähren je nach Jahreszeit Preisnachlässe zwischen 20 und 50 Prozent. Sie buchen per Kreditkarte und erhalten einen Beleg, den Sie dann im Hotel vorlegen.

Bei der Buchung einer Pauschalreise werden vielfach erhebliche Preisnachlässe gewährt. Der Preis des »Pakets« schließt meist auch den Transport vom Flughafen zum Hotel ein. Einige Fluggesellschaften offerieren ebenfalls Sonderangebote, insbesondere außerhalb der Hauptreisezeit.

Lobby des St. Regis Hotel (siehe S. 287)

AUF EINEN BLICK

BEHINDERTE REISENDE

Mayor's Office for People with Disabilities
100 Gold St, 2. Stock, NY, NY 10038.
((212) 788-2830.
www.nyc.gov/mopd

BED & BREAKFAST

At Home in NY
((212) 956-3125.
FAX (212) 247-3294.

B & B Network in NY
130 Barrow St, Suite 508, NY, NY 10014.
((212) 645-8134 oder (800) 900-8134.

Country Inn The City
((212) 580-4183.
www.countryinnthecity.com

New World B & B
((212) 675-5600 oder (800) 443-3800.

JUGEND-HERBERGEN

92nd St Y
1395 Lexington Ave, NY, NY 10128.
Stadtplan 17 A2.
((212) 415-5650.
www.92y.org

Big Apple Hostel
119 W 45th St, NY, NY 10036.
Stadtplan 12 E5.
((212) 302-2603.
www.bigapplehostel.com

Hostelling International, NY
891 Amsterdam Ave/ W 103rd St, NY, NY 10025.
Stadtplan 20 E5.
((212) 932-2300.
www.hinewyork.org

YMCA-Vanderbilt
224 E 47th St, NY, NY 10017.
Stadtplan 13 A5.
((212) 756-9600.
www.ymcanyc.org

YMCA-West Side
5 W 63rd St, NY, NY 10023.
Stadtplan 12 D2.
((212) 875-4273.
www.ymcanyc.org

FLUGHAFEN-HOTELS

Adressen und Details zu den Hotels an den Flughäfen **JFK** und **Newark** siehe S. 380f.

Stadtplan siehe Seiten 394–425

BEHINDERTE REISENDE

Neue Hotels sind gesetzlich verpflichtet, eine behindertengerechte, barrierefreie Ausstattung anzubieten. Erfreulicherweise auch in vielen älteren Häusern inzwischen die nötigen Umbauten erfolgt.

Am besten informieren die Websites der Hotels *(siehe S. 280–291)* über ihre Einrichtungen für Behinderte. Erkundigen Sie sich aber unbedingt noch einmal bei der Buchung.

Informieren Sie das Hotel bei der Reservierung über etwaige spezielle Anforderungen. Blindenhunde sind in den meisten Hotels erlaubt, gleichwohl sollte man vorab nachfragen und sie anmelden. **Mayor's Office for People with Disabilities** erteilt weitere Hotelauskünfte.

MIT KINDERN REISEN

Kinder sind in amerikanischen Hotels in der Regel herzlich willkommen. Kinderbetten und Adressenlisten von Babysittern stehen fast immer zur Verfügung.

Viele Hotels berechnen für Kinder, die im Zimmer ihrer Eltern übernachten, nichts oder nur einen geringen Aufpreis für ein Extrabett. In solchen Fällen sind normalerweise ein oder zwei Kinder pro Zimmer zulässig. Meist dürfen Kinder ein bestimmtes Alter – oft zwölf Jahre – nicht überschritten haben. Eltern größerer Kinder müssen den vollen Preis zahlen. Allerdings ist die Altersgrenze bisweilen auf 18 Jahre heraufgesetzt. Erkundigen Sie sich am besten bei der Reservierung nach den Konditionen.

BED & BREAKFAST

Die Zahl der Übernachtungsmöglichkeiten in Privatquartieren hat in letzter Zeit stark zugenommen. Das Spektrum reicht vom einzelnen Zimmer bei Anwesenheit des Hauptmieters bis zum unbewohnten Apartment mit Küche und Bad.

Wer in einer Privatwohnung logiert, bekommt mehr vom

Eingang des Peninsula Hotel
(siehe S. 289)

New Yorker Leben mit und kann in Restaurants an der Ecke essen gehen, die meist preiswerter sind als solche im Zentrum.

Viele freie Vermittlungsdienste bieten Privatquartiere an. Einige Agenturen vermieten nicht unter zwei Nächten. Die Preise unbewohnter Apartments variieren zwischen 90 und 200 Dollar, für Doppelzimmer zwischen 60 und 90 Dollar pro Nacht. Luxuriöse Etablissements sind ebenso zu mieten wie eher schäbige Wohnungen. Wenn Sie außerhalb des Zentrums wohnen, steigen Ihre Taxikosten entsprechend. Erkundigen Sie sich vorab nach Standort und Infrastruktur.

JUGENDHERBERGEN UND PREISWERTE UNTERKÜNFTE

Wer New York mit schmalem Budget besucht, findet in der Stadt eine Jugendherberge und zahlreiche **YMCA**-Herbergen. Das geschäftige Wohnheim **92nd Street Y** in der Upper East Side bietet Leuten, die länger in der Stadt bleiben möchten, akzeptable Zimmer zu Preisen zwischen rund 35 und 50 Dollar pro Nacht.

Viele Luxushotels haben einen Pool auf dem Dach

Es gibt keine Campingplätze in Manhattan, und auch Jugendherbergen sind in New York längst nicht so verbreitet wie in vergleichbaren europäischen Großstädten.

Preisbewusste Reisende, die sich mit dem Nötigsten zufriedengeben, finden immer wieder ein erstaunlich preiswertes Zimmer zu annehmbaren Bedingungen. Mitunter liegen solche Unterkünfte sogar recht günstig in der Nähe von Sehenswürdigkeiten, so zum Beispiel in Chelsea, im Garment District und in der Upper West Side sowie – seltener – in begehrten Gegenden wie Upper Midtown. Einige dieser Zimmer sind recht bequem und mit eigenem Bad oder zumindest einer Dusche ausgestattet, andere sind verhältnismäßig klein, haben keine Klimaanlage, und das Bad muss man sich mit anderen Gästen teilen.

Aber auch in Hotels lässt sich so mancher Dollar sparen. Wer nicht im Hotel frühstückt, sondern in einem Café um die Ecke, kommt meist deutlich preiswerter davon. Die Getränke in der Hotelbar sind in der Regel teurer als außerhalb.

AUSSERHALB VON MANHATTAN

In dem Maße, in dem das Stadtgebiet sicherer und gleichzeitig Manhattan teurer wird, wächst das Angebot an Unterkünften in den Außenbezirken der Metropole. Gegenden wie Williamsburg und Dumbo in Brooklyn haben sich in den letzten Jahren zu eigenständigen Zielen entwickelt. Hier gibt es schicke Bars, Restaurants und Läden.

Für etwas mehr als 300 Dollar – in Manhattan der Preis für ein durchschnittliches Zimmer – wohnt man hier komfortabel im Marriott Brooklyn Bridge, Brooklyn Heights *(siehe S. 291)*, oder, mit Flachbild-TV und kabellosem Internet-Zugang, im Vier-Sterne-Boutiquehotel Le Bleu in der Gegend von Gowanus, nahe beim Park Slope (www.hotellebleu.com).

Auch hier kann man einen Preisnachlass bekommen.

Hotelauswahl

D ie auf den folgenden Seiten aufgeführten Hotels aus unterschiedlichen Preiskategorien wurden aufgrund ihres guten Preis-Leistungs-Verhältnisses, ihrer Ausstattung und ihrer Lage ausgewählt. Sie sind nach Stadtteilen und nach Preiskategorien geordnet. Die Kartenverweise beziehen sich auf den Stadtplan auf den Seiten 394–425.

> **PREISKATEGORIEN**
> Der Preis gilt für ein Doppelzimmer pro Nacht, inklusive Frühstück, Service und Steuern:
> Ⓢ unter 150 US-$
> ⓈⓈ 150–250 US-$
> ⓈⓈⓈ 250–350 US-$
> ⓈⓈⓈⓈ 350–450 US-$
> ⓈⓈⓈⓈⓈ über 450 US-$

LOWER MANHATTAN

Best Western Seaport Inn Downtown ⬛⬛⬛ ⓈⓈ
33 Peck Slip, 10038 🄲 *(212) 766-6600* 🄵🄰🄷 *(212) 766-6615* **Zimmer** *72* **Stadtplan** *2 D2*

Beim Betreten des Hotels mit Sicht auf die Brooklyn Bridge fühlt man sich an eine Seemannspinte des 19. Jahrhunderts erinnert. Gäste schätzen das erstklassige Frühstück, nachmittags das Gebäck und den Salon mit Tee und Kaffee. Der Fitnessraum steht 24 Stunden zu Verfügung. Einige Zimmer haben eine Terrasse. **www.seaportinn.com**

Embassy Suites New York ⬛⬛⬛⬛⬛ ⓈⓈⓈ
102 North End Ave, 10282 🄲 *(212) 945-0100* 🄵🄰🄷 *(212) 945-3012* **Zimmer** *463* **Stadtplan** *1 A2*

Das Suiten-Hotel in Nähe der Battery Park City und der Fähre zur Statue of Liberty eignet sich hervorragend für Familien. Die Zwei-Zimmer-Suiten bieten Internet-Anschluss und klappbare Schlafsofas. Hafenblick und ermäßigte Preise am Wochenende. Die Subway ist relativ weit entfernt. **www.embassysuites.com**

Gild Hall ⬛⬛⬛⬛ ⓈⓈⓈ
15 Gold St, 10038 🄲 *(212) 232-7700* 🄵🄰🄷 *(212) 435-0330* **Zimmer** *126* **Stadtplan** *2 D2*

Das kürzlich vollständig renovierte Luxushotel bietet seinen Gästen unter anderem eine zweistöckige Bibliothek, eine elegante Champagnerbar, eine moderne, von Todd English geführte Kneipe im britischen Stil sowie sehr schicke Zimmer. Deren Minibar wird standesgemäß durch Dean & DeLuca bestückt. **www.thompsonhotels.com**

Marriott New York City Financial Center ⬛⬛⬛⬛⬛⬛ ⓈⓈⓈ
85 West St, 10006 🄲 *(212) 385-4900* 🄵🄰🄷 *(212) 227-8136* **Zimmer** *497* **Stadtplan** *1 B3*

Das neue Hotel im Herzen des Financial District ist stattlich; selbst ein Hallenbad fehlt nicht. Die Zimmer sind individuell ausgestattet, einige von ihnen blicken auf die Statue of Liberty und den Hafen von New York. Das vorwiegend von Geschäftsleuten gebuchte Hotel hat zum Teil gute Wochenend-Angebote. **www.nycmarriottfinancial.com**

The Wall Street Inn ⬛⬛⬛ ⓈⓈⓈ
9 South William St, 10004 🄲 *(212) 747-1500* 🄵🄰🄷 *(212) 747-1900* **Zimmer** *46* **Stadtplan** *1 C3*

Am Wochenende lässt sich in diesem Geschäftshotel leicht ein Preis-Schnäppchen machen. Die Einrichtung ist alles andere als langweilig, der Service erstklassig. Viele Zimmer sind relativ klein, haben aber bequeme Betten. Fragen Sie nach einem Eckzimmer mit Whirlpool-Wanne. Frühstück im Preis inbegriffen. **www.thewallstreetinn.com**

Ritz Carlton Battery Park ⬛⬛⬛⬛⬛⬛ ⓈⓈⓈⓈ
2 West St, 10004 🄲 *(212) 344-0800* 🄵🄰🄷 *(212) 344-3801* **Zimmer** *298* **Stadtplan** *1 B4*

Ein Teleskop in den eleganten Gästezimmern ermöglicht einzigartige Nahansichten der Freiheitsstatue und des New Yorker Hafengebiets. Die riesigen Badezimmer bieten alle Ausstattungsmerkmale. Für Kinder gibt es ein spezielles Beschäftigungsprogramm. In der Hausbar wird ein Nachmittagstee serviert. **www.ritzcarlton.com**

LOWER EAST SIDE

Off SoHo Suites Hotel ⬛⬛⬛ Ⓢ
11 Rivington St, 10002 🄲 *(212) 979-9808* 🄵🄰🄷 *(212) 979-9801* **Zimmer** *38* **Stadtplan** *5 A3*

Von diesem in einem schicken Innenstadtviertel gelegenen, günstigen Hotel ist es nicht weit nach SoHo und in die Lower East Side. Für die kleinen Zimmer gibt es nur Gemeinschaftsbäder, die größeren haben ein eigenes Bad und eine Küche, weshalb sie sich vor allem für Gruppen und Familien eignen. **www.offsoho.com**

Howard Johnson Express Inn ⬛ ⓈⓈⓈ
135 East Houston St, 10002 🄲 *(212) 358-8844* 🄵🄰🄷 *(212) 473-3500* **Zimmer** *46* **Stadtplan** *5 A3*

Das relativ neue Haus bietet kleine, saubere, preisgünstige Zimmer unweit von schicken Cafés und Shops. Zur Subway und zu günstigen Imbisslokalen sind es nur wenige Schritte – für junge Reisende überzeugende Argumente. In einigen Zimmern gibt es Mikrowelle und Kühlschrank. Katz's Deli liegt nur einen Block entfernt. **www.hojo.com**

SoHo und TriBeCa

Cosmopolitan Hotel
$$

95 West Broadway, 10007 📞 (212) 566-1900 📠 (212) 566-6909 *Zimmer 125* .... *Stadtplan 1 B1*

Eines der günstigsten Hotels Manhattans im Herzen des angesagten TriBeCa. Die Zimmer sind klein, aber hübsch ausgestattet und haben winzige, saubere Bäder. Günstige Preise, viele erstklassige Lokale in der Nähe und gute Anbindung ans öffentliche Verkehrsnetz – was will man mehr? **www.cosmohotel.com**

Holiday Inn Downtown
$$

138 Lafayette St, 10013 📞 (212) 966-8898 📠 (212) 941-5832 *Zimmer 227* .... *Stadtplan 4 F5*

Das Hotel ist nichts Besonderes, aber seine Stammgäste schätzen seine großartige Lage. SoHo, Chinatown, die Lower East Side und Little Italy liegen in Gehweite, ebenso schicke Shops und Restaurants. Die Zimmer sind einfach, aber komfortabel, im hauseigenen Restaurant bekommt man immer einen Happen. **www.hidowntown-nyc.com**

Tribeca Grand Hotel
$$$

2 Sixth Ave, 10013 📞 (212) 519-6600 📠 (212) 519-6700 *Zimmer 203* .... *Stadtplan 3 E5*

Die Eingangshalle des Hotels wirkt beeindruckend. Der hauseigene Vorführraum im Untergeschoss lockt seit Langem Stars ins Haus. Die Zimmer sind funktionell, die Badezimmer mit allem Komfort ausgestattet. Die Eckzimmer und die Studios bieten am meisten Platz. **www.tribecagrand.com**

60 Thompson
$$$$

60 Thompson St, 10012 📞 (877) 431-0400 📠 (212) 431-0200 *Zimmer 100* .... *Stadtplan 4 D4*

Das attraktive Haus hat mit der Eröffnung eines neuen Restaurants und der Sommer-Dachterrasse nur für Hotelgäste seinen Wert noch steigern können. Die Zimmer sind funktionell, aber bequem mit angenehmer Farbgestaltung; außerdem bieten sie allerlei Hightech. Die Lage ist unschlagbar. **www.60thompson.com**

Soho Grand Hotel
$$$$

310 West Broadway, 10013 📞 (212) 965-3000 📠 (212) 965-3200 *Zimmer 363* .... *Stadtplan 4 E4*

Größen der Showbranche und andere Prominente halten dem Haus mitten im geschäftigen SoHo seit Langem die Treue. Die Zimmer sind klein und wirken trotz der großen Fenster mit Blick auf die Innenstadt dunkel. Der Zimmerservice steht 24 Stunden bereit, und auch für das Hündchen wird gesorgt. **www.sohogrand.com**

The Mercer Hotel
$$$$$

147 Mercer St, 10012 📞 (212) 966-6060 📠 (212) 965-3838 *Zimmer 75* .... *Stadtplan 4 E3*

Die Preise dieses diskreten kleinen Hotels bewegen sich auf höchstem Niveau. Stars, die Wert auf ihre Privatsphäre legen, steigen gerne hier ab. Die Zimmer sind als Lofts mit unverputztem Backstein und Dielenboden gestaltet. In den Badewannen finden leicht zwei Personen Platz. Kinder sind willkommen. **www.mercerhotel.com**

Greenwich Village

Abingdon Guest House
$$

13 Eighth Ave, 10014 📞 (212) 243-5384 📠 (212) 807-7473 *Zimmer 9* .... *Stadtplan 3 C1*

Die liebenswerte Pension liegt in einer der schönsten Straßen des West Village mit schönen Häusern und Geschäften. Jedes Zimmer ist individuell ausgestattet und bietet allen Komfort. Die Rezeption ist nicht ständig besetzt. Es wird kein Frühstück serviert, aber es gibt eine Coffee Bar. **www.abingdonguesthouse.com**

Washington Square Hotel
$$

103 Waverly Place, 10011 📞 (212) 777-9515 📠 (212) 979-8373 *Zimmer 160* .... *Stadtplan 4 D2*

Das Hotel liegt gegenüber dem kürzlich erneuerten Washington Square Park im Herzen des Universitätsviertels. Durch die Marmorlobby gelangt man zu kleinen, aber hellen Gästezimmern. Die Preise übersteigen aufgrund der zentralen Lage den Durchschnitt, doch gute Bars und Restaurants liegen wirklich in Gehweite. **www.wshotel.com**

East Village

Union Square Inn
$

209 East 14th St, 10003 📞 (212) 614-0500 📠 (212) 614-0512 *Zimmer 40* .... *Stadtplan 4 F1*

Das Hotel bietet Standardkomfort zu vernünftigen Preisen. Die Zimmer bieten keine Aussicht und nur minimalen Service, aber die Betten sind bequem und die Bäder sauber. Das Frühstück wird im hauseigenen, nur begrenzt geöffneten Café serviert. Der geschäftige Union Square liegt in der Nähe. **www.unionsquareinn.com**

Stadtplan *siehe Seiten 394–425*

The Bowery Hotel

🔲 ⅢⅠ 🏃 $$$$

335 Bowery, 10003 📞 (212) 505-9100 *Zimmer* 135 *Stadtplan* 4 F3

Dasselbe Duo, das das Maritime in Chelsea entwickelte, hat diese Luxusunterkunft geschaffen. Das Hotel hat 17 Etagen. In der Lobby gibt es offene Kamine, in den Zimmern reichen die Fenster bis zum Boden. Sieben Zimmer haben private Terrassen, Hot Tubs und Duschen im Freien. Schicke Bar mit VIP-Gästen. **www.theboweryhotel.com**

GRAMERCY UND FLATIRON DISTRICT

Hotel 17

🔲 $

225 East 17th St, 10003 📞 (212) 475-2845 🗴 (212) 677-8178 *Zimmer* 120 *Stadtplan* 9 B5

Die Lage des Hotels zieht vor allem junge Reisende mit beschränktem Budget an. Die winzigen Zimmer sind schlicht und haben meist Gemeinschaftsbäder. Woody Allen hat das Haus in *Manhattan Murder Mystery* gezeigt, angeblich stieg hier auch die junge Madonna ab. Preiswerte Lokale in der Umgebung. **www.hotel17ny.com**

Hotel 31

🔲 $

129 East 31st St, 10016 📞 (212) 685-3060 🗴 (212) 532-1232 *Zimmer* 60 *Stadtplan* 9 A3

Dieser Ableger des Hotel 17 wurde kürzlich renoviert. Jedes Gästezimmer ist individuell ausgestattet, die Grundrichtung ist allgemein »Blümchentapete«. Man findet Klimaanlage, Kabelfernsehen und teilweise Gemeinschaftsbäder. Nachts wird die Gegend wesentlich stiller. **www.hotel31.com**

Murray Hill Inn

$

143 East 30th St, 10016 📞 (212) 683-6900 🗴 (212) 545-0103 *Zimmer* 50 *Stadtplan* 9 A3

Die Preise dieses Hotels ohne Aufzug machen die kleinen und unpersönlichen Zimmer wett. Buchen Sie ein Zimmer mit eigenem Bad, obgleich die Gemeinschaftsbäder sehr sauber gehalten werden. In Murray Hill leben vor allem junge Familien, abends ist hier nicht sonderlich viel los. **www.murrayhillinn.com**

Gershwin Hotel

🔲 ⅢⅠ $$

7 East 27th St, 10016 📞 (212) 545-8000 🗴 (212) 684-5546 *Zimmer* 150 *Stadtplan* 8 F3

Das Hotel im Andy-Warhol-Design hat postmodernes Flair mit bunten Farben. Pop-Art findet sich in jedem Stock. Die Zimmer sind hell und stilvoll eingerichtet. Zum Empire State Building sind es nur wenige Schritte. In der Umgebung findet man zahlreiche preiswerte Restaurants. **www.gershwinhotel.com**

The Marcel

🔲 P ⅢⅠ $$

301 East 24th St, 10011 📞 (212) 696-3800 🗴 (212) 696-0077 *Zimmer* 97 *Stadtplan* 9 B4

Die Zimmer sind zwar klein, aber sehr zeitgemäß eingerichtet. Praktische, bequeme Ausziehbetten machen die Räume untertags größer, sodass man sich einigermaßen bewegen kann. CD-Player gehören zur Ausstattung, ebenso WLAN im ganzen Haus. Die Cappuccino-Bar hat täglich 24 Stunden geöffnet.

Thirty Thirty

🔲 ⅢⅠ $$

30 East 30th St, 10016 📞 (212) 689-1900 🗴 (212) 689-0023 *Zimmer* 253 *Stadtplan* 9 A3

Für Reisende, die eine günstige Unterkunft mit Stil suchen, ist dieses Hotel ideal. Die Zimmer, überwiegend mit zwei Betten, sind klein, aber bequem ausgestattet, einige bieten eine Kochnische. Das Restaurant und die Lounge sind weitere Pluspunkte. Schicke Restaurants und Geschäfte liegen in der Nachbarschaft. **www.thirtythirty-nyc.com**

Hotel Roger Williams

🔲 📺 $$$

131 Madison Ave, 10016 📞 (212) 448-7000 🗴 (212) 448-7007 *Zimmer* 193 *Stadtplan* 9 A3

Wer etwas mehr ausgeben möchte für eine stilvolle Unterkunft, ist hier richtig. Der Angebotsumfang – kostenloses Frühstück, ganztägig Kaffee und Snacks in Selbstbedienung und DVD-Verleih – rechtfertigt die Preise. Helles Holz und warme Farben bestimmen die Zimmer. Saisonal gibt es Nachlass. **www.hotelrogerwilliams.com**

Hotel Giraffe

🔲 ⅢⅠ $$$$

365 Park Ave South, 10016 📞 (212) 685-7700 🗴 (212) 685-7771 *Zimmer* 73 *Stadtplan* 9 A4

Das beste Hotel im Flatiron District bietet luxuriöse, schick eingerichtete Zimmer. Die großen Türen der Suiten öffnen sich auf einen romantischen Balkon. Das Restaurant serviert ausgezeichnete Gerichte, in schicker Lounge-Atmosphäre kann man Cocktails genießen. **www.hotelgiraffe.com**

Inn at Irving Place

ⅢⅠ $$$$

56 Irving Place, 10003 📞 (212) 533-4600 🗴 (212) 533-4611 *Zimmer* 12 *Stadtplan* 9 A5

Edith Wharton wäre stolz auf diese alten Brownstone-Gebäude, die sich heute zu einem luxuriösen Gasthof verbinden. Jedes Zimmer hat ein herrliches Bad sowie moderne Errungenschaften wie CD-Spieler. Das kostenlose Frühstück wird im Salon eingenommen, in dem auch die Teatime ihren Platz hat. **www.innatirving.com**

Gramercy Park Hotel

🔲 P 📺ⅢⅠ $$$$$

2 Lexington Ave, 10010 📞 (212) 920-3300 🗴 (212) 673-5890 *Zimmer* 185 *Stadtplan* 9 A4

Nach umfassender Renovierung präsentiert sich das Gramercy Park Hotel mit Boheme-Extravaganz: moderne Kunst, holzvertäfelte Wände, Samt und viele technische Spielereien. Der Dachgarten lädt zum Entspannen ein, für den Gramercy Park bekommen Hausgäste eigene Schlüssel. **www.gramercyparkhotel.com**

CHELSEA UND GARMENT DISTRICT

Americana Inn

69 West 38th St, 10018 **(** *(212) 840-6700* **FAX** *(212) 840-1830* **Zimmer** *50* **Stadtplan** *8 F1*

Der preisbewusste Reisende, dem die Mindestausstattung genügt, findet hier sein Quartier. Die Zimmer sind mit Waschbecken ausgestattet, die Badezimmer sauber. Die zentrale Lage und das freundliche Personal sind die Plus-punkte. Die Gegend ist allerdings sehr geschäftig und hektisch. **www.theamericanainn.com**

Chelsea International Hostel

251 West 20th St, 10011 **(** *(212) 647-0010* **FAX** *(212) 727-7289* **Zimmer** *57* **Stadtplan** *8 D5*

Das Haus gilt als eines der besten Hostels der Stadt. Mehrere niedrige Gebäude gruppieren sich um einen Innenhof. Es gibt sowohl Doppelzimmer als auch Schlafsäle, aber nur Gemeinschaftsbäder, außerdem zwei gut ausgestattete Küchen, Waschmaschinen und mehrere Fernseher. **www.chelseahostel.com**

Chelsea Lodge

318 West 20th St, 10011 **(** *(212) 243-4499* **FAX** *(212) 243-7852* **Zimmer** *22* **Stadtplan** *8 D5*

Das liebevoll restaurierte Stadthaus im alten Chelsea beherbergt ein wunderbares preiswertes Hotel. In den kleinen Zimmern findet man ein Waschbecken und eine Dusche, die Toiletten teilt man mit den anderen Gästen. Ein echter Geheimtipp, um das wahre New York kennenzulernen. **www.chelsealodge.com**

Chelsea Star Hotel

300 West 30th St, 10001 **(** *(212) 244-7827* **FAX** *(212) 279-9018* **Zimmer** *34* **Stadtplan** *8 D3*

Mit den jüngsten Umbaumaßnahmen hat das Hotel seine Kapazität nahezu verdoppelt. Die Zimmer sind hell, wirken aber mitunter ein wenig grell; man hat die Wahl zwischen solchen im Stil eines Schlafsaals und den teuren mit Him-melbett und DVD-Spieler. **www.starhotelny.com**

Colonial House Inn

318 West 22nd St, 10011 **(** *(212) 243-9669* **FAX** *(212) 633-1612* **Zimmer** *20* **Stadtplan** *8 D4*

Die Besitzer des reizenden Sandsteinhauses wenden sich vornehmlich an schwule Gäste, aber grundsätzlich ist jeder willkommen. Die Zimmer sind modern eingerichtet und gut in Schuss; die Hälfte hat ein eigenes Badezimmer, einige sogar einen offenen Kamin. Saisonal bedingte Preisermäßigungen. **www.colonialhouseinn.com**

Broadway Plaza Hotel

1155 Broadway, 10001 **(** *(212) 679-7665* **FAX** *(212) 679-7694* **Zimmer** *69* **Stadtplan** *8 F3*

2007 wurden die Zimmer des preiswerten Hotels renoviert und modernisiert. Neue Bettwäsche, Vorhänge und Teppi-che verleihen den Zimmern eine luftige Atmosphäre. Auch ein Internet-Anschluss ist vorhanden. Kostenloses Früh-stück. Die Gegend ist mitunter ziemlich laut. **www.broadwayplazahotel.com**

Chelsea Inn

46 West 17th St, 10011 **(** *(212) 645-8989* **FAX** *(212) 645-1903* **Zimmer** *26* **Stadtplan** *8 F5*

Zwei Sandsteinhäuser aus der Zeit um 1900 bergen zahlreiche Zimmer und Suiten, viele davon mit eigenem Bad. Eklektische Möbelzusammenstellungen und abgenutzte Teppiche wirken altmodisch, aber alles ist sauber. Fürs kostenlose Frühstück im Erdgeschoss-Café erhält man einen Coupon. **www.chelseainn.com**

Chelsea Hotel

222 West 23rd St, 10011 **(** *(212) 243-3700* **FAX** *(212) 675-5531* **Zimmer** *400* **Stadtplan** *8 E4*

Der Punk-Musiker Sid Vicious brachte in diesem Hotel seine Freundin Nancy Spungen um. Auch später lebten immer wieder mehr oder weniger berühmte Menschen hier. Während die einen die geräumigen Zimmer schätzen, kommen die anderen wegen der exzentrischen alten Möbel. **www.hotelchelsea.com**

Chelsea Savoy Hotel

204 West 23rd St, 10011 **(** *(212) 929-9353* **FAX** *(212) 741-6309* **Zimmer** *90* **Stadtplan** *8 E4*

Das Haus gehört zu den moderneren Hotels in Chelsea und hat treue Stammgäste, die vor allem die neuen Zimmer und den beständig guten Service schätzen. Die Zimmer, obgleich wenig individuell, sind bequem. Wer die Restau-rant-, Bar- und Clubszene von Chelsea schätzt, ist hier richtig. **www.chelseasavoynyc.com**

Comfort Inn Chelsea

18 West 25th St, 10010 **(** *(212) 645-3990* **FAX** *(212) 633-8952* **Zimmer** *121* **Stadtplan** *8 F4*

Die bescheidene Bleibe im schicken Chelsea findet vor allem bei jungen Leuten Zuspruch. In dem Gebäude aus der Zeit um 1900 bieten die sauberen Zimmer TV und Kühlschrank. Besonders preiswert übernachtet man in den Sechs-Bett-Zimmern. Das Restaurant und die Coffee Bar in der Lobby sind ein Treffpunkt. **www.choicehotels.com**

Hotel Metro

45 West 35th St, 10001 **(** *(212) 947-2500* **FAX** *(212) 279-1310* **Zimmer** *179* **Stadtplan** *8 F2*

Das Hotel im Stil des Art déco ist das beste Midtown-Hotel in der mittleren Preisklasse. Die Zimmer sind geräumig und besser ausgestattet als vergleichbare Häuser. Das Frühstück ist im Preis inbegriffen, das Restaurant wird gern besucht. Von der Dachterrasse blickt man auf das Empire State Building. **www.hotelmetronyc.com**

Stadtplan *siehe Seiten 394–425*

Hotel Wolcott

$$

4 West 31st St, 10001 **((212) 268-2900** FAX *(212) 563-0096* **Zimmer 250**   **Stadtplan 8 F3**

Geräumige Zimmer, niedrige Preise und zentrale Lage: Preisbewusste Besucher werden das Hotel zu schätzen wissen. Die Zimmer sind schlicht, aber sauber. Im Fernsehzimmer gibt es auch einen Internet-Zugang. Eine Waschmaschine ist allgemein zugänglich. In der Umgebung findet man viele preiswerte Lokale. **www.wolcott.com**

Inn on 23rd

$$

131 West 23rd St, 10011 **((212) 463-0330** FAX *(212) 463-0302* **Zimmer 14**   **Stadtplan 8 E4**

Die wunderbare Pension bietet die richtige Mischung aus Bed-and-Breakfast-Charme und Hotelkomfort. Zimmer und Suiten sind individuell mit hübschen Kissen und flauschigen Handtüchern im Badezimmer ausgestattet. Morgens erhält man ein hervorragendes Frühstück. Sehr empfehlenswert. **www.innon23rd.com**

Red Roof Inn

$$

6 West 32nd St, 10001 **((212) 643-7100** FAX *(212) 643-7101* **Zimmer 172**   **Stadtplan 8 F3**

Der Ableger einer mittelamerikanischen Motelkette ist mit gut ausgestatteten Zimmern und professionellem Service auch in der Großstadt erfolgreich. Die Zimmer haben Internet-Zugang. In der nahen Umgebung gibt es preiswerte koreanische Restaurants, das Hotel liegt günstig zum Madison Square Garden. **www.redroof.com**

Four Points by Sheraton

$$$

160 West 25th St, 10001 **((212) 627-1888** FAX *(212) 627-1611* **Zimmer 158**   **Stadtplan 8 E4**

Das neue Hotel wendet sich vornehmlich an anspruchsvolle Gäste und Geschäftsleute, die gewillt sind, ein wenig mehr auszugeben. Die gut ausgestatteten Zimmer haben Internet-Zugang, einige zudem einen Balkon mit Blick auf die Stadt. Der Service ist, wie von der Kette zu erwarten, sehr gut. **www.starwoodhotels.com/fourpoints**

The Maritime

$$$

363 West 16th St, 10011 **((212) 242-4300** FAX *(212) 242-1188* **Zimmer 125**   **Stadtplan 8 D5**

Der maritime Charakter des schicken Hotels ist unübersehbar. In jedem Zimmer gibt es ein Bullauge mit Blick auf den Hudson River. Die Zimmer sind eher klein, aber gut gestaltet. Mehrere Restaurants und Bars stehen zur Auswahl. Zum Haus gehören überaus viele Flächen unter freiem Himmel. **www.themaritimehotel.com**

Radisson/Martinique on Broadway

$$$$

49 West 32nd St, 10001 **((212) 736-3800** FAX *(212) 277-2702* **Zimmer 532**   **Stadtplan 8 F3**

Das denkmalgeschützte Gebäude im Stil der französischen Renaissance gehört zur Radisson-Kette. Jenseits der schönen Lobby erwarten den Gast neu renovierte, elegant ausgestattete Zimmer. In der Umgebung gibt es viele günstige asiatische Restaurants. Zahlreiche Sehenswürdigkeiten sind von hier zu Fuß erreichbar. **www.holiday-inn.com**

THEATER DISTRICT

Big Apple Hostel

$

119 West 45th St, 10036 **((212) 302-2603** FAX *(212) 302-2605* **Zimmer 39**   **Stadtplan 12 E5**

Das Hostel wendet sich an junge Gäste und bietet eine gute Lage sowie saubere Räume. Neben großen Schlafsälen gibt es auch ein paar Zimmer mit Doppelbetten. Kochmöglichkeiten sind vorhanden, im rückwärtigen Garten kann man sich von der Hektik Manhattans erholen. Rechtzeitig buchen. **www.bigapplehostel.com**

Park Savoy Hotel

$

158 West 58th St, 10019 **((212) 245-5755** FAX *(212) 765-0668* **Zimmer 70**   **Stadtplan 12 E3**

Das unscheinbare Hotel bietet höchst schlichte Zimmer, liegt aber nur einen Häuserblock vom Central Park entfernt. Die Zimmer sind sauber, wenn auch etwas abgelebt. Das Personal am Empfang ist freundlich, der Service jedoch dem Preis angemessen. Versorgen Sie sich in einem der Delis der Umgebung. **www.parksavoyhotelny.com**

414 Inn

$$

414 West 46th St, 10036 **((212) 399-0006** FAX *(212) 957-8716* **Zimmer 22**   **Stadtplan 11 C5**

Das entgegenkommende Personal der kleinen, stilvollen Hotels besorgt Ihnen gerne eine Mahlzeit aus einem der Restaurants der Umgebung. Die »king-size«-Zimmer sind schöner und besser ausgestattet als die Doppelzimmer. Reservieren Sie ein Zimmer zum ruhigen Innenhof. **www.414inn.com**

Amsterdam Court Hotel

$$

226 West 50th St, 10019 **((212) 459-1000** FAX *(212) 265-5070* **Zimmer 125**   **Stadtplan 12 D4**

Das stilvolle Haus wendet sich an anspruchsvolle Gäste, die gerne ein wenig mehr ausgeben. Die Zimmer sind in warmen Farben gehalten und mit Daunenbetten und CD-Spieler ausgestattet. Im Sommer steht die Dachterrasse offen. In der Ninth Avenue findet man zahlreiche erstklassige Restaurants. **www.nychotels.com**

Belvedere Hotel

$$

319 West 48th St, 10036 **((212) 245-7000** FAX *(212) 245-4455* **Zimmer 400**   **Stadtplan 12 D5**

Das angenehme Mittelklassehotel gehört zu den besten seiner Kategorie. Die Zimmer sind überdurchschnittlich groß und vergleichsweise attraktiv eingerichtet. Im Haus findet man ein beliebtes brasilianisches Steakhaus, daneben gibt es in der nahen Umgebung zahlreiche gute Restaurants. **www.belvederehotelnyc.com**

Best Western President Hotel

$$$ | 🖥 | 🍴

234 West 48th St, 10036 📞 *(212) 246-8800* FAX *(212) 974-3922* **Zimmer** *334* | **Stadtplan** *12 E5*

Für Familien eignen sich die Suiten mit ausklappbaren Sofas für die Kinder, ansonsten tun es auch die Standard-zimmer. Der Ableger der Hotelkette wird gut geführt und liegt günstig. Die Zimmer sind einfach, aber sauber. In der Gegend ist immer viel los – wer also Ruhe braucht, nimmt besser ein anderes Hotel. **www.bestwestern.com**

Da Vinci Hotel

$$$ | 🖥

244 West 56th St, 10019 📞 *(212) 489-4100* FAX *(212) 399-0434* **Zimmer** *20* | **Stadtplan** *12 D3*

Das intime Hotel im europäischen Stil preist seinen guten Service an. Die Zimmer sind eher klein, aber komfortabel eingerichtet. Die Nähe zu den Theatern bezahlt man mit vielen Besuchern auf der Straße. Die Restaurants in der Gegend sind nicht billig, preiswerter isst man im Coffee Shop oder im Diner. **www.davincihotel.com**

Holiday Inn New York City-Midtown-57th St

$$$ | 🖥 🍴 🏊 👪 📺

440 West 57th St, 10019 📞 *(212) 581-8100* FAX *(212) 581-7739* **Zimmer** *596* | **Stadtplan** *11 C3*

Das solide Haus der berühmten Hotelkette findet vor allem bei Familien Anklang wegen des Swimmingpools im Freien und des für Kinder kostenlosen Frühstücks. Die Zimmer entsprechen den Erwartungen: sauber, bequem und zudem mit Internet-Zugang. In der Nähe von Central Park und Theater District. **www.hi57.com**

Hotel Edison

$$$ | 🖥 🍴

228 West 47th St, 10036 📞 *(212) 840-5000* FAX *(212) 596-6850* **Zimmer** *800* | **Stadtplan** *12 E5*

Das weitläufige Haus eignet sich für Besucher, die im Herzen des Theater District wohnen wollen. Die Zimmer sind angenehm eingerichtet, die größeren unter ihnen eignen sich für Familien. Seit Kurzem wird kabelloser Internet-Zugang angeboten. In der Nähe liegen zahlreiche Restaurants. **www.edisonhotelnyc.com**

Mayfair Hotel

$$$ | 🖥 🍴

242 West 49th St, 10019 📞 *(212) 586-0300* FAX *(212) 307-5226* **Zimmer** *78* | **Stadtplan** *12 D5*

Obwohl die Zimmer des gut geführten Hotels sehr klein sind, wirken sie komfortabel und modern. Der Service ist freundlich, für Theaterbesucher ist die Lage erstklassig. Im französischen Bistro können Sie vor der Vorstellung einen Happen zu sich nehmen, in der Ninth Avenue isst man allerdings preiswerter. **www.mayfairnewyork.com**

Algonquin

$$$$ | 🖥 🍴 📺

59 West 44th St, 10036 📞 *(212) 840-6800* FAX *(212) 944-1419* **Zimmer** *174* | **Stadtplan** *12 F5*

In den 1920er Jahren traf sich hier die literarische Runde um Dorothy Parker. Literaturfreunde pilgern hierher, obwohl das Haus umfassend renoviert wurde. Die komfortablen Zimmer sind klein, buchen Sie deshalb wenn möglich eine Suite. Gut erhalten sind die holzgetäfelte Lobby und der legendäre Oak Room. **www.algonquinhotel.com**

Blakely Hotel

$$$$ | 🖥 🍴 📺

136 West 55th St, 10019 📞 *(212) 245-1800* FAX *(212) 582-8332* **Zimmer** *115* | **Stadtplan** *12 E4*

Der Nachfolger des Gorham hat seinen Stil bewahrt und legt Wert auf guten Service. In seiner Kategorie ragt das Hotel durch sein exzellentes Preis-Leistungs-Verhältnis heraus. Die hübsch eingerichteten Zimmer bieten viele Details. Fragen Sie nach speziellen Angeboten. **www.blakelynewyork.com**

Casablanca Hotel

$$$$ | 🖥 🍴

147 West 43rd St, 10036 📞 *(212) 869-1212* FAX *(212) 391-7585* **Zimmer** *48* | **Stadtplan** *8 E1*

Das stilvolle Hotel mit marokkanischem Touch liegt unweit der großen Theater. Die kürzlich renovierten Zimmer sind klein, bieten aber schöne Details. Das Frühstück wird in der Lounge mit Kamin serviert. Von hier lässt sich auch das Treiben vor dem Hauptsitz des Vogue auf der anderen Straßenseite beobachten. **www.casablancahotel.com**

Chambers

$$$$ | 🖥 🍴 👪 📺

15 West 56th St, 10019 📞 *(212) 974-5656* FAX *(212) 974-5657* **Zimmer** *77* | **Stadtplan** *12 F3*

Im Herzen von Midtown verkörpert dieses Hotel moderne urbane Eleganz par excellence. In den kleinen Zimmern findet man zeitgenössische Kunst, Frottee-Bademäntel und Kaschmirdecken. Das Restaurant Town gehört zu den besten in Manhattan. **www.chambershotel.com**

Doubletree Guest Suites

$$$$ | 🖥 🍴 👪 📺

1568 Broadway, 10036 📞 *(212) 719-1600* FAX *(212) 921-5212* **Zimmer** *460* | **Stadtplan** *12 E5*

Das Suiten-Hotel macht den fehlenden Charakter mit erstklassigen Einrichtungen und zentraler Lage wett. Einige Suiten sind auf Familien zugeschnitten, andere auf Geschäftsreisende. Kindern steht ein eigener Spielraum zur Ver-fügung, was Familien mit Kleinkindern entgegenkommt. **www.nyc.doubletreehotels.com**

Dream Hotel

$$$$ | 🖥 🍴 👪 📺

210 West 55th St, 10019 📞 *(212) 320-2928* FAX *(212) 974-0595* **Zimmer** *228* | **Stadtplan** *12 E4*

Das Beaux-Arts-Gebäude von 1904 wurde umfassend renoviert. Die Lobby wirkt ein wenig bizarr und vollgestellt. In den Zimmern dominiert blaues Licht, ein geladener iPod liegt neben dem Bett. Das Restaurant ist einladend, ebenso die Bar und die Dachterrasse. **www.dreamny.com**

Hilton Times Square

$$$$ | 🖥 🍴 📺

234 West 42nd St, 10036 📞 *(212) 840-8222* FAX *(212) 840-5516* **Zimmer** *444* | **Stadtplan** *8 E1*

Wer glaubt, inmitten der Hektik des Times Square ginge diese Oase der Ruhe unter, der irrt. Das Design des Hotels lässt den Charakter einer Hotelkette weit hinter sich mit seinen großzügigen Zimmern und modernen Details. Erst im 23. Stock beginnt der Gästezimmerbereich, so hat jeder eine erstklassige Aussicht. **www.timessquare.hilton.com**

Stadtplan *siehe Seiten 394–425*

Hotel Mela P $$$

120 West 44th St, 10036 **(** *(877) 452-6352* FAX *(212) 704-9680* **Zimmer** *228* **Stadtplan** *12 D5*

Das komfortable Hotel wurde 2007 eröffnet. Seine Gäste sollen sich möglichst wie zu Hause fühlen. Bereits das Foyer erinnert weniger an ein Hotel als an einen privaten Empfangsbereich. Die eher kleinen Zimmer haben bequeme Betten, gut ausgestattete Badezimmer, Flachbild-TV und kabellosen Internet-Zugang. **www.hotelmela.com**

Mansfield $$$

12 West 44th St, 10036 **(** *(212) 277-8700* FAX *(212) 764-4477* **Zimmer** *124* **Stadtplan** *12 E5*

Das Hotel von 1905 hat seinen Charakter bis heute bewahren können. Die Zimmer haben Internet-Zugang. Nach einem langen Tag in der Stadt lädt die Bar zu einem entspannten Drink ein. Das Hotel liegt versteckt in einer geschäftigen Straße und eignet sich gut für Theaterbesucher. **www.mansfieldhotel.com**

Millennium Broadway $$$

145 West 44th St, 10036 **(** *(212) 768-4400* FAX *(212) 768-0847* **Zimmer** *752* **Stadtplan** *12 E5*

Geräumige Zimmer zu vernünftigen Preisen machen dieses Hotel im Theater District zu einer guten Wahl. Die Gemeinschaftsräume sind im Stil des Art déco eingerichtet, die Premier-Zimmer sind wahrhaft riesig. Vor dem Theaterbesuch nimmt man einen Drink in der schicken Hotelbar. **www.millennium-hotels.com**

Paramount Hotel $$$

235 West 46th St, 10036 **(** *(212) 764-5500* FAX *(212) 354-5237* **Zimmer** *567* **Stadtplan** *12 D5*

Das ursprünglich von Ian Schrager gestaltete Hotel wurde von der spanischen Sol-Melia-Gruppe übernommen, die Zimmerpreise sanken in der Folge allmählich. Die kleinen Zimmer sind unspektakulär, lebhaft geht es in der schicken Bar zu. Im hauseigenen Lebensmittelgeschäft versorgt man sich mit Köstlichkeiten. **www.nycparamount.com**

Roosevelt Hotel $$$

45 East 45th St, 10017 **(** *(212) 661-9600* FAX *(212) 885-6161* **Zimmer** *1013* **Stadtplan** *13 A5*

Das Haus von 1924 wurde zu seinem 80. Geburtstag behutsam renoviert. Die »große alte Dame der Madison Avenue« ist bis heute bei Geschäftsleuten wie Privatgästen beliebt. Die Zimmer sind bequem ausgestattet, in der Lobby fühlt man sich in die Vergangenheit zurückversetzt. **www.theroosevelthotel.com**

Skyline Hotel $$$

725 10th Ave Ecke 49th St, 10019 **(** *(212) 586-3400* FAX *(212) 582-4604* **Zimmer** *230* **Stadtplan** *11 C5*

Das familienfreundliche Haus liegt bequem zum Theater District und zu vielen hervorragenden Restaurants. Die Fassade und die Lobby sind typisch für New York. Die Zimmer wurden unlängst renoviert, sie sind geräumig und komfortabel. Das Schwimmbad werden nicht nur Gäste mit Kindern schätzen. **www.skylinehotelnyc.com**

Time $$$

224 West 49th St, 10019 **(** *(212) 320-2900* FAX *(212) 245-2305* **Zimmer** *200* **Stadtplan** *12 D5*

Der gefeierte Innenausstatter Adam Tihany hat das Hotel kürzlich renoviert. Mit Primärfarben schuf er ein erlebnisreiches Ambiente. Viele der Zimmer allerdings sind angesichts des Preises sehr klein. Die Bar ist immer für eine Überraschung gut. Einigen ist der Lärmpegel im Hotel mitunter zu hoch. **www.thetimeny.com**

Westin Times Square $$$

270 West 43rd St, 10036 **(** *(212) 201-2700* FAX *(212) 201-2701* **Zimmer** *863* **Stadtplan** *8 D1*

Das moderne und farbenfrohe 45-stöckige Hotel am Times Square ist derzeit sehr angesagt. Seine Architektur wurde vielfach kritisiert (»… passt eher nach South Beach …«), andere schwärmen dagegen von den großen Zimmern und den tollen Betten. In der Umgebung gibt es viele Restaurants. **www.westinny.com**

Jumeirah Essex House $$$$

160 Central Park South, 10019 **(** *(212) 247-0300* FAX *(212) 315-1839* **Zimmer** *515* **Stadtplan** *12 E3*

Das Art-déco-Hochhaus mit Blick auf den Central Park wurde kürzlich für 70 Millionen Dollar renoviert und auf Fünf-Sterne-Niveau aufgerüstet. Die elegante, repräsentative Lobby bietet jeden Komfort, hier wird zwischen 14 und 18 Uhr der Afternoon High Tea serviert. Die Zimmer sind angemessen groß. **www.jumeirahessexhouse.com**

Michelangelo $$$$

152 West 51st St, 10019 **(** *(212) 765-0505* FAX *(212) 581-7618* **Zimmer** *178* **Stadtplan** *12 F4*

Die italienische Renaissance ist in dem mit edlen Materialien ausgestatteten Hotel allgegenwärtig. Dazu gehört natürlich auch italienischer Espresso und entsprechendes Gebäck zum Frühstück sowie Süßigkeiten zum Abend. Im Badezimmer dominiert, wie zu erwarten, italienischer Marmor – *la dolce vita*. **www.michelangelohotel.com**

Le Parker Meridien $$$$

118 West 57th St, 10019 **(** *(212) 245-5000* FAX *(212) 307-1776* **Zimmer** *730* **Stadtplan** *12 E3*

Mit außergewöhnlich gutem Service, ausgezeichnetem Restaurant und erstklassigem Fitnessangebot zählt das Hotel zu den besten seiner Preisklasse. Nach dem Schwimmen auf der Dachterrasse kann man ohne Reue einen exquisiten Burger genießen. Die Zimmer sind geräumig und modern ausgestattet. **www.parkermeridien.com**

Royalton $$$$

44 West 44th St, 10036 **(** *(212) 869-4400* FAX *(212) 869-8965* **Zimmer** *205* **Stadtplan** *12 F5*

Das Hotel von Ian Schrager und Philippe Starck wurde kürzlich in den Bereichen Lobby, Bar und Restaurants wieder in Schuss gebracht. Der Service ist nach wie vor erstklassig. In der Bar und im Restaurant drängen sich weiterhin gut aussehende Menschen. Die stilvollen Zimmer sind zum Teil etwas klein. **www.royaltonhotel.com**

ofitel New York

🗺️ 🍴 📺 $$$$$

5 West 44th St, 10036   📞 *(212) 354-8844*   📠 *(212) 354-2480*   **Zimmer** *398*   **Stadtplan** *12 F5*

as elegante Hotel mit seiner Mischung aus Tradition und Moderne war eine willkommene Neuerung im Theater strict. Das Restaurant bietet bei entsprechendem Wetter auch Tische im Freien. Die Suiten verfügen zum Teil über ne Terrasse und sind bei Geschäftsreisenden sehr beliebt. **www.sofitel.com**

/ Times Square

🗺️ 🍴 🏋️ 📺 $$$$

567 Broadway, 10036   📞 *(212) 930-7400*   📠 *(212) 930-7500*   **Zimmer** *507*   **Stadtplan** *12 E5*

as schicke, designbewusste Hotel der Starwood Group mit seinen ultramodernen Zimmern findet noch immer viele ebhaber, auch wenn manches sehr düster wirkt. Die Aussicht ist fantastisch. Lounges und Restaurants sind immer ll. Im Blue Fin bekommt man ausgezeichnetes Sushi. **www.whotels.com**

he London NYC

🗺️ 🍴 🏋️ 📺 $$$$$

51 West 54th St, 10019   📞 *(866) 690-2029*   **Zimmer** *562*   **Stadtplan** *12 E4*

as ehemalige Rhigha Royal wurde unter seinem neuen Besitzer aufgemöbelt. Das 54-stöckige Art-déco-Gebäude egt in Gehdistanz zum Central Park und bietet alle Annehmlichkeiten, die man von einem Hotel dieser Klasse er- arten darf. Im Hotelrestaurant wirkt der britische Starkoch Gordon Ramsay. **www.thelondonnyc.com**

itz-Carlton, New York

🗺️ 🍴 🏋️ 📺 $$$$$

0 Central Park South, 10019   📞 *(212) 308-9100*   📠 *(212) 207-8831*   **Zimmer** *260*   **Stadtplan** *12 F3*

anche halten das Hotel für dasjenige innerhalb der Ritz-Carlton-Gruppe mit dem besten Service. Der Stil ist traditio- ell, die geräumigen Zimmer sind überaus komfortabel und modern ausgestattet. Das Heilbad und die Lage gegen- ber dem Central Park machen es einzigartig. **www.ritzcarlton.com**

t. Regis New York

🗺️ 🅿️ 🍴 🏋️ 📺 $$$$$

East 55th St, 10022   📞 *(212) 753-4500*   📠 *(212) 787-3447*   **Zimmer** *408*   **Stadtplan** *12 F4*

dem Beaux-Arts-Juwel von 1904 badet man in Luxus: Kristallleuchter, Orientteppiche, Ölgemälde und Louis-XIV- ntiquitäten. Formeller, aber einwandfreier Service. Internet-Zugang auf den Zimmern. Obwohl es bei Hochzeits- esellschaften sehr beliebt war, hat das Restaurant Lespinasse seine Pforten geschlossen. **www.stregis.com**

OWER MIDTOWN

otel Grand Union

🗺️ 🏋️ $

4 East 32nd St, 10016   📞 *(212) 683-5890*   📠 *(212) 689-7397*   **Zimmer** *95*   **Stadtplan** *9 A3*

as Hotel ist zu Recht bei preisbewussten Reisenden sehr beliebt. Die Zimmer sind zum Teil richtiggehend hässlich, ber allesamt sauber und mit allem nötigen Komfort ausgestattet. Einige der Zimmer sind ausreichend groß, um anze Familien aufzunehmen. **www.hotelgrandunion.com**

ourtyard New York

🗺️ 🍴 🏋️ 📺 $$

East 40th St, 10016   📞 *(212) 447-1500*   📠 *(212) 683-7839*   **Zimmer** *185*   **Stadtplan** *8 F1*

e noble Gegend ist recht teuer, dafür bietet dieses Hotel ein sehr gutes Preis-Leistungs-Verhältnis. Es wurde un- ngst von der Marriott-Kette übernommen und grundlegend renoviert. Familien schätzen das ruhig gelegene Haus ufgrund seiner Nähe zur New York Public Library und dem Theater District. **www.courtyard.com**

0 Park

🗺️ 🍴 🏋️ 📺 $$$

0 Park Ave, 10016   📞 *(212) 973 2400*   📠 *(212) 973-2401*   **Zimmer** *205*   **Stadtplan** *9 A1*

er elegante Neuling der angesehenen Kimpton-Gruppe in der Mittelklasse bietet viel Stil und guten Service. Haus- ere sind erlaubt und bekommen auf Wunsch entsprechende Zuwendung. Geschäftsleute schätzen die kostenlosen xtras wie den kabellosen Internet-Zugang. **www.70parkavenue.com**

ffinia Dumont

🗺️ 🏋️ 📺 $$$

50 East 34th St, 10016   📞 *(212) 481 7600*   📠 *(212) 889-8856*   **Zimmer** *248*   **Stadtplan** *9 A2*

as Suiten-Hotel ist für Reisende ideal, die es nach Platz und modernem Design verlangt. Die Suiten haben eine ein- erichtete Küche mit Mikrowelle, das hilfsbereite Personal kauft sogar für Sie ein. Die Heileinrichtungen sind gerade r gestresste Besucher ein Segen. **www.affinia.com**

ourtyard by Marriott Midtown East

🗺️ 📺 $$$

56 Third Ave, 10022   📞 *(212) 644-1300*   📠 *(212) 317-7940*   **Zimmer** *308*   **Stadtplan** *13 B4*

ufgrund der geräumigen Zimmer eignet sich das Hotel vor allem für Familien. Die Zimmer sind modern, haben ne eigene Kaffeemaschine und Internet-Zugang. Kabellos surfen kann man in einer speziellen Lounge. Nachts t die Gegend überraschend ruhig. **www.marriott.com**

ylan

🗺️ 📺 $$$

2 East 41th St, 10017   📞 *(212) 338-0500*   📠 *(212) 338-0569*   **Zimmer** *107*   **Stadtplan** *9 A1*

as Beaux-Arts-Gebäude von 1903 war einst Heimat des Chemists Club. Die Lobby wirkt ein wenig unpersönlich, e Zimmer sind dagegen sehr geräumig und komfortabel. Das exzellente Restaurant ist angesichts der wenigen lternativen in der Umgebung ein Segen. **www.dylanhotel.com**

Stadtplan *siehe Seiten 394–425*

Library Hotel

🔁 $$$$

299 Madison Ave, 10017 📞 *(212) 983-4500* 🖷 *(212) 499-9099* **Zimmer** 60 **Stadtplan** 9 A

Seit seiner Eröffnung hat das relativ neue Hotel treue Fans. Jedes Zimmer hat ein eigenes literarisches Thema – vom Märchen bis zur erotischen Erzählung; die Zimmerwahl wird also vom literarischen Geschmack bestimmt. Die Dachterrasse und die Snacks zu jeder Tageszeit sind weitere Pluspunkte. **www.libraryhotel.com**

Morgans

🔁 🍴 🔁 $$$

237 Madison Ave, 10016 📞 *(212) 686-0300* 🖷 *(212) 779-8352* **Zimmer** 113 **Stadtplan** 9 A

Das Haus, das den Trend der »Boutique-Hotels« begründete, zieht noch immer illustre Gäste an. Sie finden sich mit vergleichsweise kleinen Zimmern und durchschnittlichem Service ab. In der Lobby tobt allerdings das Leben. Von der Bar aus kann man das Treiben gut beobachten. **www.morganshotel.com**

Fitzpatrick Grand Central Hotel

🔁 🔁 $$$

141 East 44th St, 10017 📞 *(212) 351-6800* 🖷 *(212) 818-1747* **Zimmer** 155 **Stadtplan** 13 A

Das elegante Hotel mit freundlichem Service liegt nur wenige Schritte vom Grand Central Terminal entfernt. Die Zimmer übertreffen den üblichen Standard mit sinnlichen Farben und herrlichen Betten. Ein authentisches Pub serviert auch zu später Stunde noch Drinks. **www.fitzpatrickhotels.com**

W The Court/W The Tuscany

🔁 🍴 🔁 🔁 $$$

120–130 East 39th St, 10016 📞 *(212) 686-1600* 🖷 *(212) 779-8352* **Zimmer** 320 **Stadtplan** 9 A

Dieses clubartige Hotelpaar bietet außergewöhnlich guten Service. Die Zimmer sind mit modernster Technik ausgestattet, in einigen kann man Filme kostenlos herunterladen. Im Court trifft sich eher die schicke Lounge-Szene, während es im Tuscany entspannter zugeht. Empfehlenswert sind beide. **www.whotels.com**

Bryant Park

🔁 🔁 $$$$

40 West 40th St, 10018 📞 *(212) 869-0100* 🖷 *(212) 869-4446* **Zimmer** 128 **Stadtplan** 8 F

Das wunderbare Anwesen und die erstklassige Lage in Midtown machen den großen Reiz des Hotels aus. Im American Radiator Building gegenüber vom Bryant Park hat man sich auf minimalistischen Luxus konzentriert. Die Cellar Bar ist Anlaufstelle von Modeleuten; es gibt zudem ein Kino (70 Plätze). **www.bryantparkhotel.com**

Kitano

🔁 🍴 🔁 $$$$

66 Park Ave, 10016 📞 *(212) 885-7000* 🖷 *(212) 885-7100* **Zimmer** 149 **Stadtplan** 9 A

Der Service ist japanisch-zurückhaltend in diesem eleganten Midtown-Hotel, das sich vornehmlich an Geschäftsleute wendet. Die Zimmer sind Oasen der Ruhe mit stets frischem grünem Tee. Das ausgezeichnete Restaurant ist immer voll. In diesem Teil der Park Avenue geht es mitunter erstaunlich ruhig zu. **www.kitano.com**

UPPER MIDTOWN

Hotel 57

🔁 🍴 $$

130 East 57th St, 10022 📞 *(212) 753-8841* 🖷 *(212) 869-9605* **Zimmer** 220 **Stadtplan** 13 A

Das Hotel verbindet mühelos gutes Design mit niedrigen Zimmerpreisen. Die Zimmer sind mitunter sehr klein, das gemeinschaftliche Badezimmer liegt meist auf dem Gang. Die Preise allerdings sind unschlagbar angesichts der Lage in Midtown unweit der Einkaufsstraßen. Klasse Aussicht von der Bar im 17. Stock. **www.hotel57.com**

The Pod Hotel

🔁 $$

230 East 51st St, 10022 📞 *(212) 355-0300* 🖷 *(212) 755-5029* **Zimmer** 320 **Stadtplan** 13 B

Selbst nach der Neumöblierung und trotz der erstklassigen Lage bleiben die Preise in The Pod (früher Pickwick) unter Bestehen Sie bei der Buchung auf einem einigermaßen großen Zimmer mit eigenem Badezimmer – es gibt hier beträchtliche Unterschiede, wenn auch alle Räume gut in Schuss sind. Günstige Einzelzimmer. **www.thepodhotel.com**

Doubletree Metropolitan Hotel

🔁 🍴 🔁 🔁 $$$

569 Lexington Ave, 10022 📞 *(212) 752-7000* 🖷 *(212) 758-6311* **Zimmer** 722 **Stadtplan** 13 A

Das ehemalige Loews-Hotel gehört nun zur Doubletree-Gruppe, die mit gutem Service und Familienfreundlichkeit wirbt. Die Preise sind vernünftig, die Zimmer bisweilen etwas klein geraten, aber in gutem Zustand. Man hat die Auswahl zwischen mehreren Restaurants. **www.metropolitanhotelnyc.com**

Kimberly Hotel

🔁 🍴 🔁 $$$

145 East 50th St, 10022 📞 *(212) 755-0400* 🖷 *(212) 486-6915* **Zimmer** 185 **Stadtplan** 13 A

Wer geräumige Zimmer und viel Komfort sucht, trifft mit dem Kimberly eine gute Wahl. Die Ein- und Zweibett-Apartments sind vollständig mit Küche und funktionalen Möbeln ausgestattet. Trotz der günstigen Lage findet man hier auch Ruhe und Entspannung. **www.kimberlyhotel.com**

Roger Smith

🔁 🔁 $$$

501 Lexington Ave, 10022 📞 *(212) 755-1400* 🖷 *(212) 758-4061* **Zimmer** 130 **Stadtplan** 13 A

Das angenehme Haus verbindet modernen Komfort mit künstlerischen Elementen. Es wird von Geschäftsleuten wie von Kreativen gleichermaßen geschätzt. Die Zimmer sind größer als gewöhnlich und individuell ausgestattet. Das Frühstück ist im Preis inbegriffen. **www.rogersmith.com**

Preiskategorien *siehe Seite 280* **Zeichenerklärung** *siehe hintere Umschlagklappe*

Benjamin ❄ 🍴 🏋 🍸 $$$$

125 East 50th St, 10022 ☎ *(212) 715-2500* [FAX] *(212) 715-2525* ***Zimmer*** *209* ***Stadtplan*** *13 A4*

In den modernen Zimmern des freundlichen Hotels ist alles auf Komfort angelegt. Den PC begrüßen vor allem Geschäftsleute. Auch eine Kochnische gehört zur Ausstattung. Das Restaurant und der kleine Bereich mit Kureinrichtungen sind weitere Pluspunkte. **www.thebenjamin.com**

Omni Berkshire Place ❄ 🏋 🍸 $$$$

21 East 52nd St, 10022 ☎ *(212) 753-5800* [FAX] *(212) 754-5018* ***Zimmer*** *396* ***Stadtplan*** *12 F4*

Das Hotel besticht durch viel unaufdringlichen Komfort. Der Service verdient Bestnoten. Geschäftsreisende wissen das auf sie zugeschnittene Angebot zu schätzen, aber auch Familien sind willkommen, was sich vor allem in günstigen Wochenend-Tarifen bemerkbar macht. **www.omnihotels.com**

Waldorf-Astoria/Waldorf Towers ❄ 🏋 🍸 $$$$

301 Park Ave, 10022 ☎ *(212) 355-3000* [FAX] *(212) 872-7272* ***Zimmer*** *1242* ***Stadtplan*** *13 A5*

Die New Yorker Legende ist heute so großartig wie eh und je, trotz mancher Beschwerden über arrogantes Personal. Das Haus ist sich seiner enormen Größe bewusst, was sich mitunter in überraschend günstigen Preisangeboten niederschlägt. Die Zimmer sind geräumig und wurden kürzlich überholt. **www.waldorfastoria.com**

Four Seasons New York ❄ [P] 🍴 🏋 🍸 $$$$$

57 East 57th St, 10022 ☎ *(212) 758-5700* [FAX] *(212) 758-5711* ***Zimmer*** *364* ***Stadtplan*** *13 A3*

Eines der besten Häuser der Four-Seasons-Kette ist dieses von I. M. Pei gestaltete 52-stöckige Hochhaus mitten in Manhattan. Die Lobby strotzt vor New Yorker Kraft und Eleganz. Die Zimmer sind riesig, bieten jeden erdenklichen Komfort und vor allem eine einmalige Aussicht auf den Central Park. **www.fourseasons.com**

New York Palace ❄ 🍴 🏋 🍸 $$$$$

455 Madison Ave, 10022 ☎ *(212) 888-7000* [FAX] *(212) 303-6000* ***Zimmer*** *896* ***Stadtplan*** *13 A4*

Mit der Schließung des legendären Restaurants Le Cirque im Jahr 2000 verlor das opulente Anwesen einiges von seinem Glanz. Das Hotel in dem Haus von 1882 ist gleichwohl ein verschwenderischer Luxustempel mit perfektem Service und viel, viel Stil – für viele die einzig akzeptable Bleibe in der Stadt. **www.newyorkpalace.com**

Peninsula New York ❄ 🏊 🏋 🍸 $$$$$

700 Fifth Ave, 10019 ☎ *(212) 956-2888* [FAX] *(212) 903-3949* ***Zimmer*** *239* ***Stadtplan*** *12 F4*

Der Service der asiatischen Peninsula-Hotelkette ist legendär. Die Zimmer bieten allen erdenklichen Komfort und neueste Technik. Die Kureinrichtungen gehören zu den besten der Stadt. Auf der Dachterrasse mit Bar lässt sich der Sonnenuntergang wunderbar genießen. Sehr empfehlenswert. **www.peninsula.com**

UPPER EAST SIDE

Bentley Hotel ❄ 🍴 🏋 $$$

500 East 62nd St, 10021 ☎ *(212) 644-6000* [FAX] *(212) 207-4800* ***Zimmer*** *197* ***Stadtplan*** *13 B4*

Das Design-Hotel liegt etwas abseits. Die komfortablen Zimmer sind ein wenig klein, die Eckzimmer sind in der Regel geräumiger. Im Badezimmer dominiert Marmor. Wer in einem authentischen New Yorker Viertel wohnen möchte, ist hier richtig. Die Cappuccino Bar hat täglich 24 Stunden geöffnet. **www.bentleyhotelnewyork.com**

Franklin ❄ $$$

164 East 87th St, 10128 ☎ *(212) 369-1000* [FAX] *(212) 369-8000* ***Zimmer*** *50* ***Stadtplan*** *17 A3*

Die Zimmer des modernen Hotels könnten größer sein, sind aber sehr gut ausgestattet. Aufgrund der geringen Größe eignen sie sich vor allem für Kurzaufenthalte und Gäste mit wenig Gepäck. Das Frühstück ist im Preis inbegriffen. Die Preise schwanken je nach Jahreszeit. **www.franklinhotel.com**

Hotel Wales ❄ 🍴 🏋 🍸 $$$$

1295 Madison Ave, 10028 ☎ *(212) 876-6000* [FAX] *(212) 860-7000* ***Zimmer*** *88* ***Stadtplan*** *17 B2*

Ein gemütliches, einladendes Haus in günstiger Lage zur Museumsmeile. In der Lobby und den Zimmern fallen hübsche Details ins Auge: Mahagonimöbel, belgisches Leinen auf den Betten und frische Blumen. Die Aussicht von der Dachterrasse ist eine Freude. **www.waleshotel.com**

Surrey Hotel ❄ 🍴 🏋 $$$$

20 East 76th St, 10021 ☎ *(212) 288-3700* [FAX] *(212) 628-1549* ***Zimmer*** *130* ***Stadtplan*** *17 A5*

Wer für deutlich mehr Platz auch etwas mehr auszugeben bereit ist, sollte im Surrey buchen. Jede Suite hat eine vollständig ausgestattete Küche, wobei die Versuchung durch das bekannte Café Boulud sehr groß ist. Preiswertere Diners und Pizzerien gibt es in der nahen Umgebung. **www.affinia.com**

Carlyle ❄ 🍴 🏋 🍸 $$$$$

35 East 76th St, 10021 ☎ *(212) 744-1600* [FAX] *(212) 717-4682* ***Zimmer*** *187* ***Stadtplan*** *17 A5*

In den eleganten Zimmern des legendären Hotels fühlt man sich schnell wie ein echter Upper Eastsider. Den phänomenalen Service schätzen auch Staatsmänner und Filmstars. Zum Nachmittagstee kommen New Yorker Gesellschaftsgrößen. Hier findet man wahren New Yorker Glanz und Glamour. **www.thecarlyle.com**

Stadtplan *siehe Seiten 394–425*

Sherry-Netherland 🖼️ 🔢 ♿ 🍴 $$$$$
781 Fifth Ave, 10022 ☎ *(212) 355-2800* FAX *(212) 319-4306* **Zimmer** *50* **Stadtplan** *12 F3*

Weniger bieder als The Pierre nebenan, hat dieses altmodische Hotel in New York City Maßstäbe gesetzt. Die Suiten sind von beachtlicher Größe, der Service ist perfekt. Frühstück im Cipriani's ist im Preis inbegriffen, allerdings sorgen die Broker der Wall Street hier für viel morgendliche Hektik. **www.sherrynetherland.com**

The Pierre 🖼️ 🔢 ♿ 🍴 $$$$$
2 East 61st St, 10021 ☎ *(212) 838-8000* FAX *(212) 940-8109* **Zimmer** *203* **Stadtplan** *12 F3*

Das freundliche Personal lässt das elegante Haus nicht allzu einschüchternd wirken. Die Inneneinrichtung ist beeindruckend, die Zimmer wirken dagegen fast gemütlich. Das livrierte Personal kommt beim Adel natürlich sehr gut an. Bar und Restaurant sind gleichermaßen empfehlenswert. **www.tajhotels.com/pierre**

UPPER WEST SIDE

Amsterdam Inn $
340 Amsterdam Ave, 10024 ☎ *(212) 579-7500* FAX *(212) 545-0103* **Zimmer** *25* **Stadtplan** *15 C5*

Alle Zimmer des preiswerten Hotels sind in gutem Zustand, manche sind jedoch ziemlich klein. Man hat die Wahl zwischen eigenem Bad und Gemeinschaftsbad. Manche Doppelzimmer bestehen aus einem schmalen Bett und einem Klappbett – fragen Sie deshalb vorher nach der Ausstattung. **www.amsterdaminn.com**

Hostelling International – New York 🔁 $
891 Amsterdam Ave, 10025 ☎ *(212) 932-2300* FAX *(212) 932-2574* **Zimmer** *628* **Stadtplan** *20 E5*

Wer das gigantische Haus betritt, fühlt sich sofort in seine Schulzeit zurückversetzt, und tatsächlich wirkt hier alles wie in einem Studentenwohnheim. Dazu gehören freilich auch die vielen Annehmlichkeiten: Cafeteria, Spielraum, Wäscherei, Internet-Zugang und Picknicktische. **www.hinewyork.org**

Hotel Newton 🖼️ ♿ $
2528 Broadway, 10025 ☎ *(212) 678-6500* FAX *(212) 678-6758* **Zimmer** *110* **Stadtplan** *15 C2*

Das gut geführte Hotel bietet mit sauberen, hübschen Zimmern und tadellosen Bädern ein ausgezeichnetes Preis-Leistungs-Verhältnis. Es gibt einige Vierbett-Zimmer. Der Service ist freundlich und professionell. Entlang dem Broadway gibt es zahllose Restaurants. **www.thehotelnewton.com**

Jazz on the Park $
36 West 106th St, 10025 ☎ *(212) 932-1600* FAX *(212) 932-1700* **Zimmer** *220* **Stadtplan** *21 A5*

Hier tobt das Leben in der ansonsten eher verhaltenen Upper West Side. Im geschäftigen Café gibt es oft Live-Musik. Die Gästezimmer und Bäder des Hotels sind sehr schlicht gehalten. Das Publikum ist international. Die Gegend wird von Jahr zu Jahr schicker und voller. **www.jazzonthepark.com**

West End Studios 🔁 $
850 West End Ave, 10025 ☎ *(212) 749-7104* FAX *(212) 865-5130* **Zimmer** *85* **Stadtplan** *15 B1*

Nur ein paar Blocks vom Riverside Park entfernt liegt das preiswerte Hotel in einer Wohngegend, zu den wichtigen Subway-Linien ist es allerdings ein gutes Stück. Die teilweise sehr kleinen Zimmer mit Gemeinschaftsbädern sind schlicht gehalten. Im Familienzimmer stehen zwei Betten und ein Stockbett. **www.westendstudios.com**

6 Columbus Hotel 🔁 🔢 $$
6 Columbus Circle, 10019 ☎ *(212) 445-0200* FAX *(212) 246-3131* **Zimmer** *88* **Stadtplan** *12 D3*

Unter neuer Leitung und nach umfangreicher Renovierung hat das Hotel mit Boutique-Charakter einen 1960er-Jahre Touch erhalten. Neben einer Dach-Lounge gibt es nun auch ein Restaurant und eine Bar im Haus. Die Bäder sind klein, aber komfortabel. Im Time Warner Center kann man gut einkaufen. **www.thompsonhotels.com**

Belleclaire Hotel 🖼️ ♿ 🍴 $$
250 West 77th St, 10024 ☎ *(212) 362-7700* FAX *(212) 362-1004* **Zimmer** *180* **Stadtplan** *15 C5*

Die Zimmer des renovierten Hotels sind einfach, aber angemessen eingerichtet. Die Bäder sind klein, die preiswerteren Zimmer teilen sich das Bad. Für Familien steht eine Suite zu Verfügung. Seine Lage unweit der wichtigen Subway Linien macht das Belleclaire zur guten Ausgangsbasis. **www.hotelbelleclaire.com**

Hotel Beacon 🖼️ ♿ $$
2130 Broadway, 10023 ☎ *(212) 787-1100* FAX *(212) 724-0839* **Zimmer** *236* **Stadtplan** *15 C5*

Die extragroßen Zimmer und die Waschmöglichkeiten des preisgünstigen Hotels schätzen besonders Familien. Die Zimmer zählen sicher nicht zu den besten der Stadt, bieten aber eine Kochecke und meist Platz für bis zu vier Personen. Für größere Gruppen stehen Suiten mit Badezimmer zur Verfügung. **www.beaconhotel.com**

Milburn 🖼️ ♿ 🍴 $$
242 West 76th St, 10023 ☎ *(212) 362-1006* FAX *(212) 721-5476* **Zimmer** *114* **Stadtplan** *15 C5*

In dem günstigen Suiten-Hotel muss man auf gewohnte häusliche Annehmlichkeiten nicht verzichten. Die großen Zimmer machen fehlenden Stil durch eine gut ausgestattete Kochnische und hübsche Badezimmer wett. Das Personal ist hilfsbereit. Im Haus kann man auch waschen. **www.milburnhotel.com**

Preiskategorien *siehe Seite 280* **Zeichenerklärung** *siehe hintere Umschlagklappe*

Park 79

17 West 79th St, 10024 **(** (212) 787-4900 **FAX** (212) 496-3975 **Zimmer** 106 **Stadtplan** 15 C5

$$

Das intime Hotel liegt in einer hübschen Straße unweit des Central Park und der großen Museen der Upper West Side. Die gut erhaltenen Zimmer haben Mahagonimöbel. Die Badezimmer sind für die Preiskategorie überaus reizvoll. Insgesamt ragt das Hotel in seiner Klasse deutlich heraus. **www.park79.com**

Lucerne

201 West 79th St, 10024 **(** (212) 875-1000 **FAX** (212) 579-2408 **Zimmer** 184 **Stadtplan** 15 C4

$$$

In dem eleganten Gebäude von 1903 ist eines der besten Mittelklassehotels der Stadt beheimatet. Die Zimmer sind überaus gut erhalten und mit Americana-Möbeln ausgestattet. Der Zimmerpreis umfasst ein üppiges Frühstück. In der stilvollen Bar ist Jazz und Blues live zu hören. **www.newyorkhotel.com**

On the Ave

2178 Broadway, 10024 **(** (212) 362-1100 **FAX** (212) 787-9521 **Zimmer** 251 **Stadtplan** 15 C5

$$$

Stil ist alles in diesem modernen Mittelklassehotel. Die Zimmer sind mit Modul-Möbeln in hellen Farben ausgestattet. Vom Dach überblickt man die Stadt. Abgesehen von den De-luxe-Suiten sind manche Zimmer sehr klein. Am Broadway findet man unzählige gute Lokale und Restaurants. **www.ontheave-nyc.com**

Inn New York City

266 West 71st St, 10023 **(** (212) 580-1900 **FAX** (212) 580-4437 **Zimmer** 4 **Stadtplan** 11 C1

$$$$

Luxus der Extraklasse erwartet den Gast in diesem intimen, überaus stilvollen Haus. Das renovierte Stadthaus aus dem 19. Jahrhundert hat nur vier Gästezimmer, denen jeweils ein Thema zugeordnet wurde: Opera, Library, Vermont und Spa. Das köstliche Frühstück wird in der Suite serviert. **www.innnewyorkcity.com**

Mandarin Oriental New York

80 Columbus Circle, 10023 **(** (212) 805-8800 **FAX** (212) 805-8888 **Zimmer** 248 **Stadtplan** 12 D3

$$$$$

Asiatische Pracht hat ihren Preis in diesem spektakulären Hotel. Die Zimmer sind modern ausgestattet, weiter oben bieten sie eine herrliche Aussicht auf Central Park und Hudson River. Die Kureinrichtungen sind hervorragend, aber teuer. Bar und Restaurants bieten ebenfalls eine tolle Aussicht. **www.mandarinoriental.com**

Trump International Hotel & Tower

1 Central Park West, 10023 **(** (212) 299-1000 **FAX** (212) 299-1150 **Zimmer** 167 **Stadtplan** 12 D3

$$$$$

Das moderne Luxushotel wirbt mit seiner Exklusivität, Diskretion und Stilsicherheit. Die kürzlich renovierten Zimmer sind in warmen Farben gehalten und bieten die neuesten technischen Spielereien. Die zwei größten Pluspunkte sind die einmalige Aussicht auf den Central Park und das Restaurant Jean Georges. **www.trumpintl.com**

MORNINGSIDE HEIGHTS UND HARLEM

Morningside Inn Hotel

235 West 107th St, 10025 **(** (212) 316-0055 **FAX** (212) 864-9155 **Zimmer** 96 **Stadtplan** 20 E5

$

Das Hotel ist zwar relativ neu und gut in Schuss, wirkt aber ein wenig wie ein Studentenwohnheim. Tatsächlich eignet es sich am besten für Studenten und junge Reisende. Wer ein teureres De-luxe-Doppelzimmer ergattert, kann sich über ein eigenes Bad und Klimaanlage freuen. Alle Zimmer sind sehr sauber. **www.morningsideinn-ny.com**

Astor on the Park

465 Central Park West, 10025 **(** (212) 866-1880 **FAX** (212) 316-9555 **Zimmer** 80 **Stadtplan** 21 A5

$$

Die günstige Lage am Central Park West auf der Höhe der 107th Street macht die kleinen, einfach ausgestatteten Zimmer wett. Ideal für alle, die sich in New York sowieso nicht allzu lange im Hotelzimmer aufhalten wollen. Die Bäder sind sauber, das Personal ist freundlich. Frühstück ist im Preis inbegriffen.

ABSTECHER: BROOKLYN

Best Western Gregory Hotel Brooklyn

8315 4th Ave, 11209 **(** (718) 238-3737 **FAX** (718) 680-0827 **Zimmer** 70

$$

Das Hotel liegt etwas abseits, doch wer in Brooklyn zu tun hat, trifft mit ihm eine gute Wahl. Die Subway-Station liegt nur wenige Blocks entfernt. Die Zimmer sind zum Teil klein, aber alle in gutem Zustand. Probleme mit dem Service scheinen durch einen Wechsel in der Führung ausgeräumt zu sein. **www.bestwestern.com**

Marriott Brooklyn Bridge

333 Adams St, 11201 **(** (718) 246-7000 **FAX** (718) 246-0563 **Zimmer** 355

$$

Das einzige Hotel in Brooklyn mit komplettem Service bietet sich für Reisende an, die das Viertel interessiert, zugleich aber in der Nähe des Financial District wohnen wollen. Neun große Subway-Linien verkehren in der Nähe. Die Zimmer sind hübsch eingerichtet. Ein großer Fitnessraum mit Pool ist vorhanden. **www.marriott.com**

Stadtplan siehe Seiten 394–425

RESTAURANTS, CAFÉS UND BARS

New Yorker lieben es, zum Essen auszugehen. Über 25 000 Lokale in fünf Stadtbezirken stehen dafür zur Verfügung. Restaurantkritiken in Magazinen wie *New York* und *Where* werden eifrig studiert und ernst genommen. Angesagte Restaurants und Kochstile wechseln häufig, wobei einige Lokale über viele Jahre durchgängig beliebt sind. Die im

Der klassische Manhattan-Cocktail

Folgenden aufgeführten Restaurants gehören zu den besten der Stadt, die Liste auf den Seiten 296–311 erleichtert Ihnen die Entscheidung. Auf den Seiten 312–314 finden Sie Empfehlungen für einen kleinen Imbiss. *New Yorker Bars* auf den Seiten 315–317 stellt Ihnen einige der schillerndsten und bekanntesten Bars der Metropole vor.

SPEISENFOLGE

In den meisten Restaurants besteht das Essen aus drei Gängen: Vorspeise *(appetizer/ starter)*, Hauptgericht *(entrée/ main course)* und Dessert. Außer in Fast-Food-Lokalen gehört es praktisch in allen New Yorker Restaurants zum Service, dass Brötchen und Butter gereicht werden, sobald man am Tisch Platz genommen hat.

Mitunter wird auch unaufgefordert eine kleine Vorspeise serviert, etwa ein Klecks

Hotdog-Stand

Mousse oder ein winziges Stück Quiche. In Nobelrestaurants sind die Vorspeisen meist besonders raffiniert, sodass viele Gäste zwei Vorspeisen und kein Hauptgericht bestellen. Italienische Speisekarten bieten als Zwischengang Pasta an, doch die meisten Amerikaner, die nicht italienischer Abstammung sind, bestellen sie als Hauptgericht. Nach dem Essen wird in allen besseren Lokalen unaufgefordert Kaffee serviert – und zumeist auch unbegrenzt nachgeschenkt.

Einblick in die Speisekarte von vielen Lokalen in Manhattan bietet das Internet (www.menupages.com).

PREISE

Man findet immer ein Lokal in New York, das zum Budget passt. In Imbisslokalen und bei Fast-Food-Ketten bekommt man schon für zehn Dollar eine sättigende Mahlzeit. Zudem gibt es unzählige – mitunter erstklassige – Restaurants, wo man in netter Atmosphäre für etwa 25 Dollar pro Person (ohne Getränke) gut essen kann. In den Spitzenlokalen der New American Cuisine hingegen zahlt man pro Person allein fürs Essen 70 bis 100 Dollar oder mehr. Viele Restaurants der gehobenen Preisklasse bieten allerdings auch Tagesmenüs zu einem Festpreis an – allgemein *prix fixe menu* genannt –, die viel billiger sind als ein Menü à la carte. Mittags *(lunch)* ist das Essen in solchen Lokalen meist preiswerter als abends *(dinner)*. Da viele Gäste auf Geschäftskosten essen gehen, herrscht mittags auch der größte Betrieb.

STEUERN UND TRINKGELD

Zu den auf den Speisekarten ausgewiesenen Preisen kommen noch die Umsatzsteuer von 8,375 Prozent und ein Trinkgeld hinzu: in einem Coffee Shop etwa zehn Prozent, in Edellokalen schon mal bis zu 20 Prozent (durchschnittlich 15 Prozent). Viele New Yorker verdoppeln den Umsatz-

Typisches New Yorker Deli *(siehe S. 312)*

steuerbetrag und passen die Summe dann dem gebotenen Service an.

Die Rechnung heißt *check*. Visa, MasterCard und American Express werden am häufigsten akzeptiert, ebenso Dollar-Reiseschecks. In Imbisslokalen und Coffee Shops zahlt man bar.

PREISWERT ESSEN

Abgesehen von Geschäftsessen, die schon mal 200 Dollar pro Person oder auch mehr kosten dürfen, kann man in New York durchaus preiswert essen.

Bestellen Sie weniger Gänge als üblich: Die Portionen sind häufig riesig, eine Vorspeise reicht oft als leichte Hauptmahlzeit. Vergleichen Sie bei Tagesgerichten *(specials of the day)* die Preise: Häufig sind sie teurer als die Gerichte der Speisekarte.

Fragen Sie, ob es ein verbilligtes *prix fixe menu* gibt; viele teure Restaurants haben sie zum Lunch und Dinner auf der Karte – am frühen Abend heißen sie oft *pre-theater menu*. Üppige und günstige Büfetts bieten indische Lokale oft mittags an.

McSorley's Old Ale House

Eine schnelle und schmackhafte Mahlzeit bekommt man auch in einem der vielen preisgünstigen chinesischen, thailändischen und mexikanischen Restaurants sowie in einigen jüdischen Delis. Pizzerien und Bistros sowie Imbisslokale mit Fish and Chips, gegrillten Hamburgern oder belegten Sandwiches weitere Möglichkeiten, den Hunger preiswert zu stillen.

Gehen Sie in eine Bar mit Happy Hour – das ist eine bestimmte Zeit, zu der verbilligte Preise gelten. Häufig gibt es dort Vorspeisen, etwa spanische Tapas, die praktisch eine Mahlzeit ersetzen. In gute Restaurants geht man am besten zum Lunch: Dann ist es erheblich preiswerter als abends. Wer Luxuslokale nicht nur von außen sehen möchte, nehme dort einfach einen Drink. Die Atmosphäre spielt ohnehin eine größere Rolle als das Essen.

Frühstücken Sie nicht im hoteleigenen Coffee Shop: Er ist teurer als derjenige um die Ecke oder ein Imbisslokal.

Am Pool des Four Seasons (siehe S. 307)

ESSENSZEITEN

Frühstückszeit ist gewöhnlich von 7 Uhr bis etwa 10.30 oder 11 Uhr. Sonntags ist Brunch beliebt. In den meisten besseren Restaurants wird er von etwa 11 bis 15 Uhr serviert. Lunch gibt es meist von 11.30 oder 12 Uhr bis 14.30 Uhr, wobei der Hauptandrang gegen 13 Uhr herrscht. Dinner wird meist ab 17.30 oder 18 Uhr serviert. Die Hauptessenszeit beginnt zwischen 19.30 und 20 Uhr.

Unter der Woche schließen viele Restaurants um 22 Uhr, freitags und samstags gegen 23 Uhr. Einige haben von 11.30 bis 22 Uhr geöffnet, Coffee Shops oft ab 7 Uhr oder sogar 24 Stunden.

Die stilvolle Oyster Bar im Grand Central Terminal (siehe S. 306)

KLEIDUNG

In besseren Restaurants wird erwartet, dass Männer ein Jackett tragen, in Luxusrestaurants herrscht außerdem Krawattenzwang. Ansonsten reicht meist gepflegte Straßen- bzw. Geschäftskleidung.

Viele Frauen ziehen sich für ein Abendessen in einem teuren Restaurant besonders schick an. Welche Kleidung erwünscht ist, kann man durchaus bei der Reservierung erfragen.

RESERVIERUNG

Mit Ausnahme von Imbiss- und Fast-Food-Lokalen ist eine Reservierung empfehlenswert, vor allem am Wochenende. Einige Restaurants, in denen sich die Promis treffen, nehmen nur Reservierungen zwei Monate im Voraus an. In Midtown ist eine Reservierung zum Lunch unerlässlich – und selbst dann sitzt man oft lange wartend an der Bar.

RAUCHEN

Rauchen ist in Bars und Restaurants untersagt. Ausnahmen gelten für familiengeführte Lokale, die spezielle Räumlichkeiten für Raucher haben.

MIT KINDERN ESSEN

Wer mit Kindern unterwegs ist, sollte nach einer speziellen Speisekarte oder nach verbilligten Kinderportionen fragen. Kinder mit gutem Benehmen sind in fast allen Restaurants willkommen. Mit lebhaften Kindern geht man besser nach Chinatown oder in italienische Lokale, in Burger-Bars, Delis, Cafés, Fast-Food- oder Imbisslokale. Einige Restaurants der gehobenen Preisklasse sind auch auf Kleinkinder eingerichtet, Luxusrestaurants eignen sich in der Regel nicht für Kinder.

BEHINDERTE REISENDE

Viele Restaurants haben Tische, die sich auch für Gäste im Rollstuhl eignen, doch empfiehlt es sich, dies bereits bei der Reservierung abzuklären. In Imbisslokalen können Rollstuhlfahrer aus Platzmangel zumeist nicht bewirtet werden.

STARKÖCHE

In New York tummeln sich Spitzenköche aus der ganzen Welt. Alle wollen sie sich hier einen Namen machen und Gäste genauso wie die äußerst einflussreichen Restaurantkritiker der *New York Times* für sich gewinnen.

Ein Essen in einem Spitzenrestaurant ist teuer, aber meist lohnenswert. Um einen Tisch sollte man sich wenigstens zwei Monate im Voraus bemühen. Für manche Restaurants kann man online über Opentable (www.opentable.com) reservieren.

Einige der bekanntesten Namen und Lokale sind: Thomas Keller (Per Se), Daniel Bouley (Daniel), Gordon Ramsay (London NYC), Mario Batali (Babbo), Alain Ducasse (Adour), Nobu Matsuhisa (Nobu New York) und Gray Kunz (Café Gray).

New Yorks kulinarische Vielfalt

Wenige Metropolen bieten eine solche Auswahl an unterschiedlichen Restaurants wie New York. Das kulinarische Angebot der Stadt ist ebenso vielfältig wie ihr kulturelles und ethnisches Erscheinungsbild: von der Haute Cuisine Frankreichs bis zum frischesten Sushi außerhalb Tokyos. Dazwischen liegen karibische, mexikanische, thailändische, vietnamesische, koreanische, griechische, indische und italienische Restaurants. Die Qualität der Spitzen-Gourmettempel ist unübertroffen. Angesichts der vielen Nationalitäten stellt sich die Frage: Welche ist eigentlich die ursprüngliche Küche New Yorks?

Dim Sum

Frische regionale Produkte auf einem Gemüsemarkt

lachs. Der Bagel, das jüdische Hefegebäck in Ringform, wird heute in ganz Amerika gegessen, aber im Vergleich zum wahren New Yorker Bagel sind das nur brotartige Imitate aus der Provinz. Bagels werden mit der Hand geformt, der Teig wird kurz in kochendes Wasser getaucht, bevor er in den Ofen kommt, woraus seine einzigartige Konsistenz resultiert. Ein Verwandter und ebenfalls New Yorker Spezia-

lität ist Bialy, eine flache Rolle mit einer Einkerbung, die mit gerösteten Zwiebeln gefüllt ist. Das beste Gebäck bekommt man in den koscheren Bäckereien der Lower East Side *(siehe S. 92–101)*.

GREENMARKET

Auf den Gemüsemärkten der Stadt trifft man nicht selten den Küchenchef eines bekannten Restaurants persönlich. Unter freiem Him-

ESSEN IM DELI

Die große jüdische Gemeinde New Yorks hat einige Spezialitäten beigetragen, die heute alle mögen. Dazu gehören nahrhaftes Corned Beef und Pastrami-Sandwiches, Mixed Pickles, Heringe, Blintzes und Bagels mit Frischkäse und Räucher-

Pastrami im Roggenbrot

Blintzes

Gurken

Bagels mit Räucherlachs und Frischkäse

Eingelegte Heringe

Typische Angebote in einem New Yorker Deli

NEW YORKER SPEZIALITÄTEN

Obwohl in New Yorks Speiselokalen internationaler als in jeder anderen Stadt gekocht wird, gibt es doch einige Gerichte, die die Metropole für sich beansprucht. Manhattan Clam Chowder, die Muschelsuppe mit Tomaten statt mit Sahne, ist seit ihrer Einführung an den Stränden von Coney Island in den 1880er Jahren beliebt. Das gefragteste Gericht in den Steakhäusern der Stadt ist das New York Strip Steak, ein besonders zartes Lendensteak vom Rind. Der gehaltvolle, cremig-zarte New York Cheesecake wird mit Frischkäse statt mit Ricotta hergestellt. Da die traditionellen, mit Holz beheizten Öfen in New York unpraktisch waren, haben die italienischen Einwanderer Kohleöfen verwendet. Sie sind heute selten, Puristen jedoch essen nur eine solchermaßen zubereitete Pizza.

Pretzels

Manhattan Clam Chowder
Die Muschelsuppe wird mit Tomaten zubereitet und mit Crackern garniert.

Hotdog-Wagen an einer Straßenecke in Manhattan

mel bieten Landwirte aus dem Umland frisches Gemüse und Obst an, aber auch Fleisch, Geflügel und Milchprodukte. Mehr als hundert Restaurants der Stadt kaufen hier ein. Auf dem größten dieser Märkte am Union Square *(siehe S. 129)* verkaufen 70 Händler montags, mittwochs, freitags und samstags ihre Waren.

STREET FOOD

Street Food ist für die schnelllebige Stadt das typischste Essen. Ein Hotdog in die Hand oder eine große weiche *pretzel*, die man dann im Gehen isst, sind in New York am beliebtesten. Es gibt erstaunlich gute Spezialitäten wie Falafel, Suppen, Gegrilltes oder Chili. Im Winter verkaufen fliegende Händler heiße geröstete Maronen.

SOUL FOOD

In Harlem lebt die größte afroamerikanische Gemeinde der USA. Die hiesige Küche hat ihre Ursprünge im Süden des Landes, es gibt z. B. Schweinerippchen,

Lebensmittelladen mit Produkten aus Fernost, Chinatown

Hähnchen, Maisbrot und Süßkartoffeln. Ein beliebtes Gericht in Harlem, Hähnchen mit Waffeln, aßen angeblich die Musiker der Jazzclubs zwischen zwei Auftritten.

ASIATISCHE KÜCHE

Chinesische Restaurants waren lange Zeit in der ganzen Stadt zu finden, in den letzten Jahren haben sie durch thailändische und vietnamesische Restaurants Konkurrenz bekommen. Am meisten haben die Sushi-Bars und japanischen Restaurants vom Siegeszug der asiatischen Küche profitiert.

TRADITIONELLE DELIKATESSEN

Babkas Leicht gesüßtes Hefegebäck.

Blintzes Pfannkuchen, gefüllt mit gesüßtem Frischkäse und/oder Früchten.

Gehackte Leber Hühnerleber mit gehackten Zwiebeln, hart gekochten Eiern und *schmaltz* (Hühnerfett).

Gefilte Fish Klöße aus gehacktem weißem Fischfleisch, in Fischbrühe gegart.

Knishes Teigblätter, gefüllt mit Zwiebeln und Tomaten.

Latkes Puffer aus Kartoffeln, Zwiebeln und Mazzemehl.

Rugelach Gebäck mit Frischkäse, gefüllt mit gehackten Nüssen und Rosinen.

Pizza nach New Yorker Art
Ob mit dickem oder dünnem Teig: Diese Pizza muss im Kohleofen gebacken werden.

New York Strip Steak
Das zarte Steak wird mit Spinat, Pommes frites oder Kartoffelpuffern serviert.

New York Cheesecake
Das Rezept für diesen köstlichen Käsekuchen ist jüdischen Ursprungs.

Restaurantauswahl

Die Restaurants wurden wegen der Qualität des Essens und des guten Preis-Leistungs-Verhältnisses ausgewählt. Die Einträge sind nach Stadtteil, Preisniveau und darin alphabetisch geordnet. Adressen für kleine Mahlzeiten finden Sie auf den Seiten 312–314, einige der besten Bars New Yorks auf den Seiten 315–317.

PREISKATEGORIEN

Der Preis gilt für ein Drei-Gänge-Menü für eine Person, inklusive einem Glas Hauswein und Steuern:

$ unter 25 US-$
$$ 25–40 US-$
$$$ 40–60 US-$
$$$$ 60–80 US-$
$$$$$ über 80 US-$

LOWER MANHATTAN

Les Halles
$$
15 John St zwischen Broadway und Nassau St, 10038 **C** *(212) 285-8585*
Stadtplan 1 C2

Eine auf Paris gestylte Brasserie im Börsenviertel. Das Schwesterlokal des Les Halles in der Park Avenue ist vor allem wegen der Persönlichkeit seines Chefs Anthony Bourdain bekannt. Sehr gut zubereitete, einfache Gerichte wie Muscheln mit Pommes. Ein Eldorado für Steakliebhaber.

Battery Gardens
$$$
Südwestecke des Battery Park, 10004 **C** *(212) 809-5508*
Stadtplan 1 C4

Das früher als American Park at the Battery bekannte Restaurant bietet einen fantastischen Blick über den Hafen, aber der hat seinen Preis. Es gibt hauptsächlich Fisch und Meeresfrüchte, auf mediterrane oder asiatische Art zubereitet. Wenn es warm ist, sollten Sie unbedingt draußen sitzen.

Fraunces Tavern
$$$
54 Pearl St, Ecke Broad Street, 10004 **C** *(212) 968-1776*
Stadtplan 1 C4

Die historische Taverne bewirtet seit 1762 Gäste. Hier verabschiedete sich George Washington am Abend vor seiner Pensionierung 1783 von seinen Offizieren. Auf der Karte stehen klassische Steaks und Fischgerichte, deftige Braten und Suppen. Im Winter kann man sich in der gemütlichen Lounge aufwärmen.

Harry's Café
$$$$
1 Hanover Sq, 10004 **C** *(212) 785-9200*
Stadtplan 1 C3

Das ehemalige Bayard's wurde als gemütliches Steakhouse umgestaltet. Hier kann man ausgezeichnet essen und bekommt sehr guten Wein dazu. Wer weniger ausgeben will, kann aus der »Café«-Speisekarte wählen. Eines der wenigen Lokale bei der Wall Street, das am Wochenende offen hat.

SEAPORT UND CIVIC CENTER

Acqua at Peck Slip
$$$
21–23 Peck Slip, 10038 **C** *(212) 349-4433*
Stadtplan 2 D2

Unter den vielen Touristenfallen am South Street Seaport ragt dieses Restaurant heraus. Serviert werden italienische Gerichte, angepasst an amerikanischen Geschmack, aber aus frischen Bio-Produkten zubereitet. Hier geht es eher gemütlich zu – auch beim Service. Lehnen Sie sich entspannt zurück, und genießen Sie das romantische Ambiente.

Bridge Café
$$$
279 Water St/Dover St, 10038 **C** *(212) 227-3344*
Stadtplan 2 D2

Das uralte, charmante Restaurant gleich unter der Brooklyn Bridge sollten Sie unbedingt besuchen, wenn Sie in der Gegend sind. Wer sich was traut, sollte das Büffelsteak mit Gnocchi probieren. Für die Zurückhaltenden gibt es aber auch einiges – vom Hummer über gegrilltes Gemüse bis zur Platte mit Ziegenkäse.

LOWER EAST SIDE

Grand Sichuan
$
125 Canal St bei der Bowery, 10002 **C** *(212) 625-9212*
Stadtplan 4 E5

Das »Grand« im Namen scheint sich auf die schier endlose Speisekarte zu beziehen: Sichuan, Hunang und »China-food American Style«, dazu alle Arten heißer (und scharfer!) oder kalter Nudel- und Reisgerichte. Viele vegetarische Speisen. Der nachlässige Service und die spartanische Einrichtung sind die Gründe für die niedrigen Preise.

Katz's Delicatessen
🚶 ♿ $
205 East Houston St, 10002 📞 *(212) 254-2246* **Stadtplan 5 A3**

Ein Klassiker in New York City ist dieser jüdische Delikatessenladen, der die besten Pastrami- und Corned-Beef-Sandwiches serviert. Was am Service und der Dekoration gespart wird, schlägt sich in der hohen Fleischqualität und in den günstigen Preisen nieder.

San Loco Mexico
🍽 🚶 $
11 Stanton St, 10002 📞 *(212) 253-7580* **Stadtplan 5 A3**

In diesem Mexikaner findet man kaum ein Gericht über zehn Dollar – preisbewusste New Yorker wissen das zu schätzen und kommen gerne hierher. Alle mexikanischen Klassiker sind zu haben, die hausgemachten Saucen dazu kann man in vier Schärfegraden wählen: *mild, hot, serious* und *stupid*. Es gibt auch gute Desserts.

Teany Café
🚶 ♿ $
90 Rivington St, 10002 📞 *(212) 475-9190* **Stadtplan 5 A3**

Das bekannte Café bietet lauter vegane und vegetarische Sandwiches, Salate und andere Snacks. Die Desserts sind berühmt, etwa die *chocolate peanut butter bomb* oder der warme Rhabarberkuchen. Auch der »afternoon tea service« ist einen Versuch wert. Der Service ist bisweilen etwas unbeholfen.

Il Palazzo
🚶 🚆 $$
151 Mulberry St, 10013 📞 *(212) 343-7000* **Stadtplan 4 F4**

Dies ist einer der wenigen guten Italiener in Little Italy – vor allem, wenn es um den Service geht. Der neue Wintergarten hat das Lokal noch interessanter gemacht. Die hausgemachten Nudeln und Risotti sind immer eine gute – und preiswerte – Wahl. Unter den Desserts finden sich die Standards wie *cannoli* und *tiramisù*.

Joe's Shanghai
🍽 🚶 $$
9 Pell St, 10013 📞 *(212) 233-8888* **Stadtplan 4 F5**

In diesem bekannten Restaurant sollte man keinesfalls die Suppenklößchen mit Krabben und Schweinefleisch versäumen. Diese Spezialität führt an Wochenenden manchmal zu langen Warteschlangen. Der Rest auf der Karte ist weniger interessant, aber immer noch sein Geld wert.

The Orchard
♿ $$$
162 Orchard St, 10002 📞 *(212) 353-3570* **Stadtplan 5 A3**

Ein sehr stylishes Lokal, in dem ein hippes, junges Publikum verkehrt und »New American Food« bestellt. Trotz des gedimmten Lichts schmeckt z. B. das *steak tartare flatbread* ausgezeichnet. Dazu trinkt man Wein, den man hier in jeder Preisklasse auf der Karte findet.

Sammy's Roumanian
🚶 $$$
157 Chrystie St, 10002 📞 *(212) 673-0330* **Stadtplan 5 A4**

Als eines der ersten »Themen-Restaurants« der Stadt bietet Sammy's jüdisch inspirierte Küche, traditionelle Gerichte wie *latkes*, gehackte Leber mit *schmaltz* (Hühnerfett) und eine große Auswahl an Fleischgerichten. Probieren Sie die Knoblauchwurst mit eisgekühltem Wodka.

The Stanton Social
♿ $$$
99 Stanton St, 10002 📞 *(212) 995-0099* **Stadtplan 5 A3**

Die Atmosphäre in diesem Restaurant könnte man mit *groovy and gorgeous* beschreiben. Hier bestellt man verlockende Tapas (Achtung bei der Auswahl: Viele kleine Gerichte addieren sich schnell zu einer hohen Rechnung), trinkt dazu Cocktails und genießt das Ambiente. Samstags und sonntags geschlossen.

The Tasting Room
$$$$
72 East 1st St, 10003 📞 *(212) 358-7831* **Stadtplan 5 A3**

Die Karte dieses kleinen, romantischen Etablissements bietet fantasievolle, tapasähnliche Kleingerichte. Lokale und exotische Zutaten werden gern miteinander kombiniert: zu Kaninchenterrine, Carpaccio von der Flunder, Forelle mit Äpfeln oder Taube mit Walnüssen. Umfangreiche Karte mit amerikanischen Weinen.

WD-50
🚶 ♿ $$$$
50 Clinton St, 10002 📞 *(212) 477-2900* **Stadtplan 5 B3**

Der gefeierte Koch Wylie Dufresne betreibt hier Avantgarde-Cuisine. Die freundlichen und kenntnisreichen Kellner helfen bei der Wahl zwischen gebackener Mayonnaise mit Rinderzunge und *foie gras* mit Basilikum-Grapefruit-Streuseln oder *Nori*-(Seetang-)Karamell. Neungängiges Degustationsmenü.

SoHo und TriBeCa

Peanut Butter & Co.
🚶 $
240 Sullivan St, 10012 📞 *(212) 677-3995* **Stadtplan 4 D2**

In diesem Sandwichlokal sieht man, was man alles mit Erdnussbutter anstellen kann. Die Auswahl ist unglaublich, man findet sogar ein Elvis-Presley-Sandwich. Dazu gibt es Milchshakes und üppig-süße Desserts. Laden Sie Freunde ein, bringen Sie Ihre Kinder mit – bei diesen Preisen fällt's kaum auf.

Stadtplan siehe Seiten 394–425

Pho Pasteur

85 Baxter St, 10013 **(212) 608-3656**   **Stadtplan 4 F5**

Kuscheliges Restaurant im Herzen von Chinatown mit preiswerten, schnellen Nudelgerichten. Eine Empfehlung sind die vietnamesischen Frühlingsrollen mit Salatblättern und Reisnudeln. Die scharfen Gerichte sollten nur wirklich Unerschrockene ordern. Große Auswahl an asiatischen Getränken.

Lombardi's

32 Spring St, 10012 **(212) 941-7994**   **Stadtplan 4 F4**

Das Lombardi's zählt zu den besten Pizzerien der Stadt: Der Holzofen sorgt für knusprig-dünne Fladen, obendrauf ruht bester Mozzarella. Die Karte ist recht überschaubar, essen Sie sich also an der Pizza satt, und erwarten Sie kein Dessert. Nach dem jüngsten Umbau kommt das Essen deutlich schneller auf den Tisch als früher.

Aquagrill

210 Spring St, 10012 **(212) 274-0505**   **Stadtplan 4 D4**

Gelbe Wände, muschelförmige Lampen und bequeme Sitzgelegenheiten bilden den Rahmen für das trendige SoHo-Seafood-Restaurant mit der großen Bar mit rohen Meeresfrüchten (die Austern werden täglich frisch eingeflogen). Der Fisch ist fangfrisch; der warme Oktopussalat ist ein Klassiker.

Balthazar

80 Spring St, 10012 **(212) 965-1414**   **Stadtplan 4 E4**

Das Juwel unter den vielen Lokalen des Restaurantbetreibers Keith McNally ist dank der wunderschönen Brasserie-Atmosphäre, der guten Küche und der vitalen Barszene ein Publikumsrenner. Hier sieht man SoHo-Literaten, VIPs und Urlauber Schulter an Schulter. Zum Lokal gehört auch eine köstliche Bäckerei.

L' Ecole

462 Broadway, 10012 **(212) 219-3300**   **Stadtplan 4 E4**

In diesem kleinen Restaurant in SoHo machen die Studenten des French Culinary Institute ihre Praxisstudien. Es gibt hier unterschiedlichste Menüs; die Zeche ist nicht hoch, bedenkt man die Qualität der Zutaten und die Freundlichkeit des Service. Laden Sie Ihre Freunde hierher ein!

The Harrison

355 Greenwich St, 10013 **(212) 274-9310**   **Stadtplan 4 D5**

Das Haus im Neuengland-Stil mitten in TriBeCa bietet sorgfältig veredelte amerikanische Küche wie etwa Biskuits mit *chorizo* und Muscheln oder knuspriges Hähnchen mit Walnussfüllung. Das Lokal ist bei den 30-Jährigen des Viertels angesagt – und so hat man mit einer langen Schlange vor dem Lokal zu rechnen.

Le Jardin Bistrot

25 Cleveland Place, 10012 **(212) 343-9599**   **Stadtplan 4 F4**

Bei warmem Wetter ist es eine wahre Freude, unter einem Sonnenschirm in diesem SoHo-Garten zu speisen. Das erschwingliche Angebot an französischen Klassikern wie *bouillabaisse*, *coq au vin* oder Muscheln enttäuscht nie. Das Personal ist freundlich, das Ambiente des kleinen Cafés ist ähnlich angenehm wie der Garten.

Lupa

170 Thompson St, 10012 **(212) 982-5089**   **Stadtplan 4 F3**

Informell und viel günstiger als Mario Batalis anderes Restaurant, das Babbo. Die rustikale römische Trattoria serviert elegante Gerichte zu erschwinglichen Preisen: Vorspeisen wie Prosciutto mit Feigen und Pasta wie Tintenfisch-Tagliarini mit Calamari. Vielleicht müssen Sie auf einen Tisch warten – Sie werden es dennoch nicht bereuen.

Odeon

145 West Broadway, 10013 **(212) 233-0507**   **Stadtplan 1 B1**

Das Lokal war eines der ersten, die in den 1980er Jahren in TriBeCa eröffnet haben. Das »Faux-Bistro« serviert gute französisch-amerikanische Gerichte. Das *steak tartare* ist ein Muss, aber auch die Burger sind ihr Geld wert. Die Einrichtung ist unprätentiös, und der Laden ist immer gesteckt voll.

Peep

177 Prince St, 10012 **(212) 254-7337**   **Stadtplan 4 D3**

Singles aus SoHo kommen gerne in das glamuröse Lokal, in dem man leckeres Thai-Essen und exotische Cocktails bekommt. Mittags wird ein *prix fixe menu* angeboten, abends gibt es verlockende *specials*. Seinen Namen hat das Peep wegen der Spiegel auf den Toiletten – keine Sorge, trotz des Namens kann man nicht von außen durchsehen.

Public

210 Elizabeth St, 10012 **(212) 343-7011**   **Stadtplan 4 F3**

Modernes Down-Under-Food mit wirklich innovativen Kreationen: Es gibt Tasmanische Forelle mit Zitronenmarinade oder Neuseeland-Snapper mit *bok choy* und Sesam-Ingwer-Brühe. Versuchen Sie eines der australischen Biere, die hier ausgeschenkt werden.

Danube

30 Hudson St, 10013 **(212) 791-3771**   **Stadtplan 1 B1**

David Bouleys ungewöhnliches TriBeCa-Restaurant bietet leichte »neue österreichische« Küche in landestypischem, jedoch modernem Ambiente. Hier stimmt einfach alles, und das Wiener Schnitzel oder die Spätzle waren nie besser. Nicht ganz billig!

Preiskategorien *siehe Seite 296* **Zeichenerklärung** *siehe hintere Umschlagklappe*

Kittichai ♿ 🍸 $$$$

60 Thompson St, 10012 ☎ *(212) 219-2000* **Stadtplan** *4 D4*

Hochklassiges Thai-Restaurant in einem wunderbaren Raum des 60 Thompson Hotel. *Der* Ort, um gesehen zu werden. Die Karte verlangt die – teure – Wahl zwischen »Thai tapas« wie Crevetten mit Koriandermarinade und traditionellen Speisen wie Suppen, Currys und allen Arten von Seafood.

Nobu ♿ 🍸 $$$$

105 Hudson St, 10013 ☎ *(212) 219-0500* **Stadtplan** *4 D5*

Chefkoch Nobu Matsuhisa bietet ein fantastisches Dinner – für alle, die es sich leisten können und einen Tisch ergattert haben. Auf der Karte stehen Thunfischtatar, diverse Tempuras und eine große Auswahl an Sushi. Der illustre Treffpunkt zieht Promis und Normalsterbliche gleichermaßen an.

Bouley ♿ 🍸 $$$$$

120 West Broadway, 10013 ☎ *(212) 964-2525* **Stadtplan** *1 B1*

Der gefeierte Küchenchef David Bouley bietet hier inspirierte, zeitgenössische Cuisine. Tadelloser Service und kenntnisreiche Sommeliers sorgen für einen perfekten Abend. Zu den Highlights zählen Wildlachs mit Estragonsauce und Hummer mit Tamarindenmarinade und Kokossauce.

Chanterelle ♿ 🍸 $$$$$

2 Harrison St, 10013 ☎ *(212) 966-6960* **Stadtplan** *4 D5*

Seit über 20 Jahren ein Klassiker – und noch immer steht das unprätentiöse Lokal wegen seiner Nouvelle Cuisine und seines hervorragenden Service hoch im Kurs. Ideal für besondere Anlässe, besonders wenn man sich nach einem unvergesslichen Drei-Stunden-Menü sehnt …

Megu 🧒 ♿ 🍸 $$$$$

62 Thomas St, 10013 ☎ *(212) 964-7777* **Stadtplan** *1 B1*

Der letzte Schrei, wenn es um angesagte Japaner geht: Das Megu bietet eindrucksvoll dekorierte Speisen – und das in einer großen Auswahl. Die Zusammenstellung der vorbereiteten Zutaten erfolgt schnell – und gerät oft zu einer echten Show. Vor allem an Wochenenden kann es sehr laut werden.

Greenwich Village

A Salt & Battery 🧒 ♿ $

112 Greenwich Ave, 10011 ☎ *(212) 691-2713* **Stadtplan** *3 B1*

Die besten Fish and Chips auf dieser Seite des großen Teichs – zu Schnäppchenpreisen. Die große Auswahl an Fischgerichten und frei wählbaren Zutaten lohnt den Besuch. Ein Schwesterrestaurant hat in East Village in der Second Avenue Nr. 80 eröffnet.

Corner Bistro ⊠ 🧒 $

331 West 4th St, 10014 ☎ *(212) 242-9502* **Stadtplan** *3 C1*

Es mag nicht jedermanns Geschmack sein, aber das Corner ist Kult: Hier huldigt man den saftigsten, fettesten und dicksten Burgern und dem billigsten Bier der Stadt. Die Warteschlange an der Theke geht manchmal bis auf die Straße hinaus. Das Essen wird auf Papptellern serviert, bündelweise Papierservietten sind gratis.

Cowgirl Hall of Fame 🧒 ▦ $$

519 Hudson St, 10014 ☎ *(212) 633-1133* **Stadtplan** *3 C2*

Purer Südstaaten-Kitsch für alle, die Sehnsucht nach Texas oder Alabama haben. Erwarten Sie keinen großartigen Service, aber freuen Sie sich über billige amerikanische Regionalküche: Grillhähnchen, Apfelkuchen und große Steaks. Ein paar Margaritas helfen die großen Portionen verdauen.

Florent ⊠ 🧒 ▦ $$

69 Gansevoort St, 10014 ☎ *(212) 989-5779* **Stadtplan** *3 B1*

Ein echter Pionier im Meatpacking District: Hier verkehrten die Drag Queens und andere Nachtschwärmer lange bevor *Sex and the City* die Gegend bekannt – und kaputt – machte. Aber im Florent gibt es immer noch gutes französisches Essen zu unschlagbaren Preisen. Bis 2 Uhr nachts geöffnet.

ino ⊠ 🧒 $$

21 Bedford St, 10014 ☎ *(212) 989-5769* **Stadtplan** *4 D3*

Ein kuscheliges, um nicht zu sagen winziges Panini-Café für ein zwangloses Abendessen. Sogar die Modeszene verirrt sich gern hierher – immerhin ist der Laden extrem preiswert. Es gibt auch eine Weinbar mit guten italienischen Tropfen. Der Service könnte allerdings besser sein.

Moustache ⊠ 🧒 $$

90 Bedford St, 10014 ☎ *(212) 229-2220* **Stadtplan** *3 C2*

Orientalische Küche zu Basarpreisen: Es gibt türkische Pizza, Lammfleischgerichte und alle bekannten Vorspeisen. Das Lokal ist klein, meist sehr voll, und daher kann es mit der Bestellung manchmal dauern. Das Schwesterlokal in der East 19th Street Nr. 265 hat einen kleinen Innenhof und deshalb etwas mehr Platz.

Stadtplan *siehe Seiten 394–425*

Pearl Oyster Bar $$
18 Cornelia St, 10014 **((212) 691-8211**   **Stadtplan 4 D4**

Frischeste, hochwertige Waren und ein gutes Gespür für die richtige Würze zeichnen die Pearl Oyster Bar aus. Die Hummerrolle ist der Hit und konkurriert in der Beliebtheit mit den Prince-Edward-Island-Muscheln. Selbst der Service ist hier liebenswert. Zur Hauptzeit muss man allerdings mit Warteschlangen rechnen.

Westville $$
210 West 10th St, 10014 **((212) 741-7971**   **Stadtplan 3 C2**

Kleines Lokal ohne große Ansprüche, dafür mit preiswerten Gerichten aus der amerikanischen Regionalküche wie Kabeljaufilets, Cheeseburger, Steaks und Ähnlichem. Die niedrigen Preise führen zu großem Andrang, vermeiden Sie also die Stoßzeiten. Das Schwesterlokal im East Village heißt sinnigerweise Eastville.

Blue Ribbon $$$
97 Sullivan St, 10012 **((212) 274-0404**   **Stadtplan 4 D3**

Eine gute Adresse für anständiges französisches Essen wie *beef marrow* und Ochsenschwanz-Chutney, Spareribs und Schnecken. Dazu kommen Paella, Lammgerichte und perfekte Brathähnchen. Bei Öffnungszeiten bis 4 Uhr morgens wird auch noch der späteste Hunger gestillt. Gute Bar.

Blue Ribbon Bakery $$$
33 Downing Street, 10014 **((212) 337-0404**   **Stadtplan 4 D3**

Ein ausgefallenes tapasähnliches Menü aus Käse, kaltem Aufschnitt und fantastischem Brot wird durch Suppen, Salate und *filet mignon*, Entenconfit oder Burger komplettiert. Die gute Weinkarte macht das Lokal zum idealen Ort, um einen gemütlichen Abend mit Freunden zu verbringen.

One $$$
1 Little West 12th St, 10014 **((212) 255-9717**   **Stadtplan 3 B1**

Seafood wird hier großgeschrieben. Man kann portionsweise bestellen, aber auch Platten für mehrere Personen. Allerdings kommt die Szene eher wegen des schicken Ambientes her als wegen des Essens. Es gibt drei verschiedene Lounge Areas – je nach Tagesstimmung kann man sich seine Atmosphäre aussuchen.

Otto $$$
1 Fifth Ave, 10003 **((212) 995-9559**   **Stadtplan 4 E1**

Eine schicke – und teure – Pizzeria des Küchenchefs Mario Batali. Die exzellente Weinkarte und die überwältigende Auswahl an Antipasti treiben die Rechnung schnell in die Höhe. Ein Renner ist die Lardo-Pizza: mit Kräutern aromatisierter Speck auf hauchdünnem Teig. Als Nachtisch könnten Sie Olivenöl-Eiscreme probieren.

Pastis $$$
9 Ninth Ave, 10014 **((212) 929-4844**   **Stadtplan 3 B1**

Das waschechte Pariser Bistro – einer der Gastro-Pioniere im Meatpacking District – bietet französische Qualitätsküche in großen Portionen. Am Wochenende, wenn die Promis zum Schaulaufen kommen, kann es recht laut werden. Guter Wochenend-Brunch. Wenn Sie einen Tisch ergattern können, sollten Sie nicht zögern.

The Spotted Pig $$$
314 West 11th St, 10014 **((212) 620-0393**   **Stadtplan 3 B2**

Im italienisch angehauchten Pub des Briten April Bloomfield wird sich jeder Engländer zu Hause fühlen. Der gemütliche Laden wird abends rasch voll, Sie sollten also rechtzeitig einlaufen. Das Fassbier der Brooklyn Brewery passt hervorragend zum *shepherd's pie*.

Annisa $$$$
13 Barrow St, 10014 **((212) 741-6699**   **Stadtplan 3 C2**

Die innovative Küche mit frischen Zutaten, das intime Ambiente und der aufmerksame Service rechtfertigen die hohen Preise. Die Fisch- und Fleischgerichte haben einen asiatischen Touch: mit Miso marinierter Saibling in Bonitobrühe oder Schweinebäckchen mit Karamellkruste und Lotoswurzeln.

Babbo $$$$
110 Waverly Place, 10011 **((212) 777-0303**   **Stadtplan 4 D2**

Die Lage in einem 100-jährigen Greenwich-Village-Doppelhaus mit großer Treppe und Oberlicht sowie die einfallsreiche, herzhafte italienische Küche des herausragenden Küchenchefs Mario Batali machen Babbo zu einem der beliebtesten Italiener der Stadt. Reservieren Sie weit im Voraus. Auf der oberen Etage geht es ruhiger zu.

Blue Hill $$$$
75 Washington Place, 10011 **((212) 539-1776**   **Stadtplan 4 E4**

Das gemütliche Greenwich-Village-Restaurant ist für seine einfallsreiche modern-amerikanische Küche bekannt, die frische Produkte der Saison verwendet. Die beiden Küchenchefs lernten bei David Bouley. Die Preise sind durchaus gerechtfertigt. Probieren Sie pochierten *foie gras* oder Berkshire-Schwein mit Kastanien.

Da Silvano $$$$
260 Sixth Ave, 10014 **((212) 982-2343**   **Stadtplan 4 D3**

Das toskanische Restaurant ist in der Hauptsache wegen der hier verkehrenden Celebrities bekannt. Die Karte bietet eine große Auswahl an Antipasti, Fisch, Salaten und traditionellen Gerichten wie Lammragout und Kaninchen. Im Sommer kann man wunderbar draußen sitzen.

Preiskategorien *siehe Seite 296* **Zeichenerklärung** *siehe hintere Umschlagklappe*

One if by Land, Two if by Sea

                                             🚫🎵🍸 $$$$

17 Barrow St, 10014 📞 *(212) 228-0822*   **Stadtplan 3 C3**

Das zauberhafte Greenwich-Village-Haus verströmt Romantik pur. Die elegante moderne Küche wird bei Kerzenschein, Blumen und Pianomusik serviert. Wenn Sie etwas zu feiern haben oder gar einen Heiratsantrag machen möchten … hier sind Sie richtig.

Spice Market

                                              🚫 $$$$

403 West 13th St, 10014 📞 *(212) 675-2322*   **Stadtplan 3 B1**

Küchenchef Jean-Georges Vongerichten bietet in seinem wunderschönen Lokal asiatisch inspiriertes »Street Food« an. In gediegener Clubatmosphäre entspannen sich die Reichen und die Schönen (auch das Personal scheint nach diesem Kriterium ausgesucht) und schlürfen Cocktails. Die Auswahl von der Karte ist ein Glücksspiel.

Gotham Bar & Grill

                                         🚫🍸 $$$$$

12 East 12th Street, 10003 📞 *(212) 620-4020*   **Stadtplan 4 E1**

Chefkoch Alfred Portale ist bekannt für seine »vertikale Küche«: kunstvolle Schichten köstlicher, moderner Gerichte. Der luftige Raum mit Säulen schafft eine Stimmung, die elegant und leger zugleich ist. Das dreigängige Tagesmenü zu 25 Dollar ist in den meisten Fällen ein guter Griff.

EAST VILLAGE

Blue 9 Burger

                                            📋🚹🚫 $

92 Third Ave, 10003 📞 *(212) 979-0053*   **Stadtplan 4 F1**

Köstlich gegrillte Hamburger zu sehr günstigen Preisen bekommt man im East Village, auch ohne ein gesichtsloses Kettenrestaurant aufzusuchen. Zu den Fritten wird hier Mango-Chili-Sauce angeboten. Das Ganze kann man dann im nahen Park verzehren und dabei den New Yorkern beim Flanieren zusehen.

Caracas Arepa Bar

                                                🚹 $

91 East 7th St, 10009 📞 *(212) 228-5062*   **Stadtplan 5 A2**

Ein mit Kitsch angefülltes Restaurant, exzellentes venezolanisches Fast Food und ein manchmal etwas langsamer Service kennzeichnen die Caracas Arepa Bar. *Arepas* (Maisfladen mit verschiedenen Füllungen), Sandwiches und *Tamales* machen satt und das Portemonnaie nicht leer. Die Räumlichkeiten sind winzig.

Dumpling Man

                                            📋🚹 $

100 St. Mark's Place, 10009 📞 *(212) 505-2121*   **Stadtplan 5 A1**

Die kleine, angesagte Bar im East Village bietet Klöße in jeder denkbaren Variante. Sowohl der Barkeeper mit seinen Flaschen als auch der Koch mit seinen gedämpften und frittierten Schätzen liefern eine perfekte Show. So viel Essen und Unterhaltung kriegen Sie sonst nirgends zu diesem Preis.

Minca

                                              📋🚹 $

536 East 5th St, 10009 📞 *(212) 505-8001*   **Stadtplan 5 B2**

Der letzte Schrei im East Village sind Nudelbars. Im Minca gibt es japanisch inspirierte Schnellgerichte, die in keinster Weise an die Fünf-Minuten-Terrine aus der Mikrowelle erinnern. Die Riesenauswahl an Nudeln mit Rind, Schwein oder vegetarisch wärmt einen nach einem Boutiquenbummel durch East Village zuverlässig wieder auf.

Counter

                                                🚹 $$

105 First Ave, 10003 📞 *(212) 982-5870*   **Stadtplan 5 A2**

Die moderne vegetarische Küche lohnt den Besuch auch für Fleischesser. Der Speiseraum ist äußerst geschmackvoll, die Musik gut, das Essen biologisch und die Weinkarte gut sortiert. Der Service bemüht sich, aufmerksam, aber nicht aufdringlich zu sein.

Great Jones Café

                                                🚹 $$

54 Great Jones St, 10012 📞 *(212) 674-9304*   **Stadtplan 4 F2**

Familienfreundliches, kleines, preiswertes Lokal mit New-Orleans-Küche. Zu den absoluten Rennern gehören Shrimps »po'boys«, *andouille* (Wurst) und *jambalaya*. Die Wände sind mit einer ganzen Reihe scharfer Saucen aus aller Welt gesäumt – also drüber damit übers Essen! Ein Bier hinterher löscht den Brand.

Il Bagatto

                                                🚹 $$

192 East 2nd St, 10009 📞 *(212) 228-0977*   **Stadtplan 5 B2**

Sogar »Uptowners« begeben sich ins East Village, um hier gute italienische Küche zu akzeptablen Preisen zu genießen. Machen Sie sich auf Wartezeiten und hektischen Service gefasst. Aber beim Warten kann man gut mit Leuten aus der Gegend ins Gespräch kommen.

Lil' Frankies

                                            📋🚹🍴 $$

19–21 First Ave, 10003 📞 *(212) 420-4900*   **Stadtplan 5 A2**

Der Pizzaofen hier ist angeblich aus Lavagestein vom Vesuv erbaut. Ob es wahr ist oder nicht – die Pizza ist jedenfalls gut und billig, was viele junge Leute anzieht. Im Hinterhof gibt es einen kleinen Garten. Der Service ist freundlich, wenn auch nicht der allerschnellste.

Stadtplan *siehe Seiten 394–425*

Zum Schneider
107 Avenue C, 10009 📞 *(212) 598-1098*   **Stadtplan 5 B2**

In diesem Biergarten ist das ganze Jahr Oktoberfest. Hier können Sie auch in New York Lederhosen tragen und bei prima Bratwurst entspannen. Am Wochenende kann es sehr voll werden, worunter der Service etwas leidet. Natürlich gibt es eine große Auswahl an Bieren aus aller Welt.

Casimir
103–105 Avenue B, 10009 📞 *(212) 358-9683*   **Stadtplan 5 B2**

Gut besuchtes Bistro im hippen Stadtteil Alphabet City. Authentische französische Küche mit Zwiebelsuppe, Steak und Tartare. Versuchen Sie einen der netten Tische im kleinen Garten zu bekommen, und machen Sie sich auf einen bisweilen etwas langsamen Service gefasst. Nur Bargeld oder American Express.

The Elephant
58 East 1st St, 10003 📞 *(212) 505-7739*   **Stadtplan 5 A3**

Eine thailändisch-französische Melange mit nettem Publikum und ebensolchen Kellnern. Die Thai-Cocktails sind ausgefallen und alle wunderbar, die Wok-Gerichte exzellent. Probieren Sie Reis mit Huhn und Schwein oder Entenbrust mit Orangenconfit und Zimt.

The Mermaid Inn
96 Second Ave, 10003 📞 *(212) 674-5870*   **Stadtplan 5 A2**

Angesagtes Seafood-Restaurant der Inhaber des Harrison in TriBeCa und des Red Cat in Chelsea. Die Bar zieht viel Jungvolk an, die Küche serviert New-England-Gerichte wie Hummersandwiches und Muschelsuppe. Da keine Reservierungen angenommen werden, kann es zu langen Schlangen kommen.

La Palapa
77 St. Marks Place, 10003 📞 *(212) 777-2537*   **Stadtplan 5 A1**

Ein richtig guter Mexikaner: Originale Gerichte und geschmackvolles Dekor machen das Abendessen zur Fiesta. Für das, was geboten wird, ist das Lokal recht preiswert, und großartige Margaritas bekommt man hier auch. Empfehlenswert: Kabeljaufilet »Zihuatanejo style« oder Ente in *black mole sauce*.

Seymour Burton
511 East 5th St, 10009 📞 *(212) 260-1333*   **Stadtplan 5 B2**

Das frühere französische Bistro (Le Tableau) wurde von den neuen Besitzern umgestaltet und bietet nun moderne amerikanische Küche. Die zentrale lange Tafel, die bis zur offenen Küche reicht, verstärkt die gemütliche Atmosphäre, zu der auch das freundliche Personal nicht unwesentlich beiträgt. Eklektisches Weinangebot.

Hearth
403 East 12th St, 10009 📞 *(212) 602-1300*   **Stadtplan 5 A1**

Ein toskanisch-amerikanisches Restaurant mit Qualitätsküche und dörflich-romantischem Ambiente. Küchenchef Marco Canora bietet interessante Gerichte wie *ribollita* (Bohnen-Gemüse-Suppe), Rehfleisch und Olivenölkuchen. Empfehlenswertes Degustationsmenü.

Jewel Bako
239 East 5th St, 10003 📞 *(212) 979-1012*   **Stadtplan 4 F2**

In der Schlacht um New Yorks bestes Sushi hat dieses japanische Nobelrestaurant eine neue Runde eröffnet: fangfrischer Fisch, wunderschön arrangiert. Der mitunter launische Service und die extrem kleine Auswahl trüben das Bild etwas. Gleich um die Ecke gibt es ein etwas weniger anspruchsvolles Sushi-Restaurant.

GRAMERCY UND FLATIRON DISTRICT

Ahn
363 3rd Ave, 10016 📞 *(212) 532-2848*   **Stadtplan 9 B4**

Köstliche Gerichte aus Vietnam werden hier von freundlichen Kellnern serviert, etwa im Tonofen gebackenes Ingwerhuhn. Die Einrichtung ist zwar nicht weiter erwähnenswert, trotzdem ist die Atmosphäre angenehm. Mittags gibt es besonders preisgünstige Angebote.

Chat 'n' Chew
10 East 16th St, 10003 📞 *(212) 243-1616*   **Stadtplan 8 F5**

Ein preiswerter Imbiss mit hochklassig-kitschigem Ambiente in der Gegend des Union Square. Im Angebot sind Cheeseburger, ein Erntedank-Dinner (das ganze Jahr über) mit gebratenem Truthahn und Hackbraten. Dazu gibt es leckeren Kartoffelbrei und wechselnde Kuchen zum Dessert. Gut zum Brunchen.

Blue Smoke
116 East 27th St, 10016 📞 *(212) 447-7733*   **Stadtplan 9 A3**

Danny Meyer bietet in seinem angesagten Etablissement Südstaaten-Barbecue: Dazu gehören z. B. Schweinebauch-Sandwiches, Spareribs und Vollkorn-Muffins. Hier ist auch ein Jazzclub zu Hause. An der riesigen Bar – ein gemütlicher Treffpunkt für große Gruppen – wird Bier aus den ganzen USA ausgeschenkt.

Preiskategorien *siehe Seite 296* **Zeichenerklärung** *siehe hintere Umschlagklappe*

evi
East 18th St, 10003 ☎ (212) 691-1300   **Stadtplan 8 F5**

gesagter Neuling in der Restaurantszene. Die Küchenchefs Suvi Saran und Hemant Mathur servieren authentische dische Regionalküche in einem Lokal voller Stoffe und Schnitzereien. Es gibt Lammschnitzel aus dem Tandoori mit rsichchutney oder scharfe Shrimps. Ein Tipp für Vegetarier: Der Blumenkohl ist delikat.

Trulli
2 East 27th St, 10010 ☎ (212) 481-7372   **Stadtplan 9 A3**

tiker überschlagen sich mit Lobeshymnen auf dieses Gramercy-Restaurant. Speisen der süditalienischen Region glia und eine beachtliche Weinkarte (die Enoteca I Trulli nebenan hat noch mehr Weine). Im Winter gibt es minfeuer, im Sommer Tische im Garten. Man kann die Weine vor der Bestellung probieren.

re Food and Wine
Irving Place, 10003 ☎ (212) 477-1010   **Stadtplan 9 A5**

w Yorks erstes Restaurant, das sich der veganischen Rohkost verschrieben hat – kein Gericht wird auf mehr als °C erhitzt. Alles wird mit ausgesuchter Sorgfalt behandelt und zubereitet. Unter anderem gibt es Kokosnuss- deln, Samosas mit Blumenkohl und eine Amaranth-Pizza mit Auberginenmus.

marind
–43 East 22nd St, 10010 ☎ (212) 674-7400   **Stadtplan 8 F4**

odernes indisches Restaurant mit minimalistischer Ausstattung, wertvollem Porzellan und freundlichem Service. s Ganze mag teurer sein als bei anderen Indern, aber die Qualität der verwendeten Zutaten und die herrlichen würze versetzen Sie direkt auf den Subkontinent. Die Kellner helfen bei der Weinauswahl.

aft
East 19th St, 10003 ☎ (212) 780-0880   **Stadtplan 9 A5**

chentalent Tom Colicchio aus der Gramercy Tavern legt Wert auf höchste Qualität, absolut frische Zutaten von einen, spezialisierten Bauern und Lieferanten. Das Resultat lässt die Kritiker jubeln. Wer sich die Mühe machen will, nn sich sein Menü aus den vorbereiteten Zutaten individuell zusammenstellen lassen.

eur de Sel
East 20th Street, 10003 ☎ (212) 460-9100   **Stadtplan 8 F4**

armantes modernes französisches Restaurant unter Küchenchef Cyril Renaud, das früher von David Bouley geleitet urde. Die kleine Karte verrät außerordentliche Sorgfalt bei Auswahl und Zusammenstellung, der Service setzt das anze perfekt um. Ideal für einen wirklich gepflegt-romantischen Abend.

esa Grill
2 Fifth Ave, 10011 ☎ (212) 807-7400   **Stadtplan 8 F5**

arkoch Bobby Flay ist ein Meister der Südweststaaten-Küche, kreative Gerichte wie gebratener Kürbis und Chili- ppe oder Hühnchen mit Kümmelkruste locken seit 1991 die Gäste hierher. Auch die Maismuffins sind ein Genuss. der oberen Etage geht es ruhiger zu.

bla
Madison Ave, 10010 ☎ (212) 889-0667   **Stadtplan 9 A4**

stklassiges indisches Restaurant mit zeitgemäßem amerikanischem Einschlag, geführt von Küchenchef Floyd rdoz. Ein eleganter Speiseraum schafft das passende Ambiente für das üppige Festpreismenü. Unter den Gerichten det man knusprige Shrimps mit gegrillter Ananas, Kohlrabi und Lamm mit Kichererbsenspätzle und Aprikosen.

cqueville
East 15th St, 10003 ☎ (212) 647-1515   **Stadtplan 8 F5**

eses gut versteckte gastronomische Juwel am Union Square bietet französische Küche mit japanischem Einschlag – s Ganze in einfachen, aber eleganten und intimen Räumlichkeiten. Küchenchef Marco Moreira verwendet erst- ssige Zutaten. Ein großartiges Erlebnis, für das man nicht unbedingt einen Kredit aufnehmen muss.

nion Square Café
East 16th Street, 10003 ☎ (212) 243-4020   **Stadtplan 9 A5**

s erste Restaurant des Gastronomen Danny Meyer gehört seit 1985 zu New Yorks beliebtesten – wegen der deli- ten Gerichte, des angenehm legeren Ambientes und des freundlichen Personals. Michael Romano interpretiert erikanische Standards neu und verwendet dazu frischeste Zutaten vom Union-Square-Markt.

ramercy Tavern
East 20th St, 10003 ☎ (212) 477-0777   **Stadtplan 9 A5**

w Yorks unprätentiösestes Nobelrestaurant mit Balken, Antiquitäten und dem rustikalen Ambiente eines Land- sthofs. Freundliches, kenntnisreiches Personal serviert die einfallsreiche, hochgepriesene amerikanische Küche von m Colicchio. Für den preisgünstigeren Tavern Room ist keine Reservierung nötig.

eritas
East 20th St, 10010 ☎ (212) 353-3700   **Stadtplan 9 A5**

eines, auf Wein spezialisiertes Restaurant im Flatiron District. Die Sommeliers beraten bei der Auswahl aus den er 2700 angebotenen edlen Tropfen. Die Küche von Scott Bryan ist dem Keller ebenbürtig: Es gibt foie gras mit magnacsauce und geschmortes Kalb mit Steinpilzen. Nur Festpreismenüs.

Stadtplan siehe Seiten 394–425

CHELSEA UND GARMENT DISTRICT

Empire Diner $$$

210 Tenth Ave, 10011 **(** *(212) 243-2736* **Stadtplan** 7 C4

Ein ansprechendes Art-déco-Restaurant mit Essen von gehobenem Standard rund um die Uhr. Hier bekommen die nachtaktiven Raver auch noch um 4 Uhr morgens ihre Kalorienbomben. In den Sommermonaten empfiehlt es sich, seinen Kaffee an den Tischen am Gehsteig zu nehmen. Beliebter Brunch.

Bottino $$$

246 Tenth Ave, 10001 **(** *(212) 206-6766* **Stadtplan** 7 C4

Ein 100 Jahre alter Eisenwarenladen inmitten der Galerieszene Chelseas wurde in ein modern-minimalistisches Lokal mit Möbeln von Eames, Knoll und Bertoia verwandelt. Bottino zieht eine stilvolle Gästeschar an, die hier norditalienische Küche und das Essen im Garten (im Winter überdacht) genießt.

The Red Cat $$$

227 Tenth Ave, 10011 **(** *(212) 242-1122* **Stadtplan** 7 C4

Rote Bänke und rote Teller geben dem modernen Restaurant ein gemütliches Flair. Das Lokal ist stilvoll, freundlich und bietet erstklassige New-England-Küche. Probieren Sie auf jeden Fall die knusprig gebratenen Austern, den Barsch in Weißweinbutter und das exzellente Risotto mit Blaubeeren.

Sueños $$$

311 West 17th St, 10011 **(** *(212) 243-1333* **Stadtplan** 8 D5

Traditionelle mexikanische Regionalküche in einem bunten, mittelgroßen Lokal. An der Bar wird man mit allen Sorten Tequila und Margarita versorgt, die fantasievolle Küche sorgt für die nötige Grundlage. Die Preise liegen etwas über dem Durchschnitt, aber das Ergebnis ist es wert.

Buddakan $$$$

75 Ninth Ave, 10011 **(** *(212) 989-6699* **Stadtplan** 8 D5

Der Betreiber Stephen Starr stammt aus Philadelphia und wiederholt hier in New York seinen Erfolg mit einer Reihe von Lokalen. Das Buddakan ist eines der schönsten, mit einem atemberaubenden Hauptspeisesaal und einer Reihe kleinerer Räume. Serviert wird leckere asiatische Fusion-Cuisine. Lebhafte Barszene.

Matsuri $$$$

369 West 16th St, 10011 **(** *(212) 243-6400* **Stadtplan** 8 D5

Im riesigen – und lauten – Speisesaal des Maritime Hotel bietet Chefkoch Tadashi Ono japanische Gerichte erster Qualität wie Kobe-Rind und süße Shrimps. Dazu kommen eine große Sake-Weinkarte und eine gigantische *yuzu crème brûlée* mit Zitronengeschmack. Hohe Dichte von Manolo-Blahnik-Schuhen.

THEATER DISTRICT

Burger Joint im Le Parker Meridien $

119 West 56th St, 10019 **(** *(212) 708-7414* **Stadtplan** 12 E3

Das herrlich kitschige Lokal im Hotel Le Parker Meridien serviert frische Burger, Fritten, Milchshakes, Bier und mehr – und alles ist unschlagbar billig. An dem hinter den Vorhängen der Hotellobby versteckten Restaurant gibt es kaum etwas zu kritisieren – alle Fast-Food-Ketten könnten sich das Lokal zum Vorbild nehmen.

Carve Unique Sandwiches $

760 Eighth Ave, 10036 **(** *(212) 730-4949* **Stadtplan** 12 D5

Ein relativ neuer, kleiner Laden, der zu niedrigen Preisen alle Sandwich-Träume wahr werden lässt. Auf der Karte gibt es sogar einen Bereich für Anhänger der Low-Carb-Diät – ohne Brot, Nudeln, Reis. Während der Mittagszeit kommt es zu langen Warteschlangen.

Pam Real Thai Food $

404 West 49th St, 10019 **(** *(212) 333-7500* **Stadtplan** 11 C5

Wenn Sie auf der Suche nach einem guten, preiswerten Thailänder in der Gegend sind und sich um das Ambiente nicht groß scheren, dann sind Sie hier richtig. Es gibt das übliche Angebot an Currys, Suppen und Nudelgerichten, alles in verschiedenen Schärfegraden. In Stoßzeiten lange Wartezeiten.

Carnegie Deli $$

854 Seventh Ave, 10019 **(** *(212) 757-2245* **Stadtplan** 12 E4

Man muss oft Schlange stehen, um eines der unglaublich riesigen Sandwiches oder den herrlichen Käsekuchen des Carnegie Deli zu ergattern. Das Warten lohnt sich, und bei den angebotenen Portionen muss man sich ja auch nicht sofort wieder hinten anstellen.

Preiskategorien *siehe Seite 296* **Zeichenerklärung** *siehe hintere Umschlagklappe*

Norma's

18 West 57th St, 10019 ☎ (212) 708-7460

Stadtplan 12 E3

Eine gute Adresse für Frühstück oder Brunch ist das Norma's im Parker Meridien Hotel. Die umfangreiche und kreative Speisekarte erfüllt alle Begierden. Nicht billig, aber dafür hält das Ganze für eine Weile vor. Sehr familienfreundlich. An Wochenenden können die Schlangen am Büfett recht lang sein.

Virgil's Real Barbecue

152 West 44th St, 10036 ☎ (212) 921-9494

Stadtplan 12 E5

Das große Restaurant bietet in Sachen Barbecue-Stile eine Reise durch den Süden der USA, von Memphis über Carolina bis Texas. Es gibt zehn veschiedene Platten mit Rind-, Schweine- und Geflügelfleisch und entsprechenden Saucen. Dazu isst man lockere Buttermilch-Biscuits mit Honigbutter, Kohl und andere Südstaaten-Standards.

Becco

355 West 46th St, 10036 ☎ (212) 397-7597

Stadtplan 11 D5

Küchenchefin Lidia Bastianich ist Miteigentümerin dieser *trattoria*, die eine gute Auswahl an Antipasti, Salaten, Pasta und Hauptgerichten anbietet – darunter auch leichte *pre-theater menus*. Die 25-Dollar-Weine auf der Karte bieten ordentlich was fürs Geld; wer Besseres will, kann sein Budget auch stärker belasten.

Marseille

630 Ninth Ave, 10036 ☎ (212) 333-3410

Stadtplan 12 D5

Entgegen aller Unkenrufe kann man im Theater District auch gut essen, z. B. in diesem romantischen mediterranen Restaurant. Viele vegetarische Optionen, Gerichte mit modernem Einschlag, etwa Tiramisu von Erdnussbutter. Sehr freundliche Bedienung. Im Keller gibt es eine Bar, das Kemia.

Molyvos

871 Seventh Ave, 10019 ☎ (212) 582-7500

Stadtplan 12 E4

John Livanos stammt aus dem Fischerdorf Molyvos, und er dürfte mit diesem Restaurant im Theater District seine Heimat stolz gemacht haben. Hier wird erstklassige griechische Küche zur Haute Cuisine. Die Preise liegen etwas über dem Durchschnitt, es gibt aber ein durchaus erschwingliches Menü.

Osteria al Doge

142 West 44th St, 10036 ☎ (212) 944-3643

Stadtplan 12 E5

Geschäftsleute zur Mittagszeit und Theaterbesucher am Abend schätzen die venezianische Küche in einem rustikalen Speisesaal. Der Service ist kompetent und herzlich. Die Karte bietet Pizza, Salate, Carpaccio und frische Pasta – alles in höherer Qualität als sonst in diesem Viertel.

Le Rivage

340 West 46th St, 10036 ☎ (212) 765-7374

Stadtplan 12 D5

Das vor allem bei Theaterbesuchern beliebte Le Rivage bietet ausgezeichnete französische Gerichte. Auch wenn alle Tische besetzt sind, gelingt es dem Team, alle Gäste bis zum Theaterbeginn um 20 Uhr perfekt umsorgt zu haben. Das Dekor ist ein wenig abgenutzt. Die Preise, darunter ein Spätmenü für 35 Dollar, sind durchaus moderat.

Blue Fin

1567 Broadway, 10036 ☎ (212) 918-1400

Stadtplan 12 E5

Das Fischrestaurant mit seiner einfachen Sushi-Bar gehört zu den angesagtesten Adressen in der Gegend. Das zweigeschossige Lokal ist immer voll – und damit laut, was zum Teil auch auf die Live-Musik zurückzuführen ist. Wenn Sie Ihr Spesenkonto leeren müssen: nur hereinspaziert.

db Bistro Moderne

55 West 44th St, 10036 ☎ (212) 391-2400

Stadtplan 8 F1

In diesem belebten Midtown-Restaurant greift man gern zu *foie gras* oder zum Burger mit in Wein geschmortem Sirloin-Rind (für 29 Dollar!). Küchenchef Daniel Boulud steht für experimentierfreudige Haute Cuisine – und dafür sind die Preise sogar einigermaßen angemessen.

Esca

402 West 43rd St, 10036 ☎ (212) 564-7272

Stadtplan 8 D1

Starkoch Mario Batali hat mit diesem Seafood-Restaurant einen Riesenerfolg. Er bereitet köstliche Meeresfrüchte mit süditalienischer Note zu – und alles aus besten Zutaten. Bei schönem Wetter sitzt man im Patio. Das einzige Problem ist die Tischreservierung …

Osteria del Circo

120 West 55th St, 10019 ☎ (212) 265-3636

Stadtplan 12 E4

Die Söhne Sirio Maccionis, des Besitzers von Le Cirque, schufen hier ihren eigenen Zirkus mit Fahnen, Jongleuren und frechen Affen. Sie bieten leckere toskanische Gerichte nach Mutter Egidianas Rezepten. Lassen Sie Platz für die Desserts; die Profiteroles sind exzellent!

Triomphe

49 West 44th St, 10036 ☎ (212) 453-4233

Stadtplan 12 F5

Hier hat man die Chance, sich vom Trubel des Times Square zu erholen. In dem französischen Restaurant im Hotel Iroquois wird hervorragend gekocht und stilvoll angerichtet. Es gibt auch Degustationsmenüs. Gruppen über zehn Personen können das Dinner in einem Nebenraum serviert bekommen und sich dabei einen Film ansehen.

Stadtplan siehe Seiten 394–425

Le Bernardin 🚻📶 $$$$$
155 West 51st St, 10019 📞 *(212) 554-1515* **Stadtplan 12 E4**

Nirgendwo bekommt man besseres Seafood als in diesem luxuriösen französischen Restaurant, das die Art der Fischzubereitung in New York revolutionierte und als eines der besten Restaurants der USA gilt. Küchenchef Eric Ripert scheint keine Kritiker zu haben. Die Perfektion hat ihren Preis, doch das Essen wird Ihnen in Erinnerung bleiben.

Gordon Ramsay 🚻📶 $$$$$
151 West 54th St, 10019 📞 *(212) 468-8888* **Stadtplan 12 E4**

Der britische Küchenchef Gordon Ramsay gilt zwar als wagemutig, doch sein erstes Lokal in den USA präsentiert sich eher dezent. 45 Plätze hat das angenehme Restaurant im London NYC Hotel, serviert wird feine französische Küche. Das *prix fixe menu* mittags ist ausgesprochen günstig für ein Lokal dieser Klasse. Buchen Sie rechtzeitig!

Milos Estiatorio 🚻♿ $$$$$
125 West 55th St, 10019 📞 *(212) 245-7400* **Stadtplan 12 E4**

Ein erstklassiger Grieche mit frischesten Meeresfrüchten und Fisch, die in einem minimalistisch eingerichteten Lokal serviert werden. Man kann sich seinen Fisch selbst aussuchen; die Tagesgerichte wechseln ständig und orientieren sich nach dem Angebot an erlesener Ware. Zu Recht gehört das Lokal zu den teuersten der Stadt.

LOWER MIDTOWN

Grand Central Oyster Bar 🚻♿ $$$
Grand Central, Untergeschoss, 42nd St, 10017 📞 *(212) 490-6650* **Stadtplan 9 A1**

Im höhlenartigen Untergeschoss des Grand Central gehen Sie auf eine Reise in die Vergangenheit. Der frische Fisch ist recht preiswert, und die Speisekarte listet über ein Dutzend verschiedene Austerngerichte auf. Das Ambiente ist ganz leger, also lassen Sie die Abendgarderobe daheim, und bringen Sie ordentlich Hunger mit.

Riingo 🚻♿ $$$
205 East 45th St, 10017 📞 *(212) 867-4200* **Stadtplan 13 B5**

Superschickes Restaurant im Alex Hotel. Marcus Samuelsson und *chef de cuisine* Johan Svensson bieten eine Synthese von japanischer und schwedischer Küche in beeindruckendem Foodstyling. Probieren Sie die *nigiri-sashimi* mit warmem *foie gras* oder das Kobe-Rind.

Artisanal 🚻♿ $$$$
2 Park Ave, 10016 📞 *(212) 725-8585* **Stadtplan 9 A2**

Käse spielt die unumstrittene Hauptrolle in diesem französischen Bistro – eine ganze Palette kann im Urzustand oder in Fondueform probiert werden. Weniger innige Käsefreunde können zwischen etlichen käsefreien Gerichten wählen. Der Service ist bisweilen etwas unzulänglich.

Asia de Cuba 🚻📶 $$$$
237 Madison Ave, 10016 📞 *(212) 726-7755* **Stadtplan 9 A2**

Vom Balkon aus können Sie Leute beobachten, unten sitzen Sie an riesigen Tischen für 36 Personen. Auf jeden Fall lässt sich hier Philippe Starcks ultramodernes Interieur bewundern. Wie der Name sagt: Es gibt asiatisch-karibische Kombinationen wie Hummer Mai tai und Kabeljau mit Miso.

L'Impero 🚻🅿📶 $$$$
45 Tudor City Place, 10017 📞 *(212) 599-5045* **Stadtplan 9 B1**

Küchenchef Scott Conant bietet klassisch Italienisches mit modernem Einschlag, eine fantastische Weinkarte und einen exzellenten Service. Unbedingt probieren: die hausgemachte Pasta und die ausgefallen bestückte Käseplatte. Auch ein Degustationsmenü ist erhältlich.

Michael Jordan's The Steakhouse NYC 🚻♿ $$$$$
Grand Central, North Balcony, 10017 📞 *(212) 655-2300* **Stadtplan 9 A1**

Das angesagte Steakhouse liegt im wunderschön renovierten Zwischengeschoss des Grand Central Terminal. Sie können bestes, gut abgehangenes Fleisch erwarten – allerdings zu gesalzenen Preisen. Im Sommer wird es recht heiß, da es keine Klimaanlage gibt. Schadenfrohe genießen den Blick auf hektische Zugpassagiere.

UPPER MIDTOWN

La Bonne Soupe 🚻♿ $
48 West 55th St, 10019 📞 *(212) 586-7650* **Stadtplan 12 F4**

Das gemütliche Midtown-Lokal für Leute mit weniger Geld verströmt altmodischen französischen Charme. Neben kräftigen Suppen – darunter natürlich die klassische Zwiebelsuppe – gibt es Fondues, Quiches, Omeletts und *plats du jour*, vom Steak mit Pommes frites bis zum Hühnchen. Langsamer Service, schöne Terrasse.

Preiskategorien *siehe Seite 296* **Zeichenerklärung** *siehe hintere Umschlagklappe*

eacon

5 West 56th St, 10019 **(212) 332-0500**   **Stadtplan** *12 E3*

as Flair ändert sich mit den Stockwerken: turbulent in der Bar unten, ruhig und gediegen oben und gemütlich in er Nähe der offenen Küche. Die moderne amerikanische Küche, vor allem die Gerichte aus dem Holzofen, ist xzellent: Shrimpscocktail mit gerösteten Jalapeño-Peperoni, Lammsteak mit schwarzen Oliven und Zitrone.

awat

10 East 58th St, 10022 **(212) 355-7555**   **Stadtplan** *13 B3*

hefkoch Madhur Jaffrey garantiert den hohen Standard in diesem indischen Restaurant. Auf der Karte steht zum eispiel mit Koriander-Chutney marinierter Lachs, der im Bananenblatt gegart wird. Eine Auswahl kleiner Snacks ird auf einem Wägelchen an Ihren Tisch gefahren. Hilfreiches, kompetentes Personal.

ue 57

0 West 57th St, 10019 **(212) 307-5656**   **Stadtplan** *12 F3*

ie Fusionswelle von japanischer mit französischer Küche rollte auch über das Rue 57, eine Mischung aus Sushi-Bar nd Bistro. Das Preis-Leistungs-Verhältnis ist in Ordnung, das Frühstück ist von guter Qualität. Die Tische am Geh-eig sind im Sommer heiß begehrt.

hun Lee Palace

55 East 55th St, 10022 **(212) 371-8844**   **Stadtplan** *13 A4*

eit Jahrzehnten gilt das schöne Restaurant als das beste chinesische Lokal New Yorks. Das Angebot mit Speisen er Küchen von Kanton und Sechuan enttäuscht niemand. Spezialitäten des Hauses sind die Kasserollen-Gerichte, eking-Ente und knusprige Garnelen mit Passionsfrucht. Ableger in der West 65th Street Nr. 43.

hagiku

11 East 49th St, 10017 **(212) 355-0440**   **Stadtplan** *13 A5*

ie Spezialitäten des formellen japanischen Restaurants im Waldorf-Astoria sind Tempura und traditionelles Kaiseki ein Menü aus etwa zwölf Gerichten, die in einer bestimmten Abfolge serviert werden). Frische Zutaten kommen äglich aus Japan. Gedämpfte Atmosphäre, ganz im Gegensatz zu dem betriebsamen Hotel.

ampano

09 East 49th St, 10017 **(212) 751-4545**   **Stadtplan** *13 B2*

harmantes modernes mexikanisches Restaurant von Küchenchef Richard Sandoval und Opernsänger Placido omingo. Die einfallsreiche, frische Küche und das schicke Ambiente des Speiseraums verdienen beste Kritiken. nbedingt probieren: geräucherten Schwertfisch und den Heilbutt »Pampano«. Schöne Terrasse.

ong

00 East 54th St, 10022 **(212) 486-9592**   **Stadtplan** *13 B4*

ut eingeführtes französisch-thailändisches Lokal von Küchenchef Jean-Georges Vongerichten. Im schönen Speise-aal wird ausgefallene Fusionsküche wie pochierter *foie gras* mit Ingwer und Mango oder Hummer mit Thai-Basi-kum serviert. Lassen Sie Platz für den Nachtisch, am besten für das Passionsfruchtsoufflé.

quavit

5 East 55th St, 10022 **(212) 307-7311**   **Stadtplan** *13 A4*

n Midtown-Stadthaus mit moderner schwedischer Kunst: Hier ist New Yorks skandinavisches Top-Restaurant, in em von Küchenchef Marcus Samuelsson schwedisch inspirierte Gerichte serviert werden. Lecker: Heringsplatte und rktischer Saibling. Auch einer der exzellenten Aquavits ist unerlässlich!

LT Steak

06 East 57th St, 10022 **(212) 752-7470**   **Stadtplan** *13 A3*

as Bistro Laurent Tourondel (BLT) bietet gepflegte Steaks mit besten Zutaten und einer großen Auswahl an Saucen. n aufwendig gestylten Speiseraum finden sich kaffeefarbene Sitzecken, eine metallene Bar und andere Sehens-ürdigkeiten. Das Publikum ist entsprechend hip.

elidia

43 East 58th St, 10022 **(212) 758-1479**   **Stadtplan** *13 B3*

egelwände, Holzvertäfelungen und extravagante Blumen schaffen in diesem East-Side-Stadthaus ein gemütliches mbiente für die norditalienische Küche der bekannten Fernsehköchin Lidia Bastianich. Auf der umfangreichen Karte tehen kreative Pasta- und Risottogerichte, Seafood und Fleisch. Dazu gibt es mehr als 1000 Weine.

our Seasons

9 East 52nd St, 10022 **(212) 754-9494**   **Stadtplan** *13 A4*

estaurants kommen und gehen, doch diese wunderbare New Yorker Institution mit Dekorationen von Philip ohnson ist schon seit Langem unter den Top-Restaurants mit amerikanischer Küche. Der Grill Room ist nach wie or der Treffpunkt für Geschäftsessen, der Pool Room ist das ideale Ambiente für besondere Abendessen.

a Grenouille

East 52nd St, 10022 **(212) 752-1495**   **Stadtplan** *12 F4*

nes der wenigen noch existierenden klassischen französischen Restaurants der Stadt mit außergewöhnlicher Küche. ie Wände des Speisesaals sind mit Seide und Samt verkleidet, herrliche Bouquets duften – ein Abendessen im renouille wird man nicht vergessen. Ein Ort für besondere Gelegenheiten.

Stadtplan *siehe Seiten 394 – 425*

Lever House ♿ $$$$$
390 Park Ave, 10022 ☎ *(212) 888-2700* **Stadtplan** 13 A4

New Yorks neues Mekka für exklusive Geschäftsessen hat entsprechendes Publikum. Im modernen Speisesaal wird ein Menü je nach Jahreszeit serviert, z. B. Hummer-Gazpacho und Küken auf Estragonjus. Die Gäste legen augenscheinlich gesteigerten Wert auf ihre Kleidung.

The Modern ♿ $$$$$
9 West 53rd St, 10019 ☎ *(212) 333-1220* **Stadtplan** 12 F4

Modern und kühl präsentiert sich das Restaurant im Museum of Modern Art, das Besondere ist der Blick auf den Skulpturengarten. »New American« und französische Küche sind von hohem Standard; dazu passen die umfangreiche Weinkarte und der tadellose Service. Besonders beliebt ist das Degustationsmenü.

Oceana 👔 $$$$$
55 East 54th St, 10022 ☎ *(212) 759-5941* **Stadtplan** 13 A4

Frischestes Seafood kommt hier auf den Tisch. Das zweistöckige Restaurant erinnert an eine Privatyacht. Alles ist wunderbar gestaltet, der Service ist vom Feinsten. Küchenchef Cornelius Gallagher ist höchst kreativ, versuchen Sie den Heilbutt mit Piquilloschoten und schwarzem Tahini. Es gibt ausschließlich Menüs.

Upper East Side

Brother Jimmy's BBQ 🧒 $$
1485 Second Ave, 10021 ☎ *(212) 288-0999* **Stadtplan** 17 B5

Das Hauptlokal der Kette Brother Jimmy's verspricht einen hemdsärmeligen Abend mit Rippchen »zum Fingerlecke und Spezialitäten aus dem Süden. Man ist gut beraten, das All-you-can-eat-Angebot zu nehmen. Wer Fleisch mag, ist hier richtig, Vegetarier finden ein paar wenige Gerichte. Ruhigere Tische gibt es im hinteren Teil des Lokals.

Shanghai Pavilion 🧒 $$
1378 Third Ave, 10021 ☎ *(212) 585-3388* **Stadtplan** 17 B5

Das neue Restaurant bereitet seine Shanghai-Gerichte so authentisch wie nur eben möglich zu. Die umfangreiche Speisekarte weist gute Preise auf. Der Service ist freundlich und kompetent. Großartige Dim Sum, Nudelgerichte un Spezialitäten wie Meeresbrasse oder Hummer *tropicana*.

Via Quadronno 🧒 $$
25 East 73rd St, 10021 ☎ *(212) 650-9880* **Stadtplan** 12 F

Die nette »Bar Paninoteca« nach italienischem Vorbild bietet zahlreiche köstliche Sandwiches und Salate mit bester Zutaten – nach der Museumsmeile die optimale Stärkung. Das kleine Lokal ist nach dem Vorbild der Mailänder *paninotecas* gestaltet, die Schlange an der Eingangstür zur Mittagszeit ist unvermeidlich.

Aureole ⛱ 👔 $$$
34 East 61st St, 10021 ☎ *(212) 319-1660* **Stadtplan** 13 A3

Der bejubelte Küchenchef Charlie Palmer zaubert in seinem adrett ausgestatteten Lokal edle neue amerikanische Küche. Versuchen Sie das Käsegratin oder das mit Pancetta überbackene Kalb. Die Weinkarte ist so umfangreich, dass die Beratung durch den Sommelier durchaus hilfreich sein kann.

Maya 🧒 ♿ $$$
1191 First Ave, 10021 ☎ *(212) 585-1818* **Stadtplan** 13 C

Richard Sandoval serviert elegante, köstliche Hauptgerichte in diesem hochwertigen mexikanischen Restaurant. Der Genuss wird allerdings durch den Lärmpegel deutlich eingeschränkt; wer früh kommt, hat noch etwas Ruhe. Vor allem die Meeresfrüchte-Tacos, die Margaritas und die Guacamole sind verführerisch.

Café Boulud ♿ 👔 $$$$
20 East 76th St, 10021 ☎ *(212) 772-2600* **Stadtplan** 16 F

Daniel Boulud glänzt in dem unformellen Restaurant des Hotels Surrey mit einer absolut grundsoliden Küche. Ein interessantes Menüangebot macht ein Abendessen zum Fest: »Le Tradition« (klassisch französisch), »Le Voyager« (international), »Le Potager« (vegetarisch) und »La Saison« (Spezialitäten der Saison).

Orsay 🧒 ♿ $$$$
1057 Lexington Ave, 10021 ☎ *(212) 517-6400* **Stadtplan** 17 A5

Das geräumige moderne französische Café mit gehobener Atmosphäre ist sehr beliebt, was sich vor allem abends auf den Lärmpegel auswirkt. Derzeit wollen eben alle die exotischen Kreationen wie Margarita-Tartar und die knusprig gebackene Ente mit Knoblauch-*beignet* probieren. Dazu sollten Sie unbedingt ein Gläschen Wein trinken.

Daniel ♿ 👔 $$$$$
60 East 65th St, 10021 ☎ *(212) 288-0033* **Stadtplan** 13 A

Daniel Boulud's Spitzenrestaurant gehört zu den herrlichsten Lokalitäten der Stadt, der Speisesaal ist der venezianischen Renaissance nachempfunden. Die umjubelten Kreationen eignen sich für besondere Anlässe. Sie sollten aber zuvor einen Blick auf die Preise werfen …

Preiskategorien *siehe Seite 296* **Zeichenerklärung** *siehe hintere Umschlagklappe*

avid Burke & Donatella [T] $$$$$

33 East 61st St, 10021 ☎ *(212) 813-2121* **Stadtplan** *13 A3*

ie kreative neue amerikanische Küche verdankt sich David Burke und der früheren Bellini-Gastgeberin Donatella rpaia. Allein die Innenausstattung auf mehreren Ebenen ist sehenswert. Nach dem Hauptgang sollte noch etwas atz sein für das Cheesecake-Dessert »Lollipop«.

JPPER WEST SIDE

Vholefoods Market Café 🚸 ♿ $

ime Warner Center, 10 Columbus Circle, 10019 ☎ *(212) 823-9600* **Stadtplan** *12 D3*

er riesige Supermarkt birgt eine beeindruckende Lebensmittelabteilung, in der man auch gleich essen kann: Von izza bis Sushi ist alles vertreten. Hier kann man sich zudem mit allen Zutaten für ein Picknick im Central Park aus- atten – sofern Sie sich nicht bereits an den Ständen satt essen. In den Hauptzeiten wird es sehr voll.

iennaro 🍷 🚸 ♿ $$

65 Amsterdam Ave, 10025 ☎ *(212) 665-5348* **Stadtplan** *15 C2*

as preiswerte kleine Café serviert konstant gute italienische Gerichte in großen Portionen. In den Hauptzeiten ent- eht immer eine Schlange vor dem Café, Reservierung ist nicht möglich. Täglich frische Pasta-Spezialitäten und eine Veinkarte mit gutem Preis-Leistungs-Verhältnis entschädigen fürs lange Warten.

oathouse Restaurant Central Park 🚸 ♿ ⛱ $$$

entral Park, East 72nd St & Park Drive North, 10023 ☎ *(212) 517-2233* **Stadtplan** *12 E1*

ie Lage am See des Central Park ist der große Pluspunkt des Bootshauses. Ganzjährig kann man hier frühstücken nd zu Mittag essen, von April bis Oktober ist auch ein romantisches Abendessen möglich. Die Preise sind allerdings appig, und die Gerichte könnten manchmal auch besser sein.

afé Fiorello 🚸 $$$

900 Broadway, 10023 ☎ *(212) 595-5330* **Stadtplan** *12 D2*

as laute italienische Restaurant beansprucht für sich den Titel der »Broadway-Show mit der längsten Spielzeit«. Die uswahl an Antipasti ist riesig und reicht für eine vollständige Mahlzeit, bevor man sich ins Lincoln Center aufmacht. as Menü umfasst Pizza und italienische Standards. Die Tische im Freien sind im Sommer heiß begehrt.

afé Luxembourg 🚸 $$$

00 West 70th St, 10023 ☎ *(212) 873-7411* **Stadtplan** *11 C1*

as Café ist wie ein klassisches Pariser Art-déco-Bistro eingerichtet. Umgeben von hohen Spiegeln sitzt eine treue chicke Klientel und genießt die Gerichte der Wochenkarte, die von französischen Standards bestimmt wird. Das lustre Publikum und das Ambiente eignen sich gut als Hintergrund für ein Geschäftsessen.

alle Ocho 🚸 ♿ $$$

46 Columbus Ave, 10024 ☎ *(212) 873-5025* **Stadtplan** *16 D4*

ı dem lauten kubanischen Restaurant scheint eine nie enden wollende Party von schönen Leuten um Mitte zwanzig tattzufinden. Die Gerichte vereinen das Beste der lateinamerikanischen Küche – allerdings mit wechselndem Erfolg. uch an Kindergerichte wird gedacht – schließlich liegt das American Museum of Natural History um die Ecke.

asha 🚸 $$$

70 West 71st St, 10023 ☎ *(212) 579-8751* **Stadtplan** *12 D1*

as ruhige, geräumige türkische Restaurant mit freundlichem Service eignet sich für ein wortreiches Abendessen in /erbindung mit guter Küche. Die Lamm-Vorspeisen sind exzellent, die Hauptgerichte auf Auberginen-Basis sollten ie unbedingt versuchen, etwa das deftige *patlican salatasi* mit Knoblauch, Olivenöl und Zitrone.

Rosa Mexicano 🚸 ♿ $$$

51 Columbus Ave, 10023 ☎ *(212) 977-7700* **Stadtplan** *12 D2*

Angesagter Nobel-Mexikaner, der mit bestem Dinner die gute Gesellschaft um das Lincoln Center herum anlockt. Berühmt sind die Granatapfel-Margaritas und die Guacamole. Auch die *cochinita pibil tacos* (mit geschnetzeltem Schwein in Bananenblättern gegart) oder der Veracruz-Fisch in Tomatensauce sind einen Versuch wert.

La Rural 🍷 🚸 ⛱ $$$

768 Amsterdam Ave, 10025 ☎ *(212) 749-2929* **Stadtplan** *15 C1*

Das ehemalige argentinische Grill-Restaurant Pampa wurde als La Rural neu eröffnet. Hinzugekommen sind auf der Karte einige lateinamerikanische Spezialitäten wie die *empanadas*. Der Schwerpunkt liegt nach wie vor auf Fleischgerichten, darunter für 45 Dollar die überaus üppige *parrillada* für zwei Personen.

Aix 🚸 $$$$

2398 Broadway, 10024 ☎ *(212) 874-7400* **Stadtplan** *15 C3*

Die kreative, moderne französische Küche von Didier Virot genießt man in romantischer Umgebung und bei hervor- ragendem Service. Das Aix hat endlich frischen Wind in diese Gegend gebracht. Lassen Sie ein wenig Platz für die köstlichen Dessert-Kreationen des mit Preisen ausgezeichneten Patissiers Jehangir Mehta.

Stadtplan *siehe Seiten 394–425*

Café des Artistes
1 West 67th St, 10023 **(** *(212) 877-3500*   🍴 $$$$

Stadtplan 12 D2

Das romantische Bistro serviert klassische französische Gerichte in einem herrlichen Raum, den die berühmten Nymphen-Wandgemälde von Howard Christy Chandler zieren. Die Speisen sind weniger fantasievoll, aber solide. Das Café entwickelt sich immer mehr zum Promi-Treff.

Café Gray
Time Warner Center, 10 Columbus Circle, 10019 **(** *(212) 823-6338*   ♿🍴 $$$$

Stadtplan 12 D3

Gray Kunz vom Lespinasse hat diese neue französische Brasserie mit asiatischem Touch im Time Warner Center eröffnet. Der Speisesaal ist wundervoll eingerichtet, aber laut. Die hochwertige Küche zaubert Leckeres wie eine köstliche Ochsenschwanzsuppe mit *foie gras* und exzellente Fleischgerichte.

Ouest
2315 Broadway, 10024 **(** *(212) 580-8700*   🚻♿ $$$$

Stadtplan 15 C4

Tom Valentis Version der neuen amerikanischen Küche findet sich in einem eleganten, gleichwohl gemütlichen Restaurant. Die Abendkarte bietet Spezialitäten wie traditionellen Hackbraten, aber auch Stubenküken mit *foie gras agnoloti* an. Die ausgezeichnete Weinkarte lässt keine Wünsche offen.

Asiate
80 Columbus Circle, 35th Floor, 10019 **(** *(212) 805-8881*   ♿🍴 $$$$$

Stadtplan 12 D3

Das asiatisch beeinflusste Restaurant im Hotel Mandarin bietet eine tolle Aussicht auf den Central Park. Zu den kulinarischen Höhepunkten gehören vor allem *foie gras* auf Seeigel und Tamarindensauce sowie das Wagyu-Rind mit Ochsenschwanzsauce. An der Bar werden interessante Cocktail-Kreationen gezaubert.

Jean Georges
1 Central Park West am Columbus Circle/West 60th St, 10023 **(** *(212) 299-3900*   ♿🍴 $$$$$

Stadtplan 12 D3

Der Gourmet-Tempel verbindet moderne französische Küche mit asiatischen Einflüssen. Der ruhige elegante Speisesaal wurde von Adam Tihany gestaltet und ist die angemessene Umgebung für die delikaten Gerichte, die das hervorragend geschulte Personal serviert. Ohne Zweifel eines der besten Lokale in New York.

Masa
Time Warner Center, 10 Columbus Circle, 10019 **(** *(212) 823-9800*   ♿🍴 $$$$$

Stadtplan 12 D3

Masayoshi Takayama vom berühmten LA Ginza sushi-ko kam nach New York, um hier den Rekord des weltweit teuersten Menüs zu brechen. Es besteht aus der scheinbar niemals enden wollenden Speiseabfolge des *kaiseki* mit seinen unglaublich frischen Zutaten. Von der Sushi-Bar kann man das Geschehen gut verfolgen.

Per Se
Time Warner Center, 10 Columbus Circle, 10019 **(** *(212) 823-9335*   ♿🍴 $$$$$

Stadtplan 12 D3

Zwei Monate im Voraus sollte man einen Tisch im Per Se reservieren. Die Kritik überhäuft das Restaurant von Thomas Keller mit überschwänglichem Lob. Die köstlichen Gerichte wechseln täglich, viele halten die vegetarischen Speisen für die Krönung der Küche. Der Blick auf den Central Park ist fantastisch.

Picholine
35 West 64th St, 10023 **(** *(212) 724-8585*   🍴 $$$$$

Stadtplan 12 D2

Terrance Brennans elegantes französisch-mediterranes Restaurant liegt nur wenige Schritte vom Lincoln Center entfernt. Neben einigen Gerichten à la carte gibt es ein Menü mit Kreationen wie Petersfisch mit Trauben, Pfifferlingen und Trüffel-Vinaigrette. Die Käseauswahl sollten Sie sich nicht entgehen lassen.

MORNINGSIDE HEIGHTS UND HARLEM

Sylvia's
328 Lenox Ave, 10027 **(** *(212) 996-0660*   🚶🚇 $$

Stadtplan 21 B1

Seit 1962 werden hier traditionelle schmackhafte Gerichte zubereitet, die man in einem kitschigen Speisesaal bei gelegentlicher Live-Musik genießt. Mit dem Erfolg kamen auch viele Urlauber hierher, die Einheimischen genießen nichtsdestotrotz das preiswerte Essen: gebratenes Huhn und Bohnengerichte. Sonntagmittags wird es sehr voll.

ABSTECHER: BROOKLYN

Grimaldi's
19 Old Fulton St, 11201 **(** *(718) 858-4300*   📷🚶 $

Die unglaublich guten Pizzas aus dem Kohleofen sind mit feinstem Mozzarella und frischesten Peperoni belegt. Der Ausflug nach Brooklyn lohnt sich allein wegen dieses Restaurants. Kommen Sie mit der ganzen Familie, auch wenn Sie anstehen müssen. Sie werden es nicht bereuen.

Preiskategorien *siehe Seite 296* **Zeichenerklärung** *siehe hintere Umschlagklappe*

ong

95 Fifth Ave, 11217 **(718) 965-1108**

as freundliche Thai-Restaurant am Park Slope glänzt mit drei Pluspunkten: niedrige Preise, ruhiger Garten und chickes Industrie-Ambiente innen. Die Musik kann laut sein, aber das scheint die Einheimischen, die hierherkommen, icht zu stören. Das große Schwesterrestaurant Joya in Cobble Hill ist ebenso beliebt.

hip Shop/Curry Shop

83 Fifth Ave, 11215 **(718) 832-7701**

ieser Außenposten britischer Küchenkultur ist preiswert und bietet unvermeidbare Fish and Chips, Würstchen und artoffelbrei, Bohnen sowie Currygerichte in einem kitschigen Speisesaal. Hier sitzt man äußerst gemütlich mit reunden zusammen und genießt das frische Bier. Auch Familien sind immer willkommen.

lanet Thailand

33 North 7th St, 11211 **(718) 599-5758**

in renoviertes Lagerhaus dient als Kulisse für die außergewöhnlichen thailändischen Gerichte. Versuchen Sie das ind und die Brokkoli-Nudeln. Weniger erfolgreich ist die Sushi-Bar. Das Lokal ist vor allem bei größeren Gruppen eliebt, weshalb man rechtzeitig reservieren sollte.

atois

55 Smith St, 11231 **(718) 855-1535**

Mit der Eröffnung des französischen Bistros begann die Restaurant-Revolution in der Smith Street. Für die preis- verten Gerichte werden Zutaten je nach Jahreszeit verwendet. Die Kalbfleischbällchen in einer Kapern-Sahne-Sauce nd das vegetarische Cassoulet mit geräuchertem Gouda sind exzellent.

he Grocery

288 Smith St, 11231 **(718) 596-3335**

Das charmante Restaurant mit 30 Plätzen in Carrol Gardens bietet köstliche Gerichte nach Jahreszeit, darunter einen anzen Truthahn mit Spätzle und Spargel sowie gebratene Entenbrust mit Bulgur, Mangold und karamellisierter otweinsauce. Ein romantisches Plätzchen mit Sommergarten.

Peter Luger Steakhouse

178 Broadway, 11211 **(718) 387-7400**

Die Institution seit 1887 für den »anspruchsvollen Steak-Connaisseur«. Versuchen Sie die einmaligen Fleischgerichte. Das Ambiente erinnert zwar eher an eine Pinte, das Personal könnte auch freundlicher sein – es lohnt sich trotzdem. Reservierung wird empfohlen, warten muss man aber trotzdem fast immer.

River Café

One Water St, 11201 **(718) 522-5200**

Die Lage des hochwertigen Lokals in Brooklyn mit dieser tollen Aussicht auf Manhattan ist unschlagbar. Serviert wird ein dreigängiges Menü der neuen amerikanischen Küche. Auch ein kleines Menü zum Probieren ist im Angebot. Versuchen Sie zum Abschluss das Schokoladendessert »Brooklyn Bridge«.

ABSTECHER: QUEENS

Jackson Diner

37–47 74th St, 11372 **(718) 672-1232**

Das geräumige indische Restaurant im Stil einer Cafeteria setzt alle Hebel in Bewegung und serviert erstklassige, scharfe nordindische Gerichte zu niedrigen Preisen. Wenn Sie in der Gegend der Jackson Heights sind, sollten Sie vorbeischauen. Die Lammgerichte sind köstlich, ebenso die Samosas und natürlich das *lassi* zum Runterspülen.

Elias Corner

24–02 31st St, 11102 **(718) 932-1510**

Eines der bekanntesten griechischen Restaurants mit einer treuen Anhängerschaft und entsprechend langer Warte- schlange. Die einfach zubereiteten Fischgerichte gehören zu den frischesten in der ganzen Stadt. Der große Garten ist ein weiterer Pluspunkt. Am Wochenende muss man lange warten.

S'Agapo

34–21 34th Ave, 11106 **(718) 626-0303**

Der griechische Name der Taverne bedeutet »Ich liebe dich«. In angenehmer Atmosphäre wird gegrillter Fisch als Spezialität serviert. Am Wochenende gibt es Live-Musik, im Sommer ist die Terrasse ein romantisches Plätzchen für ein Tête-à-Tête. Das Restaurant liegt in der Nähe des American Museum of the Moving Image.

Trattoria L'Incontro

21–76 31st St an Ditmars Blvd, 11105 **(718) 721-3532**

Das italienische Restaurant lockt mit wohlduftenden, großen Portionen bei günstiger Preisgestaltung. Die Einrichtung ist schlicht, aber der gegrillte Schwertfisch oder das Rind mit Zitronen und Kapern sind ein Gedicht. Reservieren Sie rechtzeitig einen Platz in dem beliebten Lokal im Astoria – und rechnen Sie mit beengten Sitzverhältnissen.

Stadtplan *siehe Seiten 394–425*

Kleine Mahlzeiten und Snacks

Fast überall in Manhattan bekommt man jederzeit einen Snack. Die New Yorker scheinen ständig zu essen – an Straßenecken, in Bars, Imbisslokalen, Delis, vor und nach der Arbeit sowie mitten in der Nacht. Man verzehrt Brezeln, Blätterteiggebäck, Pizza, Sandwiches von einem Deli oder Sandwich Shop, heiße Maronen, griechische Pita mit Gyros, einen Snack vor dem Theater in einem Café oder etwas Herzhaftes nach einer durchzechten Nacht im Coffee Shop. Auch wenn Straßenstände und Snack-Bars im Allgemeinen billig sind, unterscheiden sie sich in Sachen Qualität erheblich.

DELIS

Delis sind eine New Yorker Institution. Hier bekommt man riesige Sandwiches zum Lunch. Probieren Sie die mit Corned Beef und Pastrami, die es im berühmten **Carnegie Delicatessen** gibt, für viele das beste Deli in New York. Einige Delis, etwa **Katz's Deli**, bedienen ein älteres Publikum, das traditionelle Speisen mag. Das größte Geschäft machen Delis mit dem Straßenverkauf. Die Sandwiches sind hier noch verhältnismäßig billig, aber das Personal ist oft ungeduldig. Unhöflichkeit ist ein fester Bestandteil des **Stage Deli**, das heute eher ein Touristenstopp und nicht mehr der beliebte Showbiz-Treff von früher ist.

Snacks nach jüdischer Art gibt es bei **Barney Greengrass** in der Upper West Side. Seit 1929 serviert der »Stör-König« Lachs, Pastrami und natürlich Stör. Beliebt bei Yuppies sind die Gerichte zum Mitnehmen (Räucherfisch, Pickles und Salate) bei **Zabar's**. Die besten Pastrami-Sandwiches soll es bei **Pastrami Queen** in Manhattan geben.

CAFÉS, BISTROS UND BRASSERIEN

Cafés, Bistros und Brasserien sind angesagt. Versuchen Sie die ausgefallenen Snacks im **Balthazar** in der Spring Street. Das **Café Centro** über der Grand Central Station ist vor allem mittags von Geschäftsleuten gut besucht. Zur provenzalischen/mediterranen Küche gehören Fischsuppen ebenso wie üppige Desserts.

Die **Brasserie**, ein beliebter Imbiss in der East 53rd Street, serviert solide französische Küche und ist rund um die Uhr geöffnet. Im **Bistro du Nord** an der Madison Avenue bekommt der hungrige Gast innovative leckere französisch-amerikanische Speisen. Downtown ist das **Odeon** mit seinem Brasserie-Angebot vor allem spätabends voll.

Raoul's in SoHo ist ein französisches Bistro mit entspanntem Ambiente, in dem meist Künstler die soliden Speisen genießen. **Elephant and Castle** ist ein minimalistisch eingerichtetes Café in Greenwich Village. Hier trifft man sich zum Lunch, um Suppe, Salat und Omelett oder andere Snacks zu essen. Hervorragend ist das Brunch-Frühstück, das in großen Portionen und zu günstigen Preisen serviert wird.

Chez Jacqueline ist eine beliebte Bar in Greenwich Village. Im französischen Bistro trifft sich alles, was jung und hip ist.

Im Theater District liegt das kubanische **Victor's Café**. In dem großen, lebendigen Lokal wird authentische kubanische Küche zu angemessenen Preisen serviert. **Chez Josephine** ist ein ausgelassenes Bistro-Cabaret mit Live-Jazz und Klaviermusik.

Im kleinen **La Boite en Bois** nahe beim Lincoln Center wird köstliche französische Bistro-Küche serviert. In der Nähe befindet sich **Vince and Eddie's**, bekannt für seine solide, oft exzellente amerikanische Küche.

Sarabeth's in der Upper West Side entzieht sich jeglicher Kategorisierung, lässt

sich aber am ehesten als Café bezeichnen. Am besten geht man zum Frühstück hin oder zum Brunch am Wochenende, wenn hier ganze Familien Waffeln, Omeletts und Pfannkuchen verdrücken. (Es gibt zwei weitere Filialen.)

Im **Les Halles** im Gramercy District steigt der Geräuschpegel am späten Abend stark an, doch die *frites* und Fleischgerichte machen den Lärm und den großen Andrang wett.

PIZZERIEN

Auf Pizza stößt man in New York überall – an Straßenständen, in Fast-Food-Lokalen oder in traditionellen Pizzerien. Einige Pizzerien bieten noch etwas mehr. In **Arturo's Pizzeria** kommen die knusprigen Pizzaböden aus einem Steinbackofen; zudem gibt es Live-Jazz zu hören. **Mezzogiorno** hat eine toskanische Speisekarte und Pizza mit ungewöhnlichem Belag. Auch **Mezzaluna** hat sich auf Pizza aus dem Steinbackofen spezialisiert, ebenso wie **John's Pizzeria**, deren Stammgäste (unter ihnen auch Woody Allen) sie für die beste Manhattans halten.

In Brooklyn ist die **Totonno Pizzeria** auf Coney Island einen Ausflug wert. **Joe's Pizza** hat sich in Brooklyn und Manhattan einen Namen gemacht. Die Schlange vor dem Lokal erschreckt zuerst, aber es geht rasch voran.

Pizzerien sind der richtige Platz für eine einfache, preiswerte Mahlzeit, gerade mit Kindern. Die meisten Pizzerien nehmen keine Tischreservierungen vor, und in den besonders beliebten Lokalen gibt es zu den Hauptessenszeiten lange Warteschlangen.

HAMBURGER

Billige Burger- und Hotdog-Bars findet man gewöhnlich, wenn man einfach der Nase nach geht. Aber es gibt auch viele Orte in New York, wo man Burger von besserer Qualität bekommt – dabei kann ein sehr guter Burger aus reinem Rindfleisch

(125–250 Gramm) leicht bis zu zehn Dollar kosten.

Der New Yorker Restaurant-Betreiber Danny Meyer hat den Burger im **Shake Shack** im Madison Square salonfähig gemacht. Von April bis November bekommt man hier leckere und preiswerte Hamburger. Im stilvollen Hotel Le Parker Meridien in Midtown hat sich **Burger Joint** angesiedelt, das wie ein Truck Stop aussieht und erstklassige Burger zubereitet.

Die fünf Filialen von **Jackson Hole** servieren saftige Burger, bei denen sich Kinder wie auf einer Ranch vorkommen. Erwachsene werden durch die niedrigen Preise für die lieblose Einrichtung entschädigt. Probieren Sie hier auch einmal das New Yorker Lokalgetränk *egg cream*.

Ein Treffpunkt für Geschäftsleute ist die **Beer Bar at Café Centro** im MetLife Building. Neben außergewöhnlichen Bieren gibt es hier auch köstliche Burger.

Die vermutlich besten Burger von New York serviert man im **Corner Bistro** in Greenwich Village. Die Preise sind angemessen, auch die Auswahl an Bieren ist gut. Und wer nachts Hunger bekommt – das Lokal hat bis 4 Uhr morgens geöffnet.

IMBISSLOKALE (DINERS, LUNCHEONETTES)

Imbisslokale, die in den USA »Diners«, »Sandwich Shops«, »Luncheonettes« oder »Coffee Shops« heißen, findet man überall. Das Essen ist mittelmäßig, aber reichlich und preiswert. Trotz der Bezeichnung »Luncheonette« haben solche Lokale in der Regel von morgens bis spätabends geöffnet, und man bekommt zu jeder Zeit Kaffee und etwas Einfaches zu essen.

Bei den Diners, Nachbildungen von Eisenbahnwaggons, gibt es seit Kurzem einige Neuauflagen der alten Diners aus den 1930er Jahren. Einer dieser »Retro-Diners« ist der schicke **Empire Diner** *(siehe S. 138)*; seine Beliebtheit bei Disco-Kids verdankt er nicht zuletzt der Tasache, dass er 24 Stunden geöffnet hat. Der

kitschige **Comfort Diner** im Stil der 1950er Jahre bietet große Portionen und die besten Milkshakes der Stadt.

Theaterbesucher schätzen den Diner **Junior's** in Brooklyn vor allem wegen des exzellenten Käsekuchens.

Big Nick's bietet die beste Pizza, Hamburger und hervorragendes Frühstück in der Upper West Side. **The Coffee Shop** serviert die ganze Nacht über brasilianisch-amerikanische Küche. In Eli Zabars **E.A.T.** in der Upper East Side kann man superbe jüdische Spezialitäten probieren, die jedoch nicht ganz günstig sind. **EJ's Luncheonette** serviert klassische, kinderfreundliche Gerichte in authentischer 1950er-Jahre-Atmosphäre.

Stammgäste schwören auf **Viand** in der East Side, das großzügiges American Breakfast, gute Burger und *egg creams* serviert. Die Truthahnsandwiches sollen die besten New Yorks sein. **Veselka** ist kein gewöhnlicher Sandwich Shop. Man bekommt hier polnische und ukrainische Speisen zu Tiefstpreisen. Unlängst wurde eine zweite Filiale, das **Little Veselka**, eröffnet.

TEESALONS (TEA ROOMS)

Frischen Tee bekommt man eigentlich nur in den teureren New Yorker Hotels, wo zwischen 15 und 17 Uhr zum Nachmittagstee gebeten wird.

Wer Tee und Gebäck auf Chippendale-Möbeln einnehmen möchte, geht ins Hotel **Carlyle**. Das **Hotel Pierre** bietet einen der besten Nachmittagstees zum Fixpreis an. Zum Tee im **Waldorf-Astoria** gibt es Sahne aus Devonshire. Elegant ist auch der Teesalon im **Stanhope** in der Fifth Avenue. Das gereichte Gebäck ist so üppig, dass man leicht aufs Abendessen verzichten kann.

Abwechslung beim Teetrinken verspricht **Saint's Alp**, eine Kette von Teesalons. In hübschen Räumlichkeiten (51 Mott Street oder am Times Square) werden duftende, farbenfrohe Tee-Drinks mit zerstoßenem Eis serviert. Tee nach japanischer Art kann man in **The Tea Box** im Luxuskaufhaus Takashimaya genießen.

KAFFEE UND KUCHEN

Eine Tasse typischen amerikanischen (in der Regel eher dünnen) Kaffee bekommt man oft schon für 75 Cent. In den meisten Diners, Coffee Shops und Luncheonettes wird endlos nachgeschenkt. Ein bei Kaffeefreunden willkommener Trend sind Coffee Bars, die italienischen Kaffee und diverse Varianten wie Cappuccino oder Caffè Latte anbieten. Auch einige Eisdielen und Konditoreien servieren guten Kaffee zu Kuchen und Gebäck.

Vor der **Magnolia Bakery** stehen die Leute Schlange, um in den Genuss der köstlichen Backwaren zu kommen. Eine Filiale gibt es nun auch in der Upper West Side. Bei **Joe** steht angeblich die beste Espresso-Maschine der Welt. Das 1892 gegründete **Caffè Ferrara** hat italienisches Gebäck, Kaffee und Tische im Freien bei günstigen Preisen. Die **Vesuvio Bakery** ist ein altmodisches italienisches Café, das frisch gebackenes Brot aus dem Kohleofen verkauft.

Das **Seaport Café** im South Street Seaport bietet guten Kaffee plus Aussicht auf die Passanten. Der **Hungarian Pastry Shop** serviert österreichisch-ungarische Köstlichkeiten mit Blick auf St. John the Divine. Im **Café Edison** im Hotel Edison genießt man Süßes im Jugendstil-Ambiente. **Sant Ambroeus** ist ein Abkömmling der Mailänder *pasticceria* mit einer Espresso-Bar; hier bekommt man verführerisch leckere Süßspeisen. **Dessert Delivery** ist das Nonplusultra der Dessert-Welt. Beliebt ist auch **Serendipity 3**, bekannt für sein viktorianisches Ambiente, die kunstvollen Eisbecher und Nachmittags-Snacks.

Im **Barnes & Noble Café** des gleichnamigen Buchladens können Sie sich Kaffee und Gebäck zwischen Büchern schmecken lassen. **Mudspot** heißt die Location eines Paars, das früher Kaffee aus einem orangen Van verkaufte. Und um **Starbucks** mit seinen vielen Filialen kommt man sowieso nicht herum.

AUF EINEN BLICK

LOWER MANHATTAN

Pastis
9 9th Avenue.
Stadtplan 3 B1.

LOWER EAST SIDE

Caffè Ferrara
195 Grand St.
Stadtplan 4 F4.

Katz's Deli
205 E Houston St.
Stadtplan 5 A3.

Saint's Alp
51 Mott St.
Stadtplan 4 F4.

Seaport Café
89 South St.
Stadtplan 2 E2.

SOHO UND TRIBECA

Mezzogiorno
195 Spring St.
Stadtplan 4 D4.

Odeon
145 W Broadway.
Stadtplan 1 B1.

Raoul's
180 Prince St.
Stadtplan 4 D3.

Vesuvio Bakery
160 Prince St.
Stadtplan 4 D3.

GREENWICH VILLAGE

Arturo's Pizzeria
106 W Houston St.
Stadtplan 4 E3.

Balthazar
80 Spring St.
Stadtplan 4 E4.

Chez Jacqueline
72 MacDougal St.
Stadtplan 4 D2.

Corner Bistro
331 W 4th St.
Stadtplan 3 C1.

Elephant and Castle
68 Greenwich Ave.
Stadtplan 3 C1.

Florent
69 Gansevoort St.
Stadtplan 3 B1.

Joe
141 Waverly Place.
Stadtplan 3 C1.

Joe's Pizza
7 Carmine St.
Stadtplan 4 D3.

Magnolia Bakery
401 Bleecker St.
Stadtplan 3 C2.
200 Columbus Ave.
Stadtplan 12 D1.

Sant Ambroeus
259 W 4th St.
Stadtplan 3 C1.

EAST VILLAGE

Little Veselka
74 E 1st St.
Stadtplan 4 F3.

Mudspot
307 E 9th St.
Stadtplan 4 F1.

Veselka
144 2nd Ave.
Stadtplan 4 F1.

GRAMERCY UND FLATIRON DISTRICT

The Coffee Shop
29 Union Square West.
Stadtplan 9 A5.

Les Halles
411 Park Ave South.
Stadtplan 9 A3.

CHELSEA UND GARMENT DISTRICT

Comfort Diner
25 West 23rd St.
Stadtplan 8 F4.

Empire Diner
210 10th Ave.
Stadtplan 7 C4.

THEATER DISTRICT

Café Edison
Edison Hotel, 228 W 47th
St. **Stadtplan** 12 D5.

Carnegie Delicatessen
854 7th Ave.
Stadtplan 12 E4.

Chez Josephine
414 W 42nd St.
Stadtplan 7 B1.

Junior's
Shubert Alley, Eingang
45th St.
Stadtplan 12 E5.

Stage Deli
834 7th Ave.
Stadtplan 12 E4.

Victor's Café
236 W 52nd St.
Stadtplan 11 B4.

EAST SIDE MIDTOWN

Beer Bar at Café Centro
MetLife Building,
200 Park Ave.
Stadtplan 9 A2.

UPPER MIDTOWN

Barnes & Noble Café
Citicorp Building,
160 E 54th St.
Stadtplan 13 A4.

Brasserie
100 E 53rd St.
Stadtplan 13 A4.

Burger Joint
Le Parker Meridien Hotel,
118 W 57th St.
Stadtplan 12 E3.

The Tea Box
Takashimaya, 693 5th
Ave. **Stadtplan** 12 F2.

Waldorf-Astoria
301 Park Ave.
Stadtplan 13 A5.

UPPER EAST SIDE

Bistro du Nord
1312 Madison Ave.
Stadtplan 17 A2.

Carlyle
35 E 76th St.
Stadtplan 17 A5.

Dessert Delivery
350 E 55th St.
Stadtplan 13 B4.

E.A.T.
1064 Madison Ave.
Stadtplan 17 A4.

EJ's Luncheonette
1271 3rd Ave.
Stadtplan 13 B1.

Hotel Pierre
2 E 61st St.
Stadtplan 12 F3.

Jackson Hole
232 E 64th St.
Stadtplan 13 B2.

John's Pizzeria
408 E 64th St.
Stadtplan 13 C2.

Mezzaluna
1295 3rd Ave.
Stadtplan 17 B5.

Pastrami Queen
1125 Lexington Ave.
Stadtplan 17 A5.

Payard Patisserie
1032 Lexington Ave.
Stadtplan 13 A1.

Serendipity 3
225 E 60th St.
Stadtplan 13 B3.

Shake Shack
Madison Square Park.
Stadtplan 8 F4.

Stanhope
995 5th Ave.
Stadtplan 17 A4.

Viand
1011 Madison Ave.
Stadtplan 17 A5.

UPPER WEST SIDE

Barney Greengrass
541 Amsterdam Ave.
Stadtplan 15 C3.

Big Nick's
2175 Broadway/77th St.
Stadtplan 15 C5.

La Boite en Bois
75 W 68th St.
Stadtplan 11 C1.

Sarabeth's
423 Amsterdam Ave.
Stadtplan 15 C4.

Vince and Eddie's
70 W 68th St.
Stadtplan 11 C1.

Whitney Museum
945 Madison Ave.
Stadtplan 17 A5.

Zabar's
2245 Broadway.
Stadtplan 15 C2.

MORNINGSIDE HEIGHTS UND HARLEM

The Hungarian Pastry Shop
Amsterdam & 109th St.
Stadtplan 20 E4.

BROOKLYN

Totonno Pizzeria
1524 Neptune Ave.
Stadtplan 7 C5.

Stadtplan *siehe Seiten 394 – 425*

New Yorker Bars

New Yorker Bars spielen eine große Rolle in der Stadtkultur. Für New Yorker ist es normal, den Abend in verschiedenen Bars zu verbringen, denn jede bietet mehr als nur Alkohol und jede etwas anderes, etwa erstklassiges Essen, Tanz oder Live-Musik. Eine ganz besondere Attraktion für New Yorker ist importiertes oder amerikanisches Bier aus kleinen Brauereien. Bars gibt es in großer Zahl und für jeden Geldbeutel. In New York wird jeder seine Lieblingsbar finden.

PRAKTISCHE HINWEISE

Bars haben in der Regel von etwa 11 Uhr bis Mitternacht geöffnet. Manche schließen auch erst um 2 oder um 4 Uhr, zur gesetzlichen Sperrstunde.

In vielen Bars gibt es zwischen 17 und 19 Uhr eine »Happy Hour«, dann werden *twofers* (zwei Drinks zum Preis von einem) und kostenlose Snacks angeboten. Barkeeper können es ablehnen, an jemanden auszuschenken, von dem sie den Eindruck haben, dass er schon angetrunken ist. In New Yorker Bars herrscht Rauchverbot, außer in speziell belüfteten Räumen.

Mindestalter für den Genuss von Alkohol ist 21 Jahre; hält der Barkeeper Sie für jünger, müssen Sie sich ausweisen. Kinder haben in New Yorker Bars nichts zu suchen.

Üblicherweise werden die Getränke aufgeschrieben, und man bezahlt alles zusammen, bevor man geht. Ein Trinkgeld für den Barkeeper wird erwartet – zehn Prozent des Betrags oder ein Dollar pro Drink. Die Drinks werden nicht abgemessen; wenn Sie also etwas mehr im Glas haben wollen, schadet es nicht, dem Barkeeper ein ordentliches Trinkgeld zu geben. Wenn man am Tisch bedient wird, kosten die Getränke mehr. Eine Runde Bier kann teuer werden. Günstiger kommen Sie weg, wenn Sie einen Krug mit einem Quart (0,95 l) oder einer halben Gallone (1,9 l) bestellen.

Manche Bars haben ihre Alkohollizenz nach einem alten »Cabaret-Gesetz« bekommen, das Tanzen verbietet. Es kommt relativ häufig vor, dass Bars ihre Lizenz verlieren, weil sie dieses Gesetz übertreten. Wenn Sie also in einer Musikkneipe gebeten werden, nicht zu tanzen, hat dies durchaus einen ernsten Hintergrund.

GETRÄNKE

In New Yorker Bars ist fast jedes alkoholische Getränk zu haben. Am beliebtesten ist Bier. Die meisten Bars führen Biere großer Brauereien (Budweiser, Coors und Miller) und bekannte europäische Biere wie Beck's, Heineken und Guinness. In alten Pubs und schicken neuen Bars gibt es eine größere Auswahl: importierte, aber auch amerikanische Biere aus kleinen Brauereien, etwa Samuel Adams, Sierra Nevada und Anchor Steam, sowie New Yorker Biere wie Brooklyn Lager. Im Trend liegen *microbreweries*, die gute Biere nach europäischer Tradition brauen.

Beliebte Bar-Getränke während der »Happy Hour« sind Cocktails: Cola-Rum, trockener Martini, Scotch oder Bourbon, *straight up* (ohne Eis) oder *on the rocks* (mit Eis). Beliebt ist der Cosmopolitan: Wodka, Triple sec (Orangenlikör), Preiselbeer- und Limettensaft. Wein gibt es ebenfalls in vielen Bars. Reine Weinlokale feiern derzeit eine Renaissance in New York.

ESSEN

Die meisten Bars bieten den ganzen Tag über etwas zu essen an, meist Burger, Pommes, Salate, Sandwiches oder Chicken Wings. An Restaurantbars können Sie oft einen Barsnack bestellen. Die Küche vieler Bars schließt kurz vor Mitternacht.

ANGESAGTE BARS

Wenn Sie in eine der hippen Bars wollen, sollten Sie sich so chic wie möglich anziehen und sich darauf einstellen, in einer Schlange anzustehen – außer vielleicht, wenn Sie sehr früh kommen.

Der Designer Robert McKinley hat einen atemberaubenden Raum (mit Gewölbe und Sternenlichtern) für die **PM Lounge** entworfen. Nicht weit davon entfernt ist die **Buddha Bar**, ein Ableger des Pariser Originals mit einer großen Buddha-Figur und Aquarien mit Quallen. Einen riesigen Buddha sehen Sie auch in der **Tao Bar**, die in einem ehemaligen Theater neben dem Four Seasons Hotel drei Stockwerke einnimmt. Von den oberen Etagen überblicken Sie bei asiatischem Essen die Bar unten.

Trotz der schicken Gäste aus dem East Village ist das **Sunburnt Cow** relativ unprätentiös. Hier orientiert man sich an Australien und trinkt australisches Bier, Wein oder einen »Mootini«. Immer noch treffen sich die Schönen und Schicken gerne in der **B-Bar**. Auch wenn manche meinen, deren beste Zeit sei vorbei – der große Platz unter freiem Himmel ist im Sommer nicht zu schlagen. **Pravda** mit seiner Sowjet-Deko ist eine weitere angesagte Bar im nahen NoLIta. Der Treffpunkt für die SoHo-TriBeCa-Szene ist seit einiger Zeit **The Odeon**.

BARS MIT AUSBLICK

Im 26. Stock des Beekman Tower bietet **Top of the Tower** einen einmaligen Blick, der von dezenter Pianomusik untermalt wird. Spektakulär ist auch der Blick von der **Pentop Bar and Terrace** im Peninsula Hotel, von der **Stone Rose Lounge** im Time Warner Center und vom **Rise** im Ritz-Carlton am Battery Park. Bei warmem Wetter ist das **BP Café** in Midtown ein beliebter Treff. Die **Tavern on the Green** lockt mit herrlicher Aussicht auf den Central Park und glitzerndem Ambiente.

HISTORISCHE UND LITERATEN-BARS

Zu den ältesten Bars New Yorks gehört **McSorley's Old Ale House**, seit 1854 ein irischer Saloon. Die Historie des **Ear Inn** reicht bis ins Jahr 1812 zurück, als an dieser Stelle erstmals eine Taverne eröffnete. Heute ist das gemütliche Lokal mit dem langen Holztresen ein Treffpunkt von Poeten und Schriftstellern. Ein weiterer Klassiker in SoHo ist **Fanelli's Café**, das 1922 eröffnete.

In Greenwich Village befinden sich einige der ältesten Bars. Die Lieblingskneipe von Dylan Thomas, die **White Horse Tavern**, ist noch immer voller Literaten und College-Typen. Im Sommer kann man auch draußen sitzen. Im **Peculier Pub** hat man die Wahl unter über 360 Biersorten aus aller Welt. Eine nette, aber stark von Urlaubern bevölkerte Kneipe im Finanzviertel ist **Fraunces Tavern** (siehe S. 76).

Pete's Tavern am Gramercy Park gibt es seit 1864. Die Bar hat bis 2 Uhr geöffnet und ist für ihr viktorianisches Ambiente, ihr hauseigenes Bier der Marke Pete's Ale und viele andere Fassbiere bekannt. Die **Old Town Bar**, ein irisches Pub, existiert seit 1892 und ist bei Leuten aus der Werbebranche beliebt. Statt der Celebrities von einst finden sich heute bei **Sardi's** die Reporter der *New York Times* ein, die die großzügig eingeschenkten Drinks schätzen.

Etwas versteckt an der Empore des Grand Central Terminal liegt **The Campbell Apartment**, in den 1920er Jahren das Privatbüro des Finanziers John W. Campbell. In der Upper East Side kann man bei **Swifty's** die Trends der High Society beobachten. Nach der Arbeit trifft man sich bei **P. J. Clarke's**, dem Saloon mit irischen Barkeepern und unglaublich viel Betrieb. **Elaine's** in der Upper East Side ist ein Treffpunkt von ausländischen Literaten. In der Nähe der Carnegie Hall liegt **P. J. Carney's**, seit 1927 Treffpunkt von Musikern und Künstlern. Es gibt irisches Ale und guten Shepherd's Pie.

KNEIPEN FÜR JUNGE LEUTE

Brauereiausschank ist vor allem bei den 20- bis 30-Jährigen beliebt, ebenso die Bars mit einer umfangreichen Bierauswahl. Vom geräumigen Pub der **Chelsea Brewing Company** im Chelsea-Piers-Sportkomplex blickt man über den Hudson River. Im nahen Gramercy befindet sich die **Heartland Brewery**, die viele für die beste Brauerei-Bar halten. Fünf Biersorten werden hier ausgeschenkt, darunter auch das hervorragende India Pale Ale und verschiedene Fruchtbiere.

Uptown in der **Westside Brewing Company** treffen sich vor allem junge Leute aus der näheren Umgebung und genießen die hauseigenen Ales und Fruchtbiere. Ein bisschen teurer ist das **Burp Castle**, doch die 170 belgischen Fass- und Flaschenbiere sind ihr Geld wert.

Das **Manchester** weckt bei heimwehgeplagten Briten nostalgische Erinnerungen. Es ist ein höchst gemütliches Pub mit englischen Bieren, die man in New York nur selten findet. 18 Biersorten gibt es vom Fass, weitere 40 Sorten in der Flasche.

Im **d.b.a.** im East Village ist immer was los. 14 Biere vom Fass und 50 Whiskeysorten machen die Wahl schwer. Bei **Brother Jimmy's BBQ** versammeln sich Leute im College-Alter, um Bier zu trinken und traditionelle Grillgerichte aus dem Süden zu verdrücken. Das **Park Slope Ale House** in Brooklyn wird von jungen Leuten wegen der eigenen Bierkreationen geschätzt.

SCHWULEN- UND LESBENBARS

Schwulenbars findet man in Greenwich Village, SoHo, East Village, Chelsea und Murray Hill sowie, in geringerem Maße, in der Upper East und der Upper West Side. Bars für Lesben konzentrieren sich vor allem in Greenwich Village und im East Village. Einschlägige Adressen findet man in den Magazinen *HX* (www.hx.com) und *Next* (www.nextmagazine.com).

HOTELBARS

Das zentral gelegene **Algonquin Hotel** (siehe S. 145) war in den 1920er und 1930er Jahren ein beliebter Literatentreff. Heute kann man in der Lobby Bar und der Blue Bar vor dem Dinner oder dem Theater seinen Drink nehmen. Die minimalistische **Bar 44** in der Lobby-Lounge des Royalton Hotel ist ideal, um die Theaterszene zu beobachten. Auch die **Paramount Bar** mit ihren Fenstern vom Boden bis zur Decke ist bei Mode- und Theaterleuten beliebt.

In Upper Midtown kann man in den bequemen Sesseln der **Gilt Bar** wunderbar entspannen. **Bull and Bear** im Waldorf-Astoria, eine geschichtsträchtige Bar aus der Prohibitionszeit, strahlt Behaglichkeit aus, bietet exotische Drinks und Bull and Bear Ale vom Fass.

Der elegante **King Cole Room** im St. Regis Hotel ist nach dem Wandbild von Maxfield Parrish benannt, das dem Raum Farbe verleiht. Bei sanften Klängen kann man in der trendigen **Grand Bar** bestens relaxen und einen Blick auf die Gäste des Soho Grand werfen. Im Schwesterhotel, dem Tribeca Grand, lockt die **Church Lounge** eine ebenso elaborierte Gästeschar an.

Die **Lobby Bar** des Maritime Hotel ist kitschig-nautisch dekoriert. Hier verkehrt ein junges schickes Publikum, das sich im Winter um ein Feuer und im Sommer auf der großen Freiterrasse versammelt. Schon seit Längerem angesagt ist die **Hudson Bar** mit den Glasböden in Ian Schragers trendigem Hudson Hotel. Und da Schrager jetzt das Gramercy Park Hotel aufpoliert hat, sind die dortigen Bars **Rose** und **Jade** ins Bewusstsein derjenigen gerückt, die Bar-Trends setzen. Bereits seit Längerem im Trend sind die **Thom Bar** im 60 Thompson Hotel und **Bookmarks** im Library Hotel. Für Fans von *Sex and the City*: In Rande Gerbers **Whiskey Blue Bar** im einem der W-Hotels verkehrt genau diese Schicht.

AUF EINEN BLICK

LOWER MANHATTAN

Fraunces Tavern
54 Pearl St.
Stadtplan 1 C4.

Rise
2 W St.
Stadtplan 1 B4.

SOHO UND TRIBECA

Church Lounge
Tribeca Grand,
2 6th Ave.
Stadtplan 4 D4.

The Ear Inn
326 Spring St.
Stadtplan 3 C4.

Fanelli's Café
94 Prince St.
Stadtplan 4 E3.

The Grand Bar
Soho Grand,
310 W Broadway.
Stadtplan 4 E4.

The Odeon
145 W Broadway.
Stadtplan 1 B1.

Pravda
281 Lafayette St.
Stadtplan 4 F3.

Thom Bar
60 Thompson Hotel,
60 Thompson.
Stadtplan 4 D4.

GREENWICH VILLAGE

Buddha Bar
25 Little W 12th St.
Stadtplan 3 B1.

Peculier Pub
145 Bleecker St.
Stadtplan 4 D3.

PM Lounge
50 Gansevoort St.
Stadtplan 3 B1.

White Horse Tavern
567 Hudson St.
Stadtplan 3 C1.

EAST VILLAGE

B-Bar
40 E 4th St.
Stadtplan 4 F2.

Burp Castle
41 E 7th St.
Stadtplan 4 F2.

d.b.a.
41 1st Ave.
Stadtplan 5 A1.

McSorley's Old Ale House
15 E 7th St.
Stadtplan 4 F2.

Sunburnt Cow
137 Avenue C.
Stadtplan 5 C1.

GRAMERCY

Heartland Brewery
35 Union Square W.
Stadtplan 9 A5.

Jade Bar
Gramercy Park Hotel,
2 Lexington Ave.
Stadtplan 9 A4.

Old Town Bar
45 E 18th St.
Stadtplan 8 F5.

Pete's Tavern
129 E 18th St.
Stadtplan 9 A5.

Rose Bar
Gramercy Park Hotel,
2 Lexington Ave.
Stadtplan 9 A4.

CHELSEA UND GARMENT DISTRICT

Chelsea Brewing Company
Pier 59, 11th Ave.
Stadtplan 7 B5.

Lobby Bar
Maritime Hotel,
363 W 16th St.
Stadtplan 8 D5.

THEATER DISTRICT

Bar 44
44 W 44th St.
Stadtplan 12 F5.

BP Café
Bryant Park.
Stadtplan 8 F1.

Hudson Bar
Hudson Hotel,
356 W 58th St.
Stadtplan 12 D3.

Paramount Bar
Paramount Hotel,
235 W 46th St.
Stadtplan 12 E5.

P. J. Carney's
906 7th Ave.
Stadtplan 12 E3.

Sardi's
234 W 44th St.
Stadtplan 12 F5.

LOWER MIDTOWN

Bookmarks
The Library Hotel,
299 Madison Ave.
Stadtplan 9 A1.

The Campbell Apartment
Grand Central Terminal,
15 Vanderbilt Ave.
Stadtplan 9 A1.

UPPER MIDTOWN

Bull and Bear
Waldorf-Astoria Hotel,
Erdgeschoss,
Lexington Ave/E 49th St.
Stadtplan 13 A5.

Gilt Bar
New York Palace Hotel,
455 Madison Ave.
Stadtplan 13 A4.

King Cole Room
St. Regis Hotel,
2 E 55th St.
Stadtplan 12 F5.

Manchester
920 2nd Ave.
Stadtplan 13 B5.

Pentop Bar and Terrace
Peninsula Hotel,
700 5th Ave.
Stadtplan 12 F5.

P. J. Clarke's
915 3rd Ave.
Stadtplan 13 B4.

Stone Rose Lounge
10 Columbus Circle,
4. Stock.
Stadtplan 12 D3.

Tao Bar
42 E 58th St.
Stadtplan 13 A3.

Top of the Tower
3 Mitchell Place.
Stadtplan 13 C5.

UPPER EAST SIDE

Brother Jimmy's BBQ
1485 2nd Ave.
Stadtplan 17 B5.

Elaine's
1703 2nd Ave.
Stadtplan 17 B4.

Swifty's
1007 Lexington Ave.
Stadtplan 17 A5.

UPPER WEST SIDE

Tavern on the Green
Central Park,
W 67th St.
Stadtplan 12 D2.

Westside Brewing Company
340 Amsterdam Ave.
Stadtplan 15 C2.

BROOKLYN

Park Slope Ale House
356 6th Ave/5th Ave.

Stadtplan siehe Seiten 394–425

SHOPPING

Tiffany-Uhr

Was wäre eine New-York-Reise ohne einen ausgedehnten Shopping-Bummel? Die Stadt ist ohne Zweifel das Konsumzentrum der Welt: ein Einkaufsparadies mit einem überwältigenden Angebot. Hier gibt es einfach alles – von der neuesten Mode über seltene Kinderbücher und die neueste Elektronik bis hin zu einer Vielfalt exotischer Nahrungsmittel. Wer unbedingt sein eigenes Hovercraft, eine Nachtlesebrille, ein Designerbett für seine Wüstenspringmaus oder eine Wurlitzer-Jukebox haben muss, für den ist New York die Stadt seiner Träume. Und ob man nun fünf oder 50 000 Dollar hat – hier ist der richtige Ort, sie auszugeben.

SCHNÄPPCHEN

New York ist das Eldorado für die Jagd nach Sonderangeboten, denn mit etwas Glück findet man hier alles – von Haushaltswaren bis zur Designermode – zu Discountpreisen. Einige der besten Läden sind in der Orchard und der Grand Street in der

Bulgari-Eingang im Hotel Pierre (siehe S. 290)

Das Kaufhaus Henri Bendel (siehe S. 319)

Lower East Side. Man bekommt hier Kleidung aller Art, aber auch Geschirr, Schuhe, Einrichtungsgegenstände und Elektronik mit etwa 20 bis 50 Prozent Preisnachlass. Die Läden des Viertels sind am Samstag – dem jüdischen Sabbat – geschlossen, haben aber meist sonntags geöffnet.

Mode zu Niedrigpreisen gibt es im Garment District, der sich zwischen der Sixth und der Eighth Avenue von der 30th bis zur 40th Street erstreckt. Viele Designer und Hersteller haben hier Ausstellungsräume, von denen einige der Öffentlichkeit zugänglich sind. Sonderverkäufe von Musterstücken werden überall in dieser Gegend durch Werbeplakate angekündigt. Die

besten Angebote gibt es meist kurz vor Feiertagen, die mit Geschenken verbunden sind. Unter www.topbuttom.com finden Sie Adressen für besonders preisgünstige Mode.

AUSVERKAUF

Ein Wort, auf das man in New York ständig stößt, ist »Sale«. Die besten Angebote gibt es im Sommerschlussverkauf, Mitte Juni bis Ende Juli, und im Winterschlussverkauf vom 26. Dezember bis Februar. Einzelheiten finden Sie in der lokalen Presse. Vorsicht ist bei Billigläden in der Fifth Avenue geboten, die mit Schildern wie *Lost Our Lease* einen Totalausverkauf wegen Geschäftsaufgabe anzeigen. Oft hängen diese Schilder schon seit Jahren in den Fenstern.

Halten Sie die Augen offen für »Sample Sales«. Hier verkaufen Top-Designer ihre Musterkleider, die sie für eine Vorführung vor Großeinkäufern kreiert haben. Solche Verkäufe finden an unterschiedlichen Orten statt und werden in der Regel nicht vorab inseriert. In der Fifth Avenue und am Broadway hat man die besten Chancen.

Reduzierte Designermode im New Yorker Ausverkauf

ÖFFNUNGSZEITEN

Die meisten Läden haben montags bis samstags von 10 bis 18 Uhr geöffnet, viele Kaufhäuser auch am Sonntag sowie an mindestens zwei Abenden bis 21 Uhr. Mittags (12–14.30 Uhr), am Samstagvormittag, im Schlussverkauf und während der Schulferien ist der Andrang in den Geschäften am größten.

BEZAHLUNG

Die meisten Läden akzeptieren Kreditkarten, allerdings oft erst ab einer Mindestsumme. Wer mit Reiseschecks bezahlen will, muss sich ausweisen. Manche kleineren Geschäfte nehmen nur Bargeld, vor allem während der Schlussverkäufe.

STEUERN

Die Umsatzsteuer von 8,375 Prozent entfällt für Kleidung und Schuhe bis zu einem Betrag von 110 Dollar. Bei Versenden der Waren ins Ausland entfällt die Steuer ebenfalls.

SHOPPING-TOUREN

Wer nicht allein einkaufen will, kann sich einer Shopping-Tour anschließen. Neben bekannten Warenhäusern stehen u. a. der Besuch von Showrooms, Auktionshäusern und Modenschauen auf dem Programm. Einige Anbieter organisieren auch individuelle Touren.

KAUFHÄUSER

Die meisten namhaften Kaufhäuser befinden sich in Midtown Manhattan. Auf-

Schaufenster bei Bloomingdale's *(siehe S. 181)*

grund ihrer Größe und des riesigen Warenangebots erfordert ein Bummel viel Zeit. Die Preise sind oft recht hoch, doch im Ausverkauf gibt es interessante Sonderangebote.

Department Stores wie Saks Fifth Avenue, Bloomingdale's und Macy's bieten eine Reihe zusätzlicher Dienstleistungen an und besorgen sogar den kompletten Einkauf für Sie.

Eines der größten Einkaufszentren in Manhattan ist **Shops at Columbus Circle** im Time Warner Center. Vertreten sind u. a. Williams-Sonoma, Coach und Hugo Boss.

Barney's New York ist vor allem bei jungen New Yorker Geschäftsleuten beliebt. Der Laden hat sich auf erstklassige Designermode spezialisiert; im World Financial Center gibt es eine Herrenabteilung.

Bergdorf Goodman strahlt Luxus, Eleganz und Understatement aus. Das Geschäft ist auf ausgesuchte europäische Designer spezialisiert. Das Herrengeschäft liegt genau gegenüber.

Bloomingdale's *(siehe S. 181)* steht bei fast allen New-York-Reisenden auf dem Programm. »Bloomies« ist der Hollywood-Star unter den Kaufhäusern – mit vielen außergewöhnlichen Schaufensterauslagen und einem verlockenden Warenangebot. Die Atmosphäre erinnert ein bisschen an einen orientalischen Luxusbasar, in dem wohlhabende, tadellos gekleidete New Yorker auf der Suche nach dem neuesten Modetrend sind. Bloomingdale's ist außerdem für seine hervorragende Delikatessenabteilung bekannt, darunter ein Shop, der ausschließlich Kaviar verkauft. Zum Kaufhaus gehört auch ein empfehlenswertes Restaurant, Le Train Bleu. Bloomingdale's hat in SoHo am Broadway eine Zweigstelle, die allerdings deutlich kleiner ist.

Bei **Henri Bendel** werden alle Artikel – vom Art-déco-Schmuckstück bis hin zu handgefertigten Schuhen – wie kostbare Kunstwerke ausgestellt. Das exklusive Kaufhaus im Stil der 1920er Jahre bietet eine gute Auswahl an moderner Damenmode.

Lord & Taylor ist bekannt für seine klassische, eher konservative Damen- und Herrenkleidung, wobei der Schwerpunkt auf der Mode von US-Designern liegt.

Macy's bezeichnet sich als größtes Kaufhaus der Welt *(siehe S. 134f)* und erstreckt sich über zehn Etagen. Sie finden hier alles, was Sie sich vorstellen können – vom Dosenöffner bis zur Antiquität.

Schönes Angebot an Dekorationsobjekten

Saks Fifth Avenue steht für Stil, Eleganz und tadellosen Service. Es gilt als eines der besten Kaufhäuser der Stadt. Hier findet man umwerfende Designermode für Damen, Herren und Kinder.

ADRESSEN

Barney's New York
660 Madison Ave. **Stadtplan** 13 A3.
(212) 826-8900.

Bergdorf Goodman
754 5th Ave. **Stadtplan** 12 F3.
(212) 753-7300.

Bloomingdale's
1000 3rd Ave. **Stadtplan** 13 A3.
(212) 705-2000.

Bloomingdale's SoHo
504 Broadway. **Stadtplan** 4 E3.
(212) 729-5900.

Convention Tours Unlimited
(212) 545-1160.

Doorway to Design
(212) 229-0299.

Guide Service of New York
(212) 408-3332.

Henri Bendel
712 5th Ave. **Stadtplan** 12 F4.
(212) 247-1100.

Lord & Taylor
424 5th Ave. **Stadtplan** 8 F1.
(212) 391-3344.

Macy's
151 W 34th St. **Stadtplan** 8 E2.
(212) 695-4400.

Saks Fifth Avenue
611 5th Ave. **Stadtplan** 12 F4.
(212) 753-4000.

Shops at Columbus Circle
Time Warner Center.
Stadtplan 12 D3.
(212) 823-6300.

Stadtplan *siehe Seiten 394 – 425*

Highlights: Shopping

Designerschuhe von der Madison Avenue

Am besten übernimmt man in New York, einer Stadt, in der man rund um die Uhr einkaufen kann, die Gewohnheit der Einheimischen. Sie tätigen ihre Einkäufe zumeist in speziellen Vierteln, von denen jedes einen eigenen Charakter und typische Warenangebote hat. Im Folgenden werden die besten Shopping-Gegenden vorgestellt. Wer nur wenig Zeit hat, sollte in eines der großen Kaufhäuser gehen *(siehe S. 319)* oder sich für die Fifth Avenue entscheiden. Preiswerter allerdings kann man in der Lower East Side einkaufen.

Greenwich, East Village und Meatpacking District
Kurioses und Antiquitäten findet man im Village. Gourmets schätzen die unzähligen Lebensmittelläden. Ausgefallene Mode wird im Meatpacking District angeboten (siehe S. 112f).

SoHo
Das Areal zwischen Sixth Avenue, Lafayette, Houston und Canal Street ist voller Galerien und Läden mit Antiquitäten, Kunsthandwerk und Mode. Am Wochenende ist ein Galerienbummel zur Brunch-Zeit sehr beliebt. Ausgefallene Mode gibt es jenseits des Broadway in NoLIta (siehe S. 104f).

East Village und Lower East Side
Rund um den St. Mark's Place findet man Schuhe und Avantgarde-Mode (siehe S. 118f). Schnäppchen gibt es in der Lower East Side immer seltener, dafür wird das Angebot modischer (siehe S. 94f).

South Street Seaport
Wer hier einen Bummel macht, stößt auf Kunsthandwerk, Geschenkartikel, Spielwaren, Souvenirs, neue und antiquarische Bücher sowie Antiquitäten mit maritimem Charakter (siehe S. 82f).

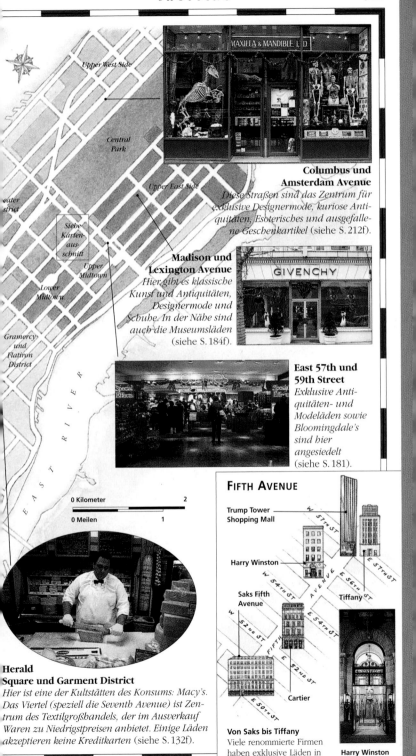

Upper West Side

Central Park

Upper East Side

ater strict

Siehe-Karten-aus-schnitt

Upper Midtown

Lower Midtown

Gramercy und Flatiron District

E A S T   R I V E R

Columbus und Amsterdam Avenue
Diese Straßen sind das Zentrum für exklusive Designermode, kuriose Antiquitäten, Esoterisches und ausgefallene Geschenkartikel (siehe S. 212f).

Madison und Lexington Avenue
Hier gibt es klassische Kunst und Antiquitäten, Designermode und Schuhe. In der Nähe sind auch die Museumsläden (siehe S. 184f).

East 57th und 59th Street
Exklusive Antiquitäten- und Modeläden sowie Bloomingdale's sind hier angesiedelt (siehe S. 181).

| 0 Kilometer | | 2 |
| 0 Meilen | 1 | |

Herald Square und Garment District
Hier ist eine der Kultstätten des Konsums: Macy's. Das Viertel (speziell die Seventh Avenue) ist Zentrum des Textilgroßhandels, der im Ausverkauf Waren zu Niedrigstpreisen anbietet. Einige Läden akzeptieren keine Kreditkarten (siehe S. 132f).

FIFTH AVENUE

Trump Tower Shopping Mall

W 57TH ST

E 57TH ST

Harry Winston

W 54TH ST

E 56TH ST

Tiffany

Saks Fifth Avenue

W 52ND ST

E 54TH ST

FIFTH AVENUE

E 52ND ST

Cartier

E 50TH ST

Von Saks bis Tiffany
Viele renommierte Firmen haben exklusive Läden in der Fifth Avenue.

Harry Winston *(siehe S. 328)*

New Yorker Specials

New York ist eine Stadt, in der sich vermutlich jeder Wunsch – und sei er noch so ausgefallen – erfüllen lässt. Dutzende kleiner Shops haben sich auf ungewöhnliche Dinge spezialisiert, die von Schmetterlingen und Gebeinen bis zu tibetischen Kunstschätzen und Kleeblättern aus Irland reichen. In versteckten Winkeln auf solche Läden zu stoßen und in ihnen zu stöbern macht Shopping in New York zum wirklichen Vergnügen.

FACHGESCHÄFTE

Herrliche Schachbretter aus Onyx, Messing und Zinn sowie die Gelegenheit zu einer Schachpartie bietet der Chess Shop. Alle Arten von Stiften, u. a. Marken wie etwa Montblanc und Schaeffer, gibt es bei **Arthur Brown & Bros.** Für Sportliche verkauft und verleiht **Blades Board & Skate** Rollschuhe, Skateboards und das erforderliche Zubehör.

Wer Knöpfe liebt, für den ist **Tender Buttons** ein absolutes Muss. Ob es Knöpfe aus Email, Holz oder Navajo-Silber sein sollen (oder auch aus diesen Materialien angefertigte Ohrringe) – unter den Millionen von Knöpfen, die das Geschäft auf Lager hat, finden Sie sicher genau das, was Sie suchen. **Trash & Vaudeville** versorgt die New Yorker seit Jahrzehnten mit Punk- und Gothic-Klamotten und ist das Zentrum für Astor-Place-Mode.

Sollten Sie Briefbeschwerer sammeln, ist bei **Leo Kaplan Ltd.** der richtige Platz zum Stöbern. **Rita Ford's Music Boxes**, ein Laden im Stil des 19. Jahrhunderts, führt wohlklingende Spieldosen.

New York Firefighter's Friend verkauft Artikel, die mit der Brandbekämpfung in Zusammenhang stehen, etwa Spielzeug-Feuerwehrautos, Feuerwehrjacken, Abzeichen, Plüsch-Dalmatiner (Maskottchen der Feuerwehr) und T-Shirts (darunter auch eines mit dem begehrten FDNY-Schriftzug). Spione und solche, die es werden wollen, statten sich bei **Quark Spy** mit allen Spielereien aus, von Survival Kits bis hin zu Kameras in Kugelschreibern und Abhörgeräten.

Romantisch veranlagte Naturen finden bei **Only Hearts** alles in Herzform – einschließlich Seife, Schmuck und Kissen. Künstlerbedarf in großer Auswahl bekommen Sie bei **Pearl Paint Co**.

Ins Weltraumzeitalter gelangt man bei **Star Magic**, wo es Himmelskarten, Hologramme, Prismen und technisches Spielzeug gibt. **Forbidden Planet** ist ein Science-Fiction-Megastore, der Comics und jede Menge SF-Modelle führt.

Das speziell für Präsident George Washington hergestellte Kölnisch Wasser und die offizielle Seife für das Weiße Haus in der Eisenhower-Ära gehören zu den vielen Artikeln, die es bei **Caswell-Massey Ltd.**, der ältesten Apotheke der Stadt, gibt.

Gitarren-Freaks sollten den Gitarrenladen **Rudy's** nicht versäumen – oder aber den von Manny oder Sam Ash. Hier gibt es eine riesige Auswahl an Instrumenten – und man begegnet womöglich Eric Clapton oder Lou Reed, die ihre Gitarren in dieser Gegend anfertigen lassen.

Für Bücherfreunde ist der **New York Public Library Shop** (siehe S. 146) interessant. Die Steinlöwen, die den Haupteingang flankieren, kann man in Form von Buchstützen mit nach Hause nehmen. Der **Morgan Library Shop** (siehe S. 164f) verkauft u. a. Lesezeichen und Briefpapier.

In den Geschenkboutiquen von **The Yale Club** und **The Princeton Club** findet man allen möglichen Schnickschnack mit Universitätsabzeichen und in College-Farben. **Weisburg Religious Articles** bietet mit die größte Auswahl an rituellen jüdischen Gegenständen in New York an. **The Cathedral Shop** der Cathedral of St. John the Divine führt religiöse Bücher, Schmuck, Kunst und Devotionalien.

MEMORABILIEN

Der **Metropolitan Opera Shop** im Lincoln Center hat CDs, Schallplatten, Libretti, Operngläser und viele andere Geschenkartikel, die mit der Oper in Zusammenhang stehen. Theaterfans erfreuen sich an den Skripten, den Aufnahmen und den CDs von **One Shubert Alley**. Tausende alter und seltener Standfotos sowie Filmplakate gibt es in **Jerry Ohlinger's Movie Material Store**.

Der **Carnegie Hall Shop** führt Karten, T-Shirts, Spiele, Poster und Tragetaschen – alles mit musikalischen Motiven. Originelles und typisch Amerikanisches findet man bei **Lost City Arts** und **Urban Archaeology** in SoHo. Zwischen diesen beiden Läden werden Sie auf alle möglichen Relikte der amerikanischen Vergangenheit stoßen, angefangen bei Barbiepuppen-Zubehör bis hin zur Ausstattung alter Eisdielen.

SPIELWAREN UND SCHNICKSCHNACK

Der bekannteste Spielwarenladen von New York ist zweifellos **F.A.O. Schwarz**. Das riesige Geschäft ist mit extravaganten Spielzeugautos, übergroßen Plüschtieren und jedem nur erdenklichen elektronischen Spielzeug angefüllt. **Children's General Store** ist einer der neuesten – und intelligentesten – Spielwarenläden New Yorks. Junge Mädchen könnten sich in dem Puppenladen **American Girl Place** vermutlich den ganzen Tag aufhalten. Hier gibt es u. a. ein Café, ein Fotostudio und einen Frisör.

Penny Whistle Toys führt eine riesige Auswahl erstklassiger Spielsachen. Ein Paradies für Fans von Modelleisenbahnen ist **Red Caboose**. Der Hauptladen der Kette **Toys 'R' Us** am Broadway ist das größte Spielwarengeschäft der Welt mit einem 20 Meter hohen Riesenrad.

Dinosaur Hill in der Second Avenue bietet handgefertigte Puppen und Spielsachen,

Mobiles sowie hübsche und ausgefallene Kinderkleidung, die ihren Preis wert ist.

Seit 1848 versteht sich **Hammacher Schlemmer** darauf, seinen Kunden die neuesten Gerätschaften, Erfindungen und Spielereien fürs Heim oder fürs Büro zu verkaufen. Auch ein Besuch bei **The Sharper Image** führt in eine Welt der Entdeckungen – von Dingen, die man bisher nicht kannte.

MUSEUMSLÄDEN

Einige der besten Souvenirs sind in den zahlreichen Museumsläden der Stadt erhältlich. Neben dem üblichen Angebot an Büchern, Plakaten und Karten gibt es dort auch Reproduktionen von Ausstellungsstücken wie Schmuck und Skulpturen. Das **Museum of Arts and Design** *(siehe S. 149)* bietet eine ausgezeichnete Auswahl amerikanischen Kunsthandwerks. Das **American Museum of Natural History** *(siehe S. 216f)* verkauft Dinosauriermodelle, Gummitiere, Mineralien und Steine, die verschiedensten Recyclingprodukte, Geschenke für Umweltbewusste,

Poster, Taschen, T-Shirts und indianisches Kunsthandwerk. Es gibt auch eine Abteilung für Kinder, die Spielsachen, Magnete und Ähnliches führt.

Der **Asia Society Bookstore and Gift Shop** *(siehe S. 187)* hat eine große Auswahl an fernöstlichen Drucken, Postern, Kunstbüchern, Schmuck und Spielwaren. Das **Cooper-Hewitt Museum** *(siehe S. 186)* bietet einiges zum Thema Innenarchitektur.

Eine reiche Auswahl an jüdischen Kultgegenständen, Büchern und Schmuck findet man im Laden des **Jewish Museum** *(siehe S. 186).*

Wenn Sie sich für Reproduktionen berühmter Gemälde interessieren, sollten Sie unbedingt das Laden des **Metropolitan Museum of Art** *(siehe S. 190–197)* aufsuchen. Hier gibt es auch eine große Buchabteilung und Geschenke für Kinder.

Das **American Folk Art Museum** *(siehe S. 171)* ist bekannt für sein amerikanisches Kunsthandwerk, zu dem u. a. Holzspielzeug, Quilts und Wetterfahnen gehören. Zudem werden auch Originalarbeiten der ausstellenden Künstler verkauft.

Das **Museum of the City of New York** *(siehe S. 199)* ist auf Abbildungen des alten New York spezialisiert.

Der **Museum of Modern Art/MoMA Design Store** *(siehe S. 172–175)* führt innovative Einrichtungsartikel, Spielsachen und Küchenutensilien, die durch international bekannte Designer und Architekten wie Frank Lloyd Wright und Le Corbusier inspiriert sind. Hinzu kommt eine hervorragende Auswahl an Büchern.

Ein großes Angebot an nautischen Artikeln (Seekarten, Schiffsmodelle, Muschelarbeiten) erwartet einen in den **South Street Seaport Museum Shops** *(siehe S. 84).*

Der **Whitney Museum's Store** *(siehe S. 200f)* führt Artikel US-amerikanischer Herkunft, etwa Schmuck, Holzspielzeug, Bücher, Poster und vieles mehr.

Im **Museum of Jewish Heritage** *(siehe S. 77)* gibt es eine Boutique, die eine Auswahl ungewöhnlicher Geschenke, Souvenirs und lehrreiches Material rund um die jüdische Kultur anbietet. Zugang haben allerdings nur Besucher des Museums.

WAREN AUS ALLER WELT

New York ist ein riesiger Schmelztiegel unterschiedlicher Nationalitäten, Kulturen und ethnischer Gruppen. Die meisten haben die Stadtkultur beeinflusst, und alle sind durch Läden vertreten, die typische Erzeugnisse der jeweiligen Bevölkerungsgruppe verkaufen. Zu den besonders interessanten Läden zählen **Alaska on Madison** mit einer großen Auswahl an Inuit-Kunst sowie die exquisite **Chinese Porcelain Company**, die Möbel und Dekoratives aus China führt.

Pearl River Mart verkauft seit über 30 Jahren asiatische Waren, **Himalayan Crafts and Tours** führt tibetisches Kunsthandwerk wie Bilder und Teppiche. **Sweet Life** in der Lower East Side

ist ein kleiner, hübsch altmodischer Süßwarenladen mit Spezialitäten aus aller Welt. **Things Japanese** bietet gut verarbeitetes Kunsthandwerk und außergewöhnliche Bücher aus Japan an.

Surma ist ein ukrainischer Laden, der handbemalte Eier und Stoffwaren verkauft. Bei **Common Ground** bekommt man indianische Korb-, Web- und Schmuckwaren. **Astro Gems** führt eine große Auswahl von Juwelen und Mineralien aus Afrika und Asien.

ADRESSEN

Alaska on Madison
937 Madison Ave.
Stadtplan 17 A1.
((212) 879-1782.

Astro Gems
185 Madison Ave. **Stadtplan**
9 A2. ((212) 889-9000.

Chinese Porcelain Company
475 Park Ave. **Stadtplan** 13 A3.
((212) 838-7744.

Common Ground
55 W 16th St. **Stadtplan** 8 F5.
((212) 989-4178.

Himalayan Crafts and Tours
2007 Broadway. **Stadtplan** 11 C1.
((212) 787-8500.

Pearl River Mart
477 Broadway. **Stadtplan** 4 E4.
((212) 431-4770.

Surma
11 E 7th St. **Stadtplan** 4 F2.
((212) 477-0729.

Sweet Life
63 Hester St. **Stadtplan** 5 B4.
((212) 598-0092.

Things Japanese
127 E 60th St. **Stadtplan** 13 A3.
((212) 371-4661.

Stadtplan *siehe Seiten 394–425*

AUF EINEN BLICK

FACHGESCHÄFTE

Arthur Brown & Bros.
2 W 46th St.
Stadtplan 12 F5.
☎ (212) 575-5555.

Blades Board & Skate
120 W 72nd St.
Stadtplan 12 D1.
☎ (888) 552-5233.

Caswell-Massey Ltd.
518 Lexington Ave.
Stadtplan 13 A5.
☎ (212) 755-2254.

The Cathedral Shop
Cathedral of St. John the Divine,
1047 Amsterdam Ave.
Stadtplan 20 E4.
☎ (212) 316-7540.

The Chess Shop
230 Thompson St.
Stadtplan 4 D3.
☎ (212) 475-9580.

Forbidden Planet
840 Broadway.
Stadtplan 4 E1.
☎ (212) 473-1576.

Leo Kaplan Ltd.
114 E 57th St.
Stadtplan 13 A3.
☎ (212) 355-7212.

Morgan Library Shop
Madison Ave/36th St.
Stadtplan 9 A2.
☎ (212) 685-0008.

New York Firefighter's Friend
263 Lafayette St.
Stadtplan 4 F3.
☎ (212) 226-3142.

New York Public Library Shop
5th Ave/42nd St.
Stadtplan 8 F1.
☎ (212) 930-0869.

Only Hearts
386 Columbus Ave.
Stadtplan 15 D5.
☎ (212) 724-5608.

Pearl Paint Co
308 Canal St.
Stadtplan 4 E5.
☎ (212) 431-7932.

The Princeton Club
15 W 43rd St.
Stadtplan 8 F1.
☎ (212) 596-1200.

Quark Spy
537 Third Ave. **Stadtplan**
9 B2. ☎ (212) 889-1808.

Rita Ford's Music Boxes
19 E 65th St.
Stadtplan 12 F2.
☎ (212) 535-6717.

Rudy's
169 W 48th St.
Stadtplan 12 E5.
☎ (212) 391-1699.

Star Magic
745 Broadway.
Stadtplan 4 E2.
☎ (212) 228-7770.

Tender Buttons
143 E 62nd St.
Stadtplan 13 A2.
☎ (212) 758-7004.

Trash & Vaudeville
4 St. Mark's Pl.
Stadtplan 5 A4.
☎ (212) 982-3590.

Weisburg Religious Articles
45 Essex St. **Stadtplan** 5
B4. ☎ (212) 674-1770.

The Yale Club
50 Vanderbilt Ave.
Stadtplan 13 A5.
☎ (212) 661-2070.

MEMORABILIEN

Carnegie Hall Shop
881 7th Ave.
Stadtplan 12 E3.
☎ (212) 903-9610.

Jerry Ohlinger's Movie Material Store
253 W 35th St.
Stadtplan 8 D2.
☎ (212) 989-0869.

Lost City Arts
18 Cooper Square.
Stadtplan 4 F2.
☎ (212) 375-0500.

Metropolitan Opera Shop
Metropolitan Opera House, Lincoln Center,
136 W 65th St.
Stadtplan 11 C2.
☎ (212) 580-4090.

One Shubert Alley
1 Shubert Alley.
Stadtplan 12 E5.
☎ (212) 944-4133.

Urban Archaeology
143 Franklin St.
Stadtplan 4 D5.
☎ (212) 431-4646.

SPIELWAREN UND SCHNICKSCHNACK

American Girl Place
609 5th Ave.
Stadtplan 12 F5.
☎ (877) 247-5223.

The Children's General Store
Grand Central Station.
Stadtplan 9 A1.
☎ (212) 682-0004.

Dinosaur Hill
306 E 9th St, 2nd Ave.
Stadtplan 4 F1.
☎ (212) 473-5850.

F.A.O. Schwarz
767 5th Ave.
Stadtplan 12 F3.
☎ (212) 644-9400.

Hammacher Schlemmer
147 E 57th St.
Stadtplan 13 A3.
☎ (212) 421-9000.

Penny Whistle Toys
448 Columbus Ave.
Stadtplan 16 D4.
☎ (212) 873-9090.

Red Caboose
23 W 45th St.
Stadtplan 12 F5.
☎ (212) 575-0155.

The Sharper Image
Pier 17, 89 South St,
South Street Seaport.
Stadtplan 2 D2.
☎ (212) 693-0477.
Eine von drei Filialen.

Toys 'R' Us
1514 Broadway,
Times Square.
Stadtplan 8 E2.
☎ (646) 366-8800.

MUSEUMSLÄDEN

American Folk Art Museum
45 W 53rd St.
Stadtplan 12 F4.
☎ (212) 265-1040.

American Museum of Natural History
W 79th St/Central Park W.
Stadtplan 16 D5.
☎ (212) 769-5100.

Asia Society Bookstore and Gift Shop
725 Park Ave.
Stadtplan 13 A1.
☎ (212) 288-6400.

Cooper-Hewitt
2 E 91st St.
Stadtplan 16 F2.
☎ (212) 849-8400.

Jewish Museum
1109 5th Ave.
Stadtplan 16 F2.
☎ (212) 423-3200.

Metropolitan Museum of Art
5th Ave/82nd St.
Stadtplan 16 F4.
☎ (212) 535-7710.

Museum of Arts and Design
40 W 53rd St.
Stadtplan 12 F4.
☎ (212) 956-3535.

Museum of the City of New York
5th Ave/103rd St.
Stadtplan 21 C5.
☎ (212) 534-1672.

Museum of Jewish Heritage
18 1st Place,
Battery Park City.
Stadtplan 1 B4.
☎ (646) 437-4200.

Museum of Modern Art/MoMA Design Store
44 W 53rd St.
Stadtplan 12 F4.
☎ (212) 767-1050.

South St Seaport Museum Shops
12 Fulton St.
Stadtplan 2 D2.
☎ (212) 748-8600.

The Whitney Museum's Store Next Door
943 Madison Ave.
Stadtplan 13 A1.
☎ (212) 570-3676.

Stadtplan *siehe Seiten 394–425*

Mode

Ganz egal, was Sie suchen – sei es eine Levi's 501 im Sonderangebot oder ein Abendkleid, wie es Ivana Trump tragen würde – in New York finden Sie es. Die Stadt ist das Modezentrum Amerikas. Hier arbeiten die meisten Designer und Manufakturen. Wie die Gastronomie spiegeln unzählige Modegeschäfte die verschiedenen Stile und Kulturen einzelner Stadtbezirke wider. Aus Zeitgründen konzentriert man sich am besten auf ein bestimmtes Viertel. Sie können auch eines der großen Kaufhäuser aufsuchen, die eine ausgezeichnete Auswahl an Bekleidung bieten.

AMERIKANISCHE MODESCHÖPFER

Viele US-Designer verkaufen ihre Kreationen innerhalb der großen Kaufhäuser in Extra-Shops oder unterhalten eigene exklusive Läden. Zu den berühmtesten gehört Michael Kors, der für das anspruchsvolle Design seiner klassischen Mode bekannt ist.

Bill Blass ist der König der amerikanischen Modebranche. Er verwendet viele verschiedene Farben, wilde Muster und innovative Formen. Er hat eine Menge Esprit, was sich als überaus erfolgreich erwiesen hat. Die Entwürfe von Liz Claiborne zeichnen sich durch schlichte Eleganz und vernünftige Preise aus. Ihre Kollektion ist breit gefächert und reicht vom Tennisdress bis zum eleganten Bürokostüm.

Marc Jacobs, bekannt für Sportbekleidung, hat sein eigenes Label und einen Laden in Greenwich Village. James Galanos entwirft exklusive Einzelstücke zu astronomischen Preisen für eine reiche Klientel. Betsey Johnson ist auf superschlanke extrovertierte Kundinnen abonniert, die wilde Partys und hautenge Garderobe lieben.

Der Name Donna Karan taucht seit Langem überall auf. Ihre Kollektion bietet Mode für Karrierefrauen ebenso wie preiswertere Sportbekleidung. Calvin Klein ist für bequeme, sinnliche und gut sitzende Unterwäsche, Jeans, Kleider, Mäntel und Sonnenbrillen bekannt. Ralph Lauren hat sich einen Namen mit seiner aristokratischen und teuren Mode gemacht – ein Look, den die exklusive Gesellschaft der Universitätselite bevorzugt. Das Metier von Joan Vass sind aufregende, farbenfrohe und innovative Strickwaren mittlerer Preislage.

DESIGNERMODE ZU NIEDRIGPREISEN

Reduzierte Designermode in großer Auswahl gibt's bei Designer Resale, Encore und Michael's. Oscar de la Renta, Ungaro und Armani sind nur einige der Modeschöpfer, deren Kreationen in diesen Läden angeboten werden. In den Verkauf kommen ausschließlich fehlerlose (oder beinahe fehlerlose) Stücke, von denen die meisten noch niemals getragen wurden.

Das Kaufhaus Century 21 in Lower Manhattan gehört zu New Yorks Geheimtipps. Das Discountgeschäft für europäische und amerikanische Designermode bietet bis zu 75 Prozent Preisnachlass.

Filene's Basement, einer der ältesten Discountläden Manhattans, führt Designermode, Schuhe und Accessoires.

HERRENMODE

Im Zentrum von Midtown findet man zwei der renommiertesten Herrenausstatter: Brooks Brothers und Paul Stuart. Brooks Brothers ist bekannt für elegante, klassische Herrenbekleidung und führt auch eine konservative Modelinie für Damen. Paul Stuart präsentiert sich betont britisch und verkauft erlesene Herrenbekleidung.

Bei Bergdorf Goodman Men, einem führenden Modehaus, findet man außergewöhnlich schöne Hemden von Turnbull & Asser sowie Anzüge von Gianfranco Ferré und Hugo Boss. Barney's New York hat eine der größten Herrenabteilungen der USA, mit einer riesigen Auswahl an Bekleidung und Accessoires. Der Herrenausstatter Polo/Ralph Lauren führt ein reichhaltiges Angebot schlichter, zeitloser Mode und viele Accessoires.

Rothman's hat internationale Marken; hier gibt es ab und zu Schnäppchen. The Custom Shop Shirtmakers ist auf maßgeschneiderte Anzüge und Hemden aus herrlichen Stoffen spezialisiert. Die klassischen britischen Trenchcoats gibt's bei Burberry Limited.

J. Press verkauft klassische, konservative Herrenbekleidung. John Varvatos ist für luxuriöse Sportmode mit eleganten Details bekannt.

In Uptown gibt es elegante europäische Designermode bei Beau Brummel. Auch der Shop von Thomas Pink, bei dem die Promis kaufen, bietet hier Mode aus farbenfrohen, edlen Stoffen.

Viele der genannten Herrenausstatter haben auch faszinierende Damenabteilungen. Ein Besuch im neuen Hickey-Freeman-Shop in der Fifth Avenue, der eine große Auswahl traditioneller Herren- und Damenbekleidung führt, lohnt sich immer.

KINDERMODE

Neben dem ausgezeichneten Angebot der großen Kaufhäuser gibt es in New York auch einige Kinderbekleidungsgeschäfte. Mode für die Kleinen mit dem gewissen französischen Charme findet man bei Bonpoint.

GapKids und BabyGap, die man meist in den Gap-Läden findet, bieten strapazierfähige Baumwoll-Overalls, Hosen, Jeansjacken, hübsche Sweatshirts und Leggings. Blue Tree ist der Kindermodeladen der Schauspielerin Phoebe Cates. Space Kiddets hat alles, von Babylätzchen bis hin zu Kinderkleidung im Western-Look.

DAMENMODE

Die New Yorker Damenmode ist mehr statusorientiert als trendsetzend, wobei der Schwerpunkt auf Designerkleidung liegt. Die exquisiten Modeboutiquen findet man vor allem um Madison Avenue und Fifth Avenue. Hierzu gehören auch einige der namhaften Kaufhäuser, die Labels verschiedener US-Designer, etwa Donna Karan, Ralph Lauren und Bill Blass, führen.

Internationale Modehäuser wie **Chanel**, **Fendi** und **Valentino** haben in der Stadt ihre Niederlassungen. Gleiches gilt für den herausragenden amerikanischen Modeschöpfer **Michael Kors**. Darüber hinaus gibt es eine Reihe von beliebten Konfektionsgeschäften wie **Ann Taylor**.

Mitten in diesem »Mode-Areal« erhebt sich der Trump Tower, der zahlreiche exklusive Läden beherbergt.

In der Madison Avenue findet man Haute-Couture-Ableger in großer Zahl, etwa **Givenchy** mit atemberaubenden Kleidern zu Höchstpreisen, **Valentino** mit klassischer italienischer Mode und **Emanuel Ungaro**, ein vergleichsweise unscheinbarer Laden, der für jeden Geschmack und jede Figur etwas zu bieten hat – von erstklassig verarbeiteten Jacken bis zu Kleidern in kühn gemusterten Stoffen für eher korpulente Damen.

Missoni ist bekannt für aufwendig gearbeitete, farbenfrohe Pullover. **Yves St Laurent Rive Gauche** führt Abendkleider, Modelljacken, extravagante Blusen und herrlich geschnittene Hosenanzüge.

Raffinierten Chic aus Italien bieten die großen Namen des Landes: **Giorgio Armani** und **Gianni Versace**. Auch **Dolce & Gabbana** entwirft einzigartige italienische Designermode, die natürlich ihren Preis hat. **Gucci**, eines der ältesten italienischen Modelabels in den USA, zieht hauptsächlich Kunden aus der oberen Gesellschaftsschicht an.

In der Upper West Side erregen viele Shops durch ihre außergewöhnlichen Kreationen Aufmerksamkeit, darunter

auch **Betsey Johnson** mit ihren schrillen, relativ preiswerten Modellen. Ein **Calvin-Klein**-Laden hat in der East Side eröffnet; angeboten wird ultramodisches, sportliches Design.

French Connection ist für erschwingliche Freizeit- und Bürokleidung bekannt. Wenn es um das »kleine Schwarze« geht, ist **Scoop** die richtige Adresse.

Wer Secondhand-, Vintage- oder Rock-'n'-Roll-Mode der 1950er Jahre sucht, sollte sich besonders im East Village, aber auch in Greenwich Village umsehen. Hier sind auch zahlreiche Shops junger Designer. Auf der Suche nach erschwinglicher, gut geschnittener, klassisch-lässiger Kleidung wird man möglicherweise bei **APC** fündig.

Cheap Jack's bietet eine riesige Auswahl an Secondhand-Levi's sowie Jeans- und Lederjacken. Bei **Loehmann's** findet man die allerneuesten Modetrends – manchmal zu fast unglaublich günstigen Preisen.

Genau das richtige »kleine Schwarze« kann man sich bei **Big Drop** unter zahllosen Modellen aussuchen. **Screaming Mimi's** dagegen hat die ausgestellten Samthosen auf Lager oder die Go-Go-Stiefel, von denen Sie schon immer geträumt haben.

Alltäglicher ist das Angebot bei **The Gap**, einer Ladenkette, die bequeme Kleidung für die ganze Familie führt.

In Sachen Boutiquen mit interessanter Designermode hat sich SoHo in jüngster Zeit zu einem ernsthaften Konkurrenten der Madison Avenue entwickelt, wobei die Klamotten in SoHo um einiges avantgardistischer sind. Neben anderen ausgefallenen Läden findet man hier **Yohji Yamamoto**. Japanischen Chic für Minimalisten verkauft **Comme des Garçons**. **Cynthia Rowley** ist eine prominente New Yorker Designerin, die sexy Damenmode kreiert. **What Comes Around Goes Around** ist der richtige Laden für edle Vintage-Jeans.

KONFEKTIONSGRÖSSEN

Kinderkleidung

USA	2–3	4–5	6–6x	7–8	10	12	14	16
Deutschland	2–3	4–5	6–7	8–9	10–11	12	14	14+

Kinderschuhe

USA	7½	8½	9½	10½	11½	12½	13½	1½	2½
Deutschland	24	25½	27	28	29	30	32	33	34

Damenmode

USA	8	10	12	14	16	18	20
Deutschland	34	36	38	40	42	44	46

Damenschuhe

USA	5	6	7	8	9	10	11
Deutschland	36	37	38	39	40	41	44

Herrenanzüge

USA	34	36	38	40	42	44	46	48
Deutschland	44	46	48	50	52	54	56	58

Oberhemden

USA	14	15	15½	16	16½	17	17½	18
Deutschland	36	38	39	41	42	43	44	45

Herrenschuhe

USA	7	7½	8	8½	9½	10½	11	11½
Deutschland	39	40	41	42	43	44	45	46

AUF EINEN BLICK

DESIGNERMODE ZU NIEDRIGPREISEN

Century 21 Department Store
22 Cortland St.
Stadtplan 1 C2.
((212) 227-9092.

Designer Resale
324 E 81st St.
Stadtplan 17 B4.
((212) 734-3639.

Encore
1132 Madison Ave.
Stadtplan 17 A4.
((212) 879-2850.

Filene's Basement
4 Union Square South.
Stadtplan 9 A5.
((212) 358-0169.
Eine von mehreren Filialen.

Michael's
1041 Madison Ave.
Stadtplan 17 A5.
((212) 737-7273.

HERRENMODE

Barney's New York
660 Madison Ave.
Stadtplan 13 A3.
((212) 826-8900.

Beau Brummel
421 W Broadway.
Stadtplan 4 E3.
((212) 219-2666.
Eine von mehreren Filialen.

Bergdorf Goodman Men
754 5th Ave.
Stadtplan 12 F3.
((212) 753-7300.

Brooks Brothers
346 Madison Ave.
Stadtplan 9 A1.
((212) 682-8800.

Burberry Limited
9 E 57th St.
Stadtplan 12 F3.
((212) 757-3700.

The Custom Shop Shirtmakers
618 5th Ave.
Stadtplan 12 F4.
((212) 245-2499.
Eine von mehreren Filialen.

Hickey Freeman
666 Fifth Avenue.
Stadtplan 12 F4.
((212) 586-6481.

J. Press
7 E 44th St. **Stadtplan** 12 F5. ((212) 687-7642.

John Varvatos
149 Mercer St. **Stadtplan** 4 E3. ((212) 965-0700.

Paul Stuart
350 Madison Ave.
Stadtplan 13 A5.
((212) 682-0320.

Polo/Ralph Lauren
Madison Ave/72nd St.
Stadtplan 13 A1.
((212) 606-2100.

Rothman's
200 Park Ave South.
Stadtplan 9 A5.
((212) 777-7400.

Thomas Pink
520 Madison Ave.
Stadtplan 13 A4.
((212) 838-1928.

KINDERMODE

Blue Tree
1283 Madison Ave.
Stadtplan 17 A2.
((212) 369-2583.

Bonpoint
1269 Madison Ave.
Stadtplan 17 A3.
((212) 722-7720.

GapKids
60 W 34th St.
Stadtplan 8 F2.
((212) 760-1268.
Eine von mehreren Filialen.

Space Kiddets
46 E 21st St.
Stadtplan 8 F4.
((212) 420-9878.

DAMENMODE

Ann Taylor
645 Madison Ave.
Stadtplan 13 A3.
((212) 832-2010.
Eine von mehreren Filialen.

APC
131 Mercer St.
Stadtplan 4 E3.
((212) 966-9685.

Betsey Johnson
248 Columbus Ave.
Stadtplan 16 D4.
((212) 362-3364.
Eine von mehreren Filialen.

Big Drop
174 Spring St.
Stadtplan 3 C4.
((212) 966-4299.

Calvin Klein
654 Madison Ave.
Stadtplan 13 A3.
((212) 292-9000.

Chanel
15 E 57th St.
Stadtplan 12 F3.
((212) 355-5050.

Cheap Jack's
841 Broadway.
Stadtplan 4 E1.
((212) 777-9564.

Comme des Garçons
520 W 22nd St.
Stadtplan 8 F3.
((212) 604-9200.

Cynthia Rowley
376 Bleecker St.
Stadtplan 3 C2.
((212) 242-3803.

Dolce & Gabbana
434 W Broadway.
Stadtplan 4 E3.
((212) 965-8000.

Emanuel Ungaro
792 Madison Ave.
Stadtplan 13 A2.
((212) 249-4090.

Fendi
677 5th Ave.
Stadtplan 12 F3.
((212) 759-4646.

French Connection
700 Broadway.
Stadtplan 4 E2.
((212) 473-4486.
Eine von mehreren Filialen.

The Gap
250 W 57th St.
Stadtplan 12 D3.
((212) 315-2250.
Eine von mehreren Filialen.

Gianni Versace
647 5th Ave.
Stadtplan 12 F4.
((212) 317-0224.

Giorgio Armani
760 Madison Ave.
Stadtplan 13 A2.
((212) 988-9191.

Givenchy
710 Madison Ave.
Stadtplan 13 A1.
((212) 688-4005.

Gucci
685 5th Ave.
Stadtplan 12 F4.
((212) 826-2600.

Loehmann's
101 7th Ave.
Stadtplan 8 E1.
((212) 352-0856.

Michael Kors
974 Madison Ave.
Stadtplan 17 A5.
((212) 452-4685.

Missoni
1009 Madison Ave.
Stadtplan 13 A1.
((212) 517-9339.

Saks Fifth Avenue
611 5th Ave.
Stadtplan 12 F4.
((212) 753-4000.

Scoop
532 Broadway
(nahe Spring St).
Stadtplan 4 E4.
((212) 925-2886.
Eine von zwei Filialen.

Screaming Mimi's
382 Lafayette St.
Stadtplan 4 F2.
((212) 677-6464.

Valentino
747 Madison Ave.
Stadtplan 13 A2.
((212) 772-6969.

What Comes Around Goes Around
351 W Broadway.
Stadtplan 4 E4.
((212) 343-9303.

Yohji Yamamoto
103 Grand St.
Stadtplan 4 E4.
((212) 966-9066.

Yves St Laurent Rive Gauche
855 Madison Ave.
Stadtplan 13 A1.
((212) 517-7400.

Stadtplan *siehe Seiten 394–425*

Accessoires

Neben den hier aufgeführten Läden haben alle großen Kaufhäuser in Manhattan ein vielfältiges Angebot an Accessoires, etwa Hüte, Handschuhe, Taschen, Schmuck, Uhren, Schals, Schuhe und Schirme.

SCHMUCK

Midtown Fifth Avenue ist die Adresse exklusiver Juweliere. Tagsüber glitzern die Juwelen aus aller Welt in den Schaufenstern, nachts sind die Auslagen leer. Die kostbaren Stücke sind sicher in den Safes verwahrt. Die beeindruckendsten Geschäfte liegen nahe beieinander, darunter **Harry Winston**, wo Schmuckstücke aus aller Welt wie in einem Museum ausgestellt sind. **Buccellati** steht für innovative italienische Goldschmiedekunst. **Bulgari** führt eine Kollektion mit Stücken in Preislagen von einigen Hundert bis weit über eine Million Dollar.

Cartier, der in einer Art Renaissance-Palazzo residiert, ist ein Schmuckkästchen für sich und verkauft seine Edelsteine zu Preisen jenseits aller Vorstellung. **Tiffany & Co.** erstreckt sich über zehn Etagen, wo Diamanten und andere Juwelen darauf warten, den Besitzer zu wechseln.

Die Diamond Row, ein Häuserblock in der 47th Street (zwischen Fifth und Sixth Avenue; *siehe S. 144*), besteht aus lauter Geschäften, die wertvolle Diamanten, Goldschmuck und Perlen aus aller Herren Länder verkaufen. Nicht versäumen sollte man die **Jewelry Exchange**, einen Gebäudekomplex, in dem 60 verschiedene Goldschmiede ihre Kollektionen anbieten. Ausgiebiges Handeln gehört hier mit zum Ritual.

HÜTE

Der älteste New Yorker Hutmacher mit der größten Auswahl in der ganzen Stadt ist **Worth & Worth**. Man bekommt hier jede Art von Kopfbedeckung, angefangen bei australischen Buschhelmen bis hin zu Seidenzylindern und wogenden romantischen Kreationen. Die Lieblingshutmacherin von Celebrities wie Whoopi Goldberg und Ivana Trump ist **Suzanne Millinery**. Für Normalsterbliche bietet dagegen **Lids** Baseballkappen mit allen möglichen Logos an.

SCHIRME

Sobald es in New York zu regnen beginnt, sprießen Hunderte von Schirmverkäufern wie Pilze aus dem Boden. Ihre Schirme, die nur ein paar Dollar kosten, sind wohl die billigsten in der Stadt, halten jedoch meist auch nicht länger als einen Regenguss.

Schirme guter Qualität findet man bei **Worth & Worth**, die ein reichhaltiges Angebot von Briggs of London führen. **Barney's New York** bietet Schirme in modischem Design sowie mit traditionellem Schotten- und Streifenmuster. Auch **Macy's** (*siehe S. 319*) führt den Regenschutz in ungewöhnlichen Mustern und Formen. Bei **Gucci** gibt es passende Regenschirme zu den angebotenen Krawatten. Schirme rund ums Thema Subway findet man im **NY Transit Museum Store**. Große Portiersschirme in schlichtem Schwarz oder in den traditionellen Universitätsfarben Schwarz und Orange führt **The Princeton Club**.

LEDERWAREN

Zweimal im Jahr, während des Schlussverkaufs im Januar und im August, stehen an der Ecke 48th Street und Madison Avenue die Kunden Schlange, um bei **Crouch & Fitzgerald** eingelassen zu werden. Das alteingesessene New Yorker Geschäft verkauft Handtaschen, Aktentaschen und Koffer renommierter Marken wie Judith Leiber, Ghurka, Dooney & Bourke und Louis Vuitton sowie eine eigene Lederwarenkollektion. Andere exklusive Läden sind **Bottega Veneta** und **Prada**, wo Handtaschen wie Kunstwerke ausgestellt sind.

Zu den neueren modischeren Geschäften gehören **Furla** mit italienischen Modellen und das elegante **Il Bisonte**. Wildledertaschen des Top-Designers Rafé Totengco gibt es bei **TG-170** und **Big Drop**. Für klassische amerikanische Handtaschen aus festem Leder ist **The Coach Store** bekannt.

Die stilvollen und zugleich praktischen rechteckigen Handtaschen von **Kate Spade** sind längst schon Designklassiker und in einer Vielzahl von Farben und Druckmotiven erhältlich. Designerhandtaschen zu reduzierten Preisen bekommt man bei **Fine & Klein**. Und wer Aktenkoffer zu günstigen Preisen sucht, sollte unbedingt der **Altman Luggage Company** einen Besuch abstatten.

SCHUHE

Die Schuhgeschäfte von Manhattan sind bekannt für ihre riesige Auswahl an Schuhen und Stiefeln. Hier findet man fast immer, was man sucht – zu erschwinglichen Preisen.

Auch die meisten großen Kaufhäuser haben Schuhabteilungen, in denen neben ihren eigenen Schuhmarken auch Designermodelle angeboten werden. **Bloomingdale's** (*siehe S. 181*) unterhält eine riesige, gut sortierte Abteilung für Damenschuhe. **Brooks Brothers** hat mit das beste Angebot an Herrenschuhen. Besonders exklusive Schuhläden gibt es in Midtown. **Ferragamo** führt klassische Schuhmodelle aus Florenz.

Ausgefallene Schuhmode findet man bei **Botticelli**. Modisches Schuhwerk zu angemessenen Preisen kann man bei **Sigerson Morrison** in Little Italy erstehen.

Cowboy-Stiefel kauft man bei **Billy Martin's**, wo es eine riesige Auswahl an handgefertigten Stiefeln gibt – von einfachen **Ropers** ohne Fransen bis hin zu Stiefeln aus Krokodilleder für einige Tausend

Dollar. Bei **Billy Martin's** können Sie sich von Kopf bis Fuß mit Westernkleidung und -zubehör eindecken. Wunderschöne maßgefertigte Stiefel sind in der **Buffalo Chips Bootery** erhältlich.

Sammler von Sportschuhen finden im **Alife Rivington Club** in der Lower East Side einige schwer erhältliche Modelle dieser Marke.

Modische Kinderschuhe bester Qualität kauft man bei **East Side Kids**. **Shoofly** führt Importware jeden Stils, während bei **Harry's** vor allem die gute Passform zählt.

Jimmy Choo führt unzählige High Heels – von stilvoll bis sexy. Eine Klasse für sich sind die Schuhe von **Manolo Blahnik**. Durch enorm hohe Absätze fallen die Modelle von **Christian Louboutin** ins Auge. Spaniens bekannteste Schuhmarke **Camper** hat in SoHo einen geräumigen Store.

Schuhe zu Discountpreisen findet man vor allem in der West 34th Street und in der West 8th Street zwischen Fifth und Sixth Avenue sowie in der Orchard Street in der Lower East Side. Der Schuh-Discounter **DSW** führt in der 40 E 14th Street in endlosen Reihen Markenschuhe und -stiefel zu einem Bruchteil des regulären Preises.

DESSOUS

Teure und exquisite handgefertigte Seidendessous aus Europa in allen Stilrichtungen bekommt man bei **La Petite Coquette**. Preiswerter ist **Victoria's Secret** in der 57th Street, wo auf zwei Stockwerken Lingerie aus Satin, Seide und anderen verführerischen Materialien angeboten wird. **Henri Bendels** Dessous-Abteilung führt edle und sexy Underwear für jeden Anlass und jede Größe. Hochwertig verarbeitet und von italienischem Schick geprägt sind die reizvollen kleinen Teilchen von **La Perla**.

AUF EINEN BLICK

SCHMUCK

Buccellati
46 E 57th Ave. **Stadtplan** 12 F3. 📞 (212) 308-2900.

Bulgari
730 5th Ave. **Stadtplan** 12 F3. 📞 (212) 315-9000.

Cartier
653 5th Ave. **Stadtplan** 12 F4. 📞 (212) 753-0111.

Harry Winston
718 5th Ave. **Stadtplan** 12 F3. 📞 (212) 245-2000.

Jewelry Exchange
15 W 47th St.
Stadtplan 12 F5.

Tiffany & Co.
5th Ave an der 57th St.
Stadtplan 12 F3.
📞 (212) 755-8000.

HÜTE

Lids
243 W 42nd St.
Stadtplan 8 E1.
📞 (212) 575-1717.
Eine von mehreren Filialen.

Suzanne Millinery
27 E 61st St. **Stadtplan** 13 A3. 📞 (212) 593-3232.

Worth & Worth
101 W 55th St, Suite 3N.
Stadtplan 12 E4.
📞 (212) 265-2887.

SCHIRME

Barney's New York
Siehe S. 319.

Gucci
Siehe S. 327.

NY Transit Museum Store
Grand Central Terminal.
Stadtplan 9 A1.
📞 (212) 878-0106.

The Princeton Club
Siehe S. 324.

LEDERWAREN

Altman Luggage Company
135 Orchard St.
Stadtplan 5 A3.
📞 (212) 254-7275.

Big Drop
Siehe S. 327.

Il Bisonte
120 Sullivan St.
Stadtplan 4 D4.
📞 (212) 966-8773.

Bottega Veneta
635 Madison Ave.
Stadtplan 13 A3.
📞 (212) 371-5511.

The Coach Store
595 Madison Ave.
Stadtplan 13 A3.
📞 (212) 754-0041.

Crouch & Fitzgerald
400 Madison Ave.
Stadtplan 13 A5.
📞 (212) 755-5888.

Fine & Klein
119 Orchard St.
Stadtplan 5 A3.
📞 (212) 674-6720.

Furla
727 Madison Ave.
Stadtplan 13 A3.
📞 (212) 755-8986.
Eine von zwei Filialen.

Kate Spade
454 Broome St.
Stadtplan 4 E4.
📞 (212) 274-1991.

Prada
49 E 57th St. **Stadtplan** 12 F3. 📞 (212) 308-2332.

TG-170
170 Ludlow St.
Stadtplan 5 A3.
📞 (212) 995-8660.

SCHUHE

Alife Rivington Club
158 Rivington St.
Stadtplan 5 B3.
📞 (212) 375-8128.

Billy Martin's
220 E 60th St. **Stadtplan** 13 B3. 📞 (212) 861-3100.

Bloomingdale's
Siehe S. 319.

Botticelli
620 5th Ave. **Stadtplan** 12 F4. 📞 (212) 582-6313.

Brooks Brothers
Siehe S. 327.

Buffalo Chips Bootery
355 W Broadway.
Stadtplan 4 E4.
📞 (212) 625-8400.

Camper
125 Prince St. **Stadtplan** 4 E3. 📞 (212) 358-1842.

Christian Louboutin
941 Madison Ave.
Stadtplan 17 A5.
📞 (212) 396-1884.

DSW
40 E 14th St.
Stadtplan 9 A5.
📞 (212) 674-2146.

East Side Kids
1298 Madison Ave.
Stadtplan 17 A2.
📞 (212) 360-5000.

Ferragamo
655 5th Ave. **Stadtplan** 12 F3. 📞 (212) 759-3822.

Harry's
2299 Broadway. **Stadtplan** 15 C2. 📞 (212) 874-2035.

Jimmy Choo
645 5th Ave. **Stadtplan** 2 F4. 📞 (212) 593-0800.

Manolo Blahnik
31 W 54th St. **Stadtplan** 12 F4. 📞 (212) 582-3007.

Shoofly
42 Hudson St. **Stadtplan** 1 B1. 📞 (212) 406-3270.

Sigerson Morrison
28 Prince St. **Stadtplan** 4 F3. 📞 (212) 219-3893.

DESSOUS

Henri Bendel
Siehe S. 319.

La Perla
93 Greene St. **Stadtplan** 4 E3. 📞 (212) 219-0999.

La Petite Coquette
51 University Place.
Stadtplan 4 E1.
📞 (212) 473-2478.

Victoria's Secret
34 E 57th St.
Stadtplan 12 F3.
📞 (212) 758-5592.

Stadtplan siehe Seiten 394–425

Beauty und Hair Salons

Man neigt dazu, in New York bis zur völligen Erschöpfung zu shoppen. Doch irgendwann sollten Sie sich wirklich Erholung gönnen, und die ist in der Metropole nicht weit. Es gibt zahlreiche gut ausgestattete Beauty Salons und Friseure sowie Spezialisten für Maniküre und Pediküre. Die Dienstleister haben sich auf den engen Zeitplan der New Yorker Geschäftsleute eingestellt und bieten Termine noch am selben Tag an. Zwischen Einkauf und Museum lässt sich also durchaus ein Termin beim Friseur arrangieren. Frisch gestylt kann man anschließend die nächsten Shopping-Center und Galerien in Angriff nehmen.

KOSMETIK

Das französische Kosmetik-Kaufhaus **Sephora** bietet seinen Kunden schier zahllose Schönheitsprodukte, von der Hautreinigung bis zu Kosmetika und Parfums. Das Personal hält sich erfreulicherweise dezent im Hintergrund.

Naturbelassene Essenzen und Naturprodukte gibt es bei **Erbe**, einer Oase der Ruhe mit zahllosen allergiegetesteten Produkten, ausschließlich aus frischen Kräutern zubereitet und frei von Mineralölen, Wachsen, synthetischen Duftstoffen und tierischen Stoffen. Die milde Feuchtigkeitscreme mit hochwertigem Gelee Royal und die schützende Pennywort-Nachtcreme sind zwei von vielen Verkaufsschlagern.

Bei **MAC Cosmetics** mit seiner hohen Gewölbedecke ist immer viel los. Hier lassen sich die Produkte gleich kaufen. Die Gesichtspuder, vor allem die der Produktlinie Studio Fix, sind einmalig. Ein Teil der Einnahmen von MAC Cosmetics fließt übrigens in den MAC Aids Fund.

Zarte schwedische Haut zu einem günstigen Preis verspricht **FACE Stockholm** seinen Kundinnen. Verkauft werden natürliche pflanzliche Hautprodukte sowie Lippenstifte und Nagellack in allen Farben. Seit 1851 produziert **Kiehl's** Cremes, Masken und Puder zum Reinigen, Tönen und Pflegen. Man verzichtet dabei auf aufwendige Verpackung, schließlich sprechen die Produkte für sich.

Fresh verkauft parfümierte Hautcremes und frische Parfums. Make-up in bester Qualität und von großer Dauerhaftigkeit erhält man bei **Make Up for Ever** in SoHo.

Sabon hat Luxusprodukte mit ausschließlich natürlichen Inhaltsstoffen im Angebot. Hier kann man Seife nach Gewicht kaufen, Geschenke werden kostenlos hübsch eingepackt. Natürlich geht es auch bei **Origins** zu. Die Feuchtigkeitscreme enthält grünen Tee, die milden Körperlotionen könnten auch Babyhaut pflegen. Die britische Schönheitsexpertin Nicky Kinnard eröffnete ihre erste US-Filiale von **Space.NK** in SoHo.

Die meisten der großen New Yorker Kaufhäuser wie **Bloomingdale's**, **Lord & Taylor**, **Saks Fifth Avenue**, **Barney's New York** und **Macy's** haben eine umfangreiche Kosmetik-Abteilung.

MANIKÜRE UND PEDIKÜRE

Der junge Koreaner Ji Baek begann in SoHo mit einem kleinen Salon, der **Rescue Beauty Lounge**. Die erwies sich als so gefragt, dass er inzwischen eine zweite Filiale eröffnet hat. Hier kann man seinen Händen und Füßen Pflege angedeihen lassen, aber auch mit kompetenter Beratung Pflege- und Make-up-Produkte testen und erwerben.

Etwas langweilig und institutionsmäßig wirkt auf den ersten Blick **Eve**, aber der Schein trügt. Die ausführlichen Maniküren und Pediküren haben es in sich. **Dashing Diva Nail Spa & Boutique** bietet nicht nur exzellente

Maniküre und Pediküre zum Einstiegspreis von gerade mal zehn Dollar an. Donnerstags und freitags werden Cosmopolitans gemixt und die Musikboxen laut gedreht, und von sonntags bis mittwochs kann man an Mimosas nippen, während die Spezialisten sich über Hände und Füße hermachen.

Die ultimative Hand- und Nagelpflege erhält man bei **Sweet Lily Natural Nail Spa & Boutique**. Die Hände werden in einer betörenden Mischung aus warmer Milch und Mandelöl zu neuem Leben erweckt, dazu gibt es eine belebende Maske aus Honig und Walnussöl. Zur Maniküre mit heißer Lavendelcreme kommt eine Behandlung der Nagelhaut mit Teebaum- und Zitrusöl hinzu. In die Boutique zieht es nicht nur Erwachsene, denn es gibt auch einige Produkte für junge Mädchen: Little Miss Mani führt in die Kunst der Handpflege ein.

FRISEURE

Ist Ihnen nach einer neuen Frisur oder wollen Sie lediglich den aktuellen Schnitt auffrischen lassen, sollten Sie einen der vielen innovativen New Yorker Friseursalons aufsuchen.

Die Stylisten des **Arrojo Studio** bringen Ihre Haare wieder in Form – wenn Sie den Laden verlassen, sehen Sie genauso chic aus wie sie. Machen Sie es wie die Promis und die Stars, und lassen Sie Ihre Haare im schicken **Frederic Fekkai Beaute de Provence** von Stylist Frederic Fekkai persönlich oder von einem seiner Assistenten waschen, schneiden und tönen. Der koreanische Stylist Younghee Kim arbeitete früher bei Vidal Sassoon. Seine ausgeflippten Schnitte und Farben sind ab 110 Dollar bei **Younghee Salon** in TriBeCa zu haben.

Die Stylisten des **Rumor Salon** gelten gemeinhin als Meister der Schere. Ihre Frisuren sind einfach, aber chic und schmeichelhaft.

Das **Aveda Institute** ist in einem lichtdurchfluteten Loft untergebracht und bietet erstklassige Haarschnitte und Kopfmassagen. Nehmen Sie eines der herrlichen Produkte auf Pflanzenbasis mit. Man kann sich auch als Haarmodell einem der Nachwuchstalente des Instituts zur Verfügung stellen und so Geld sparen.

An die Herren der Schöpfung richtet sich **La Boite à Coupe**. Der französisch-marokkanische Haarstylist Laurent De Louya schneidet hier seit 1972. Der exklusive **Salon**

Chinois macht aus jedem Haarschopf ein Kunstwerk, außerdem werden Kopfhautbehandlungen, eine Haar-Aromatherapie und Haarverlängerung angeboten.

Inmitten frischer Blumengestecke und moderner Gemälde lokaler Künstler bietet der **TwoDo Salon** professionelle Schnitte und Farben. Der Vorreiter der Haarstylisten, **Vidal Sassoon**, läuft noch immer bestens. Im eleganten Salon in der Innenstadt erwarten Sie erstklassige Stylisten, die alle das rigorose Training der Firma erfolgreich durchlaufen

haben. **Toni & Guy** hat seine Ursprünge in Großbritannien und ist heute weltweit erfolgreich. Der Salon in New York ist zugleich das Ausbildungszentrum für den hauseigenen amerikanischen Stylistennachwuchs. Die Coloristen von Toni & Guy sind für ihren kreativen Umgang mit Farben bekannt.

Weitere empfehlenswerte Salons mit ausgezeichneten Haarkünstlern und Coloristen sind **Antonio Prieto**, **Bumble & Bumble**, **John Masters Organics** sowie der Salon der Promis, **Oscar Blandi**.

AUF EINEN BLICK

KOSMETIK

Barney's New York
660 Madison Ave.
Stadtplan 13 A3.
(212) 826-8900.

Bloomingdale's
1000 3rd Ave.
Stadtplan 13 B3.
(212) 705-2000.

Erbe
196 Prince St.
Stadtplan 4 D3.
(212) 966-1445.

FACE Stockholm
10 Columbus Circle.
Stadtplan 12 D3.
(212) 823-9415.

110 Prince St, SoHo.
Stadtplan 4 E3.
(212) 966-9110.

Fresh
57 Spring St/Lafayette St.
Stadtplan 4 F4.
(212) 925-0099.

John Masters Organics
77 Sullivan St,
nahe Broome St.
Stadtplan 4 D4.
(212) 343-9590.

Kiehl's
109 3rd Ave. **Stadtplan** 9 B5. *(212) 677-3171.*

Lord & Taylor
424 5th Ave. **Stadtplan** 8 F1. *(212) 391-3344.*

MAC Cosmetics
113 Spring St.
Stadtplan 4 E4.
(212) 334-4641.

Macy's
151 W 34th St. **Stadtplan** 8 E2. *(212) 695-4400.*

Make Up for Ever
409 W Broadway/
Spring St. **Stadtplan** 4 E4. *(212) 941-9337.*

Origins
175 5th Ave/23rd St.
Stadtplan 8 F4.
(212) 677-9100.

Sabon
93 Spring St.
Stadtplan 4 E4.
(212) 925-0742.
Eine von drei Filialen.

Saks Fifth Avenue
611 5th Ave.
Stadtplan 12 F4.
(212) 753-4000.

Sephora
555 Broadway.
Stadtplan 4 E3.
(212) 625-1309.
Eine von mehreren Filialen.

Space.NK
99 Greene St (bei Spring St). **Stadtplan** 4 E4.
(212) 941-9200.

MANIKÜRE UND PEDIKÜRE

Bloomingdale's SoHo
504 Broadway.
Stadtplan 4 E4.
(212) 729-5900.

Dashing Diva Nail Spa & Boutique
41 E 8th St.
Stadtplan 4 E2.
(212) 673-9000.

Eve
400 Bleecker St.
Stadtplan 3 C2.
(212) 807-8054.

Rescue Beauty Lounge
8 Centre Market Pl.
Stadtplan 4 F4.
(212) 431-0449.

34 Gansevoort St.
Stadtplan 3 B1.
(212) 206-6409.

Sweet Lily Natural Nail Spa & Boutique
222 W Broadway, zw. N Moore St und Franklin St.
Stadtplan 4 E5.
(212) 925-5441.

FRISEURE

Antonio Prieto
25 19th St, zw. 5th und 6th Ave. **Stadtplan** 8 F5.
(212) 255-3741.

Arrojo Studio
180 Varick St. **Stadtplan** 4 D3. *(212) 242-7786.*

Aveda Institute
233 Spring St. **Stadtplan** 4 D4. *(212) 807-1492.*

La Boite à Coupe
18 W 55th St.
Stadtplan 12 F4.
(212) 246-2097.

Bumble & Bumble
415 13th St, nahe 9th Ave. **Stadtplan** 3 B1.
(212) 521-6500.

Frederic Fekkai Beaute de Provence
15 E 57th St.

Stadtplan 12 F3.
(212) 753-9500.

John Masters Organics
77 Sullivan St.
Stadtplan 4 D2.
(212) 343-9590.

Oscar Blandi
746 Madison Ave.
Stadtplan 13 A2.
(212) 988-9404.

Rumor Salon
15 E 12th St, 2. Stock.
Stadtplan 4 E1.
(212) 414-0195.

Le Salon Chinois
44 W 55th St, 4. Stock, zw. 5th und 6th Ave.
Stadtplan 12 F4.
(212) 956-1200.

Toni & Guy
673 Madison Ave, Suite 2, Ecke 61st St.
Stadtplan 13 A3.
(212) 702-9771.

TwoDo Salon
210 W 82nd St, zw. Broadway und Amsterdam Ave.
Stadtplan 15 C4.
(212) 787-1277.

Vidal Sassoon
90 5th Ave, Suite 90, zw.14th St und 15th St.
Stadtplan 8 F5.
(212) 229-2200.

Younghee Salon
64 N Moore St.
Stadtplan 4 D5.
(212) 334-3770.

Stadtplan *siehe Seiten 394–425*

Bücher und Musik

Als Verlagszentrum der USA ist New York auch landesweit die Stadt mit den meisten Buchläden. Neben großen Sortimentsbuchhandlungen gibt es Hunderte von kleinen Läden, die sich auf alle nur erdenklichen Fachgebiete spezialisiert haben, und zahlreiche Antiquariate. Auch für Musikliebhaber finden sich Klänge jeder Stilrichtung zu erschwinglichen Preisen.

SORTIMENTSBUCHHANDEL

Ganz oben auf der Liste der Buchläden für günstige Preise wie auch Auswahl steht bei den meisten New Yorkern **Barnes & Noble** in der Fifth Avenue – die größte Buchhandlung der Welt mit über drei Millionen Bänden. Es gibt mehrere Filialen in der ganzen Stadt, viele davon haben bis 22 oder 23 Uhr geöffnet.

Einige Blocks weiter liegt das Hauptgeschäft des berühmten New Yorker **Strand Book Store** mit zwei Millionen antiquarischen Büchern zu günstigen Preisen. Im Obergeschoss befindet sich eine Abteilung für Erstausgaben.

Westsider Bookshop bietet eine umfassende Auswahl neuer Bücher und ein riesiges Angebot an alten, zudem noch eine große Anzahl von Country- und Bluegrass-LPs.

12th Street Books hat eine gute Auswahl gebrauchter und neuer Bücher und ist bekannt für Kunstbände.

Borders Books & Music bietet CDs aller Genres und Bücher zu jedem Thema an.

Rizzoli hat eine große Auswahl an Büchern über Fotografie, Musik und Kunst sowie Kinderbücher und Videos. **Shakespeare & Co.** bietet eine sensationelle Titelauswahl und hat bis spätabends offen.

FACHBUCHHANDLUNGEN

Eine exzellente Auswahl an Kunstbüchern findet man bei **Hacker-Strand Art Books**. **Urban Center Books** hat sich auf das Thema Stadtplanung und -erhaltung spezialisiert.

Die beste Auswahl an Theaterliteratur hat der **Drama Book Shop**. Theater und Kinofans werden auch bei **Applause Theater & Cinema Books** fündig.

Jüdische Bücher und Musik gibt es bei **J. Levine Judaica**. Seltene, vergriffene Bücher über New York sind die Domäne von **JN Bartfield Books**. Der **Biography Bookshop** hat sich auf Tagebücher, Briefe, Biografien und Autobiografien spezialisiert.

Kriminalromane sind das Spezialgebiet des **Mysterious Bookshop**. Ein interessanter Laden für alte und brandneue Science-Fiction und Comics ist **Forbidden Planet**.

Midtown Comics hat zwei Filialen und hält darin eine breite Auswahl von Comics bereit. Wer ausgefallene Comics sucht, hat gute Chancen, in **Jim Hanley's Universe** fündig zu werden. Natürlich gibt es hier auch Mainstream, dazu Spielzeug, T-Shirts, DVDs und Karten. Der Laden gegenüber dem Empire State Building hat montags bis samstags bis 23 Uhr und sonntags bis 21 Uhr offen.

Bank Street Book Store hat die beste Auswahl an Kinderbüchern. **Books of Wonder** führt seltene Kinderbücher.

Bei **Traveler's Choice** gibt es Reiseführer, Videos und Reiseutensilien. In **The Complete Traveler** findet man neben neuer auch alte Reiseliteratur. Eine ausgezeichnete Auswahl an Landkarten bietet der **Hagstrom Map & Travel Store**.

Spezialist für Kochbücher ist **Kitchen Arts & Letters**, wo es auch viele vergriffene und Originalausgaben gibt.

Radikale Geister sollten bei **Revolution Books** oder bei **St. Mark's Bookshop** vorbeischauen. Der **Oscar Wilde Memorial Bookshop** ist der größte Schwulen-Buchladen.

Pädagogisch wertvolles Spielzeug und Bücher zum Thema gibt es im weitläufigen **Scholastic Store** gleich innerhalb des Büros des in SoHo ansässigen Verlags.

SCHALLPLATTEN UND CDS

Der größte Plattenladen in Manhattan ist **Virgin**, das einige Megastores unterhält. Als Warenhaus für Unterhaltungselektronik versteht sich **J&R Music World**. Hier steht man vor der besten CD-Auswahl New Yorks.

Wer auf der Suche nach längst vergriffenen Schallplatten ist, sollte zu **Westsider Records** gehen, einer Fundgrube für Sammler von Jazz-, Klassik- und Opernaufnahmen. Das **House of Oldies** erstaunt mit einem Riesenangebot an alten Schallplatten jeder Stilrichtung. **Bleecker Bob's Golden Oldies** führt alles – von Importen, Rock und Punk bis zu seltenen Jazzaufnahmen. »American Garage Rock« und psychedelische Musik bekommt man bei **Midnight Records**.

DJs und Vinyl-Liebhaber stöbern bei **Turntable Lab**, **Breakbeat Science** und **Lounge SoHo** in Manhattan oder bei **Earwax** und **Halcyon** in Brooklyn nach House- und elektronischer Musik.

Echte Musikenthusiasten, Kenner und Sammler wissen **Other Music** zu schätzen. Hier findet man wahre Juwele, etwa rare elektronische Musik oder Free-Jazz-Aufnahmen aus der Hochzeit in den 1970er Jahren.

Wer lieber mehr Scheiben einkauft und aufs Geld achtet, ist bei **Disc-O-Rama** im Paradies: Die CD-Preise hier können kaum noch unterboten werden.

NOTEN

Direkt hinter der Carnegie Hall bietet **Joseph Patelson Music House Ltd.** klassische Partituren an. Ein vergleichbares Sortiment an erstklassigem Notenmaterial findet sich bei **Frank Music Company**. **Charles Colin Publications** ist auf die notierten Fassungen von Jazzmusik spezialisiert. Noten zu aktuellen Hits und Popsongs gibt es im **Colony Record and Music Center** im Brill Building am Broadway.

AUF EINEN BLICK

SORTIMENTS-BUCHHANDEL

12th Street Books
11 East 12th St.
Stadtplan 4 F1.
((212) 645-4340.

Barnes & Noble
105 5th Ave.
Stadtplan 8 F5.
((212) 807-0099.
Eine von mehreren Filialen.

Borders Books & Music
461 Park Ave.
Stadtplan 17 A3.
((212) 980-6785.
Eine von mehreren Filialen.

Rizzoli
31 W 57th St.
Stadtplan 12 F3.
((212) 759-2424.

Shakespeare & Co.
716 Broadway.
Stadtplan 4 E2.
((212) 529-1330.
Eine von mehreren Filialen.

Strand Book Store
828 Broadway.
Stadtplan 4 E1.
((212) 473-1452.

Westsider Bookshop
2246 Broadway.
Stadtplan 15 C4.
((212) 362-0706.

FACHBUCH-HANDLUNGEN

Applause Theater & Cinema Books
19 W 21st St.
Stadtplan 8 F4.
((212) 575-9265.

Bank Street Book Store
610 W 112th St.
Stadtplan 21 A4.
((212) 678-1654.

Biography Bookshop
400 Bleecker St.
Stadtplan 3 C2.
((212) 807-8655.

Books of Wonder
16 W 18th St.
Stadtplan 8 E5.
((212) 989-3270.

The Complete Traveler
199 Madison Ave.
Stadtplan 9 A2.
((212) 685-9007

Drama Book Shop
250 W 40th St.
Stadtplan 8 E1.
((212) 944-0595.

Forbidden Planet
840 Broadway.
Stadtplan 4 E1.
((212) 473-1576.

Hacker-Strand Art Books
45 W 57th St.
Stadtplan 12 F3.
((212) 688-7600.

Hagstrom Map & Travel Store
57 W 43rd St.
Stadtplan 8 F1.
((212) 398-1222.
Eine von zwei Filialen.

J. Levine Judaica
5 W 30th St.
Stadtplan 8 F3.
((212) 695-6888.

Jim Hanley's Universe
4 W 33rd St.
Stadtplan 8 F2.
((212) 268-7088.

JN Bartfield Books
30 W 57th St.
Stadtplan 12 F3.
((212) 245-8890.

Kitchen Arts & Letters
1435 Lexington Ave.
Stadtplan 17 A2.
((212) 876-5550.

Midtown Comics
200 W 40th St.
Stadtplan 8 E1.

459 Lexington Ave.
Stadtplan 13 A5.
((212) 302-8192.

Mysterious Bookshop
58 Warren St.
Stadtplan 1 B1.
((212) 582-1011.

Oscar Wilde Memorial Bookshop
15 Christopher St.
Stadtplan 3 C2.
((212) 255-8097.

Revolution Books
9 W 19th St.
Stadtplan 7 C5.
((212) 691-3345.

St. Mark's Bookshop
31 3rd Ave.
Stadtplan 5 A2.
((212) 260-7853.

The Scholastic Store
577 Broadway.
Stadtplan 4 E4.
((212) 343-6166.

Traveler's Choice
2 Wooster St.
Stadtplan 4 E3.
((212) 941-1535.

Urban Center Books
457 Madison Ave.
Stadtplan 13 A4.
((212) 935-3592.

SCHALLPLATTEN UND CDs

Bleecker Bob's Golden Oldies
118 W 3rd St.
Stadtplan 4 D2.
((212) 475-9677.

Breakbeat Science
181 Orchard St.
Stadtplan 5 A3.
((212) 995-2592.

Disc-O-Rama
186 W 4th St.
Stadtplan 4 D2.
((212) 206 8417.

Earwax
218 Bedford Avenue, Brooklyn.
((718) 486-3771.

Halcyon The Shop
57 Pearl St/Water St, Dumbo, Brooklyn.
Stadtplan 2 F2.
((718) 260-WAXY.

House of Oldies
35 Carmine St.
Stadtplan 4 D3.
((212) 243-0500.

J&R Music World
23 Park Row.
Stadtplan 1 C2.
((800) 806-1115.

Lounge SoHo
593 Broadway.
Stadtplan 4 E3.
((212) 226-7585.

Midnight Records
263 W 23rd St.
Stadtplan 8 D4.
((212) 675-2768.

Other Music
15 E 4th St.
Stadtplan 4 F2.
((212) 477-8150.

Turntable Lab
120 E 7th St.
Stadtplan 5 A2.
((212) 677-0675.

Virgin Megastore
45th & Broadway.
Stadtplan 12 E5.
((212) 921-1020.
Eine von mehreren Filialen.

Westsider Records
233 W 72nd St.
Stadtplan 11 D1.
((212) 874-1588.

NOTEN

Charles Colin Publications
315 W 53rd St.
Stadtplan 12 D4.
((212) 581-1480.

Colony Record and Music Center
1619 Broadway.
Stadtplan 12 E4.
((212) 265-2050.

Frank Music Company
244 W 54th St.
Stadtplan 12 D4.
((212) 582-1999.

Joseph Patelson Music House Ltd.
160 W 56th St.
Stadtplan 12 E4.
((212) 757-5587.

Stadtplan *siehe Seiten 394–425*

Kunst und Antiquitäten

Kunstliebhaber finden in New York Hunderte von Galerien, die einen Besuch lohnen. Für Antiquitätensammler gibt es zahlreiche Flohmärkte, die zum Herumstöbern einladen, sowie Antik-Center mit zum Teil erlesenen Stücken aus Europa und den USA. Freunde amerikanischer Volkskunst erwartet ebenfalls ein reichhaltiges Angebot. Einen guten Überblick über das aktuelle Geschehen liefert der *Art Now Gallery Guide*, der jeden Monat erscheint und kostenlos in vielen Galerien und Buchläden ausliegt.

KUNSTGALERIEN

Zu den großen Namen in SoHo zählt **Leo Castelli**, der in den frühen 1960er Jahren ein Fan der Pop-Art war und heute junge Künstler präsentiert. Die **Mary Boone Gallery** zeigt erfolgreiche Neo-Expressionisten wie Julian Schnabel, die **Pace Wildenstein Gallery** stellt vorwiegend bekannte Fotokünstler aus, die **Marian Goodman Gallery** europäische Avantgardisten. **Postmasters** ist eine Fundgrube für Konzeptkunst.

In Chelsea lohnen die **Mathew Marks Gallery** und die **Marianne Boesky Gallery** sicherlich einen Besuch. **Paula Cooper** tritt regelmäßig mit heftig diskutierten Ausstellungen hervor. Die **Gagosian Gallery** präsentiert moderne Meister wie Roy Lichtenstein und Jasper Johns. Sie hat eine Filiale in der Upper East Side, wo auch **Knoedler & Company** sowie die **Hirschl & Adler Galleries** mit europäischer und amerikanischer Kunst zu finden sind.

Max Protech orientiert sich stark an Architektur, bei **Esso** stellt man vor allem Pop-Art aus. Ein bekannter Name in der Kunstszene ist auch die Galeristin **Barbara Gladstone**. **Exit Art** ist berühmt für Multimedia-Ausstellungen.

AMERIKANISCHE VOLKSKUNST

Wer sich für amerikanische Volkskunst interessiert, sollte einen Termin bei **Susan Parrish Antiques** vereinbaren, die eine große Auswahl an bestickten Teppichen und anderem amerikanischen Kunsthandwerk bietet.

Eine ähnlich gute Auswahl hat **Laura Fisher Quilts** im Manhattan Art & Antiques Center.

ANTIK-CENTER UND RAMSCHLÄDEN

Neben Hunderten von kleinen Läden mit Angeboten vom Tigerzahn bis zum mehrere Millionen Dollar teuren Gemälde beheimatet New York das **Manhattan Art & Antiques Center** mit Dutzenden von Antiquitätenhändlern unter einem Dach.

Das **Chelsea Antiques Building** beherbergt mehr als 100 Antiquitätenläden auf zwölf Etagen. Hier gibt es u. a. Hollywood-Memorabilien, etwa persönliche Gegenstände von Greta Garbo oder Humphrey Bogart.

AMERIKANISCHE MÖBEL

Möbel aus dem 17., 18. und 19. Jahrhundert führen **Bernard & S. Dean Levy** und **Leigh Keno American Furniture**. **Judith & James Milne** verkaufen alte Landhausmöbel und schöne Quilts. Eine fantastische Auswahl an Shaker-Möbeln gibt es bei **Woodard & Greenstein American Antiques & Quilts**.

Sammler von Art-déco- und Jugendstil-Mobiliar sollten **Alan Moss** aufsuchen. Auch die **Macklowe Gallery** hat eine große Auswahl dieser begehrten Stücke. **Lillian Nassau** führt Tiffany-Leuchten sowie Jugendstil- und Art-déco-Stücke.

Bei **Depression Modern**, **Mood Indigo** und in einigen anderen der zunehmend beliebten Nostalgieläden kann man Schätze aus den 1930er und 1940er Jahren entdecken.

INTERNATIONALE ANTIQUITÄTEN

Englische Antiquitäten bieten **Florian Papp** und **Kentshire Galleries** an. Antike Stücke aus Europa führen **Betty Jane Bart Antiques**, **Kurt Gluckselig Antiques**, **Linda Horn Antiques** und **Les Pierres**. Bei **La Belle Epoque** kann man nach alten Plakaten suchen. Antiquitäten aus Fernost findet man u. a. bei **Doris Leslie Blau**, **E. & J. Frankel** und **Flying Cranes Antiques**.

FLOHMÄRKTE

In New York wird regelmäßig an Wochenenden eine Reihe von Flohmärkten abgehalten. Beginn ist offiziell um 9 oder 10 Uhr, doch der Handel beginnt schon um 6 Uhr. Wenn Sie früh da sind, stoßen Sie vielleicht auf etwas typisch Amerikanisches, etwa eine Barbie-Lunchbox oder eine Soupy-Sales-Kassette. Auf dem **Annex/Hell's Kitchen Antiques Flea Market** bieten 170 Stände fast alles an. Auch auf dem **Canal Street Flea Market** gibt es jede Menge Trödel aller Art. Auf dem **Columbus Avenue Flea Market** findet man neue und Secondhand-Kleidung. Flohmarkttermine stehen freitags in *The New York Times*.

AUKTIONSHÄUSER

Die beiden berühmtesten Auktionshäuser Manhattans, **Christie's** und **Sotheby's**, versteigern Sammlerstücke wie Münzen, Schmuck, Jahrgangsweine und Kunstwerke. **Doyle New York** und **Phillips de Pury & Co.** sind ebenso geachtete Auktionshäuser für Kunst, Juwelen, Schmuck und Antiquitäten. Die ehrwürdigen **Swann Galleries** versteigern Drucke, seltene Bücher, Plakate, Handschriften und Fotografien.

Die Gegenstände können in den meisten Fällen einige Tage vor der Auktion besichtigt werden. Über Besichtigungszeiten und anstehende Auktionen informieren die Freitags- und die Sonntagsausgabe der *New York Times*.

AUF EINEN BLICK

KUNSTGALERIEN

Barbara Gladstone
515 W 24th St.
Stadtplan 7 C4.
((212) 206-9300.

Esso Gallery
531 W 26th St, 2 Stock.
Stadtplan 7 C4.
((212) 560-9728.

Exit Art
475 10th Ave.
Stadtplan 7 C2.
((212) 966-7745.

Gagosian Gallery
555 W 24th St.
Stadtplan 7 C4.
((212) 741-1111.
Eine von zwei Filialen.

Hirschl & Adler Galleries
21 E 70th St.
Stadtplan 12 F1.
((212) 535-8810.

Knoedler & Company
19 E 70th St.
Stadtplan 13 A1.
((212) 794-0550.

Leo Castelli
18 E 77th St.
Stadtplan 17 A5.
((212) 249-4470.

Marian Goodman Gallery
24 W 57th St.
Stadtplan 12 F3.
((212) 977-7160.

Marianne Boesky Gallery
535 W 22nd St.
Stadtplan 7 C4.
((212) 680-9889.

Mary Boone Gallery
745 5th Ave.
Stadtplan 12 F3.
((212) 752-2929.
Zwei Filialen.

Mathew Marks Gallery
523 W 24th St.
Stadtplan 7 C4.
((212) 243-0200.

Max Protech
511 W 22nd St.
Stadtplan 7 C4.
((212) 633-6999.

Pace Wildenstein Gallery
534 W 25th St.
Stadtplan 7 C4.
((212) 929-7000.
Eine von zwei Filialen.

Paula Cooper
534 W 21st St.
Stadtplan 7 C4.
((212) 255-1105.

Postmasters
459 W 19th St.
Stadtplan 7 C5.
((212) 727-3323.

AMERIKANISCHE VOLKSKUNST

Laura Fisher Quilts
Manhattan Art & Antiques Center,
1050 2nd Ave.
Stadtplan 13 B4.
((212) 838-2596.

Susan Parrish Antiques
390 Bleecker St.
Stadtplan 3 C2.
((212) 807-1561.
○ *nur nach Vereinbarung.*

ANTIK-CENTER UND RAMSCH-LÄDEN

Chelsea Antiques Building
110 W 25th St.
Stadtplan 8 F4.
((212) 929-0909.

The Manhattan Art & Antiques Center
1050 2nd Ave.
Stadtplan 13 A3.
((212) 355-4400.

AMERIKANISCHE MÖBEL

Alan Moss
436 Lafayette St.
Stadtplan 4 F2.
((212) 473-1310.

Bernard & S. Dean Levy
24 E 84th St.
Stadtplan 16 F4.
((212) 628-7088.

Depression Modern
150 Sullivan St.
Stadtplan 4 D3.
((212) 982-5699.

Judith & James Milne
506 E 74th St.
Stadtplan 17 C5.
((212) 472-0107.
Eine von zwei Filialen.

Leigh Keno American Furniture
127 E 69th St.
Stadtplan 17 A5.
((212) 734-2381.

Lillian Nassau
220 E 57th St.
Stadtplan 13 B3.
((212) 759-6062.

Macklowe Gallery
667 Madison Ave.
Stadtplan 13 A3.
((212) 644-6400.

Mood Indigo
181 Prince St.
Stadtplan 4 E3.
((212) 254-1176.

Woodard & Green-stein American Antiques & Quilts
506 E 74th St.
Stadtplan 17 A5.
((212) 988-2906.

INTERNATIONALE ANTIQUITÄTEN

La Belle Epoque
280 Columbus Ave.
Stadtplan 12 D1.
((212) 362-1770.

Betty Jane Bart Antiques
1225 Madison Ave.
Stadtplan 17 A3.
((212) 410-2702.

Doris Leslie Blau
724 5th Ave.
Stadtplan 12 F3.
((212) 586-5511.
○ *nur nach Vereinbarung.*

E. & J. Frankel
1040 Madison Ave.
Stadtplan 17 A5.
((212) 879-5733.

Florian Papp
962 Madison Ave.
Stadtplan 17 A5.
((212) 288-6770.

Flying Cranes Antiques
1050 2nd Ave.
Stadtplan 13 B4.
((212) 223-4600.

Kentshire Galleries
37 E 12th St. **Stadtplan**
4 E1. ((212) 673-6644.

Kurt Gluckselig Antiques
200 E 58th St. **Stadtplan**
13 B3. ((212) 758-1805.

Linda Horn Antiques
1015 Madison Ave.
Stadtplan 17 A5.
((212) 772-1122.

Les Pierres
369 Bleecker St.
Stadtplan 3 C2.
((212) 243-7740.

FLOHMÄRKTE

Annex/Hell's Kitchen Antiques Flea Market
West 39th St, zwischen 9th und 10th Ave.
Stadtplan 7 C1.
((212) 243-5343.
○ *Sa, So.*

Canal Street Flea Market
335 Canal St.
Stadtplan 4 E5.
○ *März–Dez: Sa, So.*

Columbus Avenue Flea Market
Columbus Ave (zwischen 76th St und 77th St).
Stadtplan 16 D5.
((631) 873-4790.
○ *So.*

AUKTIONSHÄUSER

Christie's
20 Rockefeller Plaza.
Stadtplan 12 F5.
((212) 636-2000.

Doyle New York
175 E 87th St.
Stadtplan 17 A3.
((212) 427-2730.

Phillips de Pury & Co.
450 W 15th St.
Stadtplan 7 C5.
((212) 940-1200.

Sotheby's
1334 York Ave.
Stadtplan 13 C1.
((212) 606-7000.

Swann Galleries
104 E 25th St.
Stadtplan 9 A4.
((212) 254-4710.

Stadtplan *siehe Seiten 394–425*

Delikatessen und Wein

New Yorks kulturelle und ethnische Vielfalt spiegelt sich natürlich auch im Essen und Trinken wider – die Lebensmittelläden der Stadt offerieren eine internationale Auswahl über alle kontinentalen Grenzen hinweg. Kaffeegeschäfte und Weinhändler bieten erlesene Produkte von höchster Qualität und kompetentes Personal, das Sie gerne berät.

DELIKATESSEN

Es gibt in New York einige Feinkostläden, die durchaus als Besucherattraktionen gelten. Beim Einkauf von Delikatessen sollten Sie die großen Warenhäuser nicht vergessen, die den Spezialgeschäften in nichts nachstehen.

Bei **Dean & DeLuca** am Broadway ist Essen zu einer Kunst geworden – versäumen Sie auf keinen Fall das riesige Angebot an Snacks und Speisen zum Mitnehmen. **Russ & Daughters** zählt zu den führenden Gourmet-Tempeln und ist berühmt für geräucherten Fisch, Schokolade und seine Bagels. Die **Gourmet Garage** in der Broome Street bietet alle möglichen frischen Lebensmittel, vor allem ökologische Produkte, an. Der vielleicht beste Delikatessenladen der Welt ist **Zabar's** am Broadway, in dem die Kunden geduldig für vorzüglichen Räucherlachs, Bagels, Kaviar, Käse und Kaffee anstehen.

William Poll in der Lexington Avenue hat eine gute Auswahl an Picknickkörben und fertigen Speisen. Gänseleberpastete, Räucherlachs, Kaviar und Konfekt aus eigener Herstellung bekommt man bei **Caviarteria**.

Whole Foods steht für eine hervorragende Auswahl an gesunden natürlichen Lebensmitteln; die Stammkunden kommen aus allen Stadtteilen hierher. Die neue Filiale am Columbus Circle ist zugleich der größte Supermarkt in Manhattan. In den schier endlosen Regalreihen findet man ausschließlich hochwertige Lebensmittel ohne Zusatzstoffe. **Fairway Market** verkauft seit mehr als 55 Jahren allerbeste Feinkost von frischem Räucherlachs bis zu knusprigen Backwaren.

SPEZIALGESCHÄFTE

Erstklassige Bäckereien gibt es viele, doch die **Poseidon Greek Bakery**, bekannt für ihren Strudelteig, gehört zweifellos zu den besten. **H & H Bagels** bäckt täglich 60000 der besten Bagels in Manhattan. **Vesuvio** hat italienisches Brot und exquisite Gewürzkuchen. Köstliches chinesisches Gebäck gibt es bei **Fung Wong**, Laugencroissants und *tartes* in der **City Bakery**. Schon von Weitem erkennt man die **Magnolia Bakery** an der Schlange von Kunden, die eine der wohlschmeckenden kleinen Torten ergattern wollen.

Zu den besten Konfiserien gehören **Li-Lac** mit seinen hausgemachten Pralinen sowie **Mondel Chocolates** mit seinen köstlichen Schokoladentieren. **Economy Candy** bietet eine riesige Auswahl an getrockneten Früchten. **Teuscher Chocolates** lässt seine frischen Champagnertrüffel direkt aus der Schweiz einfliegen.

Myers of Keswick importiert englische Lebensmittel. Exotischere Zutaten bietet der asiatische **Kam Man Market**. Im **Italian Food Center** bekommt man allerfeinstes Olivenöl, Pasta und Würste. Fleisch und Fisch kauft man am **Jefferson Market**. Auch **Citarella** hat ein fantastisches Angebot an Meeresfrüchten und Fisch. **Angelica's Herbs and Spices** führt annähernd 2000 Kräuter und Gewürze.

Für Käse, Oliven und Wurstwaren empfiehlt sich **Murray's Cheese Shop**. Unwiderstehlich ist der Duft an der Eingangstür. Für viele ist es der beste Käseladen von New York. Mehr als 250 Käsesorten aus aller Welt sind im Angebot. Sie können gerne ein Stückchen probieren, bevor Sie kaufen, das Personal ist überaus freundlich und reicht Ihnen eine kleine Probe. Zusammen mit dem frischen Brot und einer Auswahl von schmackhaften Oliven ist eine Käseplatte ein kaum zu übertreffendes Essen.

Schmachten Sie nach unverfälschtem Eingelegten aus dem alten Osteuropa, schauen Sie unbedingt bei **The Pickle Guys** vorbei. Neben Essiggurken gibt es hier auch eingelegte sonnengetrocknete Tomaten, Pilze, Oliven, Peperoni, Sauerkraut, Heringe und vieles mehr.

Obst und Gemüse kauft man am besten am frühen Morgen auf einem Bauernmarkt, etwa in der Upper West Side, bei St. Mark's-in-the-Bowery oder am Union Square. Einzelheiten über Öffnungszeiten erfährt man unter der Telefonnummer (212) 788-7476.

KAFFEELÄDEN

New York hat auch viele erstklassige Kaffeegeschäfte. **Oren's Daily Roast**, **The Sensuous Bean** und **Porto Rico Importing Company** halten feinste Bohnen bereit. Die gemütliche **McNulty's Tea & Coffee Company** ist eines der ältesten Kaffeegeschäfte der Vereinigten Staaten und verkauft erstklassige Ware.

WEINHANDLUNGEN

Für erstklassigen Burgunder steht seit 1820 der Name **Acker, Merrall & Condit**. Weine und Champagner zu Discountpreisen bekommt man bei **Garnet Liquors**. **SoHo Wines and Spirits** hat eine große Auswahl an schottischem Malt-Whisky. **Sherry-Lehmann** ist New Yorks führender Weinhändler.

Astor Wines & Spirits wiederum bietet die größte Weinauswahl der Stadt. Jeden Monat präsentiert das Geschäft seine Rangliste mit Weinen unter zehn Dollar. Auch **Union Square Wines and Spirits** hat einige exzellente Tropfen im Angebot.

AUF EINEN BLICK

DELIKATESSEN

Caviarteria
502 Park Ave.
Stadtplan 13 A3.
(212) 759-7410.

Dean & DeLuca
560 Broadway.
Stadtplan 4 E3.
(212) 226-6800.
Eine von mehreren Filialen.

Fairway Market
2127 Broadway.
Stadtplan 15 C5.
(212) 595-1888.

Gourmet Garage
453 Broome St.
Stadtplan 4 E4.
(212) 941-5850.
Eine von mehreren Filialen.

Russ & Daughters
179 E Houston St.
Stadtplan 5 A3.
(212) 475-4880.

Whole Foods
10 Columbus Circle.
Stadtplan 12 D3.
(212) 823-9600.
Eine von mehreren Filialen.

William Poll
1051 Lexington Ave.
Stadtplan 17 A5.
(212) 288-0501.

Zabar's
2245 Broadway.
Stadtplan 15 C4.
(212) 787-2000.

SPEZIAL-GESCHÄFTE

Angelica's Herbs and Spices
147 1st Ave.
Stadtplan 5 A1.
(212) 677-1549.

Citarella
2135 Broadway.
Stadtplan 15 C5.
(212) 874-0383.

City Bakery
3 W 18th St.
Stadtplan 8 F5.
(212) 366-1414.

Economy Candy
108 Rivington St.
Stadtplan 5 A3.
(212) 254-1531.

Fung Wong
41 Mott St.
Stadtplan 4 F3.
(212) 267-4037.

H & H Bagels
2239 Broadway.
Stadtplan 15 C4.
(212) 595-8003.
Eine von zwei Filialen.

Italian Food Center
186 Grand St.
Stadtplan 15 C4.
(212) 925-2954.

Jefferson Market
450 Ave of the Americas.
Stadtplan 12 E5.
(212) 533-3377.

Kam Man Market
200 Canal St.
Stadtplan 4 F5.
(212) 571-0330.

Li-Lac
120 Christopher St.
Stadtplan 3 C2.
(212) 242-7374.

Magnolia Bakery
401 Bleecker St.
Stadtplan 3 C2.
(212) 462-2572.

Mondel Chocolates
2913 Broadway.
Stadtplan 20 E3.
(212) 864-2111.

Murray's Cheese Shop
257 Bleecker St.
Stadtplan 4 D2.
(212) 243-3289.
Eine von zwei Filialen.

Myers of Keswick
634 Hudson St.
Stadtplan 3 C2.
(212) 691-4194.

The Pickle Guys
49 Essex St.
Stadtplan 5 B4.
(212) 656-9739.

Poseidon Greek Bakery
629 9th Ave.
Stadtplan 12 D5.
(212) 757-6173.

St. Mark's in-the-Bowery Greenmarket
E 10th St/2nd Ave.
Stadtplan 4 F1.
○ *Di.*

Teuscher Chocolates
25 E 61st St.
Stadtplan 12 F3.
(212) 751-8482.

620 5th Ave.
Stadtplan 12 F4.
(212) 246-4416.

Union Square Greenmarket
E 17th St & Broadway.
Stadtplan 8 F5.
○ *Mo, Mi, Fr, Sa.*

Upper West Side Greenmarket
Columbus Ave/77th St.
Stadtplan 16 D5.
○ *So.*

Vesuvio Bakery
160 Prince St.
Stadtplan 4 E3.
(212) 925-8248.

KAFFEELÄDEN

McNulty's Tea & Coffee Company
109 Christopher St.
Stadtplan 3 C2.
(212) 242-5351.

Oren's Daily Roast
1144 Lexington Ave.
Stadtplan 17 A4.
(212) 472-6830.
Eine von mehreren Filialen

Porto Rico Importing Company
201 Bleecker St.
Stadtplan 3 C2.
(212) 477-5421.
Eine von mehreren Filialen.

The Sensuous Bean
66 W 70th St.
Stadtplan 12 D1.
1-800-238-6845.

WEIN-HANDLUNGEN

Acker, Merrall & Condit
160 W 72nd St.
Stadtplan 11 C1.
(212) 787-1700.

Astor Wines & Spirits
399 Lafayette St.
Stadtplan 4 F2.
(212) 674-7500.

Garnet Liquors
929 Lexington Ave.
Stadtplan 13 A1.
(212) 772-3211.

Sherry-Lehmann
679 Madison Ave.
Stadtplan 13 A3.
(212) 838-7500.

SoHo Wines and Spirits
461 W Broadway.
Stadtplan 4 E4.
(212) 777-4332.

Union Square Wines and Spirits
33 Union Square West.
Stadtplan 9 A5.
(212) 675-8100.

Stadtplan *siehe Seiten 394–425*

Hightech und Houseware

Vom Flachbildfernseher über hochwertige Sound-Systeme bis hin zu eleganten Designermöbeln fürs Heim – die Elektroniktempel und Innenausstattungsläden New Yorks lassen keine Wünsche offen. Den härtesten Preiskampf unter den Einzelhändlern der Stadt liefern sich die Großmärkte für Elektrogeräte – als Käufer ist man der lachende Dritte. Vorsichtig sollten Sie in den Geschäften in der Nähe von Sehenswürdigkeiten sein, etwa in der Fifth Avenue beim Empire State Building: Viele der hier angebotenen Produkte sind veraltet und überteuert. Wer beabsichtigt, Elektrogeräte mit nach Europa zu nehmen, sollte darauf achten, ob sie hinsichtlich Netzspannung und Stecker für das 230-Volt-Stromnetz in Europa ausgerichtet sind.

MUSIKANLAGEN

Die neuesten Hi-Fi-Geräte bekommt man bei **Sound by Singer**. **J & R Music World** verkauft Musikzubehör zu Kampfpreisen und hat zudem die beste Jazz-CD-Abteilung der Stadt. Die dänische Firma **Bang & Olufsen** zeigt in ihrer Filiale extrem flache, minimalistische Klanggeräte mit unglaublichem Klang. **Harvey Electronics** führt erstklassige Stereoanlagen und andere Hightech-Geräte und ist für den am Kunden orientierten Service bekannt. Begutachten Sie auch die Sound-Systeme bei **Lyric Hi-Fi**, seit 1959 ein Spezialist auf diesem Gebiet. **Sony Style** schließlich hat ein breit gefächertes Sortiment schicker Hightech-Gerätschaften aller Art.

Der Name ist Programm bei der Kette **Best Buy**: Unter dem enormen Angebot von Stereoanlagen und Home-Entertainment-Produkten findet man immer wieder unglaubliche Angebote. Stereoanlagen und -komponenten der Extraklasse findet man bei **Innovative Audio Video Showrooms**. Einen Besuch wert ist **Stereo Exchange**, wo man aus einem großen Angebot von neuen wie gebrauchten Anlagen wählen kann.

FOTOGRAFIE

Amateur- wie Profifotografen können sich bei **B & H Photography** mit der passenden Ausrüstung versorgen. **Willoughby's** ist ein weiterer bekannter Name, wenn es um Fotoausrüstungen geht. Einen vielsagenden Namen trägt **Olden Camera** am Broadway, das auf bewährte analoge Qualität in der Fotografie setzt. **Foto Care** in Chelsea hat ein großes Angebot an Kameras und Ausrüstungen.

Auch die Produktpalette von **Alkit Pro Camera** mit Kameras, Zubehör und Licht-Equipment sowie Kameraverleih und Filmentwicklung ist nicht zu verachten. **Adorama** im Flatiron District lockt die Kundschaft mit Digitalkameras und Zubehör. Hier sind auch die Preise für die Filmentwicklung sehr attraktiv. High-End-Kameras und hochwertiges Zubehör bietet das elegante **Photo Village**.

COMPUTER

Der riesige **Apple Store** in SoHo in der Prince Street ist zweifelsohne das Mekka für Mac-Fans in Manhattan. Hier kann man jedes Produkt genauestens prüfen, bevor man sich für den Kauf entscheidet, ob Desktop-Rechner oder den neuesten iPod. Seminare für Laien wie für Profis führen ins Apple-eigene Betriebssystem und in unterschiedlichste Anwendungen ein. **CompUSA** bietet eine riesige Auswahl an PCs – vom Laptop bis zum Desktop-Rechner und den entsprechenden Peripherie-Geräten. Wer während seines New-York-Aufenthalts seinen Rechner reparieren lassen muss, findet bei **Amnet PC Solutions** mit seinen kompetenten Technikern Hilfe. Für 95 Dollar kommen die PC-Spezialisten auch zu Ihnen nach Hause bzw. ins Hotel. **Tekserve** hat sich auf die Reparatur von Mac-Rechnern spezialisiert.

KÜCHENAUSSTATTUNG

Fast alle Kaufhäuser haben eine Vielzahl von Haushaltsgeräten und Küchenutensilien im Angebot. Auf die Bedürfnisse von Hobby- wie Profiköchen hat sich **Broadway Panhandlers** in der Broome Street spezialisiert. Hier bekommt man alles, was man zum Backen, Braten, Dünsten und Kneten braucht.

Bei **Bridge Kitchenware** deckt sich auch die Gastronomie mit Gerätschaften ein. **Williams-Sonoma** bietet alles von Geschirr über Küchenmesser bis zu Kochbüchern. Im East Village, vor allem in der Gegend rund um die Bowery Street, sind seit Langem die Küchenausstatter für Restaurants ansässig. Die Produkte sind erstklassig, die Preise eher niedrig. **Leader Restaurant Equipment & Supplies** verkauft alle erdenklichen Küchengerätschaften.

HAUSHALTSWAREN UND INNENAUSSTATTUNG

Edelstes Kristall, Porzellan und Stücke aus Silber findet man bei **Baccarat**, **Lalique** und **Villeroy & Boch**. Auch bei **Orrefors Kosta Boda** und **Tiffany & Co.** gibt es zahlreiche schöne Stücke fürs Heim. Produkte aus Kristall und Porzellan bietet **Avventura** an. Preiswertes Porzellan für den Alltagsgebrauch findet man bei **Fishs Eddy**.

Ceramica verkauft hübsche handgemachte italienische Töpferware. Handbemalte Keramik kauft man sehr gut bei **La Terrine** oder bei **Stuben Glass**. In der schicken Filiale des Designers **Jonathan Adler** in SoHo fallen Porzellan- und Keramikartikel in natürlichen Formen und Farben ins Auge. Von der Fischplatte bis zum Dekanter reicht das schier unerschöpfliche Angebot höchst kunstvoller Töpfereierzeugnisse.

ABC Carpet & Home am Broadway ist weithin bekannt für seine Dekogegenstände. Haushaltswaren zu besonders günstigen Preisen findet man in der Grand Street der Lower East Side.

Elegante Möbel, von weichen Ledersofas über luxuriöse Betten bis hin zu schlanken Tischen, bietet Giorgio Armanis edle **Armani Casa**. **Dune** in der Franklin Street in TriBeCa führt schicke Möbel

und Accessoires von zeitgenössischen Designern. **Design Within Reach** hat sich auf lizenzierte Kopien von Designklassikern spezialisiert, darunter Entwürfe von Eames, Saarinen und Bertoia. Mögen Sie Retro-Schick, dann sind Sie bei **Restoration Hardware** am Broadway richtig: Mit restaurierten Art-déco-Stücken, Lichtspielen und vielem mehr hilft der Laden, Ihre Wohnung zu verschönern.

Stoffe

Hochwertige Stoffe verkauft jedes bessere Kaufhaus. Seidentücher und viele andere edle Stoffkreationen findet man bei **Porthault** und **Pratesi**. **Frette** in der Madison Avenue führt flauschige Handtücher und wunderbar weiche Bettbezüge. **Bed, Bath & Beyond** hält Stoffe für jeden Zweck und in jeder Qualität bereit.

Auf einen Blick

Musikanlagen

Bang & Olufsen
952 Madison Ave. **Stadtplan** 17 A5. (212) 879-6161.

Best Buy
60 W 23rd St. **Stadtplan** 8 E4. (212) 366-1373.

Harvey Electronics
2 W 45th St. **Stadtplan** 12 F5. (212) 575-5000.

Innovative Audio Video Showrooms
150 58th St. **Stadtplan** 13 A4. (212) 634-4444.

J & R Music World
31 Park Row. **Stadtplan** 1 C2. (212) 238-9100.

Lyric Hi-Fi
1221 Lexington Ave. **Stadtplan** 17 A4. (212) 439-1900.

Sony Style
550 Madison Ave. **Stadtplan** 13 A4. (212) 833-5336.

Sound by Singer
18 16th St. **Stadtplan** 8 F5. (212) 924-8600.

Stereo Exchange
627 Broadway. **Stadtplan** 4 E3. (212) 505-1111.

Fotografie

Adorama
42 18th St. **Stadtplan** 8 F5. (212) 741-0466.

Alkit Pro Camera
222 Park Ave S. **Stadtplan** 9 A5. (212) 674-1515.

B & H Photography
420 9th Ave. **Stadtplan** 8 D2. (212) 444-6615.

Foto Care
136 W 21st St. **Stadtplan** 8 E4. (212) 741-2990.

Olden Camera
1263 Broadway, 4. Stock. **Stadtplan** 8 F3. (212) 725-1234.

The Photo Village
1133 Broadway, Suite 824. **Stadtplan** 8 F4. (212) 989-1252.

Willoughby's
298 5th Ave. **Stadtplan** 8 F3. (800) 378-1898.

Computer

Amnet PC Solutions
229 E 53rd St. **Stadtplan** 13 B4. (212) 593-2425.

Apple Store SoHo
103 Prince St. **Stadtplan** 4 E3. (212) 226-3126.

CompUSA
420 5th Ave. **Stadtplan** 8 F1. (212) 764-6224.

Tekserve
119 W 23rd St. **Stadtplan** 8 E4. (212) 929-3645.

Küchen-Ausstattung

Bridge Kitchenware
214 E 52nd St. **Stadtplan** 13 B4. (212) 688-4220.

Broadway Panhandlers
477 Broome St. **Stadtplan** 4 E4. (212) 966-3434.

Leader Restaurant Equipment & Supplies
191 Bowery. **Stadtplan** 4 F4. (212) 677-1982.

Williams-Sonoma
10 Columbus Circle. **Stadtplan** 12 D3. (212) 823-9750. Eine von mehreren Filialen.

Haushaltswaren, Innenausstattung

ABC Carpet & Home
888 Broadway. **Stadtplan** 8 F5. (212) 473-3000.

Armani Casa
97 Greene St. **Stadtplan** 4 E3. (212) 334-1271.

Avventura
463 Amsterdam Ave. **Stadtplan** 15 C4. (212) 769-2510.

Baccarat
625 Madison Ave. **Stadtplan** 13 A3. (212) 826-4100.

Ceramica
59 Thompson St. **Stadtplan** 4 D4. (212) 941-1307.

Design Within Reach
142 Wooster St. **Stadtplan** 4 E3. (212) 475-0001. Eine von mehreren Filialen.

Dune
88 Franklin St. **Stadtplan** 4 E5. (212) 925-6171.

Fishs Eddy
889 Broadway. **Stadtplan** 8 F5. (212) 420-9020.

Grand Street
Lower East Side. **Stadtplan** 4 E5.

Jonathan Adler
47 Greene St. **Stadtplan** 4 E4. (212) 941-8950.

Lalique
712 Madison Ave. **Stadtplan** 13 A3. (212) 355-6550.

Orrefors Kosta Boda
200 Lexington Ave. **Stadtplan** 13 A5. (212) 684-5455.

Restoration Hardware
935 Broadway. **Stadtplan** 8 F4. (212) 260-9479.

Stuben Glass
667 Madison Ave. **Stadtplan** 13 A3.

La Terrine
1024 Lexington Ave. **Stadtplan** 13 A1. (212) 988-3366.

Tiffany & Co.
Siehe S. 329.

Villeroy & Boch
41 Madison Ave. **Stadtplan** 9 A4. (213) 988-8149.

Stoffe

Bed, Bath & Beyond
620 Ave of the Americas. **Stadtplan** 8 F5. (212) 255-3550.

Frette
799 Madison Ave. **Stadtplan** 13 A1. (212) 988-5221.

Porthault
18 E 69th St. **Stadtplan** 12 F1. (212) 688-1660.

Pratesi
829 Madison Ave. **Stadtplan** 13 A2. (212) 288-2315.

UNTERHALTUNG

New York bedeutet spannendes Entertainment – tagtäglich. Das kulturelle Programm der Metropole hält für jeden Geschmack etwas Passendes bereit. Für Theaterliebhaber gibt es auf großen wie auf kleinen Bühnen ein schier unerschöpfliches Angebot: Kassenerfolge am Broadway oder aber experimentelles Theater in entlegenen Kellergewölben oder in den Lofts alter Lager-

Aufführung des New York City Ballet

häuser. In der »Met« kann man Opern genießen, in den Village Clubs Jazz. Man kann sich avantgardistische Ballettaufführungen in Cafés ansehen oder sich in den Discos und Clubs austoben. Zahllose Kinos machen New York zur »Filmstadt« Doch das Beste: durch die Straßen zu gehen und die riesige Show zu erleben, die ganz einfach New York heißt.

INFORMATIONEN

Einen guten Überblick über das aktuelle Kulturangebot geben die »Arts and Leisure«-Beilagen von *The New York Times* und *The Village Voice* sowie die Magazine *Time Out*

Am TKTS-Kartenschalter sind Last-Minute-Tickets erhältlich

New York und *The New Yorker*. Sie liefern Kurzbeschreibungen der Veranstaltungen und führen auf, welche Kreditkarten akzeptiert werden. In den meisten Hotels liegt *Where* aus, ein kostenloses Veranstaltungsmagazin.

Auch im Hotel wird man Ihnen mit Infos weiterhelfen; gute Häuser besorgen Eintrittskarten. Manche Hotels haben einen TV-Info-Kanal.

An Kiosken mit Berührungsbildschirmen bietet **NYC & Company**, das Fremdenverkehrsamt der Stadt New York, Informationen für Besucher an. Auch Gratistickets und verbilligte Eintrittskarten, Telefonkarten und vieles mehr sind hier erhältlich.

Auf der Website von **Broadway Inner Circle** können Sie ausführliche Beschreibungen zu laufenden Produktionen lesen. **Moviefone** ist ein

Internet-Infodienst über Filme, **ClubFone** informiert telefonisch und im Internet über das Nachtleben.

KARTENVORVERKAUF

Beliebte Shows können Wochen im Voraus ausverkauft sein. Buchen Sie also so früh wie möglich. Theaterkassen haben täglich – außer sonntags – von 10 Uhr bis eine Stunde nach Vorstellungsbeginn geöffnet. Man kann auch bei der Theaterkasse oder einer anderen Vorverkaufsstelle anrufen und die gewünschten Tickets per Kreditkarte ordern.

Die größten Ticketagenturen sind **Telecharge**, **Ticketmaster** und **Ticket Central**; alle berechnen eine Gebühr. Ein unabhängiges Vermittlungsbüro ist **Prestige Entertainment**. Die Bearbeitungs-

Band in einem gemütlichen New Yorker Jazzclub

gebühren hängen vom Preis des Tickets ab. Auch das **Broadway Ticket Center** im Times Square Information Center verkauft Tickets.

REDUZIERTE TICKETS

Eine gute Anlaufstelle für verbilligte Eintrittskarten für Theaterstücke und Musicals sind die nicht kommerziellen **TKTS**-Verkaufsstellen. Hier erhält man am Tag der Aufführung Karten mit Preisnachlässen von 25 bis 50 Prozent. Zusätzlich fällig wird eine kleine Bearbeitungsgebühr. Allerdings kann man die Tickets nur in bar bezahlen, Kreditkarten werden nicht akzeptiert.

Der TKTS-Schalter am Duffy Square verkauft mittwochs und samstags von 10 bis 14 Uhr, sonntags von 11 bis 15 Uhr Tickets für Matineen; Tickets für Abendveranstaltungen erhält man zwischen 15 und 20 Uhr. Karten für Sonntagsvorstellungen von 11 Uhr bis Schalterschluss. Die Schalter in der Front und in der John Street verkaufen Tickets für Abendvorstellungen montags bis freitags von 10 bis 18 Uhr, samstags von 11 bis 19 Uhr. Karten für Matineen werden am Vortag angeboten.

Ticketmaster verkauft Eintrittskarten für Vorstellungen desselben Tages mit Preisnachlässen von zehn bis 25 Prozent (mit Kommissionsgebühr) per Telefon. Der **Hit Show Club** ver-

Das Booth Theater am Broadway *(siehe S. 345)*

kauft an seine Mitglieder (die Mitgliedschaft ist kostenlos) Gutscheine, die an der Abendkasse gegen reduzierte Karten eingetauscht werden können.

Einige Shows bieten am Tag der Aufführung auch Karten für Stehplätze an. Für Kurzentschlossene ist das eine Möglichkeit, eine ausverkaufte Show zu besuchen – wenn auch bisweilen mit schlechter Sicht. Verbilligte Tickets für Shows gibt es auch bei **Broadway Bucks**. Über **StubHub!** kann man Tickets für Sport- und Musikveranstaltungen sowie Broadway-Shows kaufen und verkaufen. Der Versand erfolgt per Kurier.

SCHWARZHÄNDLER

Auf dem Schwarzmarkt erstandene Tickets sind sehr teuer und obendrein oft noch gefälscht. Polizeibekannte Treffpunkte von Schwarzhändlern und Kunden werden häufig überwacht.

FREIKARTEN

Kostenlose Tickets für TV-Shows, Konzerte und Sonderveranstaltungen bekommt man bei **NYC & Company**, das montags bis freitags von 8.30 bis 18 Uhr, samstags und sonntags von 9 bis 17 Uhr geöffnet hat. In *The Village Voice* findet man unter »Cheap Thrills« Veranstaltungen, die (fast) umsonst sind. Gratiskarten für das Shakes-

peare Festival werden am **Delacorte Theater** im Central Park an Aufführungstagen ausgegeben und sind auf zwei Tickets pro Person begrenzt (stellen Sie sich auf Warteschlangen ein). Gratistickets für TV-Aufzeichnungen gibt es bei den Sendeanstalten oder im **Rockefeller Center**.

Schillernde Namen im Herzen des Broadway *(siehe S. 345)*

BEHINDERTE BESUCHER

Theater am Broadway verfügen über Plätze und verbilligte Tickets für Rollstuhlfahrer und Begleitpersonen. Anfragen nehmen **Ticketmaster** und **Telecharge** entgegen, für Off-Broadway-Produktionen sollte man sich an die Theaterkassen wenden. Manche Theater bieten Hörhilfen an. **Tap** organisiert Gebärdensprachdolmetscher für Broadway-Theater.

NÜTZLICHE ADRESSEN

Broadway Bucks
226 W 47th St.
Stadtplan 12 E5.
📞 *1-800-223-7565,
Durchwahl 214.*
www.bestofbroadway.com

Broadway Inner Circle
📞 *(212) 563-2929.*
www.broadwayinnercircle.com

ClubFone
📞 *(212) 777-2582.*
www.clubfone.com

Delacorte Theater
Eingang 81st St, Ecke Central
Park W. **Stadtplan** 16 E4.
📞 *(212) 539-8750.*
www.publictheater.org

Hit Show Club
📞 *(212) 581-4211.*
www.hitshowclub.com

Kinokarten per Internet
www.movietickets.com
www.fandango.com
www.moviefone.com

Moviefone
www.moviefone.com

NYC & Company
810 7th Ave. **Stadtplan** 12 E4.
📞 *(212) 484-1222.*
www.nycvisit.com

Prestige Entertainment
📞 *1-800-243-8849.*

StubHub!
📞 *(866) STUBHUB.*
www.stubhub.com

**Tap
(Theatre Access Project)**
📞 *(212) 221-1103 (Band).*
www.tdf.org/tap

Telecharge
📞 *(212) 239-6200,
1-800-432-7250.*
www.telecharge.com

Ticket Central
📞 *(212) 279-4200.*
www.ticketcentral.org

Ticketmaster
📞 *(212) 307-4100, 1-800-755-
4000.* **www**.ticketmaster.com

TKTS
📞 *(212) 221-0013.*
Duffy Square. **Stadtplan** 12 E5;
Front St/John St. **Stadtplan** 2 D2;
Times Square. 47th St/Broadway.
Stadtplan 12 E5. 📞 *(212)
221-0885, Durchwahl 446.*

Stadtplan *siehe Seiten 394–425*

Highlights: Unterhaltung

**Jazzclub in
Greenwich Village**

New York ist eine Metropole des Entertainment. Spitzenstars aller Sparten geben hier Gastspiele, wenn sie nicht ohnehin in der Stadt leben und arbeiten. Das Angebot an sportlichen Ereignissen ist ebenfalls breit gefächert, Gleiches gilt – im Sommer wie im Winter – für Live-Musik, Theater und Comedy. Was das Nachtleben betrifft, so wird New York seinem Ruf als »die Stadt, die niemals schläft«, vollauf gerecht. Auf den Seiten 344–363 finden Sie Details, auf dieser Doppelseite sind einige herausragende Locations und Veranstaltungen aufgeführt, die Sie nicht versäumen sollten. Selbst wenn Sie nur eine davon besuchen, erleben Sie ein Stück New York, das genauso zur Stadt gehört wie das Empire State Building oder die Brooklyn Bridge.

Madison Square Garden
Der »Garden« bietet Sportveranstaltungen der Spitzenklasse, z.B. Basketball mit den New York Knicks, Eishockey mit den New York Rangers und das Boxturnier um die »Golden Gloves« (siehe S. 360).

Chelsea
Garment

Greenwich
Village

SoHo und
TriBeCa

Lower East
Side

Seaport und
Civic Center

Lower
Manhattan

HUDSON RIVER

Film Forum
Im elegantesten Programmkino New Yorks sind die neuesten Independents aus den USA und dem Ausland zu sehen; zudem gibt es Retrospektiven mit Filmklassikern (siehe S. 349).

Village Vanguard
In den Jazzclubs von Greenwich Village gastierten bereits alle Größen der Jazzszene. Im Village Vanguard und im Blue Note kann man die Stars von heute und morgen erleben (siehe S. 352).

Proben des New York Philharmonic Orchestra
Am Donnerstagmorgen sind die Proben in der Avery Fisher Hall öffentlich und kosten deutlich weniger als ein Konzert (siehe S. 350).

Metropolitan Opera House
Um die Operngrößen hören zu können, muss man rechtzeitig vorbestellen und tief in die Tasche greifen (siehe S. 350).

Shakespeare im Central Park
Wer New York im Sommer besucht, sollte sich eine Gratiskarte für das Shakespeare-Festival besorgen, bei dem Schauspieler ersten Ranges auftreten (siehe S. 344).

Der Nussknacker
Das Weihnachtsereignis für Kinder jeden Alters wird jedes Jahr im Lincoln Center vom New York City Ballet aufgeführt (siehe S. 346).

0 Kilometer 2
0 Meilen 1

Public Theater
Das 1954 eröffnete Public hat den Auftrag, Theater für alle New Yorker zu machen. Sein Shakespeare-Festival steht für die Liebe zu den Klassikern. Doch es werden auch neue Stücke inszeniert (siehe S. 120).

Carnegie Hall
Die im Theater District gelegene Carnegie Hall ist weltberühmt als Auftrittsort der besten Musiker und Sänger. Eine Backstage-Tour vermittelt einen Blick hinter die Kulissen dieses legendären Gebäudes (siehe S. 350).

Theater und Tanz

New York ist bekannt für seine extravaganten Musicals und seine schonungslosen Kritiker. Die Stadt ist eine der Metropolen von Theater und Ballett und bietet Produktionen jeglicher Art. Ob Sie nun Glanz und Glamour eines Broadway-Kassenschlagers oder etwas Experimentelles suchen – hier finden Sie es.

BROADWAY

Der Broadway ist seit Langem ein Synonym für New Yorks Theaterviertel, auch wenn sich die meisten Broadway-Theater zwischen 41st und 53rd Street, Sixth und Ninth Avenue sowie am Times Square befinden. Fast alle von ihnen wurden zwischen 1910 und 1930 gebaut, in der Blütezeit des Vaudeville und der berühmten »Ziegfeld Follies«. Das **Lyceum** (siehe S. 144) von 1903 ist das älteste noch genutzte Theater, das neueste ist das **American Airlines Theater**, Sitz der Roundabout Theater Co. Das **Biltmore Theater**, 1987 bis 2003 geschlossen, steht dem Publikum wieder offen.

Nach dem Theatersterben der 1980er Jahre erleben die Broadway-Bühnen heute wieder einen Aufschwung, wobei die großen Namen der Hollywood-Stars einiges dazu beigetragen haben. Hier finden die »Mammutproduktionen« von großen Theaterstücken und Musicals sowie Wiederaufführungen mit Starbesetzung statt. Zu Broadway-Erfolgen gehören ausländische Produktionen wie Les Misérables, New Yorker Originale wie Cats und The Producers sowie Klassiker wie Lion King und 42nd Street, die heute wieder groß im Kommen sind. Aufwendige Adaptionen bekannter Kinofilme wie Hairspray oder von Kultserien wie Monty Pythons Spamalot sowie Revival-Pop-Shows wie Mamma Mia! sind ebenfalls höchst erfolgreich.

OFF-BROADWAY UND OFF-OFF-BROADWAY

Es gibt rund 20 Off-Broadway- und 300 Off-Off-Broadway-Bühnen, wobei für ihre Unterscheidung die Größe ausschlaggebend ist:

Off-Broadway-Bühnen haben 100 bis 499 Sitzplätze, Off-Off-Broadway-Theater weniger als 100. Das Spektrum reicht von gut ausgestatteten Theatern bis zu improvisierten Spielstätten wie Lofts, Kirchen oder Garagen. Off-Broadway-Theater wurden in den 1950er Jahren als Reaktion auf den kommerziellen Theaterbetrieb populär. Produzenten konnten mit geringeren Kosten Stücke aufführen, die für den Broadway unpassend waren. Das Off-Off-Broadway-Theater ist seit den 1970er Jahren zum Domizil des experimentellen Theaters geworden.

Off-Broadway-Theater gibt es überall in Manhattan, vom **Douglas Fairbanks Theater**, wo das respektlose Forbidden Broadway läuft, bis zum **Delacorte Theater**, der Open-Air-Bühne im Central Park. Einige Theater liegen sogar im traditionellen Broadway-Viertel wie der **Manhattan Theater Club**. Etwas abseits haben sich die **Brooklyn Academy of Music (BAM)** (siehe S. 248) und **92nd Street Y** etabliert, die Foren für junge Talente und experimentelle Produktionen sind.

Die Off-Broadway-Theater waren die ersten Aufführungsorte von Sean O'Casey, Tennessee Williams, Eugene O'Neill, Jean Genet, Eugène Ionesco und David Mamet. Samuel Becketts Stück Glückliche Tage wurde 1961 im **Cherry Lane Theatre** uraufgeführt. Das Theater ist bis heute eine Bühne für Avantgarde-Stücke.

Mitunter eignet sich eine Off-Broadway-Bühne besser für eine Produktion als ein großes Theater, was Dauererfolge wie The Fantasticks und die Dreigroschenoper belegen; Letztere wird seit 1955 immer wieder im **Lucille Lortel Theater** gespielt.

PERFORMANCE-THEATER

Diese extrem avantgardistische Kunstform kann man an verschiedenen Off- und Off-Off-Broadway-Theatern verfolgen. Besucher sollten auf Bizarres und Ausgefallenes gefasst sein. Auf Performances trifft man am ehesten in **La MaMa, PS122, HERE, Baruch Performing Arts Center, 92nd Street Y, Symphony Space** und im **Joseph Papp Public Theater** (siehe S. 120). Letzteres übt vermutlich den größten Einfluss auf die New Yorker Theaterszene aus. Es wurde in den 1950er Jahren von Joseph Papp gegründet, der Aufführungen in den Stadtvierteln organisierte, um damit Menschen zu erreichen, die niemals zuvor ein Theater besucht hatten.

Das Public Theater feierte Erfolge mit Hair und A Chorus Line, hat sich aber mit den kostenlosen Shakespeare-Aufführungen einen Namen gemacht, die im Sommer im Delacorte Theater im Central Park (siehe S. 208) stattfinden. Am Tag der Vorstellung bekommt man ab 18 Uhr an der Kasse des Delacorte Theater »Quiktix« genannte Karten – pro Person maximal zwei.

SCHAUSPIELSCHULEN

Wer das Handwerk eines Schauspielers erlernen will, hat in New York beste Gelegenheit dazu. Führend unter den Schauspielschulen ist **The Actors' Studio**. Sein Mentor war Lee Strasberg, der das Konzept einer vollständigen Identifizierung mit der Rolle vertrat. Zu seinen Schülern gehörten u. a. Marilyn Monroe, Dustin Hoffman und Al Pacino. An der Neighborhood Playhouse School of the Theater hat Sandy Meisner viele Schauspieler ausgebildet, darunter auch Lee Remick. Die Aufführungen von »Arbeitsstücken« sind nicht öffentlich. Die **New Dramatists** tragen seit 1949 zur Ausbildung junger Stückeschreiber bei. Den öffentlichen Textlesungen kann man kostenlos beiwohnen.

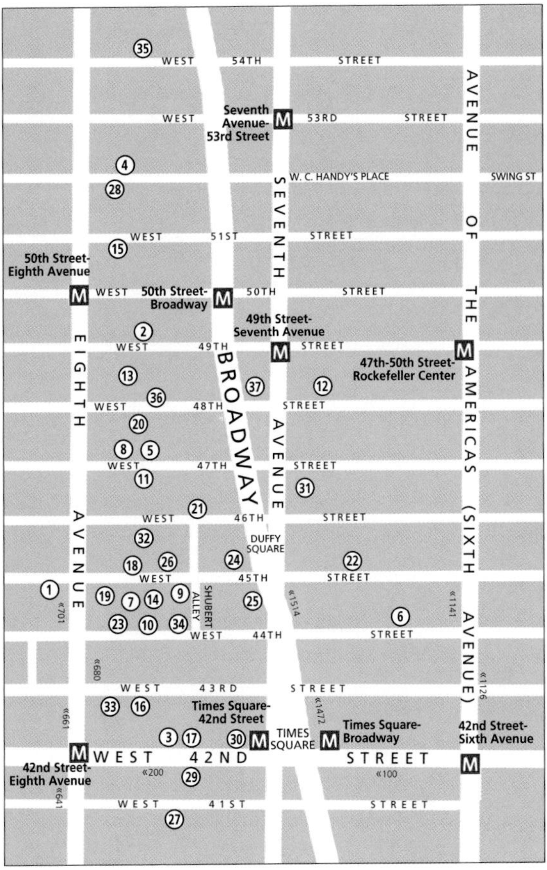

Broadway-Theater

① **Al Hirschfield**
302 W 45th St.
☎ *(212) 239-6200.*

② **Ambassador**
219 W 49th St.
☎ *(212) 239-6200.*

③ **American Airlines Theater**
227 W 42nd St.
☎ *(212) 719-1300.*

④ **August Wilson**
245 W 52nd St.
☎ *(212) 239-6200.*

⑤ **Barrymore**
243 W 47th St.
☎ *(212) 239-6200.*

⑥ **Belasco**
111 W 44th St.
☎ *(212) 239-6200.*

⑦ **Bernard B. Jacobs**
242 W 45th St.
☎ *(212) 239-6200.*

⑧ **Biltmore**
261 W 47th St.
☎ *(212) 239-6200.*

⑨ **Booth**
222 W 45th St.
☎ *(212) 239-6200.*

⑩ **Broadhurst**
235 W 44th St.
☎ *(212) 239-6200.*

⑪ **Brooks Atkinson**
256 W 47th St.
☎ *(212) 307-4100.*

⑫ **Cort**
138 W 48th St.
☎ *(212) 239-6200.*

⑬ **Eugene O'Neill**
230 W 49th St.
☎ *(212) 239-6200.*

⑭ **Gerald Schoenfeld**
236 W 45th St.
☎ *(212) 239-6200.*

⑮ **Gershwin**
222 W 51st St.
☎ *(212) 307-4100.*

⑯ **Helen Hayes**
240 W 44th St.
☎ *(212) 239-6200.*

⑰ **Hilton**
213 W 42nd St.
☎ *(212) 307 4100.*

⑱ **Imperial**
249 W 45th St.
☎ *(212) 239-6200.*

⑲ **John Golden**
252 W 45th St.
☎ *(212) 239-6200.*

⑳ **Longacre**
220 W 48th St.
☎ *(212) 239-6200.*

㉑ **Lunt – Fontanne**
205 W 46th St.
☎ *(212) 307-4747.*

㉒ **Lyceum**
149 W 45th St.
☎ *(212) 239-6200.*

㉓ **Majestic**
247 W 44th St.
☎ *(212) 239-6200.*

㉔ **Marquis**
211 W 45th St.
☎ *(212) 307-4100.*

㉕ **Minskoff**
200 W 45th St.
☎ *(212) 307-4100.*

㉖ **Music Box**
239 W 45th St.
☎ *(212) 239-6200.*

㉗ **Nederlander**
208 W 41st St.
☎ *(212) 307-4100.*

㉘ **Neil Simon**
250 W 52nd St.
☎ *(212) 307-4100.*

㉙ **New Amsterdam**
214 W 42nd St.
☎ *(212) 307 4100.*

㉚ **New Victory**
209 W 42nd St.
☎ *(212) 239-6200.*

㉛ **Palace**
1564 Broadway.
☎ *(212) 307-4100.*

㉜ **Richard Rodgers**
226 W 46th St.
☎ *(212) 307-4100.*

㉝ **St. James**
246 W 44th St.
☎ *(212) 239-6200.*

㉞ **Shubert**
225 W 44th St.
☎ *(212) 239-6200.*

㉟ **Studio 54**
254 W 54th St.
☎ *(212) 719 3100.*

㊱ **Walter Kerr**
219 W 48th St.
☎ *(212) 239-6200.*

㊲ **Winter Garden**
1634 Broadway.
☎ *(212) 239-6200.*

Weitere Theater *siehe S. 347.*

BALLETT

Mittelpunkt der Ballettszene ist das **Lincoln Center** (*siehe S. 214*), wo von November bis Februar und von Ende April bis Anfang Juni das New York City Ballet im **New York State Theater** auftritt. Es wurde von George Balanchine, dem legendären Choreografen (*siehe S. 49*), ins Leben gerufen und ist vermutlich noch immer das beste klassische Ballett der Welt. Der jetzige Leiter, Peter Martins, gehörte zu Balanchines besten Tänzern und folgt wie dieser dem Konzept einer homogenen Kompanie. Die Ballettschule des **Juilliard Dance Theater** veranstaltet jedes Frühjahr einen Workshop, dessen Aufführungen öffentlich sind.

Das American Ballet Theater tritt im **Metropolitan Opera House** auf, in dem auch ausländische Ensembles gastieren, etwa das Royal Ballet, das Kirow- und das Bolschoi-Ballett. Das Repertoire umfasst sowohl Klassiker des 19. Jahrhunderts als auch Produktionen moderner Choreografen wie Twyla Tharp und Paul Taylor.

ZEITGENÖSSISCHER TANZ

New York ist das Zentrum der wichtigsten Richtungen im Modern Dance. Das **Dance Theater of Harlem** ist weltberühmt für seine Inszenierungen. Auch das **92nd Street Y** und das **Merce Cunningham Studio** in Greenwich Village bieten erstklassigen experimentellen Tanz. Im ungewöhnlichen **Dance Theater Workshop** findet man ein umfangreiches Programm vor, dazu eine Kunstgalerie. **The Kitchen**, La MaMa, Symphony Space und **PS122** bringen das Neueste in den Bereichen zeitgenössischer Tanz, Performance und Avantgarde-Musik zur Aufführung.

Die Truppe des Choreografen Mark Morris tritt im **Mark Morris Dance Center** in Brooklyn auf. Das **City Center** (*siehe S. 148*) ist eine beliebte Adresse in der Tanzszene und war früher das Stammhaus des New York City Ballet und des American Ballet Theater.

Neben dem Joffrey Ballet sind im City Center schon alle großen Künstler aufgetreten, darunter Alvin Ailey und auch die Ensembles der Modern-Dance-Choreografen Merce Cunningham und Paul Taylor. (Wählen Sie nach Möglichkeit keinen Rangplatz in diesem Theater, da der Blick hier eingeschränkt ist.)

Die aktivste Einzelbühne für Tanzaufführungen ist das **Joyce Theater**, in dem etablierte Ensembles, aber auch mutige Neulinge und Gasttruppen auftreten.

Jedes Frühjahr zeigt das Festival of Black Dance in der **Brooklyn Academy of Music** (BAM) (*siehe S. 248*) alles von »Ethnic Dance« bis »Hip-Hop«. Im Herbst präsentiert das »Next-Wave«-Festival nationale und internationale avantgardistische Tanz- und Musikinszenierungen. Im Winter findet hier das American Ballet Festival statt.

Im Juni hält die **New York University** (*siehe S. 115*) ein Summer Residency Festival ab, wo es Tanzübungen, Proben und Aufführungen zu sehen gibt. **Dancing in the Streets** organisiert in der ganzen Stadt sommerliche Tanzvorführungen.

Im August präsentiert das **Lincoln Center Out of Doors** auf der Plaza ein Freedance-Programm mit experimentellen Gruppen wie beispielsweise dem American Tap Dance Orchestra.

Im neuen **Duke Theater** treten zeitgenössische Tanzgruppen auf, außerdem finden hier auch Veranstaltungen im Rahmen des New York Tap Festival statt.

Die **Radio City Music Hall** bringt im Lauf des Jahres mehrere erstklassige Shows mit internationalen Tanztruppen. Zu Weihnachten und Ostern tritt hier das berühmte Rockettes-Ensemble auf.

Bisweilen kann man öffentlichen Tanzproben beiwohnen. Die interessantesten Vorführungen dieser Art bietet wohl das schwarze **Alvin Ailey American Dance Theater**, das 2004 die größte Tanzschule des Landes eröffnet hat. Die **Hunter College Dance Company** zeigt neue Arbeiten

ihrer Choreografieschüler. Die **Isadora Duncan Dance Foundation** lässt die Tänze ihrer legendären Namensgeberin neu erstehen. Zeitgenössische Choreografien kann man sich im **Juilliard Dance Theater** ansehen.

EINTRITTSPREISE

Viele Theaterproduktionen sind sehr aufwendig, was sich natürlich auf die Eintrittspreise niederschlägt. Selbst Off- und Off-Off-Broadway-Bühnen sind heute kein billiges Vergnügen mehr. Karten für Generalproben, sogenannte Previews, kosten genauso viel, sind allerdings erheblich leichter zu bekommen.

Broadway-Theater verlangen 80 Dollar und mehr als Eintritt. Bei Musicals muss man mit bis zu 100 Dollar rechnen. Der Eintritt für Off-Broadway-Bühnen beträgt 25 bis 40 Dollar. Tanzaufführungen kosten zwischen 20 und 50 Dollar, für das American Ballet Theater muss man allerdings bis zu 115 Dollar einplanen.

VORSTELLUNGSBEGINN

Theater bleiben in der Regel montags geschlossen (mit Ausnahme der meisten Musical-Bühnen). Mittwochs, samstags und auch sonntags finden Matineen statt, die meist um 14 Uhr anfangen. Abendvorstellungen beginnen üblicherweise um 20 Uhr. Informieren Sie sich rechtzeitig über Anfangszeiten sowie über den genauen Ort der Aufführung.

BACKSTAGE

Wer sich für Bühnentechnik und Star-Anekdoten interessiert, sollte an einer der beliebten Backstage-Touren der Theater teilnehmen. Das **92nd Street Y** organisiert interessante Diskussionen mit bekannten Regisseuren, Schauspielern und Choreografen. Auch Autoren werden zu Lesungen oder Diskussionen eingeladen. In der **Radio City Music Hall** werden ebenfalls spannende Führungen hinter den Kulissen angeboten.

AUF EINEN BLICK

OFF-BROADWAY

92nd Street Y
1395 Lexington Ave.
Stadtplan 17 A2.
📞 *(212) 415-5500.*

Baruch Performing Arts Center
55 Lexington Ave.
Stadtplan 9 A4.
📞 *(646) 312-4085.*

Brooklyn Academy of Music
30 Lafayette Ave,
Brooklyn.
📞 *(718) 636-4100.*

Cherry Lane Theatre
38 Commerce St.
Stadtplan 3 C2.
📞 *(212) 239-6200*

Circle in the Square
1633 Broadway.
Stadtplan 12 E4.
📞 *(212) 307-0388.*

Delacorte Theater
Central Park,
Höhe 81st St.
Stadtplan 16 E4.
📞 *(212) 539-8750.*
Nur im Sommer.

Douglas Fairbanks Theater
432 W 42nd St.
Stadtplan 7 C1.
📞 *(212) 239-6200.*

HERE Art Center
145 6th Ave.
Stadtplan 4 D4.
📞 *(212) 647-0202.*

Lambs Theater
130 W 44th St.
Stadtplan 12 E5.
📞 *(212) 575-0300.*

Lucille Lortel Theater
121 Christopher St.
Stadtplan 3 C2.
📞 *(212) 924-2817.*

Manhattan Theater Club
311 W 43rd St.
Stadtplan 8 D1.
📞 *(212) 399-3000.*

New York Theater Workshop
79 E 4th St.
Stadtplan 4 F2.
📞 *(212) 460-5475.*

Public Theater
425 Lafayette St.
Stadtplan 4 F2.
📞 *(212) 539-8500.*

Symphony Space
2537 Broadway.
Stadtplan 15 C2.
📞 *(212) 864-5400.*

Vivian Beaumont
Lincoln Center.
Stadtplan 11 C2.
📞 *(212) 362-7600.*

OFF-OFF-BROADWAY

Bouwerie Lane Theater
330 Bowery.
Stadtplan 4 F2.
📞 *(212) 677-0060.*

The Kitchen
512 W 19th St.
Stadtplan 7 C5.
📞 *(212) 255-5793.*

Performing Garage
33 Wooster St.
Stadtplan 4 E4.
📞 *(212) 966-3651.*

York Theater at St. Peter's Church
Citigroup Center,
619 Lexington Ave.
Stadtplan 13 A4.
📞 *(212) 935-5820.*

PERFORMANCE-THEATER

La MaMa
74a E 4th St.
Stadtplan 4 F2.
📞 *(212) 475-7710.*

PS122
150 First Ave.
Stadtplan 5 A1.
📞 *(212) 477-5288.*

Public Theater
Siehe Off-Broadway.

SCHAUSPIEL-SCHULEN

The Actors' Studio
432 W 44th St.
Stadtplan 11 B5.
📞 *(212) 757-0870.*

New Dramatists
424 W 44th.
Stadtplan 11 C5.
📞 *(212) 757-6960.*

BALLETT

92nd Street Y
Siehe Off-Broadway.

Alvin Ailey American Dance Theater
211 W 61st St.
Stadtplan 11 C3.
📞 *(212) 767-0590.*

Brooklyn Academy of Music
Siehe Off-Broadway.

City Center
130 W 56th St.
Stadtplan 12 E4.
📞 *(212) 581-1212.*

Dance Theater of Harlem
466 W 152nd St.
📞 *(212) 690-2800.*

Dance Theater Workshop
219 W 19th St.
Stadtplan 8 E5.
📞 *(212) 924-0077.*

Dancing in the Streets
55 6th Ave (Büros).
📞 *(212) 625-3505.*

Hunter College Dance Company
695 Park Ave.
Stadtplan 13 A1.
📞 *(212) 772-4490.*

Isadora Duncan Dance Foundation
141 W 26th St.
Stadtplan 20 D2.
📞 *(212) 691-5040.*

Joyce Theater
175 Eighth Ave/19th St.
Stadtplan 8 D5.
📞 *(212) 242-0800.*

Juilliard Dance Theater
60 Lincoln Center Plaza,
W 65th St.
Stadtplan 11 C2.
📞 *(212) 769-7406.*

VERANSTALTUNGS-ORTE

Duke Theater
229 W 42nd St.
Stadtplan 8 E1.
📞 *(646) 223-3000.*

The Kitchen
Siehe Off-Off-Broadway.

La MaMa
Siehe Performance-Theater.

Lincoln Center Out of Doors
Lincoln Center,
Broadway/64th St.
Stadtplan 11 C2.
📞 *(212) 362-6000.*

Manhattan Center
311 W 34th St.
Stadtplan 8 D2.
📞 *(212) 279-7740.*

Mark Morris Dance Center
3 Lafayette Ave, Brooklyn.
📞 *(718) 624-8400.*

Merce Cunningham Studio
55 Bethune St. **Stadtplan** 3 B2. 📞 *(212) 255-8240.*

Metropolitan Opera House
Lincoln Center,
Broadway/65th St.
Stadtplan 11 C2.
📞 *(212) 362-6000.*

New York State Theater
Lincoln Center,
Broadway/65th St.
Stadtplan 11 C2.
📞 *(212) 870-5570.*

New York University
Tisch School of the Arts
(TSOA), 111 2nd Ave.
Stadtplan 4 F1.
📞 *(212) 998-1920.*

PS122
Siehe Performance-Theater.

Radio City Music Hall
50th St/Ave of the
Americas.
Stadtplan 12 F4.
📞 *(212) 307-7171.*

BACKSTAGE

92nd Street Y
Siehe Off-Broadway.

Radio City Music Hall
📞 *(212) 307-7171.*

INTERNET-SEITEN

www.livebroadway.com
www.playbill.com
www.newyork.
citysearch.com

Stadtplan *siehe Seiten 394–425*

Kino und TV-Shows

New York ist ein Paradies für Cineasten. In den Kinos sind neben brandneuen US-Filmen auch viele Klassiker und ausländische Filme zu sehen. Die Stadt ist von jeher das Versuchsgelände für neue Entwicklungen im Film und die Wiege junger Talente. Regisseure wie Spike Lee, Martin Scorsese und Woody Allen sind in New York aufgewachsen, der Einfluss der Stadt wird in ihren Filmen deutlich. Filmemacher kann man häufig bei Dreharbeiten in der Stadt sehen – zahlreiche New Yorker Örtlichkeiten sind durch das Kino bekannt geworden. Viele der New Yorker Fernsehstationen bieten Eintrittskarten für die Aufzeichnungen von TV-Shows an. Ein solches Studio-Erlebnis, etwa die *David Letterman Show*, ist bei New Yorkern und Besuchern gleichermaßen beliebt.

PREMIERENKINOS

Die New Yorker Kritiken und Einspielergebnisse sind so wichtig für den Erfolg eines Kinofilms, dass die Uraufführungen der meisten großen US-Filme in den Kinos von Manhattan stattfinden. Premierenkinos sind u. a. die Filmtheater von City Cinema, United Artists, Loews, Guild und Cineplex Odeon. Einige Kinos haben eine Telefonansage, die Programmhinweise, Spieldauer und Eintrittspreise bekannt gibt.

Die Vorstellungen beginnen um 10 oder 11 Uhr und werden dann bis Mitternacht alle zwei bis drei Stunden wiederholt. Abends und an Wochenenden muss man für Karten meistens anstehen. Kartenreservierungen per Kreditkarte sind bei einigen Kinos für einen Aufschlag von etwa einem Dollar pro Ticket möglich. Karten für Matineen (gewöhnlich vor 16 Uhr) sind leichter erhältlich. Je nach Kino zahlen Senioren über 60, 62 oder 65 Jahren ermäßigte Eintrittspreise.

NEW YORKER FILMFESTIVALS

Alljährliches Film-Highlight ist das New York Film Festival, das seit über 20 Jahren stattfindet. Es wird von der Film Society of Lincoln Center organisiert, beginnt Ende September und läuft zwei Wochen in den Kinos des Lincoln Center. Gezeigt und ausgezeichnet werden Filme aus den USA und dem Ausland; es gibt jedoch keine Preisverleihung. Die erfolgreichsten Filme laufen anschließend in einigen New Yorker Kulturinstituten.

Das **TriBeCa Film Festival** wurde 2002 gegründet, einer seiner Initiatoren war Robert De Niro. Mit dem Festival sollte die Filmstadt New York gefeiert, aber auch die Wiederbelebung von Lower Manhattan unterstützt werden. Gezeigt werden sowohl neue Produktionen als auch Klassiker und Dokumentarfilme. Das Festival findet Ende April, Anfang Mai statt.

An fünf Tagen im Frühjahr zeigt das New York International Documentary Festival **Docfest** Film- und Videodokumentationen aus aller Welt. Die Filmemacher stellen sich anschließend den Fragen des Publikums.

EINSTUFUNGEN

Filme werden in den USA folgendermaßen bewertet:
G Für alle Altersstufen.
PG Einige Szenen für Kinder ungeeignet; Begleitung von Erwachsenen ratsam.
PG-13 Einige Szenen für Kinder unter 13 Jahren ungeeignet; Begleitung von Erwachsenen dringend empfohlen.
R Kinder unter 17 Jahren nur in Begleitung eines Erwachsenen zugelassen.
NC-17 Für Kinder unter 17 Jahren verboten.

NEW YORK IM FILM

Viele New Yorker Örtlichkeiten spielen in Filmen eine bedeutende Rolle. Hier einige Beispiele: Auf dem **Brill Building** (1141 Broadway) steht Burt Lancasters Penthouse in *Dein Schicksal in meiner Hand*. Die **Brooklyn Bridge** wird in Spike Lees *Mo' Better Blues* gezeigt. **Brooklyn Heights** und die **Metropolitan Opera** sind in *Mondsüchtig* zu sehen. Der **Central Park** ist in unzähligen Filmen präsent, darunter in *Love Story* und *Der Marathon-Mann*. **55 Central Park West** wird als Sigourney Weavers Haus in *Ghostbusters* in Erinnerung bleiben. **Chinatown** spielt eine bedeutende Rolle *Im Jahr des Drachen*. Im **Dakota** wohnt Mia Farrow in dem Filmklassiker *Rosemary's Baby*. Auch nach *King Kong* war das **Empire State Building** Filmschauplatz: Cary Grant wartete dort vergebens in *Die Liebe meines Lebens*; Meg Ryan traf hier endlich Tom Hanks in *Schlaflos in Seattle*. Die **Grand Central Station** ist der Ort, wo sich Robert Walker und Judy Garland in *Die Uhr* treffen und wo die Ballsaalszene in *König der Fischer* spielt. **Harlem** ist der Schauplatz für die Jazzmusiker und Tänzer in *Cotton Club*. **Katz's Deli** bildet die Kulisse der denkwürdigen Café-Szene in *Harry und Sally*. **Little Italy** wird in *Der Pate I* und *II* gezeigt. Der **Madison Square Garden** ist Schauplatz des dramatischen Höhepunkts von *Botschafter der Angst*. **Tiffany & Co.** ist Audrey Hepburns bevorzugtes Geschäft in *Frühstück bei Tiffany*. Das **United Nations Building** ist in dem Hitchcock-Thriller *Der unsichtbare Dritte* zu sehen. Im **Washington Square Park** laufen Robert Redford und Jane Fonda *Barfuß im Park*.

AUSLÄNDISCHE FILME UND KULTURINSTITUTE

Die neuesten ausländischen und nicht kommerziellen Filme zeigt das **Angelika Film Center**. Andere gute Kinos sind **Rose Cinemas**, das **Film Forum** und **Lincoln Plaza Cinema**. Das Plaza zeigt ein Programm an ausländischen und Kunstfilmen. Produktionen aus Indien, China und anderen asiatischen Ländern sind bei der **Asia Society** zu sehen. Das **French Institute** bringt meist dienstags französische Filme mit Untertiteln. Das **Quad Cinema** zeigt eine große Auswahl ausländischer, oft seltener Filme. **Cinema Village** führt Sonderveranstaltungen durch, etwa das Festival of Animation.

Das **Walter Reade Theater** beherbergt die Film Society of the Lincoln Center, die Retrospektiven des internationalen Films sowie Festivals der Gegenwartskunst, z. B. das alljährliche Spanish Cinema Now Festival, veranstaltet.

FILMKLASSIKER UND FILMMUSEEN

Retrospektiven mit Filmen bestimmter Regisseure oder Schauspieler zeigen das **Public Theater** und das **Whitney Museum of American Art** (*siehe S. 200f*).

Im **Museum of the Moving Image** (*siehe S. 246f*) sind alte Filme und zahlreiche historische Memorabilien der Filmindustrie zu sehen. Das **NY Paley Center for Media** (*siehe S. 171*) präsentiert regelmäßig Filmklassiker und bietet spezielle Fernseh- und Radioprogramme. Wer sich für klassisches und experimentelles Kino interessiert, findet in den **Anthology Film Archives** eine reiche Materialsammlung.

Die Vorführungen des Rose Center for Earth and Space im **American Museum of Natural History** sind sehr sehenswert.

Im Bryant Park können Sie an Sommerabenden Open-Air-Vorführungen von Filmklassikern sehen, und am Samstagvormittag gibt es im **Lincoln Plaza Cinema** Kino für Kinder.

TV-SHOWS

In New York werden diverse Fernsehsendungen produziert. Tickets für die *David Letterman Show* oder *Saturday Night Live* sind so gut wie gar nicht zu bekommen. Aber auch andere Sendungen sind sehenswert. Um Freikarten für Sendungen von **NBC**, **ABC** und **CBS** zu ergattern, sollten Sie sich telefonisch an den jeweiligen Sender wenden. Eine gute Quelle für kostenlose Eintrittskarten ist auch das Times Square Information Center (*siehe S. 368*). Unter der Woche werden auf der Fifth Avenue im Bereich der **Rockefeller Plaza** vom jeweiligen Produktionsteam Freikarten für Fernsehsendungen verteilt. Ob man ein solches Ticket erhält, ist allerdings reine Glückssache und hängt allein davon ab, zur richtigen Zeit am richtigen Ort zu sein.

Für alle, die einmal einen Blick hinter die Kulissen eines TV-Senders werfen wollen, organisiert NBC Studioführungen (in der Regel montags bis samstags zwischen 9 und 16 Uhr).

PRAKTISCHE HINWEISE

Einen guten Überblick über das aktuelle Kinogeschehen bieten das Magazin *New York*, *The New York Times*, *The Village Voice* und *The New Yorker* sowie folgende Internet-Seiten, über die man auch Karten bestellen kann: **www**.moviefone.com **www**.movietickets.com

---

AUF EINEN BLICK

ABC
☏ *(212) 580-5176.*
www.abc.com

American Museum of Natural History
Central Park W/79th St.
Stadtplan 16 D5.
☏ *(212) 769-5100.*

Angelika Film Center
18 W Houston St.
Stadtplan 4 E3.
☏ *(212) 995-2000.*

Anthology Film Archives
32 2nd Ave/2nd St.
Stadtplan 5 C2.
☏ *(212) 505-5181.*

Asia Society
725 Park Ave.
Stadtplan 13 A1.
☏ *(212) 517-2742.*

CBS
☏ *(212) 247-6497.*
www.cbs.com

Cinema Village
22 E 12th St. **Stadtplan** 4 F1. ☏ *(212) 924-3363.*

Docfest
☏ *(212) 668-1100.*
www.docfest.org

Film Forum
209 W Houston St.
Stadtplan 3 C3.
☏ *(212) 727-8110.*

French Institute
55 E 59th St. **Stadtplan** 12 F3. ☏ *(212) 355-6160.*

Lincoln Plaza Cinema
1886 Broadway. **Stadtplan** 12 D2. ☏ *(212) 757-2280.*

Museum of Modern Art
11 W 53rd St. **Stadtplan** 12 F4. ☏ *(212) 708-9480.*

Museum of the Moving Image
35th Ave & 36th St.
Astoria, Queens.
☏ *(718) 784-0077.*

NBC
Eingang: 30 Rockefeller Plaza/49th St (vor 21 Uhr).
☏ *(212) 664-3056.*
www.nbc.com

NY Paley Center for Media
25 W 52nd St.
Stadtplan 12 F4.
☏ *(212) 621-6600.*

Public Theater
425 Lafayette St.
Stadtplan 4 F4.
☏ *(212) 539-8500.*

Quad Cinema
34 W 13th St.
Stadtplan 4 D1.
☏ *(212) 255-8800.*

Rockefeller Plaza
47th–50th St, 5th Ave.
Stadtplan 12 F5.

Rose Cinemas
Brooklyn Academy of Music (BAM), 30 Lafayette Ave, Brooklyn.
☏ *(718) 636-4100.*

TriBeCa Film Festival
☏ *(212) 941-2400.*
www.tribecafilmfestival.org

Walter Reade Theater
70 Lincoln Center Plaza.
Stadtplan 12 D2.
☏ *(212) 875-5600.*

Whitney Museum of American Art
945 Madison Ave.
Stadtplan 13 A1.
☏ *1-800-WHITNEY.*

Stadtplan *siehe Seiten 394–425*

Klassische und zeitgenössische Musik

New Yorker sind in Bezug auf Musik unersättlich. Das ganze Jahr hindurch gastieren weltbekannte Musiker in den berühmten Konzertsälen, und junge, unbekannte Künstler aus dem In- und Ausland finden hier ein interessiertes Publikum.

INFORMATIONEN

Aktuelle Veranstaltungstipps findet man in *The New York Times, The Village Voice* sowie in den Magazinen *New York, Time Out New York* und *The New Yorker*.

KLASSISCHE MUSIK

Das Stammhaus der New York Philharmonic ist die **Avery Fisher Hall** im Lincoln Center (*siehe S. 215*). Dort finden jedes Jahr die beliebten Konzertreihen »Mostly Mozart« und »Young People's Concerts« statt. Ein Meisterwerk der Akustik und Sitz der Chamber Music Society ist die **Alice Tully Hall**, ebenfalls im Lincoln Center.

Zu den führenden Konzertsälen der Welt zählt die **Carnegie Hall** (*siehe S. 148f*). In der Weill Recital Hall finden erstklassige Konzerte zu erschwinglichen Preisen statt.

Die **Brooklyn Academy of Music (BAM)** (*siehe S. 248*) ist das Stammhaus des Brooklyn Philharmonic. Der neueste Stern am Musikhimmel ist das **New Jersey Performance Arts Center**.

In der **Merkin Concert Hall** gastieren Kammerorchester und Solisten der Spitzenklasse. Eine ausgezeichnete Akustik hat die **Town Hall**. Die Kaufmann Concert Hall in **92nd Street Y** hat ebenfalls ein interessantes Musik- und Ballettangebot. Beliebte Veranstaltungsorte in Museen sind der Skulpturengarten im **Museum of Modern Art**, in

KLASSIK IM RADIO

In New York empfängt man drei FM-Rundfunksender, die klassische Musik bringen: WQXR auf 96,3, den landesweiten Sender WNYC auf 93,9 und WKCR auf 89,9 kHz.

dem Kammermusik und zeitgenössische Musik zu hören sind, sowie die **Frick Collection** und **Symphony Space**, die beide ein breit gefächertes Programm bieten, das von Gospel bis Gershwin und von Klassik bis Ethno-Musik reicht.

Im schönen Grace Rainey Rogers Auditorium im **Metropolitan Museum of Art** spielen Kammerorchester und Solisten, während die **Florence Gould Hall** in der Alliance Française ein vielfältiges Angebot an Klassik, u. a. auch Kammermusik, bietet.

Die **Juilliard School of Music** und das **Mannes College of Music** haben einen hervorragenden Ruf. Hier gibt es kostenlose Proben und Gastspiele führender (Kammermusik-)Orchester und Opernensembles. Die **Manhattan School of Music** bietet ein Programm mit 400 Veranstaltungen im Jahr.

Für die Konzerte der New York Philharmonic am Donnerstagabend findet am selben Tag um 9.45 Uhr in der **Avery Fisher Hall** im Lincoln Center eine öffentliche Probe statt, für die es preiswerte Tickets gibt.

Kammermusik-Fans kommen in der **Kosciuszko Foundation** auf ihre Kosten, wo auch der jährliche Chopin-Wettbewerb stattfindet. Die **Corpus Christi Church** bietet viele Konzerte, z. B. mit den Tallis Scholars.

OPER

Mittelpunkt des Operngeschehens ist das **Lincoln Center** (*siehe S. 214*), Sitz der New York City Opera und des **Metropolitan Opera House**. Die Met ist das musikalische Juwel der Stadt, wird aber häufig als zu bieder kritisiert. Innovativer ist die **New York City Opera**. Ihre Aufführungen reichen von *Madame Butterfly* bis *South Pacific*.

Untertitel helfen, die Handlung zu verstehen. Erstklassige Aufführungen zu niedrigeren Eintrittspreisen bieten die **Village Light Opera Group**, das **Amato Opera Theater**, das **Kaye Playhouse** und die Studenten am **Juilliard Opera Center** im Lincoln Center.

ZEITGENÖSSISCHE MUSIK

New York gehört zu den wichtigsten Zentren zeitgenössischer Musik. Exotische, ethnische und experimentelle Musik wird auf vielen erstklassigen Bühnen gespielt. Die **Brooklyn Academy of Music (BAM)** setzt die Maßstäbe für das avantgardistische Musikgeschehen. Jeden Herbst veranstaltet die Akademie das Musik- und Tanzfestival »Next Wave«, dem zahlreiche Musiker, darunter auch Philip Glass, ihre Karriere zu verdanken haben.

Das jährliche Festival moderner Musik »Bang on a Can« findet in der **Ethical Culture Society Hall** statt und bringt Werke von Komponisten wie Pierre Boulez und John Cage zur Aufführung.

Der **Dance Theater Workshop** ist ein Forum für Experimentier, etwa für David Weinstein mit seiner »Audiovisual acid test«-Musik, einer Mischung aus CD-Spielern, verstärkten Instrumenten, Keyboards und Klangeffekten.

Weitere Veranstaltungsorte sind die **Asia Society** (*siehe S. 187*), in deren prachtvollem Theater viele Künstler aus Asien gastieren, und die **St. Peter's Church**.

FÜHRUNGEN

Führungen durch den Backstage-Bereich bieten das **Lincoln Center** und die **Carnegie Hall** an.

SAKRALE MUSIK

Wenige Erlebnisse sind so beeindruckend wie ein Osterkonzert in der **Cathedral of St. John the Divine** (*siehe S. 226f*). Um Ostern und Weihnachten kann man auch an anderen Orten, in Museen, im Grand Central Terminal *(siehe S. 156f)*, in Foyers von Banken und Hotels geistliche Musik hören. Jazzmessen finden in der **St. Peter's Church** *(siehe S. 177)* statt.

OPEN-AIR-KONZERTE

Im Sommer werden kostenlose Konzerte im **Bryant Park**, auf dem **Washington Square** und im **Damrosch Park** (Lincoln Center) veranstaltet. Im Central Park und im Prospect Park (Brooklyn) gastieren jedes Jahr die New York Philharmonic und die Metropolitan Opera. Bei schönem Wetter trifft man vor dem

Metropolitan Museum of Art *(siehe S. 190–197)* häufig auf Straßenmusikanten.

GRATISKONZERTE

Kostenlose Musikevents bieten das ganze Jahr über **The Cloisters** *(siehe S. 236–239)* und das **Philip Morris Building** des Whitney Museum *(siehe S. 152)*. Am Sonntagnachmittag finden Konzerte am Rumsey Playfield und im Naumburg Bandshell im Central Park statt. Fragen Sie telefonisch bei **The Dairy** nach. Musik gibt es auch in der **Federal Hall** *(siehe S. 68)* zu hören.

Im **Lincoln Center** begeistern Aufführungen der **Juilliard School of Music**. Weitere Orte sind die **Greenwich House Music School** (für Studenten kostenlos) und der **Winter Garden** des World Financial Center *(siehe S. 69)*. Zahlreiche kostenlose Konzerte und Lesungen finden in den vielen Gotteshäusern der Metropole statt, u. a. in der **St. Paul's Chapel** und in der **Trinity Church** *(siehe S. 68)*.

INTERNET-ADRESSEN

www.nymag.com
www.nytoday.com
www.newyork.citysearch.com

AUF EINEN BLICK

92nd Street Y
1395 Lexington Ave.
Stadtplan 17 A2.
(*(212) 415-5500.*

Amato Opera Theater
319 Bowery/2nd St.
Stadtplan 4 F2.
(*(212) 228-8200.*

Asia Society
725 Park Ave. **Stadtplan** 13 A1. (*(212) 517-2742.*

Brooklyn Academy of Music
30 Lafayette Ave, Brooklyn. (*(718) 636-4100.*

Bryant Park
Stadtplan 8 F1.
(*(212) 768-4242.*

Carnegie Hall
881 7th Ave. **Stadtplan** 12 E3. (*(212) 247-7800.*

Cathedral of St. John the Divine
1047 Amsterdam Ave/112th St. **Stadtplan** 20 E4. (*(212) 316-7540.*

The Cloisters
Fort Tryon Park.
(*(212) 923-3700.*

Corpus Christi Church
529 W 121st St.
Stadtplan 20 E2.
(*(212) 666-9350.*

The Dairy
Central Park/65th St.
Stadtplan 12 F2.
(*(212) 794-6564.*

Dance Theater Workshop
Siehe Ballett S. 347.

Ethical Culture Society Hall
2 W 64th St.
Stadtplan 12 D2.
(*(212) 874-5210.*

Federal Hall
26 Wall St. **Stadtplan** 1 C3. (*(212) 825-6888.*

Florence Gould Hall (in der Alliance Française)
55 E 59th St.
Stadtplan 13 A3.
(*(212) 355-6160.*

Frick Collection
1 E 70th St. **Stadtplan** 12 F1. (*(212) 288-0700.*

Greenwich House Music School
46 Barrow St. **Stadtplan** 3 C2. (*(212) 242-4770.*

Kaye Playhouse (Hunter College)
695 Park Ave.
Stadtplan 13 A1.
(*(212) 772-4448.*

Kosciuszko Foundation
15 E 65th St.
Stadtplan 12 F2.
(*(212) 734-2130.*

Lincoln Center
155 W 65th St.
Stadtplan 11 C2.
(*(212) 546-2656.*
Führungen (einige Säle):
(*(212) 875-5350.*

Alice Tully Hall
(*(212) 875-5050.*

Avery Fisher Hall
(*(212) 875-5030.*

Damrosch Park
(*(212) 875-5000.*

Juilliard Opera Center
(*(212) 769-7406.*

Juilliard School of Music
(*(212) 799-5000.*

Manhattan School of Music
120 Claremont Ave.
Stadtplan 20 E2.
(*(212) 749-2802.*

Mannes College of Music
150 W 85th St.
Stadtplan 15 D3.
(*(212) 580-0210.*

Merkin Concert Hall
129 W 67th St.
Stadtplan 11 D2.
(*(212) 501-3330.*

Metropolitan Museum of Art
1000 5th Ave/82nd St.
Stadtplan 16 F4.
(*(212) 535-7710.*

Metropolitan Opera House
(*(212) 362-6000.*

New Jersey Performance Arts Center
1 Center St, Newark, NJ.
(*1-888-466-5722.*

St. Paul's Chapel
Broadway/Fulton St.
Stadtplan 1 C2.
(*(212) 233-4164.*

St. Peter's Church
619 Lexington Ave.
Stadtplan 13 A4.
(*(212) 935-2200.*

Symphony Space
2537 Broadway.
Stadtplan 15 C2.
(*(212) 864-5400.*

Town Hall
123 W 43rd St.
Stadtplan 8 E1.
(*(212) 997-1003.*

Trinity Church
Broadway/Wall St.
Stadtplan 1 C3.
(*(212) 602-0800.*

Village Light Opera Group
Aufführungen: Haft Auditorium, Fashion Institute of Technology, 227 W 27th St.
Stadtplan 8 E3.
(*(212) 352-3101.*

Washington Square
Stadtplan 4 D2.

Whitney Museum
Philip Morris Building, 120 Park Ave/42nd St.
Stadtplan 9 A1.
(*1-800-944-8639.*

Winter Garden
World Financial Center, West St.
Stadtplan 1 A2.
(*(212) 945-2600.*

Stadtplan *siehe Seiten 394–425*

Rock, Jazz und World Music

Von Mainstream Rock bis zum Sound der Sixties, von Dixieland bis zu Country-Blues, von Soul und World Music bis zu talentierten Straßenmusikern – in New York ist jede erdenkliche Musikrichtung vertreten. Die Musikszene verändert sich ständig – fast täglich gibt es Neueinsteiger (und Absteiger). Schwer zu sagen, was los sein wird, wenn Sie in New York sind – doch auf jeden Fall wird es aufregend sein.

PREISE UND BÜHNEN

In den meisten Clubs muss man »cover charge« – also das Gedeck – bezahlen und möglicherweise mindestens einen oder zwei Drinks (à 7 Dollar oder mehr) bestellen. Die Eintrittspreise für Konzerte liegen zwischen 50 und 150 Dollar in den größeren Häusern. Die kleineren Häuser haben oft getrennte Sitz- und Tanzbereiche – häufig zu unterschiedlichen Preisen.

Stars wie Nine Inch Nails, Metallica, Madonna und Coldplay treten gewöhnlich im **Meadowlands** oder im **Madison Square Garden** (siehe S. 135) auf. Solche Veranstaltungen sind schnell ausverkauft, sodass man sich früh um Tickets bemühen sollte – es sei denn, man will sie für teures Geld bei einem Agenten oder Schwarzhändler kaufen. Im Sommer finden Open-Air-Konzerte am Jones Beach (siehe S. 255) und auf der **Central Park SummerStage** statt.

Zu den Spielstätten mittlerer Größe gehören die **Radio City Music Hall**, das **Manhattan Center** (früher Hammerstein Ballroom) und das **Beacon Theatre**. Eine relativ neue Location mit spannenden Konzerten und überragender Akustik ist das **Nokia Theatre**, das 2005 am Times Square eröffnete und in seinem 2100 Zuschauer fassenden Saal auch andere Events veranstaltet. Insgesamt konzentrieren sich die beliebtesten Konzertbühnen vor allem in der Upper West Side.

Bekannte Treffpunkte von Rockfans sind vielfach Bars. Meist treten dort an jedem Abend andere Gruppen auf; man kann sich in *The New York Times*, *The Village Voice*, in *Time Out New York* oder telefonisch informieren.

ROCK

Die Rockszene umfasst eine ganze Reihe von Stilrichtungen: Gothic, Techno, Industrial, Psychedelic, Post-Punk, Funk und Indie. Wer mehr von einer Band sehen will als eine riesige Videowand, findet in den folgenden Lokalitäten eine intimere Atmosphäre.

Die **Knitting Factory** hat Jazz und neue Musik auf dem Programm. Die **Mercury Lounge** ist einer der Hot Spots, die brandneue Bands mit Zukunft präsentiert. **Irving Plaza** ist eine Bühne für relativ unbekannte, bisweilen aber auch bekannte Rockgruppen, gelegentlich auch für großartige Country- und Bluesmusiker.

Mit der Eröffnung des **Bowery Ballroom** im Jahr 1998 erwachte die Lower East Side zu neuem Leben. Hier treten international bekannte Gruppen ebenso wie unbekannte Musiker auf.

Das umgebaute Weinlokal **Arlene's Grocery** hat seit 1995 ein treues Publikum, das Musik von Rock bis Country schätzt und auch regelmäßig Comedians bejubelt. **Joe's Pub** bietet ein buntes Programm aus Rock, Jazz, Hip-Hop und Lounge-Musik. Im **Crash Mansion** treten Talente aller Musikrichtungen auf, aber auch etablierte Künstler wie Norah Jones.

JAZZ

Den ursprünglichen Cotton Club und Connie's Inn, die einstigen Brennpunkte der Jazzszene, gibt es schon lange nicht mehr, ebenso wenig gibt es noch die *Speakeasies* der Prohibitionszeit in der West 52nd Street. Doch ein paar lebende Legenden machen noch immer Musik, andere Jazzer halten die Erinnerung an Duke Ellington, Count Basie und andere berühmte Big Bands wach.

Die stilvolle, gleichwohl legere **Lenox Lounge** in Harlem holt am Wochenende Vertreter des zeitgenössischen Jazz auf die Bühne.

In Greenwich Village haben die Jazzkneipen aus den 1930er Jahren überlebt. Führend ist **Village Vanguard**, wo alle großen Namen des Jazz aufgetreten sind. Klassiker wie McCoy Tyner und Branford Marsalis setzen auch heute noch Maßstäbe. Im **Blue Note**, das zwar hohe Preise, aber eine großartige Atmosphäre hat, treten nach wie vor bedeutende Jazzsolisten auf. **Smalls** hat einen neuen Betreiber, der Maßstäbe in modernem Jazz setzen will – montags bis samstags je Abend mit zwei verschiedenen Bands. Auch die **Knitting Factory** bringt zeitgenössischen Avantgarde-Jazz auf die Bühne.

Das **Smoke** ist ein anziehender Ort für Nachtschwärmer, in dem die ganze Bandbreite des modernen Jazz zu hören ist. Das **Birdland** präsentiert Mingus-Schüler und Musiker wie Bud Shank. Das **Café Carlyle** in der East Side, einst bekannt wegen des Jazzpianisten und Sängers Bobby Short, kann sich rühmen, dass Woody Allen hier mit Eddy Davis und seiner New Orleans Jazz Band spielt. Auf der geräumigen Bühne des **Jazz Standard** treten fast täglich bekannte Jazz-Interpreten auf. Ein Treffpunkt für Jazzfreunde ist auch der Club und das Restaurant **Iridium**.

Wer im Juni nach New York reist, sollte sich keinesfalls das **JVC Jazz Festival** entgehen lassen, auf dem Stars wie Oscar Peterson und B. B. King in verschiedenen Manhattan-Clubs auftreten.

Ganzjährig Veranstaltungen bietet **Jazz at Lincoln Center**, darunter auch Konzerte des Lincoln Jazz Orchestra unter der Leitung von Wynton Marsalis. Die Musik reicht von Duke Ellingtons New-York-

Sound bis zu Johnny Dodds traditionellem New-Orleans-Jazz. Das Lincoln Center hat ein eigenes Jazz-Zentrum im neuen Time Warner Center. Es gibt verschiedene Bühnen, alle zum Central Park hin gelegen und mit Glas abgetrennt, sodass man wie unter freiem Himmel tanzen kann. Freitagabends bietet das **Rose Center** (im AMNH) Live-Jazz.

FOLK UND COUNTRY

Folk, Rock und R & B findet man im ehemals berühmten **Bitter End**, das einst James Taylor und Joni Mitchell auf die Bühne brachte und sich nun auf junge Talente spezialisiert hat. Gleiches gilt für **Kenny's Castaways**, eine Bar, die Nachwuchs-

musikern eine Chance gibt. Fast immer interessant ist das Programm im **Sidewalk Café**.

BLUES, SOUL UND WORLD MUSIC

Blues, Soul und World Music stehen u. a. auf dem Programm des **Apollo Theater** in Harlem (siehe S. 230). Bei den legendären »Amateur Nights« am Mittwoch werden hier seit 60 Jahren Stars entdeckt, darunter James Brown und Dionne Warwick.

Der **Cotton Club** ist leider nicht mehr am Originalschauplatz untergebracht, spielt aber immer noch Blues und Jazz der Spitzenklasse; sonntags findet hier, an der Hauptstraße von Harlem, ein Gospel-Brunch statt.

Der **B.B. King's Blues Club** lockt immer wieder Legenden des Jazz und Blues auf seine Bühne. Nicht versäumen sollten Sie die »Mambo Mondays« im **SOB's** (Sounds of Brazil), das sich auf Weltmusik und auf lateinamerikanische Rhythmen spezialisiert hat.

Das **Terra Blues** hat sich zu einem interessanten Veranstaltungsort mit bestem Chicago-Blues und moderneren Varianten entwickelt. Im East Village widmet sich **The Stone** (Leitung: John Zorn) vor allem der experimentellen und der Avantgarde-Musik. Eine Mischung aus Café und Nachbarschaftstreffpunkt ist das **5C Café**, in dem man teils Jazz, teils experimentelle Musik in entspannter Atmosphäre hören kann.

AUF EINEN BLICK

BÜHNEN

Beacon Theatre
2124 Broadway.
Stadtplan 15 C5.
((212) 465-6500.

Central Park SummerStage
Rumsey Playfield.
Stadtplan 12 F1.
((212) 360-2777.

Continental Arena Meadowlands
50 Route 120 E Rutherford,
NJ. ((201) 935-3900.

Madison Square Garden
7th Ave/33rd St.
Stadtplan 8 E2.
((212) 465-6741.

Manhattan Center
311 W 34th St.
Stadtplan 8 D2.
((212) 279-7740.

Nokia Theatre
1515 Broadway.
Stadtplan 12 E5.
((212) 930-1959.

Radio City Music Hall
Siehe S. 347.

ROCK

Arlene's Grocery
95 Stanton St. **Stadtplan**
5 A3. ((212) 995-1652.

Bowery Ballroom
6 Delancey St. **Stadtplan**
4 F3. ((212) 533-2111.

Crash Mansion
199 Bowery. **Stadtplan**
4 F3. ((212) 982-7767.

Irving Plaza
17 Irving Pl. **Stadtplan** 9
A5. ((212) 777-6800.

Joe's Pub
Public Theater, 425 Lafayette St. **Stadtplan** 4 F2.
((212) 539-8770.

Knitting Factory
74 Leonard St. **Stadtplan**
4 E5. ((212) 219-3132.

Mercury Lounge
217 E Houston St.
Stadtplan 5 A3.
((212) 260-4700.

JAZZ

Birdland
315 W 44th St. **Stadtplan**
12 D5. ((212) 581-3080.

Blue Note
131 W 3rd St. **Stadtplan**
4 D2. ((212) 475-8592.

Café Carlyle
95 E 76th St. **Stadtplan**
17 A5. ((212) 744-1600.

Iridium
1650 Broadway.
Stadtplan 12 D2.
((212) 582-2121.

Jazz at Lincoln Center
((212) 258-9800.

Jazz Standard
116 E 27th St. **Stadtplan**
9 A3. ((212) 576-2232.

JVC Jazz Festival
www.festivalnetwork.com

Lenox Lounge
288 Malcolm X Boulevard.
Stadtplan 21 B2.
((212) 427-0253.

Rose Center
79th St. **Stadtplan** 16
D5. ((212) 769-5100.

Smalls
183 W 10th St.
Stadtplan 3 C2.
((212) 252-5091.

Smoke
2751 Broadway.
Stadtplan 20 E5.
((212) 864-6662.

Village Vanguard
178 7th Ave S.
Stadtplan 3 C1.
((212) 255-4037.

FOLK UND COUNTRY

Bitter End
147 Bleecker St.
Stadtplan 4 E3.
((212) 673-7030.

Kenny's Castaways
157 Bleecker St.
Stadtplan 4 E3.
((212) 979-9762.

Sidewalk Café
94 Ave A. **Stadtplan** 5
B2. ((212) 473-7373.

BLUES, SOUL UND WORLD MUSIC

5C Café
68 Avenue C. **Stadtplan**
5 C2. ((212) 477-5993.

Apollo Theater
253 W 125 St.
Stadtplan 19 A1.
((212) 531-5305.

B.B. King's Blues Club
237 W 42nd St.
Stadtplan 8 E1.
((212) 997-4144.

Cotton Club
656 W 125th St.
Stadtplan 22 F2.
((212) 663-7980.

SOB's
204 Varick St. **Stadtplan**
4 D3. ((212) 243-4940.

The Stone
Ave C/2nd St. **Stadtplan**
5 C2. ((212) 431 0066.

Terra Blues
149 Bleecker St.
Stadtplan 4 E3.
((212) 777-7776.

Stadtplan siehe Seiten 394–425

Nachtclubs, Discos und Clubs für Schwule und Lesben

New York ist für sein Nachtleben berühmt. Das Angebot ist breit gefächert: Sie können in einer Disco abtanzen, eine Stand-up-Comedy-Show besuchen oder in einer Pianobar zu Melodien von Harry Connick Jr. relaxen. In den 1980er Jahren gab es einen Boom an Groß-Discos, von denen allerdings wenige den Trend zu stilvollen Supper Clubs (Musikclubs, in denen auch gegessen werden kann) überlebt haben.

INFORMATIONEN

Die beste Zeit, um durch die Clubs zu ziehen, ist unter der Woche – dann ist es auch erheblich billiger. Dennoch sollte man Ausweis und genügend Geld einstecken, denn Drinks sind sehr teuer (Alkohol ab 21 Jahre).

Clubs, die gerade »in« sind, haben bis 4 Uhr oder länger geöffnet. Da sich die Clubszene ständig verändert, holt man sich am besten bei Tower Records die neuesten Informationen und liest *The Village Voice* oder die Hinweise in anderen Veranstaltungsblättern *(siehe S. 340)*. Die interessantesten Orte werden meist durch Mund-zu-Mund-Propaganda publik. Diese Infos erhält man am ehesten in einem Szenetreffpunkt wie dem **Pacha**, wo häufig auch Handzettel anderer Clubs verteilt werden.

DISCOS UND TANZLOKALE

New Yorker lieben Musik und Tanz. Die Tanzlokale reichen von Klassikern wie dem **SOB's** – wo Jungle, Reggae, Soul, Jazz und Salsa vom Feinsten geboten werden – bis zu riesigen Tanzpalästen wie dem **Roseland**. Hier steht immer donnerstags und sonntags Gesellschaftstanz auf dem Programm. Als klassischer Broadway-Ballsaal bietet das Roseland einen faszinierenden Einblick in die Broadway-Kultur vergangener Zeiten. Es verfügt über ein akzeptables Restaurant mit Bar für 700 Gäste.

Wer etwas grundsätzlich anderes sucht, sollte zu **Barbetta** gehen, wo Boris und Yvgeny eine Mischung aus Zigeunermusik und Wiener Walzer

spielen. Die legendäre Clubkette **Pacha**, die auf Ibiza begann und mittlerweile Clubs in 25 Städten hat, eröffnete am Times Square eine mondäne Filiale über vier Stockwerke. Um das Hightech-Soundsystem zum Klingen zu bringen, werden regelmäßig die besten internationalen DJ-Stars engagiert.

Ebenfalls top angesagt ist das **Marquee** in Chelsea. Hier gibt es ein gläsernes VIP-Zwischengeschoss, in dem man Hollywood-Stars antrifft – falls man Zutritt findet. Wem das zu elitär ist, der kann im **Apt** die aktuellste House Music hören. Im **Home** geht es bei gedämpftem Licht sehr exklusiv zu, im **Cielo** relaxt die schicke Szene des Meatpacking District zur Musik des DJ François K. Nacht für Nacht füllt sich **The Plumm** mit Clubgängern und auch Promis. Die Türsteher sind hier sehr wählerisch, der Dresscode ist unbarmherzig.

Im geräumigen **Mannahatta** trifft sich eine etwas ungezwungenere Szene, die an der einladenden Bar gepflegt trinkt, bevor es hinuntergeht auf die Tanzfläche, um zu Musikstilen zwischen Hip-Hop und Pop-Klassikern zu tanzen.

Extrem aufwendig gestaltet ist **The Pink Elephant**. Das Dekor ist todschick, die Lichtanlage ist erstklassig. Nicht wenige der Mädchen hier erwarten, dass man sie auf einen Drink einlädt. An den Tischen werden nur Flaschen serviert, dazu dröhnt House aus den Lautsprechern. Noch elitärer ist der **Hiro Ballroom** im Hotel Maritime – samstags ein Pflichttermin für die Reichen und Schönen. Wer sich mehr für Musik als Dekor in-

teressiert, sollten den **Club Shelter**, New Yorks ältesten Deep-House-Club, besuchen. Das **Sullivan Room** präsentiert stolz junge Techno-Stars.

NACHTCLUBS

In den Nachtclubs finden regelmäßig Shows statt, die heutzutage zwar weniger aufwendig sind als in den 1940er und 1950er Jahren, aber immer noch eine interessante Programmmischung bieten. Zumeist muss man für das Gedeck bezahlen und mindestens zwei Drinks bestellen.

Der **Rainbow Grill** im 65. Stock des RCA Building hat eine exklusive Pianobar. Im Untergeschoss des smarten **Supper Club** herrschen Big-Band-Klänge vor. Cabaret-Sänger treten im Obergeschoss im gemütlichen Blue Room auf. In **Joe's Pub** im Public Theater kann man gepflegt essen. Hier treten Musiker wie John Hammond und Mo Tucker auf.

Im Central Park befindet sich der viel beachtete Club **Tavern on the Green**, wo im Chestnut Room Jazz geboten wird. Eine klassische Cabaret-Bühne ist **Feinstein's at the Regency**.

FÜR SCHWULE UND LESBEN

In den letzten beiden Jahrzehnten wurden zahlreiche Clubs und Restaurants für Schwule und Lesben mit unterschiedlichem Unterhaltungsprogramm eröffnet. Travestie-Shows sind dominierend. Obwohl die Clubs auch Heterosexuellen offenstehen, fühlt man sich in einigen doch eher als »Eindringling«, wenn man nicht zur Szene gehört.

Zu den beliebtesten Schwulen-Cabarets gehört das **Duplex** mit einer Mischung aus Comedy-Nummern und Sketchen. Treffpunkte für schwule Männer sind zudem das exklusive **Town House**, eine Pianobar mit Restaurant. **Don't Tell Mama** ist eine seit Langem etablierte Schwulenbar, in der man großartige

Revuen und Klamauknummern sehen kann.

Henrietta Hudson und das **Grolier** werden ausschließlich von Lesben besucht. Die Pianobar **Marie's Crisis** hat ein gemischtes Publikum. *The Village Voice*, *HX*, *Next* und die *Gay Yellow Pages* bieten einen Überblick über die aktuelle Szene. Weitere Informationen kann man sich telefonisch beim **Gay and Lesbian Switchboard** holen.

In Chelsea ist vor allem die geschäftige Gegend um die Eighth Avenue das Herz der Schwulenszene. Auch in der Gegend von Hell's Kitchen, zwischen 8th und 10th Avenue, trifft sich die Schwulengemeinde. In der stilvollen **G Lounge** werden köstliche Cocktails und aromatisierter Kaffee serviert – ein idealer Ort, um sich vor dem Clubbesuch zu treffen.

Das **Barracuda** zeigt tolle Drag-Shows, hier finden auch Neulinge ein Plätzchen. Im **Rawhide** ist den ganzen Abend was los, bis 22 Uhr ist Happy Hour. Das **Stonewall Inn**, Ursprung der Stonewall-Unruhen und ein Geburtsort der Schwulenbewegung, wurde eben für mehrere Millionen Dollar renoviert und chic gemacht. Eher behaglich ist die Lounge **Posh**, wo man sich gern während der Happy Hour zwischen 16 und 20 Uhr trifft.

Entspannung suchen Frauen in der **Rubyfruit Bar and Grill** bei gepflegten Cocktails und Gesprächen. Die entspannte Lesbenbar **Cubby Hole** ist fantasievoll eingerichtet und animiert viele Stammgäste, zur Jukebox mitzusingen.

AUF EINEN BLICK

DISCOS UND TANZLOKALE

Apt
419 W 13th St.
Stadtplan 3 C1.
☎ *(212) 414-4245.*

Barbetta
321 W 46th St.
Stadtplan 12 D5.
☎ *(212) 246-9171.*

Cielo
18 Little W 12th St.
Stadtplan 3 B1.
☎ *(212) 645-5700.*

Club Shelter
150 Varick St.
Stadtplan 4 D4.
☎ *(646) 862-6117.*

Hiro Ballroom
Maritime Hotel, 371 W 16th St.
Stadtplan 8 D5.
☎ *(212) 727-0212.*

Home
532 W 27th St.
Stadtplan 8 D4.
☎ *(212) 273-3700.*

Knitting Factory
74 Leonard St.
Stadtplan 4 E5.
☎ *(212) 219-3132.*

Marquee
289 10th Ave.
Stadtplan 7 C4.
☎ *(646) 473-0202.*

Pacha NYC
618 W 46th St.
Stadtplan 12 E5.
☎ *(212) 209-7500.*

The Pink Elephant
527 W 27th St.
Stadtplan 7 C3.
☎ *(212) 463-0000.*

The Plumm
246 W 14th St.
Stadtplan 3 C1.
☎ *(212) 675-1567.*

Roseland
239 W 52nd St.
Stadtplan 12 E4.
☎ *(212) 247-0200.*

SOB's
204 Varick St.
Stadtplan 4 D3.
☎ *(212) 243-4940.*

Studio Mezmor
530 W 28th St.
Stadtplan 7 C3.
☎ *(212) 629-9000.*

Sullivan Room
218 Sullivan St.
Stadtplan 4 D2.
☎ *(212) 252-2151.*

NACHTCLUBS

Feinstein's at the Regency
540 Park Ave.
Stadtplan 13 A3.
☎ *(212) 339-4095.*

Joe's Pub
425 Lafayette St (Public Theater).
Stadtplan 4 F2.
☎ *(212) 539-8777.*

Rainbow Grill
30 Rockefeller Plaza.
Stadtplan 12 F4.
☎ *(212) 632-5000.*

The Supper Club
240 W 47th St.
Stadtplan 12 D5.
☎ *(212) 921-1940.*

Tavern on the Green
Central Park, West Side, Höhe 67th St.
Stadtplan 12 D2.
☎ *(212) 873-3200.*

FÜR SCHWULE UND LESBEN

Barracuda
275 W 22nd St.
Stadtplan 8 D4.
☎ *(212) 645-8613.*

The Cubby Hole
281 W 12th St.
Stadtplan 3 C1.
☎ *(212) 243-9041.*

Don't Tell Mama
343 W 46th St.
Stadtplan 12 D5.
☎ *(212) 757-0788.*

Duplex
61 Christopher St.
Stadtplan 3 C2.
☎ *(212) 255-5438.*

G Lounge
223 W 19th St.
Stadtplan 8 E5.
☎ *(212) 929-1085.*

Gay and Lesbian Switchboard
☎ *(212) 989-0999.*

Henrietta Hudson
438 Hudson St.
Stadtplan 3 C3.
☎ *(212) 924-3347.*

Marie's Crisis Café
59 Grove St.
Stadtplan 3 C2.
☎ *(212) 243-9323.*

Posh
405 W 51st St.
Stadtplan 11 C4.
☎ *(212) 957-2222.*

Rawhide
212 8th Ave.
Stadtplan 8 D4.
☎ *(212) 242-9332.*

Rubyfruit Bar and Grill
531 Hudson St.
Stadtplan 3 C2.
☎ *(212) 929-3343.*

Stonewall Inn
53 Christopher St.
Stadtplan 3 C2.
☎ *(212) 488-2705.*

Town House
236 E 58th St.
Stadtplan 13 B4.
☎ *(212) 754-4649.*

Stadtplan siehe Seiten 394–425

Comedy, Varieté und Lesungen

New York hat mindestens so viele namhafte Comedians hervorgebracht, wie es Witze über die Stadt gibt. Die Namen lesen sich wie ein *Who is Who* des Komikerfachs: von Jack Benny und Rodney Dangerfield bis Woody Allen und Jerry Seinfeld. Comedy ist zu einer regelrechten Industrie geworden. Tatsächlich ist der Konkurrenzkampf unbarmherzig. Für uns, die Zuschauer, hat das wesentliche Vorteile: Gleichgültig welchen Comedy-Club man besucht, spätestens nach einer halben Stunde kann man sich vor Lachen nicht mehr halten. In New York werden tagtäglich Hunderte Alltagsgeschichten geschrieben. Kabarettisten, Liedermacher und Dichter nehmen sie auf und weben daraus ihre kunstvollen Werke, die man in einem der unzähligen Clubs der Stadt hören kann.

COMEDY-BÜHNEN

Viele der derzeit besten Comedy-Clubs der Stadt haben sich aus Improvisationsbühnen entwickelt. Der Reiz dieser Clubs besteht darin, dass man nie genau weiß, wer als Nächster die Bühne betritt. Jeder, von Dennis Miller und Roseanne Barr bis zu Robin Williams, könnte es sein. Aber seien Sie gewarnt: Wollen Sie nicht zum Opfer der Späßchen der Komödianten gemacht werden, sollten Sie sich nicht direkt vor die Bühne setzen. In vielen der größeren Clubs kann man auch essen. Reservierung ist bei den bekannteren Häusern empfehlenswert.

Am **Broadway Comedy Club** im Theater District kommt derzeit niemand vorbei, hier geben sich die bekanntesten Komiker die Klinke in die Hand. Der Club entstand aus dem Zusammenschluss von Chicago City Limits und NY Improv. Auch im eleganten Ambiente von **Caroline's** produzieren sich große Namen.

Der berühmte Satz des Komikers Rodney Dangerfield war »I get no respect«. Der andauernde Erfolg des **Dangerfield's Comedy Club**, in dem die bedeutendsten Komiker des Landes auftreten, strafen ihn Lügen.

Das **Upright Citizens Brigade Theatre** präsentiert seine Improvisationen in Chicago-Stil sonntags um 19.30 und 21.30 Uhr. Der Eintritt zu vielen Late Shows des UCB ist kostenlos.

Der **Gotham Comedy Club** im Flatiron District bringt Künstler jeder Richtung auf die Bühne. **Comic Strip Live** in der East Side hat schon viele Spitzenkomiker erlebt, darunter Eddie Murphy, bemüht sich aber auch um den Nachwuchs. Der **Comedy Cellar** in Greenwich Village zeigt ein Programm mit jungen wie etablierten Künstlern. Weitere erstklassige Comedy-Bühnen sind **Stand-Up New York**, **NY Comedy Club**, **Laugh Lounge NYC**, **Underground Lounge** und **The Laugh Factory**.

CABARETS UND PIANOBARS

Cabarets, in denen man einem Künstler zuhört, sind eine New Yorker Institution. Sie werden auch *rooms* genannt und sind oft in Hotels zu finden. Vorstellungen gibt es meistens von Dienstag bis Samstag. In der Regel kosten Cabarets Eintritt, oder man muss wenigstens einen Drink bestellen.

Der **Oak Room** des Algonquin hat Spitzen-Entertainer. Eine klassische Piano-Lounge mit Blick über Manhattan findet man in **Top of the Tower** im Beekman Tower Hotel. Der Preis für »Größte Beständigkeit« geht an Bobby Short, der seit mehr als 25 Jahren im **Café Carlyle** des Carlyle Hotel spielt. Woody Allen tritt hier montags mit Eddy Davis's New Orleans Jazz Band auf. Im Carlyle Hotel ist auch die **Bemelman's Bar** mit ihren skurrilen Wandbildern beheimatet; hier hört ein entspanntes Publikum erstklassige Schlagersängern zu. Wenn Sie (als Mann) die **5757 Bar** des Hotels Four Seasons besuchen wollen, sollten Sie ein Sakko tragen – Sie werden den Besuch nicht bereuen.

Dezente Klaviermusik hört man in der **Lobby Lounge** des Hilton. Kathleen Landis begleitet sich selbst am Flügel des **Café Pierre** im Hotel Pierre. Klaviermusik prägt auch die Atmosphäre in der **Ambassador Lounge** im Hotel Regal UN Plaza. Im humorvollen Varieté **Don't Tell Mama** tragen neue Talente und etablierte Künstler ihre Songs und Sketche vor. **Ars Nova** in Hell's Kitchen ist ein ungezwungenes Varieté mit Showprogramm und gewagter Comedy, in dem bereits Liza Minnelli und Tony Kushner auftraten.

Manhattans ältestes Varieté ist das **Duplex**, in dem eigentlich jede Show sehenswert ist. Im Keller lauscht man entspannt der Klaviermusik, während darüber erstklassige Künstler über die Bühne des großen Saals wirbeln. Auf der Bühne von **Brandy's Piano Bar** stehen die verschiedensten Talente – manchmal auch die Angestellten.

Einen unvergesslichen Abend mit Songs und Musik kann man in **Feinstein's at the Regency Hotel** erleben. Hier treten von Dienstag bis Samstag Top-Entertainer auf. Cabaret, Varieté, Theater und Musikgruppen stehen auf dem Programm im plüschigen Showroom von **Dillon's Restaurant and Lounge** im Herzen des Theater District.

LESUNGEN UND POETRY SLAMS

Als Geburtsort von einigen der größten amerikanischen Autoren wie Herman Melville und Henry James, aber auch als Wahlheimat unzähliger Schriftsteller hat New York eine große literarische Tradition. Das ganze Jahr über finden in Buchhandlungen, Büchereien, Cafés und öffentlichen Räumen der Stadt Lesungen und Literaturgespräche statt. In der Regel sind sie kostenlos, nur bei Veranstaltungen mit bekannten Autoren muss man mitunter Eintritt zahlen.

Im **92nd Street Y** gastieren die größten Autoren auf ihren Lesereisen, darunter Nobelpreisträger und Pulitzer-Preisträger. Die meisten Buchläden haben einen dichten Kalender mit Lesungen und Autorengesprächen, so auch **Barnes &**

Noble (in die Filialen in der Fifth Avenue und am Union Square kommen die profilierten Autoren) und **Borders Books and Music**. Die **Mid-Manhattan Library** präsentiert ebenfalls Lesungen. Im **Drama Book Shop** werden höchst unterhaltsam Stücke gelesen. *The New Yorker*, in Buchläden und an Zeitungsständen erhältlich, informiert über Orte und Zeiten.

Poetry Slams (auch »Spoken Word« genannt) sind das, was der Name impliziert: frei vorgetragene, großteils improvisierte Wort-Wettbewerbe in

Form von Lyrik, Rap und Geschichten, ungeschönt, unzensiert und laut, aber niemals langweilig. Das **Nuyorican Poets Café** in Alphabet City gilt vielen als Vorreiter des »Spoken Word« in New York. Hier ist jede Nacht einiges geboten. Der **Bowery Poetry Club** entstand als Bühne für jede Art von »Spoken Word« und ermöglicht Künstlern aus allen Bereichen, ihre Performance vor Publikum zu zeigen. Das **Poetry Project** der St. Mark's Church ist seit 1966 Gastgeber für Lesungen.

AUF EINEN BLICK

COMEDY-BÜHNEN

Broadway Comedy Club
318 W 53rd St.
Stadtplan 12 E4.
(212) 757-2323.

Caroline's
1626 Broadway.
Stadtplan 12 E5.
(212) 757-4100.

Comedy Cellar
117 MacDougal St.
Stadtplan 4 D2.
(212) 254-3480.

Comic Strip Live
1568 2nd Ave.
Stadtplan 17 B4.
(212) 861-9386.

Dangerfield's Comedy Club
1118 1st Ave.
Stadtplan 13 C3.
(212) 593-1650.

Gotham Comedy Club
208 West 23rd St.
Stadtplan 8 D4.
(212) 367-9000.

The Laugh Factory
303 W 42nd St.
Stadtplan 8 D1.
(212) 586-7829.

Laugh Lounge NYC
151 Essex St.
Stadtplan 5 B3.
(212) 614-2500.

NY Comedy Club
241 E 24th St.
Stadtplan 9 B4.
(212) 696-5233.

Stand-Up New York
236 W 78th St.
Stadtplan 15 C5.
(212) 595-0850.

Underground Lounge
955 W End Ave.
Stadtplan 20 E5.
(212) 531-4759.

Upright Citizens Brigade Theatre
307 W 26th St.
Stadtplan 8 D4.
(212) 366-9176.

CABARETS UND PIANOBARS

5757 Bar
Four Seasons Hotel, 57 E 57th St. **Stadtplan** 12 F3.
(212) 758-5700.

Ambassador Lounge
Regal UN Plaza Hotel, 1 UN Plaza/44th St.
Stadtplan 13 C5.
(212) 758-1234.

Ars Nova
511 W 54th St.
Stadtplan 12 E4.
(212) 489-9800.

Brandy's Piano Bar
235 E 84th St. **Stadtplan** 17 B4. *(212) 650-1944.*

Café Pierre
Pierre Hotel, 2 E 61st St.
Stadtplan 12 F3.
(212) 940-8195.

Carlyle Hotel
35 E 76th St.
Stadtplan 17 A5.
(212) 744-1600.

Dillon's Restaurant and Lounge
245 W 54th St.
Stadtplan 12 D4.
(212) 307-9797.

Don't Tell Mama
343 W 46th St.
Stadtplan 12 D5.
(212) 757-0788.

Duplex
61 Christopher St.
Stadtplan 3 C2.
(212) 255-5438.

Feinstein's at the Regency Hotel
540 Park Ave.
Stadtplan 13 A3.
(212) 759-4100

Lobby Lounge
Hilton Hotel, 53 Ave of the Americas.
Stadtplan 12 E4.
(212) 586-7000.

Oak Room
Algonquin Hotel, 59 W 44th St.
Stadtplan 12 F5.
(212) 840-6800.

Top of the Tower
Beekman Tower Hotel, 3 Mitchell Pl.
Stadtplan 13 C5.
(212) 355-7300.

LESUNGEN UND POETRY SLAMS

92nd Street Y
1395 Lexington Ave.
Stadtplan 17 A2.
(212) 415-5729.

Barnes & Noble
555 5th Ave.
Stadtplan 12 F5.
(212) 697-3048.

33 E 17th St.
Stadtplan 9 A5.
(212) 253-0810.

Borders Books and Music
461 Park Ave.
Stadtplan 17 A3.
(212) 980-6785.

Bowery Poetry Club
308 Bowery.
Stadtplan 4 F3.
(212) 614-0505.

Drama Book Shop
250 W 40th St.
Stadtplan 8 E1.
(212) 944-0595.

Mid-Manhattan Library
455 Fifth Ave/40th St.
Stadtplan 8 F1.
(212) 340-0833.

Nuyorican Poets Café
236 E 3rd St.
Stadtplan 5 B2.
(212) 505-8183.

Poetry Project
St. Mark's Church, 131 E 10th St.
Stadtplan 4 F1.
(212) 674-0910.

Stadtplan *siehe Seiten 394–425*

New York spätnachts

New York ist in der Tat die Stadt, die niemals schläft. Wer mitten in der Nacht Appetit auf frisches Brot bekommt, Unterhaltung sucht oder den Sonnenaufgang über der Skyline von Manhattan erleben will, für den hält New York ein vielfältiges Angebot bereit.

BARS UND CLUBS

Die gemütlichsten Bars sind meist irisch. Typisch sind **O'Flanagan's** oder **Scruffy Duffy's** – dort kann man die Nacht durchtanzen. Für einen trockenen Martini zu später Stunde ist die **Temple Bar** geeignet. Die besten Pianobars gibt es in den Hotels, z. B. das Café Carlyle im **Carlyle Hotel**, das Feinstein's im **Regency** oder den Oak Room im **Algonquin Hotel**.

Heißer Jazz erklingt bis 4 Uhr früh in **Joe's Pub** oder im **Blue Note**. Das **Cornelia Street Café** ist eine lebhafte Literatenkneipe. Lyrik, Theater und lateinamerikanische Musik stehen auf dem Programm des **Nuyorican Poets Café**. Im Village lohnt sich spätnachts ein Besuch bei **Rose's Turn**; geboten wird Karaoke, Pianomusik und Nachtclub-Atmosphäre.

MITTERNACHTSFILME

Mitternachtskino für ein junges Publikum veranstalten das **Angelika Film Center** und das **Film Forum** *(siehe S. 349)*. Auch die großen Multiplex-Kinos haben am Wochenende Mitternachtsvorstellungen.

LÄDEN

Die Buchhandlung Shakespeare & Company an der Broadway und der St. Mark's Bookshop haben lange geöffnet. Der **Apple Store** an der Fifth Avenue hat 24 Stunden offen. Untertags stehen über 300 Mac-Spezialisten für Fragen und Training zur Verfügung, abends sorgt ein DJ für Stimmung. In SoHo bekommt man in der Filiale der Modekette **H & M** montags bis samstags bis 21 Uhr und sonntags bis 20 Uhr preiswerte Mode.

Zu den vielen Village-Modeläden mit längeren Öffnungszeiten gehört **Trash & Vaudeville** (Mo bis Sa bis 20 Uhr). **Macy's** am Herald Square hat täglich bis 21.30 Uhr offen. Apotheken mit 24-Stunden-Dienst sind **Duane Reade Drugstores** und **Rite Aid Pharmacy**.

ESSEN ZUM MITNEHMEN

Einige Supermärkte haben 24 Stunden am Tag geöffnet, etwa die vielen **Gristedes**-Filialen und der **West Side Supermarket**. Viele koreanische Lebensmittelhändler haben die Nacht hindurch auf. Die Supermarktkette **Food Emporium** schließt erst um Mitternacht. Spirituosenläden sind meist bis 22 Uhr offen; viele liefern ins Haus.

Die besten Bagels gibt es bei **H & H Bagels**, **Bagels On The Square** und **Jumbo Bagels and Bialys**. Zahlreiche Pizzerien und Chinarestaurants haben bis in die späte Nacht offen, bieten auch Essen zum Mitnehmen an oder liefern ins Haus.

SPEISELOKALE

Nachtschwärmer gehen zu **Balthazar** und **Les Halles**, wo es gute französische Küche gibt. Im **Coffee Shop** trifft sich die Jugend zu brasilianischen Spezialitäten. Köstliche Sandwiches bekommt man im **Carnegie Delicatessen**. Das **Caffè Reggio** in Greenwich Village ist seit 1927 ein beliebtes Nachtcafé. Weitere gute Lokale zu fortgeschrittener Stunde sind **Blue Ribbon** und **Odeon**.

The Dead Poet ist ein alteingesessener Treffpunkt in der Upper West Side mit einer Jukebox, einer quirligen Bar und Essen spätabends. Downtown versammeln sich Partygänger im **Bereket Turkish Kebab House** oder im **Empire Diner** in Chelsea; beide haben 24 Stunden am Tag offen.

SPORT

Billard bis 4 Uhr morgens kann man am Wochenende bei **Slate Billiards** spielen. Bier und Burger – in Gesellschaft von Studenten – gibt es auf der Bowlingbahn **Bowlmor Lanes**. Im **24-7 Fitness Club** kann man rund um die Uhr trainieren.

DIENSTLEISTUNGEN

In Manhattan holen die **Midnight Express Cleaners** bis Mitternacht Kleidung zum Reinigen ab. Am nächsten Tag ist alles fertig und wird – ebenfalls bis Mitternacht – ausgeliefert. Donnerstags hat der Friseursalon **George Michael of Madison Avenue/Madora Inc.** bis 21 Uhr offen; Hausbesuche sind möglich. Im koreanischen **Juvenex Spa** bekommt man zu jeder Tages- und Nachtzeit Massagen. Rund um die Uhr hat das **General Post Office** geöffnet. Die Kip's-Bay-Filiale von **Dean & DeLuca** ist bis 22 Uhr geöffnet.

SPAZIERGÄNGE UND AUSSICHTSPLÄTZE

Einer der schönsten Spaziergänge führt am Hudson River entlang durch die **Battery Park City** beim World Financial Center. Er ist zu jeder Tages- und Nachtzeit ungefährlich. Pier 16 und 17 im Hafenviertel South Street Seaport sind ein Treffpunkt für Nachtschwärmer; das Restaurant **Harbour Lights** am Pier 17 hat nicht selten bis 2 Uhr offen. Die Zeit bis zum Morgen kann man sich auch mit einer zweistündigen Schiffsrundfahrt mit der **Circle Line** vertreiben.

Die Riverview Terrace am **Sutton Place** ist ein guter Ort, um die Sonne aufgehen zu sehen. Einen herrlichen Blick auf Manhattan hat man nach Westen vom **River Café** und nach Osten vom Restaurant **Arthur's Landing**.

Bei einer Fahrt mit der **Staten Island Ferry** *(siehe S. 76f)* kann man die Statue of Liberty und die Skyline von Manhattan in der Morgendämmerung sehen. Wer zur richtigen Zeit über die **Brooklyn Bridge** *(siehe S. 86–89)* fährt, kann den Sonnenaufgang über dem Hafen beobachten. Bis 1 Uhr nachts genießt man von der Aussichtsterrasse des **Beekman Tower Hotel** die Aussicht auf die East Side. Den besten

Blick auf das nächtliche New York bietet das **Empire State Building** *(siehe S. 136f)* bis 2 Uhr, **Top of the Rock** *(siehe S. 144)* bis 24 Uhr. Vom **Rise**, der Bar im 14. Stock des Ritz-Carlton im Battery Park, blickt man auf die Freiheitsstatue.

Kutschfahrten bieten **Château Stables** an; bei **Liberty**

Helicopters gibt es Helikopterflüge über die Stadt. Ein besonderes Erlebnis ist die **Marvelous Manhattan Tour** – eine fachkundige Kneipentour. Wenn Sie dann noch immer nicht schlafen wollen, gehen Sie in die Upper West Side und genehmigen sich einen Hotdog bei **Gray's Papaya**.

AUF EINEN BLICK

BARS UND CLUBS

Algonquin Hotel
Siehe S. 145.

Blue Note
Siehe S. 353.

Carlyle Hotel
Siehe S. 357.

Cornelia Street Café
29 Cornelia St.
Stadtplan 4 D2.
[*(212) 989-9318.*

Joe's Pub
Siehe S. 353.

**Nuyorican
Poets Café**
Siehe S. 357.

O'Flanagan's
1215 1st Ave.
Stadtplan 13 C2.
[*(212) 439-0660.*

Scruffy Duffy's
743 8th Ave.
Stadtplan 12 D5.
[*(212) 245-9126.*

Temple Bar
332 Lafayette St.
Stadtplan 4 F4.
[*(212) 925-4242.*

LÄDEN

Apple Store
767 5th Ave. **Stadtplan**
12 F3. [*(212) 336-1440.*

**Duane Reade
Drugstores**
224 W 57th (Broadway).
Stadtplan 12 D3.
[*(212) 541-9708.*
1279 3rd Ave/E 74th St.
Stadtplan 17 B5.
[*(212) 744-2668.*

H & M
558 Broadway.
Stadtplan 4 E4.
[*(212) 343-2722.*

Macy's
Siehe S. 134f.

Rite Aid Pharmacy
Siehe S. 373.

Trash & Vaudeville
Siehe S. 324.

ESSEN ZUM
MITNEHMEN

**Bagels
On The Square**
7 Carmine St.
Stadtplan 4 D3.
[*(212) 691-3041.*

**Delmonico Gourmet
Food Market**
55 E 59th St.
Stadtplan 12 F3.
[*(212) 751-5559.*

H & H Bagels
Broadway/80th St.
Stadtplan 15 C4.
[*(212) 595-8003.*

**H & H Midtown
Bagels East**
1551 2nd Ave.
Stadtplan 17 B4.
[*(212) 734-7441.*

**Jumbo Bagels
and Bialys**
1070 2nd Ave.
Stadtplan 13 B3.
[*(212) 355-6185.*

**West Side
Supermarket**
2171 Broadway.
Stadtplan 15 C5.
[*(212) 595-2536.*

SPEISELOKALE

Balthazar
80 Spring St. **Stadtplan**
4 E4. [*(212) 965-1414.*

**Bereket Turkish
Kebab House**
187 E Houston St.
Stadtplan 5 A3.
[*(212) 475-9557.*

Blue Ribbon
Siehe S. 300.

Caffè Reggio
119 MacDougal St.
Stadtplan 4 D2.
[*(212) 475-9557.*

**Carnegie
Delicatessen**
Siehe S. 314.

Coffee Shop
Siehe S. 314.

The Dead Poet
450 Amsterdam Ave.
Stadtplan 15 C4.
[*(212) 595-5670.*

Empire Diner
Siehe S. 138.

Gray's Papaya
Broadway/72nd St.
Stadtplan 11 C1.
[*(212) 260-3532.*

Les Halles
Siehe S. 314.

Odeon
Siehe S. 298.

SPORT

24-7 Fitness Club
47 W 14th St. **Stadtplan**
4 D1. [*(212) 206-1504.*

Bowlmor Lanes
110 University Pl.
Stadtplan 4 E1.
[*(212) 255-8188.*

Slate Billiards
Siehe S. 361.

DIENST-
LEISTUNGEN

Dean & DeLuca
576 2nd Ave. **Stadtplan**
9 B3. [*(212) 696-1369.*
Eine von mehreren Filialen.

General Post Office
Siehe S. 135.

**George Michael of
Madison Avenue/
Madora Inc.**
422 Madison Ave.
Stadtplan 13 A5.
[*(212) 752-1177.*

Juvenex Spa
25 W 32nd St, 5. Stock.
Stadtplan 8 F3.
[*(212) 733-1330.*

**Midnight Express
Cleaners**
[*(718) 392-9200.*

SPAZIERGÄNGE,
AUSSICHTSPLÄTZE

Arthur's Landing
Port Imperial Marina, Pershing Circle, Weehawken,
NJ. [*(201) 867-0777.*

Battery Park City
West St.
Stadtplan 1 A3.

**Beekman
Tower Hotel**
1st Ave 49th St.
Stadtplan 13 C5.
[*(212) 355-7300.*

Château Stables
608 W 48th St.
Stadtplan 15 B3.
[*(212) 246-0520.*

Circle Line
W 42nd St. **Stadtplan**
15 B3. [*(212) 563-3200.*

**Empire State
Building**
Siehe S. 136f.

Harbour Lights
89 South St Seaport,
Pier 17. **Stadtplan** 2 D2.
[*(212) 227-2800.*

Liberty Helicopters
[*(212) 487-4777.*

**Marvelous
Manhattan Tours**
[*(718) 846-9308.*

Rise
Ritz-Carlton, Battery Park.
Stadtplan 1 B4.
[*(212) 344-0800.*

River Café
Siehe S. 311.

Staten Island Ferry
Siehe S. 76f.

Top of the Rock
Siehe S. 144.

Stadtplan *siehe Seiten 394–425*

Sport und Aktivurlaub

Die New Yorker sind sportbegeistert, dementsprechend viele Angebote gibt es in der Stadt. Sie reichen von Fitness-Training, Reiten und Gewichtheben bis zu Schwimmen, Tennis oder Joggen. Wer lieber zuschaut, kann zwischen zwei Baseball-Teams, zwei Eishockey-Mannschaften, einem Basketball-Team und zwei Football-Mannschaften wählen. Der Madison Square Garden ist der wichtigste Austragungsort. Für Tennis-Fans gibt es die US Open und die Virginia-Slims-Turniere. Freunde der Leichtathletik strömen zu den Millrose Games, wo man Spitzensportler aus nächster Nähe bei ihren Rekordversuchen beobachten kann.

TICKETS

Eintrittskarten bekommt man am einfachsten über **Ticketron** oder **Ticketmaster**. Bei Top-Wettbewerben muss man sie unter Umständen über eine Agentur beziehen. Tickets kann man auch direkt am Kartenschalter des jeweiligen Stadions kaufen, obwohl sie schnell vergriffen sind. Oft werden Tickets auch in den kostenlosen Entertainment-Heftchen angeboten.

AMERICAN FOOTBALL

Die beiden Profi-Teams sind die New York Giants und die New York Jets. Beide tragen ihre Spiele im **Giants Stadium** in New Jersey aus. Allerdings gibt es Pläne für den Bau eines neuen Giants-Stadions in Manhattans West Side. Karten für die Giants, einem der besten Teams der NFL und Super Bowl Championships, zu bekommen ist fast aussichtslos; bei den Jets kann man eher Glück haben.

BASEBALL

Um das Wesen dieses US-Volkssports zu erfassen, sollten Besucher, die Baseball noch nicht kennen, ein Spiel der New York Yankees im **Yankee Stadium** verfolgen. Die großartigen Siege des Teams sind legendär, dazu gehören die meisten Titel in den World Series mit einmaligen Spielern wie Joe DiMaggio und Jackie Robinson. Die New York Mets, das andere bekannte Baseball-Team der Stadt, spielt im **Shea Stadium** in Queens.

Wer einmal einem Spiel an einem warmen Sommertag beiwohnen durfte, wird dieses denkwürdige Ereignis wohl kaum wieder vergessen. Das Krachen der Schläger, die den Ball gen Himmel treiben, und das Raunen der riesigen Menschenmenge ist einmalig. Wenn Sie besonderes Glück haben, können Sie ein Spiel der Yankees gegen die Boston Red Sox erleben. Die Baseball-Saison dauert von April bis Oktober.

BASKETBALL

Die New York Knicks spielen von Oktober bis April im **Madison Square Garden**. Tickets sind teuer und schwer zu bekommen, Reservierungen müssen lange im Voraus über Ticketron oder Ticketmaster gemacht werden. Mit etwas Glück kann man im Madison Square Garden auch die beliebten Harlem Globetrotters sehen.

BOXEN

Profi-Boxkämpfe sieht man öfter im Fernsehen als live im Madison Square Garden. Hier finden Mitte April auch die Daily News Golden Gloves statt, das größte und zugleich älteste Boxturnier der Amateure in den USA, zu dem Boxer aus New Yorks fünf Bezirken antreten. Von den einstigen Gewinnern des Golden Glove traten viele später auch erfolgreich bei den Olympischen Spielen an. Auch spätere Weltmeister waren unter ihnen, etwa der legendäre Sugar Ray Robinson und Floyd Patterson.

PFERDESPORT

Ein Tag auf der Rennbahn ist heute nicht mehr ganz so teuer und exklusiv wie in früheren Zeiten, doch Rennen mit hohen Wetteinsätzen sind nach wie vor ein gesellschaftliches Ereignis. Auf den Rängen fiebern die Spieler mit den Pferden, auf die sie gesetzt haben. Trabrennen, bei denen die Pferde einen Sulky ziehen, finden ganzjährig auf dem **Yonkers Raceway** statt. Galopprennen werden von Oktober bis Mai täglich außer Dienstag auf dem **Aqueduct Race Track** in Queens sowie von Mai bis Oktober auf dem **Belmont Park Race Track** in Long Island veranstaltet.

EISHOCKEY

Das Eis fliegt ebenso wie die Fäuste der Spieler, wenn die New York Rangers im **Madison Square Garden** antreten. Die New York Islanders sind ein weiteres Stadtteam, das seine Spiele im **Nassau Coliseum** in Long Island bestreitet. Die Saison dauert von Oktober bis April.

EISLAUFEN

Drei gute Bahnen zum Eislaufen gibt es im Winter. Der **Rockefeller Plaza Rink** wirkt vor allem zu Weihnachten zauberhaft. Die beiden anderen, **Wollman Memorial Rink** und **Lasker Ice Rink**, liegen im Central Park. Als Halle ist **Sky Rink** bei den Chelsea Piers empfehlenswert.

MARATHON

Wer zu den 30 000 Teilnehmern des New Yorker Marathons gehören will, muss sich sechs Monate zuvor anmelden. Der Lauf findet am ersten Novembersonntag statt. Infos bekommt man telefonisch unter (212) 423-2249.

TENNIS

Das wichtigste Tennisereignis in New York ist die US Open, die im August im **National Tennis Center** stattfinden. Interessant sind auch die Virginia Slims Championships im November im **Madison Square Garden** *(siehe S. 135).*

Wer selbst spielen möchte, sollte im Telefonbuch unter »Tennis Courts: Public and Private« nachsehen. Auf privaten Plätzen kostet die Stunde 50 bis 70 Dollar. Der **Manhattan Plaza Racquet Club** bietet Plätze und Stunden an. Für öffentliche Plätze benötigt man eine Spielerlaubnis, die 50 Dollar kostet. Sie ist beim **NY City Parks & Recreation Department** erhältlich. Außerdem sind ein Ausweis (mit Foto) und der Reservierungsbeleg mitzuführen.

LEICHTATHLETIK

Die Millrose Games, zu denen internationale Spitzensportler erwartet werden, finden gewöhnlich im Februar im **Madison Square Garden** statt. Die Wettkämpfe der Amateur Athletic Union (AAU) mit bekannten Nachwuchssportlern werden im späten Februar im Garden ausgetragen. An den Chelsea Piers gibt es einen Leichtathletikbereich.

SPORTBARS

In New York gibt es unzählige Sportbars. Zentrum des Interesses ist hier der Großbildschirm oder die Leinwand, davor stehen sportbegeisterte Kneipenbesucher, oft lautstark mitfiebernd und viel Bier konsumierend. Besuchen Sie eine Sportbar anlässlich eines wichtigen Spiels, und Sie werden sehen, wie schnell Sie angesteckt sind. **Time Out** und **Mickey Mantle's** haben riesige Anzeigetafeln und Bildschirme. **ESPN Zone** am

Times Square bietet ebenfalls Großbildschirme, damit man dem Spiel folgen kann, gleichgültig wo man steht. Beliebt sind die **Bar None** und die irische **Pioneer Bar**. Die Chance, ein Fußballspiel zu sehen, hat man am ehesten bei **Nevada Smith's** im East Village.

WEITERE AKTIVITÄTEN

Im Central Park kann man beim **Loeb Boathouse** Boote mieten. Zum Schachspielen holt man die Figuren bei der Dairy *(siehe S. 208).* Rollerblades können Sie bei **Blades Board & Skate** ausleihen, wer unsicher ist, bekommt im Central Park eine kostenlose Einführung, wie man stoppt. Bowlingbahnen gibt es u. a. an den **Chelsea Piers**. Poolbillard und Darts kann man in vielen Lokalen spielen, z. B. bei **Slate Billiards**.

AUF EINEN BLICK

Aqueduct Race Track
Ozone Park, Queens.
(718) 641-4700.

Bar None
98 3rd Ave.
Stadtplan 4 F1.
(212) 777-6663.

Belmont Park Race Track
Hempstead Turnpike, Long Island.
(718) 641-4700.

Blades Board & Skate
120 W 72nd St.
Stadtplan 12 D1.
(212) 787-3911.

Chelsea Piers Sports & Entertainment Complex
Piers 59–62, nahe 23rd St und 11th Ave (Hudson River).
Stadtplan 7 B4–5.
(212) 336-6000.
www.chelseapiers.com

ESPN Zone
1472 Broadway/ W 42nd St.
Stadtplan 8 E1.
(212) 921-3776.

Giants Stadium
Meadowlands, E Rutherford, NJ.
(201) 935-8111.
www.giants.com
(516) 560-8200.
www.newyorkjets.com

Lasker Ice Rink
Central Park Drive East/ 108th St.
Stadtplan 21 B4.
(212) 534-7639.

Loeb Boathouse
Central Park.
Stadtplan 16 F5.
(212) 517-2233.

Madison Square Garden
7th Ave/33rd St.
Stadtplan 8 E2.
(212) 465-6741.
www.thegarden.com

Manhattan Plaza Racquet Club
450 W 43rd St.
Stadtplan 7 C1.
(212) 594-0554.

Mickey Mantle's
42 Central Park South.
Stadtplan 12 E3.
(212) 688-7777.

Nassau Coliseum
1255 Hempstead Turnpike.
(516) 794-9303.
www.nassaucoliseum.com

National Tennis Center
Flushing Meadow Park, Queens.
(718) 595-2420.
www.usta.com

Nevada Smith's
74 3rd Ave.
Stadtplan 4 F1.
(212) 982-2591.

NY City Parks & Recreation Department
Arsenal Building, 64th St/5th Ave.
Stadtplan 12 F2.
(212) 408-0100.

Pioneer Bar
218 Bowery.
Stadtplan 4 F3.
(212) 334-0484.

Rockefeller Plaza Rink
1 Rockefeller Plaza, 5th Ave.
Stadtplan 12 F5.
(212) 332-7654.

Shea Stadium
126th St/Roosevelt Ave, Flushing, Queens.
(718) 507-8499.

Slate Billiards
54 W 21st St.
Stadtplan 8 E4.
(212) 989-0096.

Ticketmaster
(212) 307-4100.
www.ticketmaster.com

Ticketron
(212) 239-6200, 1-800-432-7250.
www.ticketron.com

Time Out
349 Amsterdam Ave.
Stadtplan 15 C5.
(212) 362-5400.

Wollman Memorial Rink
Central Park, 5th Ave/59th St.
Stadtplan 12 F2.
(212) 439-6900.

Yankee Stadium
161st/164th St, Bronx.
(718) 293-4300.

Yonkers Raceway
Yonkers, Westchester County.
(914) 968-4200.

Stadtplan siehe Seiten 394–425

Fitness und Wellness

New York bringt man vor allem mit Hochhäusern, Menschenmengen und Großstadthektik in Verbindung, Besucher überrascht deshalb oft die Sport- und Fitness-Begeisterung der Einheimischen. Tatsächlich ist das Angebot überwältigend: Radfahren am Flussufer, Joggen im Schatten der Wolkenkratzer und Klettern in einer der vielen gut ausgestatteten Hallen der Stadt. Lassen Sie sich in einem nach Rosen duftenden Heilbad massieren, oder finden Sie im Yoga-Sitz Ihre innere Mitte – in New York ist (fast) alles möglich.

RADFAHREN

Wer mit seinem Auto ständig in der Innenstadt im Stau steckt, sehnt sich nach einem Fahrrad und freier Fahrt. Manhattan, eine der am dichtesten bevölkerten Inseln der Welt, bietet nicht weniger als 120 Kilometer Fahrradwege. Nach der letzten Zählung fahren täglich mehr als 110 000 Fahrradfahrer durch Manhattan. Einer der schönsten Orte zum Fahrradfahren ist der Central Park am Wochenende, wenn er für Autos gesperrt ist. Räder kann man bei **Central Park Bike Rentals** am Columbus Circle mieten. Der Radweg entlang dem West Side Highway verläuft parallel zum Hudson River und ist gut in Schuss. Die Radwege im Riverside Park sind ebenfalls ein lohnenswertes Ziel. An den Wochenenden im Sommer kann es hier ziemlich voll werden, aber am frühen Morgen und spätnachmittags sowie im Winter fährt man mitunter völlig allein.

Das freundliche Personal von **Bicycle Habitat** in der Lafayette Street vermietet Räder und gibt auch Tipps, wie man am besten durch New York kommt.

FITNESS-CENTER

Selbst für die extremsten Workaholics von New York ist das wöchentliche Training unerlässlich. Fitness-Center gibt es in jedem Winkel der Stadt, um der großen Nachfrage gerecht zu werden. Geschwitzt wird überall rund um die Uhr. Die Möglichkeiten sind schier unendlich: Ob Sie Ihre Aggressionen am Pun-

chingball abreagieren, Ihren Puls an einem Stairmaster in Schwung bringen oder ganz einfach Gewichte stemmen wollen – für alles ist gesorgt. Die größeren Hotels verfügen meist über einen eigenen Fitnessraum. Die meisten Fitness-Center stehen nur Mitgliedern offen, immer mehr Clubs bieten aber auch Tagespässe an. Fragen Sie beim **Chelsea Piers Sports & Entertainment Complex** an den Piers 59–62, Nähe Hudson River, nach; die riesige Anlage hat für jeden etwas. Auch im mehrstöckigen **May Center for Health, Fitness and Sport at the 92nd Street Y** gibt es Workout-Studios, Gewichtstraining, Squash-Hallen und einen Box-Trainingsraum. Der Tagespass kostet 30 Dollar. Mit seinem umfangreichen Angebot mit persönlichem Trainer und vielen Übungseinheiten lockt **Casa Spa & Fitness** im Regency Hotel an der Park Avenue.

Eine große Bandbreite an sportlichen Aktivitäten bieten die Sport-Center der **YMCA** (eines in der West Side, das andere in der 47th Street). Das moderne Equipment, mehrere Sporthallen sowie Swimmingpools, Aerobic-Studios, Laufstrecken und Spielplätze bieten ausreichend Abwechslung. Das Center hält auch speziell zusammengestellte Fitnessprogramme für ältere Menschen bereit.

GOLF

Ihren Abschlag können Sie im **Randalls Island Golf Center** auf Randalls Island und im **Chelsea Golf Club** verbessern. Minigolf-Anlagen finden Sie am **Wollman Memorial Rink**

im Central Park. NYC unterhält einige städtische Plätze, z. B. im **Pelham Bay Park** in der Bronx und **Silver Lake** auf Staten Island.

JOGGEN

Einige Parks sind sicher genug für Jogger, andere weniger. Am besten erkundigen Sie sich beim Portier. Nachts sollten Sie ohnehin alle Parks meiden. Die beliebteste und schönste Jogging-Strecke führt um den See im Central Park. Die **NY Road Runners** in der 89th Street kommen allwöchentlich zu Läufen zusammen. Joggen kann man auch im **Chelsea Piers Sports & Entertainment Complex**.

PILATES-TRAINING

Hanteln können Sie hier getrost vergessen. Die Bauch- und Rückenmuskeln werden bei der Pilates-Methode auf andere Weise trainiert. Das ganzheitliche Training spricht vor allem die tief liegenden, kleinen und oft wenig ausgebildeten Muskelgruppen an. Stärken Sie Ihre Muskeln bei **Grasshopper Pilates**, Franklin Street (20 Dollar pro Einheit), wo Sie ein professioneller Trainer in einem TriBeCa-Loft einweist. **Power Pilates** hat mehrere Filialen.

YOGA

In angenehmer Umgebung findet man leichter zum spirituellen Selbst. Ein solcher Ort ist zum Beispiel das weitläufige **Exhale Mind Body Spa** in der Madison Avenue mit den hohen Räumen und massiven Holzböden. Mit seinen fantasievoll benannten, vielfältigen Yoga-Kursen bietet das Zentrum einen willkommenen Ausgleich zur Großstadthektik. Wer glaubt, Yoga beanspruche den Körper zu wenig, sollte sich im Rahmen eines Kurses eines Besseren belehren lassen. **YogaMoves** an der Sixth Avenue bietet viele Kurse an und heißt auch Anfänger willkommen.

SPAS

Lassen Sie sich in einem der vielen Wellness-Center der Stadt verwöhnen, um dann erholt die Stadtbesichtigung fortsetzen zu können. Die meisten Center bieten ein Kombi-Paket an, das mehrere Behandlungen zu einem günstigeren Preis beinhaltet. Sind Sie mit Ihrem Partner unterwegs, können Sie sich beide massieren lassen.

Der berauschende Duft von Weihrauch empfängt Sie am Eingang zum dezent beleuchteten **Clay**, das aufwendige, überaus entspannende Massagen anbietet.

Im behaglichen und ungezwungenen **Oasis Day Spa** am Union Square kann man zwischen sechs Aromatherapie-Massagen (je 100 Dollar) wählen – für Besserung, Erholung, Balance, Leidenschaft, Ruhe oder Befreiung. Für Männer gibt es spezielle Abreibungen mit Salz vom Toten Meer, Algen-Gesichtsmasken und Muskelmassagen (100 Dollar pro Stunde).

Ein Stück Himmel balinesischer Art kann man in der **Acqua Beauty Bar** in der 14th Street finden. Geboten werden Gesichtsbehandlungen (115 Dollar), Pediküre (45 Dollar) und ein komplettes indonesisches Schönheitsritual (170 Dollar).

Bei **Bliss** in der 57th Street erfährt man, dass man mit einer Körperpackung aus Karotten und Sesam (195 Dollar) so gut wie alles heilen kann. Gekrönt wird das Ganze von einer Schokoladen-Pediküre, zu der ein Becher heißer Kakao gereicht wird.

Prominente wie Antonio Banderas und Kate Moss schwören auf **Mario Badescu** (52nd Street) und seine Gesichtsbehandlungen. Seine Schönheitsprodukte sind zugleich ein wunderbares Mitbringsel.

SCHWIMMEN

Viele Hotels in Manhattan verfügen über ein Schwimmbad, zu dem man als Gast freien Zugang hat.

Schwimmen und sogar surfen kann man auch im Surfside 3 Maritime Center an den **Chelsea Piers**. Ein Tagesausflug führt in den **Jones Beach State Park** *(siehe S. 255)* an der Küste von Long Island.

HALLENSPORT

Rollschuh- und Bowling-Bahnen, Hallenfußball, Basketball, Kletterwände, Fitness-Center, Golf, Wellness-Center und natürlich Swimmingpools – die **Chelsea Piers** bieten all dies. Das riesige Areal erstreckt sich über vier alte West-Side-Piers und steht allen offen.

Neben Fitness- und Gymnastik-Einrichtungen sowie Hallensportanlagen verfügt die **YMCA** auch über Unterrichtsgruppen für Bewegung, Dehnung und Balance. Man organisiert Ausflüge und Sportveranstaltungen. Für Kinder gibt es spezielle Abenteuer-Tagesausflüge, bei denen auch reichlich körperliche Ertüchtigung auf dem Programm steht.

AUF EINEN BLICK

Acqua Beauty Bar
7 E 14th St.
Stadtplan 8 F5.
☎ (212) 620-4329.

Bicycle Habitat
244 Lafayette St.
Stadtplan 4 F3.
☎ (212) 431-3315.

Bliss
19 E 57th St.
Stadtplan 12 F3.
☎ (212) 219-8970.
Filiale auch in SoHo.

Casa Spa & Fitness at the Regency Hotel
540 Park Ave.
Stadtplan 13 A3.
☎ (212) 223-9280.

Central Park Bike Rentals
2 Columbus Circle.
Stadtplan 12 D3.
☎ (212) 541-8759.

Chelsea Piers Sports & Entertainment Complex
Piers 59–62, nahe 23rd St und 11th Ave (Hudson River). **Stadtplan** 7 B4–5.
☎ (212) 336-6000.
www.chelseapiers.com

Clay
25 W 14th St.
Stadtplan 4 D1.
☎ (212) 206-9200.

Exhale Mind Body Spa
980 Madison Ave.
Stadtplan 17 A5.
☎ (212) 561-6400.

Grasshopper Pilates
116 Franklin St.
Stadtplan 4 E5.
☎ (212) 431-5225.

Mario Badescu
320 E 52nd St.
Stadtplan 13 B4.
☎ (212) 758-1065.

May Center for Health, Fitness and Sport at the 92nd Street Y
1395 Lexington Ave.
Stadtplan 17 A2.
☎ (212) 415-5729.

NY Road Runners
9 E 89th St.
Stadtplan 17 A3.
☎ (212) 860-4455.

Oasis Day Spa
108 E 16th St.
Stadtplan 9 A5.
☎ (212) 254-7722.
Eine von mehreren Filialen.

Pelham Bay Park
870 Shore Rd, Bronx.
☎ (718) 885-1461.

Power Pilates
49 W 23rd St,
10. Stock.
Stadtplan 8 F4.
☎ (212) 627-5852.

Randalls Island Golf Center
Randalls Island.
Stadtplan 22 F2.
☎ (212) 427-5689.

Silver Lake
915 Victory Blvd,
Staten Island.
☎ (718) 447-5686.

Wollman Memorial Rink
Central Park, 5th Ave/ 59th St.
Stadtplan 12 F2.
☎ (212) 439-6900.

YMCA 47th St
224 E 47th St.
Stadtplan 13 B5.
☎ (212) 756-9600.

YMCA West Side
1395 Lexington Ave.
Stadtplan 17 A2.
☎ (212) 415-5500.

YogaMoves
1026 6th Ave.
Stadtplan 8 E1.
☎ (212) 278-8330.

Stadtplan *siehe Seiten 394–425*

New York mit Kindern

Kinder werden von dieser Stadt schnell in den Bann gezogen. Neben unzähligen Attraktionen für Besucher aller Altersgruppen bietet New York vieles, was speziell für Kinder gedacht ist: mehr als ein Dutzend Kindertheater, zwei Zoos, drei einfallsreiche Museen sowie eine bunte Palette von Veranstaltungen in Museen und Parks. Auch der Besuch eines Fernsehstudios bereitet Kindern großes Vergnügen. Gleiches gilt für den Big Apple Circus. Auch ohne viel Geld könnte man in New York mehr unternehmen, als die Zeit erlaubt – und kein Kind wird über Langeweile klagen.

Ein kleiner Besucher, der sich in New York bestens amüsiert

Praktische Tipps

New York ist familienfreundlich. In vielen Hotels können Kinder umsonst im Zimmer der Eltern schlafen. Museumseintritte sind für Kinder billiger oder kostenlos. Kinder unter 1,12 Meter Größe können in Begleitung eines Erwachsenen gratis Subway und Bus fahren.

Windeln und dergleichen bekommt man überall. Die **Kaufman Pharmacy** (557 Lexington Avenue, Ecke 50th Street) hat 24 Stunden geöffnet. In öffentlichen Toiletten gibt es selten Wickeltische, doch stört sich niemand daran, wenn man einen anderen Tisch umfunktioniert. Die meisten Hotels organisieren Babysitter; ansonsten kann man sich an die zuverlässige **Baby Sitters' Guild** oder an **Pinch Sitters** wenden.

Das aktuelle Angebot für Kinder liefert ein Veranstaltungskalender, den man kostenlos bei NYC & Company (siehe S. 368) bekommt. Einen Wochenüberblick findet man im Magazin *New York* und in *Time Out New York*.

Abenteuer in New York

Für Kinder ist die Stadt ein riesiger Vergnügungspark. Fahrstühle bringen einen in Windeseile auf die höchsten Gebäude der Welt, wo man New York aus der Vogelperspektive erlebt. Oder man fährt mit einem Schiff der **Circle Line** rund um die Insel Manhattan oder geht an Bord des Segelboots *Pioneer* (siehe S. 84). Man kann auch an der Marina in der East 23rd Street einen Schaufelraddampfer chartern oder die kostenlose Staten Island Ferry (siehe S. 76f) für eine Schifffahrt nehmen. Die Roosevelt Island Tram (siehe S. 181) ist eine Seilbahn, die in luftiger Höhe über den East River fährt. Im Central Park (siehe S. 204–209) kann man Karussell fahren sowie auf Pferden oder auf Ponys reiten. Kinder können hier skaten, wenn der Park am Wochenende für den Autoverkehr gesperrt ist.

Kleine Abkühlung an einem Brunnen im Central Park

Museen

Neben den vielen Museen für alle Altersgruppen gibt es Museen speziell für Kinder. Ganz oben auf der Liste stehen das **Children's Museum of the Arts** (siehe S. 107), das Kids Kunst nahebringt, und das **Children's Museum of Manhattan** (siehe S. 219), eine Multimedia-Welt, in der Kinder Videos produzieren können. Etwas außerhalb liegen das **Brooklyn Children's Museum** (siehe S. 247) und das **Staten Island Children's Museum**. Der Flugzeugträger *Intrepid* beherbergt das **Sea-Air-Space Museum** (siehe S. 149) mit vielen Flugzeugen. Begeistert sind fast alle Kids von der Dino-Ausstellung im **American Museum of Natural History** (siehe S. 216f).

Spass im Freien

Im Sommer zieht es die New Yorker ins Freie. Der Central Park ist ein Paradies für Kinder, das zum Skaten,

Eislaufen im Rockefeller Center

Minigolfspielen, Boot- und Radfahren einlädt. Gratis-Veranstaltungen gibt es viele, etwa von Parkaufsehern geleitete Führungen (samstags) oder Wettfahrten mit Spielzeug-Segelbooten. Der Zoo ist recht klein und daher genau das Richtige für kleine Kinder.

Kinder jeden Alters werden vom **Bronx Zoo/Wildlife Conservation Park** *(siehe S. 244f)* begeistert sein, in dem mehr als 500 Tierarten zu Hause sind. **Coney Island** *(siehe S. 249)* ist leicht mit der Subway zu erreichen. Im Winter kann man im Rockefeller Center *(siehe S. 144)* oder im Central Park Schlittschuh laufen. Die **Chelsea Piers** bieten ein riesiges Angebot an Hallensportarten *(siehe S. 363)*.

THEATER, ZIRKUS, SPASS

Das New Yorker Theaterangebot ist für Kinder ebenso vielseitig wie für Erwachsene. Beliebte Bühnen sind u. a. **Paper Bag Players** und **Theatreworks USA**, Karten hierfür sollten Sie möglichst frühzeitig bestellen. Das **Swedish Cottage Marionette Theater** im Central Park begeistert Jung und Alt (Di–Fr 10.30 und 12 Uhr, Sa 13 Uhr). Zur Weihnachtszeit tanzt das New York City Ballet im Lincoln Center *(siehe S. 214)* den Nussknacker; nahebei schlägt der **Big Apple Circus** sein Zelt auf. Ringling Brothers and Barnum & Bailey Circus gastieren im Frühjahr im Madison Square Garden *(siehe S. 135)*.

Auch bei schlechtem Wetter können Kinder überschüssige Energie abbauen – z. B. beim Hallen-Bowling und Minigolfen bei den **Chelsea Piers**. Im **Sony Wonder Technology Lab** dürfen Kinder kostenlos mit Videospielen experimentieren.

Die große Uhr im Spielzeugladen F.A.O. Schwarz

LÄDEN

Kinder haben wohl nichts gegen einen Einkaufsbummel, wenn Spielwarengeschäfte wie **F.A.O. Schwarz** oder **Toys 'R' Us** auf dem Programm stehen. Weitere Informationen zu Spielzeugläden finden Sie auf den Seiten 322–324. Bei **Books of Wonder** unterhalten Geschichtenerzähler ein junges Publikum.

ESSEN GEHEN

Die Hamburger-Pasta-Kombination in **Ottomanelli's Café** ist bei Kindern sehr beliebt; auch Erwachsene haben Mühe, die riesigen Burger aufzuessen. Das **Hard Rock Cafe** ist ein Hit, und die meisten Kinder mögen das Essen in Chinatown und Little Italy. Wegen der wundervollen Auswahl sollten Sie die **Chinatown Ice Cream Factory** besuchen. Für einen Imbiss bieten sich die zahlreichen *Pretzel*- und Pizza-Stände in den Straßenschluchten an. Falls dies nicht das Richtige ist: Bekannte Fast-Food-Lokale sind allgegenwärtig.

AUF EINEN BLICK

PRAKTISCHE TIPPS

Baby Sitters' Guild
(212) 682-0027.

Pinch Sitters
(212) 260-6005.

ABENTEUER

Circle Line
Pier 83, W 42nd St. **Stadtplan** 7 A1. *(212) 563-3200.*

MUSEEN

Staten Island Children's Museum
1000 Richmond Terr, Staten Is.
(718) 273-2060.

THEATER, ZIRKUS, SPASS

Big Apple Circus
(212) 268-2500.

Chelsea Piers
(212) 336-6800.
www.chelseapiers.com

Paper Bag Players
(212) 663-0390.

Sony Wonder Technology Lab
550 Madison Ave. **Stadtplan** 13 A3. *(212) 833-8100.*

Swedish Cottage Marionette Theater
(212) 988-9093.

Theatreworks USA
787 7th Ave. **Stadtplan** 12 E4.
(212) 627-7373.

LÄDEN

Books of Wonder
16 W 18th St. **Stadtplan** 8 C5.
(212) 989-3270.

F.A.O. Schwarz
767 5th Ave. **Stadtplan** 12 F3.
(212) 644-9400.

Toys 'R' Us
Siehe S. 324.

ESSEN GEHEN

Chinatown Ice Cream Factory
65 Bayard St. **Stadtplan** 4 F5.
(212) 608-4170.

Hard Rock Cafe
1501 Broadway. **Stadtplan** 8 E1. *(212) 343-3355.*

Ottomanelli's Café
1626 York Ave. **Stadtplan** 17 C3. *(212) 772-7722.*

Geschichtenerzähler auf dem Areal des South Street Seaport

Stadtplan *siehe Seiten 394–425*

GRUND-INFORMATIONEN

PRAKTISCHE HINWEISE 368–377

ANREISE 378–383

IN NEW YORK UNTERWEGS 384–393

STADTPLAN 394–425

PRAKTISCHE HINWEISE

New York empfängt seine Gäste nicht überschwänglich, macht es ihnen aber einfach, sich wohlzufühlen. Wenn Sie ein paar Vorsichtsmaßnahmen befolgen *(siehe S.372f)*, können Sie die Stadt ebenso unbeschwert genießen, wie es die New Yorker tun. Busse und Subways *(siehe S.388–391)* sind zuverlässig und preiswert.

Rast auf den Stufen vor dem Metropolitan Museum of Art

Nahezu überall stehen Geldautomaten *(siehe S.374f)*, zudem können Sie in Hotels, Banken und Wechselstuben tauschen. Die Auswahl an Restaurants, Cafés und Bars *(siehe S.292–317)*, Hotels *(siehe S.276–291)* sowie an Unterhaltungsangeboten *(siehe S.340–365)* ist in allen Preisklassen riesig, sodass der Aufenthalt durchaus erschwinglich sein kann.

ALLGEMEINE TIPPS

Hauptverkehrszeiten in New York sind montags bis freitags 8 bis 10, 11.30 bis 13.30 und 16.30 bis 18.30 Uhr. Während dieser Zeiten ist die Stadt voller Menschen, Busse und Autos, auch die Subway ist überfüllt. Planen Sie Ihren Tag entsprechend.

Um nicht ständig große Distanzen zurücklegen zu müssen, empfiehlt es sich, die Sehenswürdigkeiten eines Viertels nacheinander zu besichtigen (siehe *Detailkarten* der einzelnen Stadtbezirke). Busse sind zuverlässig, bequem und eine gute Möglichkeit, gleichzeitig etwas von der Stadt zu sehen. Einige Ecken von New York sollten Sie, vor allem nach Einbruch der Dunkelheit, meiden *(siehe S.372f)*. Öffentliche Toiletten in Bahnhöfen, Bus- oder Subway-Stationen sollten tabu sein; sie sind Treffpunkte für Drogensüchtige und Obdachlose. Am besten sucht man Toiletten in Hotels, Cafés oder in einem Warenhaus auf.

Falls Sie Rat oder Hilfe brauchen, wenden Sie sich an einen Polizisten oder an den Hotelportier, der in fast allen Hotels der Stadt rund um die Uhr an der Rezeption steht.

ÖFFNUNGSZEITEN

Bürozeiten sind durchgehend von 9 bis 17 Uhr. Einige Banken haben nur bis 15 Uhr, viele auch von 8 bis 18 Uhr sowie samstagvormit-

tags geöffnet. Viele Museen bleiben montags und an Feiertagen geschlossen. Einige Einrichtungen haben dienstag- oder donnerstagabends länger geöffnet. Rufen Sie vorher sicherheitshalber an.

MUSEEN

Einen Überblick über die besten Museen New Yorks bekommen Sie auf den Seiten 36–39. Der Eintritt kostet mindestens zwei Dollar. Wird kein Eintritt verlangt, so erwartet man eine »Spende« (oft 6 bis 12 Dollar). Für Senioren, Studenten und Kinder gibt es meist Ermäßigungen. Große Museen veranstalten kostenlose Führungen. In der Museumsmeile *(siehe S.184f)* an oder nahe der Fifth Avenue liegen eine ganze Reihe von Museen fast nebeneinander.

Hotelportier

RAUCHEN UND TRINKGELD

Rauchen ist in allen öffentlichen Gebäuden und Räumen gesetzlich verboten. Nur manche Restaurants oder Bars haben Raucherzimmer. Falls Ihnen dies wichtig ist, sollten Sie sich vorher telefonisch erkundigen.

Übliche Trinkgelder sind: Taxifahrer 10 bis 15 Prozent, Kellner 20 Prozent, Barkeeper 15 Prozent, Zimmerkellner 10 Prozent, Garderobiere ein Dollar, Zimmermädchen ein bis zwei Dollar pro Tag, Gepäckträger ein Dollar pro Gepäckstück, Friseure 15 bis 20 Prozent.

INTERNET-CAFÉS

Manche Internet-Cafés sind riesig, so die Filialen von **easyInternetcafé**, andere wie das **Cyber Café** verstehen sich in erster Linie als Café und servieren auch Snacks. Die Gebühren liegen etwa bei sechs Dollar für 30 Minuten. In Zeiten, wo weniger los ist, hat **Web2Zone** günstige Tarife.

Cyber Café
250 W 49th St. **Stadtplan** 11 B5.
((212) 333-4109.

easyInternetcafé
234 W 42nd St. **Stadtplan** 8 D1.

Web2Zone
54 Cooper Square. **Stadtplan** 4 F2.
((212) 614-7300.

INFORMATION

Das New York Convention and Visitors Bureau, das sich **NYC & Company** nennt, erteilt Auskunft über fast alles. Sein Telefonservice ist rund um die Uhr erreichbar. Broschüren über die Stadt, Veranstaltungen und Ausstellungen sind auch im **Times Square Information Center** erhältlich.

Info-Stellen
NYC & COMPANY: 810 7th Ave.
Stadtplan 12 E4.
((212) 484-1222.
www.nycvisit.com
TIMES SQUARE INFORMATION CENTER: 1560 Broadway. **Stadtplan** 12 E5. ○ *tägl. 8–20 Uhr.*
www.timessquarenyc.org
NEW YORK CITY INFORMATION:
www.nyc.gov
ONLINE-INFOS über alles Mögliche in New York: **www**.jimsdeli.com
NEW YORK STATE INFORMATION:
www.state.ny.us

◁ **Die gelben Taxis sind in Manhattan allgegenwärtig** *(siehe S.387)*

VERANSTALTUNGS-HINWEISE

Mehrere, zum Teil kosten-lose Publikationen infor-mieren über Aktuelles. Sie sind überall an Zeitungskios-ken, in Hotels, Museen und Galerien erhältlich. Am be-kanntesten sind das Magazin *New York* und der Veran-staltungskalender »Goings On About Town« der Zeitschrift *The New Yorker*. Beide liefern Infos über Museen, Clubs, Theater, Galerien, Restaurants, Kinos, Colleges, Bibliotheken und auch über Auktionen.

Das kostenlose Heft *The Village Voice* informiert über Veranstaltungen in SoHo, Tri-BeCa und Greenwich Village

sowie über die wichtigeren Ausstellungen in der Stadt. In *The New York Times* kann man sich freitags und sonn-tags unter den Rubriken »Weekend« und »Arts and Lei-sure« über Ausstellungen und Veranstaltungen informieren.

Art News, ein Monatsmaga-zin, kündigt Wichtiges aus der Welt der Kunst, Ausstel-lungen und Auktionen an. Kostenlos informiert *Where* (an Hotelrezeptionen erhält-lich) über die wichtigsten aktuellen Ausstellungen und deren Öffnungszeiten. *Art Now/New York Gallery Guide* berichtet über aktuelle Aus-stellungen der Kunstgalerien und wird jeden Monat aktua-lisiert und verteilt.

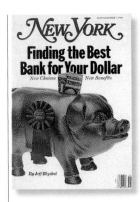

Das wöchentlich erscheinende Magazin *New York* informiert über das aktuelle Unterhaltungs-angebot der Stadt

FÜHRUNGEN

Wie auch immer Sie New York besichtigen wollen – zu Fuß, mit dem Bus, vom Schiff oder vom Helikopter aus, mit dem Fahrrad oder ganz romantisch mit einer Pferdekut-sche: Von Ortskundigen organisierte Stadtbe-sichtigungen sparen meist Zeit und Energie, auch wenn manche nicht ganz billig sind. Zudem erhalten Sie im Rahmen einer Füh-rung viele interessante Informationen.

Bootstouren
Circle Line Sightseeing Yachts. Pier 83, W 42nd St. **Stadtplan** 7 A1.
(*(212) 563-3200*.
Dreistündige Rundfahrt um Manhattan.

Circle Line Statue of Liberty Ferry. South Ferry, Battery Park. **Stadtplan** 1 C4.
(*(212) 269-5755*.

Spirit of New York. Ecke W 23rd/8th Ave. **Stadtplan** 8 D4.
(*(866) 211-3805*.
Rundfahrten inklusive Mittag- oder Abendessen.

World Yacht, Inc. Pier 81, W 41st St. **Stadtplan** 7 A1.
(*(212) 630-8100*.
Rundfahrten inklusive Mittag- und Abendessen sowie Unterhaltung.

Kutschfahrten
Ecke 59th St/5th Ave und entlang Central Park S.

*Die Pferdekutschen war-ten vor dem Plaza Hotel, Fifth Avenue Ecke Central Park (***Stadtplan** 12 F3*). Meist geht die Fahrt durch den Central Park.*

Bustouren
Gray Line of New York. 42nd St/8th Ave. **Stadtplan** 8 D1.
(*(212) 397-2620*.

Short Line Tours/ American Sightseeing NY. 166 W 46th St. **Stadtplan** 12 F5.
(*(800) 631-8405*.

Fahrradtouren
Bite of the Apple Tours. 2 Columbus Circle, 59th St/Broadway. **Stadtplan** 12 D3. (*(212) 541-8759*.
Zweistündige Fahrt durch den Central Park (35 US-$ mit Leihrad). Tägl. 10, 13 und 16 Uhr.

Helikopter-Flüge
Liberty. W 30th St/12th Ave. South Ferry. **Stadtplan** 7 B3.
(*(212) 967-6464*.

Zu Fuß
92nd Street Y. 1395 Lexington Ave. **Stadtplan** 17 A2.
(*(212) 415-5500*.
Kultur und Geschichte.

Adventures on a Shoe-string. 300 W 53rd St. **Stadtplan** 12 E4.
(*(212) 265-2663*.
Themen- und Stadtteil-Touren.

Big Apple Greaters. 1 Centre St, Suite 2035. **Stadtplan** 4 F4.
(*(212) 669-8159*.
Kostenlose Führungen von New Yorkern.

Big Onion Walking Tours.Columbia Universi-ty. **Stadtplan** 20 E3.
(*(212) 439-1090*.
Geschichte und Ethnien.

Harlem Spirituals, Inc. 690 8th Ave. **Stadtplan** 8 D1. (*(212) 391-0900*.
Geschichte und Kultur Harlems. Nur Apr–Okt.

Heritage Trails.
Vier historische Touren-vorschläge, beginnend an der Federal Hall (Broschüren dort). **Stadtplan** 1 C3.

Museum of the City of New York.
Ecke 103rd St/5th Ave. **Stadtplan** 21 C5.
(*(212) 534-1672*.
Architektur und Geschichte.

NBC Studio Tour.
30 Rockefeller Plaza. **Stadtplan** 12 F5.
(*(212) 664-7174*.

PhotoTrek Tours.
(*(212) 410-2514*.
Tour, an deren Ende man 75–100 Fotos von New York geschossen hat.

Walkin' Broadway.
1619 Broadway. **Stadtplan** 12 E5.
(*(212) 997-5004*.
Broadway mit Walkman.

Fahrt mit der Kutsche im Central Park

Stadtplan *siehe Seiten 394–425*

BEHINDERTE REISENDE

New York ist behinderten-gerechter als viele andere Städte. Alle Stadtbusse können für Rollstuhlfahrer abgesenkt werden. Allerdings sind nur 21 Subway-Stationen in Manhattan barrierefrei ausgebaut. Viele Hotels, Kaufhäuser und Bürogebäude sind für Rollstuhlfahrer geeignet. Einige Museen organisieren Führungen für Hör-, Seh- und Gehbehinderte; alle Broadway-Theater bieten Hörhilfen an. Eine ausgezeichnete Informationsquelle ist der *Access Guide to New York*, gratis von **Mayor's Office for People with Disabilities** erhältlich.

Information
Mayor's Office for People with Disabilities ▌ *(212) 788-2830.*
www.nyc.gov/mopd
Hospital Audiences Inc.
▌ *(212) 575-7660.*
www.hospaud.org

Ein Bus »geht in die Knie«, um den Einstieg zu erleichtern

EINREISE UND ZOLL

Seit 26. Juni 2005 besteht das Visa Waiver Program (VWP), das Programm für visumfreies Reisen in die USA. Es gilt u. a. für deutsche, österreichische und Schweizer Staatsbürger, die für einen Aufenthalt von bis zu 90 Tagen ohne Visum einreisen dürfen. Notwendig ist dafür ein maschinenlesbarer Reisepass. Pässe, die nach dem 26. Oktober 2005 ausgestellt wurden, müssen ein digitales Lichtbild haben, Pässe, die seit dem 26. Oktober 2006 ausgestellt wurden, zusätzlich

biometrische Daten. Vorläufige Reisepässe werden für visumfreies Reisen in die USA nicht mehr akzeptiert.

Auch für Kinder gilt: Jedes Kind muss für die Einreise in die USA einen maschinenlesbaren Reisepass oder ein Visum haben. Ein Kinderausweis oder der Eintrag in den Reisepass der Eltern werden nicht akzeptiert.

Personen, die mit dem VWP einreisen, müssen ihre grünen I-94W-Karten behalten, bis sie aus den USA ausreisen.

Seit 2004 werden von allen Reisenden bei der Einreise digitale Fingerabdrücke genommen und ein digitales Porträtfoto gemacht. Seit Oktober 2006 müssen alle Personen, die in die USA einreisen, vor Reiseantritt ein Formular mit zusätzlichen Daten ausfüllen. Diese Datenblätter werden noch vor Abflug an die US-Behörden übermittelt. Mit Stichtag 12. Januar 2009 gelten verschärfte Einreiseregeln in die USA: Im Rahmen des elektronischen Reisegenehmigungssystems (ESTA) müssen sich Einreisende aus VWP-Ländern *(siehe oben)* 72 Stunden vor Reiseantritt online (https://esta.cbp.dhs.gov) registrieren.

Aktuelle Hinweise zur Einreise in die USA finden Sie unter www.us-botschaft.de, der Visa-Informationsdienst hat die kostenpflichtige Nummer 0900 185 0055 (in D).

Besucher müssen ein Rück- oder Weiterreiseticket vorweisen können. Falls Sie in den USA eine bezahlte oder unbezahlte Beschäftigung aufnehmen oder länger als 90 Tage bleiben wollen, brauchen Sie ein Visum.

Erlaubt sind bei der Einreise 200 Zigaretten (pro Person über 18 Jahre), ein Liter Alkohol (pro Person über 21 Jahre) sowie Geschenke im Wert von bis zu 100 Dollar. Strengstens verboten ist die Einfuhr von Fleisch (auch von Konserven) sowie von Pflanzen, Samen und Früchten.

UMRECHNUNGSTABELLEN

US-Maße
1 Inch = 2,5 Zentimeter
1 Foot = 30 Zentimeter
1 Mile = 1,6 Kilometer
1 Ounce = 28 Gramm
1 Pound = 454 Gramm
1 US Pint = 0,47 Liter
1 US Gallon = 4,6 Liter
Metrische Maße
1 Zentimeter = 0,4 Inch
1 Meter = 3 Feet 3 Inches
1 Kilometer = 0,6 Mile
1 Gramm = 0,04 Ounce
1 Kilogramm = 2,2 Pounds
1 Liter = ca. 2 US Pints

STUDENTEN

Viele Museen, Theater und Unternehmen gewähren Studenten Ermäßigungen – aber nur gegen Vorlage eines internationalen Studentenausweises (International Student ID Card, ISIC), den man via Internet (www.isic.de) oder bei **STA Travel** erhält.

Fragen Sie nach einem Exemplar des *ISIC Student Handbook*. Es informiert Sie über alle Stellen, die Studenten Ermäßigungen bieten.

Normalerweise ist es äußerst schwierig, in den USA eine Arbeitserlaubnis zu bekommen, für Studenten gelten Ausnahmeregelungen.

Informationen
Bunac Summer Camps USA.
P.O. Box 430, Southbery, CT 06488.
▌ *(203) 264-0901.*
Nur im Sommer.

Council on International Educational Exchange
633 3rd Ave. **Stadtplan** 9 B1.
▌ *(212) 822-2700.*

STA Travel
10 Downling St. **Stadtplan** 4 D3.
205 E 42nd St. **Stadtplan** 9 B1.
▌ *(212) 627-3111; (800) 781-4040.*
www.statravel.com

Internationaler Studentenausweis

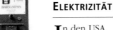

New Yorker Tageszeitungen

Zeitungskasten in New York

ZEITUNGEN, FERNSEHEN UND RADIO

Ausländische Zeitungen und Zeitschriften erhalten Sie – in der Regel einen Tag nach dem Erscheinen – bei **Universal News**, in großen Hotels, an Flughäfen und Zeitungskiosken sowie in der Nähe von Finanzplätzen, etwa in der Wall Street.

Das Fernsehprogramm können Sie dem Wochenmagazin *TV Guide* entnehmen. Auch die Sonntagsausgabe der *New York Times* enthält das Programm.

Das TV-Angebot ist riesig und breit gefächert. CBS sendet auf Kanal 2, NBC auf Kanal 4, WNYW (Fox) auf Kanal 5 und ABC auf Kanal 7. PBS strahlt auf Kanal 13 Kultur- und Bildungsprogramme und ausländische Produktionen aus. Kabelfernsehen bietet eine breite Palette – von Kultur über Unterhaltung (Kanal 16) bis hin zu mehreren Disney-Kanälen.

Im Radio empfangen Sie Nachrichten u.a. auf folgenden Wellenlängen: WCBS News (880AM) und WFAN Sports (660AM). Unterhaltung bieten u.a. die Sender WWFS (Rock und Pop, 102,7FM), WBGO (Jazz, 88,3FM) und WQXR (Klassik, 96,3FM).

Informationen

Universal News. 234 W 42nd St. **Stadtplan** 8 D1. ((212) 221-1809. *Eine von mehreren Filialen.*

ELEKTRIZITÄT

In den USA sind Stromanschlüsse standardisiert auf 120 Volt Wechselstrom. Stecker und Steckdosen in den USA sind anders konstruiert als in Europa. Sie brauchen also einen Adapter und einen Spannungskonverter.

In den meisten großen Hotels in New York gibt es fest installierte Haartrockner, in einigen Hotels sind die Zimmer mit Bügeleisen, teils auch mit Kaffeemaschinen ausgestattet. Große Hotels bieten auch Stromanschlüsse für 230-Volt-Rasierapparate, nicht aber beispielsweise für Radios. Es kann gefährlich sein, Geräte, die mehr Volt benötigen, hier anzuschließen. Nehmen Sie möglichst nur akkubetriebene Geräte mit. Für Aufladegeräte benötigen Sie ebenfalls einen Adapter.

Standardstecker

US-BOTSCHAFTEN

In Deutschland
Pariser Platz 2, 10117 Berlin.
((030) 830 50.
Konsularabteilung:
Clayallee 170, 14195 Berlin.
(0900-185 00 55 (Visa-Fragen).
www.usembassy.de
US-Generalkonsulate gibt es in Düsseldorf, Frankfurt am Main, Hamburg, Leipzig und München.

In Österreich
Boltzmanngasse 16, 1090 Wien.
((01) 31 33 90.
Konsularabteilung:
Parkring 12a, 1010 Wien.
(0900-512 58 35.
www.usembassy.at

In der Schweiz
Sulgeneckstrasse 19, 3007 Bern.
((031) 357 70 11.
Konsularabteilung:
Sulgeneckstrasse 19, 3007 Bern.
(0900 87 84 72.
http://bern.usembassy.gov

GOTTESDIENSTE

In New York gibt es etwa 4000 Andachtsstätten für nahezu alle Religionen der Welt. Viele Hotels bieten entsprechende Informationen. Hier nur einige der wichtigsten Gotteshäuser:

Baptisten
Riverside Church.
122nd St/Riverside Dr.
Stadtplan 20 D2.
((212) 870-6700.

Katholisch
St. Patrick's Cathedral.
Fifth Ave/50th St.
Stadtplan 12 F4.
((212) 753-2261.

Episkopalkirche
St. Bartholomew's.
109 E 50th St. **Stadtplan** 13 A4. ((212) 378-0200.

Jüdisch
Reformiert
Temple Emanu-El.
Fifth Ave/65th St.
Stadtplan 12 F2.
((212) 744-1400.

Orthodox
Fifth Avenue Synagogue.
5 E 62nd St. **Stadtplan** 12 F2.
((212) 838-2122.

Lutheraner
St. Peter's.
619 Lexington Ave. **Stadtplan** 17 A4. ((212) 935-2200.

Methodisten
Christ Church United Methodist.
520 Park Ave.
Stadtplan 13 A3.
((212) 838-3036.

Riverside Church

Stadtplan *siehe Seiten 394–425*

Sicherheit und Gesundheit

**Polizei-
abzeichen**

Laut Kriminalstatistik war New York im Jahr 1998 die sicherste Millionenstadt der USA. Im Vergleich zu Städten mit mehr als 100 000 Einwohnern steht New York an 166. Stelle. Vor allem in Gegenden, wo viele Urlauber unterwegs sind, patrouillieren Polizisten zu Fuß und auf Zweirädern. Hier sowie in öffentlichen Verkehrsmitteln und am Flughafen ist Ihre Sicherheit weitgehend gewährleistet. Natürlich gibt es auch in New York Gegenden, die man vor allem nachts meiden sollte. Doch wenn Sie ein paar wenige Grundsätze beachten, können Sie sich in New York gefahrlos bewegen.

Die New Yorker Polizei bedient sich vieler Verkehrsmittel

SICHERHEITSKRÄFTE

Rund um die Uhr sind New Yorks Polizisten und Polizistinnen zu Fuß, zu Pferd, mit Motor- oder Fahrrädern oder mit dem Auto unterwegs – verstärkt zu bestimmten Zeiten in Gegenden, die als kritisch für die öffentliche Sicherheit gelten, so z.B. im Theater District während der Aufführungen. Auch in der Subway und in Bahnhöfen trifft man ziemlich häufig auf Polizeistreifen.

In Midtown oder in der Subway stoßen Sie manchmal auf Jugendliche mit roten Baretts. Dabei handelt es sich um Guardian Angels. Sie sind unbewaffnet und ohne offizielle Vollmachten, werden von der Polizei jedoch wohlwollend akzeptiert.

GRUNDREGELN

Unter dem früheren Bürgermeister Rudolph Giuliani wurde New York ein recht sicherer Ort. Setzen Sie Ihren Menschenverstand ein, vermeiden Sie Blickkontakt oder gar Konfrontationen mit all jenen, die auf der Straße leben und betteln. Lassen Sie sich von ihnen nicht in Unterhaltungen verwickeln.

Gehen Sie nicht durch verlassene Gegenden, fahren Sie nachts möglichst mit dem Taxi, oder schließen Sie sich in öffentlichen Verkehrsmitteln anderen Fahrgästen an. Meiden Sie nachts die Lower East Side, Chinatown, Gegenden westlich des Broadway (ausgenommen Lincoln Center und Times Square) und generell einsame und abgelegene Ecken. Der Financial District (ausgenommen das World Financial Center) ist nach Büroschluss wie ausgestorben. Einige Straßen TriBeCas und SoHos sind nachts durchaus riskant.

Parks sind beliebte Treffpunkte für Drogenabhängige und Dealer. Am sichersten sind Sie, wenn viele Menschen dort sind, z.B. bei einem Konzert oder einer Sportveranstaltung. Dann jedoch sollten Sie sich vor Taschendieben in Acht nehmen.

Wollen Sie joggen, fragen Sie im Hotel nach sicheren Wegen. Verstauen Sie alles, was Sie bei sich haben, unauffällig, halten Sie ein paar Münzen zum Telefonieren oder für den Bus griffbereit. So müssen Sie nicht Ihre Brieftasche öffnen und danach suchen, wenn Sie in einer Schlange stehen. Zählen Sie nie größere Summen auf offener Straße, achten Sie auf herumlungernde Menschen an Geldautomaten. Tragen Sie Wichtiges eng am Körper. Der Verschluss Ihrer Tasche sollte zum Körper zeigen. Wertsachen gehören in den Hotelsafe. Lassen Sie Gepäck nur von Hotel- oder Flughafenpersonal transportieren.

Berittene Polizei

VERLUST VON WERTSACHEN

Wenn Sie etwas in New York verlieren, sind die Chancen, es zurückzubekommen, gering; es gibt kein Fundbüro für ganz New York. Das Personal der Büros von Grand Central und Penn Station ist jedoch sehr hilfsbereit. Auch die meisten Taxi- und Verkehrsunternehmen haben Fundbüros.

Wenn Sie etwas vermissen, sollten Sie es bei der Polizei melden und sich eine Kopie

Als Grundregel beim Bummeln gilt: Vorsicht walten lassen!

Polizeimütze mit Abzeichen

des Berichts für Ihre Versicherung geben lassen. Schreiben Sie sich die Seriennummern wertvoller Güter auf.

GENERALKONSULATE

Deutschland
871 United Nations Plaza.
1st Ave/49th St.
Stadtplan 13 C5.
(*(212) 610-9700.*
FAX *(212) 610-9702.*
www.new-york.diplo.de

Österreich
31 East 69th St.
Stadtplan 13 B1.
(*(212) 933-5140.*
FAX *(212) 585-1992.*
www.austria-ny.org

Schweiz
633 Third Ave, 30. Stock.
Stadtplan 9 B1.
(*(212) 599-5700.*
FAX *(212) 599-4266.*
www.eda.admin.ch/newyork

REISEVERSICHERUNG

Es empfiehlt sich, eine Reise-Krankenversicherung abzuschließen, denn die Kosten für medizinische Versorgung in den USA sind hoch. Es gibt eine Vielzahl von Versicherungsangeboten. Das Auswärtige Amt empfiehlt, eine Versicherung mit Rückholservice abzuschließen. Zudem kann man Reisegepäck-, Diebstahl- und Unfallversicherungen abschließen. Die meisten Agenturen bieten Versicherungspakete an. Informieren Sie sich bei Ihrer Versicherung oder im Reisebüro.

MEDIZINISCHE VERSORGUNG

Krank sein kann teuer werden. Viele Ärzte und einige Kliniken in New York zählen zu den besten, die das Land zu bieten hat. Die Kos-

ten für Behandlungen sind in den USA nicht einheitlich geregelt und jedem Arzt überlassen. Einige Ärzte akzeptieren Kreditkarten, meist jedoch müssen Sie bar oder mit Reiseschecks zahlen. Die meisten Krankenhäuser akzeptieren die üblichen Kreditkarten *(siehe S. 374).*

Eine der zahlreichen 24-Stunden-Apotheken in New York

NOTFÄLLE

Wenn Sie bei einem medizinischen Notfall einen Krankenwagen benötigen, der Sie in ein **Krankenhaus mit Notaufnahme** bringt, so rufen Sie die Nummer 911 an.

Haben Sie eine gute Versicherung abgeschlossen oder genügend Geld, so empfiehlt es sich, nicht in ein überfülltes städtisches, sondern in ein privates Krankenhaus zu gehen. Städtische Krankenhäuser finden Sie in den Blauen, private in den Gelben Seiten des Telefonbuchs.

Sie können auch die Nummer 411 wählen und dort nach dem nächstgelegenen privaten oder öffentlichen Krankenhaus fragen oder in Ihrem Hotel darum bitten, dass ein Arzt oder Zahnarzt zu Ihnen kommt.

Darüber hinaus können Sie sich auch bei **NY Hotel Urgent Medical Services** oder **NYU Dental Care** telefonisch informieren. Informationen erteilt **Travelers' Aid**, eine Hilfsorganisation für Besucher aus aller Herren Länder. Eine erstklassige Ambulanz ist **DOCS** des Beth Israel Medical Center.

NOTFALL-INFOS

Alle Notfälle
(*911 (oder 0). Für Polizei, Feuerwehr und Ambulanz.*

Apotheken-Notdienst
Rite Aid
50th St/8th Ave. **Stadtplan** 12 D4. (*(212) 247-8384.*

DOCS
55 E 34th St. **Stadtplan** 8 F2.
(*(212) 252-6000.*

Fundbüros
Busse und Subways
(*(212) 712-4500.*
Taxis
(*311.*
Von außerhalb New Yorks:
(*(212) NEW-YORK.*

Giftnotruf
(*(212) 764-7667.*

Krankenhäuser mit Notaufnahme
St. Vincent's
11th St/7th Ave.
Stadtplan 3 C1.
(*(212) 604-7998.*
St. Luke's Roosevelt
58th Ave/9th Ave. **Stadtplan** 12 D3. (*(212) 523-6800.*

National Organization for Women (NOW)
(*(212) 627-9895.*

Notruf für Opfer von Verbrechen
(*(212) 577-7777.*

NY Hotel Urgent Medical Services
(*(212) 737-1212.*

NYU Dental Care
345 E 24th St/1st Ave.
Stadtplan 9 B4.
(*(212) 998-9800 (Mo–Do 9–18.30 Uhr, Fr 9–16 Uhr).*
(*(212) 998-9828 (außerhalb dieser Zeiten).*

The Samaritans
(*(212) 673-3000.*

Hilfe bei Sexualdelikten
(*(212) 267-7273.*

Travelers' Aid
JFK Airport, Terminal 410.
(*(718) 656-4870.*

New Yorker Krankenwagen

Stadtplan *siehe Seiten 394–425*

Banken und Währung

New York ist das Bankenzentrum der Nation. Zahlreiche regionale und nationale Banken sowie die großen internationalen Bankhäuser haben hier ihren Hauptsitz bzw. Vertretungen. Nahezu alle bedeutenden europäischen Bankinstitute haben Niederlassungen oder zumindest Büros in der Stadt.

American-Express-Kreditkarten

BANKEN

New Yorker Banken haben generell werktags von 9 bis 15 Uhr geöffnet, es gibt auch einige, die früher öffnen und später schließen. Euro- oder Frankenscheine können Sie dort am Schalter wechseln. Die meisten Banken lösen Reiseschecks in US-Dollar ein und akzeptieren auch Reiseschecks in Fremdwährungen.

Geldautomat (ATM)

GELDAUTOMATEN

Geldautomaten (ATM, *automated teller machine*) bieten in fast allen Banken rund um die Uhr die Möglichkeit, Geld in US-Währung vom eigenen Konto abzuheben. Gewöhnlich erhält man die gewünschte Summe in 20-Dollar-Noten.

Klären Sie vor Ihrer Abreise bei Ihrem Geldinstitut, welche Banken in den USA bzw. welche ATM-Systeme Ihre Karte(n) akzeptieren und wie hoch die Gebühren sind. Die meisten Geldautomaten arbeiten sowohl mit dem Cirrus- als auch mit dem Plus-System. Sie akzeptieren meist Kreditkarten wie MasterCard oder Visa als auch **Maestro-/EC-Karten.** Einer der vielen Vorteile von

Geldautomaten ist, dass sie schnell und sicher arbeiten und Sie denselben Wechselkurs bekommen, den auch die Banken bei ihren Millionengeschäften zugrunde legen.

Überfälle auf ATM-Kunden in New York haben zugenommen. Nutzen Sie die Automaten bei Tag und in belebten Gegenden.

KREDITKARTEN

Mit **MasterCard, Visa, American Express** oder **Diners Club** können Sie in den USA fast alles bezahlen – von Einkäufen im Supermarkt über Hotel- und Restaurantrechnungen bis hin zu telefonischen Kartenvorbestellungen für Kinos oder Theater. Für Hotels und Autovermietungen ist eine Kreditkarte sogar unabdingbar. Bar bezahlen müssen Sie Taxis, Busse, manche Ärzte sowie an Straßenständen und Märkten in Chinatown. Vermeiden Sie es nach Möglichkeit, größere Geldsummen mit sich herumzutragen.

REISESCHECKS

Reiseschecks in US-Dollar von American Express oder Thomas Cook werden überall in den USA gebührenfrei angenommen, auch in den meisten New Yorker Kaufhäusern, Läden, Hotels und Restaurants. Reiseschecks in anderen Währungen können Sie in größeren Hotels gegen Bargeld eintauschen, wahrscheinlich müssen Sie damit jedoch eine Bank aufsuchen. Bewahren Sie Reiseschecks unbedingt immer getrennt von den Seriennummern auf.

Die offiziellen Wechselkurse werden täglich in *The New York Times* sowie in *The Wall*

Street Journal veröffentlicht und hängen in Banken aus.

Die bekanntesten Einrichtungen zum Geldwechseln sind **Travelex Currency Services Inc.** und **American Express.** Die **Chase Manhattan Bank** besitzt über 400 Filialen, auch die **Commerce Bank** hat in ganz Manhattan Zweigstellen, die am Wochenende und bis 20 Uhr geöffnet haben.

Manche kleineren Wechselstuben akzeptieren keine Reiseschecks, besonders nicht, wenn sie in ausländischer Währung ausgestellt sind. Die Adressen von Wechselstuben mit längeren Öffnungszeiten finden Sie im Kasten rechts. Weitere Wechselstuben sind in den Gelben Seiten unter der Rubrik »Foreign Money Brokers« aufgelistet.

KREDITKARTENVERLUST

Im Fall eines Kartenverlusts sollten Sie Ihre Karte(n) so schnell wie möglich unter einer der folgenden Nummern sperren lassen:

Allgemeine Notrufnummer
011-49-116 116
(gebührenpflichtig).
www.116116.eu

American Express
1-800-528-4800.
www.americanexpress.com

Diners Club
(800) 234-6377.
www.dinersclub.com

MasterCard
(800) 627-8372.
www.mastercard.com

Visa
1-800-847-2911.
www.visa.com

Maestro-/EC-Karte
011-49-69-740 987.

Münzen

Währungseinheit der USA sind Dollar und Cent. 100 Cent sind ein Dollar. US-amerikanische Münzen gibt es im Wert von 50, 25, 10, 5 und 1 Cent. Neue goldfarbene 1-Dollar-Münzen sind im Umlauf, ebenso die state quarter, *die auf einer Seite eine historische Szene zeigen. Jede Münze hat eine allgemein gebräuchliche Bezeichnung:* buck, quarter, dime, nickel *und* penny.

25-Cent-Münze
(quarter)

10-Cent-Münze
(dime)

5-Cent-Münze
(nickel)

1-Cent-Münze
(penny)

1-Dollar-Münze
(buck)

Banknoten

Banknoten, bills *genannt, gibt es im Wert von 1 US-$, 2 US-$, 5 US-$, 10 US-$, 20 US-$, 50 US-$ und 100 US-$. Achtung: Alte Banknoten haben alle die identische Farbe. Inzwischen sind neue 10-, 20- und 50-Dollar-Noten im Umlauf. Sie weisen neue Sicherheitsmerkmale auf und haben leicht veränderte Farben.*

GELDWECHSEL

American Express
822 Lexington Ave. **Stadtplan** 13 A2. [(212) 758-6510.
◯ Mo–Fr 9–18, Sa 10–16 Uhr.
Marriott Marquis Hotel, 1535 Broadway. **Stadtplan** 12 E5.
[(212) 575 6580.
◯ tägl. 7–20 Uhr.
Hotline: [(800) 333-AMEX.

Chase Manhattan Bank
623 Broadway u. 525 Broadway. **Stadtplan** 4 E1–E5. [(212) 935-9935. Hotline: (800) CHASE24. www.chase.com

Choice Forex
Grand Central Terminal.
Stadtplan 9 A1. [(212) 661-7600. ◯ Mo–Fr 7–21 Uhr, Sa, So 10–18 Uhr.

Commerce Bank
www.commerceonline.com

Travelex
1590 Broadway. **Stadtplan** 12 E5. [(212) 265-6063.
1271 Broadway. **Stadtplan** 8 F3.
[(212) 679-4365.
◯ Mo–Sa 9–19, So 9–17 Uhr.
510 Madison Ave und 29 Broadway. ◯ tägl. 9–17 Uhr.
[(800) CURRENCY.

1-Dollar-Schein

10-Dollar-Schein

5-Dollar-Schein

20-Dollar-Schein

50-Dollar-Schein

100-Dollar-Schein

Stadtplan *siehe Seiten 394–425*

Telefonieren

Symbol für öffentliches Telefon

Öffentliche Telefone findet man an jeder Straßenecke, in Hotels und Bürogebäuden, Restaurants, Theatern und Kaufhäusern. Nur wenige funktionieren mit Kreditkarte, es gibt jedoch eine steigende Anzahl von Kartentelefonen. Münztelefone akzeptieren 5-, 10- und 25-Cent-Münzen. 2003 wurden Neptune-800-Internet-Telefone mit Farbmonitor, Tastatur und Webcam installiert. Sie bieten für 25 Cent pro Minute Internet-Zugang.

ÖFFENTLICHE TELEFONE

Die öffentlichen Telefone in New York City sind an der Wand oder auf einem Pfosten installiert und haben zwölf Wähltasten. Es gibt auch Telefone von unabhängigen Telefongesellschaften, die jedoch deutlich teurer sein können. Alle öffentlichen Telefone informieren Benutzer über die Handhabung des Apparats, die Tarife und die gebührenfreien Telefonate. Bei Apparaten mit Verizon-Logo erreichen Sie alle Nummern zum Standardtarif. Beschwerden nimmt die **Public Service Commission** entgegen.

Münztelefon einer Telefongesellschaft

Informationen
Public Service Commission
📞 *(800) 342-3355.*
Internet-Zugang
Times Square Information Center, 1560 Broadway. **Stadtplan** 12 E5.
NY Computer Cafe, 247 E 57th St. **Stadtplan** 13 B3.
📞 *(212) 872-1704.*
Viele öffentliche Bibliotheken bieten (meist mit Zeitlimit) Internet-Zugang.

NEW YORKER ZEIT

In New York gilt Eastern Standard Time (EST). Die Mitteleuropäische Zeit ist der EST um sechs Stunden voraus. Die Sommerzeit beginnt in den USA am ersten Sonntag im April, also eine Woche später als in Europa.

TELEFONGEBÜHREN

Ein Ortsgespräch innerhalb New Yorks kostet 25 Cent für drei Minuten Gesprächsdauer. Telefonieren Sie länger, werden Sie aufgefordert, weitere Münzen einzuwerfen.

An den meisten Kiosken gibt es Telefonkarten zu 5, 10 und 25 Dollar zu kaufen. Damit können Sie im Vergleich zu den Normaltarifen viel Geld sparen. Allerdings ist die technische Qualität dieser über Internet vermittelten Gespräche nicht immer optimal. Ferngespräche ins Ausland kosten unterschiedlich viel – je nach Telefongesellschaft und Land.

MÜNZTELEFON

1 Nehmen Sie den Hörer ab.

2 Werfen Sie so viele Münzen ein, wie Sie für Ihr Telefonat vermutlich brauchen.

3 Wählen Sie die Nummer.

4 Bekommen Sie keine Verbindung oder haben Sie nicht alle Münzen vertelefoniert, betätigen Sie den Münz-Rückgabehebel *(coin release* oder *coin return).*

Münzen
Sammeln Sie genügend Kleingeld, bevor Sie telefonieren.

5 Telefonieren Sie länger als die für 25 Cent möglichen drei Minuten Ortsgespräch, so wird Ihr Telefonat unterbrochen. Sie werden dann aufgefordert, weitere Münzen einzuwerfen. Bei Überbezahlung wird das Wechselgeld einbehalten.

5 Cent

10 Cent

25 Cent

Typisches öffentliches Telefon

MOBILTELEFONE

Ein europäisches Handy (in den USA *cell phone* oder *mobile phone* genannt) funktioniert nur, wenn es sich um ein Triband-Mobiltelefon handelt. Falls Sie damit in den USA 1-800-Nummern kostenlos anwählen können (erkundigen Sie sich bei Ihrem Provider), können Sie in Verbindung mit einer US-Telefonkarte kostengünstig mit dem Handy telefonieren.

NÜTZLICHE NUMMERN

Ortsauskunft
(*411 oder 10-10-9000.*

Internationale Auskunft
(*00.*

Operator (Vermittlung)
(*0 (national).*
(*01 (international).*

US Post Office
(*(800) ASK-USPS.*

TELEFONNUMMERN

• Die Ländervorwahl der **USA** lautet **001**.
• New York hat fünf **Vorwahlnummern**: 212, 917 und 646 für Manhattan sowie 718 und 347 für die anderen Bezirke; Anrufe bei 800-, 888- und 877-Nummern sind gebührenfrei.
• Für Telefonate in einen anderen Bezirk wählen Sie zunächst die 1, dann die Nummer des Bezirks, dann die Rufnummer. Innerhalb des Bezirks lassen Sie nur die 1 weg, die Bezirksnummer müssen Sie mitwählen.
• Für Ferngespräche wählen Sie zuerst die 0, dann die Ortsnetznummer und die Nummer des Teilnehmers. Die Vermittlung sagt Ihnen, wie viel Geld Sie einzuwerfen haben.
• Bei Direktgesprächen ins **Ausland** wählen Sie **011**, dann die Landesvorwahl (Deutschland: 49, Österreich: 43, Schweiz: 41), dann die Ortsvorwahl (ohne die erste 0) und die Rufnummer.
• **Deutschland Direkt**: 1-800-292-0049.

Briefe und Postkarten

Briefe und Karten können Sie in Postämtern und an der Rezeption Ihres Hotels abgeben, wo Sie meist auch Briefmarken bekommen. Briefkästen – blau (für Priority- und Auslandspost) oder rot-weißblau – finden Sie in Eingangshallen von Bürogebäuden, in Flughäfen, Bahnhöfen und gelegentlich auf den Straßen. Postämter sind im Stadtplan *(siehe S. 394–425)* eingetragen.

Logo der US-Post

POSTDIENSTE

Das Hauptpostamt der Stadt, das **General Post Office**, hat 24 Stunden am Tag geöffnet. Briefmarken können Sie hier kaufen oder an Automaten in Apotheken, Kaufhäusern, Bus- und Zugbahnhöfen.

Es gibt drei Sonderbeförderungsarten der Post: **Express Mail** heißt Zustellung innerhalb der USA am nächsten Tag, **Priority Mail** wird am übernächsten Tag ausgeliefert, **First-Class Mail International** steht für Post nach Übersee. Eine Postkarte oder ein Standardbrief nach Europa kostet 0,94 Dollar, ungewöhnliche Formate kosten mehr. Briefpost können Sie auch an der Rezeption Ihres Hotels aufgeben. Päckchen

US-Briefmarke

verschickt man in der Regel günstiger über einen Kurier wie **DHL**, **FedEx** oder **UPS**.

Informationen
General Post Office. 421 8th Ave. **Stadtplan** 8 D2. **(** *(800) ASK-USPS. Für Priority und Express Mail: (800) 222-1811.* **www**.usps.com
DHL (*(800) 225-5345.*
FedEx (*(800) 463-3339.* **UPS (** *(800) 782-7892.*

POSTLAGERNDE SENDUNGEN

Postlagernde Sendungen werden beim General Post Office 30 Tage lang aufbewahrt. Generell gilt als Adresse: Name des Empfängers, Poste Restante/General Delivery, US Post Office, New York, NY 10001.

Express Mail **Priority Mail**

Briefkästen
In New Yorks Straßen findet man nur wenige Briefkästen, und so ist es oft einfacher, zu einem Postamt zu gehen. Wenn Sie für Express- oder Priority-Mail-Briefe zusätzliches Porto nach Gewicht zahlen müssen, geben Sie diese sowieso am besten bei einem Postamt auf.

Standard-Briefkasten

Stadtplan *siehe Seiten 394–425*

ANREISE

Direktflüge werden von vielen internationalen Fluglinien angeboten. Auch Charterflieger steuern New York an. Von den Flughäfen der Stadt aus kann man per Inlandsflug fast überall hinkommen. Aufgrund der harten Konkurrenz unter den Airlines sind Inlandsflüge relativ billig und eine echte

Grand Central Terminal

Alternative zu Bus oder Zug. Schiffe aus aller Welt legen im Hafen von New York an. Die Fernzüge sind bequem und sauber, ebenso die Überlandbusse, die mit Klimaanlage, Video und Toiletten ausgestattet sind. Detaillierte Informationen über die Ankunft in New York finden Sie auf den Seiten 382f.

MIT DEM FLUGZEUG

Von mehreren deutschen und vielen europäischen Städten aus gibt es Direktflüge nach New York. Ab Frankfurt am Main dauert der Flug ungefähr sieben Stunden, etwas länger fliegen Sie von München, Stuttgart, Wien oder Zürich. Neben amerikanischen Fluggesellschaften und Billigfliegern steuern u. a. **Lufthansa**, **Austrian** und **Swiss** New York direkt an. Alle Transatlantik-Flüge kommen am JFK Airport oder am Flughafen Newark an *(siehe S. 380f)*.

Neben Charterflügen und Pauschalreisen sind APEX-Tickets (Advance Purchase Excursion) für Linienflüge preisgünstig. Sie sind in der Regel nur für einen Aufenthalt von mehr als sieben und maximal 30 Tagen gültig. Einige Fluggesellschaften bieten Sondertarife für bestimmte Zeiten an; hierfür sollten Sie möglichst früh buchen. Im Internet finden Sie günstige Angebote. Infos zu Einreise und Zoll stehen auf Seite 370.

FLUGGESELLSCHAFTEN

American Airlines
☎ *(800) 433-7300.*
www.aa.com

Austrian
☎ *(800) 843-0002.*
www.aua.com

Delta
☎ *(800) 241-4141.*
www.delta.com

Lufthansa
☎ *(800) 399-5838.*
☎ *01805-83 84 26 (in D).*
www.lufthansa.com

Swiss
☎ *(877) 359 7947.*
www.swiss.com

United Airlines
☎ *(800) 538-2929.*
www.united.com

MIT DEM SCHIFF

Den Hafen von New York laufen Schiffe aus vielen Ländern der Welt an, begrüßt von der Statue of Liberty. Die Schiffe legen an den Piers am Hudson River an. Von dort sind viele Hotels schnell mit Taxi oder Bus zu erreichen.

Greyhound-Überlandbus

MIT DEM BUS

Alle Überlandbusse, z. B. die von **Greyhound**, fahren zum **Port Authority Bus Terminal**. Von hier verkehren Busse zu den drei Flughäfen der Stadt, auch viele Hotels in Midtown sind von hier mit Bussen schnell erreichbar. Etwa 6000 Busse fahren hier täglich ab oder kommen an, 172 000 Passagiere steigen jeden Tag ein oder aus.

Informationen
Greyhound ☎ *(800) 231-2222 (24 Std.).* **www**.greyhound.com
Port Authority Bus Terminal
Ecke W 40th St/Eighth Ave.
Stadtplan 8 D1. ☎ *(212) 564-8484 (24 Std.).* **www**.panynj.gov

MIT DEM ZUG

Alle Amtrak-Züge aus Kanada, dem Staat New York sowie aus dem Süden, Nordosten und Westen der USA kommen in der Penn Station *(siehe S. 392)* an. Der Bahnhof für die Regionalzüge aus dem Norden des Staats New York sowie für Züge aus Connecticut ist der Grand Central Terminal *(siehe S. 392)*.

Ozeanriese im Hafen von Manhattan

New Yorks Flughäfen

Alle drei großen Flughäfen New Yorks (JFK, Newark und LaGuardia) haben gute Verkehrsanbindung nach Manhattan. Halten Sie Ausschau nach einem der uniformierten »Skycaps« – Gepäckträger mit scharlachroten Kappen. Vertrauen Sie niemandem sonst Ihre Koffer an. Ein »Taxi dispatcher« hilft Ihnen, am Taxistand ein lizenziertes Taxi zu bekommen.

FAHRT NACH MANHATTAN

Das Ground Transportation Center an den New Yorker Flughäfen informiert Sie darüber, wie Sie vom Flughafen in die Stadt bzw. nach Manhattan gelangen. Von den Flughäfen LaGuardia und JFK fahren der **New York Airport Service** und **Super Shuttle** nach Manhattan. Ersterer hält bei Grand Central, Port Authority und Penn Station, Letzterer lässt Sie überall in Manhattan aussteigen. Der Super-Shuttle-Bus ist zwar teurer als normale Busse, doch fährt er wie ein Taxi von Tür zu Tür. Zahlreiche New-Jersey-Transit-Busse und **Olympia Airport Express** bieten ebenfalls Fahrten direkt nach Manhattan.

Classic Limousine und **Connecticut Limo** bieten an den Flughäfen JFK und LaGuardia eine Art Gruppentaxi an. Selbstverständlich kann man sich auch einfach ein normales Taxi teilen.

Taxi dispatcher

Mit einem Shuttle-Bus kommen Sie von JFK zur Subway-Linie A und damit dann nach Manhattan. Der Bus M60 verbindet LaGuardia und Manhattan.

Die Telefonnummern der wichtigsten Autoverleiher finden Sie auf Seite 386. Aktuelle Transportinformationen erhalten Sie unter (800) AIR-RIDE.

TRANSPORTUNTERNEHMEN

Classic Limousine
[(800) 666-4949.
www.classictrans.com

Connecticut Limo
[(800) 472-5466.
www.ctlimo.com

New York Airport Service
[(718) 875-8200.

Olympia Airport Express
[(212) 964-6233.
www.olympiabus.com

Super Shuttle
[(800) BLUE-VAN.
www.supershuttle.com

LaGuardia (LGA)

LaGuardia, der kleinste Verkehrsflughafen New Yorks, wird hauptsächlich für Inlandsflüge und von Geschäftsleuten genutzt. Der Flughafen liegt 13 Kilometer östlich von Manhattan in Queens, nördlich von Long Island. Wenn Sie Ihr Gepäck nicht selbst mit einem Trolley herumfahren möchten, können Sie es einem »Skycap« anvertrauen. Rund um den Central Terminal (B) sind Banken, die Geld wechseln.

Ein »Taxi dispatcher« hilft Ihnen, eines der gelben, von der Stadt lizenzierten Taxis zu bekommen. Zusätzlich zum Fahrgeld (ca. 20 bis 30 Dollar bis Midtown) werden eine Grundgebühr und – nach 20 Uhr sowie an Sonntagen – ein Zuschlag fällig.

Informationen
Airport Information Service
[(718) 533-3400.
www.laguardiaairport.com
www.panynj.gov

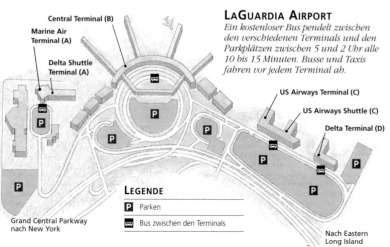

Transatlantik-Jet von American Airlines

LaGuardia Airport

Ein kostenloser Bus pendelt zwischen den verschiedenen Terminals und den Parkplätzen zwischen 5 und 2 Uhr alle 10 bis 15 Minuten. Busse und Taxis fahren vor jedem Terminal ab.

Central Terminal (B)

Marine Air Terminal (A)

Delta Shuttle Terminal (A)

US Airways Terminal (C)

US Airways Shuttle (C)

Delta Terminal (D)

LEGENDE

P Parken

Bus zwischen den Terminals

Grand Central Parkway nach New York

Nach Eastern Long Island

JFK Airport (JFK)

New Yorks größter Flughafen, der John F. Kennedy International Airport, liegt in Queens, 24 Kilometer südöstlich von Manhattan. Die großen internationalen Airlines haben eigene Ankunftshallen, andere Fluglinien nutzen die Terminals 1, 5 und 6.

Im Ankunftsbereich stehen kostenlose Gepäckwagen, in allen Terminals gibt es Wechselstuben. Bei Meegan Services in Terminal 3 können Sie Hotelzimmer buchen.

Ankunftshalle im JFK Airport

Informationsschilder im JFK

Nahe der Gepäckausgabe vermittelt das Ground Transportation Center den Transport nach Manhattan. Leihwagenfirmen können Sie von Kundentelefonen aus anrufen; viele bieten einen kostenlosen Shuttle-Service zu ihren Büros. Vor den Terminals stehen Taxis. Die Fahrt nach Manhattan dauert eine Stunde und kostet rund 45 Dollar plus Mautgebühren. Die Busse des New York Airport Service fahren zu Grand Central, Port Authority und Penn Station (15 Dollar). Der Super Shuttle kostet 17 bis 19 Dollar. Der AirTrain JFK fährt nach Howard Beach (Anschluss zum A Train) und zur Station Jamaica (E, J, Z Train und Long Island Railroad). Der Zug kostet fünf Dollar, die Subway zwei Dollar. Ein Hubschrauber bringt Sie in zehn Minuten in die East 34th Street – für 850 Dollar.

Nützliche Adressen

Airport Information Service
📞 (718) 244-4444.

Best Western JFK Airport
144–25 153rd Ave, Queens.
📞 (718) 977-2100.

Holiday Inn JFK
144–02 135th Ave, Queens.
📞 (718) 659-0200.

Helicopter Flight Services
📞 (212) 355-0801.
www.heliny.com

Liberty Helicopters
📞 (888) 692-4354.
www.libertyhelicopters.com

American Airlines (8)

Air Canada, British Airways, Qantas, United Airlines (7)

Parkhaus

Jet Blue (6)

Van Wyck Expressway nach New York

Terminal 5

Terminal 1

Parkhaus

Parkhaus

Continental (2)

Virgin Atlantic (4)

JFK Airport

Die kostenlosen AirTrain-Busse halten an Terminals, Parkhäusern und den Büros der Mietwagenfirmen. Sie verkehren zwischen 6 und 23 Uhr alle zwei bis vier Minuten, zwischen 23 und 6 Uhr alle acht Minuten. Schneller, aber teurer sind Taxis, die vor der Ankunftshalle des Terminals warten.

Legende

🚌 Bushaltestelle

🅿 Parken

– – AirTrain JFK

Delta (3)

Newark Airport (EWR)

Bushaltestelle am Newark Airport

Legende

P Parken

🚌 Bushaltestelle

▪▪ Newark-AirTrain

Newark Airport
*Die kostenlosen AirTrain-Züge
verkehren zwischen den Terminals und den Parkplätzen.
Züge fahren zwischen 5 und
24 Uhr alle 3 Minuten, zwischen
24 und 5 Uhr alle 15 bis 24
Minuten. Die Fahrzeit zwischen
den Terminals beträgt sieben
bis elf Minuten. Taxis warten
vor den Ankunftshallen.*

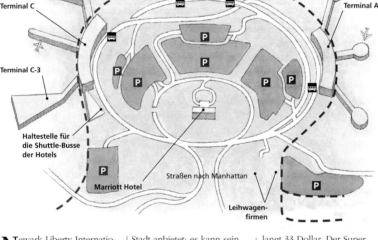

Terminal B (Ankunft internationaler Flüge)

Terminal C

Terminal A

Terminal C-3

Haltestelle für die Shuttle-Busse der Hotels

Straßen nach Manhattan

Marriott Hotel

Leihwagenfirmen

Newark Liberty International Airport, New Yorks zweitgrößter internationaler Flughafen, liegt in New Jersey, 26 Kilometer südwestlich von Manhattan. Fast alle internationalen Flüge kommen am Terminal B an. Gepäckwagen für Ihre Koffer können Sie bei der Gepäckausgabe mieten, doch gibt es keine Möglichkeit, Gepäck zu deponieren. Wechselstuben finden Sie in allen Terminals.

Nahe der Gepäckausgabe sind die Schalter der Ground Transportation Services, die 24 Stunden geöffnet haben. Leihwagenfirmen haben Kundentelefone im Flughafen und bieten einen Shuttle-Service zu ihren Büros.

Taxis stehen vor allen Terminals. Uniformierte Ordner («Taxi dispatchers») helfen Ihnen, ein Taxi zu bekommen. Fahren Sie niemals mit jemandem mit, der Ihnen am Flughafen eine Fahrt in die Stadt anbietet; es kann sein, dass diese Autos nicht versichert sind. Die Fahrt nach Manhattan dauert 40 bis 60 Minuten und kostet bis zu 50 Dollar.

Busse nach Manhattan brauchen länger, kosten aber nur zwölf Dollar. Anzeigetafeln in den Terminals informieren über die Abfahrtszeiten. Der AirTrain Newark (www.airtrainnewark.com) verbindet mit den NJ Transit- und Amtrak-Zügen und fährt dann weiter zur Penn Station. Die 25-minütige Fahrt kostet 11,55 Dollar. Ebenso viel kostet der NJ Transit, Amtrak verlangt 33 Dollar. Der Super Shuttle kostet 15 bis 19 Dollar.

In allen Terminals kann man an Kundentelefonen Hotels anrufen und buchen.

Nützliche Adressen

**Port Authority
im Newark Airport**
📞 *(888) 397-4636.*
www.newarkairport.com

Holiday Inn International
1000 Spring St, Elizabeth, New Jersey. 📞 *(800) 465-4329.*

Marriott Hotel
Newark Airport Grounds.
📞 *(800) 228-9290.*

Informationen über Ankunfts- und Abflugzeiten im Newark Airport

Ankunft in New York

Die Karte zeigt die Verbindungen zwischen Manhattan und den drei Flughäfen. Zudem sind die Zugverbindungen zwischen New York und anderen Teilen der USA sowie Kanada aufgeführt. Reiseinformationen, inklusive Fahrzeiten von Subway, Bussen, Fernbussen und Helikoptern, finden Sie in den Infoboxen. New Yorks Hafen für Passagierschiffe, einst ersehntes Ziel von Immigranten, liegt unweit vom Zentrum Manhattans. Der Port Authority Bus Terminal auf der West Side ist Busbahnhof für Fernbusse und Endhaltestelle für Buslinien durch die Stadt.

Hafen für Passagierschiffe

⚓ HAFEN FÜR PASSAGIERSCHIFFE
Piers 88–92 für einige Kreuzfahrtschiffe. Cunard und Princess nutzen den Brooklyn Cruise Terminal.

LEGENDE

✈	Flughafen *siehe S. 379–381*
⚓	Hafen *siehe S. 378*
🚆	Bahnverbindung *siehe S. 378*
🚌	Bushaltestelle *siehe S. 378*
🚁	Helikopter-Service *siehe S. 380*
—	New York Airport Service und Super Shuttle *siehe S. 379*
—	Hubschrauber *siehe S. 380*
—	Long Island Rail Road *s. S. 392f*
—	New-Jersey-Transit-Busse *s. S. 379*
—	Olympia Airport Express *s. S. 379*
—	Shuttle-Bus *siehe S. 380*
—	Subway-Linie A *siehe S. 390*

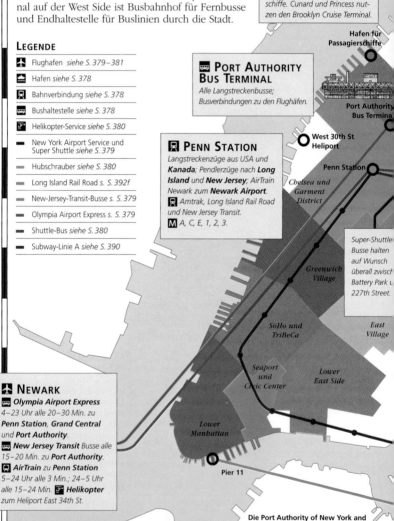

🚌 PORT AUTHORITY BUS TERMINAL
Alle Langstreckenbusse; Busverbindungen zu den Flughäfen.

🚆 PENN STATION
*Langstreckenzüge aus USA und **Kanada**; Pendlerzüge nach **Long Island** und **New Jersey**; AirTrain Newark zum **Newark Airport**.*
🚆 *Amtrak, Long Island Rail Road und New Jersey Transit.*
Ⓜ *A, C, E, 1, 2, 3.*

Hafen für Passagierschiffe

Port Authority Bus Terminal

West 30th St Heliport

Penn Station

Chelsea und Garment District

Super-Shuttle-Busse halten auf Wunsch überall zwisch... Battery Park u... 227th Street.

Greenwich Village

SoHo und TriBeCa

East Village

Seaport und Civic Center

Lower East Side

Lower Manhattan

Pier 11

✈ NEWARK
🚌 *Olympia Airport Express 4–23 Uhr alle 20–30 Min. zu **Penn Station**, **Grand Central** und **Port Authority**.*
🚌 *New Jersey Transit Busse alle 15–20 Min. zu **Port Authority**.*
🚆 *AirTrain zu **Penn Station** 5–24 Uhr alle 3 Min.; 24–5 Uhr alle 15–24 Min.* 🚁 *Helikopter zum Heliport East 34th St.*

Die Port Authority of New York and New Jersey, Betreiberin von JFK, Newark und LaGuardia, investierte 2,7 Milliarden Dollar in das AirTrain-System, das die Flughäfen mit der Subway verbindet.

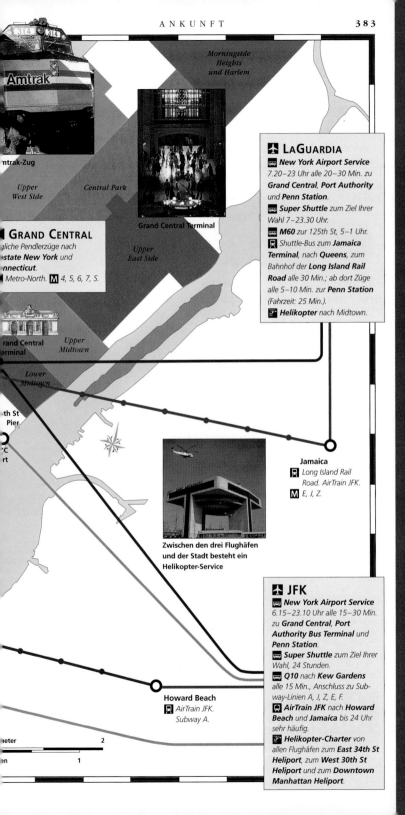

Amtrak

ttrak-Zug

Upper West Side

Central Park

Morningside Heights und Harlem

Grand Central Terminal

GRAND CENTRAL
gliche Pendlerzüge nach
state New York und
nnecticut.
Metro-North. **M** 4, 5, 6, 7, S.

Upper East Side

rand Central
erminal

Lower Midtown

Upper Midtown

th St
Pier

'C
rt

✈ LAGUARDIA
🚌 **New York Airport Service**
7.20–23 Uhr alle 20–30 Min. zu
Grand Central, **Port Authority**
und **Penn Station**.
🚌 **Super Shuttle** *zum Ziel Ihrer*
Wahl 7–23.30 Uhr.
🚌 **M60** *zur 125th St, 5–1 Uhr.*
🚌 *Shuttle-Bus zum* **Jamaica**
Terminal, *nach* **Queens**, *zum*
Bahnhof der **Long Island Rail**
Road *alle 30 Min.; ab dort Züge*
alle 5–10 Min. zur **Penn Station**
(Fahrzeit: 25 Min.).
🚁 **Helikopter** *nach Midtown.*

Jamaica
🚉 *Long Island Rail*
Road. AirTrain JFK.
M E, J, Z.

Zwischen den drei Flughäfen
und der Stadt besteht ein
Helikopter-Service

✈ JFK
🚌 **New York Airport Service**
6.15–23.10 Uhr alle 15–30 Min.
zu **Grand Central**, **Port**
Authority Bus Terminal *und*
Penn Station.
🚌 **Super Shuttle** *zum Ziel Ihrer*
Wahl, 24 Stunden.
🚌 **Q10** *nach* **Kew Gardens**
alle 15 Min., Anschluss zu Sub-
way-Linien A, J, Z, E, F.
🚃 **AirTrain JFK** *nach* **Howard**
Beach *und* **Jamaica** *bis 24 Uhr*
sehr häufig.
🚁 **Helikopter-Charter** *von*
allen Flughäfen zum **East 34th St**
Heliport, *zum* **West 30th St**
Heliport *und zum* **Downtown**
Manhattan Heliport.

Howard Beach
🚉 *AirTrain JFK.*
Subway A.

eter   2

en   1

IN NEW YORK UNTERWEGS

New York verfügt über ein Straßennetz von etwa 10 000 Kilometer Länge. Allerdings ist die Stadt übersichtlich in ein Netzwerk von Distrikten gegliedert. Die Sehenswürdigkeiten sind bequem – Distrikt nach Distrikt – zu besichtigen. Per Taxi erreichen Sie Ihr Ziel normaler-weise am schnellsten – sofern Sie nicht im Stau stehen. Busse sind langsamer aber bequem und billig. Die Subway dagegen ist schnell, billig und zuverlässig. Sie hat in Manhattan viele Stationen. Für die öffentlichen Verkehrsmittel gibt es Tages- und Wochenkarten; die dürfte die billigste Variante für Besichtigungen sein.

Stretch-Limousine, das präferierte
Automobil wohlhabender New Yorker

NEW YORKS STRASSENNETZ

Manhattans *Avenues* führen von Nord nach Süd, die *Streets* (ausgenommen im alten Zentrum) von Ost nach West. Die Fifth Avenue teilt das Stadtgebiet in Ost und West: So liegt das Gebäude 5 West 40th Street nur wenige Schritte westlich, 5 East 40th Street nur wenige Schritte östlich der Fifth Avenue in der 40th Street.

Die meisten *Streets* in Midtown sind Einbahnstraßen. Generell verläuft der Verkehr in Straßen mit geraden Nummern nach Osten, in Straßen mit ungeraden Nummern nach Westen. Auch *Avenues* sind oft Einbahnstraßen: First, Third – oberhalb der 23th Street –, Madison, Eighth, Avenue of The Americas (6th Ave) und Tenth Avenue kann man nur nach Norden befahren; Second, Lexington, Fifth, Seventh, Ninth Avenue und Broadway unterhalb der 59th Street führen nach Süden. Verkehr in zwei Richtungen herrscht auf der York, Park, Eleventh, Twelfth Avenue und am Broadway oberhalb der 60th Street.

Die meisten Häuserblocks nördlich der Houston Street sind rechteckig angelegt. Die Ost-West-Seitenlänge ist dabei jedoch drei- bis viermal so lang wie die Seitenlänge von Nord nach Süd.

Einige Straßen haben mehrere Namen: Die Avenue of the Americas ist eher als Sixth Avenue bekannt. Aber Achtung: Die Park Avenue South ist nicht mit der Park Avenue

Rushhour in Manhattan

ADRESSEN SUCHEN UND FINDEN

Eine Formel hilft, bei New Yorks *Avenues* die Adresse zu finden: Man lässt die letzte Ziffer der Hausnummer weg, teilt den Rest durch 2, addiert oder subtrahiert eine **Schlüsselzahl** *(siehe nebenstehende Tabelle)* und findet so die dem gesuchten Haus am nächsten gelegene Straßenkreuzung. Beispiel: 826 Lexington Avenue. 6 weglassen; 82 geteilt durch 2 ergibt 41. Addiert wird die Schlüsselzahl 22. Dies ergibt die nächstgelegene Querstraße: 63rd Street.

Schild der Madison Avenue an einer
Straßenkreuzung

Adresse	Schlüssel-zahl	Adresse	Schlüssel-zahl
1st Ave	+3	9th Ave	+13
2nd Ave	+3	10th Ave	+14
3rd Ave	+10	Amsterdam Ave	+60
4th Ave	+8	Audubon Ave	+165
5th Ave, bis 200	+13	Broadway, oberhalb	
5th Ave, bis 400	+16	23rd St	−30
5th Ave, bis 600	+18	Central Park W, ganze	
5th Ave, bis 775	+20	Zahl durch 10	+60
5th Ave 775–1286,		Columbus Ave	+60
nicht durch 2 teilen	−18	Convent Ave	+127
5th Ave, bis 1500	+45	Lenox Ave	+110
5th Ave, bis 2000	+24	Lexington Ave	+22
(6th) Ave of the		Madison Ave	+26
Americas	−12	Park Ave	+35
7th Ave, unterhalb		Park Ave South	+8
110th St	+12	Riverside Drive, ganze	
7th Ave, oberhalb		Zahl durch 10	+72
110th St	+20	St. Nicholas Ave	+110
8th Ave	+10	West End Ave	+60

zu verwechseln. Dieser Reiseführer benutzt für Straßen und Plätze die Namen, die in New York üblich sind.

HAUPTVERKEHRSZEITEN

Hauptverkehrszeiten in New York sind montags bis freitags zwischen 8 und 10 Uhr, zwischen 11.30 und 13.30 Uhr sowie zwischen 16.30 und 18.30 Uhr. Dann ist es oft besser, zu Fuß zu gehen, als Bus, Subway oder Taxi zu benutzen. Zu anderen Tageszeiten und an Feiertagen *(siehe S. 53)* kommen Sie in New York gut voran.

Natürlich gibt es Ausnahmen: Die Fifth Avenue sollte an Tagen wie St. Patrick's Day oder Thanksgiving Day gemieden werden. Regelmäßige Demonstrationen verstopfen z. B. oft die Gegend um die City Hall *(siehe S. 90)*. Das Areal um die Seventh Avenue, südlich der 42nd Street, ist den ganzen Tag über voller Handwagen und Lastwagen der New Yorker Bekleidungsfabriken.

ZU FUSS

An den meisten Straßenkreuzungen gibt es beleuchtete Straßenschilder sowie Ampeln: »Rot« bedeutet anhalten, »Grün« heißt fahren; Fußgängerampeln zeigen ein grünes *Walk* für gehen und ein rotes *Don't walk* für stehen bleiben. Die meisten New Yorker Fußgänger verlassen sich allerdings auf ihr eigenes Urteil und beachten

Fußgängerüberweg

Nicht über die Straße gehen

Sie dürfen jetzt gehen

Die Staten Island Ferry bei der Abfahrt am Battery Park

Schiff der Circle Line

die Ampeln kaum. Vergessen Sie nicht, dass es in Manhattan trotz der vielen Einbahnstraßen auch einige Straßen mit Gegenverkehr gibt. Die meisten Straßenkreuzungen sind mit Fußgängerampeln versehen, einige mit Fußgängerunterführungen oder auch Zebrastreifen.

An einigen Kreuzungen (z. B. am Rockefeller Center) gibt es eigens ausgewiesene Fußgängerüberwege, die von der Verkehrspolizei überwacht werden. Im Central Park gibt es einige unterirdische Fußgängerpassagen.

WASSERTAXIS

Seit 2002 gibt es in New York Wassertaxis, die zwischen den Piers an der East 90th Street und Pier 84 verkehren. Infos finden Sie unter: **www.**nywatertaxi.com

FÄHREN

Zwei Fährlinien sind für Besucher interessant *(siehe auch S. 369)*: Die Circle Line fährt mehrmals täglich vom Battery Park an der Südspitze Manhattans zur Statue of Liberty und zur Ellis Island (**www.**circleline.com).

Die kostenlose Staten Island Ferry fährt vom Battery Park aus rund um die Uhr und bietet imposante Blicke auf Manhattan und seine Brücken, die Statue of Liberty sowie Governors Island. Dieselbe Linie bringt Sie von Staten Island wieder nach Manhattan zurück.

MIT DEM FAHRRAD

Rad fahren sollten Sie nur tagsüber und auf Parkwegen (im Central Park, an East und Hudson River). Leihräder gibt es am Columbus Circle oder beim Loeb Boathouse im Central Park.
Informationen
Central Park Bike Rental, 2 Columbus Circle. **Stadtplan** 12 D3. [(212) 541-8759. **www.**centralparkbiketour.com

Radfahrerin im Central Park

Stadtplan *siehe Seiten 394–425*

New York mit dem Auto

Dichter Verkehr und hohe Mietwagenpreise lassen das Autofahren in New York zu einem frustrierenden Erlebnis werden. Es besteht Anschnallpflicht. Die Höchstgeschwindigkeit von 30 mph (48 km/h) zu überschreiten ist schon wegen der vielen Schlaglöcher und ampelgeregelten Kreuzungen eigentlich unmöglich.

Verkehrsstau auf der Sixth Avenue

MIETWAGEN

Um einen Wagen zu mieten (in der Stadt ist dies günstiger als am Flughafen), müssen Sie mindestens 25 Jahre alt sein oder eine zusätzliche Gebühr entrichten, einen gültigen Führerschein besitzen (Ihr nationaler genügt, aber ein internationaler Führerschein ist für Ausländer nützlich), Ihren Pass zeigen und eine Kreditkarte vorlegen. Schließen Sie eine Schadens- und Diebstahlversicherung ab, denn Rechtsstreitigkeiten wegen Sachbeschädigung können langwierig und teuer sein. Tanken Sie den Wagen vor Rückgabe voll, sonst zahlen Sie mehr.

Verkehrsschilder
Mit Zebrastreifen markierte Fußgängerüberwege bedeuten, dass Fußgänger hier »Vorfahrt« haben. Als Autofahrer dürfen Sie bei einer roten Ampel – anders als im Staat New York – nicht rechts abbiegen, außer dies ist explizit angegeben.

Einbahnstraße

PARKEN

Parken in Manhattan ist schwierig und teuer. Parkplätze und -häuser zeigen ihre Tarife stets an der Einfahrt an. Die Preise einiger Hotels schließen auch die Benutzung des hauseigenen (meist bewachten) Parkplatzes ein.

Es gibt Kurzzeit-Parkzonen (20–60 Min.). Gelbe Straßen- und Bordsteinmarkierungen bedeuten Parkverbot. Verstöße werden geahndet.

»Alternate Side«-Parken ist in vielen Seitenstraßen möglich. Hier können Sie Ihr Auto zwar parken, müssen es aber bis zum nächsten Morgen um 8 Uhr auf der anderen Straßenseite abgestellt haben. Genauere Informationen erteilt das **Transportation Department**.

STRAFEN

Strafzettel müssen Sie innerhalb von sieben Tagen bezahlen oder Einspruch erheben. In Streitfällen wenden Sie sich an das **Parking Violations Bureau**, das montags bis freitags zwischen 8.30 und 19 Uhr geöffnet hat.

New Yorks Abschleppdienste sind äußerst aktiv. Leider werden etwa 30 Prozent aller Autos beim Abschleppen beschädigt. Falls Sie Ihren

Einfahrt verboten

SPEED LIMIT 50

Tempolimit 50 mph (80 km/h)

YIELD

Vorfahrt gewähren

STOP

An der Kreuzung anhalten

Wagen nicht wiederfinden, rufen Sie im Transportation Department an, das außer sonntags 24 Stunden besetzt ist. Sie erhalten Ihren Wagen gegen 150 Dollar Strafe und eine Tagesgebühr von zehn Dollar für die Aufbewahrung zurück. Man kann mit Reisescheck oder bar zahlen.

Handelt es sich um einen Mietwagen, müssen Sie die Unterlagen vorweisen. Nur derjenige, auf dessen Namen der Vertrag läuft, kann den Wagen auslösen.

Informationen
Polizei 🕿 *911.* **Parking Violations Bureau** 🕿 *(718) 802-3636.* **Traffic Dept., Tow Pound** (Abschleppdienst), Pier 76, W 38th St/12th Ave. **Stadtplan** 7 B1; Uptown 207th St. **Tow Pound** 🕿 *311.* **Transportation Dept.** 🕿 *311.*

BRÜCKENMAUT

Die meisten Straßen von und nach Manhattan sind gebührenpflichtig. Die Kosten betragen 1,50 Dollar bei den kleineren Brücken, auf der George Washington Bridge zwischen New York und New Jersey sechs Dollar. Die Brücken der Triborough Bridge Authority kosten 3,50 Dollar in jede Richtung. Die Gebühren sind bar zu zahlen. Vermeiden Sie die violett markierten Spuren E–Z, die für Inhaber von Dauerkarten reserviert sind.

AUTOVERMIETUNGEN

Die Adressen und Telefonnummern der größten Mietwagenfirmen finden Sie im Telefonbuch unter »Automobile Renting«. Die größten Unternehmen sind:

Avis
🕿 *(800) 331-1212.* www.avis.com
Budget
🕿 *(800) 527-0700.*
www.drivebudget.com
Dollar
🕿 *(800) 800-4000.*
www.dollar.com
Hertz
🕿 *(800) 654-3131.* www.hertz.com
National
🕿 *(800) CAR-RENT.*
www.nationalcar.com

New Yorker Taxis

Yellow Cab

Alle von der Stadt lizenzierten Taxis sind gelb. Leuchtet die Nummer auf dem Dach, ist der Wagen frei und Sie können ihn heranwinken. Bei Taxis, die nicht im Einsatz sind, ist das *Off-Duty*-Schild beleuchtet. Nur Taxis, die eine Lizenz haben, dürfen Fahrgäste befördern. Steigen Sie nie in ein anderes Fahrzeug ein – dies kann teuer und gefährlich werden.

Gelbe Taxis prägen das Straßenbild von New York

TAXI FAHREN

Es gibt in New York über 12000 »Yellow Cabs«, die alle mit Taxameter ausgerüstet sind. Viele können auf Wunsch eine Quittung ausdrucken. Es gibt nicht viele Taxi-Standplätze; am einfachsten finden Sie ein Taxi vor Hotels, an der Penn Station und am Grand Central Terminal. In einem Wagen dürfen maximal vier Fahrgäste mitfahren.

Die meisten Taxameter drucken Quittungen aus

Lizenzierte Taxis werden regelmäßigen Inspektionen unterzogen und sind versichert. – Auf nichtlizenzierte Taxis, sogenannte *gipsy cabs*, trifft dies nicht zu; sie sind nicht zu empfehlen.

Sobald Sie ein Taxi besteigen, beginnt das Taxameter beim Stand von 2,50 Dollar zu laufen. Alle 267 Meter oder nach 120 Sekunden Wartezeit wird es um 40 Cent teurer. Zwischen 20 und 6 Uhr wird eine Zusatzgebühr von 50 Cent fällig; einen Dollar Zusatzgebühr bezahlt man zwischen 16 und 20 Uhr an Werktagen. Einige Taxifahrer akzeptieren inzwischen Kreditkarten, doch die meisten ziehen Bargeld vor. Geben Sie dem Taxifahrer etwa 15 Prozent Trinkgeld.

Taxifahrer ist ein typischer Beruf für neu angekommene Einwanderer. Alle Taxifahrer müssen eine Englischprüfung absolvieren, dennoch kann es zu Sprachproblemen kommen. Vergewissern Sie sich, dass Ihr Chauffeur versteht, wo Sie hinwollen. Taxifahrer sind verpflichtet, Sie überall hinzufahren, es sei denn, das *Off-Duty*-Schild ist beleuchtet und weist somit darauf hin, dass der Fahrer Dienstschluss hat.

Der Taxifahrer darf Sie erst dann nach Ihrem Ziel fragen, wenn Sie eingestiegen sind; er darf nicht rauchen und muss – auf Ihren Wunsch – Fenster öffnen oder schließen, weitere Fahrgäste mitnehmen oder aussteigen lassen.

Bei Problemen können Sie sich mit Ihrer Beschwerde an die **Taxi & Limousine Commission** wenden. Neben dem Taxameter müssen ein Foto des Fahrers und dessen Lizenznummer angebracht sein. Notieren Sie sich diese Lizenznummer, wenn Sie Ihre Beschwerde der Commission vortragen wollen.

NÜTZLICHE NUMMERN

Taxi & Limousine Commission
℡ 311.

Fundbüro
℡ 311.

Wenn Sie ein Taxi nicht an der Straße heranwinken wollen, können Sie unter folgenden Telefonnummern ein Funktaxi rufen:

Allstate Car & Limousine
℡ (800) 453-4099.

Chris Limousines
℡ (718) 356-3232.

LimoRes.net
℡ (212) 777-7171.
www.limores.net

Das Taxameter zeigt nur den Fahrpreis an; zusätzliche Gebühren werden extra ausgewiesen.

Das beleuchtete Schild zeigt die Taxinummer sowie eventuell den *Off-Duty*-Schriftzug an.

Mit dem Bus unterwegs

Auf mehr als 200 Linien sind über 4000 blau-weiße Busse im Einsatz, einige davon täglich rund um die Uhr. Die Fahrzeuge sind modern, sauber und klimatisiert, zudem sicher und meist nicht überfüllt. Busse bieten eine gute Gelegenheit, viele Sehenswürdigkeiten New Yorks »im Vorbeifahren« zu entdecken. Rauchen ist in Bussen verboten, ebenso die Mitnahme von Tieren, außer von Blindenhunden.

FAHRKARTEN

Den Fahrpreis können Sie mit einer *MetroCard* (*siehe S. 390*) oder mit dem passenden Kleingeld bezahlen. Busfahrer haben kein Wechselgeld dabei, und die Automaten nehmen keine Dollar-Noten, keine 50-Cent-Münzen und Pennies an.

Wenn Sie mit einen Bus bis zu Ihrem Zielort benützen müssen, können Sie kostenlos umsteigen. Dazu wird auf Ihrer MetroCard eine Freifahrt *bus to subway, subway to local bus* oder *bus to local bus* elektronisch eingetragen. Wenn Sie mit passenden Münzen zahlen, müssen Sie beim Fahrer beim Bezahlen nach einem Umsteigeticket (*transfer ticket*) fragen.

Für Senioren und behinderte Fahrgäste gibt es Ermäßigungen bei den Fahrpreisen. In allen Bussen kann der Einstieg abgesenkt werden, um älteren Menschen und vor allem Rollstuhlfahrern (*siehe S. 370*) das Ein- und Aussteigen zu erleichtern.

Kennzeichnung der Buslinien
Jede Bushaltestelle wird von mehreren Buslinien angefahren. Achten Sie auf die Liniennummern an der Front- und an der Türseite der Busse. Fragen Sie den Fahrer, ob er an Ihrem Ziel hält.

Zum Aussteigen nehmen Sie die hintere Doppeltür.

BUS FAHREN

Busse halten nur an dafür ausgewiesenen Haltestellen. Sie befahren die Nord-Süd-Routen der großen Avenues, Haltestellen gibt es alle zwei bis drei Häuserblocks. Die Busse der Ost-West-Routen stoppen etwa an jedem Häuserblock (*siehe S. 384*). Einige Buslinien fahren rund um die Uhr, andere nur zwischen 7 und 22 Uhr.

Bushaltestellen sind mit roten, weißen und blauen Schildern versehen. Oft gibt es Wartehäuschen, an jeder Haltestelle finden Sie die Routen- und Fahrpläne der Buslinien. Steigen Sie immer vorn ein. Stecken Sie die Metro-Card in den Automaten; mit der Karte können Sie in einen weiteren Bus umsteigen. Bitten Sie den Fahrer, die Haltestelle, an der Sie aussteigen wollen, rechtzeitig bekannt zu geben. Die meisten New Yorker Busfahrer und -fahrerinnen sind freundlich und helfen Besuchern gerne mit Auskünften.

Die Box fürs Fahrgeld befindet sich neben dem Fahrer.

Wartehäuschen haben meist ein Dach und drei Glaswände.

Dieser Fahrplan zeigt die Fahrtroute sowie die wichtigsten Haltestellen der Linie M15.

Wenn Sie aussteigen möchten, ziehen Sie an der gelben oder schwarzen vertikalen Schnur zwischen den Fenstern. Über dem Fahrer leuchtet dann das »*Stop Request*«-Schild auf. Ist der Bus überfüllt, sollte man sich am besten schon einige Blocks vor der gewünschten Ausstiegshaltestelle in Richtung Ausstiegstür begeben.

Verlassen Sie den Bus durch die hintere Tür. Zwar wird sie vom Busfahrer aktiviert, damit sie sich öffnen kann, Sie müssen jedoch kräftig gegen den gelben Streifen an der Tür drücken, um sie tatsächlich zu öffnen.

Die Nummer der Buslinie steht an Front- und Türseite.

Einsteigen müssen Sie an der vorderen Bustür.

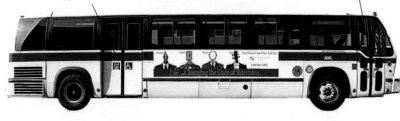

FERNREISEBUSSE

Die Busse in alle Teile der USA und nach Kanada fahren vom Port Authority Bus Terminal ab, die Busse in das Umland von New York und nach New Jersey vom Busbahnhof an der George Washington Bridge in Manhattan. Fahrscheine können Sie am Hauptschalter der Ticket Plaza des Bahnhofs kaufen.

Die Langstrecken-Busunternehmen Greyhound, Peter Pan und Adirondack sowie die Kurzstrecken-Unternehmen Short Line und NJ Transit haben ihre eigenen Fahrkartenschalter. Reservierungen werden bei keiner Buslinie entgegengenommen. An Busbahnhöfen gibt es saubere Toiletten, die von 6 Uhr morgens bis 22 Uhr geöffnet sind.

Greyhound-Bus

BUS-INFOS

Fahrpläne
Erhältlich bei MTA/NYCT, Customer Service Center, 3 Stone Street, Lower Manhattan.

MTA-Reiseinformation
(718) 330-1234 (6–22 Uhr). **www**.mta.info

Port Authority Bus Terminal
W 40th St/8th Ave. **Stadtplan** 8 D1. *(212) 564-8484.* **www**.panynj.gov

George Washington Bridge Terminal
178th St/Broadway. *(800) 221-9903.* **www**.panynj.gov

Fundbüro
(212) 712-4500.

SIGHTSEEING MIT DEM LINIENBUS

Zusammen mit New Yorkern die Stadt entdecken: Die Buslinie M1 fährt von der 59th Street über die Fifth Avenue bis zum Battery Park und von dort zurück durch das Areal um die Wall Street und die Madison Avenue. Die Linie M5 bietet schöne Aussichten auf den Hudson River, da die Busse über den Riverside Drive nach Norden zur George Washington Bridge in der 178th Street fahren. Die Linie M104 führt von den Vereinten Nationen an der First Avenue über 42nd Street und Times Square, Broadway und Lincoln Center nach Norden zur Columbia University in der 125th Street.

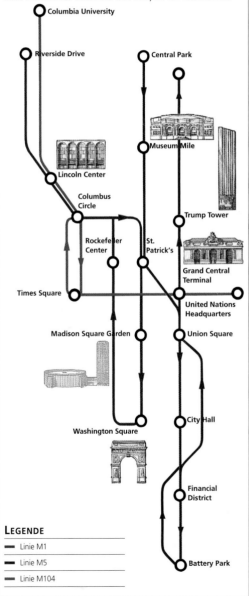

LEGENDE
— Linie M1
— Linie M5
— Linie M104

Stadtplan *siehe Seiten 394–425*

Mit der Subway unterwegs

New York City Subway

Logo der Subway

Die Subway ist die schnellste und bequemste Möglichkeit, sich in der Stadt zu bewegen. Das Subway-Netz umfasst eine Gesamtstrecke von 375 Kilometern mit 468 Stationen. Die meisten Linien fahren rund um die Uhr, wenn auch nachts und an Wochenenden in größeren Zeitabständen. In den letzten Jahren wurde das gesamte System modernisiert, die Waggons sind mittlerweile alle klimatisiert.

NEW YORKS SUBWAY

Viele Stationen der Subway sind durch verschiedene Beleuchtungen gekennzeichnet: Im Bereich mit grünem Licht können Sie rund um die Uhr Fahrscheine kaufen. Der rot beleuchtete Bereich verweist auf eingeschränkten Zugang zu den Bahnsteigen. Stationen erkennen Sie am Schild mit dem Namen der Station und den Buchstaben bzw. Nummern der Linien, die hier verkehren.

Mit wenigen Ausnahmen fahren die Subways 24 Stunden lang, allerdings zwischen Mitternacht und 6 Uhr früh seltener. Es gibt zwei Zugarten: Lokalzüge *(local trains)*, die an allen Stationen halten, und Expresszüge *(express trains)*, die schneller sind und nicht überall halten. Auf den Subway-Fahrplänen sind beide Zugarten unterschiedlich ausgewiesen.

Die Sicherheitsvorkehrungen in der Subway wurden extrem verbessert. Während der Hauptverkehrszeiten (7–19 Uhr) sind Sie hier absolut sicher. Frauen sollten abends nicht allein fahren, nach 22 Uhr ist es für alle ratsam, nicht allein zu fahren.

Steigen Sie in der Mitte des Zuges ein. Vermeiden Sie unnötigen Augenkontakt. Im Notfall wenden Sie sich an die Wache im Stationshäuschen oder an ein Mitglied der Bahn-Crew, die im ersten oder in einem mittigen Abteil des Zugs mitfährt.

FAHRPREISE

Eine Fahrt kostet zwei Dollar, egal wie weit Sie fahren. Der *FunPass* für 7,50 Dollar gilt einen Tag. Mit ihm kann man alle öffentlichen Verkehrsmittel nutzen. Mit der *MetroCard* zahlt man pro Fahrt. Man lädt die Karte mit wenigstens sieben Dollar auf, die man dann abfährt; gleichzeitig erhält man einen Bonuskredit von 15 Prozent. Sieben Tage ist die *Unlimited Ride MetroCard* für 25 Dollar gültig.

Die MetroCard ist auch in Bussen gültig *(siehe S. 388)*. Man erhält sie an 3500 Verkaufsstellen sowie in den Subway-Stationen. Alle Tickets außer Einzelfahrkarten beinhalten das Umsteigen von Subway auf Bus.

INFORMATIONEN
MTA/NYCT [☎] *(718) 330-1234.*
MetroCard-Kundendienst
[☎] *(212) 638-7622.* **www**.mta.info

LINIENPLÄNE

Jede Subway-Linie ist auf den Plänen *(siehe hintere Umschlaginnenseiten)* sowohl farblich als auch durch einen Buchstaben oder eine Nummer und mit den Namen der beiden Endbahnhöfe gekennzeichnet. Lokal- und Expresszüge sowie Umsteige-Stationen sind markiert.

Unter den Stationsnamen stehen die Buchstaben bzw. Nummern der Linien, die dort verkehren. Fett gedruckte Nummern oder Buchstaben zeigen an, dass die Subway-Linie rund um die Uhr fährt (allerdings seltener zwischen 24 und 6 Uhr), dünn gedruckte Nummern oder Buchstaben zeigen eingeschränkte Betriebszeiten an. Eingerahmte Zeichen kennzeichnen die Station als Endstation einer Linie; Expresszüge haben einen Kreis. Subway-Pläne hängen in allen Stationen.

23 Street Station
Uptown & The Bronx
6

Grüne Lampen zeigen an, dass der Schalter unten ständig besetzt ist

Betrieb nur zu bestimmten Zeiten

nur Lokalzüge

Haltestelle für Lokal- und Expresszüge

Subway-Umsteigestationen (kostenlos)

Kostenloser Umstieg bei Störungen (außer bei Einzelfahrkarte)

42 Street–Times Square
N·R S
1·2·3 7 6

Dünn: eingeschränkter Betrieb

Eingerahmt: Endstation der Linie

6 Regelbetrieb

6 Zusätzliche Expresszüge

B N 4

Endhaltestelle

Fett: Betriebszeit 24 Stunden

BENUTZUNG DER SUBWAY

Subways fahren in Nord-Süd-Richtung unter der Lexington Avenue, 6th Avenue, 7th Avenue/Broadway und 8th Avenue. Die Linien N, R, E, F, W und V nach Queens verlaufen in Ost-West-Richtung.

1 Auf den hinteren Umschlaginnenseiten finden Sie einen Plan der New Yorker Subway. Große Detailpläne hängen außerdem unübersehbar in allen Subway-Stationen.

Subway-Plan

Verkaufsschalter

2 Kaufen Sie eine *MetroCard* am Schalter oder am Automaten. Fast alle Automaten akzeptieren Kreditkarten und Scheine bis zu 50 Dollar, aber keine Pennies (1-Cent-Münzen).

3 Schieben Sie die Karte ein, damit sich das Drehkreuz bewegen lässt.

Drehkreuz am Eingang

4 Folgen Sie den Wegweisern zur gewünschten Subway. Halten Sie sich sicherheitshalber in der Nähe der Schalter bzw. nachts in den gelb markierten Wartezonen auf.

Gelb markierte Wartezone

5 Jeder Zug zeigt die Nummer bzw. den Buchstaben der Linie und den Namen der Endstation an.

Anzeige der Linie

6 Einen Übersichtsplan finden Sie am Bahnsteig und in jedem Wagen nahe der Tür der Subway-Linie. Neuere Züge haben elektronische Anzeigen. Alle Stationen werden ausgerufen, auch sind die Stationen gut ausgeschildert. Die Türen werden vom Fahrer geöffnet. Steigen Sie möglichst nicht in leere Waggons ein.

7 Sind Sie an der gewünschten Station angekommen, folgen Sie dem Hinweis zum Ausgang *(exit)* oder, falls Sie umsteigen müssen, den Wegweisern zur Anschluss-Subway-Linie.

Mit dem Zug unterwegs

New York hat zwei große Bahnhöfe: den Grand Central Terminal für Nahverkehrszüge in die nördliche Umgebung und nach Connecticut sowie die Pennsylvania (Penn) Station für den Nahverkehr in die östlichen Vorstädte, für Fernzüge in alle Teile der USA und nach Kanada. Nahverkehrszüge haben in der Regel keinen Speisewagen. Es ist also empfehlenswert, sich vor der Fahrt mit Getränken und Proviant zu versorgen. Platzreservierungen werden nur für Fernzüge entgegengenommen.

Amtrak-Zug

zum Hyde Park, einem Besitz des ehemaligen Präsidenten Franklin D. Roosevelt.

Im Untergeschoss des Bahnhofs verkehren die Subways 4 und 5 der grünen Linie (Lexington) sowie Nummer 7 der violetten Linie (Flushing). Zwischen Grand Central und Times Square gibt es einen Pendelbus. Auch viele Linienbusse halten am Grand Central.

GRAND CENTRAL TERMINAL

Grand Central Terminal *(siehe S. 156f)* an der Park Avenue zwischen 41st und 42nd Street ist der Hauptbahnhof für alle Metro-North-Züge, d. h. für Nahverkehrszüge, die nach Norden und Osten fahren (Linien Hudson, New Haven und Harlem), nach Connecticut sowie in die Countys Westchester, Dutchess und Putnam. Vom Grand Central kommen Sie auch zum Bronx Zoo *(siehe S. 244f)*, zum New York Botanical Garden sowie

MTA Long Island Rail Road

Logo der Long Island Rail Road

PENN STATION

Penn Station, zwischen Seventh und Eighth Avenue sowie 31st und 33rd Street gelegen, ist ein moderner, 1963 umgebauter Bahnhof unterhalb des Madison Square Garden *(siehe S. 135)*. Nahverkehrszüge, Züge nach New Jersey sowie **Amtrak**-Züge in alle Teile der USA und nach Kanada fahren hier ab.

Taxis finden Sie direkt vor dem Bahnhof. Busse fahren auf der Seventh Avenue downtown, auf der Eighth Avenue uptown. Die blauen Subway-Linien A, B und C verkehren an der zur Eighth Avenue hin gelegenen Seite des Bahnhofs, die roten Linien 1, 2 und 3 an der zur Seventh Avenue hin gelegenen Seite. Fahrkartenschalter, -automaten und Warteräume liegen auf Straßenebene, die Züge fahren im Untergeschoss.

Von hier aus können Sie New Jersey und Long Island erreichen, Amtrak-Züge fahren nach Kanada, Philadelphia oder Washington.

Grand Central Terminal

Neben dem Bahnhof befinden sich Schalter und Bahnsteige der **Long Island Rail Road** (LIRR), eines Nahverkehrszugs zu den Ausflugszielen von Long Island, z. B. zu den Hamptons, nach Fire Island und Montauk Point.

PATH-ZÜGE

PATH (Port Authority Trans-Hudson) Trains sind Züge, die rund um die Uhr zwischen New Jersey (Harrison, Hoboken, Jersey City und Newark) und der Penn Station verkehren. Sie halten auch in der Christopher Street, in der Ninth, 14th, 23rd, 33rd Street und in der Avenue of the Americas.

LIRR-Zug in der Penn Station

AMTRAK

Amtrak heißt die staatliche Eisenbahngesellschaft, die zwischen New York und den anderen Städten der USA sowie nach Kanada verkehrt. Amtrak-Züge sind bequem und bieten oft Speise- und »Lounge Cars«, auf längeren Strecken auch Schlafwagen. Einige Strecken werden von besonders schnellen Zügen befahren, etwa vom **Acela**, der Boston via New York mit Washington verbindet.

Fahrscheine kann man bei den Amtrak-Agenturen oder in der Penn Station kaufen; für Fahrscheine, die erst im Zug gelöst werden, muss man einen kräftigen Zuschlag zahlen. Senioren, nicht jedoch Studenten, erhalten eine Fahrpreisermäßigung von 15 Prozent. Reservierungen müssen bis spätestens zehn Tage vor der Abreise vorgenommen werden.

Amtrak bietet ein »Reisepaket«, das »Great American Vacations Package« an, außerdem wechselnde saisonale Sondertarife. Informationen hierzu gibt es in allen Amtrak-Agenturen.

Anzeigetafel in der Penn Station

FAHRKARTEN UND -PLÄNE

Die Schalterhallen der New Yorker Bahnhöfe sind immer voller Menschen. Fahrscheine können Sie in der Regel auch mit Kreditkarte bezahlen. Die angezeigten Preise beziehen sich meist auf eine einfache Fahrt. Rückfahrkarten kosten das Doppelte. Planen Sie verschiedene Fahrten oder Ausflüge, erkundigen Sie sich vorher bei LIRR oder Metro-North, die ständig Sonderangebote offerieren.

Große elektronische Anzeigetafeln informieren über ankommende und abfahrende Züge (Uhrzeit, Herkunfts- bzw. Zielort, Bahnsteignummern). An den Bahnsteigzugängen finden Sie den Fahrplan des jeweiligen Zugs und die wichtigsten Halte- und Umsteigebahnhöfe. Um auf den Bahnsteig zu gelangen, müssen Sie durch eine Sperre, die sich automatisch öffnet, sobald der Zug einfährt. Ihre Fahrkarte wird erst im Zug kontrolliert.

Am Grand Central und in der Penn Station gibt es Toiletten, Banken, Geschäfte, Bars und Restaurants.

BAHNINFORMATIONEN

Acela
((800) 523-8720.
www.amtrak.com

Amtrak Travel Centers
((800) USA-RAIL oder
(800) 872-7245.
www.amtrak.com

Long Island Rail Road (LIRR)
((718) 217-LIRR (Info).
((212) 643 5228 (Fundbüro).
www.mta.info

Metro-North
((212) 532-4900 (Info).
((212) 340-2555 (Fundbüro).
www.mta.info

PATH-Züge
((800) 234-7284.
www.panynj.com

TAGESAUSFLÜGE

Es gibt wunderschöne Plätze außerhalb New Yorks, die Sie, sofern es Ihre Zeit erlaubt, besuchen sollten. Im Folgenden finden Sie einige Ausflugsziele im Umkreis von 200 Kilometern. Genauere Informationen erhalten Sie bei NYC & Company (siehe S. 368).

Phillipsburg Manor, Tarrytown

Stony Brook
Kleiner reizender Ort an der Nordküste. Eingang zum historischen Three Villages District.
🚉 93 Kilometer östlich. Long Island Rail Road ab Penn Station. 2 Stunden.

The Hamptons
Das Beverly Hills von Long Island, mit schicken Bars und Boutiquen, schön gelegen.
🚉 161 Kilometer östlich. Long Island Rail Road ab Penn Station. 2:50 Stunden.

Montauk Point
State Park an der östlichsten Ecke von Long Island mit Blick auf den Ozean.
🚉 193 Kilometer. Long Island Rail Road ab Penn Station. 3 Stunden.

Westbury House, Old Westbury
1906 von John Phipps im Stil einer englischen Villa gestaltet; wunderschöne englische Gartenanlagen.
🚉 39 Kilometer östlich. Long Island Rail Road ab Penn Station. 40 Minuten.

Tarrytown
Washington Irvings Wohnhaus »Sunnyside« und Jay Goulds Villa.
🚉 40 Kilometer nördlich. Metro-North ab Grand Central Terminal, dann Taxi. 40–50 Minuten.

Hyde Park
Besitz von Franklin D. Roosevelt (Springwood) und Vanderbilt-Villa.
🚉 119 Kilometer nördlich. Metro-North ab Grand Central Terminal nach Poughkeepsie, dann Bus. 2 Stunden.

New Haven, Connecticut
Sitz der Yale University.
🚉 119 Kilometer. Metro-North ab Grand Central Terminal. 1:50 Stunden.

Hartford, Connecticut
Mark Twains Haus im Riverboat-Style, Atheneum Museum und Old State House.
🚉 180 Kilometer nördlich. Amtrak ab Penn Station. 2:45 Stunden.

Winterthur, Delaware
Henry du Ponts Sammlung früher amerikanischer Kunst, Museum und Park.
🚉 187 Kilometer südlich. Amtrak ab Penn Station bis Wilmington, dann Bus bis Winterthur. 2 Stunden.

Die Yale University in New Haven, Connecticut

STADTPLAN

Kartenverweise bei Sehenswürdigkeiten, Läden, Restaurants, Bars etc. beziehen sich auf diesen Stadtplan (Erklärung der Kartenverweise *siehe rechts*). Der Stadtplan deckt den Hauptteil Manhattans ab. Die Übersichtskarte *(unten)* zeigt, welche Karte welchen Bereich umfasst. Ein Register der Straßennamen und Sehenswürdigkeiten, die auf den Karten verzeichnet sind, finden Sie auf den folgenden Seiten. Der Stadtplan umfasst alle ausführlich beschriebenen Viertel (farbig markiert) einschließlich aller Straßen, in denen sich Hotels, Restaurants und Bars, Theater, Shops etc. konzentrieren. Wichtige Stellen wie Informationsbüros sind eingetragen.

Bummel auf dem South Street Seaport

0 Kilometer   2

0 Meilen   1

Einklinker auf Karte 1

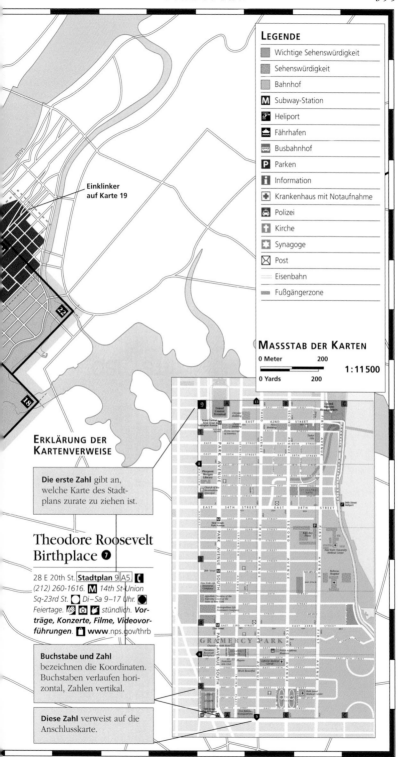

LEGENDE

Wichtige Sehenswürdigkeit

Sehenswürdigkeit

Bahnhof

Ⓜ Subway-Station

🚁 Heliport

⛴ Fährhafen

🚌 Busbahnhof

🅿 Parken

ℹ Information

✚ Krankenhaus mit Notaufnahme

🚓 Polizei

✝ Kirche

✡ Synagoge

⊠ Post

═ Eisenbahn

▬ Fußgängerzone

MASSSTAB DER KARTEN

0 Meter   200

1 : 11 500

0 Yards   200

Einklinker
auf Karte 19

**ERKLÄRUNG DER
KARTENVERWEISE**

Die erste Zahl gibt an,
welche Karte des Stadt-
plans zurate zu ziehen ist.

**Theodore Roosevelt
Birthplace** ❼

28 E 20th St. **Stadtplan 9 A5.** 🄲
(212) 260-1616. Ⓜ *14th St-Union
Sq-23rd St.* ◯ *Di–Sa 9–17 Uhr.* ●
Feiertage. 🈺 ◉ ✔ *stündlich.* **Vorträge, Konzerte, Filme, Videovorführungen.** ▯ www.nps.gov/thrb

Buchstabe und Zahl
bezeichnen die Koordinaten.
Buchstaben verlaufen hori-
zontal, Zahlen vertikal.

Diese Zahl verweist auf die
Anschlusskarte.

Kartenregister

1 & 2 United Nations
Plaza **13 B5**
1st St (Queens) **10 E2**
Fortsetzung **18 E2**
2nd (Front) St
(Queens) **10 E1**
2nd St (Queens) **18 E2**
3rd St (Queens) **18 E2**
4th St (Queens) **18 F2**
5th St (Queens) **10 E1**
Fortsetzung **14 E5**
8th St (Queens) **18 F2**
9th St (Queens) **14 F1**
Fortsetzung **18 F2**
10th St (Queens) **14 F1**
Fortsetzung **18 F5**
11th St (Queens) **14 F1**
Fortsetzung **18 F5**
12th St (Queens) **14 F1**
Fortsetzung **18 F2**
13th St (Queens) **14 F1**
Fortsetzung **18 F4**
14th St (Queens) **18 F2**
21st St (Queens) **14 F3**
26th Ave (Queens) **18 E2**
27th Ave (Queens) **18 E2**
28th Ave (Queens) **18 F3**
30th Ave (Queens) **18 F3**
30th Dr (Queens) **18 F3**
30th Rd (Queens) **18 F3**
31st Ave (Queens) **18 F4**
31st Dr (Queens) **18 F4**
33rd Ave (Queens) **18 F4**
33rd Rd (Queens) **18 F4**
34th Ave (Queens) **18 F5**
34th St Heliport **9 C2**
35th Ave (Queens) **18 F5**
36th Ave (Queens) **14 F1**
37th Ave (Queens) **14 F1**
38th Ave (Queens) **14 F1**
40th Ave (Queens) **14 F2**
41st Ave (Queens) **14 F2**
41st Rd (Queens) **14 F3**
43rd Ave (Queens) **14 E3**
43rd Rd (Queens) **14 F4**
44th Ave (Queens) **14 F4**
44th Dr (Queens) **14 E4**
44th Rd (Queens) **14 F4**
45th Ave (Queens) **14 F4**
45th Rd (Queens) **14 F4**
46th Ave (Queens) **14 F5**
46th Rd (Queens) **14 E5**
47th Ave (Queens) **14 E5**
47th Rd (Queens) **14 E5**
48th Ave (Queens) **14 F5**
50th Ave (Queens) **10 E1**
51st Ave (Queens) **10 E1**
54th (Flushing) Ave
(Queens) **10 E2**
55th Ave (Queens) **10 E2**
56th Ave (Queens) **10 E2**

65th St Transverse
Rd **12 E2**
75½ Bedford St **3 C3**
79th St Transverse
Rd **16 E4**
86th St Transverse
Rd **16 E3**
97th St Transverse
Rd **16 E1**

A

A H Sulzberger
Plaza **20 F3**
Abingdon Sq **3 B1**
Abraham E Kazan
St **5 C4**
Abyssinian Baptist
Church **19 C2**
Adam Clayton Powell, Jr
Blvd (Seventh Ave)
1801–2214 **21 A1–A4**
Fortsetzung
2215–2474 **19 C1–C3**
Aerial Tramway **13 B3**
African Sq **21 B1**
Albany St **1 B3**
Algonquin Hotel **12 F5**
Alice in Wonderland
16 F5
Alice Tully Hall **11 C2**
Allen St **5 A3**
Alwyn Court
Apartments **12 E3**
American Museum of
Natural History **16 D5**
American Standard
Building **8 F1**
American Stock
Exchange **1 B3**
Amsterdam Ave
1–278 **11 C1–C3**
Fortsetzung
279–855 **15 C1–C5**
856–1435 **20 E1–E5**
1436–1701 **19 A1–A3**
Andrew's Plaza **1 C1**
Ann St **1 C2**
Ansonia Hotel **15 C5**
Apollo Theater **21 A1**
Appellate Division of the
Supreme Court of
the State of NY **9 A4**
Asia Society **13 A1**
Asser Levy Pl **9 C4**
Astor Pl **4 F2**
Astoria Blvd
(Queens) **18 F3**
Astoria Park South
(Queens) **18 F1**
AT & T Building **1 C2**

Athletic Field **6 D2**
Attorney St **5 B3**
Aunt Len's Doll and
Toy Museum **19 A1**
Ave A 1–210 **A1–A3**
Ave B 1–215 **B1–B2**
Ave C 1–212 **C1–C2**
Ave C 213–277 **10 D4–D5**
Ave D 1–199 **5 C1–C2**
Ave of the Americas
(Sixth Ave)
1–509 **4 D1–E5**
Fortsetzung
510–1125 **8 E1–E5**
1126–1421 **12 F3–F5**
Ave of the Finest **2 D1**
Avery Fisher Hall **12 D2**

B

Bank of New York **1 C3**
Bank St **3 B2**
Barclay St **1 B2**
Barrow St **3 B3**
Baruch Pl **6 D3**
Battery Maritime
Building **1 C4**
Battery Park **1 B4**
Battery Park City **1 A3**
Battery Park City
Heliport **1 B4**
Battery Place **1 B4**
Battery Plaza **1 C4**
Baxter St **2 D1**
Fortsetzung **4 F4**
Bayard St **4 F5**
Bayard-Condict
Building **4 F3**
Beach St **4 D5**
Beaver St **1 C3**
Bedford St **3 C2**
Beekman Downtown
Hospital **1 C2**
Beekman Pl **13 C5**
Beekman St **1 C2**
Bellevue Hospital **9 C3**
Belmont Island **10 D1**
Belvedere Castle **16 E4**
Benjamin Franklin
Plaza **22 E5**
Benson St **4 E5**
Berry St (Brooklyn) **6 F1**
Beth Israel Medical
Center **9 B5**
Bethesda Fountain
and Terrace **12 E1**
Bethune St **3 B2**
Bialystoker Pl **5 C4**
Bialystoker
Synagogue **5 C4**
Bird Sanctuary **12 F3**

Blackwell Park
(Roosevelt Island) **14 E1**
Fortsetzung **18 E5**
Bleecker St **3 C2**
Block Beautiful **9 A5**
Bloomfield St **3 A1**
Bloomingdale's **13 A3**
Boat Basin **15 B5**
Boat House **16 F5**
Boathouse **21 B4**
Bond Alley **4 F2**
Borden Ave (Queens) **10 F1**
Bow Bridge **16 E5**
Bowery **4 F2**
Fortsetzung **5 A4**
Bowling Green **1 C4**
Box St (Brooklyn) **10 F2**
Bradhurst Ave **19 B1**
Bridge St **1 C4**
Broad St **1 C3**
Broadway (Brooklyn) **6 F3**
Broadway
1–320 **1 C1–C3**
Fortsetzung
321–842 **4 E1–E5**
843–1472 **8 E1–F5**
1473–1961 **12 D2–E5**
1962–2081 **11 C1**
2082–2675 **15 C1–C5**
2676–3200 **20 E1–E5**
Broadway
(Queens) **18 F4**
Broadway Alley **9 A3**
Brooklyn Bridge **2 E2**
Brooklyn–Queens
Expressway 278
(Brooklyn) **2 F3**
Broome St **4 D4**
Fortsetzung **5 A4**
Bryant Park **8 F1**
Butler Library **20 E3**

C

Cabrini Medical
Center **9 B5**
Calvin Ave **7 C2**
Canal St **3 C4**
Fortsetzung **5 A5**
Cannon St **5 C4**
Cardinal Hayes St **2 D1**
Cardinal St **2 D1**
Cardinal Stepinac
Plaza **7 C1**
Carl Schurz
Park **18 D3**
Carlisle St **1 B3**
Carmine St **4 D3**
Carnegie Hall **12 E3**
Castle Clinton National
Monument **1 B4**

Cathedral of St. John
  the Divine **20 F4**
Cathedral Parkway **20 E4**
Catherine La **4 E5**
Catherine Slip **2 E1**
Catherine St **2 E1**
Cedar St **1 B3**
Central Park **12 E1**
  Fortsetzung **16 E1**
  Fortsetzung **21 A5**
Central Park
  North **21 A4**
Central Park South
  (Olmsted Way) **12 E3**
Central Park West
  1–130 **12 D1–D3**
  Fortsetzung
  131–418 **16 D1–D5**
  419–480 **21 A4–A5**
Central Park Wildlife
  Conservation
  Center **12 F2**
Central Synagogue **13 A4**
Centre Market Pl **4 F4**
Centre St **1 C1**
  Fortsetzung **4 F4**
Century Apartments **12 D2**
Chamber of
  Commerce **1 C3**
Chambers St **1 A1**
Chanin Building **9 A1**
Charles Lane **3 B2**
Charles St **3 B2**
Charlton St **3 C4**
Chase Manhattan
  Bank **1 C3**
Chelsea Historic
  District **7 C5**
Chelsea Hotel **8 D4**
Chelsea Park **7 C3**
Cherokee Place **17 C5**
Cherry Hill **12 E1**
Cherry St **2 E1**
  Fortsetzung **5 B5**
Children's Museum
  of Manhattan **15 C4**
Children's Zoo **12 F2**
Chinatown **4 F5**
Christopher Park **4 D2**
Christopher St **3 C2**
Chrysler Building **9 A1**
Chrystie St **5 A3**
Church of the
  Ascension **4 E1**
Church of the Holy
  Trinity **17 B3**
Church of the Incarnation
  Episcopal **9 A2**
Church St **1 B1**
  Fortsetzung **4 E5**
Circle Line Boat Trip **7 A1**
Citicorp Center **13 A4**

City Center of Music
  and Drama **12 E4**
City College of the
  University of New
  York **19 A2**
City Hall **1 C1**
City Hall Park **1 C1**
Claremont Ave **20 E1**
Clark St
  (Brooklyn) **2 F3**
Clarkson St **3 C3**
Clay St
  (Brooklyn) **10 F2**
Cleveland Pl **4 F4**
Cliff St **2 D2**
Clinton St **5 B3**
Coenties Alley **1 C3**
Collister St **4 D5**
Colonnade Row **4 F2**
Columbia Heights
  (Brooklyn) **2 F3**
Columbia St **5 C3**
Columbia University **20 E3**
Columbus Ave
  1–239 **12 D1–D3**
  Fortsetzung
  240–895 **16 D1–D5**
  896–1021 **20 F4–F5**
Columbus Circle **12 D3**
Columbus Park **4 F5**
Commerce St **3 C2**
Commercial St
  (Brooklyn) **10 F2**
Con Edison
  Headquarters **9 A5**
Confucius Plaza **5 A5**
Conrail Piers **11 A2**
Conservatory
  Garden **21 B5**
Conservatory
  Water **16 F5**
Convent Ave
  52–336 **19 A1–A3**
  Fortsetzung **20 F1**
Convent Hill **20 F1**
Cooper–Hewitt
  Museum **16 F2**
Cooper Sq **4 F2**
Cooper Union
  Building **4 F2**
Corlears Hook **6 D5**
Corlears Hook
  Park **6 D4**
Cornelia St **4 D2**
Cortlandt Alley **4 E5**
Cortlandt St **1 B2**
Cranberry St
  (Brooklyn) **2 F3**
Criminal Courts
  Building **4 F5**
Crosby St **4 E4**
Cunard Building **1 C3**

D

Dairy, The **12 F2**
Dakota, The **12 D1**
Damrosch Park **11 C2**
Dante Park **12 D2**
De Witt Clinton Park **11 B4**
Delacorte Theater **16 E4**
Delancey St **5 A4**
Delancey St South **5 C4**
Desbrosses St **3 C5**
Dey St **1 C2**
Diamond Row **12 F5**
Division Ave
  (Brooklyn) **6 F4**
Division St **5 A5**
Dock St (Brooklyn) **2 E2**
Dominick St **4 D4**
Dorilton, The **11 C1**
Doris C. Freedman
  Plaza **12 F3**
Doughty St
  (Brooklyn) **2 F3**
Dover St **2 D2**
  Fortsetzung **5 A5**
Downing St **4 D3**
Downtown Athletic
  Club **1 B4**
Downtown Manhattan
  Heliport **2 D4**
Duane Park **1 B1**
Duane St **1 B1**
Duffy Sq **12 E5**
Duke Ellington
  Blvd **20 E5**
Dunham Pl
  (Brooklyn) **6 F3**
Dupont St
  (Brooklyn) **10 F3**
Dutch St **1 C2**
Dyer Ave **7 C1**

E

Eagle St (Brooklyn) **10 F3**
East 1st St **4 F3**
  Fortsetzung **5 A3**
East 2nd St **4 F2**
  Fortsetzung **5 A2**
East 3rd St **4 F2**
  Fortsetzung **5 A2**
East 4th St **4 F2**
  Fortsetzung **5 A2**
East 5th St **4 F2**
  Fortsetzung **5 A2**
East 6th St **4 F2**
  Fortsetzung **5 A2**
East 7th St **4 F2**
  Fortsetzung **5 A2**
East 8th St **4 F2**
  Fortsetzung **5 B2**
East 9th St **4 F1**
  Fortsetzung **5 A1**
East 10th St **4 F1**
  Fortsetzung **5 A1**

East 11th St **4 F1**
  Fortsetzung **5 A1**
East 12th St **4 F1**
  Fortsetzung **5 A1**
East 13th St **4 F1**
  Fortsetzung **5 A1**
East 14th St **4 F1**
  Fortsetzung **5 A1**
East 15th St **8 F5**
  Fortsetzung **9 A5**
East 16th St **8 F5**
  Fortsetzung **9 A5**
East 17th St **8 F5**
  Fortsetzung **9 A5**
East 18th St **8 F5**
  Fortsetzung **9 A5**
East 19th St **8 F5**
  Fortsetzung **9 A5**
East 20th St **8 F5**
  Fortsetzung **9 A5**
East 21st St **8 F4**
  Fortsetzung **9 A4**
East 22nd St **8 F4**
  Fortsetzung **9 A4**
East 23rd St **8 F4**
  Fortsetzung **9 A4**
East 24th St **9 A4**
East 25th St **9 A4**
East 26th St **9 A4**
East 27th St **8 F3**
  Fortsetzung **9 A3**
East 28th St **8 F3**
  Fortsetzung **9 A3**
East 29th St **8 F3**
  Fortsetzung **9 A3**
East 30th St **8 F3**
  Fortsetzung **9 A3**
East 31st St **8 F3**
  Fortsetzung **9 A3**
East 32nd St **8 F3**
  Fortsetzung **9 A3**
East 33rd St **8 F2**
  Fortsetzung **9 A2**
East 34th St **8 F2**
  Fortsetzung **9 A2**
East 35th St **8 F2**
  Fortsetzung **9 A2**
East 36th St **8 F2**
  Fortsetzung **9 A2**
East 37th St **8 F2**
  Fortsetzung **9 A2**
East 38th St **8 F2**
  Fortsetzung **9 A2**
East 39th St **8 F1**
  Fortsetzung **9 A1**
East 40th St **8 F1**
  Fortsetzung **9 A1**
East 41st St **8 F1**
  Fortsetzung **9 A1**
East 42nd St **8 F1**
  Fortsetzung **9 A1**
East 43rd St **8 F1**
  Fortsetzung **9 A1**

Hinter den Straßennamen außerhalb von Manhattan steht der Name des Stadtteils

East 44th St **12 F5**
Fortsetzung **13 A5**
East 45th St **12 F5**
Fortsetzung **13 A5**
East 46th St **12 F5**
Fortsetzung **13 A5**
East 47th St **12 F5**
Fortsetzung **13 A5**
East 48th St **12 F5**
Fortsetzung **13 A5**
East 49th St **12 F5**
Fortsetzung **13 A5**
East 50th St **12 F4**
Fortsetzung **13 A4**
East 51st St **12 F4**
Fortsetzung **13 A4**
East 52nd St **12 F4**
Fortsetzung **13 A4**
East 53rd St **12 F4**
Fortsetzung **13 A4**
East 54th St **12 F4**
Fortsetzung **13 A4**
East 55th St **12 F4**
Fortsetzung **13 A4**
East 56th St **12 F3**
Fortsetzung **13 A3**
East 57th St **12 F3**
Fortsetzung **13 A3**
East 58th St **12 F3**
Fortsetzung **13 A3**
East 59th St **12 F3**
Fortsetzung **13 A3**
East 60th St **12 F3**
Fortsetzung **13 A3**
East 61st St **12 F3**
Fortsetzung **13 A3**
East 62nd St **12 F2**
Fortsetzung **13 A2**
East 63rd St **12 F2**
Fortsetzung **13 A2**
East 64th St **12 F2**
Fortsetzung **13 A2**
East 65th St **12 F2**
Fortsetzung **13 A2**
East 66th St **12 F2**
Fortsetzung **13 A2**
East 67th St **12 F2**
Fortsetzung **13 A2**
East 68th St **12 F1**
Fortsetzung **13 A1**
East 69th St **12 F1**
Fortsetzung **13 A1**
East 70th St **12 F1**
Fortsetzung **13 A1**
East 71st St **12 F1**
Fortsetzung **13 A1**
East 72nd St **12 F1**
Fortsetzung **13 A1**
East 73rd St **12 F1**
Fortsetzung **13 A1**
East 74th St **16 F5**
Fortsetzung **17 A5**

East 75th St **16 F5**
Fortsetzung **17 A5**
East 76th St **16 F5**
Fortsetzung **17 A5**
East 77th St **16 F5**
Fortsetzung **17 A5**
East 78th St **16 F5**
Fortsetzung **17 A5**
East 79th St **16 F4**
Fortsetzung **17 A4**
East 80th St **16 F4**
Fortsetzung **17 A4**
East 81st St **16 F4**
Fortsetzung **17 A4**
East 82nd St **16 F4**
Fortsetzung **17 A4**
East 83rd St **16 F4**
Fortsetzung **17 A4**
East 84th St **16 F4**
Fortsetzung **17 A4**
East 85th St **16 F3**
Fortsetzung **17 A3**
East 86th St **16 F3**
Fortsetzung **17 A3**
East 87th St **16 F3**
Fortsetzung **17 A3**
East 88th St **16 F3**
Fortsetzung **17 A3**
East 89th St **16 F3**
Fortsetzung **17 A3**
East 90th St **16 F3**
Fortsetzung **17 A3**
East 91st St **16 F2**
Fortsetzung **17 A2**
East 92nd St **16 F2**
Fortsetzung **17 A2**
East 93rd St **16 F2**
Fortsetzung **17 A2**
East 94th St **16 F2**
Fortsetzung **17 A2**
East 95th St **16 F2**
Fortsetzung **17 A2**
East 96th St **16 F2**
Fortsetzung **17 A2**
East 97th St **16 F1**
Fortsetzung **17 A1**
East 98th St **16 F1**
Fortsetzung **17 A1**
East 99th St **17 A1**
East 100th St **16 F1**
Fortsetzung **17 A1**
East 101st St **16 F1**
Fortsetzung **17 A1**
East 102nd St **16 F1**
Fortsetzung **17 A1**
East 103rd St **21 C5**
East 104th St **21 C5**
East 105th St **21 C5**
East 106th St **21 C5**
East 107th St **21 C5**
East 108th St **21 C4**
East 109th St **21 C4**
East 110th St **21 C4**

East 111th St **21 C4**
East 112th St **21 C4**
East 113th St **22 D4**
East 114th St **22 E3**
East 115th St **21 C3**
East 116th St (Luis Muñoz
Marin Blvd) **21 C3**
East 117th St **21 C3**
East 118th St **21 C3**
East 119th St **21 C3**
East 120th St **21 C2**
East 121st St **21 C2**
East 122nd St **21 C2**
East 123rd St **21 C2**
East 124th St **21 C2**
East 125th St (Martin
Luther King
Jr Blvd) **21 C1**
East 126th St **21 C1**
East 127th St **21 C1**
East 128th St **21 C1**
East 129th St **21 C1**
East 130th St **21 C1**
East Broadway **5 A5**
East Channel **14 E1**
Fortsetzung **18 E5**
East Coast War
Memorial **1 C4**
East Dr **12 F1**
Fortsetzung **16 F1**
Fortsetzung **21 B5**
East End Ave **18 D3**
East Green **12 F1**
East Houston St **4 F3**
Fortsetzung **5 A3**
East Meadow **16 F1**
East Rd (Roosevelt
Island) **14 D2**
East River **2 E5**
Fortsetzung **10 D1**
Fortsetzung **18 E1**
East River Park **6 D1**
East River
Residences **13 C3**
East Village **5 B2**
Edgar Allan Poe St **15 B4**
Edgar St **1 B3**
Edgecombe Ave **19 B1**
Eighth Ave
1–79 **3 C1**
Fortsetzung
80–701 **8 D1–D5**
702–948 **12 D3–D5**
Eldorado
Apartments **16 D3**
Eldridge St **5 A3**
Eldridge Street
Synagogue **5 A5**
Eleventh Ave
1–25 **3 A1**
Fortsetzung
26–572 **7 B1–B4**
573–885 **11 B3–B5**

Elizabeth St **4 F3**
Elk St **1 C1**
Ellis Island **1 A4**
Ellis Island Ferry **1 C4**
Empire Diner **7 C4**
Empire State Building **8 F2**
Engine Company
No. 31 **4 F5**
Ericsson Pl **4 D5**
Essex St **5 B3**
Everitt St (Brooklyn) **2 F2**
Exchange Alley **1 C3**
Exchange Pl **1 C3**
Extra Pl **4 F3**

F

Fashion Ave (Seventh
Ave) 15th–43rd **8 E1–E5**
Father Demo Sq **4 D2**
Father Fagan Sq **4 D3**
Federal Hall **1 C3**
Federal Office **1 B2**
Federal Reserve Bank **1 C2**
Fifth Ave
1–83 **4 E1–E2**
Fortsetzung
84–530 **8 F1–F5**
531–910 **12 F1–F5**
(Museumsmeile)
911–1208 **16 F1–F5**
1209–2116 **21 C1–C5**
Finn Sq **4 D5**
Fire Boat Station **3 A1**
Fireboat Station **6 D4**
First Ave
1–240 **5 A1–A3**
Fortsetzung
241–850 **9 C1–C5**
851–1361 **13 C1–C5**
1362–1933 **17 C1–C5**
1934–2323 **22 E1–E5**
First Pl **1 B4**
First Presbyterian
Church **4 D1**
Flatiron Building **8 F4**
Fletcher St **2 D3**
Flushing Ave **10 E2**
Forbes Building **4 E1**
Fordham
University **11 C3**
Forsyth St **5 A3**
Fourth Ave **4 F1**
Frankfort St **1 C1**
Franklin D. Roosevelt
Dr (East River Dr)
Grand–6th **6 D2–D4**
Fortsetzung
7th–14th **5 C1–C2**
15th–20th **10 D4–E5**
21st–45th **9 C1–C4**
46th–64th **13 C2–C5**
65th–73rd **14 D1–D2**
74th–90th **18 D3–D5**

Franklin D. Roosevelt
Fortsetzung
91st–101st **17 C1–C2**
102nd–130th **22 D1–E5**
Franklin Pl **4 E5**
Franklin St **4 D5**
Franklin St
(Brooklyn) **10 F3**
Fraunces Tavern **1 C4**
Frawley Circle **21 B4**
Fred F. French
Building **12 F5**
Frederick Douglass
Ave (Eighth Ave) **21 A1**
Fortsetzung **19 B1**
Frederick Douglass
Circle **21 A4**
Freedom Pl **11 B1**
Freeman Alley **4 F3**
Freeman St
(Brooklyn) **10 F3**
Frick Collection **12 F1**
Front St **2 D2**
Fuller Building **13 A3**
Fulton St **1 C2**
Furman St (Brooklyn) **2 F3**
Fußgängerbrücke **20 E3**

G

Gansevoort St **3 B1**
Gay St **4 D2**
General Electric
Building **13 A4**
General Post Office **8 D1**
General Theological
Seminary **7 C4**
Gold St **2 D2**
Gouverneur Slip **5 C5**
Gouverneur St **5 C4**
Governeur St **2 D3**
Governors Island
Ferry **2 D4**
Grace Church **4 F1**
Gracie Mansion **18 D3**
Gracie Sq **18 D4**
Gracie Terrace **18 D4**
Gramercy Park **9 A4**
Grand Army Plaza **12 F3**
Grand Central
Terminal **9 A1**
Fortsetzung **13 A5**
Grand St **4 D4**
Fortsetzung **5 A4**
Grand St (Brooklyn) **6 F2**
Grant's Tomb **20 D2**
Great Jones St **4 F2**
Greeley Sq **8 F2**
Green St
(Brooklyn) **10 F3**
Greene St **4 E2**
Greenpoint Ave
(Brooklyn) **10 F4**

Greenwich Ave **3 C1**
Greenwich St **1 B1**
Fortsetzung **3 B1**
Greenwich Village **4 E2**
Group Health Insurance
Building **8 D1**
Grove Court **3 C2**
Grove Pl **3 C2**
Grove St **3 C2**
Guggenheim
Bandshell **11 C2**
Gustave Hartman Sq **5 B3**

H

Hallets Cove
(Queens) **18 F3**
Hamilton Fish Park **5 C3**
Hamilton Grange National
Monument **19 A1**
Hamilton Heights
Historic District **19 A2**
Hamilton Pl **19 A1**
Hamilton Ter **19 A1**
Hammarskjöld
Plaza **13 B5**
Hancock Pl **20 F2**
Hancock Sq **20 F2**
Hanover Sq **1 C3**
Hanover St **1 C3**
Harlem Meer **21 B4**
Harlem River **18 D1**
Fortsetzung **22 E1**
Harlem YMCA **19 C3**
Harrison St **1 A1**
Fortsetzung **4 D5**
Harry Delancey Plaza **5 C4**
Harry Howard Sq **4 F5**
Haughwout Building **4 E4**
Hayden Planetarium **16 D4**
Heckscher
Playground **12 E1**
Hell Gate **18 F1**
Helmsley Building **13 A5**
Henderson Pl **18 D3**
Henry Hudson
Parkway 9A **11 B1**
Fortsetzung **15 B1**
Fortsetzung **20 D1**
Henry J. Browne
Blvd **15 B3**
Henry St **2 D1**
Fortsetzung **5 A5**
Herald Sq **8 E2**
Hester St **4 F5**
Fortsetzung **5 A4**
Hogan Pl **4 F5**
Holland Tunnel **3 A5**
Home Savings of
America **9 A1**
Horatio St **3 B1**
Hotel des Artistes **12 D2**
Howard St **4 E5**
Hubert St **3 C5**

Hudson Pk **3 C3**
Hudson River **1 A2**
Fortsetzung **3 A2**
Fortsetzung **7 A1**
Fortsetzung **11 A1**
Fortsetzung **15 A1**
Fortsetzung **19 C4**
Hudson St **1 B1**
Fortsetzung **3 B1**
Hugh O'Neill Dry Goods
Store **8 E4**
Hunter College **13 A1**
Huron St (Brooklyn) **10 F3**

I

IBM Building **12 F3**
Independence Plaza **1 A1**
Fortsetzung **4 D5**
India St
(Brooklyn) **10 F3**
International Center of
Photography **16 F2**
Intrepid Sea-Air-Space
Museum **11 A5**
Irving Trust Operation
Center **1 B2**
Isaacs-Hendricks
House **3 C2**

J

Jackie Robinson
Park **19 B1**
Jackson Ave
(Queens) **10 F1**
Fortsetzung **14 F5**
Jackson Sq **3 C1**
Jackson St **5 C4**
Jacob K. Javits Convention
Center **7 B2**
James St **2 D1**
Jane St **3 B1**
Japan Society **13 B5**
Java St
(Brooklyn) **10 F4**
Jay St **1 B1**
Jeanelle Park **2 D4**
Jefferson Market
Courthouse **4 D1**
Jefferson Park **22 E4**
Jefferson St **5 B5**
Jersey St **4 F3**
Jewish Center **15 C3**
Jewish Museum **16 F2**
Jewish Theological
Seminary **20 E2**
Joan of Arc Park **15 B2**
John Jay Park **18 D5**
Jones Alley **4 F3**
Jones St **4 D2**
J. P. Ward St **1 B3**
Judson Memorial
Church **4 D2**
Juilliard School **11 C2**

K

Kenmare St **4 F4**
Kent Ave **6 F1**
Kent St (Brooklyn) **10 F4**
King St **3 C3**
Kips Bay Plaza **9 B3**
Knickerbocker
Village **2 E1**

L

La Guardia Pl **4 E2**
La Salle St **20 E2**
Lafayette St **1 C1**
Fortsetzung **4 F2**
Laight St **3 C5**
Langston Hughes Pl **21 C1**
Lasker Rink and
Pool **21 B4**
Legion Sq **1 C3**
Lennox Hill
Hospital **17 A5**
Lenox Ave
119–397 **21 B1–B4**
Fortsetzung
398–659 **19 C1–C3**
Leonard St **4 D5**
Leroy St **4 D2**
Lever House **13 A4**
Lewis St **6 D4**
Lexington Ave
1–194 **9 A1–A4**
Fortsetzung
195–1003 **13 A1–A5**
1004–1611 **17 A1–A5**
1612–2118 **22 D1–D5**
Liberty Island **1 A5**
Liberty Island Ferry **1 C4**
Liberty Pl **1 C2**
Liberty Plaza **1 B3**
Liberty St **1 B2**
Lighthouse Park
(Roosevelt Island) **18 E3**
Lincoln Center **11 C2**
Lincoln Plaza **12 D2**
Lincoln Sq **12 D2**
Lincoln Tunnel **7 A1**
Lispenard St **4 E5**
Little Church Around
the Corner **8 F3**
Little Italy **4 F4**
Little West 12th St **3 B1**
Long Island City **14 F2**
Long Island City Station
(Queens) **10 F1**
Louis Guvillier Park **22 E2**
Low Library **20 E3**
Lower East Side
Tenement Museum **5 A4**
Lower Manhattan **1 C1**
Ludlow St **5 A3**
Luis Muñoz Marin Blvd
(E 116th St) **21 C3**
Lyceum Theater **12 E5**

M

McCarthy Sq **3 C1**
MacDougal Alley **4 D2**
MacDougal St **4 D2**
Macy's **8 E2**
Madison Ave
1–332 **9 A1–A4**
Fortsetzung
333–920 **13 A1–A5**
921–1449 **17 A1–A5**
1450–2057 **21 C1–C5**
Madison Sq Garden **8 D2**
Madison Sq Park **8 F4**
Madison Sq Plaza **8 F4**
Madison St **2 D1**
Fortsetzung **5 B5**
Maiden Lane **1 C2**
Main Ave (Queens) **18 F3**
Main St (Roosevelt
Island) **14 D1**
Fortsetzung **18 E5**
Majestic Apartments **12 D1**
Malcolm X Boulevard
(Lenox Ave) **21 B3**
Mangin St **6 D3**
Manhattan Ave
(Brooklyn) **10 F2**
Manhattan Ave **20 F2**
Manhattan Bridge **2 F1**
Manhattan Community
College **1 A1**
Fortsetzung **4 D5**
Manhattan Marina **10 D4**
Marble Collegiate
Reformed Church **8 F3**
Marcus Garvey Park **21 B2**
Mark Twain's House **4 E1**
Market Slip **2 E1**
Market St **2 E1**
Fortsetzung **5 A5**
Marketfield St **1 C4**
Martin Luther King, Jr
Blvd (W 125th St) **20 E1**
Fortsetzung **21 C1**
Memorial Hospital **13 C1**
Mercer St **4 E2**
Merrill Lynch Liberty
Plaza **1 C2**
MetLife Building **13 A5**
Metropolitan Ave
(Brooklyn) **6 F2**
Metropolitan Life Insurance
Company **9 A4**
Metropolitan Museum
of Art **16 F4**
Metropolitan Opera
House **11 C2**
Middagh St (Brooklyn) **2 F3**
Mill Lane **1 C3**
Mill Rock Park **18 D2**
Miller Hwy **11 B2**
Milligan Pl **4 D1**

Minetta La **4 D2**
Minetta St **4 D2**
Monroe St **2 E1**
Fortsetzung **5 B5**
Montgomery St **5 C5**
MONY Tower **12 E4**
Moore St **1 C4**
Morgan Library **9 A2**
Morningside Ave **20 F2**
Morningside Dr **20 F2**
Morningside Park **20 F2**
Morris St **1 B4**
Morton St **3 C3**
Mosco St **4 F5**
Mott St **4 F3**
Mount Morris Historic
District **21 B2**
Mount Morris Park
West **21 B2**
Mount Sinai Medical
Center **16 F1**
Mount Vernon Hotel
Museum **13 C2**
Mulberry St **4 F3**
Mulry Sq **3 C1**
Municipal Building **1 C1**
Murray St **1 A2**
Museo del
Barrio **21 C5**
Museum of American
Folk Art **12 D2**
Museum of American
Illustration **13 A2**
Museum of Arts &
Design **12 F4**
Museum of
Modern Art **12 D3**
Museum of the
City of New York **21 C5**
Museumsmeile **16 F1–F4**

N

Nassau St **1 C2**
National Academy
Museum **16 F3**
National Arts Club **9 A5**
N D Perlman Pl **9 B5**
Naumberg
Bandshell **12 F1**
New Amsterdam
Theater **8 E1**
New Museum of
Contemporary Art **4 F3**
New St **1 C3**
News Building **9 B1**
New York Historical
Society **16 D5**
NYC Dept of Ports
and Terminals **5 C5**
NYC Fire Museum **4 D4**
NYC Passenger Ship
Terminal (Port
Authority) **11 B4**

NYC Technical
College **7 C1**
NY County
Courthouse **2 D1**
NY Hospital **13 C1**
NY Life Insurance
Company **9 A3**
NY Paley Center
for Media **12 F4**
New York Plaza **2 D4**
NY Public Library **8 F1**
NY State Building **4 F5**
NY State Theater **12 D2**
NY Stock
Exchange **1 C3**
NY Telephone
Company **1 B2**
NY University **4 E2**
NY University Law
Center **4 D2**
NY University Medical
Center **9 C3**
NY Yacht Club **12 F5**
Newton Creek **10 F2**
Ninth Ave
44–581 **8 D1–D5**
Fortsetzung
582–908 **12 D3–D5**
Norfolk St **5 B3**
North 1st St
(Brooklyn) **6 F2**
North 3rd St
(Brooklyn) **6 F2**
North 4th St
(Brooklyn) **6 F2**
North 5th St
(Brooklyn) **6 F1**
North 7th St
(Brooklyn) **6 F1**
North 8th St
(Brooklyn) **6 F1**
North 9th St
(Brooklyn) **6 F1**
North Cove
Yacht Harbor **1 A2**
North End Ave **1 A1**
North General
Hospital **21 C2**
North Meadow **16 E1**
North Moore St **4 D5**

O

Old Broadway **20 E1**
Old Fulton St
(Brooklyn) **2 F2**
Old Merchant's
House **4 F2**
Old NY County
Courthouse **1 C1**
Old St Patrick's
Cathedral **4 F3**
Old Slip **2 D3**

Oliver St **2 D1**
Orange St
(Brooklyn) **2 F3**
Orchard St **5 A3**

P

Pace Plaza **1 C1**
Pace University **1 C2**
Paladino Ave **22 E2**
Paramount
Building **8 E1**
Park Ave
1–239 **9 A1–A2**
Fortsetzung
240–759 **13 A1–A5**
760–1300 **17 A1–A5**
1301–1937 **21 C1–C5**
Park Ave South **9 A3–A5**
Park Pl **1 A1**
Park Row **1 C2**
Park St **1 C1**
Parkway **5 C3**
Patchin Pl **4 D1**
Pearl St **1 C4**
Peck Slip **2 D2**
Pell St **4 F5**
Pennsylvania Plaza **8 E3**
Pennsylvania Station **8 E2**
Peretz Sq **5 A3**
Perry St **3 B2**
Pershing Sq **9 A1**
Peter Minuit Plaza **1 C4**
Phillip Randolph Sq **21 A3**
Pier 1 (Brooklyn) **2 F3**
Pier 2 (Brooklyn) **2 F3**
Pier 3 (Brooklyn) **2 F4**
Pier 4 (Brooklyn) **2 F4**
Pier 5 (Brooklyn) **2 F5**
Pier 6 (Brooklyn) **2 F5**
Pier 9 **2 D4**
Pier 11 **2 D3**
Pier 13 **2 E3**
Pier 14 **2 E3**
Pier 15 **2 E3**
Pier 16 **2 E3**
Pier 17 **2 E3**
Pier 18 **2 E2**
Pier 21 **1 A1**
Pier 25 **1 A1**
Pier 26 **3 C5**
Pier 27 **3 C5**
Pier 28 **3 C5**
Pier 29 **3 B5**
Pier 32 **3 B5**
Pier 34 **3 B4**
Pier 35 **2 F1**
Pier 40 **3 B4**
Pier 42 **3 B3**
Pier 44 **6 D5**
Pier 45 **3 B3**
Pier 46 **3 A3**
Pier 48 **3 A2**
Pier 49 **3 A2**

Pier 50	3 A2
Pier 51	3 A2
Pier 52	3 A1
Pier 53	3 A1
Pier 54	3 A1
Pier 56	3 A1
Pier 57	7 B5
Pier 58	7 B5
Pier 59	7 B5
Pier 60	7 B5
Pier 61	7 B5
Pier 62	7 B4
Pier 64	7 A4
Pier 66	7 A3
Pier 67	10 D5
Pier 68	10 D5
Pier 69	10 D4
Pier 70	10 D4
Pier 72	7 A3
Pier 76	7 A2
Pier 81	7 A1
Pier 83	7 A1
Pier 84	11 A5
Pier 86	11 A5
Pier 88	11 A5
Pier 90	11 A4
Pier 92	11 A4
Pier 94	11 A4
Pier 95	11 A4
Pier 96	11 A3
Pier 97	11 A3
Pier 98	11 A3
Pier 99	11 A3
Pier A	1 B4
Pike St	5 A5
Pine St	1 C3
Pineapple St (Brooklyn)	2 F3
Pitt St	5 C3
Platt St	1 C2
Players	9 A5
Plaza Hotel	12 F3
Pleasant Ave	22 E2
Police Academy Museum	9 B4
Police Headquarters	2 D1
Police Headquarters Building	4 F4
Pomander Walk	15 C2
Port Authority Building	8 D5
Port Authority Bus Terminal	8 D1
Port Authority West 30th St Heliport	7 B3
Pot Cove (Queens)	18 F2
Prince St	4 D3
Public Theater	4 F2
Puck Building	4 F3
Pulaski Bridge	10 F1

Q

Queens County	14 F2
Queens–Midtown Tunnel 945	9 B2
Queens Plaza North (Queens)	14 F3
Queens Plaza South (Queens)	14 F3
Queensboro Bridge	13 C3
Queensbridge Park (Queens)	14 E2

R

Radio City Music Hall	12 F4
Rainey Park (Queens)	18 E5
Randall's Island Park (Bronx)	22 F2
Reade St	1 B1
Recreation Pier	22 F5
Rector Pl	1 B3
Rector St	1 B3
Reinhold Niebuhr Pl	20 D2
Renwick St	3 C4
Reservoir	16 E2
R F Wagner Sr Pl	2 D1–E2
Ridge St	5 B3
River St (Brooklyn)	6 F2
River Ter	1 A1
Riverside Church	20 D2
Riverside Dr 22–251	15 B2–B5
Fortsetzung	
297–480	20 D2–D5
Riverside Dr East 252–296	15 B1
Fortsetzung	D1–D2
Riverside Dr West	15 B1
Fortsetzung	20 D1–D2
Riverside Park	15 B1
Fortsetzung	20 D2
Riverview Ter	13 C3
Rivington St	5 A3
Rockefeller Center	12 F5
Rockefeller Plaza	12 F4
Ronald E McNair Pl	22 D2
Roosevelt Hospital Center	11 C3
Roosevelt Island	14 D1
Fortsetzung	18 D5
Roosevelt Island Bridge	14 E1
Roosevelt Sq	20 F1
Rose St	2 D1
Rutgers Park	5 B5
Rutgers Slip	5 B5
Rutgers St	5 B5
Rutherford Pl	9 B5
Ryders Alley	2 D2

S

St. Bartholomew's Church	13 A4
St. Clair Pl	20 D1
St. James Pl	2 D1
St. John St	1 C2
St. John the Baptist Church	8 E3
St. Johns Lane	4 D5
St. Luke's Hospital Center	20 F3
St. Lukes Pl	3 C3
St. Mark's-in-the-Bowery Church	4 F1
St. Marks Pl	5 A2
St. Nicholas Ave 1–315	21 A2–B4
Fortsetzung	
316–407	20 F1–F2
408–569	19 B1–B3
St. Nicholas Historic District	19 B2
St. Nicholas Hotel	4 E4
St. Nicholas Park	19 B2
St. Nicholas Russian Orthodox Cathedral	16 F1
St. Nicholas Ter	19 A2
St. Patrick's Cathedral	12 F4
St. Paul's Chapel	1 C2
St. Paul's Chapel	20 E3
St. Paul the Apostle Church	12 D3
St. Peter's St	1 C2
St. Thomas' Church	12 F4
St. Vartans Park	9 B2
St. Vincent's Hospital	3 C1
Salmagundi Club	4 E1
Samuel A Spiegel Sq	6 D4
Samuel Dickstein Plaza	5 C4
San Remo Apartments	16 D5
Sara D Roosevelt Parkway	5 A3
Schapiro's Winery	5 B3
Schermerhorn Row	2 D3
Schomburg Center for Research in Black Culture	19 C2
Seagram Building	13 A4
Seaman's Institute & Marine Museum	4 D1
Second Ave 1–229	4 F1–F3
Fortsetzung	
230–785	9 B1–B5
786–1392	13 B1–B5
1393–1995	17 B1–B5
1996–2485	22 D1–D5
Second Pl	1 B4
Seventh Ave (Fashion Ave) 64–639	8 E1–E5
Fortsetzung	
640–923	12 E3–E5
1801–2214	21 A1–A4
2215–2474	19 C1–C3
Seventh Ave South	3 C1
Seventh Regiment Armory	13 A2
Shakespeare Garden	16 E4
Sheep Meadow	12 E1
Sheridan Sq	3 C2
Sheriff St	5 C3
Sherman Sq	11 C1
Shinbone Alley	4 E2
Shore Blvd (Queens)	18 F1
Shrine of Elizabeth Ann Seton	1 C4
Shubert Alley	12 E5
Shubert Theater	12 E5
Singer Building	4 E3
Sixth Ave 1–551	4 D1
Fortsetzung	
552–1125	8 E1
1126–1421	12 F3
Sniffen Court	9 A2
Society of Illustrators	13 A2
SoHo	4 E4
Solomon R. Guggenheim Museum	16 F3
South 1st St (Brooklyn)	6 F2
South 2nd St (Brooklyn)	6 F3
South 3rd St (Brooklyn)	6 F3
South 4th St (Brooklyn)	6 F3
South 5th St (Brooklyn)	6 F3
South 6th St (Brooklyn)	6 F3
South 8th St (Brooklyn)	6 F4
South 9th St (Brooklyn)	6 F4
South 11th St (Brooklyn)	6 F4
South Cove	1 B4
South End Ave	1 B3
South Ferry Plaza	1 C4
South Gardens	1 B4
South Meadow Tennis Courts	16 E2

Hinter den Straßennamen außerhalb von Manhattan steht der Name des Stadtteils

South St	2 D4	Thomas St	1 B1	
Fortsetzung	5 C5	Thompson St	4 D4	**W**
South St Seaport	2 E2	Tiemann Pl	20 E1	Waldorf-Astoria	13 A5
South St Viaduct	2 D4	Time Warner Center	12 D3	Walker St	4 E5
Fortsetzung	5 C5	Times Square	8 E1	Wall St	1 C3
South William St	1 C3	Tollgate	4 D4	Wall St Ferry Pier	2 D3
Southbridge Towers	2 D2	Tompkins Square		Wallabout Bay	
Spring St	3 C4	Park	5 B1	(Brooklyn)	6 E5
Spruce St	1 C2	Triborough Bridge	18 F1	Wallabout Channel	
Stable Ct	4 F2	*Fortsetzung*	22 E2	(Brooklyn)	6 F4
Stanton St	5 A3	Trimble Pl	1 C1	Wanamaker Pl	4 F1
Staple St	1 B1	Trinity Church	1 C3	Warren St	1 A1
State St	1 C4	Trinity Pl	1 B3	Washington Market	
Staten Island		Trump Tower	12 F3	Park	1 B1
Ferry	2 D5	Tudor City	9 C1	Washington Mews	4 E2
Statue of Liberty	1 A5	Tudor City Pl	9 B1	Washington Pl	4 E2
Stone St	1 C4	Twelfth Ave		Washington Sq	
Straus Park	20 E5	1–539	7 B1	East	4 E2
Straus Sq	5 B5	*Fortsetzung*		Washington Sq	
Strawberry Fields	12 E1	540–819	11 B3	Park	4 D2
Studio Museum of		2240–2351	20 D1	Washington Sq	
Harlem	21 B2			Village	4 E2
Stuyvesant Alley	4 F1	**U**		Washington St	1 B3
Stuyvesant Sq	9 B5	Union Sq	9 A5	*Fortsetzung*	3 B1
Stuyvesant St	4 F1	United Nations		Water St	1 C4
Suffolk St	5 B3	Headquarters	13 C5	Water St (Brooklyn)	2 F2
Sullivan St	4 D2	*Fortsetzung*	9 C1	*Fortsetzung*	5 C5
Surrogate's Court/Hall		United Nations		Watts St	3 C4
of Records	1 C1	Plaza	13 C5	Waverly Pl	3 C1
Sutton Place	13 C3	United States Coast		W C Handy's Pl	12 E4
Sutton Place		Guard	1 C5	Weehawken St	3 B3
South	13 C4	United States		Welling St	
Swing St		Courthouse	2 D1	(Queens)	18 F3
(W 52nd St)	12 F4	United States		West 3rd St	4 D2
Sylvan Pl	22 D2	Custom House	1 C4	West 4th St	3 C1
Sylvia's	21 B1	United States Naval		West 6th St	4 D2
Szold Pl	5 C1	Reserve Center		West 8th St	4 D2
		(Brooklyn)	6 F5	West 9th St	4 D1
T		US Parcel Post		West 10th St	3 C2
Taras		Building	7 C3	West 11th St	3 B2
Shevchenko Pl	4 F2	United States Post		West 12th St	3 B2
Teachers' College,		Office	1 B2	West 13th St	3 B1
Columbia		University Pl	4 E1	West 14th St	3 B1
University	20 E1			West 15th St	7 C5
Temple Emanu-El	12 F2	**V**		West 16th St	7 C5
Tenth Ave		Vandam St	3 C4	West 17th St	7 C5
20–57	3 A1	Vanderbilt Ave	13 A5	West 18th St	7 C5
Fortsetzung		Varick St	4 D3	West 19th St	7 C5
58–575	7 C1–C5	Verdi Sq	11 C1	West 20th St	7 C5
576–890	11 C3–C5	Vernon Blvd		West 21st St	7 C4
Thames St	1 C3	(Queens)	10 F1	West 22nd St	7 C4
Theatre Alley	1 C2	*Fortsetzung*	14 F1	West 23rd St	7 B4
Theater Row	7 C1	*Fortsetzung*	18 F3	West 24th St	7 B4
Theodore Roosevelt		Vernon St		West 25th St	7 B4
Birthplace	9 A5	(Queens)	14 F5	West 26th St	7 B3
Third Ave		Vesey St	1 B2	West 27th St	7 B3
1–125	4 F1–F2	Vestry St	3 C5	West 28th St	7 B3
Fortsetzung		Vietnam Veterans'		West 29th St	7 B3
126–659	9 B1–B5	Plaza	2 D4	West 30th St	7 B3
660–1270	13 B1–B5	Village Sq	4 D1	West 31st St	7 C3
1271–1800	17 B1–B5	Villard Houses	13 A4	West 32nd St	8 E3
1801–2340	22 D1–D5	Vine St		West 33rd St	7 B2
Third Pl	1 B3	(Brooklyn)	2 F3	West 34th St	7 B2

West 35th St	7 C2
West 36th St	7 C2
West 37th St	7 C2
West 38th St	7 C1
West 39th St	7 B1
West 40th St	7 B1
West 41st St	7 B1
West 42nd St	7 B1
West 43rd St	7 B1
West 44th St	11 B5
West 45th St	11 B5
West 46th St	11 B5
West 47th St	11 B5
West 48th St	11 B5
West 49th St	11 B5
West 50th St	11 B4
West 51st St	11 B4
West 52nd St	11 B4
West 53rd St	11 C4
West 54th St	11 B4
West 55th St	11 B4
West 56th St	11 B3
West 57th St	11 B3
West 58th St	11 B3
West 59th St	11 B3
West 60th St	11 C3
West 61st St	11 C3
West 62nd St	11 C2
West 63rd St	12 D2
West 64th St	11 C2
West 65th St	11 C2
West 66th St	11 C2
West 67th St	11 C2
West 68th St	11 C1
West 69th St	11 C1
West 70th St	11 B1
West 71st St	11 B1
West 72nd St	11 B1
West 73rd St	11 B1
West 74th St	15 B5
West 75th St	15 B5
West 76th St	15 B5
West 77th St	15 B5
West 78th St	15 B5
West 79th St	15 B4
West 80th St	15 B4
West 81st St	15 B4
West 82nd St	15 B4
West 83rd St	15 B4
West 84th St	16 D4
West 85th St	15 B3
West 86th St	15 B3
West 87th St	15 B3
West 88th St	15 B3
West 89th St	15 B3
West 90th St (Henry	
J Browne Blvd)	15 B3
West 91st St	15 B2
West 92nd St	15 B2
West 93rd St	15 B2
West 94th St	15 B2
West 95th St	15 B2
West 96th St	15 B2

West 97th St	**15 B1**	West 120th St	**20 E2**	West 139th St	**19 A2**	Westside Highway 9A
West 98th St	**15 B1**	*Fortsetzung*	**21 A2**	West 140th St	**19 A2**	(West St) **1 B2**
West 99th St	**15 B1**	West 121st St	**20 E2**	West 141st St	**19 A1**	White St **4 E5**
West 100th St	**15 B1**	*Fortsetzung*	**21 A2**	West 142nd St	**19 A1**	Whitehall St **1 C4**
West 101st St	**15 B1**	West 122nd St	**20 D2**	West 143rd St	**19 A1**	Whitney Museum of
West 102nd St	**15 B1**	*Fortsetzung*	**21 A2**	West 144th St	**19 A1**	American Art **17 A5**
West 103rd St	**20 E5**	West 123rd St	**20 E2**	West 145th St	**19 A1**	W H Seward Park **5 B5**
West 104th St	**20 E5**	*Fortsetzung*	**21 A2**	West Broadway	**1 B1**	Willett St **5 C4**
West 105th St	**20 E5**	West 124th St	**21 A2**	*Fortsetzung*	**4 E3**	William St **1 C2**
West 106th St (Duke		West 125th St	**21 A1**	West Channel	**14 D1**	Williamsburg
Ellington Blvd)	**20 E5**	*Fortsetzung*	**20 F2**	*Fortsetzung*	**18 D4**	Bridge **6 D3**
West 107th St	**20 E5**	West 125th St (Martin		West Dr	**12 E1**	Willis Ave
West 108th St	**20 E4**	Luther King,		*Fortsetzung*	**16 E1**	Bridge **22 E1**
West 109th St	**20 E4**	Jr Blvd)	**20 D1**	*Fortsetzung*	**21 A4**	Wollman Rink **12 F2**
West 111th St	**20 D4**	West 126th St	**20 E1**	West End Ave	**11 B1**	Woolworth
Fortsetzung	**21 A4**	*Fortsetzung*	**21 A1**	*Fortsetzung*	**15 B1**	Building **1 C2**
West 112th St	**20 D4**	West 127th St	**20 F1**	*Fortsetzung*	**20 E5**	Wooster St **4 E3**
Fortsetzung	**21 A4**	*Fortsetzung*	**21 A1**	West Houston St	**3 C3**	World Financial
West 113th St	**20 D4**	West 128th St	**20 F1**	West Rd (Roosevelt		Center **1 A2**
Fortsetzung	**21 A4**	*Fortsetzung*	**21 A1**	Island)	**14 D2**	World Trade
West 114th St	**20 D3**	West 129th St	**20 E1**	West St	**1 A1**	Center Site **1 B2**
Fortsetzung	**21 A3**	*Fortsetzung*	**21 A1**	*Fortsetzung*	**3 A1**	Worth Monument **8 F4**
West 115th St	**20 D3**	West 130th St	**20 D1**	West St		Worth Sq **8 F4**
Fortsetzung	**21 A3**	*Fortsetzung*	**19 A1**	(Brooklyn)	**10 F3**	Worth St **1 C1**
West 116th St	**20 D3**	West 131st St	**19 B3**	West St Viaduct	**6 D5**	Wythe Ave
Fortsetzung	**21 A3**	West 132nd St	**19 B3**	West Thames St	**1 B3**	(Brooklyn) **6 F1**
West 117th St	**20 F3**	West 133rd St	**19 B3**	West Washington Pl	**4 D2**	
Fortsetzung	**21 A3**	West 134th St	**19 B3**	Western Union		**Y**
West 118th St	**20 F3**	West 135th St	**19 A3**	Building	**1 B1**	York Ave
Fortsetzung	**21 A3**	West 136th St	**19 A2**	Western Union		1113–1369 **13 C1–C3**
West 119th St	**20 D3**	West 137th St	**19 B2**	International Plaza	**1 B4**	*Fortsetzung*
Fortsetzung	**21 A3**	West 138th St	**19 A2**			1370–1694 **17 C2–C5**
						York St **4 D5**

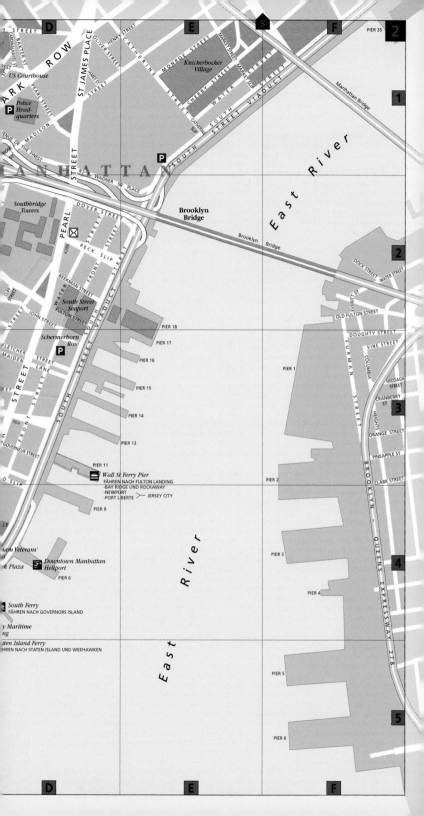

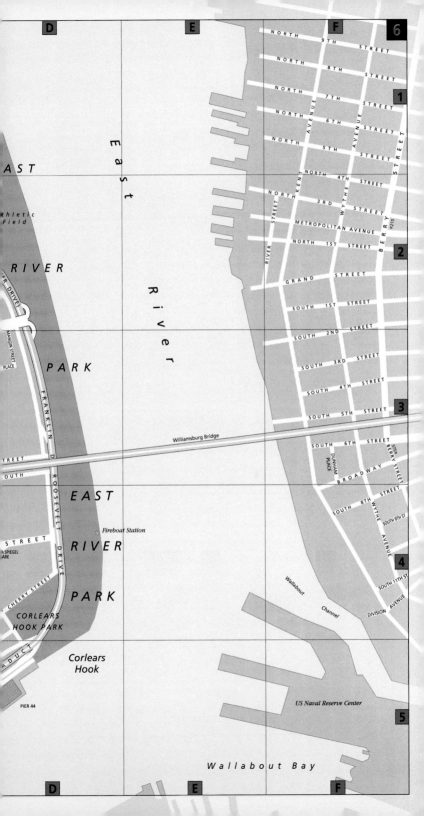

A **11** **B** **C**

WEST 43RD STREET

«572

«593

«520.8

WEST 42ND STREET

PIER 83
*Circle Line
Boat Trip*

«600

«500

«400

(THEATER R

⊠

NYC Technical
College

«553

«534

«557

«576

T
W
E
L
F
T
H

A
V
E
N
U
E

1

PIER 81

WEST 41ST STREET

*Cardinal
Stepinac Plaza*

WEST 40TH STREET

Lincoln Tunnel

WEST 39TH STREET

E
L
E
V
E
N
T
H

A
V
E
N
U
E

T
E
N
T
H

A
V
E
N
U
E

D
Y
E
R

A
V
E
N
U
E

WEST 38TH STREET

*Jacob K. Javits
Convention Center*

WEST 37TH STREET

WEST 36TH STREET

PIER 76

2

WEST 35TH STREET

«960

«405

WEST 34TH STREET

«600

«381

CALVIN AVENUE

«500

«413

«430

«400

WEST 33RD STREET

H
u
d
s
o
n

PIER 72

Port Authority
West 30th Street Heliport 🚁

WEST 30TH STREET

US Parcel Post But

3

WEST 29TH STREET

WEST 28TH STREET

WEST 27TH STREET

E
L
E
V
E
N
T
H

A
V
E
N
U
E

T
E
N
T
H

«295

CHELS
PARK

R
i
v
e
r

PIER 66

WEST 26TH STREET

WEST 25TH STREET

WEST 24TH STREET

A
V
E
N
U
E

PIER 64

4

«181

«559»

WEST 23RD STREET

«162

«500

«400

Empire Diner

WEST 22ND STREET

«210

ℹ

PIER 62

✝

WEST 21ST STREET

WEST 20TH STREET

PIER 61

*Chelsea
Piers*

WEST 19TH STREET

Chel.
Histo.
Dist

E
L
E
V
E
N
T
H

A
V
E
N
U
E

PIER 60

WEST 18TH STREET

5

PIER 59

WEST 17TH STREET

PIER 58

WEST 16TH STREET

PIER 57

WEST 15TH STREET

«58

«236

A **B** **C**

D **E** **14** **F** **10**

Pulaski
Bridge

50TH AVENUE

51ST AVENUE

Belmont
Island

Queens-Midtown Tunnel 495

50TH STREET

VERNON BLVD

JACKSON AVENUE

2ND (FRONT)

BORDEN AVENUE

M
Vernon Jackson
Boulevard

1

VERNON AVENUE

Long Island City
Station

54TH (FLUSHING) AVENUE

55TH STREET

AVENUE

56TH AVENUE

Newton Creek

MANHATTAN AVENUE

BOX STREET

#511 STREET

2

COMMERCIAL STREET

CLAY STREET

DUPONT STREET

FRANKLIN STREET

EAGLE STREET

FREEMAN STREET

WEST STREET

GREEN STREET

OAK STREET

3

E *a* *s* *t*

HURON STREET

STREET STREET

INDIA STREET

JAVA STREET

KENT STREET

GREENPOINT AVENUE

4

R *i* *v* *e* *r*

Manhattan
Marina

PIER 70

PIER 69

FRANKLIN D ROOSEVELT DRIVE (EAST RIVER DRIVE)

AVENUE C

PIER 68

PIER 67

5

AVENUE C

EAST 16TH STREET

EAST 15TH STREET

D **E** **6** **F**

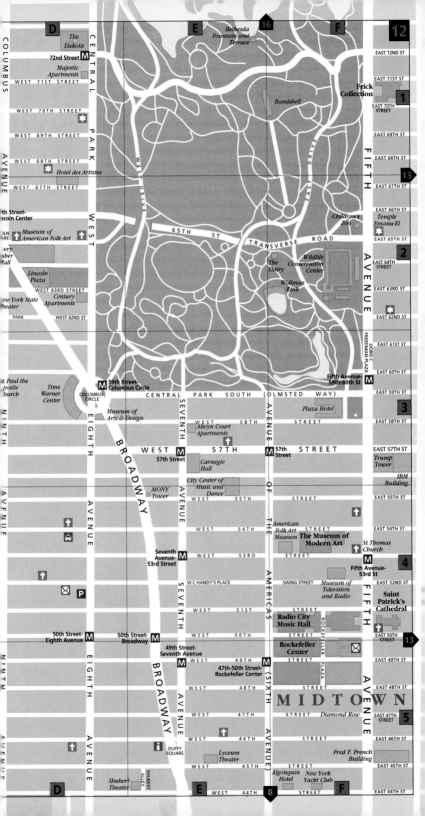

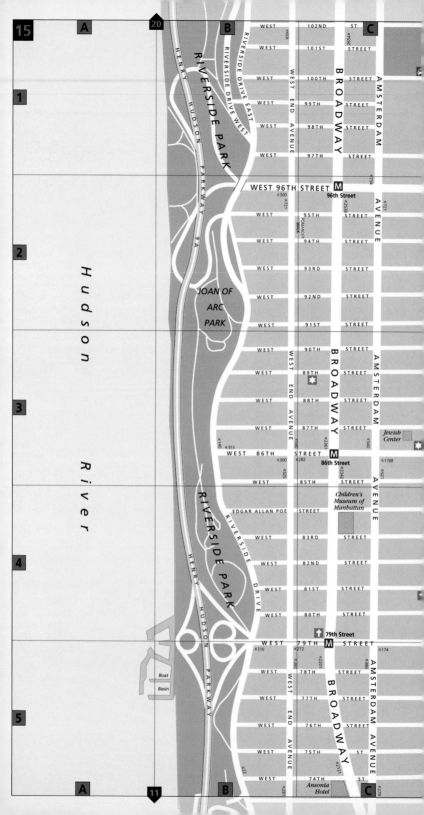

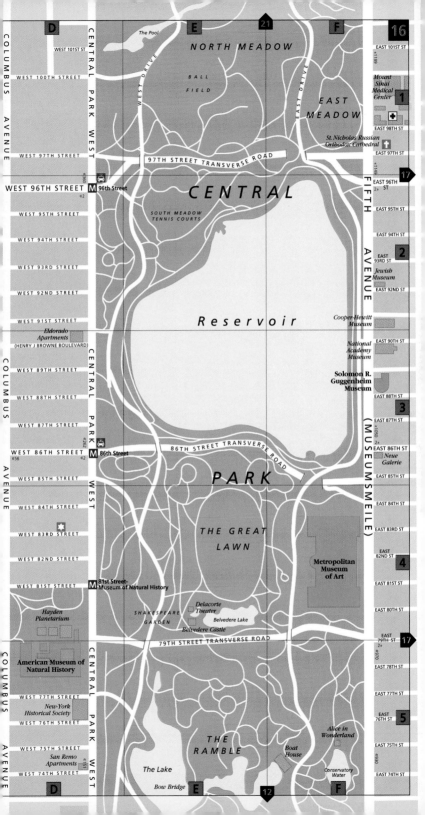

D
COLUMBUS AVENUE

WEST 101ST ST
WEST 100TH STREET
WEST 97TH STREET
WEST 96TH STREET
WEST 95TH STREET
WEST 94TH STREET
WEST 93RD STREET
WEST 92ND STREET
WEST 91ST STREET

Eldorado
Apartments
(HENRY J BROWNE BOULEVARD)
WEST 89TH STREET
WEST 88TH STREET
WEST 87TH STREET
WEST 86TH STREET
WEST 85TH STREET
WEST 84TH STREET
WEST 83RD STREET
WEST 82ND STREET
WEST 81ST STREET

Hayden
Planetarium

**American Museum of
Natural History**

WEST 77TH STREET
New-York
Historical Society
WEST 76TH STREET
WEST 75TH STREET
San Remo
Apartments
WEST 74TH STREET

D
COLUMBUS AVENUE

E
The Pool

NORTH MEADOW

BALL
FIELD

WEST DRIVE

CENTRAL PARK WEST

97TH STREET TRANSVERSE ROAD

CENTRAL

SOUTH MEADOW
TENNIS COURTS

Reservoir

CENTRAL PARK WEST

M 96th Street

M 86th Street

86TH STREET TRANSVERSE ROAD

PARK

THE GREAT
LAWN

M 81st Street-
Museum of Natural History

SHAKESPEARE
GARDEN

Delacorte
Theater
Belvedere Lake
Belvedere Castle

79TH STREET TRANSVERSE ROAD

THE RAMBLE

The Lake

Bow Bridge

E

21

F

EAST
MEADOW

EAST DRIVE

16
WEST 101ST ST
EAST 101ST ST

Mount
Sinai
Medical
Center **1**
EAST 98TH ST

St. Nicholas Russian
Orthodox Cathedral
EAST 97TH ST

FIFTH AVENUE

17
EAST 96TH ST
EAST 95TH ST
EAST 94TH ST

2
EAST 93RD ST

Jewish
Museum
EAST 92ND ST

Cooper-Hewitt
Museum

National
Academy
Museum
EAST 90TH ST

**Solomon R.
Guggenheim
Museum**
EAST 88TH ST

3
EAST 87TH ST

FIFTH AVENUE (MUSEUMSMEILE)

EAST 86TH ST
Neue
Galerie
EAST 85TH ST
EAST 84TH ST
EAST 83RD ST

EAST
82ND ST

**Metropolitan
Museum
of Art**
4

EAST 81ST ST
EAST 80TH ST

EAST
79TH ST
17
EAST 78TH ST

EAST 77TH ST

EAST
76TH ST
5
EAST 75TH ST

Alice in
Wonderland

EAST 74TH ST

Boat
House

Conservatory
Water

F

12

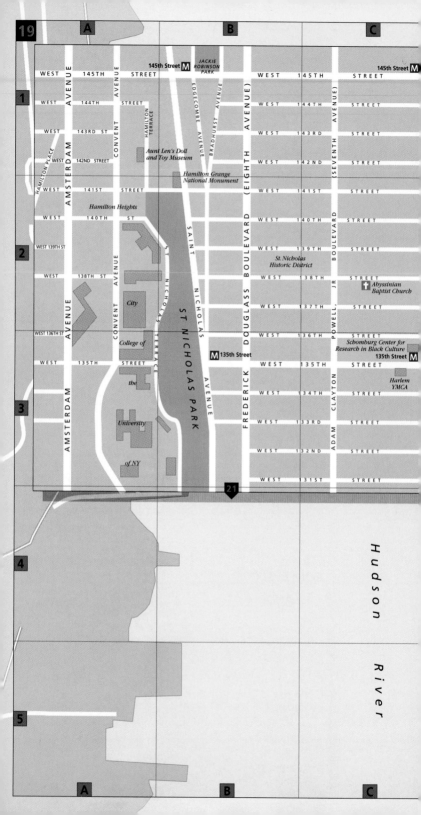

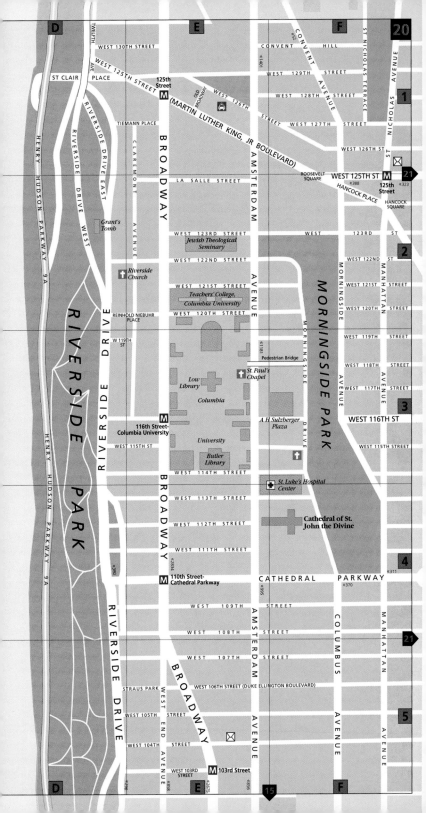

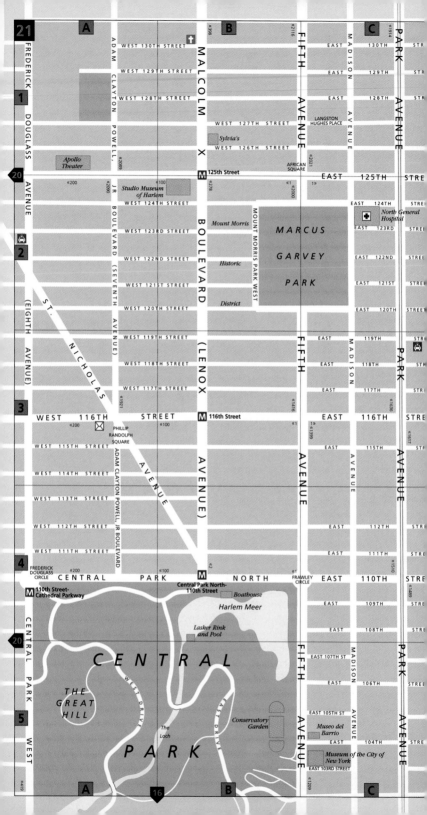

Textregister

Seitenzahlen in **Fettdruck** verweisen
auf Haupteinträge.

12th Street Books 332, 333
24-7 Fitness Club 358, 359
75½ Bedford Street 112
92nd Street Y
  Backstage-Führungen 346
  Klassische und zeitgenössische
  Musik 350, 351
  Off-Broadway 344, 347
  Spaziergang 369
  Tanz 346, 347

A

A Meegan Services 277
Abbott, Berenice 253
ABC, Kartenschalter 349
Abstecher **232–255**
Abyssinian Baptist Church **229**, 272
  Harlem, Tour 220
  Stadtteilkarte 221
Access Guide to New York City
  370
Accomodation Plus 277
Acela 392f
Acker, Merrall & Condit 336f
Actor's Monument 91
The Actors' Studio 344, 347
Adams, Franklin P. 145
Adams, John 198
*Adlerköpfiges geflügeltes Wesen
  bestäubt heiligen Baum* 192
Adressen 384
Adventures on a Shoestring 369
Aerial Gardens 147
Affinia Suite Hotels 277
Afroamerikanische Gesellschaft 47
  Black History Month 53
  Harlem Week 51
  Martin Luther King Jr. Day 53
Ahawath Chesed 180
Ailey, Alvin 49
  Repertory Ensemble 324f
Airport Information Service 379f
Alamo (Rosenthal) 118, 270
Alaska on Madison 323
Albee, Edward, Wohnhaus 260
  Wer hat Angst vor Virginia Woolf?
  49, 260
Alexander der Große, Statue 251
Algonquin Hotel **145**, 285
  Blue Bar 316
  New York spätnachts 358f
  Oak Room 356, 357, 358
  Stadtteilkarte 141
Algonquin-Indianer 18
Alice Austen House 255
Alice im Wunderland (Carroll)
  164
Alice im Wunderland
  Conservatory Water 209
  Führung im Central Park 207
Alice Tully Alice Hall 350f, 353
Alice's Antiques 323
Alife Rivington Club 329
Allen, Woody 247, 348, 352
  Radio Days 247

Allstate Car & Limousine 387
Alma Mater (D.C. French) 224
  Detailkarte 222
Alphabet City 117
Altman Luggage Company 328, 329
Alwyn Court Apartments 149
Amato Opera Theater 350, 351
Ambassador Theater 345
America's Cup 145
American Academy of Arts and
  Letters 234
American Airlines Theater 344, 345
American Artists' Professional League
  114
American Ballet Theater 346
  George Balanchine 49
  Metropolitan Opera House 214f
American Broadcasting Company
  213
American Crafts Festival 51
American Express 374f
  Kartenverlust 374
  Reiseschecks 374
American Folk Art Museum **171**, 323f
  Malerei und Plastik 38
  Shopping 323, 324
American Football 52, 360f
American Girl Place 322, 324
American Merchant Mariners'
  Memorial 55, 269
American Museum 90
American Museum of Natural History
  216f
  Filmvorführungen 349
  Führungen im Central Park 207
  Highlights: Museen 37
  Kinder 364
  Museen außerhalb Manhattans 39
  Naturgeschichte 39
  Rose Center 218
  Shopping 323, 324
  Stadtteilkarte 211
American Radiator Building 145
American Sisters of Charity 76
American Tap Dance Orchestra 346
American Watercolor Society 114
Ammann, Othmar 235
Amtrak 378, 392
  Reisecenter 393
Anbetung der Könige (LaFarge) 159
Andersen, Hans Christian, Statue 206,
  209
Anderson, Laurie 248
Anfänge von New York 18f
Angel Orensanz Center **101**, 258
Angelica's Traditional Herbs
  and Food 336f
Angelika Film Center 349
  New York spätnachts 358
Annex/Hells Kitchen Flea Market
  334f
Anreise **378–383**
  Mit dem Bus 378
  Mit dem Flugzeug 378–383
  Mit dem Schiff 378
  Mit dem Zug 378
The Ansonia 211, **219**
Anthology Film Archives 349
APC 326, 327

Apollo Theater **230**, 272
  Musikveranstaltungen 353
  Stadtteilkarte 221
Apotheken 358, 373
Appellate Court 126
  Detailkarte 125
Applause Theater & Cinema Books
  332f
Apple Store SoHo 348f
Aqueduct Race Track 362f
Arbus, Diane 176
Architektur 40–43
  siehe auch Moderne Architektur
Arlene's Grocery 368f
Armour, Herman 241
Art News 371
Art Now/New York Gallery Guide
  369
Arthur Brown & Bros. 322, 324
  Arthur's Landing 358f
Arturo's Pizzeria 312, 314
Asia 76
Asia Society 39, **187**, 349, 350
  Filmtheater 349
  Musikbühne 351
  Stadtteilkarte 183
Asia Society Bookstore and Gift Shop
  323, 324
Asimov, Isaac 47, 224
Assurnasirpal II. 194, 253
Astaire, Fred 126
Astor Familie 170
Astor Place 25, 270
  Detailkarte 118
  Stadtteilkarte 117
Astor, John Jacob 24, 46
  Colonnade Row 120
  New York Public Library 146
Astro Gems 323
AT&T Building 91
Atget, Eugène 175
Atheneum Museum 393
Atlantic Avenue 267
Atlas (Lawrie) 143
Auden, W. H. 121, 267
Audubon Terrace 234
  Stadtteilkarte 233
Audubon, John James 234
  New-York Historical Society 218
August Wilson 345
Austen, Alice 255
Austrian 378
Autovermietung 386
Avalon 354f
  Highlights: Unterhaltung 342
  Rockmusik 352f
Avery Fisher Hall 32, **215**
  Konzerte 350f
  Proben des New York
  Philharmonic Orchestra 343
  Stadtteilkarte 211
Avis, Autovermietung 386

B

B & H Photo 338, 339
B.B. King's Blues Club 369
Baby Sitters' Guild 364f
Bacall, Lauren 218

Backstage on Broadway 346f, 369
Backstage Tours 351
Bacon, Francis 174
Bagels On The Square 358f
Bailey, Pearl 230
Baker, Josephine 49
Balanchine, George 47, 49, 346
Baldwin, James 30, 48
Balenciaga, Cristobal 195
Ball, Lucille 171
Balla, Giacomo 174
Ballett 346f
Balto-Denkmal 209
Ban Ki Moon 163
Bank of Manhattan 57, 155
Bank of New York 23, 55, 57
Banken 374
    Geldautomaten 374
    Kreditkarten 374
    Öffnungszeiten 368, 374
    Reiseschecks 374
    Wechselstuben 374f
Bara, Theda 128
Barbetta 354f
Barnard College 224
Barnard, George 236
Barnes & Noble 332f
Barnes, Edward Larrabee 187
Barney Greengrass 312, 314
Barney's New York 325, 327
    Accessoires 328f
    Shopping 319
Barnum, Phineas T.
    American Museum 90
    siehe auch Ringling Bros. and
    Barnum & Bailey Circus 77, 121,
    365
Barrymore 345
Barrymore, John 112
Bars 315–317
    Essen 315
    Getränke 315
    Historische und Literaten-Bars 316
    Hotelbars 316
    Kneipen für junge Leute 316
    Mindestalter 315
    New York spätnachts 358f
    Praktische Hinweise 315
    Schwulen- und Lesbenbars 316,
    354f
Bart (Betty Jane) Antiques 334f
Bartfield Books, JN 332f
Bartholdi, Frédéric-Auguste 74f
Baruch Performing Arts Center 344,
347
Baseball 124, 346, 360
    Das Jahr in New York 50f
    Geschichte 25
    siehe auch Brooklyn Dodgers;
    New York Mets; New York Yankees
    346
Basie, Count 352
Basketball 360
    Das Jahr in New York 52
    siehe auch Knicks
Battery 19
Battery Maritime Building 56, **77**
Battery Park **77**, 269
    East Coast War Memorial 55
    Stadtteilkarte 65

Battery Park City **72**, 268
    New York spätnachts 346f
    Stadtteilkarte 65
Battery Park, Fähre 385
Battery Place 268
Battle of Golden Hill 22
Battle of Harlem Heights 22
Baxter, W. E. 106
Bayard-Condict Building 121
B-Bar and Grill 315, 317
Beacon Theatre 352f
Beame, Mayor Abraham 33
Beatles 171
Beau Brummel 325, 327
Beaumont (Vivian) Theater 215
    Detailkarte 212
Beauvoir, Simone de 260
Beaux-Arts-Architektur 42f
Beck (Martin) 345
Beckett, Samuel 215
Bed & Breakfast in Manhattan 288
Bedford Street, No. 751/2 112
    Detailkarte 110
Bedloe's Island 74
Beecher, Henry Ward 266
Beekman Place 180f
Beekman Tower 61, 271
Beekman Tower Hotel 359
Behan, Brendan 139
Behinderte Reisende 279, 293, 341, 370
    Hotels 278f
    Mayor's Office for People with
    Disabilities 278, 370
    Praktische Hinweise 370
    Rollstuhlzugang in Restaurants 293
Beker (Erol) Chapel 177
Belasco 345
Bellevue Hospital 23
Bellini, Giovanni
    Die Verzückung des
    hl. Franziskus 37
    Frick Collection 197
Bellows, George 200f
Belluschi, Pietro 154
Belmont Familie 170
Belmont Park Race Track 360f
Belvedere Castle 207, **208**
Bemelman's Bar 355
Benchley, Robert 145
Bendel (Henri) 318f
The Benjamin 277
Bergdorf Goodman 319, 325, 327
    Fifth Avenue 170
Berlin, Irving 47
    Beekman Place 181
    Shubert Alley 148
Bernard B. Jacobs 345
Bernhardt, Sarah 129, 248
Bernstein, Leonard 49
    Carnegie Hall 149
    The Dakota 218
    Lincoln Center for the Performing
    Arts 212, 214
    West Side Story 212
Berühmte New Yorker **48f**
Best Western JFK 380
Bethesda Fountain and Terrace 209
    Spaziergang im Central Park 206
    Stadtteilkarte 205
Beuys, Joseph 174

Beyer Blinder & Belle 156
Bialystoker Synagogue 98
    Stadtteilkarte 93
Bice 299, 305
Big Apple Circus 52, 365
Big Apple Hostel 278
Big City Kites Co. 323f
Big Drop 328f
Big Nick's 313f
Bill of Rights Room 68
Billard 358f, 361
Billiard Club 358f
Billings, C. K. G. 29
Biltmore Theater 344, 345
Bingham, George Caleb 194
Biography Bookshop 332f
Birdland 352f
Bitter End 353
Black History Month 53
Blackwell Farmhouse 181
Blades 322, 324
Blake, Eubie 229
Blake, William 164
Blakelock, Ralph 27
Blass, Bill 325
Blau (Doris Leslie) 334f
Bleeker Bob's Golden Oldies 332f,
358
Blitzstein, Marc 48
Blizzard von 1888 27
Block Beautiful 128
    Detailkarte 125
Bloody Angle 96f
Bloomingdale, Joseph 181
Bloomingdale, Lyman 181
Bloomingdale's 26, 167, **181**
    Shopping 319
Blue Bar 316f
Blue Note 352
    Jazz 352, 353
    New York spätnachts 358f
Blue Ribbon 374f
Blues, Soul und World Music
    Apollo Theater 353
    Cotton Club 353
    Go 353
    SOB's 353
    Terra Blues 353
Boat Building Shop 82
Boathouse Café 313f
Boccioni, Umberto 174
Bogardus Building 58
Bogart, Humphrey 218
Bolting Laws 19
Bonnard, Pierre 197
Bonpoint 325, 327
Books of Wonder 332f, 365
Boone (Mary) Gallery 104, 334f
Booth Theater 341, 345
Booth, Edwin
    Little Church Around the Corner
    129
    The Players 125, 128
    Shubert Alley 148
    Statue 128
Bootleggers' Row 96
Boppard-Buntglasfenster
    (The Cloisters) 236
Borders Books & Music 332f
Borough Hall 267

Börsen-Crash 30f, 73
Botanical Garden *siehe* New York
  Botanical Garden
Botschaften der USA 371
Bottega Veneta 328f
Botticelli (Schuhgeschäft) 328, 329
Botticelli, Sandro 196
Bottom Line 352f
Boucher, François 203
Boulez, Pierre 350
Bourke-White, Margaret 253
Bow Bridge 208
  Spaziergang im Central Park 207
  Stadtteilkarte 205
Bowery Ballroom 98
Bowery Savings Bank *siehe*
  Home Savings of America
Bowling 363, 365
Bowling Green 21, **73**
Bowling Green Peter Minuit Memorial
  64
  Stadtteilkarte 65
Bowlmor Lanes 358f
Boxen 360
BP Café 315, 317
Bradford, William 68
Brâncuşi, Constantin 172
Braque, Georges 174
The Brasserie 312, 314
Brazilian Festival 52
Breede Wegh 18
Bremen House 265
Brevoort, Henry 121
Bridge Kitchenware 336f
Brill Building 348
British Airways 378
Broadhurst 345
Broadway 132f, 142f, **345**
Broadway Bucks 341
Broadway Inner Circle 340, 341
Broadway New York 306, 324
Broadway Panhandler 336f
Broadway Ticket Center 340
Bronfman, Samuel 177
Bronx 240f
Bronx Zoo/Wildlife Conservation
  Park 244f
  Stadtteilkarte 233
Bronzino, Agnolo 196
Brooklyn 247–253
  Spaziergang 266f
Brooklyn Academy of Music (BAM)
  248, 267, 344, 350f
  Off-Broadway 344, 347
  Stadtteilkarte 233
  Zeitgenössischer Tanz 346f
Brooklyn Botanic Garden 249
  Stadtteilkarte 233
Brooklyn Bridge (Stella) 37
Brooklyn Bridge 27, 59, **86–89**, 267
  Detailkarte 83
  Mo' Better Blues 348
  Panik vom 30. Mai 1883 88
Brooklyn Bridge, Wandgemälde
  (Haas) 83
Brooklyn Children's Museum **247**,
  364
  Stadtteilkarte 233
Brooklyn Dodgers 32, 267
Brooklyn Ferry 84

Brooklyn Heights 348
  Spaziergang 266
Brooklyn Historical Society 267
Brooklyn Museum **250–253**
  Kurzführer 251
  Museen außerhalb Manhattans 39
  Sammlungen 252f
  Stadtteilkarte 233
Brooklyn Philharmonic 248, 350
Brooklyn Tower 87
Brooks Atkinson 345
Brooks Brothers 325, 327
Brooks, Mel 247
Brother Jimmy's BBQ 308f
Brotherhood Synagogue 125
Brown, Charles Brockden 48
Brown, James 230, 353
Browning, Robert 164
Brownstones 40, 42
Brueghel, Pieter 196
Bryant Park **145**
  Open-Air-Konzerte 351
  Stadtteilkarte 141
Bryant Park Hotel **145**
Bryant, William Cullen Statue 145
Buccellati 328, 329
Buchhandlungen 344f
Budget Autovermietung 386
Buffalo Chips Bootery 329
Bulgari 328, 329
Bull and Bear 317
Bunche (Ralph J.) Park 153
Bungalow 8 315, 317
Burberry Limited 325, 327
Burden (James) House 265
Bürgerkrieg 25
Burne-Jones, Sir Edward 159
Burnett, Frances Hodgson 209
Burnham, Daniel 43
Burnham, David 127
Burp Castle 316, 317
Burr, Aaron 23, 226, 235
Burroughs, William 48
Bush-Brown, Henry K. 85
Busse 369, 378
  Bus fahren 388
  Bustouren 389
  Fernreisebusse 389
  Flughafenbusse 379
Büste von Sylvette (Picasso) 115
Butler Library 222
Buttonwood-Abkommen 70f

C

Cabaret 356f
Cadman Plaza West 266
Café Carlyle 355
Café Edison 313f
Caffè Ferrara 313f
Caffè Reggio 358f
Cage, John 107, 350
Cagney, James 128
Columbia University 224
Calder, Alexander 200
California Gold Rush 25
Callas, Maria 49, 215
Calloway, Cab
  Cotton Club 30f
  Sugar Hill 228

Calvin Klein 326, 327
Campbell, Mrs. Patrick 128
Camper 329
Camperdown Elm 249
Campin, Robert 236, 239
Camping 279
Canal Street Flea Market 324f
Cannon's Walk 82
Cantor Roof Garden 197
Cantor, Eddie 147
Capa, Cornell 186
Capa, Robert 186
Capote, Truman 266
  Frühstück bei Tiffany 170
Carl Schurz Park 198
Carlyle Hotel 283, 313f
  Café Carlyle 355
  New York spätnachts 358f
Carnegie Corporation
  Cooper-Hewitt Museum 186
  Schomburg Center 229
Carnegie Delicatessen 312, 314
  New York spätnachts 358f
Carnegie Hall 26, 28, **148f**
  Architektur 42
  Highlights: Unterhaltung 343
  Klassische und zeitgenössische
    Musik 350f
  Stadtteilkarte 141
Carnegie Hall Shop 322, 324
Carnegie Hill, Spaziergang 265
Carnegie, Andrew 37, 49, 265
  Wohnhaus 186
Carney's (P.J.) 316f
Caroline's 355
Carrà, Carlo 174
Carrère, John 43
  Fahnenmast mit ewigem Licht 126
  Forbes Magazine Building 114
  New York Public Library 146
Carriage Tours 369
Carroll, Lewis 164
Cartier 170, 328, 329
Cartier, Pierre 168, 170
Cartier-Bresson, Henri
  International Center of
    Photography 147
  Sonntag am Ufer der Marne 175
Caruso, Enrico 49, 219
  Brooklyn Academy of Music 248
Casals, Pablo 248
Cassatt, Mary 253
Castelli (Leo) Gallery 334f
  Detailkarte 104
Cast-Iron Historic District 42, **104f**
Castle Clinton National Monument 77
  Spaziergang 269
  Stadtteilkarte 65
Caswell-Massey Ltd. 322, 324
Cathedral of St. John the Divine
  27, **226f**
  Detailkarte 223
  Sakrale Musik 350, 351
  Stadtteilkarte 221
The Cathedral Shop 322, 324
Cavaglieri, Giorgio 113
Caviarteria 336f
CBS 349
Central Park 25, **204–209**
  Highlights: Unterhaltung 343

Joggen und Fahrrad fahren 362
Kinder 364f
Love Story 348
Marathon-Mann 348
Open-Air-Konzerte 351
Spaziergang 206f
Stadtteilkarte 205
Central Park Bike Rentals 362f, 385
Central Park Summer Stage 51, 352f
Central Park West, No. 55 213, 348
Central Park Wildlife Center 209
Central Quadrangle, Columbia
University 222
Central Synagogue 180
Century 21 325, 327
Century Apartments 213
Ceramica 338f
Cézanne, Paul
Die Badende 174
Brooklyn Museum 253
Die Kartenspieler 192
Metropolitan Museum of Art 196
Chagall, Marc
Glasfenster 163
Paris durch das Fenster gesehen
188
Selbstporträt 175
Chambellan, René 154
Chamber Music Society 350
Chamber of Commerce 67
Chanel 326, 327
Chanin Building 154
Detailkarte 152
Chanin, Irwin S. 154, 214
Channel Gardens 141
Detailkarte 143
Chaplin, Charlie
Berufungsverfahren 126
The Kid 175
Charging Bull (Di Modica) **73**
Charlotte Temple (Rowson) 48
Chase Manhattan Bank Tower and
Plaza 57, 67
Château Stables 359
Cheatham, Doc 352
Chelsea Antiques Building 334f
Chelsea Brewing Company 316f
Chelsea Historic District 139
Chelsea Hotel 139
Dylan Thomas 48
Stadtteilkarte 131
Chelsea Piers Complex **138**, 362f,
365
Chelsea und Garment District
130–139
Architektur 42
Detailkarte 132f
Historic District 139
Stadtteilkarte 131
Cherry Blossom Festival 50
Cherry Lane Theatre 344
Detailkarte 110
Edna St. Vincent Millay 112
Chess Shop 322, 324
Children's Adventure Garden 242
Children's Aid Society 199
Children's General Store 322, 324
Children's Museum of Manhattan
219, 364
Stadtteilkarte 209

Children's Museum of the Arts **107**,
364
Stadtteilkarte 103
Chinatown 44, 94, **96f**
Chinesisches Neujahrsfest 53
Cultural Festival 51
Detailkarte 94
Im Jahr des Drachen 348
Spaziergang 258, 259
Chinese Porcelain Company 323
Chinesische Gemeinde 46
Choice Forex 375
Chris Limousines 387
Christ Church United Methodist 371
Christian Louboutin 329
Christie's 334f
Christina's World (Wyeth) 172
Christmas Spectacular,
Radio City Music Hall 52
Christy, Howard Chandler 215
Chruschtschow, Nikita 163
Chrysler Building 30, 44, 60, **155**
Detailkarte 153
Highlights: Architektur 41
Chrysler, Walter P. 155
Chumley's 316f
Berühmte Kundschaft 260
Detailkarte 110
Church of St. Ann and
the Holy Trinity 267
Church of the Ascension 114
Stadtteilkarte 109
Church of the Heavenly Rest 184
Church of the Holy Trinity 199
Spaziergang 265
Stadtteilkarte 183
Church of the Incarnation 159
Stadtteilkarte 151
Churchill, Winston
Brooklyn Academy of Music 248
The Players 128
Cinema Village 349
Circle in the Square – Downtown
347
Circle Line Tours 385
Kinder 364f
Sightseeing Yachts 369
Statue of Liberty (Fähre) 369
Circle Repertory Theater 260
Circus (Calder) 200f
Cisitalia ›202‹ GT (Farina) 173
Citarella 336f
Citigroup Center 43, **177**
Stadtteilkarte 61, 167
City Bakery 336f
City Center of Music and Dance **148**,
346f
Stadtteilkarte 141
City College of the City University of
New York 228
City Hall 41f, **90**
Stadtteilkarte 81
City Hall Park and Park Row 90
Stadtteilkarte 81
City Island 241
Stadtteilkarte 233
City Lights 317
Civic Fame (Wienman) 85
Claiborne, Liz 325
Claremont Riding Academy 362f

Clark, Edward S. 218
Clarke's (P. J.) 307, 309
Classic Limousine 379
Clemens, Samuel *siehe* Twain, Mark
Clermont 25
Cleveland, Grover 74
Cliff Dwellers' Apartments 219
Clifford, George 191, 195
Clinton, Charles W. 187
The Cloisters **236–239**
Kurzführer 236f
Malerei und Plastik 38
Musikveranstaltungen 351
Stadtteilkarte 233
Überblick 238f
ClubFone 340, 341
Clubs *siehe* Nachtclubs, Discos und
Clubs für Schwule und Lesben
354f
C-Note 353
Coach Store 312f
Cocks, Samuel 112
The Coffee Shop 313f
New York spätnachts 358f
Cohan, George M., Statue 143
Colbert, Claudette 47
Colin (Charles) Publications
332f
Coliseum Books 344f
College Board Building 212
Colonial Dames of America 198
Colonnade Row 120
Detailkarte 118
Colt, Samuel 115, 195
Columbia University 32, **222f**, 224
Burroughs, William 48
Detailkarte 222f
Gründung 21
Kerouac, Jack 48
Columbus Avenue Flea Market
334f
Columbus Circle 215
Columbus Day 53
Parade 52
Columbus Park 94, **97**
Stadtteilkarte 93
Comedy Cellar 355
Comedy, Varieté und Lesungen
356f
Common Ground 323
Commonwealth Fund 264
The Complete Traveler 332f
CompUSA 336f
Con Edison 123, **129**
Detailkarte 83
Con Edison Headquarters 123, **129**
Con Edison Mural 59
Condict, Silas Alden 121
Coney Island 249
Stadtteilkarte 233
Confucius Plaza 94f
Conkling, Roscoe 126
Conservatory Garden 209
Stadtteilkarte 205
Conservatory Water 209
Stadtteilkarte 205
Constable, Arnold 127
Continental 270, 378
Convent of the Sacred Heart
School 265

Convention Tours Unlimited 319
Coogan, Jackie 175
Cooke, George Frederick 91
Cooper Union 120
  Detailkarte 119
  Spaziergang 270
  Stadtteilkarte 117
Cooper, A. Sterling 142
Cooper, James Fenimore 48
Cooper, Peter 119f
Cooper-Hewitt National Design
  Museum **186**, 323f
  Detailkarte 184
  Druck und Fotografie 38
  Handwerk und Design 38
  Highlights: Museen 37
  Praktische Hinweise 368
  Spaziergang 265
  Stadtteilkarte 183
Copacabana 354f
Copland, Aaron 234
Corcoran's Roost 158
Cornbury, Lord 20
Cornelia Street Café 358f
Corona Park 246
Corpus Christi Church 350, 351
CORT Theater 345
  Detailkarte 142
Cosby Show 112
Costume Institute 195
Cotton Club (neu) 220, 353
Cotton Club 30f, 352
Cotton Club, Film 247, 348
Council on International
  Educational Exchange 370
Council Travel 370
Country- und Folkmusik 353
Coutan, Jules-Alexis 156
Coward, Noël 211, 215
Cowles (Charles) Gallery 104
The Cradle Will Rock (Blitzstein) 48
Cram, Ralph Adams 226f
Crash Mansion 352f
Crazy Nanny's 354f
Criminal Courts Building 84
Cross & Cross 176
Croton Aqueduct 209
Croton Distributing Reservoir 24,
  146
Crouch & Fitzgerald 328, 329
Crystal Palace 24f, 145
Cuban Day Parade 50
Cube (Noguchi) 66
Cummings, E. E. 111
  Wohnhaus 113, 260
Cunningham, Merce 32, 346f
Cuomo, Mario 72
Cushman, Don Alonzo 139
Custom Shop Shirtmakers 325,
  327
Cynthia Rowley (Designerin) 326,
  327

D

d'Alluye (Jean), Grabbild 236, 238f
Daily News 155
Daily News Building 155
The Dairy **208**, 351
  Spaziergang im Central Park 206

The Dakota 26, 211, **218**
  Architektur 43
  Rosemary's Baby 348
  Spaziergang im Central Park 207
Dalai Lama 254
Dalí, Salvador 174
Damascus Bakery 266
Damen aus Boston, Die (James) 48
Damrosch Park **214f**, 351
  Detailkarte 212
Dance Theater of Harlem 346f
Dance Theater Workshop 346f, 350,
  351
Dancing in the Streets 346f
Dangerfield's 357
Darling, Candy 33
David, Jacques-Louis 193
de Kooning, Willem 48
  Metropolitan Museum of Art 197
  Museum of Modern Art 174
De Lancey, James 98
De Peyster, Abraham 56
Dean & DeLuca 336f
Dean, Bashford 240
Dean, James 213
Degas, Edgar 196, 253
Delacorte Clock 209
Delacorte Theater 208
  Freikarten 341
  Highlights: Unterhaltung 343
  Off-Broadway 344f
Delacorte, George T. 208f
Delancey Street 98
  Spaziergang 258
Delano, Familie 115
Delmonico Gourmet Food Market
  358f
Delmonico, Familie 99
Delmonico's 56
Delta Water Shuttle 383
Dempsey and Firpo (Bellows) 201
Dempsey, Jack 126
Demuth, Charles 197
Depression Modern 334f
Derain, André 174
Designer Resale 325, 327
Dessert Delivery 305f
  Detailkarte 105
Deutsche Gemeinde 45f
  Spaziergang 265
  Von Steuben Day Parade 52
Deutsches Generalkonsulat 373
Deutschland Direkt 377
DeWitt Clinton 83
DHL 377
Di Modica, Arturo
  Charging Bull 73
Diamond District 259
Diamond Row 144
  Detailkarte 142
  Stadtteilkarte 141
Diana 183, 186
Dickens, Charles 120
Diddley Jr., Bo 353
Diderot, Denis 191
DiMaggio, Joe 241
Diners Club 374
  Notrufnummer 374
Dinkins, Mayor David 33
The Dinner Party 251

Dinosaur Hill 322f, 324
Discos *siehe* Nachtclubs
Docfest 348, 349
DOCS 373
Dodds, Johnny 353
Dodge, William de Leftwich 85
Dolce & Gabbana 326, 327
Dollar Car Rental 386
Don't Tell Mama 354f
Donohue, Phil 349
Doorway to Design 319
The Dorilton 219
Dos Passos, John 115, 261
Douglas Fairbanks Theater 344, 345
Doyle (New York) 334f
Dr. Rich's Institute for Physical
  Education 24
Drama Books 332f
Draper, John W. 115
Dreigroschenoper, Die 110
Dreiser, Theodore 112
  Eine amerikanische Tragödie
  112, 261
  Berufungsverfahren 126
Dreyfuss, Richard 214
DT-UT 313f
Du Bois, W. E. B.
  Harlem YMCA 229
  Schomburg Center for Research
  in Black Culture 229
du Pont, Henry 393
Duane Reade Pharmacies 358f
Duboy, Paul E. M. 219
Dubuffet, Jean
  Four Trees 67
  Museum of Modern Art 174f
Duc de Berry 237, 239
Duchamp, Marcel 48, 115
Duke Theater 346f
Duke, James B. 264
Duke-Semans House 264
Duncan (Isadora)
  Dance Foundation 346f
Duncan, Isadora 213, 215
Duplex 354f
Dürer, Albrecht 195
  Der Triumphwagen 253
Dutch West India Company 18

E

E.A.T. 312, 314
Eagle Warehouse 266
Eakins, Thomas 186
The Ear Inn 316f
Early Sunday Morning (Hopper)
  200
Earth Day Festival 50
East 57th und 59th Street
  Highlights: Shopping 320f
East Coast War Memorial 55
East Houston Street 99
East Side Kids 329
East Village **116–121**
  Detailkarte 118f
  Highlights: Shopping 320f
  Spaziergang 270f
  Stadtteilkarte 117
Easter Flower Show 50
Easter Parade 50

Eastern States Buddhist Temple 97
Detailkarte 94f
Spaziergang 259
Eastgate Tower 277
EC-Karte *siehe* Maestro-Karte
Economy Candy **100f**, 336, 337
Edison, Thomas Alva 129
Église de Notre Dame 223
Eiffel, Gustave 74
Eine amerikanische Tragödie
(Dreiser) 112
Eine andere Welt (Baldwin) 48
Einhorn-Gobelins 236, 239
Einreise 370
Einstein, Albert 47
Einwohnerzahl 12
Eisenhower, Dwight D. 214
Eishockey 360f
Eislaufen 360
El Barrio 45
El-Cid-Statue 234
El Greco 196, 234
Eldorado 214
Eldridge Street Synagogue **97**, 258
Detailkarte 97
Stadtteilkarte 95
Election Day 53
Elektrizität 371
Elephant and Castle 312, 314
Eliot, T.S. 146
Elizabeth A. Sackler Center for
Feminist Art 251
Ellington, Duke 228, 241f
Apollo Theater 230
Cotton Club 30
Ellis Island 27, 32, 38f, **78f**
Highlights: Museen 36
Stadtteilkarte 65
Wiedereröffnung als Museum 33
Ellis Island Ferry 385
Ellis, Perry 325
Ellison, Ralph 229
Emmerich (André) Gallery 181
Empire Diner 138
Stadtteilkarte 131
Empire State Building 60, **136f**, 359
Architektur 43
Detailkarte 133
King Kong 348
Schlaflos in Seattle 348
Empire State Building Run-Up 53
Encore 325, 327
Engine Company No. 31 100
Epidemien 24
Epstein, Jacob
Die Herrlichkeit des Herrn 225
Madonna mit Kind 225
Equitable Building 66
Equitable Center 142
Ernst, Max 174
ESPN Zone 147
Essex Street Market 101
Ethical Culture Society Hall 350, 351

F

F.A.O. Schwarz 322, 324, 365
Fähren 369, 385
Fahrrad fahren 362f, 385
Fänger im Roggen, Der (Salinger) 209

Farina, Pinin 173, 175
Farragut, Admiral David, Statue 124,
126
Farrington, E.F. 87
Fashion Avenue 132
Einkaufen 318
Fashion Row 26
O'Neill Dry Goods Store 39
Faulkner, Barry 73
Faulkner, William 260
Federal Express 377
Federal Hall **68**, 351
Detailkarte 67
Museum für Verfassungsgeschichte
39
Federal Reserve Bank **68**
Detailkarte 67
Feiertage 53
Feinstein's at the Regency 354f
Feld Ballet 346
Fendi 326, 327
Ferguson, Maynard 352
Fernbach, Henry
Central Synagogue 180
Pace Gallery 105
White Street 107
Fernsehen 371
Ferragamo 328, 329
Festa di San Gennaro 96, 259
Das Jahr in New York 52
Little Italy 96
Multikulturelles New York 44
Festival of Black Dance 346
Festivals in New York 50–53
Fields, W.C. 147, 246
Fifth Avenue 170
Detailkarte 168
Highlights: Shopping 320f
Stadtteilkarte 167
Fifth Avenue Synagogue 371
Filene's Basement 325, 327
Fillmore East Auditorium 271
Film Forum 349
Highlights: Unterhaltung 342
New York spätnachts 358f
Film Society of Lincoln Center 349
Fine & Klein 328, 329
Finlay (John) Walk 198
First Precinct Police Department
(ehemaliges) 57
First Presbyterian Church 114
Stadtteilkarte 109
Fisher (Avery) Hall *siehe*
Avery Fisher Hall
Fisher (Laura) 334f
Fisk, James 49
Fitness und Wellness 362f
Five Boro Bike Tour 53
Five Points 46
Flagg, Ernest 106, 121
Flatiron Building 28f, **127**
Architektur 43
Detailkarte 124
Flavin, Dan 174
Fleet Bank 58
Florence Gould Hall 350, 351
Alliance Française 350
Florent 312, 314
New York spätnachts 358f
Flower District 132

Flugverkehr 378f
Anreise/Ankunft 382f
Flughäfen 379–381
Flushing Meadows Corona Park 246
Stadtteilkarte 233
Flying Cranes Antiques 334f
Folk- und Country-Musik 353
Food Emporium 358, 359
Football (American) 52, 360
Footlight Records 332f
Forbes Magazine Building 114
Stadtteilkarte 109
Forbes, Malcolm 114
Forbidden Planet 322, 324, 332
Ford Foundation Building
Detailkarte 153
Fortunoff 328, 329
Fosse, Bob 49
Foster, Stephen 24
Foucaultsches Pendel 162
*Fountain of the Three Dancing
Maidens* 209
Four Seasons Hotel, Pianobars 357
Four Seasons Restaurant, Seagram
Building 177
Four Trees (Dubuffet) 67
Fragonard, Jean-Honoré
Brooklyn Museum 253
Stationen der Liebe 203
Frank Music Company 332f
Frankel, E. & J. 334f
Franklin, Aretha 230
Franklin, Benjamin 90f
Frau vor dem Spiegel (Manet) 189
Fraunces Tavern 23, 76, 316f
Fraunces Tavern Museum 39, **76**
Fred F. French Building 159
Freedom Tower 64, 72
Freiheitsstatue *siehe* Statue of Liberty
French Connection 326, 327
French Institute 349
French, Daniel Chester 128
Alma Mater 222, 224
Church of the Incarnation 159
Skulpturen 73, 126
French, Fred F. 158, **159**
Frick Collection **202f**
Highlights: Museen 37
Konzerte 350, 351
Malerei und Plastik 38
Praktische Hinweise 368
Spaziergang im Central Park 206
Stadtteilkarte 183
Frick Mansion 41, 43
Spaziergang 264
Frick, Henry Clay 37
Frick Collection 202f
Frick Mansion 264
Friedlander, Lee 175
Friseure 330f
Frizon (Maud) 342f
Froman, Daniel 142
Frühling in New York 50
Frühstück 293
Hotels 277, 293
Frühstück bei Tiffany (Capote)
170, 348
Führungen 369
Fuller Building 181
Fuller Company 181

Fulton, Robert 24f, 112
  Grab 68
Fulton-Fähre, Anlegestelle 265
Fundsachen
  Busse 389
  Praktische Hinweise 372f
  Taxis 387
Fung Wong 336f
Fur District 132
Furla 328, 329
FusionArts Museum 101

G

Gagosian Gallery 334f
Gainsborough, Thomas 203
Galanos, James 325
Galerien 335f
Galleria River Pavilion 138
Gallo, Joey 95
Game Show 323f
The Gap 325, 326, 327
Garbo, Greta 73
Garden Café (New York Botanical
  Garden) 243
Gardiner, Julia 114
Garibaldi, Guiseppe 48
Garland, Judy 218
Garment District und Chelsea
  130–139
  Highlights: Shopping 320f
Garnet Liquors 336f
Garvey Park siehe Marcus Garvey
  Park
Garvey, Marcus 49, 231, 271
Gay and Lesbian Switchboard 354f
Gay Yellow Pages 354
Geer, Seth 120
Geheime Garten, Der (Burnett)
  209
Gelbe Kuh (Franz Marc) 188
Geldangelegenheiten 374f
General Electric Building 61, **176**
  Detailkarte 169
General Post Office 135
General Theological Seminary 138
George III 22, 73
George Washington Bridge 235
  Terminal 389
Gerald Schoenfeld 345
Gershwin 345
Gertel's 258
Geschichte der Stadt **16–33**
Getränke 315
Ghostbusters 348
Giants (Football-Mannschaft) 52,
  360f
Giants Stadium 362f
Gibson, Charles Dana 198
Gilbert, C. P. H. 186
Gilbert, Cass 49, 235
  Architektur 42f
  New York Life Insurance
  Company 125f
  US Courthouse 85
  US Custom House 73
  Woolworth Building 91
Gillespie, Dizzy 230
Gimbel Brothers Department Store
  132, 134

Ginsberg, Allen 48
Gish, Lillian und Dorothy 218
Giuliani, Rudolph (Bürgermeister)
  33
Givenchy 326, 327
Glackens, William 261
Glass, Philip 248, 350
Gluckselig (Kurt) Antiques 334f
Golden (John) 345
Golden Gloves-Boxturnier 342
The Golden Rule (Rockwell) 163
Goldman Memorial Band Concerts
  51
Goldwyn, Samuel 47
Golf 362f
Goodhue, Bertram
  St. Bartholomew's Church 176
  St. Thomas Church 171
Goodman (Marian) Gallery 324f
Gorky, Arshile 172
Gorney, Bravin & Lee Modern Art
  324f
Gotham Book Mart 142, 322f
Gotham Comedy Club 354f
Gottesdienste 371
Gottlieb, Adolph 48
Gould, Familie 170
Gould, Jay 49, 393
The Gourmet Garage 336f
Goya, Francisco
  Hispanic Society of America 234
  Metropolitan Museum of Art 195f
Grace Church 121
  Stadtteilkarte 117
Gracie Mansion 198f
  Möbel und Kostüme 38
  Spaziergang 264f
Gracie, Archibald 198
Graham House 184
Gramercy Park 124f, **128**
  Detailkarte 124f
  Stadtteilkarte 123
Gramercy Park Flower Show 50
Gramercy Park Hotel **129**
  Stanford Whites Haus 128
Gramercy und Flatiron District
  122–129
  Detailkarte 124f
  Stadtteilkarte 123
Grand Army Plaza 248
Grand Canal Celebration 25
Grand Central Depot 26
Grand Central Oyster Bar 156
Grand Central Terminal 29, 60, **156f**,
  383, 392
  Architektur 43
  Detailkarte 152
  Die Uhr 348
  König der Fischer 348
Grant, Cary 112, 348
Grant, Ulysses S. 75
  Grab 225
Grant's Tomb 225
Gray Line of New York 369
Gray's Papaya 359
Greeley Square 133
Greeley, Horace, Statue 133
Green Coca-Cola Bottles (Warhol)
  200
Greenaway, Kate 38

Greene Street 106
  Detailkarte 104
  Spaziergang 261
Greenwich House Music School 351
Greenwich Savings Bank 133
Greenwich Village **108–115**
  Detailkarte 110f
  Highlights: Shopping 320f
  Spaziergang 260f
  Stadtteilkarte 109
Greenwich Village Society for
  Historic Preservation 114
Greyhound-Busse 378f
Griechische Gemeinde 47, 50
Gris, Juan 174
Gropius, Walter 154
Großbritannien 19
  Kolonialmacht 20f
  Unabhängigkeitskrieg 22f
Ground Zero 72
Group Health Insurance Building
  43, **147**
Grove Court 112
  Detailkarte 110
Growler 149
Gryphon Books 332f
Gryphon Records 332f, 358
Guardian Angels 372
Gucci 326, 327
  Accessoires 328, 329
Guggenheim Bandshell
  Detailkarte 212
  Metropolitan Opera House 215
Guggenheim Museum siehe
  Solomon R. Guggenheim
  Museum
Guide Service of New York 319
Guss' Pickle Company
  (Essex Street) 258
Gusseisen-Architektur 40, 42, 104f
Gutenberg-Bibel 138, 164
Guys and Dolls (Runyon) 344

H

H & H Bagels 336f, 358f
Haas, Richard 48, 59
  Alwyn Court Apartments 149
  Brooklyn Bridge (Wandbild) 83
  Greene Street (Wandbild) 106
  New York Public Library
  (Wandbild) 146
  SoHo (Wandbild) 105
Hacker-Strand Art Books 332f
Hafen von Dieppe (Turner) 202
Hagstrom Map & Travel Store 332f
Hair 32
Hale, Nathan 22, 90
Hall of Records 85
Halloween Parade 52
Hamilton (Alexander) Gallery 199
Hamilton Grange National Memorial
  228
Hamilton Heights Historic District
  228
Hamilton, Alexander 23
  Bank of New York 57
  Grab 68
  Hamilton Grange National
  Memorial 228

New York Post 23
Statue 228
Hammacher Schlemmer 323, 324
Hammarskjöld, Dag
Chagalls Glasfenster 163
Hammerstein Ballroom 352f
Hammerstein I, Oscar 147
Hammerstein II, Oscar 49, 148
Hammett, Dashiell 48
The Hamptons 393
Hands On 340f
Handy, W. C. 229
Handys 377
Hanover Square 56
Hanukkah Menorah 53
Harbour Lights 358f
Hard Rock Cafe 147, 313f, 365
Harde and Short 149
Hardenbergh, Henry J.
Plaza Hotel 181
The Dakota 43, 218
Haring, Keith 48
Harkness, Edward S. 264
Harlem
Cotton Club 348
Morningside Heights 18, 45, 220f
Spaziergang 272f
Harlem Heights 228
Harlem Spirituals, Inc. 369
Harlem Week 51
Harlem YMCA 229
Stadtteilkarte 221
Harper, James 128
Harper's Weekly 265
Harrison Street 107
Harrison, Rex 179
Harrison, Wallace 160
Harry's New York Bar 317
Hartford, Connecticut 393
Hastings, Thomas
Fahnenmast mit dem ewigen Licht 126
Forbes Building and Galleries 114
New York Public Library 146
Haughwout Building 106
Detailkarte 105
Haupt (Enid A.) Conservatory 242f
Hawley, Irad 114
Hayden Planetarium 39, **218**, 364
Stadtteilkarte 211
siehe American Museum
of Natural History **216f**
Hayden, Charles 218
Hayes (Helen) 345
Hebrew Religious Articles 322, 324
Heidelberg Café 265
Hl. Franziskus in der Wüste (Bellini) 37
Heins & LaFarge 226f
Cathedral of St. John the Divine 226f
Helikopter-Flüge 359, 369
Hell Gate 198
Hell's Kitchen 44
Irische Gemeinde 46
Helleu, Paul 157
Helmsley Building 43, **158**
Detailkarte 153
Helmsley, Leona 49, 158
Hemingway, Ernest 260

Henderson Place 198
Spaziergang 265
Henderson, John C. 198
Hendrick (Irokesenhäuptling) 20
Hendricks, Harmon 112
Henri, Robert 201
Henrietta Hudson 354f
Henry, O.
Das Geschenk der Weisen 125
The Last Leaf 112
Hepburn, Audrey 112
Hepburn, Katharine
Shubert Alley 148
Turtle Bay Gardens 181
Hepworth, Barbara 62
Herald Square 132f, **134**
Detailkarte 132f
Highlights: Shopping 320f
Stadtteilkarte 131
Herbst in New York 52
HERE 344, 347
Herrlichkeit des Herrn, Die (Epstein) 225
Herter Brothers 126
Herts & Tallant 144, 248
Herts, Henry 148
Hertz 386
Hewitt-Schwestern 186
Heye (George Gustav) Center 73
Hicks, Familie 266
Hill, Joe 47
Hilton Hotel 355
Himalayan Crafts and Tours 323
Hine, Lewis 137
Hip Sing 96
Hirschl & Adler Galleries 334f
Detailkarte 104
Spaziergang 264
Hispanic Society of America 233
Historic Richmond Town 21, 254
Museen außerhalb Manhattans 39
Richmond County Fair 52
Historical Society Museum 254
Hit Show Club 341
Hoffman, Dustin 110
Actors' Studio 344
San Remo 214
Hoffman, Malvina
Church of the Heavenly Rest 184
Sniffen Court 159
Hofmann, Hans 48
Holbein, Hans 202
Holiday Inn International 381
Holiday Inn JFK 380
Holiday, Billie 230
Holland Tunnel 30
Holland, George 129
Holländische Kolonialherren 19, 38, 42
Holy Trinity, Church of the 199
Home Savings of America (130 Bowery) 95, **96**
Detailkarte 95
Home Savings of America (42nd St) 152, **154**
Detailkarte 95, 152
Homer, Winslow 260
National Academy of Design 186

Hood, Raymond
American Radiator Building 145
Group Health Insurance Building 43, 147
News Building 155
Rockefeller Center 144
Hope, Bob 47
Hopper, Edward 261
American Academy and Institute of Arts and Letters 234
Early Sunday Morning 200
Forbes Building and Galleries 114
Washington Square 115
Horn (Linda) Antiques 334f
Hospital Emergency Rooms 373
Hosteling International New York 280
Hotel con-x-ions 277
Hotel des Artistes 215
Café des Artistes 310
Detailkarte 213
Stadtteilkarte 211
Hotel Pierre 43, 289, 313f, 318
Hotels **276–291**
Apartment-Hotels 277
Ausstattung 277
Bed and Breakfast 278, 279
Behinderte Reisende 279
am Flughafen 378–381
Frühstück 277, 279
Hotelauswahl 280–291
Hotelbars 314–317
Jugendherbergen 278, 279
Kinder 279
Preise 276, 278
Reservierung 277, **278**
Reservierungsservice 277
Sonderangebote 278
Trinkgeld 277, 368
Versteckte Kosten 276f
Wohnheime 278
Zimmerservice 269
Houdini, Harry 126
Houdon, Jean-Antoine 191
Houseman, John 48
Howe, General William 22
Howells & Stokes 223
Hubschrauber-Flüge 359, 369
Hudson, Henry 18
Hugh O'Neill Dry Goods Store 139
Hughes, Erzbischof John 178
Hughes, Langston 229
Hungarian Pastry Shop 313f
Hunt, Richard Morris 42, 68
Hunter College Dance Company 346f
Hunter High School 185
Huntington, Anna Hyatt 186, 234
Huntington, Archer
Audubon Terrace 234
National Academy of Design 186
Huntington, Charles Pratt 234
Hurston, Zora Neale 229

I

IBM Building 170
Detailkarte 169
Stadtteilkarte 167

Il Bisonte 328, 329
Immigranten
    East Village 117
    Nationalitäten 17
    Upper East Side 182
Imperial 345
Independence Day 53
India House 56
Indian Restaurant Row‹ 271
Indische Gemeinde 45, 47
Information 368
Inge, William 344
Ingres, Jean-Auguste-Dominique
    Metropolitan Museum of Art
        195
    Porträt der Prinzessin de Broglie
        191
International Center of Photography
        147
    Stadtteilkarte 141
International Labor Organization
        163
International Ladies' Garment
    Workers' Union 28
Internet-Cafés 368
Intrepid Sea-Air-Space Museum
        149
    Highlights: Museen 36
    Kinder 364
    Stadtteilkarte 141
Iridium 352f
Irische Gemeinde 46
    Multikulturelles New York 44
    St. Patrick's Day Parade 50
Irokesen-Indianer 18, 20
Irving Plaza
    Rockmusik 352f
Irving Trust Company 66
Irving, Washington
    Colonnade Row 120
    Eine Geschichte New Yorks 48
    The Salmagundi Papers 114
    Sunnyside 393
Irwin (Jane Watson) Perennial
    Garden 243
    siehe auch New York Botanical
    Garden
Isaacs, John 112
Isaacs-Hendricks House 112
Islamic Cultural Center 47
Islamische Gemeinde 47
Italian Food Center 336f
Italienische Gemeinde 46
    Festa di San Gennaro 52
    Little Italy 94, 96
    Multikulturelles New York 44
    Spaziergang 259
Ives, H. Douglas 159

J

J & R Music World 336f
J. Press (Männermode) 325, 327
Jackson, Michael 247
Jacob K. Javits Convention Center
        138
Jacobs, Marc 325
Jamaica Bay Wildlife Refuge Center
        255
    Stadtteilkarte 233

James, Henry 261
    Die Damen von Boston 48
    Washington Square 115
Japan Society 61, **158f**
    Stadtteilkarte 151
Javits (Jacob K.) Convention Center
        138
    National Boat Show 53
    Stadtteilkarte 131
Jazz at Lincoln Center 353
Jazz, Rock und World Music 352f
The Jazz Singer 30
Jefferson Market 336f
Jefferson Market Courthouse 113
    Detailkarte 111
    Spaziergang 260
Jefferson, Joseph 129
Jefferson, Thomas 146
Jenseits des Horizonts (O'Neill) 49
Jerry Ohlinger's Movie Material Store
        322, 324
Jets (Football-Mannschaft) 52, 360f
Jewelry Exchange 328, 329
Jewish Museum 41, **186**, 323f
    Detailkarte 184
    Kunst anderer Kulturen 39
    Shopping 323, 324
    Spaziergang 265
    Stadtteilkarte 183
JFK Airport 31, 380, 383
Jimmy Choo 329
Joe 313, 314
Joe's Pub 354f
    New York spätnachts 358f
Joggen 362f
John's Pizzeria 312, 314
Johns, Jasper 174f
    Three Flags 201
Johnson (Betsey) 326, 327
Johnson, Philip
    Lincoln Center-Brunnen 214
    New York State Theater 214
    Seagram Building 177
Jolson, Al 47
Jones Beach State Park 255
    Konzerte 352
    Stadtteilkarte 233
Journeys at the Essex House 317
Joyce Theater 346f
Judd, Donald 174
Jüdische Gemeinde 18, 46
    Denkmäler für Einwanderer 77
    Hanukkah Menorah 53
    Multikulturelles New York 44
    Spaziergang in der Lower East Side
        258
Judson Memorial Church 115
    Spaziergang 261
    Stadtteilkarte 109
Judson, Adinoram 115
Jugendherberge 278, 279
Juilliard Dance Theater 346f
Juilliard Opera Center 350, 351
Juilliard School of Music 350, 351
Jumbo Bagels and Bialys 358f
Jumel, Stephen and Eliza 235
    Morris-Jumel Mansion 235
Junge Frau mit Wasserkrug (Vermeer)
        196
Jungle Alley 273

Junior League of the City of New
    York 370
JVC Jazz Festival 51, 353

K

Kadouri Imports 258
Kahn, Otto 265
Kam Man Market 259, 336f
Kandinsky, Wassily
    Metropolitan Museum of Art
        197
    Neue Galerie New York 186
    Schwarze Linien 189
Karan, Donna 326
Karloff, Boris 218
Kartenspieler, Die (Cézanne) 192
Kartenvorverkauf 340
Kas 20
Katz's Deli 258, 312, 314
    Harry und Sally 348
Kaufman Astoria Studio 246f
    Stadtteilkarte 233
Kaufman Concert Hall (92nd St Y)
        350
Kaye Playhouse 350, 351
Kean, Edmund 90
Keaton, Diane 214
Kehila Kedosha Janina Synagoge
    und Museum 258
Kelly, Ellsworth 37
Kemble, Fanny 90
Kennedy, John F. 248
Kenny's Castaways 353
Keno (Leigh) American Furniture 334,
    335
Kent, Rockwell 261
Kentshire Galleries 334f
Kerouac, Jack 48, 260
    Chelsea Hotel 139
Kerr (Walter) 345
Kertesz, André 175
Kidd, Captain William 21
Kinder **364f**
    Baby Sitters' Guild 364f
    in Hotels 279
    Läden 365
    Museen 364
    Pinch Sitters 364f
    Praktische Tipps 364
    Restaurants 293, 365
    Spaß im Freien 364f
    Studio Museum in Harlem 231
    Theater und Zirkus 365
King Cole Room 317
King Kong 348
King, B.B. 353
King, Jr. (Martin Luther) Day 50, 53
King's College siehe
    Columbia University
Kinkannon, Joe 226
Kino 27, 348f
    Ausländische Filme und
    Kulturinstitute 348f
    Filmklassiker und -museen 349
    New York spätnachts 358
    Premierenkinos 348
Kirchner, Ernst Ludwig 174
The Kitchen 346, 347
Kitchen Arts & Letters 332f

Klauber, Mrs. Harry 254
Klee, Paul
  Brooklyn Museum 253
  Metropolitan Museum of Art 197
  Museum of Modern Art 174f
  Neue Galerie New York 186
Klein, Anne 325f
Klein, Calvin 325, 326, 327
Klettern 385
Kline, Franz 48
Knickerbocker Club 124
Knickerbockers, Baseball-Team
  25, 124
Knicks, Basketball-Team 135, 360f
  Das Jahr in New York 52
  Highlights: Unterhaltung 342
Knight, Gladys 230
Knitting Factory
  Disco 354
  Rock und Jazz 352, 353
Knoedler & Company Gallery 264,
  334f
  Spaziergang 264
Koch, Bürgermeister Ed 33
Koenig, Fritz
  The Sphere 77
Kolonialzeit **18–21**
Kolumbianische Gemeinde 46f
König der Fischer, Der 348
Konsulate 373
Koons, Jeff 48, 107
Koreanische Gemeinde 44, 47
Kors, Michael 325, 326
Kosciuszko Foundation 350, 351
Kreditkarten 374
Kreuzigung, das jüngste Gericht
  (van Eyck) 193
Krigwa Players 229
Krizia 326, 327
Krohg, Per 162
Kunstgalerien 335f

L

La MaMa 344, 347
La Perla 329
Labor Day 53
Läden und Märkte *siehe* Shopping
Ladies' Mile 127
  Detailkarte 124
Lady Meux (Whistler) 203
LaFarge, John 146, 241, 260
  Anbetung der Könige 159
  Church of the Ascension
  (Wandgemälde) 114
  Judson Memorial Church 115
  Little Church Around the Corner
  129
LaGuardia Airport 379, 383
LaGuardia, Fiorello 30f
  City Center of Music and Drama
  148, 198f
  Italienische Gemeinde 46
Lalique 336f
Lamb & Rich 196
Lambert, Phyllis 177
Landis, Kathleen 355
Landmarks Preservation Commission
  107
Lange, Dorothea 175

The Last Leaf (O. Henry) 112
Lauren, Ralph 325
  Polo/Ralph Lauren 325, 327
Lawrie, Lee
  Atlas 143
  St. Thomas Church 171
  Weisheit 144
Lazarus, Emma 74
Le Brun (Baufirma) 99
Le Brun, Napoleon 135
Le Cirque 2000 176
Lee, Gypsy Rose 147
Lee, Robert E. 225
Lee, Spike 348
Léger, Fernand 189
Lehman (Robert) Collection 190, 196f
Leichtathletik 361
Leisler, Jacob 19
Lennon, John
  The Dakota 218
  Strawberry Fields 206, 208
Lenox, James 146
Lenox Lounge 352, 353
Leo Kaplan Ltd. 322, 324
Leonardo da Vinci 195
Les Demoiselles d'Avignon (Picasso)
  173f
Les Halles 313f
  New York spätnachts 358f
Les Pierres 334f
Lesben *siehe* Schwule und Lesben
Lesbian and Gay Pride Day Parade 51
Lesungen 356f
Let There Be Neon 107
Letterman, David (Show) 349
Leutze, Emanuel 193f
Lever House 177
  Detailkarte 169
  Stadtteilkarte 167
Levine, J., Judaica 332f
Levy, Bernard & S. Dean
  (Antiquitäten) 334f
Lexington Avenue 320f
Libanesische Gemeinde 47
Liberty Plaza 55
Liberty Tower 67
Libeskind, Daniel 72
The Library at the Players 128
  Detailkarte 124f
Library Museum of the Performing
  Arts 351
Lichtenstein, Roy 48
  Little Big Painting 200
  Mural with Blue Brushstoke 142
  Museum of Modern Art 174
Liegender Akt (Modigliani) 188
Life Building 133
Li-Lac 336, 337
Lincoln Center **212f**, 346
Lincoln Center for the Performing
  Arts 212, **214**
  Ballett 346
  Detailkarte 212f
  Festival 51
  Konzertsäle für klassische und
  zeitgenössische Musik 350f
  New York Public Library 146
  Der Nussknacker 343
  Open-Air-Konzerte 346f
  Stadtteilkarte 211

Lincoln Center Theater 215
  Stadtteilkarte 211
Lincoln Plaza Cinema 349
Lincoln, Abraham 25, 90, 120
  Gettysburg Address 114
Lind, Jenny 77
Lindbergh, Charles 30, 31
  MetLife Building 154
Lippold, Richard 177
Lissitzky, El 174
Little Antique Shop 335
Little Big Painting (Lichtenstein)
  200
Little Church Around the Corner
  129
  Stadtteilkarte 123
Little India
  Detailkarte 119
  Multikulturelles New York 45
Little Italy 94f, 96, 259
  Detailkarte 94f
  Multikulturelles New York 44
  Der Pate 336
  Spaziergang 259
Little Korea
  Detailkarte 133
  Multikulturelles New York 44
*The Little Red Lighthouse and the
  Great Gray Bridge* (Swift) 235
Little Ukraine 270
  Detailkarte 119
  Multikulturelles New York 44
Loeb Boathouse 363
Loeb Student Center 261
Loehmann's 326, 327
Lombardo, Tullio 196
Long Island Rail Road (LIRR) 383,
  392f
Long Island Sound 198
Longacre 345
Lord & Taylor 26, 127, 319
Lord, James Brown 126
Lost City Arts 322, 324
Lot 61 315, 317
Love Story 348
Low Library (NYU) 224
  Detailkarte 222
Low, Seth 224
Lower East Side **92–101**
  Detailkarte 94f
  Highlights: Shopping 320f
  Spaziergang 258f
  Stadtteilkarte 93
Lower East Side Tenement Museum
  39, 41, **97**
  Spaziergang 258
Lower Manhattan **64–79**
  Detailkarte 66f
  Skyline 54–61
  Stadtteilkarte 65
Lower Midtown **150–165**
  Detailkarte 152f
  Stadtteilkarte 151
Luciano, Charles »Lucky« 47
Lucille Lortel Theater 110, 344
Lufthansa 378
Lugosi, Bela 47
Lunt-Fontanne 345
Lycée Français de New York
  264

Lyceum Theater 28, **144**, 344, 345
  Detailkarte 142
  Geschichte 344
  Stadtteilkarte 141
Lynch, Anne Charlotte 260

M

MacDougal Alley 260
Macklowe Gallery & Modernism 334f
Macmillan Publishing Company 114
Macready, Charles 48
Macy, Rowland Hussey 134
Macy's 28, 51, 133, **134f**
  Fireworks Display 51
  Shopping 319
  Thanksgiving Day Parade 52
Mädchen mit Mandoline 174
Madison Avenue 320f
Madison Square 126
  Detailkarte 124
  Stadtteilkarte 123
Madison Square Garden 126, **135**
  Botschafter der Angst 348
  Highlights: Unterhaltung 342
  Konzerte 352f
  Sportveranstaltungen 362f
  Stadtteilkarte 131
Madison Square Theater 126
Madonna 214
Maestro-/EC-Karte 374
  Notrufnummer 374
Mailer, Norman 267
Majestic 345
Malewitsch, Kasimir 174
Mall in St. James's Park (Gainsborough) 203
Manca, Albino 55
Manchester 316f
Manet, Édouard 189
Mangia 312, 314
Mangin, Joseph F. 42, 90
Manhattan
  The Bronx 240f
  Central Park 204–209
  Chelsea und Garment District 130–139
  East Village 116–121
  Gramercy und Flatiron District 122–129
  Greenwich Village 108–115
  Lower East Side 92–101
  Lower Manhattan 64–79
  Lower Midtown 150–165
  Morningside Heights und Harlem 220–231
  New York stellt sich vor 10–61
  Skyline 54–61
  SoHo und TriBeCa 102–107
  South Street Seaport und Civic Center 80–91
  Theater District 140–149
  Upper East Side 182–203
  Upper Manhattan 234f
  Upper Midtown 166–181
  Upper West Side 210–219
Manhattan Art & Antiques Center 334f
Manhattan Center 334f

Manhattan Detention Center for Men 84
Manhattan Mall 132f
Manhattan School of Music 350, 351
Manhattan Theater Club 344, 347
Mann mit Hut (Picasso) 173
Mannes College of Music 350, 351
Manolo Blahnik 329
Mantle (Mickey) Sports Bar 361
Mapplethorpe, Robert 48, 253
Marathonlauf 360
Marathon-Mann 348
Marble Collegiate Reformed Church 134
  Detailkarte 133
  Stadtteilkarte 131
Marc, Franz 188
Marchais (Jacques) Museum of Tibetan Art 254
  Museen außerhalb Manhattans 39
  Stadtteilkarte 233
Marcus Garvey Park 231
  Stadtteilkarte 221
Marianne Boesky Gallery 334, 335
Marie's Crisis 354f
Marine Midland Bank 66f
Maritime Crafts Center 58, 269
  Detailkarte 82
Maritime Lobby Bar 317
Mark Morris Dance Center 346, 347
Märkte *siehe* Shopping
Marlborough, Duke of 171
Marquis 345
Marrakech (Stella) 192
Marriott Hotel 381
Marsalis, Branford 352
Marsalis, Wynton 353
Marsh, Reginald 73
Marshall, Chief Justice Thurgood 228
Martin (Billy) 328f
Martin, Steve 215
Martinez Valero 328f
Martins, Peter 346
Martiny, Philip 85
Marx Brothers 185, 246
Marx, Groucho 214
Masefield, John 113, 260
Maße, Umrechnungstabelle 370
MasterCard 374
  Notrufnummer 374
Mathew Marks Gallery 334f
Matisse, Henri 197
  Brooklyn Museum 253
  Museum of Modern Art 174f
McComb Jr., John 42, 90, 107
McGraw (Steve) 354f
McGraw-Hill Bookstore 332f
McKenney, Ruth 111
McKim, Charles 43
  Brooklyn Museum 250
  Castle Clinton National Monument 77
  Columbia University 222, 224
  First Presbyterian Church 114
  General Post Office 135
  Judson Memorial Church 115
  Morgan Library & Museum 164
  Municipal Building 85
  Pennsylvania Station 135
  Villard Houses 176

McSorley's Old Ale House 271, 316, 317
  Detailkarte 119
Mead, William 43
  Brooklyn Museum 250
  Castle Clinton National Monument 77
  Columbia University 222
  First Presbyterian Church 114
  General Post Office 135
  Judson Memorial Church 115
  Morgan Library & Museum 164
  Municipal Building 85
  Pennsylvania Station 135
  Villard Houses 176
Meadowlands 352f
Meatpacking District 112f
Medizinische Versorgung 373
Mehrwertsteuer
  Hotels 276f
  Shopping 318
Meisner, Sandy 344
Mekutra 196
Melville, Herman 241, 260
  Moby Dick 48
Memorial Day 53
Merce Cunningham Studio 346, 347
Merchant's House Museum 120
  Highlights: Unterhaltung 36
  Möbel und Kostüme 38
Merkin Concert Hall 350f
Messiah Sing-In 53
MetLife Building 60, **154**
  Detailkarte 152
  Stadtteilkarte 151
Metro-North 392f
Metropolitan Life Insurance Company 127
  Detailkarte 125
Metropolitan Museum of Art 26, 42, **190–197**
  Highlights: Museen 37
  Klassische und zeitgenössische Musik 350f
  Kunst anderer Völker 39
  Malerei und Plastik 38
  Möbel und Kostüme 38
  Mode-Institut 195
  Museumsladen 323f
  Spaziergang 264
  Spaziergang im Central Park 207
  Stadtteilkarte 183
Metropolitan Opera Company 214f
  Parkkonzerte 51
Metropolitan Opera House 140, **214f**, 350f
  American Ballet Theater 346f
  Detailkarte 212
  Highlights: Unterhaltung 343
  Mondsüchtig 348
  Stadtteilkarte 211
Metropolitan Opera Shop 322, 324
Meyer's Hotel 83
Mezzaluna 312, 314
Mezzogiorno 312, 314
Michael (George) of Madison Ave/Madora Inc. 358f
Michael's (Boutique) 325, 327

Michelangelo
  Riverside Church 225
  Studien einer libyschen Sibylle 195
Midnight Express Cleaners 358f
Midnight Records 332f
Midtown Manhattan
  Skyline 60f
Mies van der Rohe, Ludwig 49, 186
Millay, Edna St. Vincent 112, 260
  Brooklyn Academy of Music 248
Millennium UN Plaza Hotel
  Ambassador Lounge 355
Miller Building 142
Miller, Arthur 266
  Nach dem Sündenfall 215
Miller, Glenn 132
Millrose Games 363
Milne (Judith & James) 334f
Minetta Tavern 316f
Mingus Big Band 352
Minskoff 345
Minsky's 147
Minuit, Peter 18f, 64
  Denkmal 64
Miracle on 34th Street 134
Miró, Joan 174
Mission of Our Lady of the Rosary 76
Missoni 326, 327
Mitchell, Joni 353
Mo' Better Blues 348
Mobil Building 152
Mobiltelefone 377
Moby Dick (Melville) 48
Model Boat Pond 209
  siehe auch Central Park
Moderne Architektur
  Battery Park City 72
  Citigroup Center 177
  IBM Building 170
  Javits Convention Center 138
  Lever House 177
  Madison Square Garden 135
  MetLife Building 154
  MONY Tower 148
  Rockefeller Center 144
  Rose Center for Earth and Space 218
  Seagram Building 177
  Trump Tower 170
  United Nations 160f
  United Nations Plaza 158
  World Financial Center 69
  World Trade Center 72
Modigliani, Amedeo 188
Mondel Chocolates 336f
Mondrian, Piet 174
Mondsüchtig 348
Monet, Claude
  Brooklyn Museum 251, 253
  Metropolitan Museum of Art 196
  Wasserlilien 173
Moneygram 390
Monk, Thelonius 230
Monroe, Marilyn 176
  Actors' Studio 344
  Eldorado 214
Montague Terrace 267

Montauk Club 248
Montauk Point 393
Montgomery 272
Montrachet 298, 305
MONY Tower 148
Mood Indigo 334f
Moore, Clement Clark 139
  General Theological Seminary 138
Moore, Henry 161, 214
Moore, Marianne 112
More, Sir Thomas 202
Morgan Bank 56
Morgan, J. Pierpont 151
  Morgan Library & Museum 164f
  Star of India 216
Morgan Jr., J. Pierpont 164
Morgan Library & Museum **164f**
  Bibliotheken 39
  Drucke und Fotografie 38
  Highlights: Museen 36
  Stadtteilkarte 151
Morgan Library Shop 322, 224
Morningside Heights und Harlem **220–231**
  Detailkarte 222f
  Spaziergang 272f
  Stadtteilkarte 221
Morris, Lt. Col. Roger 235
Morris, Mark 248, 346
Morris, William 159
Morris-Jumel Mansion 19, 23, **235**
Morse, Samuel 24, 115
Moses, Robert 31
  Flushing Meadows Corona Park 246
  Jones Beach State Park 255
Moss (Alan) 334f
Mostly Mozart Festival 51, 215, 350
Mother Zion Church 272
Mould, Jacob Wrey
  American Museum of Natural History 216
  Bethesda Fountain 209
Mount Morris Historic District 231
Mount Olivet Baptist Church 231
Mount Vernon Hotel Museum and Garden 198
  Möbel und Kostüme 38
  Stadtteilkarte 183
Movie Tickets Online 341
Moviefone 340f, 349
Mozart, Wolfgang Amadeus 164
  Mostly Mozart Festival 51, 215, 350
Mudspot 313f
Mulberry Bend 97
  Spaziergang 259
Müller-Munk, Peter 252
Multikulturelles New York 44–47
Munch, Edvard 175
Municipal Building 43, 59, **85**
Mural with Blue Brushstroke (Lichtenstein) 142
Murray Hill 151
Murray's Cheese Shop 336f
Museen und Sammlungen
  Highlights: Museen 36f
  Museumsläden 323f

  Öffnungszeiten 368
  Praktische Hinweise 368
  Überblick: New Yorker Museen 38f
Museo del Barrio 231
  Franz von Assisi 220
  Kunst anderer Völker 39
  Stadtteilkarte 221
Museum of American Illustration 198
Museum of Arts & Design 149
  Handwerk und Design 38
  Shopping 323, 324
  Stadtteilkarte 141
Museum of Broadcasting *siehe* Ny Paley Center for Media
Museum of Jewish Heritage 77
  Museumsladen 323, 324
  Spaziergang 268
  Stadtteilkarte 65
Museum of Modern Art **172–175**, 247
  Design Store 323f
  Detailkarte 168
  Filme 349
  Highlights: Museen 36
  Klassische und zeitgenössische Musik 350f
  Kurzführer 172f
  Malerei und Plastik 38
  Museen außerhalb Manhattans 39
  Stadtteilkarte 167
  Überblick 174f
Museum of the American Indian 73
  Handwerk und Design 38
  US Custom House 73
Museum of the City of New York 21, 27, **199**, 323f
  Handwerk und Design 38
  Highlights: Museen 37
  Möbel und Kostüme 38
  Rundgang 369
  Stadtteilkarte 183
Museum of the Moving Image **246f**, 349
  Stadtteilkarte 253
Museumsmeile
  Detailkarte 184f
  Praktische Hinweise 51, 368
Music Box 345
Musikinstrumente 197
Musikveranstaltungen
  Klassische und zeitgenössische Musik 350f
  Rock, Jazz und Weltmusik 352f
Myers of Keswick 336f
Mysterious Bookshop 332f

N

Nachtclubs, Discos und Clubs für Schwule und Lesben 354f
Nadelman, Elie
  Fuller Building, Uhr 181
  New York State Theater 214
  Skulpturen 214
  Tango 121
The Nail (Pomodoro) 61
Nast, Thomas 128

Nathan's Famous 249
National Academy Museum 186
 Detailkarte 184
 Malerei und Plastik 38
 Stadtteilkarte 183
National Arts Club 128
 Detailkarte 124
National Audubon Society 186
National Boat Show 53
National Car Rental 386
National Dance Institute 346
National Museum of the American
 Indian 73
National Organization of Women
 (NOW) 373
National Tennis Center 363
NBC 369
Nederlander 345
Neighborhood Playhouse School of
 the Theater 344, 347
Nesbit, Evelyn 126
Netherlands Memorial Monument
 77
Neue Galerie New York 186
 Stadtteilkarte 183
Neujahr 53
Nevelson (Louise) Plaza 67
Nevelson, Louise
 Beker (Erol) Chapel at the
  Citigroup Center 177
 Night Presence IV 185
New Amsterdam 17, 18
New Amsterdam Theater 147
 Stadtteilkarte 139
New Dramatists 344, 347
New Haven, Connecticut 377
New Jersey Performance Arts Center
 350f
New Jersey Transit 382
New Museum of Contemporary Art
 100
 Malerei und Plastik 38
 Spaziergang 261
 Stadtteilkarte 93
New Orleans Jazz Band 352
 Café Carlyle 353
New York
 19. Jahrhundert 24f
 Die Anfänge New Yorks 16f
 Ankunft 382f
 Anreise 378–381
 Berühmte New Yorker 48f
 Epoche der Extravaganzen 26f
 In New York unterwegs 384–393
 Das Jahr in New York 50–53
 Kolonialzeit 18–21
 Multikulturelles New York 42–47
 Nachkriegszeit 30f
 New York auf der Karte 12f
 New York im Überblick 34–49
 Revolutionszeit 22f
 Seit 1945 32f
 Skyline 54–61
 Um 1900 28f
 Zwischen den Weltkriegen 30f
 siehe auch Manhattan
New York (Stadtmagazin) 340f
 Veranstaltungshinweise 369
New York Airport Service 379, 383
New York Aquarium 77

New York Bank for Savings 230f
New York Botanical Garden 242f
 Stadtteilkarte 233
New York City Ballet 346, 365
 Detailkarte 212
 George Balanchine 48f
 New York State Theater 214
 Spring Season 50
New York City Fire Museum 39,
 107
 Stadtteilkarte 103
New York City Marathon 52
New York City Opera and Ballet 148,
 350
New York City Parks & Recreation
 Department 363
New York City Police Museum 39,
 76
New York Convention & Visitors
 Bureau (NYC & Company) 50, 277,
 340f, 368
New York County Courthouse 84f
New York Earth Room 107
New York Evening Post 176
New York Film Festival 52, 348
New York Firefighter's Friend 322,
 324
New York Gazette 20
New York Hall of Science 246
 Stadtteilkarte 233
New York Herald 132, 134
New York Hospital 23
New York Hotel Urgent Medical
 Services 357
New York Life Insurance Company
 126
 Detailkarte 125
New York Mets 360
New York Palace Hotel 176
New York Paley *siehe* NY Paley
 Center for Media
New York Philharmonic 350f
 Avery Fisher Hall 215
 Parkkonzerte 51
New York Post 265
New York Public Library 26, 29, 39,
 43, **146**
New York Public Library for
 Performing Arts 215
New York Public Library Shop 322,
 324
New York Shakespeare Festival
 120
 Eintrittskarten 341
New York Society for Ethical Culture
 214
New York spätnachts 358f
New York State 12f
New York State Theater **214**, 346f
 Detailkarte 212
 Frühling 50
 New York City Ballet Spring
  Season 50
 Stadtteilkarte 211
New York Stock Exchange 57, **70f**
 Detailkarte 66
The New York Times 25, 371
 John Finlay 198
 Times Square 147
 Veranstaltungshinweise 340, 369

New York University 115
 French House 114
 Stadtteilkarte 109
 Summer Housing 278
 Zeitgenössischer Tanz 346f
New York University Institute of
 Fine Arts 264
New York Yacht Club **145**, 170
New York Yankees 360
The New Yorker 30
Newark Airport 381
Newhouse (Mitzi E.) Theater 215
 Detailkarte 212
Newhouse Center for Contemporary
 Art 254
Newman, Paul 247
News (Noguchi) 143
News Building 155
 Detailkarte 153
Newspaper Row 90
New-York Historical Society 218
 Stadtteilkarte 211
Next Wave Festival 346, 350
 Brooklyn Academy of Music 248
Night Presence IV (Nevelson) 185
Nightingale, Florence 225
Ninth Avenue Street Festival 50
Ninth Circle 260
Nixon, Nicholas 175
Nixon, Richard M. 134
Noguchi, Isamu
 Cube 66
 News 143
NoLlta 96
Non-Violence (Reuterswärd) 161
Norman, Jessye 215
Northern Dispensary 111
 Spaziergang 260
Northern Pacific Railroad 176
Notfälle 373
Notfall-Infos 373
Nussknacker, Der (Ballett) 365
 Highlights: Unterhaltung 343
Nuyorican Poets Café 358f
NY Hotel Urgent Medical Services
 373
NY Improv 356f
NY Paley Center for Media 39, **171**
 Detailkarte 168
 Filme 349
 Stadtteilkarte 167
NY Road Runners 378f
NY Transit Museum Shop 356f
NYC & Company (New York
 Convention & Visitors Bureau) 277,
 340, 341, 368
NYC On Stage 340, 341
NYU Dental Care 373

O

O'Dwyer, Mayor 32
O'Keeffe, Georgia
 Brooklyn Bridge 253
 Metropolitan Museum of Art 197
O'Neill (Eugene) Theater 345
O'Neill (Hugh) Dry Goods Store
 139
O'Neill, Eugene 49, 110, 113
Oak Room and Bar 317

Oakley, Annie 83
Ocean Travel 378
Odeon 315, 317
Odlum, Robert 89
Öffentliche Toiletten 368
Old New York County Courthouse 90
Old St. Patrick's Cathedral 99
  Stadtteilkarte 93
Old State House 393
Old Town Bar 316f
Oldenburg, Claes 174
Olmsted, Frederick Law 249
  Central Park 25, 205
  Grand Army Plaza 248
  Riverside Park 219
  siehe auch Vaux, Calvert
Olympia Airport Express 379, 382
Olympia Theater 28
Olympic Tower 168
On Leong 96
Onassis (Alexander) Center for Hellenic Studies 260
One Shubert Alley 322, 324
Only Hearts 322, 324
Ono, Yoko 47
  Strawberry Fields 208
  The Dakota 218
Oper 350
  Amato Opera Theater 350f
  Juilliard Opera Center 350
  Kaye Playhouse 350f
  Metropolitan Opera House 138, **212f**, 350f
  Village Light Opera Group 350
Orchard Beach 241
Orchard Street 98
Oren's Daily Roast 336f
Oscar Wilde Memorial Bookshop 332f
Österreichisches Generalkonsulat 373
Other Music 332f
Otis-Sicherheitsfahrstuhl 105f
Ottomanelli's Café 365
Out-of-Doors Festival 51

P

P.J. Carney's 316f
P.J. Clarke's 315, 317
Pace University 59
Pace-Wildenstein Gallery 334f
  Detailkarte 105
Pacino, Al 344
Palace Theater 345
Paley Park 168f
Paley, William S. 171
Palm Court 243
Pan Am Building siehe MetLife
PaperBag Players 365
Papp (Florian) 334, 335
Papp, Joseph
  Public Theater 118, **120**, 343f, 347
  Shakespeare Festival 120
Paramount Building 147
Paramount Pictures 246f
Paris durch das Fenster gesehen (Chagall) 188
Park Avenue Plaza 169

Park Slope Ale House 316, 317
Park Slope Historic District 248
Park Theater 91
Parken
  Hotels 271
  Parking Violations Bureau 386
Parker, Charlie ›Bird‹ 49
  Apollo Theater 230
Parker, Dorothy 145
Parrish (Susan) Antiques 334f
Parrish, Maxfield 317
  St. Regis Hotel (King Cole Room) 280
Pastrami Queen 312, 314
Patchin Place 113
  Detailkarte 111
  Spaziergang 260
Patelson (Joseph) Music House Ltd. 332f
PATH-Züge 392f
Paul, Les 352
Paula Cooper 346f
Pavarotti, Luciano 215
Pawlowa, Anna 248
Peace Bell, United Nations 160
Peacock Alley 177, 283
Peale, Norman Vincent 133f
Pearl Paint Co. 322, 324
Pearl River Mart 323
Peculier Pub 316f
Pei, I.M. 138
Peking 84
Pelham Bay Park 362f
Pelli, Cesar 69
Penny Whistle Toys 322, 324
Pentop Bar and Terrace 315, 317
Performing Arts Shop 322, 324
Performing Garage 104
Perkins, George W. 240
Pete's Tavern 316f
  Detailkarte 125
Peterson, Oscar 353
Petit, Philippe 72
Petrie European Sculpture Court 196
Pferdesport 360f
Phébus, Gaston 165
Philharmonie, Proben 343
  Avery Fisher Hall 215
Philip Morris Building 351
The Phillips Club 277
Phillips de Pury & Co. 334f
Phipps, John 393
Picasso, Pablo
  Brooklyn Museum 253
  Büglerin 188
  Frau mit gelbem Haar 189
  Kopf des Medizinstudenten 174
  Les Demoiselles d'Avignon 173f
  Mädchen mit Mandoline 174
  Mann mit Hut 174
  Metropolitan Museum of Art 197
  Museum of Modern Art 175, 247
  Porträt von Gertrude Stein 190, 197
  Sylvette 115
Pickford, Mary 253
The Pickle Guys 100

Pier 17 58, 269
  Detailkarte 83
Pierre de Wissant (Rodin) 253
Pierre Hotel 43, 290, 313f, 318
Pilates-Training 302f
The Pilothouse 82
Pinch Sitters 380f
Pink, Thomas 325, 327
Pioneer 83f, 364
Piranesi, Giambattista 253
Pisano, Giovanni 197
Pissarro, Camille 253
Plant, Morton F. 168, 170
Plaza Hotel **181**, 283, 313f
  Stadtteilkarte 167
Plaza Rink 362f
Plymouth Church 266
Poe, Edgar Allan 48, 111, 126, 260
Poison Control Center 373
Police Headquarters Building 96
  Detailkarte 94f
Police Plaza 59
Polizei 372
Pollard, George Mort 215
Pollock, Jackson 48
  Autumn Rhythm 197
  Museum of Modern Art 174, 247
Pollock, St. Clair 225
Polnische Gemeinde 47
  Pulaski (Casimir) Day Parade 52
Polnische Reiter, Der (Rembrandt) 202
Polo/Ralph Lauren 325, 327
  Spaziergang 264
Pomander Walk 218
Pomodoro, Arnaldo 61
Pons, Lily 219
The Pop Shop 332, 334
Port Authority at Newark Airport 381
Port Authority Bus Terminal 382, 389
Porter, Cole 177
Porthault (D) & Co. 336f
Porträt der Prinzessin de Broglie (Ingres) 191
Porträt von Joseph Roulin (van Gogh) 173, 174
Poseidon Greek Bakery 336f
Postdienste 377
Postmasters 334f
Poussin, Nicolas 196
Powell Jr., Adam Clayton 229
Power, Tyrone 181
Prada 328f
Praktische Hinweise
  Allgemeine Tipps 368
  Behinderte Reisende 370
  Botschaften der USA 371
  Elektrizität 371
  Führungen 369
  Generalkonsulate 373
  Gottesdienste 371
  Information 352
  Konfektionsgrößen 326
  Kreditkarten 374
  Museen 368
  Öffnungszeiten 368
  Postdienste 377
  Sicherheit und Notfälle 372f
  Studenten 370
  Telefonieren 376f

Veranstaltungshinweise 369
Verhaltenskodex 368
Währung und Geldwechsel 374f
Zeitschriften, Fernsehen und Radio 371
Zeitzone 376
Zoll und Einreise 370
Pratesi 336f
President's Day 53
Prestige Entertainment 340, 341
Princeton Club 322, 324
  Clubshop 328f
Printing House Square 90f
Prohibition 30–32
Prospect Park 26, **248f**
  Open-Air-Konzerte 351
  Stadtteilkarte 233
PS1 Museum of Modern Art (MoMA), Queens 233, **247**
PS122 344, 347
Public Service Commission 376f
Public Theater (Papp, Joseph) **120**, 343f, 347, 349
  Detailkarte 118
  Highlights: Unterhaltung 343
  Joe's Pub 354f, 358f
  Stadtteilkarte 118
Pucelle, Jean 239
Puck Building 99
Pudd'nhead Wilson (Twain) 165
Puerto Rican Day Parade 51
Puerto Rico 231
Pulaski (Casimir) Day Parade 52
Pulitzer, Joseph 264
  School of Journalism, Columbia University 222
Pusterla, Attilio 85
Pyle, Howard 198

Q

QM2 378
Quad Cinema 349
Quant, Mary 195
Quark Spy 322, 324
Queen Elizabeth Monument 57
Queens 246f
Queensboro Bridge 180
Queens-Midtown Tunnel 31
Quikbook 277

R

Rachmaninow, Sergej 248
Radio 371
Radio City Music Hall 144
  Christmas Spectacular 52
  Detailkarte 143
  Führungen 346f
  Musikveranstaltungen 352f
  Tanz 346f
Radio Days 247
Rag Gang 158
Rainbow Grill 354f
The Rainbow Room 143
  Speiselokale 358f
The Ramble 207
Randall, Robert Richard 255
Randel Plan 24
Randolph's Bar 317

Rangers (Eishockey) 135, 360
  Highlights: Unterhaltung 342
Rapp & Rapp 147
Rashid 267
Rassenunruhen 32
Ratner's Dairy Restaurant 312, 314
Rauchen 293, 368
Rauschenberg, Robert 174
Ray, Man 175
Reclining Figure (Moore) 161, 214
Red Caboose 322, 324
Redon, Odilon 175
Reed & Stem
  Grand Central Terminal 156f
Reed, John 113
  Zehn Tage, die die Welt erschütterten 113
Regnaneschi's 260
Reisechecks 374
Reiseversicherung 373
Rembrandt
  Metropolitan Museum of Art 195, 197
  Der Polnische Reiter 202
  Selbstporträt 193
Remick, Lee 344
Renwick Jr., James 121, 178
Renwick Triangle 119
Restaurants **292–317**
  Behinderte Reisende 293
  Essenszeiten 293
  Kaffee und Kuchen 313
  Kinder 293, 365
  Kleidung 293
  Kleine Mahlzeiten und Snacks 312–314
  New York spätnachts 358f
  Preise 292
  Preiswert essen 292f
  Rauchen 293, 368
  Reservierung 293
  Restaurantauswahl 296–311
  Speisekarte 292
  Spezialitäten 294f
  Starköche 293
  Steuern 292
  Teesalons 313
  Trinkgeld 292, 368
Reuter (Harold) & Co. 375
Reuterswärd, Carl Fredrik 161
Revolution Books 332f
Revolutionskrieg 17, 22f
Revolutionszeit, New York zur 22f
Rhinelander Children's Center 199
Rhinelander, Serena 199
Rice, Elmer 229
Richard Rodgers 345
Richmond County Fair 52
Riis, Jacob
  Columbus Park 97
Ringling Bros. and Barnum & Bailey Circus 135, 365
  Das Jahr in New York 50
Ringling, John 128
Rise 315, 317, 359
Rita Ford's Music Boxes 322, 324
Rite Aid Pharmacy 358, 359
River Café 266, 358f
  Spaziergang durch Brooklyn 266
River House 180

Rivers, Joan 224
Riverside Church 224f
  Gottesdienste 371
  Stadtteilkarte 221
Riverside Drive and Park 218f
Riverview Terrace 180
Rivington School 258
Rizzoli 332, 333
Robinson, Jackie 32
Robinson, Sugar Ray 228
Rock, Jazz und World Music 352f
Rockefeller (Abby Aldrich)
  Skulpturengarten 172
Rockefeller (Laura Spelman)
  Glockenspiel 224f
Rockefeller (Peggy)
  Rose Garden 242
  siehe auch New York Botanical Garden
Rockefeller Center 61, **144**
  Detailkarte 142f
  Eislaufbahn 52
  Tickets 341
Rockefeller III, John D.
  Asia Society 187
  Japan Society 158f
Rockefeller Plaza 349
Rockefeller, Familie 180
Rockefeller, John D.
  Brooklyn Museum 252
  Museum of the City of New York 199
  Rockefeller Center 30
Rockefeller Jr., John D. 160
  The Cloisters 236
  Riverside Church 224f
  Rockefeller Center 144
Rockefeller, Nelson 194
Rockettes 142, 346
Rockwell, Norman 213, 215
  The Golden Rule 163
Rodin, Auguste
  Metropolitan Museum of Art 196
  Pierre de Wissant 253
Rodschenko, Alexander 174
Roebling, John A. 86f
Roebling, Washington 87, 267
Rogers (Grace Rainey) Auditorium 350
  siehe auch Metropolitan Museum of Art
Rogers, Richard 148
The Room Exchange 271f
Roosevelt Island **181**, 364
Roosevelt, Theodore 171
  Detailkarte 124
  Geburtsstätte 38, 123, **127**, 351
  Wave Hill 240
Rose Center for Earth and Space 218, 349
  Friday Jazz 353
  Stadtteilkarte 211
Rose Cinemas 349
Rose, Billy 185
Roseland 354f
Rosemary's Baby 218, 348
Rosengarten 160
Rosenthal, Bernard
  Alamo 118
  Five in One 59

Ross, Diana 247
Ross, Harold 145
Roth, Emery 154, 213
Rothko, Mark 48, 174
Rothman's 325, 327
Roundabout Theater Co. 344
Rowson, Susanna 48
Rubell, Steve 281
Rubens, Peter Paul 195f
Rudy's 322, 324
Runyon, Damon 344
Ruppert, Jacob 241
Rural Fifth Avenue (Blakelock) 27
Russ & Daughters 258, 336f
Russell, Rosalind 218
Russische Gemeinde 45, 47
Ruth, Babe 30, 126, 241
Rykiel (Sonia) 326, 327

S

Sahadi Imports 267
Saint-Gaudens, Augustus 260
    Admiral Farragut, Statue 126
    Church of the Ascension, Altar
    114
St. Andrew's Church 254
St. Bartholomew's Church 176
    Detailkarte 169
    Gottesdienste 371
    Stadtteilkarte 167
St. Elizabeth Ann Seton Shrine 76
St. George's Ukrainian Catholic
    Church 47
St. James 345
St. John the Baptist Church 135
    Detailkarte 132
    Stadtteilkarte 131
St. Laurent Rive Gauche (Yves) 326,
    327
St. Luke's Place 112
    Detailkarte 110
St. Luke's Roosevelt Hospital 373
St. Mark's Ale House 270
St. Mark's Bookstore 332f
St. Mark's Church 53
St. Mark's Leather 329
St. Mark's Library 138
St. Mark's Place 270
St. Mark's-in-the-Bowery Church
    121
    Detailkarte 119
    Spaziergang 271
    Stadtteilkarte 117
St. Martin's Episcopal Church 231
St. Mary's Garden 61
St. Nicholas Historic District 228f
St. Nicholas Hotel 106
    Detailkarte 105
St. Nicholas Russian Orthodox
    Cathedral 45, **199**
    Stadtteilkarte 183
St. Patrick's Cathedral 25, **178f**
    Detailkarte 168
    Gottesdienste 371
    Stadtteilkarte 167
St. Patrick's Day 44, 50
St. Paul's Chapel, Broadway 22, **91**
    Konzerte 351
    Stadtteilkarte 81

St. Paul's Chapel, Columbia
    University 224
    Detailkarte 223
St. Peter's Church 61
    Gottesdienste 371
    Konzerte 350, 351
St. Peter's Lutheran Church 177
St. Regis 277, 284
St. Thomas Church 171
    Detailkarte 168
    Stadtteilkarte 167
St. Vincent's Hospital 373
Saks Fifth Avenue
    Detailkarte 168
    Shopping 319
Salinger, J. D. 260
    Columbia University 224
    Der Fänger im Roggen 209
Salmagundi Club 114
The Salmagundi Papers (Irving) 114
Salvation Army Memorial 77
San Remo Apartments 214
    Spaziergang im Central Park 207
San Remo Café 48
Sandburg, Carl 248
Sant Ambroeus Ltd. 313f
Sarabeth's Kitchen 312, 314
Sarafina! 142
Sardi's 316f
Sargent, John Singer 194
Sawyer, Phillip 68
Schaller & Weber 265
Schermerhorn Row 40, **84**
    Detailkarte 82
Schermerhorn, Peter 84
Schiaparelli, Elsa 195
Schiffman, Frank 230
Schiffsbau 19
Schomburg Center for Research in
    Black Culture 39, **229**
    New York Public Library 146
    Spaziergang 272
    Stadtteilkarte 221
Schomburg, Arthur 229
School of Journalism, Columbia
    University 222
Schrager, Ian 281
Schreijers Hoek Wharf 77
Schultz, Dutch 30
Schultze & Weaver 177
Schurz (Carl) Park 198
    Spaziergang 265
    Stadtteilkarte 183
Schurz, Carl 265
Schweizer Generalkonsulat 373
Schwerter zu Pflugscharen 161
    United Nations (Stadtteilkarte) 151
Schwimmen 363
Schwule und Lesben
    Bars 316f
    Clubs 354f
Scorsese, Martin 348
Screaming Mimi's 326, 327
Sculpture Garden
    Brooklyn Museum 253
    Metropolitan Museum of Art 192
Scutt, Der 170
Seagram Building 41, 167, **177**
Seal of New Netherland 18
Seaport Café 313f

Seaport Line 369
Seaport Plaza 58
Seaport und Civic Center **80–91**
    Detailkarte 82f
    Highlights: Shopping 320f
    Stadtteilkarte 81
Second Avenue Delicatessen 312, 314
Second Coming 326, 327
Seerosen (Monet) 173
Segal, George 186
Segovia, Andrés 197
Sehenswürdigkeiten außerhalb des
    Zentrums 232–255
Selbstporträt (Rembrandt) 193
Selbstporträt mit Grimasse (Chagall)
    175
Sensuous Bean 336f
Serendipity 3 313f
Serra, Richard 174
Seton, Saint Elizabeth Ann 76
    St. Patrick's Cathedral 179
    Stadtteilkarte 65
Seurat, Georges 195
Seventh Regiment Armory 53, **187**
Severance, H. Craig 155
Severini, Gino 174
Shaarai Shomoyim First Romanian-
    American Congregation 258
Shakespeare & Company 332f, 358
Shakespeare Tavern 91
Shakespeare, William
    Delacorte Theater 208
    im Central Park 51, 343
    Public Theater 119
Shank, Bud 352
Shaw, George Bernard 128
Shea Stadium 360
Shearith Israel 46
Shelburne-Murray Hill 277
Sheridan Square 113
    Spaziergang 260
    Stadtteilkarte 109
Sheridan, General Philip 113
Sherman Fairchild Center 223
Sherman, Bob 175
Sherry Netherland Hotel 43, 283
Sherry-Lehmann 336f
Shimamoto, George 159
Shoofly 329
Shop Gotham 319
Shopping **318–339**
    Accessoires 328f
    Auktionshäuser 334f
    Beauty und Hair Salons 330f
    Bezahlung 318
    Bücher und Musik 332f
    Delikatessen und Wein 336f
    Dessous 329
    Feinkost 322–324
    Flohmärkte 334f
    Fotografie 338, 339
    Handtaschen und Geldbörsen 328f
    Highlights: Shopping 320f
    Hightech und Houseware 338f
    Hüte 328, 329
    Importgeschäfte 323
    Kaufhäuser 319
    Kunst und Antiquitäten 334f
    Lederwaren 328, 329
    Mehrwertsteuer 310

Möbel 334f
Mode 325–327
New York spätnachts 358f
Öffnungszeiten 318
Schirme 328f
Schmuck 328, 329
Schuhe 320, 328f
Shopping-Touren 319
Sonderangebote 318
Souvenirs 322, 324
Specials 322–324
Spielwaren 322, 324
Steuern 319
Umrechnungstabelle
(Kleidergrößen) 326
Short Line Tours/American
Sightseeing NY 369
Short, Bobby 355
Café Carlyle 353
Shubert (Theater) 345
Shubert Alley 148
Shubert, Sam S. 148
Sicherheit 372f
Sicherheit und Gesundheit 372f
Sidewalk Café 353
Sigerson Morrison 328, 329
Silva, Pedro 225
Silver Lake 362f
Silvers, Phil 247
Simon (Neil) Theater 345
Simon, Neil 247
Simon, Paul 49
San Remo 214
Simone, Nina 353
Singer Building 106
Detailkarte 105
Singer Sewing Machine Co. 106,
218
SJM Building 132
Skidmore, Owings & Merrill 177
Sklaverei 18–20
Abschaffung 24
Sklavenaufstand 21
Sky Rink 362
Skyline von Manhattan 54–61
Skyscraper Museum 55, 72, 268
Slate (Billard) 358f, 363
Sloan & Robertson
Chanin Building 154
French (Fred F.) Building 159
Sloan, Adele 265
Sloan, John 115, 197, 260
Slums 17, 24
Smith, Bessie 230
Smithsonian Institution 186
Smoke 352f
Smyth, Ned 54
Sniffen Court 151, 159
Sniffen, John 159
Snug Harbor Cultural Center 254f
Stadtteilkarte 233
SOB's 353, 354, 355
Society for Ethical Culture 212f
Society of Illustrators 198
Stadtteilkarte 183
SoHo Kitchen and Bar 307, 309
SoHo und TriBeCa 102–107
Cast-Iron Historic District 42
Detailkarte 104f
Highlights: Shopping 320f

Spaziergang (SoHo) 260f
Stadtteilkarte 103
SoHo Wines and Spirits 336f
Sokrates 225
Soldat und lachendes Mädchen
(Vermeer) 202
Solomon R. Guggenheim Museum
188f
Detailkarte 184
Highlights: Museen 37
Lobby 182
Malerei und Plastik 38
Praktische Hinweise 368
Spaziergang im Central Park 207
Stadtteilkarte 183
Wright, Frank Lloyd 49
Sommer in New York 51
Sommer-Festivals 51
Sondheim, Stephen 181
Song of Los (Browning) 164
Sonntag am Ufer der Marne
(Cartier-Bresson) 175
Sons of the Revolution 76
Sony Building 169
Sony Wonder Technology Lab 381
Sotheby's 334f
South Cove 268
South Street Seaport 58f, 82–84, 269
Detailkarte 82f
Highlights: Shopping 320f
Konzerte 351
Skyline 58f
South Street Seaport Museum 39, 84
South Street Seaport Museum Shops
323, 324f
Southbridge Towers 59
Soyer, Raphael 186
Space Kiddets 325, 327
Spanish Harlem 231
Spas 363
Spaziergänge 256–273, 369, 385
Brooklyn 262f
Central Park 206f
East Village 270f
Greenwich Village und SoHo 260f
Hafengebiet 268f
Harlem 272f
Lower East Side 258f
New York spätnachts 358f
Staten Island 254f
Upper East Side 264f
Speakeasies 30
The Sphere (Koenig) 77
Spielwaren 365
Spirit of New York 369
Sport und Aktivurlaub 360f
Kinder 364f
New York spätnachts 358f
Sportbars 361
Springsteen, Bruce 352
Squadron A Armory 185
STA Travel 386
Stadtplan (Innenstadt) 394–425
Stage Deli 312, 314
Stamp Act 22
Standard Oil Building (ehemaliges)
55
Detailkarte 66
Stand-Up New York 355
Stanhope Hotel 283

Star Magic 322, 324
Star of India 216
Staten Island 254f
Historic Richmond Town 21
Staten Island Botanical Garden
255
Staten Island Children's Museum
255, 364
Staten Island Ferry 29, 76f
Kinder 364
New York spätnachts 358f
Stadtteilkarte 65
Verkehrsmittel 369, 385
Stationen der Liebe (Fragonard) 203
Statue of Liberty 27, 74f
Hundertjahrfeier 33
Stadtteilkarte 65
Statue of Liberty Museum 74
Statue of Liberty, Fähre 385
Statuen
Alexander der Große 251
Alma Mater 224
Andersen, Hans Christian 206,
209
Angel of the Waters 209
Battery Park 77
Booth, Edwin 128
Bryant, William Cullen 145
El Cid 234
Cohan, George M. 142
De Peyster, Abraham 56
Denkmal für den Schlittenhund
Balto 209
Diana (Huntington) 126, 183, 186
Farragut, Admiral David 124, 126
General Slocum-Desater 121
Greeley, Horace 133
Hale, Nathan 90
Hamilton, Alexander 228
Martiny's in Hall of Records 85
Sheridan, General Philip 113
Statue of Peace 161
Stuyvesant, Peter 129
Wall-Street-Bulle 65
Washington, George 68
Steichen, Edward
Metropolitan Museum of Art 195
Museum of Modern Art 175
Pickford, Porträt 253
Stein, Gertrude 190, 197
Steinbeck, John 234
Stella, Frank 192
Stella, Joseph 37
Stephens General Store 254
Stern, Isaac 149
Stern, Rudi 107
Steuben Glass 336f
Stewart, A. T. 121
Stieglitz, Alfred
Metropolitan Museum of Art 195
Museum of Modern Art 175
Still, Clyfford 197
Stokes, William Earl Dodge 219
Stokowski, Leopold 49, 149
Stone Rose Lounge 315, 317
Stonecutters' Guild Riot of 1833
115
Stony Brook 393
Stowe, Harriet Beecher 266
Stradivari, Antonio 197

Straight, Willard 186
Strand (jetzt: Whitehall Street) 19
Strand Book Store 332f
Strasberg, Lee 47, 344
Straus, Isidor 134f
Straus, Nathan 134
Strawberry Fields 208
    Spaziergang im Central Park 206
    Stadtteilkarte 205
Strawinsky, Igor 219
Streit's Matzoh 98f, 258
Strivers' Row 229, 272
Stuart (Paul) 325, 327
Stuart, Gilbert, Porträt von George
    Washington 194
Studenten 370
Studio Museum in Harlem 38, 230f,
    273
    Stadtteilkarte 221
Stuyvesant Polyclinic 119
Stuyvesant Square 129
    Stadtteilkarte 123
Stuyvesant, Peter 17–19, 118
    Grab 121
    Statue am Square 85, 129
Stuyvesant-Fish House 119
Subway 390f
    Karte siehe hintere
    Umschlaginnenseiten
Sugar Hill 228
Suite 16 315, 317
Sullivan, Louis 121
Sun Triangle 142
Super Shuttle 379, 383
Supper Club 354f
Surma 323
Surrogate's Court, Hall of Records
    59, 85
Sutton Place 180
Suzanne Millinery 328f
Swanke, Hayden, Connell &
    Partners 170
Swedish Cottage Marionette Theater
    (Central Park) 365
Sweet Life 323
Swift, Hildegarde Hoyt 235
Swifty's 315, 317
Swiss 378
Sylvia's 230, 273
    Rundgang durch Harlem 220
    Stadtteilkarte 221
Symphony Space 344, 347
    Klassische und zeitgenössische
    Musik 350, 351
    Tanz 346f

T

Tammany Tiger 27
Tanz 346f
Tanzen
    siehe Nachtclubs, Discos und Clubs
    für Schwule und Lesben 354f
TAP (Theater Access Project) 341
Tarrytown 393
Tavern on the Green 315, 317
Taxi & Limousine Commission 387
Taxis 387
Taylor (Ann) 326, 327
Taylor, James 353

Taylor, Paul 346
TDF NYC/On Stage 340f
Telecharge 340, 341
Telefonieren
    im Hotel 277
    Praktische Hinweise 376f
Temperaturen 52
Temple Bar 358f
Temple Emanu-El 187
    Gottesdienste 371
    Stadtteilkarte 183
Temple Israel 231
Temple of Dendur 191
Tender Buttons 322, 324
Tenderloin District 132
Tenements 41f
    siehe auch Lower East Side
    Tenement Museum
Tenniel, John 36, 164
Tennis 360f
Terra Blues 353
Teuscher 336f
TG-170 328f
Thackeray, William Makepeace 130
Thanksgiving Day 53
    Macy's Thanksgiving Day Parade
    52
Tharp, Twyla 346
Thaw, Harry K. 113, 126
Theater 147f, 214f, 230, 260,
    343–347, 365
    Aufführungen 344, 347
    Broadway-Theater 344f
    Delacorte Theater 208
    Führungen 346f
    Joseph Papp Public Theater 120,
    343
    Lyceum 144
    Mit Kindern 365
    Off-Broadway-Theater 344, 347
    Off-Off-Broadway-Theater 344, 347
    Reduzierte Tickets 340
    Schauspielschulen 344, 347
    Ticketreservierung 340
Theater District 140–149
    Detailkarte 142f
    Stadtteilkarte 141
Theaterworks, USA 365
Theodore Roosevelt Birthplace 127
Things Japanese 323
Thomas, Dylan 48, 260
    Chelsea Hotel 139
    White Horse Tavern 316
Thonet, Gebrüder 175
Three Flags (Johns) 201
Thumb, Tom 121
Ticket Central 340, 341
Ticketmaster 340, 341
Tiepolo, Giovanni Battista 195
Tiffany & Co. 170, 328f
    Detailkarte 169
    Frühstück bei Tiffany 348
    Haushaltswaren 336f
Tiffany, Louis Comfort
    Church of the Incarnation 159
    Metropolitan Museum of Art 191,
    194
    Seventh Regiment Armory 187
Tilden, Samuel 128
Time Out (Sportbar) 362f

Time Out New York (TONY) 340,
    364, 369
Time Warner Center for Media 219
Times Square 142f, 147
Tisch Children's Zoo 209, 365
Titanic 135
Titanic Memorial 58, 82
Tizian 202
TKTS 340f
    TLA Video 358f
Tompkins Square 121
    Stadtteilkarte 117
Tompkins Square Park 271
Tongs 96f
Tonic 353
Tontine Coffee House 23
Torres, Nestor 353
Toscanini, Arturo 49
    The Ansonia 219
    Carnegie Hall 149
    Wave Hill 240
Toulouse-Lautrec, Henri de 253
    La Clownesse 253
Toussaint, Pierre 99
Tower Records 332f, 358
Town Hall 350f
Town House 354f
Townshend Act 22
Toys 'R' Us 322, 324
Transportation Building 58
Transportation Department 369, 386
Trash & Vaudeville 322, 324, 358f
Trattoria Dante 312, 314
Travelers' Aid 373
Travelers' Choice 332f
Travelex 375
    Wechselstube 374
Treaty of Paris 23
Tree-Lighting Ceremony 53
Triangle Shirtwaist Factory Fire 28f,
    115
TriBeCa siehe SoHo und TriBeCa
TriBeCa Film Festival 348, 349
Trinity Building 66
Trinity Church 23, 68
    Detailkarte 66
    Klassische und zeitgenössische
    Musik 351
    Stadtteilkarte 65
Trinkgeld 277, 292, 368
    Hotels 277
    Restaurants und Bars 292
    Taxis 387
True, Clarence F. 218f
Trumball, Edward 155
Trump Tower 33, 170
    Detailkarte 169
    Stadtteilkarte 167
Trump, Donald 33, 49
    Plaza Hotel 181
Tschaikowsky, Peter 148f
Tucker, Marcia 107
Tudor City 60, 158
    Detailkarte 153
Turkish Bath House 271
Turner, J. M. W. 202
Turntable Lab 04 271
Turtle Bay Gardens 181
TV Guide 343
TV-Shows 349

Twain, Mark 139, 240, 260
  American Academy and Institute
    of Arts and Letters 234
  Atheneum Museum 393
  Cooper Union 120
  Das goldene Zeitalter 27
  Morgan Library & Museum 164f
  The Players 128
  Pudd'nhead Wilson 165
Tweed Courthouse *siehe* Old New
  York County Courthouse
Tweed, William »Boss« 26
  National Arts Club 128
  Old New York County Courthouse
    90
Twelve Angry Men 85
Twin Peaks
  Detailkarte 110
  Spaziergang 260
Twin Towers of Central Park West 40,
  43, **214**
Tyner, McCoy 352

U

Übernachten *siehe* Hotels
Ukrainian Institute of America 264
Ukrainische Gemeinde 44, 47, 270f
Umberto's Clam House 95
Umrechnungstabellen 370
Ungaro (Emanuel) 326, 327
UNICEF 163
Union Square **129**, 336
  Stadtteilkarte 123
Union Tickets 340f
United Airlines 378
United Nations 60, **160–163**
  Residenz des Generalsekretärs 180
  Stadtteilkarte 151
  Unsichtbare Dritte, Der 348
United Nations Plaza, Nr. 1 & 2
  60, **158**
  Stadtteilkarte 151
United States Courthouse 42f, 59, **85**
United States Custom House 54, **73**
  Detailkarte 67
  Stadtteilkarte 65
  siehe auch National Museum of
  the American Indian
United States General Post Office 41
Universal Negro Improvement
  Association 231
Universal News 371
The University Club 168
Unsichtbare Dritte, Der 348
Unterhaltung **340–363**
  Highlights: Unterhaltung 342
Upjohn, Richard 68, 114
Upper East Side **182–203**
  Detailkarte 184f
  Spaziergang 264f
  Stadtteilkarte 183
Upper Manhattan **234f**
Upper Midtown **166–181**
  Detailkarte 168f
  Stadtteilkarte 167
The Upper Room (Smyth) 54
Upper West Side **210–219**, 336f
  Detailkarte 212f
  Stadtteilkarte 211

Urban Archaeology 322, 324
The Urban Center 176
  Buchhandlung 332f
Urban Ventures Inc. 272
US Open Tennis Championships 51
US Tennis Center 246

V

Valentino 326, 327
Valentino, Rudolph 47
  Hotel des Artistes 215
  Museum of the Moving Image
    246
Van Alen, William 155
Van Cortlandt House Museum 19, 21,
  240
  Stadtteilkarte 233
Van Cortlandt, Frederick 21
Van der Rohe, Mies 177, 186
Van Dyck, Sir Anthony 196
Van Eyck, Jan 193
Van Gogh, Vincent
  Brooklyn Museum 253
  Metropolitan Museum of Art 196
  Museum of Modern Art 173
  Porträt von Joseph Roulin 173, 174
  Zypressen 192
Van Wyck, Mayor Robert 28
Vanderbilt Mansion 393
Vanderbilt, Consuela 171
Vanderbilt, Cornelius 49, 120
  Grand Central Terminal 156
  Staten Island Ferry 76
Vanderbilt, Gloria 180
Vanderbilt, W. K. 26
Vanderbilt, William Henry 170
Varvatos, John 325, 327
Vass, Joan 317
Vaughan, Henry 227
Vaughan, Sarah 230
Vaux, Calvert
  American Museum of Natural
    History 216
  Central Park 25, 205
  Grand Army Plaza 248
  National Arts Club 128
Velázquez, Diego
  Hispanic Society of America 234
  Metropolitan Museum of Art 196
Veniero's 271
Veranstaltungshinweise 369
Verizon Telephone Company 59,
  260
Verkehrsmittel
  Bus 388
  Fähren 385
  Fahrrad 385
  Flugzeug 378–381
  Zu Fuß 385
  Langstreckenbusse 389
  Mietwagen 387
  In New York unterwegs 384f
  Parken 386
  Reiseplanung 385
  Subway 390f
  Taxis 387
  Verkehrszeichen 386
  Zug 378, 392f
Vermeer, Jan 196, 203

Verrazano, Giovanni da 17f, 77
Versace (Gianni) 326, 327
Veselka 313f
Vesuvio 336f
Veterans' Day 53
Veterans' Memorial Hall 255
Viand 313f
Vicious, Sid 139
Victoria's Secret 329
Vietnam Veterans' Plaza 56, **76**,
  269
  Stadtteilkarte 65
Vietnamkrieg 224, 270
Village Comics 332f
Village Light Opera Group 350, 351
Village Vanguard 352, 353
  Highlights: Unterhaltung 342
Village Voice 340, 369
Villard Bar and Lounge 317
Villard Houses 27, 43, **176**
  Detailkarte 168
Villard, Henry 176
Villeroy & Boch 338f
Villon, Jacques
  Museum of Modern Art 174
Vinylmania 332f
Violet, Ultra 33
Virgin Atlantic 378
Virgin Megastore 332f
Visa 374
  Notrufnummer 374
Visa Waver Program 370
Von Steuben Day Parade 52
von Trapp, Familie 47
Voorlezer House 254
Vuchetich, Evgeny 161

W

W. O. Decker 84
Wagner, Albert 99
Wagner, Herman 99
Wagner Jr., Mayor Robert F. 32, 268
Waldorf-Astoria 26, 28, 61, **177**, 314,
  317
  Detailkarte 169
  Information 283
  Stadtteilkarte 167
  Teesalon 313
Walker & Gillette 181
Walker School of Hair 272
Walker, Mayor Jimmy 30
  St. Luke's Place 112
Wall of Democracy 259
Wall Street 26, 32, 64, **66f**
  Anfänge 18
  Detailkarte 66f
  Spaziergang 269
Wallace (Lila Acheson) Wing
  Metropolitan Museum of Art 197
Walter Reade Theater 349
Walter, Bruno 49, 149
Wanamaker (John) Department
  Store 119
Warburg Mansion 265
Warburg, Felix M. 186
Warhol, Andy 33, 48
  Chelsea Girls 139
  Green Coca-Cola Bottles 200
  Museum of Modern Art 174

Warren & Wetmore 43
  Helmsley Building 158
Warwick, Dionne 353
Washington (George) Bridge 235
Washington Heights 44
  siehe Abstecher 233–239
Washington Market Park 107
Washington Mews **114**, 261
Washington Square 115
  Musikveranstaltungen 351
  Outdoor Art Exhibition 50
  Spaziergang 261
  Stadtteilkarte 109
Washington Square Arch 261
Washington Square Park 348
Washington überquert den
  Delaware (Leutze) 193
Washington, Booker T. 225
Washington, Dinah 230
Washington, George 22, 76, 90, 267
  Fulton Ferry Landing 266
  Morris-Jumel Mansion 235
  Porträt, von Gilbert Stuart 194
  Statue 68
  Van Cortlandt House 240
  Vereidigung 23
Wassertaxis 385
Waterfront, Spaziergang 268f
Watteau, Antoine 196
Wave Hill 240
Weill, Kurt 229
Weinman, Adolph 59
Weinstein, David 350
Weisburg Religious Articles 322, 324
Weiser (Samuel) 332f
Welles Bosworth 91
Welles, Orson 48
Wells, James N. 139
Wells, Joseph C. 114
Weltausstellung von 1853
  Bryant Park 145
  Crystal Palace 24f
Weltausstellung von 1939 31, 246
Weltausstellung von 1964 32, 246
Wer hat Angst vor Virginia Woolf?
  (Albee) 49, 260
West Indian Carnival 52
West Side Story (Bernstein) 212, 214
West, Mae 48, 181
West, Nathanael 48
Westbury House, Old Westbury 393
Western Union 390
Westin Hotel 142
Westindien 19
Westindische Gemeinde 47, 52
Westminster Kennel Club Dog Show
  53
Wharton, Edith 48, 115, 261
Where (Magazine) 340, 369
The Whiskey 316f
Whistler, James Abbott McNeill
  Lady Meux 203
  Rotherhide 253
White Horse Tavern 316f
White Street 107
White, Stanford 43, 49, 77, 128
  Brooklyn Museum 250
  Castle Clinton National Church of
  the Ascension 114

Columbia University 222
Farragut, Statue 126
First Presbyterian Church 114
General Post Office 135
Herald Square 134
Home Savings of America 96
Judson Memorial Church and
  Tower 115, 261
Madison Square 126
Madison Square Garden 124
Municipal Building 85
Pennsylvania Station 135
The Players 128
Prospect Park 249
St. Bartholomew's Church 176
Tod 29, 113
Villard Houses 176
Washington Square Arch 115
Whitehall Street 19
Whitman, Walt 89, 266
  Coney Island 249
Whitney Museum of American Art
  200f, 349
  Highlights: Museen 37
  Klassische und zeitgenössische
  Musik 351
  Malerei und Plastik 38
  Philip Morris Building 152
  Praktische Hinweise 368
  Stadtteilkarte 183
  Warhol-Retrospektive 33
Whitney Museum's Store 323, 324
Whitney, Gertrude Vanderbilt 200,
  260
  Stuyvesant, Statue 129
  Washington Mews 114
Whitney, Payne 264
Whole Foods 336f
Wienman, Adolph 85
William Poll 336
Williams, Robin 215
Williams, Tennessee 139
Williamsburg Savings Bank 267
Williams-Sonoma 336f
Willoughby's 336f
Wilson, Lanford 260
Wilson, Woodrow 171
Windsor, Herzog und Herzogin von
  169, 177
Winston, Harry 321, 328f
Winter Antiques Show 53, 187
Winter Garden 69, 345
  Detailkarte 142
  Musikveranstaltungen 351
Winter in New York 53
Winter, Ezra 73
Winterthur (Delaware) 393
Wolfe, Thomas 267
Wolkenkratzer 41
Wollman Memorial Rink 362f
  Spaziergang im Central Park 206
Wood, Grant 197
Woodard & Greenstein American
  Antiques & Quilts 334f
Woodlawn Cemetery 233, **241**
Woollcott, Alexander
  Algonquin Hotel 145
  Hotel des Artistes 215
Woolworth Building 29, 43, 58, **91**
  Stadtteilkarte 81

Woolworth, Frank W. 91, 241
Works Projects Administration 31
World Financial Center 40, 54, **69**
  Battery Park City 72
  Stadtteilkarte 65
World Health Organization 163
World Trade Center 33, 43, 72
  Lower Manhattan 54
  Stadtteilkarte 65
World Trade Center Site **72**
World Yacht, Inc. 369
Worth & Worth 328f
Worth (General William J.) Monument
  139
  Stadtteilkarte 131
Wright, Frank Lloyd 49
  Metropolitan Museum of Art 194
  National Academy of Design 186
  Solomon R. Guggenheim Museum
  37, 184, 188f
Wright, Wilbur 29
Wrightsman Rooms 196
Wyatt, Greg 128
Wyeth, Andrew
  American Academy and Institute
  of Arts and Letters 234
  Christina's World 172
Wyeth, N.C. 198
  Metropolitan Life Insurance
  Company 127

Y

Yale Club, The 322, 324
Yale University 393
Yamamoto (Yohji) 326, 327
Yankee Stadium **241**, 360f
YMCA 272f
  Fitness-Center 362f
Yoga 362f
Yonkers Raceway 362f
York & Sawyer 68, 152, 154
Yorkville 45
  Spaziergang 265
Yoshimura, Junzo 159

Z

Zabar's 312, 314, 336f
Zanetti-Wandgemälde, UN, 163
Zehn Tage, die die Welt
  erschütterten (Reed) 113
Zeitungen, Fernsehen und Radio
  371
Zeitzone 376
Zenger, John Peter 21, 46
Zerrinnende Zeit, Die (Dalí) 174
Ziegfeld Follies 29, 147, 344
Ziegfeld, Florenz 49
  The Ansonia 219
  New Amsterdam Theater 147
Zoll und Einreise 370
Zona 104
Zoos
  Bronx Zoo 244f, 365
  Central Park Wildlife Center 209,
  365
  Tisch Children's Zoo 209, 365
Züge 378, 392f
Zypressen (van Gogh) 192

Danksagung und Bildnachweis

DORLING KINDERSLEY bedankt sich bei allen, die zur Herstellung dieses Buches beitrugen.

Hauptautorin

Eleanor Berman lebt seit 40 Jahren in New York und schreibt Reiseartikel und -bücher, u. a. *Away for the Weekend: New York*, seit 1982 ein Bestseller. Außerdem ist sie Autorin von *Away for the Weekend* u. a. über Neuengland und Nordkalifornien sowie von *Travelling on Your Own* und *Reflections of Washington, DC*.

Weitere Autoren

Michelle Menendez, Lucy O'Brien, Heidi Rosenau, Elyse Topalian, Sally Williams.

Ergänzende Fotografien

Rachel Feierman, Andrew Holigan, Edward Hueber, Eliot Kaufman, Karen Kent, Dave King, Norman McGrath, Howard Millard, Ian O'Leary, Susannah Sayler, Paul Solomon, Chuck Spang, Chris Stevens.

Ergänzende Illustrationen

Steve Gyapay, Arshad Khan, Kevin Jones, Dinwiddie MacLaren, Janos Marffy, Chris D. Orr, Nick Shewring, John Woodcock.

Kartografie

Andrew Heritage, James Mills-Hicks, Chez Picthall, John Plumer (DORLING KINDERSLEY). Advanced Illustration (Cheshire), Contour Publishing (Derby), Europmap Ltd (Berkshire). Detailkarten: ERA-Maptec Ltd (Dublin), Überarbeitung der Karten mit Erlaubnis von Shobunsha (Japan).

Kartografische Dokumentation

Roger Bullen, Tony Chambers, Ruth Duxbury, Ailsa Heritage, Jayne Parsons, Laura Porter, Donna Rispoli, Joan Russell, Jill Tinsley, Andrew Thompson.

Layout und Redaktion

PUBLISHER Douglas Amrine
MANAGING ART DIRECTORS Stephen Knowlden, Geoff Manders
SENIOR EDITOR Georgina Matthews
SERIES DESIGN CONSULTANT Peter Luff
EDITORIAL DIRECTOR David Lamb
ART DIRECTOR Anne-Marie Bulat
PRODUCTION CONTROLLER Hilary Stephens
PROJECT EDITOR Fay Franklin
ART EDITOR Tony Foo
REDAKTION Donna Dailey, Ellen Dupont, Esther Labi
DESIGN Steve Bere, Louise Parsons, Mark Stevens
MITARBEIT REDAKTION Fiona Morgan
BILDRECHERCHE Susan Mennell, Sarah Moule
DTP Andy Wilkinson
Keith Addison, Matthew Barrell, Eleanor Berman, Vandana Bhagra, Jon Paul Buchmeyer, Ron Boudreau, Linda Cabasin, Rebecca Carman, Sandy Carr, Michelle Clark, Sherry Collins, Carey Combe, Diana Craig, Maggie Crowley, Guy Dimond, Tom Fraser, Anna Freiberger, Jo Gardner, Alex Gray, Michelle Haimoff, Marcus Hardy, Sara Harper, Sasha Heseltine, Rose Hudson, Pippa Hurst, Kim Inglis, Jaqueline Jackson, Maite Lantaron, Miriam Lloyd, Shahid Mahmood, Susan Millership, Jane Middleton, Helen Partington, Pollyanna Poulter, Leigh Priest, Pamposh Raina, Nicki Rawson, Marisa Renzullo, Aniv Reuveni, Ellen Root, Liz Rowe, Sands Publishing Solutions, Anaïs Scott, Shailesh Sharma, Annelise Sorensen, Anna Streiffert, Clare Sullivan, Andrew Szudek, Alka Thakur, Shawn Thomas, Ros Walford, Lucilla Watson.

Besondere Unterstützung

Beyer Blinder Belle, John Beatty im Cotton Club, Peter Casey bei der New York Public Library, Nicky Clifford, Linda Corcoran im Bronx Zoo, Audrey Manley bei der Morgan Library, Jane Fischer, Deborah Gaines beim New York Convention and Visitors Bureau, Dawn Geigerich vom Queens Museum of Art, Peggy Harrington von St. John the Divine, Pamela Herrick vom Van Cortlandt House, Marguerite Lavin vom Museum of the City of New York, Robert Makla von den Friends of Central Park, Gary Miller bei der New York Stock Exchange, Laura Mogil vom American Museum of Natural History, Fred Olsson von der Shubert Organization, Dominique Palermo vom Police Academy Museum, Royal Canadian Pancake House, Lydia Ruth und Laura I. Fries im Empire State Building, David Schwartz vom American Museum of the Moving Image, Joy Sienkiewicz vom South Street Seaport Museum, Barbara Orlando bei der Metropolitan Transit Authority, das Personal vom Lower East Side Tenement Museum, Msgr. Anthony Dalla Valla in der St. Patrick's Cathedral.

Mithilfe bei der Recherche

Christa Griffin, Bogdan Kaczorowski, Steve McClure, Sabra Moore, Jeff Mulligan, Marc Svensson, Vicky Weiner, Steven Weinstein.

Fotonachweis

Duncan Petersen Publishers Ltd.

Genehmigung für Fotografien

DORLING KINDERSLEY dankt folgenden Institutionen für die freundliche Erlaubnis zu fotografieren: American Craft Museum, American Museum of Natural History, Aunt Len's Doll and Toy Museum, Balducci's, Home Savings of America, Brooklyn Children's Museum, The Cloisters, Columbia University, Eldridge Street Project, Federal Hall, Rockefeller Group, Trump Tower.

Bildnachweis

© Kingdom of Spain, Gaia – Salvador Dalí Foundation, DACS, London 2006: 174ml. © Marisol Escobar/DACS, London/VAGA, New York 2006: 55um. © Jasper Johns/DACS, London/VAGA, New York 2006: 201mo; © The Estate of Roy Lichtenstein/DACS, London 2006: 175ol, 200mlu; © Estate of David Smith/DACS, London/VAGA, New York 2006: 201ul. © 1993 Frank Stella/ARS, New York und DACS, London: 192or. Mit freundlicher Genehmigung von E. Jan Nadelman: 201ur. Mit freundlicher Genehmigung des Norman Rockwell Family Trust © 1961 the Norman Rockwell Family Trust: 163ur. © Rechte von The Andy Warhol Foundation for the Visual Arts, Inc./ARS, New York und DACS, London 2006: 200mlo. © The Whitney Museum of American Art, NY: 37ur, 200ul.

DORLING KINDERSLEY dankt zudem folgenden Museen, Institutionen, Bildbibliotheken und Bildagenturen für die freundliche Genehmigung zur Reproduktion ihrer Fotografien:

Agence France Presse: Doug Kanter 33or; Alamy Images: Ambient Images Inc./Joseph A. Rosen 171m; E.J. Baumeister Jr. 387ol; Comstock Images 295m; Wendy Connett 96mr; Kevin Foy 73 ol; Jeff Greenberg 268mlo; Bob Jones 111u; PCL 295ol; Yadid Levy 366–367; Pictures Colour Library 108; Alex Segre 294mlo; tbkmedia.de 340um; Algonquin Hotel, NY: 280ul; American Airlines: 379ol; American Museum-Hayden Planetarium, NY: D. Finnin 218o; American Museum of the Moving Image: Carson Collection © Bruce Polin 247o; American Museum of Natural History, NY: 39ul, 216mo; D. Finnin 216ul; Angel Orensanz Center: Laszlo Regas 101ml; Aquarius, UK: 171or; Ashmolean Museum, Oxford: 17om; The Asia Society, NY: 187ml; Avery Fisher Hall: © N. McGrath 1976 351or.

© The George Balanchine Trust: *Apollo*, Choreografie von George Balanchine, Foto von P. Kolnik 5om; *Strawinsky Violinkonzert*, Choreografie von George Balanchine, Foto von P. Kolnik 340om; George Balanchines *Der Nussknacker*, SM, Foto von P. Kolnik 343mu; The Bettmann Archive, NY: 18uml, 19mro, 19mr, 19ul, 20ml, 22mru, 22ul, 22–23, 25ur, 27mro, 28mlo, 28mro, 28mru, 32mlo, 33ol, 43ol, 45mlu, 49m, 54–55u, 71ol, 74mlo, 79mur, 79ur, 111ul, 177mlo, 185ur, 209o, 212ml, 225mr, 231o, 241or, 267or; Bettmann Newsphotos/Reuters: 33or; Bettmann/UPI: 29mro, 29um, 30mur, 31ur, 32mro, 32ul, 32ur, 46ml, 48ml, 49ul, 72m, 72mo, 78ml, 153m, 163m, 266ur, 267ur; Blooming-dale's: 29mur; © Roy Export Company Establish-ment 173or; The British Library, London: 16; Brooklyn Historical Society: (Detail) 89ol; The Brooklyn Museum: 38ul, 39m, 250m, 250mro, 250ul, 251o, 251mro, 251m, 251ul, 251u, 252o, 252ur, 253mr, 253ul; Lewis Wick Hine, *Climbing Into The Promised Land*, 1908 – 36mlu; J. Kerr 250m, 252ul; P. Warchol: 251mr; The Cantor Collection 253ml; Adam Husted 250o; Brown Brothers: 67ur, 71ul, 82mro, 90o, 106ur.

Camera Press: 30mur, 30ul, 33mu, 127mr; R. Open 48or; T. Spencer 32mu; The Carlyle Hotel, NY: 281or, 340um; Carnegie Hall: © H. Grossman 343ur; J. Allan Cash: 33ul, 378mr; Cathedral of St. John the Divine: Greg

Wyatt 1985, 227ol; CBS Entertainment/Desilu Too: »Vacation from Marriage« 171ur; Chelsea Piers: Fred George 33ul; Children's Museum of the Arts: 107ml; Colorific!: A. Clifton 389ml; Colorific/Black Star: 79mro; T. Cowell 223mr; R. Fraser 74o; H. Matsumoto 384mr, 387or; D. Moore 31ul; T. Spiegel 15mr, 364or; Corbis: Bettmann 137ml, 273mo, 383m; Jacques M. Chenet 272ol; Randy Duchaine 99ml; Kevin Fleming 271ol; Bob Krist 10mro; Todd Gipstein 75o; Gail Mooney 207u, 269or, 271ur; Bill Ross 12o; Michael Setboun 268or; Steven E. Sutton 51u; Michael Yamashita 273mu; Mike Zens 262–263. Culver Pictures, Inc.: 9, 19mru, 20mul, 21ul, 23ol, 23ur, 26ol, 26ml, 29mu, 29ul, 48ur, 49or, 74ul, 75mro, 75mu, 76ol, 78mru, 83m, 121ul, 124om, 127ul, 137mr, 147m, 149ml, 229o, 229um, 229mr, 261mro.

Daily Eagle: (Detail) 89ml; Daily News: 370ol, 370or.

Essex House, NY: 276mr; Esto: P. Aaron 342ul; Mary Evans Picture Library: 24ur, 87ur, 106ul.

Chris Fairclough Colour Library: 385uml; The Forbes Magazine Collection, NY: 114ol; Four Seasons Hotel: Peter Vitale 281mr; Fraunces Tavern Museum, NY: Von der Ausstellung »Come All You Gallant Heroes«, The World of the Revolutionary Soldier, 4. Dez. 1991 bis 14. Aug. 1992: 22mlo; © The Frick Collection, NY: 37ul (*Die Verzückung des hl. Franziskus* von Giovanni Bellini), 202mo, 202ml, 202mlu, 202u, 202or, 203mo, 203mr, 203um, 203ur.

Garrard The Crown Jewellers: 145m; The Solomon R. Guggenheim Museum, NY: Foto von D. Heald 188ol, 188ul, 188um, 188ur, 189o, 189mro, 189mru, 189ul.

Robert Harding Picture Library: 378om; Harpers New Monthly Magazine: 87ol; Harpers Weekly: 367m; Milton Hebald: *Prospero und Miranda* 205o, *Romeo und Julia* 343mr; The Hotel Millennium, NY: 277ol.

The Image Bank: Vordere Umschlaginnenseite ul, 89ur; P. McConville 393m; M. Melford 393ur; P. Miller 383or; A. Satterwhite 75ur.

The Jewish Museum, NY: 184or, 186m.

© 1993 K-III Magazine Corporation: Alle Rechte vorbehalten. Mit freundlicher Genehmigung des *New York Magazine* 368or; The Kobal Collection: 213om.

Lebrecht Music: Toby Wales 149o; Frank Leslie's Illustrated Newspaper: 86ur, 87or, 275m; Library of Congress: 20um, 23mlo, 27ul, 27ur; Life Magazine © Time Warner Inc./Katz/A. Feininger: 8–9; Georg John Lober: *Hans Christian Andersen*, 1956, 206ur; The Lowell Hotel, NY: 281ml; Mary Ann Lynch: 318um, 372ml.

Madison Square Garden: 134r, 342mr; Magnum Photos: © H. Cartier-Bresson 17m; Erwitt 35mr; G. Peres 14ur, 92; Jacques Marchais Center of Tibetan Art: 254um; Masterfile UK: Gail Mooney 33ur; Metro-North Commuter Railroad: F. English 156or, 156mlo; The Metropolitan Museum of Art, NY: 35ul (*Junge Frau mit Wasserkrug* von Jan Vermeer), 37mru (*Nilpferd*, Fayence, Ägypten,

DORLING KINDERSLEY VIS-À-VIS

DIE 100 BÄNDE DER VIS-À-VIS-REIHE

ÄGYPTEN • ALASKA • AMSTERDAM
APULIEN • AUSTRALIEN • BALI & LOMBOK
BARCELONA & KATALONIEN • BEIJING & SHANGHAI
BERLIN • BRASILIEN • BRETAGNE • BRÜSSEL
BUDAPEST • CHICAGO • CHINA • COSTA RICA
DÄNEMARK • DANZIG & OSTPOMMERN
DELHI, AGRA & JAIPUR • DEUTSCHLAND
DUBLIN • EMILIA-ROMAGNA • FLORENZ & TOSKANA
FLORIDA • FRANKREICH • GENUA & LIGURIEN
GRIECHENLAND • GRIECHISCHE INSELN
GROSSBRITANNIEN • HAMBURG • HAWAI'I
INDIEN • IRLAND • ISTANBUL • ITALIEN
JAPAN • JERUSALEM • KALIFORNIEN
KANADA • KANARISCHE INSELN • KORSIKA • KRAKAU • KROATIEN
KUBA • LAS VEGAS • LISSABON • LONDON • MADRID • MAILAND
MALAYSIA & SINGAPUR • MALLORCA, MENORCA & IBIZA
MAROKKO • MEXIKO • MOSKAU • MÜNCHEN & SÜDBAYERN
NEAPEL • NEUENGLAND • NEUSEELAND • NEW ORLEANS
NEW YORK • NIEDERLANDE • NORDSPANIEN • NORWEGEN
ÖSTERREICH • PARIS • POLEN • PORTUGAL • PRAG
PROVENCE & CÔTE D'AZUR • ROM • SAN FRANCISCO
ST. PETERSBURG • SARDINIEN • SCHOTTLAND • SCHWEDEN
SCHWEIZ • SEVILLA & ANDALUSIEN • SIZILIEN • SPANIEN
STOCKHOLM • SÜDAFRIKA • SÜDTIROL & TRENTINO • SÜDWESTFRANKREICH
THAILAND • TOKYO • TSCHECHIEN & SLOWAKEI • TUNESIEN
TURIN • TÜRKEI • UMBRIEN • UNGARN • USA
USA NORDWESTEN & VANCOUVER
USA SÜDWESTEN & LAS VEGAS
VENEDIG & VENETO • VIETNAM & ANGKOR
WARSCHAU • WASHINGTON, DC
WIEN • ZYPERN

Erhältlich in
jeder Buchhandlung

DORLING KINDERSLEY
www.dk.com

VIS À VIS

Manhattan Subway

Benutzerhinweise

Die U-Bahn verkehrt 24 Stunden am Tag. Auf der Karte markieren **fett** gedruckte Buchstaben oder Ziffern die Stationen, die rund um die Uhr in Betrieb sind. Dünn gedruckte Buchstaben oder Ziffern weisen darauf hin, dass die Züge nicht immer fahren bzw. an dieser Station nicht immer halten. Weitere Informationen unter (718) 330-1234 oder: www.mta.info

Im Reiseführer wird bei Sehenswürdigkeiten immer die nächstgelegene Subway-Station genannt. Weitere Infos zur Subway siehe *S. 390f*.

Für Rollstuhlfahrer geeignete Stationen

Aktuelle Informationen über barrierefreien Zugang unter (718) 596-8585 (tägl. 6–21 Uhr). Infos über die Zugänglichkeit von Aufzügen und Rolltreppen unter (800) 734-6772 (24 Std.).

Routes Station

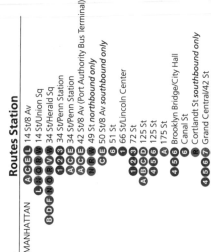

Routes	Station
MANHATTAN	
A C E L	14 St/8 Av
L N Q R W	14 St/Union Sq
B D F M N Q R W	34 St/Herald Sq
1 2 3	34 St/Penn Station
A C E	34 St/Penn Station
A C E	42 St/8 Av (Port Authority Bus Terminal)
N R W	49 St *northbound only*
C E	50 St/8 Av *southbound only*
6	51 St
1	66 St/Lincoln Center
1 2 3	72 St
A B C D	125 St
4 5 6	125 St
A	175 St
4 5 6	Brooklyn Bridge/City Hall
6	Canal St
R W	Cortlandt St *southbound only*
4 5 6 7	Grand Central/42 St

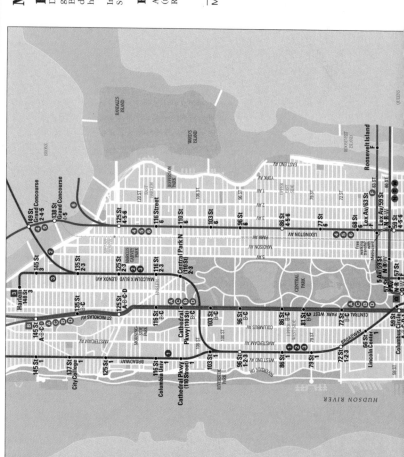